ATLAS ZUR KIRCHENGESCHICHTE

ATLAS ZUR KIRCHENGESCHICHTE

DIE CHRISTLICHEN KIRCHEN IN GESCHICHTE UND GEGENWART

257 mehrfarbige Karten und
schematische Darstellungen
Kommentare
Ausführliches Register

Herausgegeben von
HUBERT JEDIN
KENNETH SCOTT LATOURETTE
JOCHEN MARTIN

Unter Mitwirkung zahlreicher Fachgelehrter

bearbeitet von
JOCHEN MARTIN

FREIBURG · BASEL · WIEN

Bearbeitet und herausgegeben von
JOCHEN MARTIN

Kartographische Bearbeitung der Erstausgabe
HANS E. F. QUAST

Kartenzeichnung
Georg Schiffner, Kartographie, Lahr
A. Pensky, Kartographische Anstalt, Karlsruhe
Kartographisches Büro Karl-F. Harig, Ober-Ramstadt

SONDERAUSGABE

www.herder.de

Herstellung
fgb · freiburger graphische betriebe
www.fgb.de
ISBN 3-451-28407-3

VORWORT ZUR NEUAUSGABE VON 1987

Die Erstausgabe des „Atlas zur Kirchengeschichte" ist von den Benutzern sehr freundlich aufgenommen worden und hat auch von seiten der Kritik fast nur Zustimmung erfahren. Das gibt dem Herausgeber und dem Verlag den Mut, eine aktualisierte Neuausgabe vorzulegen.

Der „Atlas zur Kirchengeschichte" stellt die christlichen Kirchen sowohl in der Vergangenheit als auch in der Gegenwart dar. Beide Teile haben Veränderungen erfahren.

Im historischen Teil wurden in dieser aktualisierten Neuausgabe alle bekannt gewordenen Fehler korrigiert (z. B. die Schreibweise und Lokalisierung von Orten). Darüber hinaus wurden auch neue Lokalisierungen berücksichtigt, wie sie z. B. in der Tabula Imperii Byzantini oder im Tübinger Atlas des Vorderen Orients vorgenommen worden sind (z. B. Karten 20–21). Ohne den Anspruch auf Vollständigkeit zu erheben, wurden in verschiedenen Kommentaren wichtige Neuerscheinungen ergänzt. Sie sind jeweils als „Nachtrag" kenntlich gemacht und werden vom Bearbeiter verantwortet.

Die größte Veränderung gegenüber der Erstausgabe erfuhr der Gegenwartsteil. Alle Karten zur Gegenwartssituation der Kirchen wurden völlig neu bearbeitet und auf den neuesten Stand gebracht. Das gilt teilweise auch für die Schemata zur Organisation verschiedener Kirchen und des Ökumenischen Rates der Kirchen (Kartenteil S. 118–119; 136–137; 152) sowie zu den interkirchlichen Unionen (Kartenteil S. 149). Auch die zugehörigen Kommentare und die darin enthaltenen zusätzlichen Informationen wurden überprüft und überarbeitet.

Jeder wird verstehen, daß es auch im Rahmen einer aktualisierten Ausgabe nicht möglich war, alle Wünsche zu berücksichtigen, die in den Besprechungen der Erstausgabe geäußert worden sind. Anregungen, die die Konzeption von Karten betreffen, wie z. B. die Darstellung Nordeuropas oder jener Bewegungen in der Reformation, die sich nicht unter die Überschrift „obrigkeitliche Einführung" fassen lassen, müssen einer eventuellen späteren Neubearbeitung vorbehalten bleiben.

Insgesamt handelt es sich bei der aktualisierten Neuausgabe im Hinblick auf den historischen Teil um eine korrigierte und ergänzte Fassung der Erstausgabe des Atlas, im Hinblick auf den Gegenwartsteil um eine völlige Überarbeitung.

Jochen Martin

VORWORT ZUR ERSTAUSGABE

Auch wer nicht undankbar vergißt, welche Hilfe ihm der „Atlas zur Kirchengeschichte" von K. Heussi – H. Mulert (Tübingen [3]1937), der „Atlas du Monde chrétien" von A. Freitag – J.-M. Lory (Brüssel 1959) und spezielle kirchenhistorische Kartenwerke geleistet haben und noch leisten, der weiß darum, daß ein universaler Atlas zur Kirchengeschichte, der den heutigen Forschungsstand verarbeitet, ein dringendes Desiderat ist, sowohl für die historischen Wissenschaften wie für die verschiedenen Formen der Katechese.
Vor langer Zeit hat es deshalb eine französisch-deutsche Historikerkommission unternommen, einen solchen Atlas vorzubereiten. Im Rahmen dieses Planes ist der „Kirchenhistorische Atlas von Österreich" von Ernst Bernleithner (Wien 1966) erschienen.
Der hier vorgelegte Atlas sollte ursprünglich nach dem von mir gemeinsam mit Prof. O. Köhler aufgestellten Plan nur ein überbrückendes Hilfsmittel werden. Die Initiative des Redactors und Mitherausgebers Jochen Martin (Universität Konstanz) und der Mut des Verlages Herder (Freiburg – Basel – Wien) zu einer subventionslosen kostspieligen Investition führten aber bald erheblich über diesen Plan hinaus – wie weit, mag der Benutzer dieses Atlas selbst ermessen. Herausgeber und Verlag hoffen, daß er sich beim wissenschaftlichen wie beim praktischen Gebrauch bewähren wird.
Es war ein Glück für dieses Unternehmen, daß der Missionshistoriker Kenneth Scott Latourette (Yale University) noch maßgeblich bei der Planung mitwirken konnte. Wir gedenken des bedeutenden Gelehrten nach Abschluß dieser Arbeit in Dankbarkeit. Er hat durch Anregungen zu dem von Jochen Martin entwickelten Kartenplan wesentlich dazu beigetragen, den ökumenischen Horizont dieses Atlas zu sichern.
Der Kundige weiß, was es mit einem historischen Atlas, zumal wenn er ins Detail gehen will, auf sich hat. Kann man in der literarisch-historischen Darstellung manches noch in der Schwebe eines Ausdruckes lassen – der Atlas muß sich eindeutig stellen und den Sachverhalt größerer Zeiträume für das jeweilige Schnittdatum der einzelnen Karten bestimmen. Diese allgemeinen Probleme häufen sich angesichts der Lage in der kirchenhistorischen Kartographie. So war es eine Grundbedingung, daß für die Karten Spezialgelehrte, bisweilen für eine einzige Karte mehrere, herangezogen werden mußten. Ihnen allen sei auch an dieser Stelle gedankt.
Die Kommentare zu den Karten stellen den geschichtlichen Zusammenhang her und weisen die Quellen und die Literatur zur kartographischen Darstellung nach.
Der Atlas führt bis in die Gegenwart, insbesondere auch in den Schemata, mit denen Verfassung und Verwaltung der Kirchen vorgeführt werden.
Bei der Wahl der kartographischen Mittel kam es darauf an, Übersichtlichkeit und Lesbarkeit mit ästhetischen Gesichtspunkten zu verbinden. Was hier vorgelegt wird, ist die verdienstvolle Leistung von Hans Quast und seinen Mitarbeitern.
Allen, die diesen Atlas in den vielen Phasen vom ersten Entwurf bis zum Druck zustande gebracht haben, insbesondere aber Dr. Jochen Martin, ohne dessen konzentrierte und präzise, von großer wissenschaftlicher Verantwortung getragene Arbeit er nicht vorstellbar ist, gebührt ein Wort herzlichen Dankes.

Hubert Jedin

INHALTSVERZEICHNIS

Vorwort zur aktualisierten Neuausgabe 5*
Vorwort zur Erstausgabe 6*
Hinweise zur Benutzung 9*
Verzeichnis der Mitarbeiter 11*
Quellennachweise 12*
Verzeichnis der Abkürzungen in den Karten und Kommentaren 12*
Kommentare 13*–83*
Register (im Anschluß an den Kartenteil) I–XXXVIII

Verzeichnis der Karten und schematischen Darstellungen

1 Palästina zur Zeit Jesu
2 Die christlichen Gemeinden des 1. und 2. Jahrhunderts
3 Frühchristliche Gemeindeordnungen
Die Gemeinde nach Paulus — Die Ordnung der Gemeinde nach Ignatius von Antiochien — Die Ordnung der Gemeinde nach Hippolyt von Rom
4/5 Die christlichen Gemeinden bis 325
6 Theologische und kirchenpolitische Auseinandersetzungen des 4. Jahrhunderts — Die von Meletius v. Lycopolis eingesetzten Bischöfe
7 Donatistische und katholische Bischofssitze in Nordafrika im Jahre 411
8 Kirchliche Organisation und antiorthodoxe Bewegung in der Kirche bis zur Mitte des 5. Jahrhunderts
9 Die armenische Kirche bis 607 — Die Verbreitung des Monophysitismus im Orient um 512 bis 518
10 Die persische Kirche im Jahre 497 — Das Patriarchat von Alexandria (Die koptische Kirche)
11 Das ägyptische Mönchtum vom 4. bis zum 9. Jahrhundert — Klöster im Gebiet von Theben
12 Nordsyrische Klöster bis zum Ausgang der Antike — Die von Theodoretus von Cyrrhus (444) genannten Klöster
13 Die Konzilien und Synoden der alten Kirche
14 Das westliche Mönchtum der Antike
Martin von Tours — Lérins — S. Maurice im Wallis
15 Das Christentum in antiken Städten
Iustiniana Prima — Telanissus — Hippo
16 Das christliche Rom der Antike
17 Das Christentum in antiken Städten
Ravenna — Gerasa — Salona — Mailand
18 Die Wallfahrtsorte der Antike und des Mittelalters
19 Das Christentum auf den Britischen Inseln bis zum 9. Jahrhundert
20/21 Die östliche Kirche bis um 600
22/23 Die westliche Kirche bis um 600
24 Die afrikanische Kirche bis um 600
25 Die iroschottische, angelsächsische und fränkische Mission
Irische und irisch beeinflußte Klöster 590 bis ca. 730 — Das missionarische Werk Willibrords, Winfrid-Bonifatius' und Pirmins — Die Missionsgebiete der Liudgeriden und die Errichtung der sächsischen Missionsbistümer
26 Nestorianer und Jakobiten in Vorderasien vom 9. bis zum 12. Jahrhundert
27 Das orientalische Christentum in Asien bis zum 14. Jahrhundert
28 Reliquientranslationen zwischen 600 und 1200
29 Die nubische Kirche im Mittelalter — Die frühe Slawenmission
30 Die byzantinische Kirche um 1025
31 Die byzantinische Kirche um 1025–1050
32 Die westliche Kirche um 1000
33 Der Kirchenstaat
Die Anfänge des Kirchenstaates — Der Kirchenstaat nach den Rekuperationen Innozenz' III. — Der Kirchenstaat im 16. Jahrhundert — Der Kirchenstaat im 19. Jahrhundert
34 Der Gebetsbund von Attigny (760–762) — Reichenauer Gebetsverbrüderung mit geistlichen Gemeinschaften
35 Schenkungen und Privilegien Karls des Großen (768–814) — Der karolingische Klosterplan in der Stiftsbibliothek St. Gallen
36 Die Verfassung der byzantinischen Kirche im 10. Jahrhundert
37 Das Mönchtum im Frankenreich, in Bayern und in Oberitalien bis 768 (788)
38 Das jakobitische Mönchtum des Mittelalters
39 Klöster im byzantinischen Reich
40 Rom bis um 1000
41 Das Christentum in mittelalterlichen Städten
Köln — Das byzantinische Konstantinopel
42 Das Christentum in mittelalterlichen Städten
Athen — Jerusalem
43 Der Islam bis zum Beginn der Kreuzzüge
44 Die mittelalterliche Kirche in Böhmen und Ungarn — Die Kirche im Kiewer Rußland
45 Basilianerklöster in Unteritalien und Sizilien — Die Athosklöster
46 Die Kirchenprovinz Salzburg im Mittelalter
47 Die Klosterreform von Cluny
48 Die Jungcluniazenser in Deutschland — Die Klosterreform von S. Bénigne (Dijon)
49 Camaldoli und seine Klöster — Vallombrosa und seine Klöster
50 Die Regulierten Chorherren bis 1250
51 Die Ausbreitung der Kartäuser bis 1500
52/53 Die Klostergründungen der Zisterzienser
54 Die Ausbreitung der Prämonstratenser bis 1300
55 Das serbische Patriarchat Peć — Die armenische Kirche zur Zeit des Konzils von Rom-Gla (1179)
56 Der Sackbrüderorden — Die Waldenser (1177–1277)
57 Häretische Bewegungen im Hochmittelalter
Bogumilen, Paulikianer und westliche Häresien ca. 970 bis 1100 — Die katharischen Bistümer und die Verbreitung des „Schismas" vom Osten nach Westen — Das Kernland der Katharer in Südfrankreich — Die Katharer in Nord- und Mittelitalien im 13. Jahrhundert
58 Die Ausbreitung der Franziskaner bis 1300
59 Die Ausbreitung der Dominikaner bis 1500
60 Die Wege der Kreuzfahrer und die lateinischen Staaten — Die Reconquista und die Wiedererrichtung der iberischen Kirchenorganisation
61 Die lateinische Kirche des Ostens 1100–1400
62 Das Erzstift Riga und das Ordensland bis 1466
63 Das römisch-katholische Christentum im Machtbereich der Mongolen (13.–14. Jahrhundert)
64 Die Universitäten bis 1500
65 Die Geißlerbewegung 1348–1349
66 Die Obedienzen des Abendländischen Schismas
67 Die Reformen von Bursfelde, Kastl und Melk

68 Die Klöster des Kapitels von Windesheim — Die Brüder vom gemeinsamen Leben
69 Die hussitischen Städtebünde 1421 und 1427 — Die Lollarden
70 Observanten-Kongregationen der Augustiner und Dominikaner am Beginn des 16. Jahrhunderts
71 Die römisch-katholische Kirche um 1500
72 Der Islam (das Osmanische Reich) vom 13. bis zum 17. Jahrhundert
73 Die obrigkeitliche Einführung der Reformation in Deutschland bis 1570
74/75 Protestantische Kirchenverfassungen (Ordnungen)
Lutherische Kirchenverfassung Kursachsens 1580 — Reformierte Kirchenverfassung Frankreichs 1559 — Reformierte Kirchenverfassung der Kurpfalz um 1600
76/77 Protestantische Bekenntnisse und Bekenntnisschriften in Mitteleuropa um 1600
77 Wichtigste Sicherheitsplätze der Hugenotten in Frankreich um 1600
78 Die Gründungen der Jesuiten in Europa bis 1615
79 Die Ausbreitung der Kapuziner in Europa im 16.–18. Jahrhundert
80 Die kirchliche Neugliederung der Niederlande 1559–1570 — Protestantische und katholische Universitätsgründungen vom Beginn der Reformation bis in die zweite Hälfte des 17. Jahrhunderts
81 Russisches Mönchtum 1400–1700
82 Die geistlichen Staaten im Zeitalter der Reformation
83 Die geistlichen Staaten vom 17. Jahrhundert bis zum Ende des Alten Reiches
84 Die Missionen der Jesuiten in Baja California, Sonora, Chihuahua und Sierra Madre bis um 1720 — Die Niederlassungen der Mendikantenorden bis 1577
85 Die Entwicklung der Kirchenorganisation und Mission in Südamerika bis um 1750
86 Missionen in Venezuela und Kolumbien bis 1817
87 Die Indianermissionen im Gebiet der heutigen USA (1567 bis 1861)
88 Die kirchliche Situation im Osten Nordamerikas 1650 — Die kirchliche Situation im Osten Nordamerikas 1750
89 Die Verbreitung des Christentums in Japan 1550 bis 1650 — Die Mission und kirchliche Einteilung in Indien und China bis um 1700
90 Die katholische Kirche auf den Philippinen bis 1655
91 Das Restitutionsedikt von 1629
92 Katholiken in Norddeutschland nach 1648 — Protestanten in Süddeutschland nach 1648
93 Die konfessionelle Gliederung Europas um 1680
94 Die Mauriner
95 Das Wachstum der evangelischen Kirche in Österreich von 1800–1970
96 Die Zurückdrängung des Osmanischen Reiches und die Hierarchie in Südosteuropa — Die Neuordnung der österreichischen Bistümer 1782–1859
97 Die Umorganisation der katholischen Kirche in Frankreich 1789–1802/22 — Die Umorganisation der katholischen Kirche in Deutschland 1802–1821/24
98/99 Der Stand der katholischen Missionen in Afrika, Asien und Ozeanien vor dem 1. Weltkrieg
100–102 Die kirchliche Situation in den USA 1850
Methodisten — Lutheraner — Baptisten — Kongregationalisten — Niederländische Reformierte — Quäker — Deutsche Reformierte — Episkopalkirche — Presbyterianer — Römisch-Katholische Kirche — Genealogie der größeren Christlichen Kirchen in den USA
103–105 Die protestantischen Missionen bis zum Anfang des 20. Jahrhunderts
106/107 Die Entwicklung der Kirchenorganisation in Afrika, Asien und Ozeanien bis 1913
108 Die Kurie vom 12. bis zum 16. Jahrhundert
109 Die Ordnung der Kurie nach der Apostolischen Konstitution Regimini Ecclesiae Universae vom 15. 8. 1967
110 Die russische Kirchenverwaltung bis 1945
Der Aufbau zur Zeit der Patriarchen (1589–1700) — Der Aufbau der Kirchenverwaltung im 18. Jahrhundert — Der Aufbau der Kirchenverwaltung zwischen 1824 bzw. 1836 und 1917 — Die Verwaltungsstruktur der Russisch-Orthodoxen Kirche 1917–1945
111 Die Alt-Katholischen Kirchen — Die Anglikanische Gemeinschaft im Bereich der Britischen Inseln
112/113 Die Anglikanische Gemeinschaft
114 Aufbau und Arbeitsweise der Anglikanischen Kirche
115 Die Evangelische Kirche in Hessen und Nassau als Beispiel einer synodal geleiteten Kirche
116/117 Die reformierten (presbyterianischen) Kirchen
118/119 Muster lutherischer Kirchenverfassung
Hannover (Verfassung von 1965) — Oldenburg (Verfassung von 1950) — Württemberg
120 Die Mitgliedskirchen des Internationalen Rates der Kongregationalisten (bis 1970)
121 Die evangelischen Kirchen in der Bundesrepublik Deutschland und in der Deutschen Demokratischen Republik
122/123 Die lutherischen Kirchen
124 Die Gliederung der Baptist Union von Großbritannien und Irland — Die Gliederung einer lokalen englischen Baptistenkirche
125 Verfassungen nicht-chalkedonischer Kirchen
Der Aufbau der Koptischen Kirche — Der Aufbau der Armenischen Kirche
126/127 Die methodistischen Kirchen
128/129 Die baptistischen Kirchen
130 Die nicht-chalkedonischen orientalischen Kirchen
131 Die Auslandsjurisdiktionen der orthodoxen und nicht-chalkedonischen Ostkirchen
132 Die Thomaschristen von Malabar — Die Entstehung der katholischen Ostkirchen und die wichtigsten Unionsversuche
133 Verfassungen orthodoxer Kirchen
Die Verwaltungsstruktur der Russisch-Orthodoxen Kirche in der USSR seit dem 31. 1. 1945 — Die Verfassung der Kirche von Griechenland (1969)
134/135 Die orthodoxen Kirchen
136/137 Organisationsschema einer katholischen Diözese
Leitungsstruktur auf der Ebene der Diözese: Der Bischof, seine Mitarbeiter und Beratungsgremien — Synodalstruktur in der Diözese: Die Amtsträger und die Gremien der Mitverantwortung
138/139 Die mit Rom verbundenen Ostkirchen
140–147 Die Römisch-Katholische Kirche
148 Kirchenspaltungen und Einigungsbewegungen
Die Entstehung der größeren, gegenwärtig bestehenden Kirchen — Spaltungen und Einigungsbewegungen innerhalb einer Kirche im 19. und 20. Jahrhundert: Die Methodisten
149 Interkirchliche Unionen seit 1925
Die bis 1981 geschlossenen Unionen und die daran beteiligten Kirchen — Unionsverhandlungen 1967–1985 — Anteile der Kontinente an den Unionen
150/151 Die Mitgliedskirchen des Ökumenischen Rates der Kirchen
152 Die Genese, Gliederung und die Aktivitäten des Ökumenischen Rates der Kirchen

HINWEISE ZUR BENUTZUNG

Der vorliegende Atlas wurde von vornherein als ökumenischer Atlas geplant, als Atlas ferner, in dem die gängige Europazentrik historischer Atlanten vermieden werden sollte. Beide Zielvorstellungen konnten nur durch die Aufnahme einer großen Zahl ganz neuer Kartenthemen verwirklicht werden. Daß diese Schritte in völliges Neuland nicht überall gleich erfolgreich waren, weiß ich nur zu gut. Aber auch wenn solche Karten noch nicht allen wissenschaftlichen Anforderungen genügen, können sie doch viele Probleme anschaulich machen und vielleicht auch die weitere Forschung anregen; denn nichts offenbart Lücken in der Forschung deutlicher als der Zwang, Tausende von Einzelinformationen schwarz auf weiß festzuhalten.

Für den Plan des Atlas stellten sich, die oben genannten Zielvorstellungen vorausgesetzt, zwei Hauptfragen: welche **Themen** *müssen* in einem kirchengeschichtlichen Werk unbedingt dargestellt werden? und: welche Themen *können* aufgrund des heutigen Forschungsstandes dargestellt werden? Für die Antwort auf die erste Frage ergaben sich aus der Anlage des Atlas von vornherein einige Einschränkungen: da es sich nicht um einen Atlas auf Landesebene, sondern um einen allgemeinen historischen Atlas handelt, konnten verschiedene Themen, wenn überhaupt, nur exemplarisch behandelt werden (z. B. Patrozinien, einzelne Kirchenprovinzen); auch bei allgemeinen Themen mußten wir uns häufig auf exemplarische Auswahl beschränken (z. B. bei den Ordenskarten und den Reformkongregationen); ferner mußten wir darauf achten, bei der Darstellung gleicher Themenkreise möglichst verschiedene Gesichtspunkte zur Geltung zu bringen (so wechseln bei den Karten zur frühneuzeitlichen Mission Karten der Ordensniederlassungen in den entsprechenden Gebieten mit solchen zu den Missionsstationen der Orden und anderen zur frühen Pfarrorganisation ab). Trotz dieser fast selbstverständlichen Einschränkungen blieb natürlich auch ein Spielraum subjektiver Auswahl. Über diesen hinaus ergeben sich Fragen aus dem Stand der Forschung. So sind etwa in der Missionsliteratur die weiblichen Orden und Ordenszweige noch nicht genügend berücksichtigt. Auch die Themen könnten hier und da leicht modifiziert werden (so scheint mir z. B. das Schnittjahr 1000 für die westliche Kirche zwar der mitteleuropäischen, nicht aber der spanischen, süditalienischen und ungarischen Kirchengeschichte zu entsprechen). Insgesamt hoffe ich aber, daß sich die Berechtigung der gewählten Themen am Nutzen des Atlas für die konkrete historische Arbeit erweist.

Zu den Themen, die sich heute noch nicht angemessen kartographisch darstellen lassen, gehört z. B. das frühe Mönchtum Palästinas, das in der Geschichte des Mönchtums einen wichtigen Platz einnimmt. Hierher gehören aber auch Karten und Kartogramme mit religionssoziologischen Themen, die ursprünglich für diesen Atlas geplant waren, sich aber dann als undurchführbar erwiesen. Einen gewissen Ersatz dafür bieten die — ja auch erstmals in dieser Form vorgelegten — Schemata mit den Verfassungen verschiedener Kirchen.

Die **Anordnung** der Karten im Atlas folgt in lockerer Form dem chronologischen Ablauf. Technische Gründe, vor allem der Wechsel von vier- und zweifarbigen Formen, zwangen hin und wieder dazu, die strikte zeitliche Abfolge der Karten zu durchbrechen.

Die **Gestaltung** der Karten folgt aus sachlichen Gründen keinem einheitlichen System. Anders als in einem Atlas zur politischen Geschichte, in dem etwa ein bestimmtes Land immer die gleiche Farbe erhalten kann, mußten hier die Farben jeweils für verschiedene Sachaussagen verwendet werden. Ebenso erwies sich ein einheitliches Zeichensystem nicht als sinnvoll: hätten wir etwa als einheitliches Bistumszeichen das übliche ♁ festgelegt, so wäre in manchen Karten (z. B. 20 und 21) der Raum viel zu knapp geworden. Wir mußten also je nach der Menge und der Unterschiedlichkeit der anfallenden Zeichen variieren und haben deshalb den einzelnen Karten, soweit nötig, ausführliche Legenden beigegeben.

Vielleicht wird manchen Leser verwundern, daß wir bestimmte, heute üblich gewordene Formen kartographischer Darstellung in diesem Atlas nicht oder kaum verwenden. Da etwa durchsichtige Deckblätter die Lesbarkeit des Hauptblattes wesentlich erschwerten, scheint uns, daß die Lösung, die wir z. B. bei den Plänen antiker oder mittelalterlicher Städte angewandt haben — nämlich Unterlegung der modernen Stadtbilder in einem hellen Farbton —, klarer ist als jedes Deckblattverfahren.

Ferner haben wir fast ganz auf Pfeile und Ähnliches zur Darstellung von Vorgängen verzichtet, weil damit meistens nur unklare und globale Vorstellungen vermittelt werden. Die Dynamik in den Karten dieses Atlas wird dargestellt durch Reihen von Karten, die das gleiche Thema zu verschiedenen Schnittdaten behandeln (so die allgemeinen Karten zur Kirchenorganisation) oder durch Zeichensysteme, die den chronologischen Ablauf verdeutlichen.

Die **Kommentare** sind dazu gedacht, die Darstellung der Karten zu begründen und die Kartenthemen zu erläutern; in einzelnen Fällen geben sie auch wichtige Ergänzungen, die sich auf der Karte selbst nicht unterbringen ließen. Daß sie im einzelnen recht unterschiedlich geraten sind, hat wiederum oft sachliche Gründe: wenn eine Karte auf einer oder wenigen Quellen basiert, kann der Kommentar ausführlich auf interpretatorische Fragen eingehen; wenn aber, wie es meistens der Fall ist, die Quellen weit gestreut sind, läßt sich die Kartendarstellung nicht mehr im Rahmen eines kurzen Kommentars im einzelnen quellenmäßig begründen. Hier werden dann von selbst Sachausführungen zum Kartenthema größeren Raum einnehmen. Die größere Länge einiger Kommentare erklärt sich daraus, daß Themen wie das Abendländische Schisma (Karte 66) oder die häretischen Bewegungen des Hochmittelalters (Karte 57) in der kartographischen Darstellung zuleicht Mißverständnissen ausgesetzt sind, wenn sie nicht im einzelnen erläutert werden.

Auf jeden Fall sollten die Kommentare immer zum Kartenlesen hinzugezogen werden, denn sie enthalten häufig Ergänzungen der jeweiligen Kartenlegende und sind deshalb zum Verständnis unentbehrlich. Dort finden sich auch einige Korrekturzusätze.

Die **Namensformen** und **-schreibweisen,** sowohl für die Geschichte wie für die Gegenwart, sind bekanntlich ein Problem auch in der Literatur. Die Forderung der Konsequenz ist leichter gestellt als befolgt, zumal bei einer großen Zahl von Mitarbeitern. Wir sind uns solcher Mängel durchaus bewußt. Immerhin hat manches, das auf den ersten Blick als Ungereimtheit aussieht, doch Methode, wie man bei näherem Zusehen erkennen kann. Die heutigen Ortsbezeichnungen sind nach folgenden Prinzipien eingetragen:

1) Für alle Länder mit lateinischem Alphabet werden — ausgenommen die Ländernamen — jeweils die landesüblichen offiziellen Namensformen verwendet.

2) Für alle Namen, die transkribiert werden müssen, werden den fremden Lautwerten angepaßte Formen, möglichst ohne diakritische Zeichen, verwendet. Bei Orten dieser Kategorie, die gängige deutsche Bezeichnungen haben, werden diese gebraucht (also z. B. Kairo statt El Qahira, Moskau statt Moskwa usw.).

3) Ländernamen und Herrschaftsbezeichnungen werden in deutscher Form gegeben.

Im einzelnen entstehen Schwierigkeiten bei der Umschrift vor allem bei Namen aus dem arabischen Bereich. Dem Leser werden — weniger in den Karten, als vielmehr im Register — drei verschiedene Formen der Umschrift arabischer Namen begegnen: eine deutsche, eine englische und eine französische. Diese Unterschiedlichkeit war Absicht: wir haben im Register z. B. die heutigen Namen aller antiken Bischofssitze in Nordafrika wiedergegeben. Man findet diese Namen heute großenteils nur in französischen Spezialatlanten zur Archäologie der nordafrikanischen Gebiete oder auf französischen Militärkarten. Es hätte deshalb wenig Sinn gehabt, die Umschrift einzudeutschen oder die englische Form zu wählen, zumal auch die laufenden wissenschaftlichen Publikationen zu den antiken Städten Nordafrikas zum allergrößten Teil aus dem französischen Sprachbereich stammen, einschließlich der für die Lokalisierung von Orten besonders wichtigen Inschriftenpublikationen.

Ähnliches wie für Frankreich und Nordafrika gilt — jedenfalls auf kartographischem Gebiet — für England und Palästina. Wir sind also bei der Wahl der Umschriftenformen pragmatisch vorgegangen. Ein wichtiger Gesichtspunkt war dabei, daß der Leser die gewählten Formen in Spezialatlanten wiederfinden kann. Daß dennoch Kompromisse hingenommen wurden, wird vielleicht der nicht so übelnehmen, der das wahre Gewirr von Namensformen auch in wissenschaftlichen Publikationen einmal kennengelernt hat.

Historische Namen sind im Atlas durchweg für die Antike, im Falle des byzantinischen Reiches auch über den Zeitraum der Antike hinaus, verwendet. Antike griechische Namen erscheinen in latinisierter Form, da diese für die meisten Benutzer die geläufigste sein dürfte. Nicht latinisiert sind Klosternamen, so daß es kein Versehen ist, wenn in ein und derselben Karte neben latinisierten Ortsnamen griechische Klosternamen stehen. Für die Zeit seit dem Mittelalter bieten die meisten Karten ohne Rücksicht auf historische Veränderungen die heutigen Namen, wobei historische Formen ins Register aufgenommen sind. Wir haben uns aus zwei Gründen für dieses Verfahren entschieden: Zum ersten erleichtert es dem Benutzer die Orientierung. Dieses Argument gilt nicht — wie man vielleicht glauben könnte — in der gleichen Form auch für die Antike: bei weitem die meisten antiken Städte Nordafrikas und Kleinasiens z. B. sind unter ihrem antiken Namen bekannter als unter ihrem modernen (wenn sie überhaupt eine Tradition bis zur Moderne hin haben). Zum zweiten kommen mittelalterliche Städte und vor allem Klöster in den Quellen unter sehr verschiedenen Namen vor, so daß die Entscheidung für einen Namen sehr schwierig wäre.

Das gewählte Verfahren bedeutet u. a., daß etwa in den Karten zu den mittelalterlichen Orden die Namen für das Elsaß normalerweise in französischer, die für Böhmen normalerweise in tschechischer Form erscheinen usw. Der Leser findet aber im Register, z. T. auch in den Karten selbst, Parallelformen angegeben. Einige Autoren haben aus Gründen, die ich respektieren mußte, auch für die Kartendarstellung auf „historisch richtigen" Namen bestanden. Auch in diesen Fällen sind aber im Register die modernen Formen genannt.

Zum Schluß bleibt mir noch, allen Mitarbeitern sehr herzlich zu danken. Bei weitem nicht alle, die mir durch ihren Rat und Informationen geholfen haben, sind im Mitarbeiterverzeichnis aufgeführt. Auch hier kann ich nur einige nennen und bitte die übrigen, sich in den Dank mit eingeschlossen zu wissen. J. Wollasch hat mir bei der Planung des Mittelalter-Teiles viele wertvolle Hinweise gegeben. W. Müller-Römheld vom Ökumenischen Rat der Kirchen hat mich jederzeit bei der Materialbeschaffung für die Darstellung der protestantischen Kirchen unterstützt. H. Tüchle hat einen großen Teil der Kartenkorrekturen mitgelesen und mich vor manchen Fehlern bewahrt. Konstanzer Studenten und Mitarbeiter aus dem Verlag haben unermüdlich bei der Erstellung des Registers mitgewirkt. Mein größter Dank gebührt jedoch meinem Kollegen H. Rüthing, der nicht nur die Korrekturen der Kommentare und vieler Karten mitgelesen, sondern mir auch bei der letzten großen „Durststrecke" in der Fertigstellung des Atlas in jeder nur erdenkbaren Weise geholfen hat.

Jochen Martin

VERZEICHNIS DER MITARBEITER

Kartenentwürfe oder Beiträge zu Kartenentwürfen wurden zur Verfügung gestellt von (in Klammern die Nummern der entsprechenden Karten):

Angenendt, A., Münster (25C)
Angerer, J., Dr., OSB, Eibenstein/Thaya (67)
Anschütz, H., Dr., Brilon (38B)
Avi-Yonah, M., Prof. Dr., Jerusalem (1, 42B)
Böing, G., Dr., Freiburg (33)
Böckenförde, W., Domkapitular, Limburg (136, 137)
Bonaventura a Mehr OFMCap, Rom-Karlsruhe (79)
Bourguet du, P., SJ, Paris (11)
Bovini, G., Prof. Dr., Ravenna (17A)
Burkhardt, J., Tübingen (73, 93)
Canivet, P., Prof. Dr., Montreal (12B)
Dörrer, F., Dr., Innsbruck (46, 96)
Duft, J., Prof. Dr., St. Gallen (35B)
Elm, K., Dr., Freiburg (56A)
Engels, O., Dr., Fürstenfeldbruck (50, 60B, 66)
Fearns, J., Dr., Konstanz (56B, 65)
Fellenberg gen. Reinold, J., Dr., Bonn (28)
Fiey, J. M., OP, Bagdad (5, 10A, 26)
Haaß, R., Dr., Köln (41A)
Hage, W., Dr., Marburg (27, 63)
Hanson, R. P. C., Bischof, D. D., Fivemiletown (19)
Hauck, K., Prof. Dr., Münster (25D)
Hecht, W., Dr., Rottweil (39, 45A und C, 55B)
Hellmann, M., Prof. Dr., Münster (62)
Jacob, E. G., Dr., Berlin (85)
Jakobs, H., Prof. Dr., Köln (48A)
Janin, R., Prof. Dr., AA, Paris (41B)
Janssen, K., Freiburg (32, 71, 98/99, 103–105)
Köhler, H. J., Tübingen (92)
Kötting, B., Prof. Dr., Münster (18)
Kurze, W., Dr., Rom (49)
Lacko, M., Prof. Dr., SJ, Rom (125, 130, 131, 132A, 133B, 134, 135, 138, 139)
Lambert, M. D., Bristol (57, 69B)
Liebrich, I., Freiburg (47, 48B)
Link, Ch., Prof. Dr., Erlangen (118, 119)
Loedding, W., OP, Pingtung-Kaoshu (85, 89)
Lohrum, M., OP (59, 70)
Luijk, B. A. L. van, Dr., OSA, Nijmegen (70, 84B, 86)
Meer, van der, F., Prof. Dr., Lent bei Nijmegen (52, 53)
Mehrgardt, D., Konstanz (2, 4/5)
Moreau, M. Th., Issy les Moulineaux (11)
Morris, J., Dr., London (19)
Münch, P., Tübingen (74, 75, 76, 77, 92)
Nabe-v. Schönberg, I., Marburg (26, 38A)
Nowak, B., Köln (41A)
Oexle, O. G., Dr., Münster (34)
Payne, E. A., Dr., Pitsford (124)
Péano, P., OFM, Quaracchi-Firenze (58)
Phelan, J. L., Prof. Dr., Madison, Wisconsin (90)
Prinz, F., Prof. Dr., Saarbrücken (14, 25A–C, 34A, 37)
Promper, W., Dr., Münster (85)
Rüthing, H., Dr., Konstanz (51, 64, 68)
Schlolaut, O., Marburg (30, 44B, 55A, 81)
Schmid, K., Prof. Dr., Münster (34)
Schmitt, Cl., OFM, Quaracchi-Firenze (58)
Scott, E., Gaustad (88, 100, 101)
Siegwart, J., Prof. Dr., OP, Fribourg (50)
Smolitsch, I., Dr., Berlin (110, 133A)
Stoodt, D., Prof. Dr., Herborn (115)
Szilas, L., SJ, Rom (78, 89)
Ter-Poghossian, OMech, Wien (9A)
Testini, P., Prof. Dr., Rom (16)
Tietz, G., Haigerloch (91)
Torsy, J., Dr., Köln (41A)
Uhlenbrock, M., OSB, Gerleve (25D)
Volk, P., Dr., OSB, Maria Laach (67)
Waldmüller, L., München (29B)
Zeeden, E. W., Prof. Dr., Tübingen (73, 74, 75, 76, 77, 80C, 82, 83, 92, 93)
Zender, M., Prof. Dr., Bonn (28)
Ziegler, A., Prof. Dr., München (29B)

QUELLENNACHWEISE

Die Erlaubnis zum Abdruck oder zur Benutzung von Karten erteilten: American Geographical Society, New York (vgl. Karte 87); Arts et Métiers Graphiques, Paris (vgl. Karte 15C); Barnes & Noble, Inc., New York (vgl. Karte 87); E. J. Brill, Leiden, durch Vermittlung von Herrn Dr. I. Smolitsch, Berlin (vgl. Karte 110); Benediktiner-Abtei Chevetogne (vgl. Karte 45); Prof. Dr. R. Draguet, Herausgeber des Corpus Scriptorum Christianorum Orientalium, Louvain-Héverlé (vgl. Karte 9B); Elsevier, Amsterdam-Brüssel (vgl. Karten 52/53); Sir Kenneth Grubb, C.M.G., LL.D., Downton, Salisbury (vgl. Karten 116/117, 120, 122/123, 126/127, 128/129); Harper & Row Publishers, New York (vgl. Karten 88 und 100/101); Institut Français d'Archéologie, Beyrouth (vgl. Karten 12A und 15B); Missionsdruckerei St. Gabriel, Mödling (vgl. Karten 140–147); R. Oldenbourg-Verlag, München-Wien, durch Vermittlung von Herrn Prof. Dr. F. Prinz (vgl. Karten 14, 25, 37); Ordnance Survey, Dublin (vgl. Karte 19); Ordnance Survey, Southampton (vgl. Karte 19); Prof. Dr. J. L. Phelan und die Regents of the University of Wisconsin, Madison, Wisconsin (vgl. Karte 90); Princeton University Press, Princeton (vgl. Karten 43 und 72); L. Schwann, Düsseldorf (vgl. Karte 35A); Society for Promoting Christian Knowledge, London (vgl. Karte 114); The Bruce Publishing Company, New York (vgl. Karte 102); Vandenhoeck und Ruprecht, Göttingen (vgl. Karte 95); Walter de Gruyter & Co., Berlin (vgl. Karte 34).

VERZEICHNIS DER ABKÜRZUNGEN IN DEN KARTEN UND KOMMENTAREN

Abh(h).	Abhandlung(en)
allg.	allgemein
bes.	besonders
Bd Bde	Band, Bände
Bm.	Bistum
BMV	Beatae Mariae Virginis
byz.	byzantinisch
Diöz.	Diözese
dt.	deutsch
Ebm.	Erzbistum
Ftm.	Fürstentum
Gft.	Grafschaft
H.	Herrschaft
Hdb.	Handbuch
hist.	historisch
hsl.	handschriftlich
Hs(s).	Handschrift(en)
Htm.	Herzogtum
Jb.	Jahrbuch
Jh(h).	Jahrhundert(e)
Kftm.	Kurfürstentum
KG	Kirchengeschichte
Kgr.	Königreich
Kl.	Klasse
Komm.	Kommentar
Lit.	Literatur
MA	Mittelalter
Ms(s).	Manuskript(e)
S.	Sankt, Sankta, Saint, Sainte, Santo, Santa, San usw.
Schr.	Schriften
Vorb.	Vorbereitung
Zschr.	Zeitschrift

Abgekürzt zitierte Werke:

AFH = Archivum Franciscanum Historicum (Florenz-Quaracchi 1908ff).

AFP = Archivum Fratrum Praedicatorum (Rom 1931 ff).

Beck = H.-G. Beck, Kirche und theologische Literatur im byzantinischen Reich: Handbuch der Altertumswissenschaft XII. 2.1 (München 1959).

Bihlmeyer-Tüchle = K. Bihlmeyer - H. Tüchle, Kirchengeschichte, 3 Bde (Paderborn ^{18}1967ff).

CSCO = Corpus scriptorum christianorum orientalium (Paris 1903ff).

CSEL = Corpus scriptorum ecclesiasticorum latinorum (Wien 1866ff).

DACL = Dictionnaire d'archéologie chrétienne et de liturgie, hrsg. von F. Cabrol - H. Leclercq (Paris 1924ff).

DHGE = Dictionnaire d'histoire et de géographie ecclésiastique, hrsg. von A. Baudrillart u. a. (Paris 1912ff).

DThC = Dictionnaire de théologie catholique, hrsg. von A. Vacant und E. Mangenot, fortges. von É. Amann (Paris 1930ff).

EKL = Evangelisches Kirchenlexikon. Kirchlich-theologisches Handwörterbuch, hrsg. von H. Brunotte - O. Weber (Göttingen 1955ff).

Heussi-Mulert = K. Heussi - H. Mulert, Atlas zur Kirchengeschichte (Tübingen ^{3}1937).

HJ = Historisches Jahrbuch der Görres-Gesellschaft (Köln 1880ff, München-Freiburg 1950ff).

HMC = Handbook Member Churches. World Council of Churches, hrsg. von A. J. Van der Bent (Genf 1985).

Jedin = Handbuch der Kirchengeschichte, hrsg. von H. Jedin (Freiburg 1962ff).

LCK = J. Gründler, Lexikon der christlichen Kirchen und Sekten unter Berücksichtigung der Missionsgesellschaften und zwischenkirchlichen Organisationen, 2 Bde (Wien - Freiburg - Basel 1961).

LThK^{2} = Lexikon für Theologie und Kirche, hrsg. von J. Höfer - K. Rahner, 10 Bde (Freiburg ^{2}1957–65).

Meer-Mohrmann = F. van der Meer - Chr. Mohrmann, Bildatlas der frühchristlichen Welt (Gütersloh 1959).

Pieper = C. Pieper, Atlas orbis christiani antiqui (Düsseldorf 1931).

RAC = Reallexikon für Antike und Christentum, hrsg. von Th. Klauser (Stuttgart 1950ff).

RGG^{3} = Die Religion in Geschichte und Gegenwart, hrsg. von K. Galling, 6 Bde (Tübingen ^{3}1956–62).

RHE = Revue d'histoire ecclésiastique (Löwen 1900ff).

SM = Studien und Mitteilungen zur Geschichte des Benediktinerordens und seiner Zweige (München 1880ff, seit 1911 NF).

TAVO = Tübinger Atlas des Vorderen Orients (Wiesbaden 1977ff).

TIB = Tabula Imperii Byzantini, hrsg. von H. Hunger (Wien 1976ff).

WCE = World Christian Encyclopedia, hrsg. von D. B. Barrett (Oxford 1982).

WCH = World Christian Handbook 1968, hrsg. von H. Wakelin Coxill - K. Grubb (London 1967).

WKL = Weltkirchenlexikon, hrsg. von F. Littell - H. H. Walz (Stuttgart 1960).

1: Palästina zur Zeit Jesu

Autor: J. Martin unter Benutzung der Karten von H. Eising im Neuen Herder Handatlas (Freiburg 1966) S. 62 und von H. Haag im LThK^2 Bd VII vor Sp. 1361. Wichtige Korrekturhinweise werden M. Avi-Yonah verdankt.

Die Wichtigkeit klarer geographischer Vorstellungen für das Verständnis des Neuen Testaments und dessen zeitgeschichtlicher Umgebung ist längst erkannt. Palästina gehört deshalb zu den geographisch und archäologisch besonders intensiv erforschten Gebieten, was sich auch in einer Reihe guter historischer Karten und biblischer Atlanten niedergeschlagen hat. Eine Karte Palästinas zur Zeit Jesu bietet deshalb heute keine allzu großen Probleme. Jede solcher Karten beruht auf zwei Quellengruppen: a) den Ergebnissen archäologischer Forschungen, die insbesondere für die Identifizierung und Lokalisierung von Orten und Städten, aber auch – etwa durch Funde von Inschriften und Meilensteinen – für die Festlegung der territorialen Grenzen wichtig sind; b) literarischen Quellen verschiedener Art (Neues Testament, antike Historiker und Geographen, Itinerarien). Beide Quellengruppen stehen in einem Wechselverhältnis zueinander: literarische Nachrichten regen die archäologische Forschung an und tragen zur Interpretation ihrer Ergebnisse bei; umgekehrt haben diese schon oft literarische Nachrichten bestätigt oder erhellt.

Die in die Karte gemachten Eintragungen bedürfen keiner näheren Begründung; die politischen Verhältnisse Palästinas haben deutliche Spuren im Neuen Testament hinterlassen und können deshalb auch in einer kirchenhistorischen Karte nicht fehlen. Einige Erläuterungen sind jedoch zu den Aufenthaltsorten Jesu nötig: Verschiedentlich wird im NT gesagt, daß Jesus in der Gegend von oder bei einer Stadt gewesen ist (Caesarea Philippi, Bethphage, Magdala [dazu noch unten]) – die in solchem Zusammenhang genannten Städte sind zu den Aufenthaltsorten Jesu gerechnet. – Es ist unsicher, ob das Matth. 15, 39 genannte Magadan mit Magdala identisch ist. – Schwierig zu entscheiden ist, ob es sich bei den Berichten Matth. 8, 28, Mark. 5, 1 und Luk. 8, 26.37 um Gadara, Gerasa oder Gergesa handelt. Gerasa kommt m. E. kaum in Frage, da die geographische Beschreibung in den zitierten Stellen darauf nicht zutrifft. Gergesa ist nur in einigen Handschriften genannt. Am wahrscheinlichsten scheint mir Gadara zu sein, das deshalb rot (mit Fragezeichen) gegeben wurde, während die beiden anderen Städte blau (mit Fragezeichen) erscheinen. – Emmaus ist nur in blauer Farbe gegeben, da der Wirklichkeitsgehalt der Berichte über den nachösterlichen Jesus ein anderer ist als der über den vorösterlichen Jesus.

Die Städte der Decapolis waren freie Städte, sind also den als solchen markierten Gaza und Ascalon gleichzusetzen.

Die in der Karte gebrauchten Namensformen sind – entsprechend dem Prinzip des Atlas für den gesamten östlichen Bereich – latinisiert. War der Gebrauch dieser auf die Vulgata zurückgehenden Formen bis vor kurzem in Palästina-Karten und Bibelatlanten noch allgemein üblich, so setzt sich heute immer mehr eine direkt am Hebräischen orientierte Umschrift durch. Die deutsche Ausgabe der Jerusalemer Bibel etwa transkribiert sajin mit s, chet mit ch (im Anlaut mit h), zade mit z, koph mit k, schin mit sch, taw mit t. Das ergibt in einer Reihe von Fällen Abweichungen von den in unserer Karte gebrauchten Formen; einige seien im folgenden als Beispiele zusammengestellt:

Jerusalemer Bibel	*Karte*
Betsaida	Bethsaida
Nazaret	Nazareth
Kedesch	Cadasa
Bet-Schan	Beth-San
Aschtarot	Astaroth
Betlehem	Bethlehem
Bet-Schemesch	Bethsemes

Quellen und Literatur: Das Wichtigste ist knapp zusammengestellt in den LThK-Artikeln ‚Biblische Archäologie' und ‚Palästina' von H. Haag und ‚Biblische Geographie' von A. Strobel. Zu den dort genannten Kartenwerken ist zu ergänzen: M. Avi-Yonah, Map of Roman Palestine (Jerusalem [2]1949); Oxford Bible Atlas, ed. H. G. May – R. W. Hamilton – G. N. S. Hunt (London 1962); die englische Ausgabe des Atlas of Israel (Amsterdam 1970).

J. Martin

Nachtrag: A. Ohler, Israel. Volk und Land (Stuttgart 1979); O. Keel – M. Küchler – J. Ch. Kehlinger, Orte und Landschaften der Bibel, 2 Bde (Zürich u. a. 1982–84).

2: Die christlichen Gemeinden des 1. und 2. Jahrhunderts

Autoren: D. Mehrgardt – J. Martin

Die Karte nimmt alle Orte und Landschaften auf, in denen Gemeindegründungen oder mindestens Missionstätigkeiten bezeugt sind. Wichtigste zeitgenössische Quellen sind für das 1. Jh. das *Neue Testament* und der *Clemensbrief*, für das 2. Jh. die *Briefe* des Ignatius von Antiochia, der *Hirte des Hermas* und vereinzelte *Martyrerakten*. Dazu kommen spätere Kirchenschriftsteller und Chroniken (bes. Eusebius, Clemens von Alexandria, *Chronik von Edessa*), Martyrerberichte sowie Quellen kirchenrechtlicher Art *(Apostolische Konstitutionen)* (die *Chronik von Arbela* wurde nicht berücksichtigt, da ihre Angaben kritischer Prüfung nicht standhalten).

Zumindest für das 2. Jh. dürfen wesentlich mehr Gemeinden angenommen werden, als auf der Karte dargestellt sind. So läßt sich beispielsweise für Ägypten außer Alexandria keine bestimmte Gemeinde feststellen, doch müssen um die Wende zum 3. Jh. bereits im ganzen Lande Christen gewesen sein, was neben literarischen Zeugnissen auch paläographisch datierbare Papyrusfunde beweisen. Ebenso dürften in Afrika im Jahre 200 weit mehr christliche Gemeinden bestanden haben, als wir namentlich kennen (auf einer Synode in Carthago, die um 220 stattfand, waren 70 Bischöfe vertreten). Für andere Gebiete vgl. z. B. den Bericht über den Osterfeststreit bei Eusebius, KG V 26ff.

Die Reisen des Paulus sind nach den Angaben der *Apostelgeschichte* eingetragen. Dabei wurde z. T. stark schematisiert, weil die Angaben oft nicht ausreichen, um sichere Routen festzulegen. So ist z. B. völlig ungewiß, welchen Weg Paulus auf der 3. Reise von Mazedonien nach Griechenland nahm, welche Orte er dort besuchte und auf welchem Weg er zurückkehrte – die Linienführung in der Karte markiert deshalb in diesem Fall nur den Besuch in Griechenland, nicht aber einen genauen Weg.

Bei der Eintragung der Grenzen des römischen Reiches sind Armenien, Assyrien und Mesopotamien, die unter Trajan kurze Zeit für Rom gewonnen wurden, nicht berücksichtigt.

Quellen: Vgl. oben im Text. Die wichtigsten Ausgaben finden sich unter den entsprechenden Artikeln des LThK. – **Literatur**: A. v. Harnack, Die Mission und Ausbreitung des Christentums in den ersten 3 Jhh., 2 Bde (Leipzig [4]1924, Neudr. 1966); Städte-, Länder- und Landschaftsartikel in DACL, DHGE, LThK², RAC. Weitere Spezialliteratur und geographische Grundlagen in den Kommentaren zu den Karten 9–10 und 20–24; vgl. auch die Karten 4–5.

D. Mehrgardt – J. Martin

3: Frühchristliche Gemeindeordnungen

Autor: J. Martin

Die Themen der Schemata sind in der Forschung teilweise stark umstritten, wobei in den Forschungsergebnissen jeweils deutlich der konfessionelle Standpunkt eines Autors durchscheint. In den vorliegenden Schemata wurde versucht, die Aussagen der Bibel sowie die Schriften des Ignatius und Hippolyt als historische Dokumente zu interpretieren. Von dieser Grundposition aus kann es keinen Zweifel daran geben, daß die Struktur der Gemeinde ebenso „geworden" ist wie die anderer Institutionen. Im übrigen haben auch die alten Gemeinden selbst nichts von einer klaren Festlegung der Gemeindeordnung durch Aussagen oder Anordnungen Jesu gewußt: In den Schriften des NT und bei den Apostolischen Vätern begegnen sehr unterschiedliche Formen der Verfaßtheit der Gemeinden. Anders als die paulinischen Gemeinden hatte z. B. die Jerusalemer Gemeinde schon sehr früh eine klare hierarchische Gliederung mit monarchischer Spitze. Weitere zentrale Fragen in der theologischen Diskussion, wie die, ob es ein von Jesus eingesetztes Amt als solches gegeben hat oder ob die Amtsträger von allem Anfang an geweiht worden sind, sollen und können durch die Schemata nicht beantwortet werden.

Das Verhältnis des Paulus zu seinen Gemeinden gehört zu den kontroversesten Themen der Forschung zum frühen Christentum. Die im Schema – das übrigens die Informationen der Paulusbriefe und der Apostelgeschichte zusammenzieht – bezogene Position erkennt zwar ein besonderes Autoritätsverhältnis zwischen Paulus und den von ihm gegründeten Gemeinden an, verzichtet jedoch auf eine juristische oder quasi-juristische Interpretation dieses Verhältnisses. Durch Paulus war noch wenig festgelegt: sein Beispiel konnte nach verschiedenen Seiten hin ausgelegt werden – was ja auch bis heute geschieht.

Die beiden anderen Schemata sind weniger problematisch. Ignatius hat immer wieder Unterordnung unter den Bischof gefordert, doch hat er diese Forderung nie mit dem Argument einer von Gott gesetzten Kirchenordnung, sondern immer nur entweder mit der geistlichen Qualität der einzelnen Bischöfe oder mit spekulativen Betrachtungen (z. B. Vergleiche mit den göttlichen Personen) begründet. Es ist wohl kein Zufall, daß der Schritt zur ersten voll ausgearbeiteten und theologisch ausführlich begründeten Gemeindeverfassung in Rom geschieht, das ja auch schon am Ende des 1. Jh. im *Clemensbrief* die Theorie einer festen, „gottgesetzten" Strukturierung des Gottesvolkes vertreten hatte.

Quellen: Neben dem NT die 7 Ignatius-Briefe, ed. J. A. Fischer: Schriften des Urchristentums, 1. Tl. (Darmstadt 1966); Hippolyte de Rome, La Tradition Apostolique, ed. B. Botte: Sources Chrétiennes II (Paris ²1968).

Literatur: Die Literatur ist kaum überschaubar. Ich zitiere hier nur zusammenfassende Werke, die für die verschiedenen Konfessionen repräsentativ sind: G. Dix, The Ministry in the Early Church: The Apostolic Ministry (London 1947) (anglikanisch); T. W. Manson, The Church's Ministry (1948) (kongregationalistisch); H. v. Campenhausen, Kirchliches Amt und geistliche Vollmacht in den ersten 3 Jhh. (Tübingen 1953) (lutherisch); J. Colson, Les fonctions ecclésiales aux deux premiers siècles (Brügge – Paris 1956) (katholisch). In den beiden neuesten Handbüchern zur KG von evangelischer und katholischer Seite kann man eine gewisse Annäherung der Standpunkte wahrnehmen: L. Goppelt, Die apostolische und nachapostolische Zeit: Die Kirche in ihrer Geschichte, hrsg. von K. D. Schmidt – E. Wolf, Bd I A (Göttingen ²o. J); K. Baus, Von der Urgemeinde zur frühchristlichen Großkirche: Hdb. der Kirchengeschichte, hrsg. von H. Jedin, Bd I (Freiburg 1963).

J. Martin

4 und 5: Die christlichen Gemeinden bis 325

Autor: D. Mehrgardt (Korrekturen für Assyrien und Persis durch J. M. Fiey).

Die Karten verzeichnen nicht nur Bistümer oder Orte, die später Bistümer geworden sind, sondern auch sonstige Orte, in denen Christen bis 325 bezeugt sind. Zuverlässigste Quellen sind die Unterschriftenlisten der bis 325 abgehaltenen Konzilien und Synoden – die Orte, deren Bischöfe an diesen Versammlungen teilgenommen haben, sind deshalb in der Karte besonders markiert. Eine weitere große Quellengruppe bilden *Martyrerakten* und *-berichte;* bei der Benutzung dieser Quellen waren Ermessensentscheidungen nicht zu umgehen, da bei weitem noch nicht alle Fälle quellenkritisch genügend untersucht sind. Die *Bischofslisten,* die besonders für viele Bistümer Galliens und Italiens überliefert sind, erlauben teilweise durch Rückrechnung von sicher datierbaren Bischöfen sehr wahrscheinliche Aussagen, doch bleiben auch hier Unsicherheiten, da man immer nur mittlere Regierungszeiten in Rechnung setzen kann. Schließlich sind als – wenn auch für diese Epoche weniger wichtige – Quellen Kirchenhistoriker und -schriftsteller zu nennen, während Monumente und Inschriften kaum ins Gewicht fallen. Für Ägypten bietet das *Breviarium* des Meletius von Lycopolis, in dem er die von ihm eingesetzten Bischöfe nennt, reichhaltige Informationen (vgl. Karte 6B). – Die Namensformen in Gallien sind, obwohl um 325 teilweise noch andere Formen vorherrschend waren, an die der Karte 22 angeglichen.

Die zur Zeit des Konzils von Nicaea schon vorhandene kirchliche Organisation ist in der Karte noch nicht berücksichtigt. Can. 4 von Nicaea zeigt, daß die Kirche im Osten ihre Organisation schon weitgehend an die staatliche (diokletianische) Ordnung angepaßt hatte. Den Bischöfen der staatlichen Metropolen wird das Recht der Bestätigung bei Bischofswahlen eingeräumt. Im gesamten Westen gab es dagegen um diese Zeit noch keine Metropolitanorganisation (vgl. dazu Kommentar zu Karte 8). – Italien und Ägypten waren bis zu Diokletian hin nicht in Provinzen eingeteilt. In Nicaea wurde den Sitzen von Rom und Alexandria zugestanden, daß sie trotz der diokletianischen Neuorganisation der Provinzen ihre Metropolitanrechte auch weiterhin über ganz Italien und Ägypten ausüben konnten. Ebenso erhielt der Sitz von Antiochia nicht näher bestimmte Vorrechte.

Quellen: *Synoden und Konzilien: Carthago:* H. v. Soden, Sententiae LXXXVII episcoporum. Das Protokoll der Synode von Karthago vom 1. Sept. 256: Nachr. der Ges. der Wiss. zu Göttingen (1909). – *Elvira:* J. Gaudemet: DHGE 15 (1963) 317–348. – *Rom:* H. v. Soden, Urkunden zur Entstehungsgeschichte des Donatismus: Kleine Texte für Vorlesungen und Übungen, hrsg. von H. Lietzmann, 122 (1913) Nr. 13. – *Arles:* Acta et symbola conciliorum quae saeculo IV habitae sunt, hrsg. von E. J. Jonkers (Leiden 1954); Concilia Galliae a. 314 ad a. 506, ed. C. Munier: Corpus Christianorum, ser. Latina 148 (Turnhout 1963). – *Nicaea:* E. Honigmann, La liste originale des Pères de Nicée: Byzantion 14 (1939) 17–76; ders., The Original Lists of the Members of the Council of Nicaea, the Robber-Synod and the Council of Chalcedon: Byzantion 16 (1944) 20–80. – Das *Breviarium* des Meletius bei Athanasius, Apologia secunda 71, 6, ed. H.-G. Opitz, Athanasius Werke II/1 (Berlin 1938). – Zu den übrigen Quellen vgl. das grundlegende Werk von A. v. Harnack, Die Mission und Ausbreitung des Christentums in den ersten 3 Jhh., 2 Bde (Leipzig ⁴1924, Neudr. 1966). – Die Martyrerberichte und Bischofslisten für Gallien und Italien sind ausführlich untersucht in den zu den Karten 22 und 23 genannten Werken von Duchesne und Lanzoni. – **Literatur:** *Allg.:* Neben dem Werk von Harnack vgl. H. Achelis, Das Christentum in den ersten 3 Jhh. (Leipzig ²1925); K. S. Latourette, A History of the Expansion of Christianity, I: The First Five Centuries (New York 1937). – Heranzuziehen sind ferner die Landschafts- und Ortsartikel im DHGE, im LThK² und im RAC (dort auch Artikel Christentum, Ausbreitung). Für die Literatur zu den einzelnen Ländern vgl. die Kommentare zu den Karten 9–10 und 20–24, außerdem H. Friedrich, Die Anfänge des Christentums und die ersten Kirchengründungen in römischen Niederlassungen im Gebiet des Nieder- und Mittelrheins und der Mosel: Bonner Jbb. 131 (1936) 10ff; Christianity in Britain 300–700, ed. R. P. C. Hanson – M. Barley (Leicester 1968), bes. 37–49. Schon vorhandene Karten: Außer den Karten in der zitierten Literatur (bes. bei Harnack) finden sich Karten bei Heussi-Mulert, Meer-Mohrmann und Pieper.

J. Martin – D. Mehrgardt

Nachtrag: W. H. C. Frend, The Rise of Christianity (London 1984). – Karten finden sich jetzt auch in TAVO B VI 1 und 2; in der Karte B VI 1 wird auch die staatliche Organisation in diokletianisch-konstantinischer Zeit dargestellt.

6: Theologische und kirchenpolitische Auseinandersetzungen des 4. Jahrhunderts

Autor: J. Martin

Die theologischen Auseinandersetzungen des 4. Jh. gingen vor allem um den Arianismus und ihm verwandte theologische Richtungen. Obwohl auf dem Konzil von Nicaea (325) alle Bischöfe bis auf zwei die Verurteilung der Lehre des Arius unterschrieben, gelang erst mehr als 50 Jahre später auf dem 2. Ökumenischen Konzil von Konstantinopel (381) die endgültige Beilegung des Konflikts. Zwischen beiden Konzilien lagen heftige Kämpfe, in deren Zentrum lange Zeit der Hauptgegner des Arianismus und Bischof von Alexandria, Athanasius, stand.

Einer Karte zu diesen Auseinandersetzungen stellen sich vor allem zwei Schwierigkeiten entgegen: einmal haben die Inhaber vieler Bistümer im genannten Zeitraum ihren dogmatischen Standpunkt mehrfach gewechselt, und war eine Reihe von Bistümern zeitweise doppelt – d. h. von einem Orthodoxen und einem Arianer – besetzt; zum anderen läßt sich kein vollständiger Eindruck von den Kräfteverhältnissen gewinnen, da die Kirchenhistoriker und Athanasius immer wieder nur die bekannten Arianer nennen und wir von einer Reihe von Synoden, zu denen Arianer zusammenkamen, entweder gar keine Präsenz- und Subskriptionslisten besitzen oder nur solche, die zwar die Namen der Bischöfe, aber nicht ihre Bistümer nennen.

Der ersten Schwierigkeit versucht die Karte so zu begegnen, daß fast alle Eintragungen sich auf bestimmte Zeiträume beziehen und nur ganz wenige Bistümer ohne nähere Spezifizierung als arianisch gekennzeichnet sind. Auf der Synode von Sardica nahmen die arianisierenden Orientalen, die 335 in Tyrus Athanasius abgesetzt und 341 in Antiochia mehrere Glaubenssymbole formuliert hatten, nicht mehr an den Sitzungen teil, als die Mehrheit Athanasius und andere abgesetzte Bischöfe nicht von den Beratungen ausschloß. Die Unterschriften des erhaltenen Synodalbriefes der Orientalen (deren Auszug nach Philippopolis von verschiedenen Forschern bezweifelt wird) bilden die Grundlage der Eintragungen in die Karte für 342/343. – Besonders seit den 50er Jahren des 4. Jh. spaltete sich der Arianismus in verschiedene Gruppen auf, die sich teilweise untereinander heftig bekämpften. In Seleucia 359 wurden verschiedene Anomöer, an ihrer Spitze Acacius von Caesarea, von Semiarianern abgesetzt. Ihre Namen und Sitze kennen wir aus den Unterschriften einer Glaubensformel, die sie in Seleucia verfaßten. – Die „Partei" der Zukunft wurden um 360 die Homöusianer (Semiarianer), deren wachsende Stärke schließlich auch die Versöhnung mit der Orthodoxie ermöglichte. Gerade im Hinblick auf diese Gruppe dürften die Eintragungen in die Karte am unvollständigsten sein, da wir über ihre Namen und Sitze nur sporadische Nachrichten (vor allem des Athanasius und der antiken Kirchenhistoriker) besitzen.

Die Berichte über Synoden der Homöusianer und deren Teilnehmerzahlen lassen darauf schließen, daß die Sitze der Homöusianer seit 360 ein Mehrfaches der in die Karte eingetragenen ausmachten und es sich bei diesen letzteren im wesentlichen um die Bistümer der Führer der Homöusianer handelt.

Die zweite Schwierigkeit, von der oben gesprochen wurde, läßt sich demnach nur durch eine *reservatio mentalis* des Betrachters beheben: Die Karte ist nicht in jedem Fall für die Kräfteverhältnisse repräsentativ, zeigt aber doch wohl zutreffend die Zentren der Verbreitung der verschiedenen Formen des Arianismus, der im übrigen zwar Ausstrahlungen in den Westen hatte, insgesamt aber eine Erscheinung der östlichen und illyrischen Kirche war.

Die Meletianische Partei in Ägypten, deren Bistümer auf einer Nebenkarte genannt sind, hat von ihrem Ursprung her nichts mit dem Arianismus gemein. Da sie aber aufgrund der Eigenmächtigkeit des Meletius bei der Einsetzung von Bischöfen von Anfang an im Gegensatz zum Bischof von Alexandria stand, wurde sie bes. im Kampf gegen Athanasius ein natürlicher Verbündeter der Arianer.

Die Differenzierung der kirchlichen Sprengel in Metropolen und Bistümer, die sich im 4. Jh. vollzog, ist auf der Karte nicht berücksichtigt (vgl. die Karten 8 und 20–24).

Quellen: Liste der Orientalen in Sardica: S. Hilarii Episcopi Pictaviensis Opera, ed. A. Feder: CSEL 65 (1916) 74–78, dazu E. Honigmann, On Some Members of the Council of Serdica in 342–3 A.D.; ders., Patristic Studies: Studi e Testi 173 (Città del Vaticano 1953) 28–31 (mit weiterer Literatur). – Liste der Acacianer in Seleucia: Mansi III 321–324. – Die Quellen zur homöusianischen Partei bei J. Gummerus, Die homöusianische Partei bis zum Tode des Konstantius (Leipzig 1900). – Die Namen der von Meletius eingesetzten Bischöfe sind aus dem sog. Breviarium des Meletius bekannt, das Athanasius, Apologia secunda 71, 6 zitiert: Athanasius Werke, hrsg. v. H.-G. Opitz, Bd II/1 (Berlin 1938).

J. Martin

7: Donatistische und katholische Bischofssitze in Nordafrika im Jahre 411

Autor: J. Martin

Im Jahre 411 kamen die donatistischen und katholischen Bischöfe Nordafrikas zu einer Konferenz (einer Art „Religionsgespräch") vor dem römischen Statthalter Marcellinus in Carthago zusammen. Beide Seiten wollten auf der Konferenz, die für die Zukunft des Donatismus entscheidende Bedeutung haben sollte, mit dem größtmöglichen Aufgebot erscheinen; beide Seiten haben deshalb noch kurz vor der Konferenz eine Reihe oft sehr kleiner Orte zu Bistümern erhoben, so daß die geographische Ausbreitung des Donatismus, wie sie sich auf der Karte darstellt, den Höchststand der Ausbreitung der Donatisten überhaupt bezeichnen dürfte.

Der Bericht über die Konferenz, die *Gesta Collationis Carthaginensis,* bildet die Grundlage der Karte. Zu Beginn der Verhandlungen wurden zunächst alle anwesenden katholischen, dann die donatistischen Bischöfe aufgerufen. Die katholischen Bischöfe wurden jeweils von ihren gegnerischen Kollegen bestätigt, falls es solche an ihrem Sitz gab. Aufgrund dieses umständlichen Vorgehens ist die kirchliche Situation für die Orte, aus denen Bischöfe der katholischen Kirche in Carthago anwesend waren, bis auf einige Ausnahmen (Lücken im Text, Krankheitsfälle, zu spät ankommende Bischöfe) klar. Die Prozedur beim Aufruf der donatistischen Bischöfe war kürzer: diese wurden nicht mehr von der Gegenseite bestätigt; falls sie an ihrem Ort keinen katholischen Gegenbischof hatten, sollten sie aber ausdrücklich darauf hinweisen. Angesichts dieser Aufforderung ist es wahrscheinlich, daß überall dort, wo nicht auf das Fehlen eines Gegenbischofs hingewiesen wird, katholische Bischöfe vorhanden waren, doch läßt sich das nicht mit letzter Sicherheit behaupten; die Fälle sind deshalb in der Karte als Zweifelsfälle notiert. – Um der Einheitlichkeit der Quellengrundlage willen sind einige wenige donatistische Bistümer, die nicht in Carthago vertreten waren, von denen wir aber durch Augustinus (der an dem Gespräch in Carthago teilnahm) und Optatus wissen, nicht in die Karte eingetragen, zumal es bei der damaligen starken Fluktuation durchaus sein kann, daß sie im Jahre 411 tatsächlich nicht bestanden. Anwesend waren in Carthago 286 katholische und 279 donatistische Bischöfe; von den katholischen Bistümern sind knapp die Hälfte, von den donatistischen etwas über die Hälfte in der Karte verzeichnet. Die übrigen lassen sich entweder nicht identifizieren oder nicht lokalisieren. Die Schwierigkeiten der Identifizierung sind für Afrika besonders groß, da es einige häufig vorkommende Namensformen gibt (z. B. *Aquae, Castellum*) und differenzierende Zusätze zu diesen Formen nicht immer gemacht werden. Um die Karte nicht mit Fragezeichen zu überlasten, wurden einige Orte weggelassen, die Mesnage (s. u.) nur mit Vorbehalten in seine Karten eingetragen hat (dafür sind andere inzwischen sicher lokalisierte hinzugekommen).

Quellen und Literatur: *Für die kirchliche Situation:* Gesta Collationis Carthaginensis: Migne, Patrologia Latina XI 1223–1420. – *Für die geographische Situation* wurde als Grundkarte benutzt: P. Salama, Réseau routier de l'Afrique romaine: ders., Les voies romaines de l'Afrique du Nord (Alger 1951) (mit Verz. aller bisher identifizierten Orte in Nordafrika). – *Für die Identifizierung der einzelnen Bischofssitze:* J. Mesnage, L'Afrique chrétienne (Paris 1912); H. Jaubert, Anciens évêchés et ruines chrétiennes de la Numidie et de la Sitifienne: Recueil des notices et mémoires de la société archéologique du departement de Constantine 46 (1912) 1–218; M. Martin – F. Logeart, Les vestiges du christianisme antique dans la Numidie centrale (Alger 1942). – *Schon vorhandene Karten:* W. H. C. Frend, The Donatist Church (Oxford 1952) am Schluß des Buches; vgl. dazu jedoch die Kritik bei E. Tengström, Donatisten und Katholiken: Studia Graeca et Latina Gothoburgensia 18 (1964) 146–156. Heranzuziehen sind außerdem die allgemeinen Karten zu den nordafrikanischen Bischofssitzen bei Mesnage (s. o.) und Pieper.

J. Martin

8: Kirchliche Organisation und antiorthodoxe Bewegungen in der Kirche bis zur Mitte des 5. Jahrhunderts

Autor: J. Martin

Die Karte stellt durch die großen Farbflächen die Patriarchate dar, wie sie endgültig durch das Konzil von Chalcedon (451) festgelegt wurden. Neu gegenüber der ebenfalls in der Karte markierten Regelung von 381 war, daß jetzt die Gebiete der drei ehemaligen Obermetropolen Heraclea, Ephesus und Caesarea zum Patriarchat Konstantinopel zusammengefaßt und das Patriarchat Jerusalem neu gebildet wurden.

Die Metropolitanorganisation für den gesamten östlichen Bereich läßt sich aus den Subskriptionslisten des Konzils von Chalcedon ablesen, da zunächst alle Metropoliten unterschrieben. Die schon 451 bestehenden Autokephalen blieben in der Karte unberücksichtigt, dagegen sind die Ehrenmetropolen (Nicaea, Chalcedon, Berytus) eingetragen. Im Patriarchat Alexandria und in dem Teil Afrikas, der zum römischen Patriarchat gehörte, gab es keine feste Metropolitanorganisation (vgl. die Kommentare zu den Karten 10 B und 24). In Italien waren Mailand im 4., Ravenna und Aquileia im 5. Jh. zu Metropolen aufgestiegen. Die Metropolitanorganisation in Gallien entstand Ende des 4. und Anfang des 5. Jh. Zwar hören wir über einige der für Gallien eingetragenen Metropolen in der 1. Hälfte des 5. Jh. nichts, doch da die gesamte gallische Kirchenordnung auf der theodosianischen Gliederung des Reiches aufruht (vgl. Karte 22 mit Kommentar), muß die Bildung der Metropolen um 450 im wesentlichen abgeschlossen gewesen sein. Das gleiche gilt auch für Spanien.

Zusätzlich zur kirchlichen Organisation sind in der Karte Gebiete besonders gekennzeichnet, die von arianischen Völkerschaften beherrscht wurden. Diese bildeten jeweils eine dünne Oberschicht – die einheimische Bevölkerung hielt größtenteils am orthodoxen Christentum fest.

Auf dem Konzil von Ephesus (431) ging es um Nestorius und dessen Lehren. Die Mehrheit des Konzils unter Führung des Patriarchen von

Alexandria, Cyrillus, verurteilte noch vor der Ankunft der Orientalen Nestorius und einige seiner Anhänger. Die Orientalen hielten nach ihrer Ankunft ein eigenes *Conciliabulum* ab und verurteilten nun Cyrillus. In die Karte eingetragen wurden alle Bistümer, deren Inhaber entweder an der Synodalberatung der Orientalen teilnahmen oder von der Mehrheit des Konzils verurteilt wurden.

Mit dem Kampf gegen Dioskur, den Nachfolger Cyrillus' als Patriarch von Alexandria, beginnt die eigentliche Auseinandersetzung mit dem Monophysitismus. Dioskur setzte auf der „Räubersynode" von Ephesus (449) die Rehabilitierung des Eutyches durch, in Chalcedon wurde er mit seinen Anhängern abgesetzt. Das wurde von entscheidender Bedeutung für die Bildung einer eigenständigen koptischen Kirche (vgl. Karte 10B). – Unter den Anhängern Dioskurs sind die Bischöfe nicht in die Karte eingetragen, die zwar mit Dioskur an der „Räubersynode" teilnahmen, in Chalcedon aber zur orthodoxen Mehrheit übergingen.

Quellen: *Zur Kirchenorganisation:* Vgl. die zu den Karten 20–24 angegebenen Quellen und Literatur (dort auch die Ausgaben der Akten von Chalcedon). – Zu den arianischen Völkerschaften: L. Schmidt, Geschichte der deutschen Stämme, I: Die Ostgermanen (München ²1934); K. D. Schmidt, Die Bekehrung der Germanen zum Christentum (Göttingen 1939); H. E. Giesecke, Die Ostgermanen und der Arianismus (Leipzig 1939); J. A. Jungmann: Zschr. für Kathol. Theologie 69 (1947) 36–69; Ch. Courtois, Les Vandales et l'Afrique (Paris 1955); G. B. Picotti, I Goti in occidente (Spoleto 1956); E. A. Thompson: Latomus 21 (1962) 505–519 794–810. – Die Namen der in Ephesus Verurteilten bzw. der Teilnehmer an der Synode der Orientalen in Acta Conciliorum oecumenicorum, ed. Ed. Schwartz, Tom. I, Vol. I pars 3 (Berlin – Leipzig 1927) 12–13 24–25 26–27, pars 5 (1927) 14–15 123–124. Die Quellen zur „Räubersynode" in der Actio I von Chalcedon: ebd. Tom. II, Vol. II, pars I (Berlin – Leipzig 1933); E. Honigmann, The Original Lists of the Members of the Council of Nicaea, the Robber-Synod and the Council of Chalcedon: Byzantion 16 (1944) 20–80.

J. Martin

9 A: Die armenische Kirche bis 607

Autor: P. Ter-Poghossian

Wahrscheinlich wurde schon im 2. Jh. – u. a. durch römische Soldaten – der Boden für das Christentum in Armenien bereitet. Die offizielle Bekehrung Armeniens erfolgte durch Gregor den Erleuchter am Beginn des 4. Jh. Gregors Sohn und Mitarbeiter Aristakes nahm am Konzil von Nicaea (325) teil. – Die Trennung der armenischen von der byzantinischen Kirche ist nicht das Ergebnis einer klar bestimmbaren Einzelaktion, sondern eines längerdauernden Prozesses, in dem nicht zuletzt auch theologische Mißverständnisse eine große Rolle spielten. Das Ende dieses Prozesses, d. h. die endgültige Herausbildung einer eigenständigen armenischen Nationalkirche, wird in der Forschung unterschiedlich angesetzt: Geben die einen – wie z. B. Sarkissian – das Ende der 1. Dekade des 6. Jh. an, so hat sich für andere – z. B. Mécérian – der endgültige Bruch erst auf der 2. Synode von Dvin (um 554) mit der Verurteilung des Chalcedonense und des Tomus Leonis vollzogen.

Über die Organisation der armenischen Kirche geben für das 4. Jh. nur erzählende Quellen, für die Zeit seit um 450 (Synode von Artaschat) besonders die Teilnehmerlisten der armenischen Synoden Auskunft. Die meisten Bischöfe waren, wie die Namen der Bistümer zeigen, früher Hausprälaten der Fürstentümer, deren Aussterben dann zur Errichtung der Bistümer auf dem jeweiligen Gebiet führte. Die Karte geht von den für die Zeit der 2. Synode von Dvin bezeugten Bistümern aus und ergänzt diese Liste durch die Bistümer, die auf den Synoden vor- und nachher bis 604/607 genannt sind. – Zur weiteren Geschichte der armenischen Kirche vgl. die Karten 31, 55 und 130.

Quellen: Zur Synode von Artaschat: Elische, Geschichte, hrsg. von der sowjet.-armen. Akad. d. Wiss. (Erewan 1957) 27–28; Lazar von Parbi, Geschichte von Armenien (Tiflis 1904) 44–45. – Zu den übrigen Synoden: Buch der Briefe (Tiflis 1901) 41–42 70 73 146 149. – **Literatur:** H. Gelzer, Die Anfänge der armenischen Kirche: Sitzungsber. d. Akad. d. Wiss. Leipzig 47 (1895) 109–174; J. Markwart, Die Entstehung der armenischen Bistümer: Orientalia christiana 27/2 (1932); L. S. Kogyan, L'Église arménienne (Beyrouth 1961); J. Mécérian, Histoire et institutions de l'église arménienne: Recherches publ. sous la direction de l'Institut des lettres Orientales de Beyrouth (Beyrouth o. J.); K. Sarkissian, The Council of Chalcedon and the Armenian Church (London 1965); A. S. Atiya, A History of Eastern Christianity (London 1968).

J. Martin

9 B: Die Verbreitung des Monophysitismus im Orient um 512 bis 518

Autor: Die Karte wurde (mit formalen Modifikationen) entnommen dem Werk von *E. Honigmann,* Évêques et évêchés monophysites d'Asie antérieure au VIᵉ siècle: CSCO 127 Subs. II (Louvain 1951). Bevor Jacobus Baradai († 578) die später nach ihm benannte jakobitische (syrisch-monophysitische) Kirche endgültig organisierte, erreichte der Monophysitismus (vgl. auch Karte 8) im Orient unter dem Patriarchen Severus von Antiochia einen Höhepunkt seiner Entwicklung. Unter dem Schutz Kaiser Anastasius' I. konnte Severus von 512 bis 518 (Tod Kaiser Anastasius') in seinem Patriarchat und über dessen Grenzen hinaus unbehindert für den Monophysitismus wirken, so daß nur eine Minderheit der Bistümer des Patriarchats orthodox blieb (diese Bistümer sind aus Gründen der Übersichtlichkeit nicht in die Karte eingetragen; sie finden sich in den Originalkarten von Honigmann, können aber auch durch einen Vergleich mit Karte 21 dieses Atlas leicht festgestellt werden – die weitaus meisten der bis um 600 gegründeten Bistümer existierten auch schon 512–518). 518 mußte Severus fliehen, 536 wurde er in Konstantinopel verurteilt.

Hauptquellen für die Eintragungen in die Karte sind die Schriften des Severus, vor allem seine umfangreiche Korrespondenz. Im einzelnen vgl. dazu das oben zitierte Buch von Honigmann. Zur weiteren Geschichte der syrisch-monophysitischen Kirche vgl. die Karten 26, 27 und 130.

Literatur: Vgl. oben unter Autor, ferner J. Lebon, Le monophysisme sévérien (Louvain 1909); R. Devreesse, Le patriarcat d'Antioche depuis la paix de l'église jusqu'à la conquête arabe (Paris 1945).

J. Martin

Nachtrag: A. Grillmeier – H. Bacht (Hrsg.), Das Konzil von Chalkedon, 3 Bde (Würzburg ³1963) (mit Studien von J. Lebon, A. van Roey).

10 A: Die persische Kirche im Jahre 497

Autoren: J. M. Fiey – J. Martin

Die Konsolidierung einer eigenständigen persischen Kirche gehört sowohl in den Zusammenhang der theologischen Auseinandersetzungen des 5. Jh. (vgl. Karte 8) als auch in den des politischen Gegensatzes zwischen den Sassaniden und dem Römerreich. Die offizielle Annahme des Nestorianismus durch die persische Kirche gegen Ende des 5. Jh. scheint jedenfalls stark politisch mitbedingt gewesen zu sein, wofür auch spricht, daß der persische Nestorianismus der Frühphase von verschiedenen Autoren in orthodoxem Sinn interpretiert werden kann.

Die Karte stellt die persische Kirche kurz nach der Annahme des Nestorianismus dar. Im Jahre 497 fand eine gutbesuchte Synode statt, deren Akten uns erhalten sind. Aufgenommen wurden aber nicht nur die Bistümer, die in diesen Akten genannt sind, sondern auch die, die zwar nicht 497, aber vorher und nachher auf Synoden bezeugt sind. Als nicht lokalisierbare Bistümer fehlen auf der Karte Tahal, Barhis (im Süden der Adiabene?) und B. Rahimai (im Süden Armeniens?).

Quellen: J. B. Chabot, Synodicon Orientale (Paris 1902). – **Literatur:** J. M. Fiey, Assyrie chrétienne, 3 Bde: Recherches, publ. sous la direction de l'Inst. de lettres orientales de Beyrouth, Bd XXII–XXIII, XLII (Beyrouth 1965–68) (auch Diskussion der topograph. Fragen); ders., L'Élam, la première des Métropoles ecclésiastiques syriennes orientales: Melto 2 (1969) 221–267 (wird fortgesetzt); ders., Diocèses syriens orientaux du Golfe Persique: Mémorial Mgr. Gabriel Khouri-Sarkis (1898–1968) (Louvain 1969) 177–219. – Vgl. außerdem: E. Tisserant: DThC 11 (1931) 157–323; A. R. Vine, The Nestorian Churches (London 1937); G. Dauvillier, Les provinces chaldéennes de l'extérieur au moyen âge: Mélanges Cavallera (Paris 1951) 261–316; N. Pigulevskaja, Les villes de l'état iranien aux époques parthe et sassanide: École Pratique des Hautes Études – Sorbonne, Documents et recherches . . . VI (Paris - Mouton - La Haye 1963); B. Spuler, Die Morgenländischen Kirchen: Hdb. der Orientalistik, 1. Abt., Bd VIII/2 (Leiden - Köln 1964).

J. Martin

10 B: Das Patriarchat von Alexandria (Die koptische Kirche)

Autor: J. Martin

Die ägyptische Kirche hat neben dem Patriarchat von Antiochia die aktivste Rolle in den theologischen und kirchenpolitischen Auseinandersetzungen des 4. und 5. Jh. (vgl. Karten 6 und 8) gespielt. Sie hatte in ihrer Reihe Arianer und entschiedene Gegner des Arianismus (Athanasius), das gleiche gilt für ihr Verhältnis zum Monophysitismus. Wenn nach dem Chalcedonense (451) die ägyptische Kirche weitgehend monophysitisch wurde und sich selbständig machte, so lag das wohl nicht zuletzt daran, daß die in Chalcedon mit der Verurteilung des Monophysitismus verfügte Absetzung des Patriarchen von Alexandria, Dioskur, auch nationale Reaktionen hervorrief.

Die in der Karte dargestellten Bistümer des Patriarchats von Alexandria haben zum größten Teil schon im 4. Jh. bestanden. Wir besitzen zwar keine frühen Notizen der ägyptischen Kirche – der von manchen Autoren bis an den Beginn des 7. Jh. hinaufdatierte *Thronus Alexandrinus* ist von E. Honigmann endgültig als frühneuzeitliches Werk entlarvt worden –, können aber aufgrund anderer Quellen die ägyptische Bistumsorganisation recht gut rekonstruieren. Diese Quellen sind: das *Breviarium* des Meletius von Lycopolis († nach 325) (vgl. Karte 6 B); die Subskriptionslisten des Konzils von Nicaea (vgl. Karte 5); ein Dokument der Acacianer auf der Synode von Seleucia (359; vgl. Karte 6); der Synodalbrief der 362 von Athanasius abgehaltenen Synode; die 3 erhaltenen Osterfestbriefe des Patriarchen Theophilus von Alexandria († um 412), in denen er jeweils die von ihm eingesetzten Bischöfe nannte; die Berichte und Unterschriftenlisten zu den Konzilien von Ephesus 431 und 449 und Chalcedon 451 (vgl. Karte 8), schließlich ein Brief, in dem die ägyptischen Bischöfe Kaiser Leon I. den Tod des Patriarchen Proterius (457) anzeigten.

Im Unterschied zum Patriarchat Konstantinopel unterstanden die ägyptischen Bischöfe alle direkt dem Patriarchen. Es gab zwar Kirchenprovinzen, die den staatlichen Provinzen entsprachen; die Bischöfe der staatlichen Metropolen übten aber keine Jurisdiktionsgewalt über die anderen Bischöfe ihrer Provinz aus.

Quellen: Vgl. oben im Text. Die Quellen sind bereits alle bei M. Le Quien, Oriens Christianus II (Paris 1740, Neudr. Graz 1958) verarbeitet. Editionen der Quellen sind in den Kommentaren zu den Karten 6 und 8 bereits genannt. Die Osterfestbriefe des Theophilus sind von Hieronymus übersetzt und mit dessen Briefen im CSEL 55 Nr. 96, 98 und 100 ediert. Der Synodalbrief der Synode von 362 findet sich bei Mansi III 345–356. – **Literatur:** E. R. Hardy, Christian Egypt (New York 1952); M. Cramer, Das Christl.-koptische Ägypten. Einst und heute (Wiesbaden 1959); E. Honigmann, La valeur historique du ‚Thronos Alexandrinus': ders., Trois mémoires posthumes d'histoire et de géographie de l'orient chrétien: Subsidia Hagiographica 35 (Bruxelles 1961) 125–207; B. Spuler, Die Morgenländischen Kirchen (vgl. unter 10 A); M. Roncaglia, Der Ursprung der koptischen Kirche: Kyrios 6 (1966); A. S. Atiya, A History of Eastern Christianity (London 1968).

J. Martin

Nachtrag: Karte: TAVO B VI 15.

11: Das ägyptische Mönchtum vom 4. bis zum 9. Jahrhundert

Autor: M. Th. Moreau (unter der Leitung von P. du Bourguet)

Ägypten ist das Ursprungsland des Mönchtums. Nachdem schon Antonius Eremitenkolonien initiiert hatte, gründete Pachomius († um 347) die ersten Klöster und vereinigte sie zu einem regelrechten Klosterverband. Seine Schüler setzten seine Tätigkeit fort. Von Ägypten breitete sich das Coenobitentum über Palästina, Syrien (vgl. Karte 12A), Kleinasien und Armenien aus. Die meisten auf der Karte verzeichneten Klöster lassen sich nicht einem bestimmten Gründer zuweisen. Außer den 5 eingetragenen Gründungen des Pachomius sind noch 4 weitere Gründungen von ihm bekannt, aber nicht identifiziert. Auf Schenute geht das Kloster D. el Abiad (bei Sohag) zurück. Im Apollo-Kloster in Bawit sind eine beträchtliche Zahl von Malereien und zwei dekorierte Kirchen gefunden worden. – Obwohl die Klöster im allgemeinen frühe Gründungsdaten haben und bis auf das 4. oder 5. Jahrhundert zurückgehen können, stammt der gegenwärtige Zustand der meisten ägyptischen Klöster aus der Zeit zwischen dem 9. und dem 14. Jahrhundert. Als Klöster bestehen heute noch Mar Antonios und Mar Bulos nahe dem Roten Meer, die Klöster des Wadi Natrun (D. Abu Maqar, D. Suriani, D. Amba Bschoi, D. Baramus) sowie D. el Meharraq.

Quellen und Literatur: *Antike Autoren:* Les vies coptes de St. Pachôme et de ses premiers successeurs, frz. Übers. v. L. Th. Lefort (Louvain 1943). – *Reiseberichte:* Abu Salih: The Churches and Monasteries of Egypt and Some Neighbouring Countries. Attributed to Abu Salih, armen. und engl. v. B. T. A. Evetts mit Anm. von A. J. Butler (Oxford 1894–95) (im Appendix Makrizi, The Churches and Monasteries of Egypt); J. M. Vansleb, Nouvelle relation en forme de journal d'un voyage fait en Égypte en 1672 et 1673 (Paris 1677); C. Sicard, in: Lettres édifiantes et curieuses: Mémoires du Levant V (Paris 1780) 1 ff; E. Pococke, A Description of the East (London 1743); W. de Bock, Matériaux pour servir à l'Archéologie de l'Égypte chrétienne (St. Petersburg 1901); Johann Georg Herzog zu Sachsen, Neueste Streifzüge durch die Kirchen und Klöster Ägyptens (Leipzig – Berlin 1931). – *Ausgrabungen:* J. Clédat, Le monastère et la nécropole de Baouit: Mémoires de l'Institut français d'Archéologie orientale (Le Caire 1904–16); A. Guillaumont, Histoire du site de Kellia d'après les documents écrits (erscheint in den Berichten zur Grabung, die in Kellia vom Institut Français d'Archéologie du Caire unter der Leitung von F. Daumas durchgeführt werden); H. E. Winlock - W. E. Crum - E. White, The Monastery of Epiphanus: Egyptian Expedition Publications (New York 1926). – *Führer:* K. Baedeker, Egypt and the Sudan (London 1929). – *Monographien:* E. Amelineau, Géographie de l'Égypte chrétienne (Paris 1893); S. Clark, Christian Antiquities in the Nile Valley. A Contribution towards the Study of Ancient Churches (Oxford 1912); M. Jullien, L'Égypte: Les Missions Catholiques 35 (1903) 188–284.

M. Th. Moreau

Nachtrag: Karte: TAVO B VI 15.

12 A: Nordsyrische Klöster bis zum Ausgang der Antike

Autor: Die Karte wurde entnommen *G. Tchalenko,* Villages antiques de la Syrie du Nord II: Inst. Franç. d'Archéologie de Beyrouth, Bibliothèque archéologique et historique 50 (Paris 1953) Pl. CLIII (Erläuterungen auf Pl. CLII) (vgl. auch die Karten am Ende von Bd III, aus denen einige Ergänzungen übernommen wurden). Die Kategorie von „vermuteten Klöstern", die im wesentlichen mit Deir oder dessen modernen Abwandlungen beginnende Namen betrifft, wurde in der vorliegenden Karte nicht berücksichtigt.

Nach dem Konzil von Chalcedon ging der größte Teil des nordsyrischen Mönchtums zum Monophysitismus über (vgl. Kommentar zu 12 B und Karte 38). Wir besitzen eine reichhaltige Quelle für die Verbreitung des monophysitischen Mönchtums in Nordsyrien in der 2. Hälfte des 6. Jh. in der Korrespondenz, die 567 und 569 zwischen den Monophysiten Nordsyriens und denen von Konstantinopel ausgetauscht wurde. In diesen Briefen, die neben den archäologischen Forschungen die Hauptquelle für die Karte bilden, werden 80 Klöster genannt. Andere zur Verfügung stehende Quellen (vgl. dazu besonders W. Wright, Catalogue of the Syriac Manuscripts in the British Museum [London 1871–72]) wurden bisher nicht mit der gleichen Methodik ausgewertet wie die 4 Monophysitenbriefe, so daß sich vor allem über die Zahl der im 6. Jh. noch existierenden orthodoxen Klöster nichts Sicheres aussagen läßt.

Literatur: Neben dem oben unter Autor zitierten II. Bd von Tchalenko sind auch die Bde I und III desselben Werkes heranzuziehen. Weitere Literatur im folgenden Kommentar.

12 B: Die von Theodoretus von Cyrrhus (444) genannten Klöster

Autor: P. Canivet

Theodorets *Philotheos Historia* (444) bildet die Hauptquelle für die Geschichte des nordsyrischen Mönchtums vor dem Konzil von Chalcedon (451); sie wird ergänzt durch seine Kirchengeschichte (449) und seine Korrespondenz; Texte antiker Geographen und spätere Kirchenschriftsteller tragen zur Erhellung dieser Quellen bei.

Die monastische Geographie beruht auf der Zuordnung der Einsiedeleien und Klöster (diese in der Nähe der großen Kommunikationsachsen) zu den Regionen der Osrhoene, Euphratensis (und des Gebietes um Cyrrhus), Antiochene, Chalcidene, Apamene, Cilicia und Phoenicia, deren Grenzen sich im allg. durch den Umfang bestimmen, den am Anfang des 5. Jh. rund um das Patriarchat Antiochia die Metropolen Apamea und Hierapolis sowie die Bistümer Cyrrhus, Beroea, Chalcis und Rhosus hatten. Die Klöster haben zu dieser Zeit bereits ihre eigene Hierarchie, während die Anachoreten mehr und mehr unter die durch Chorbischöfe und Periodeuten ausgeübte bischöfliche Kontrolle kommen.

Die Klöster bilden Familien, die sich vom selben Gründer herleiten. So unterscheidet man die Gruppe des Julianus Saba in Gallaba (Dschellab) in der Osrhoene (zwischen 317 und 325), die des Publius in Zeugma (Balkis) in der Euphratensis, deren Einfluß die Entwicklung der Klöster in der Antiochene bestimmt hat: Gindarus (Genderes), Teleda (Tell Ade) und seine Filialen (1. Hälfte des 4. Jh.), die Klöster des Marosas und Marianus am Fuß des Coryphus-Berges (Scheikh Barokot). Es ist wenig wahrscheinlich, daß es in Antiochia selbst und auf dem von Einsiedeleien bedeckten Berg Silpius eigentliche Klöster gegeben hat, aber auf den Vorbergen des Amanus, die die Orontes-Ebene beherrschen, befanden sich die beiden (noch nicht identifizierten) Klöster des Abrahames (2. Hälfte des 4. Jh.), die in Beziehung zu den Einsiedeleien von Imma (Yeni Schehir) und des Paratomus (?) standen. Für die Chalcidene zeigt Theodoret nur 1–2 Klöster und 2–3 Einsiedeleien an, jedoch ohne jeden topographischen oder toponymen Hinweis. Von den Klöstern der Chalcidene hängen in der Apamene die beiden Klöster von Nikertai (unter Valens) – wo Theodoret Mönch war – und deren zahlreiche Filialen ab. Mit Ausnahme von Seleucobelus (Dschisr esch Schugur) sind alle anonym. Sie sind bemerkenswert wegen ihrer Treue zum Konzil von Chalcedon, während das übrige syrische Mönchtum zum Monophysitismus überging. Im Gebiet von Cyrrhus zählt man drei Klöster: in Cyrrhus selbst nahe dem „Grab des Propheten", in der

Nähe von Tillima und in den Bergen bei Asikhas; doch Theodoret weist vor allem auf die verstreuten Einsiedeleien im Gebirge oder der Ebene von Azaz hin. In Cilicia gab es das Kloster des Theodosius im Süden von Rhosus, in Phoenicia ein Kloster in einer unbestimmten libanesischen Stadt (zweifellos bei Emesa) und eine Einsiedelei nahe bei Gabala.

Theodoret gibt manchmal nur den Namen einer Region, doch im allg. bezeichnet er die monastischen Stätten durch ihre Namen oder lokalisiert sie im Verhältnis zu bekannten Punkten. Einige Namen und die Klöster, die damit verbunden sind, sind sicher identifiziert (Teleda, Gindarus); häufiger sind die Ortsnamen identifiziert, nicht aber die Klöster (Telanissus/Tellneschin = Deir Siman; Seleucobelus = Dschisr esch Schugur; Niara). Einigen Ortsnamen sind von Theodoret geographische Koordinaten beigegeben (Nikertai 120 Meilen von Cyrrhus, 75 von Antiochia, 3 von Apamea), die dank archäologischen Forschungen mehr oder weniger wahrscheinliche Lokalisierungen ermöglichen (Kloster des Theodosius in Kale bei Rhosus). Einige z. T. durch Namen bezeichnete Stätten, die ehemals an einen christlichen Kult geknüpft waren (Aszeten-Gräber), sind unter den Orten zu suchen, die „wehli" besitzen (Omerus = Amaranli?, Scheikh Rih = Kitta?, Durakli = Targala?, Einsiedelei des Jacobus = Scheikh Khoros?). Man kann sich auch, um Einsiedeleien wiederzufinden, von den heidnischen Kultstätten leiten lassen (Maron am Parsa Dadsch?, Thalalaeus = 20 Stadien von Gabala/Dschebele) und, um Klöster zu erkennen, von Ruinen von Gebäuden, die aus dem Ende des 5. und dem Anfang des 6. Jh. stammen und deren Lage den Angaben der Philotheos Historia entspricht: z. B. Turmanin, El Breidsch, Atme, Deir Ahschan, Batabu; einige Identifizierungen beruhen allein auf philologischen Beziehungen zwischen Namen (Asicha = Saktsche Gözu; Rhabaina = Raban; Sisa = Islahiye).

Es erscheint bisher unmöglich, Lokalisierungen für die Orte des Gebietes um Cyrrhus vorzuschlagen: Tillima, Rhama, Nimuza (sie haben sicher in den Bergen gelegen), ebenso für Marato, das im Süden von Rhosus und Raz en Khanzir an der Küste gelegen zu haben scheint.

Quellen: Theodoretus, Philotheos Historia: Migne, Patrologia Graeca 82, 1283–1496 (vgl. H. Lietzmann, Das Leben des Heiligen Symeon Stylites: TU XXXII/4 [1908]); Histoire Ecclésiastique, ed. L. Parmentier – F. Scheidweiler: GCS XLII (1954); Korrespondenz, ed. Y. Azéma I–III (1955–66). – **Literatur**: *Zu den Quellen:* St. Schiwietz, Das morgenländische Mönchtum III (1938); P. Peeters, Le tréfonds oriental de l'hagiographie byzantine (Bruxelles 1950); E. Honigmann, Patristic Studies: Studi e Testi 173 (Città del Vaticano 1953); A. J. Festugière, Antioche païenne et chrétienne, Libanius, Chrysostome et les moines de Syrie (Paris 1959); P. Canivet, Théodoret et le monachisme syrien avant le concile de Chalcedoine: Théologie de la vie monastique (Paris 1961) 241–282. – *Archäologie:* G. Parthey – M. Pinder, Itinerarium Antonii Augusti et Hierosolymitanum (Berlin 1848); O. F. von Richter, Wallfahrten im Morgenlande (Berlin 1882); K. Miller, Itineraria Romana (Stuttgart 1916, Neudr. Roma 1964); H. C. Butler, Early churches in Syria IVth–Vth cent., ed. u. kompl. von E. Baldwin Smith (Princeton 1929); J. Lassus, Sanctuaires Chrétiens de Syrie (Paris 1947); DACL XV/2 (1953) s. v. Syrie; G. Tchalenko, Villages Antiques de la Syrie du Nord. Le massif du Bélus à l'époque romaine I–II (Paris 1953), III (ebd. 1958). – *Zum Limes und zu den Grenzen der Regionen:* R. Mouterde – A. Poidebard, Le limes du Chalcis: Bibl. archéol. et hist. 38 (Paris 1945); H. Seyrig: Tchalenko (s. o.) III 12–13. – *Topographie und Toponymie:* E. Honigmann, Nordsyrische Klöster in vorarabischer Zeit: Zschr. für Semitistik u. verwandte Gebiete 1 (1922) 15–33 (Neudr. 1967); E. Littmann, Zur Topographie der Antiochene u. Apamene: ebd. 163–195; E. Honigmann, Histor. Topographie von Nordsyrien im Altertum: Zschr. des Deutschen Palästina-Vereins 46 (1923); R. Dussaud, Topographie historique de la Syrie antique et médiévale (Paris 1927). – *Monographien: Zu Antiochia:* G. Downey, An History of Antioch in Syria (Princeton 1961). – *Zu Cyrrhus:* E. Frézouls, Recherches historiques et archéologiques sur la ville de Cyrrhus: Annales Archéologiques Syriennes IV–V (1954–55) 88–128. – *Zum Kloster des hl. Theodosius:* P. Canivet: Analecta Bollandiana 83 (1965) 351–356; ders.: Byzantion 38 (1968) 5–17. – *Zu Nikertai;* E. Honigmann, Évêques et évêchés monophysites d'Asie antérieure au VIe siècle: CSCO 127 Subs. II (Louvain 1951) 60–62; P. Canivet – M. T. Fortuna: Annales Archéologiques arabes Syriennes 18 (1969) 37–54.

P. Canivet

13: Die Konzilien und Synoden der alten Kirche

Autor: J. Martin

Die Karte stellt die Konzilien und Synoden von den Anfängen bis 600 dar. Dabei mußte eine Auswahl vorgenommen werden, die sich von folgenden Gesichtspunkten leiten ließ: a) aufgenommen wurden alle in der Tradition der römisch-katholischen Kirche als ökumenisch anerkannten Konzilien; b) aufgenommen wurden ferner alle Synoden, die vom Teilnehmerkreis her allgemeinen Charakter haben, also – zumindest der Einladung nach – entweder die Bischöfe der Gesamtkirche oder wenigstens die des gesamten Westens bzw. des gesamten Ostens umfassen (Beispiele: Seleucia und Ariminum 359); Ermessensentscheidungen waren in der Einordnung nicht zu umgehen, da z. T. die Berichte über die Synoden die entscheidenden Fragen offenlassen (fehlende Teilnehmerlisten oder Listen ohne Angabe der Sitze), andererseits außer dem Teilnehmerkreis keine klaren Kriterien für die Einordnung zur Verfügung stehen (die kaiserliche Einberufung kann nicht als Kriterium genommen werden, da sie sich teilweise auch auf Synoden lokalen Charakters erstreckt hat; desgleichen versagt die Bezeichnung eines Konzils als *plenarium* durch die antiken Historiker, denn auch Landes- oder Nationalkonzilien wurden als Plenarkonzilien charakterisiert); c) aufgenommen wurde schließlich der größte Teil der Synoden, die die Vertreter mehr als einer Kirchenprovinz vereinigten. Unter diese Kategorie fallen auch die Plenarkonzilien etwa der afrikanischen oder alexandrinischen Kirche und die Nationalkonzilien etwa der westgotischen Kirche. Der Übergang zur Kategorie b) ist, insbesondere für den östlichen Bereich, fließend. Leitender Gesichtspunkt für die Auswahl innerhalb der Kategorie c) war, alle die Synoden einzutragen, die theologische oder dogmatische Aussagen machten oder wichtige disziplinarische *Canones* verabschiedeten. Dagegen blieben Synoden unberücksichtigt, die sich mit rein lokalen Dingen (z. B. Anklagen gegen einen Bischof oder Presbyter) befaßten oder von denen nichts als das (ungefähre) Datum bekannt ist.

Nicht berücksichtigt wurden auch – außer in ganz wenigen eigens markierten Fällen – die zahlreichen Provinzialsynoden, und das nicht nur aus technischen Gründen: das Konzil von Nicaea forderte die Abhaltung von jährlich 2 Synoden in jeder Kirchenprovinz. Obwohl diese Forderung wahrscheinlich nicht annähernd eingehalten wurde – das zeigt allein schon ihre dauernde Wiederholung in den *Canones* zahlreicher Synoden –, muß man doch mit wesentlich mehr Provinzialsynoden rechnen, als uns überliefert sind, so daß eine Darstellung der überlieferten Provinzialsynoden vielleicht nicht einmal ein repräsentatives Bild ergäbe. In diesem Zusammenhang ist ein Wort zu den für Rom eingetragenen Synoden nötig: es ist so gut wie sicher, daß ein Teil dieser Synoden nach den eben explizierten Kriterien unter die Provinzialsynoden fällt, obwohl sich eine Unterscheidung im einzelnen nicht durchführen läßt, da wir über die Teilnehmer in der Regel ungenügend unterrichtet sind (deshalb wurde hier auf eine besondere Markierung verzichtet). Da aber der Bischof v. Rom durch die meisten dieser Synoden entweder auf eigene Initiative oder auf konkrete Anfragen hin auf Vorgänge in der Gesamtkirche reagierte und diese Reaktion auch dort beachtet und in Rechnung gezogen wurde, wo man einen Primat Roms nicht anerkannte, unterscheiden sich diese Synoden grundlegend von anderen Provinzialsynoden und rechtfertigt sich von daher ihre Eintragung.

Auf andere Grenzfälle kann hier nur exemplarisch eingegangen werden: So sind die Berichte über den Osterfeststreit zu knapp, um sicher zu entscheiden, ob es sich bei den dort genannten – und in die Karte eingetragenen – Synoden schon um Synoden im späteren Sinn handelt. – Die römische Versammlung von 313 wird von einigen Forschern (bes. H. U. Instinsky) nicht als Synode, sondern als Gerichtsverfahren interpretiert – eine Position, die in der Karte nicht akzeptiert wurde.

Auf der Karte sind nicht verzeichnet die Synoden der persischen (später nestorianischen) Kirche (vgl. Karte 10), die im 5. Jh. ihre Unabhängigkeit gegenüber der Gesamtkirche erklärte, sowie die Konzilien der armenischen Kirche, die sich um die Mitte des 6. Jh. als eigene Kirche konstituierte (vgl. Karte 9A).

Quellen und Literatur: Grundlage für die Zusammenstellung der Karte war Ch. J. Hefele – H. Leclercq, Histoire des Conciles, Bd. I–III (Paris 1907–10). Zur Korrektur, bes. in Datierungsfragen, wurden vor allem die Ortsartikel in DHGE, DThC, LThK[2] und RAC benutzt, ferner Beck 44–55 sowie die Concilia Galliae, 2 Bde, ed. C. Munier: Corpus Christianorum, ser. Latina 148 (Turnhout 1963). Vgl. auch die Literatur zu den Karten 20–24.

J. Martin

14: Das westliche Mönchtum der Antike

A: Martin von Tours: Die Verbreitung seines Kultes im spätantiken Gallien und im Frankenreich von ca. 370 bis ca. 740
B: Lérins: Sein Einfluß in Gallien und im Frankenreich (410–740)
C: Saint-Maurice im Wallis: Seine Wirkung in Gallien und im Frankenreich (5. Jh. – 754)

Autor: F. Prinz: Die Karten sind dem Buch des Autors „Frühes Mönchtum im Frankenreich" (Verlag Oldenbourg, München–Wien 1965) entnommen.

Martin von Tours (†397) war der erste Klostergründer Galliens. Schon zu seinen Lebzeiten erlangte er in großen Teilen Galliens und auch der übrigen antiken Welt hohen Ruhm. Dennoch beschränkte sich nach seinem Tod seine Nachwirkung zunächst auf Westgallien und vereinzelte Fälle in Spanien. Das änderte sich erst, als Martin seit dem Ende des 5. Jh. zum merowingischen Reichsheiligen wurde und anschließend auch die Karolinger ihn als Hausheiligen übernahmen und seinen Kult förderten. Die Verbreitung des Martinskultes wurde so zu einem Indiz für den politischen Einfluß der fränkischen Königsmacht.

Zu dieser allgemeinen Aussage gibt es eine wichtige Ausnahme: Die Karte zu den Martinspatrozinien hat einen blinden Fleck im Rhônegebiet, der sich durch die politischen Verhältnisse nicht erklären läßt. Der Grund dafür ist vielmehr, daß das Rhônegebiet (und einige angrenzende Gebiete) zum Ausstrahlungsbereich eines eigenständigen monastischen Zentrums gehörten: Lérins. Das von ihm ausgehende „Rhônemönchtum" unterschied sich deutlich vom martinisch geprägten Mönchtum, es war straffer organisiert und regularisiert, wies direkte östliche Einflüsse auf, ferner sind viele Lérins-Schüler durch starke politische Aktivität gekennzeichnet. Als Gründe dafür werden angegeben die stärkere römische Durchdringung der Provence sowie die aristokratische Herkunft vieler Mönche von Lérins.

Das 515 vom burgundischen König Sigismund gegründete St-Maurice im Wallis (Agaunum) gehört in den Zusammenhang des Rhônemönchtums. Bestanden schon vor der Gründung des Klosters Beziehungen zwischen Lérins und dem immer stärker aufblühenden wallisischen Wallfahrtsort, so deckte sich auch der Ausstrahlungsbereich des Klosters, das den ewigen Psalmengesang – die *laus perennis* – von Konstantinopel übernahm, mit dem des Rhônemönchtums.

Die Quellenbasis der Kartendarstellungen ist weit verzweigt und kann hier nicht im einzelnen aufgeführt werden. Besonders hervorgehoben seien die Viten der großen Klostergründer, Passiones sowie Gregor von Tours. Im einzelnen vgl. das angeführte Buch von F. Prinz.

In die Karte der Martinspatrozinien wurden nur Orte aufgenommen, deren Patrozinien für die Frühzeit bezeugt sind. Orte, die zwar früh genannt sind, deren Patrozinien aber erst später bezeugt sind, wurden nicht berücksichtigt.

Für die weitere Entwicklung des Mönchtums im Frankenreich vgl. die Karten 25 34 35 und 37.

Literatur: Vgl. oben unter Autor sowie die Angaben zu Karte 37.

Zusammengestellt nach dem Buch von F. Prinz

15: Das Christentum in antiken Städten

Autoren: Der Plan von Iustiniana Prima beruht auf *A. Grabar,* Les Monuments de Tsaritchin Grad et Iustiniana Prima: Cahiers Archéologiques 3 (1948) 49–63; vgl. *Vl. R. Petković,* Les fouilles de Tsaritchin Grad: ebd. 40–48. – Der Plan von Telanissus stammt aus *G. Tchalenko,* Villages antiques de la Syrie du Nord, Bd II: Inst. Français d'Archéologie de Beyrouth, Bibliothèque archéologique et historique 50 (Paris 1953) Pl. CCVIII und CCIX. – Der Plan von Hippo ist entnommen *E. Marec,* Monuments chrétiens d'Hippone (Arts et métiers graphiques, Paris 1958) am Ende des Buches (der Plan stammt von *E. Stewski*).

Die Karten 15–17 sollen wichtige christliche Zentren der Antike und dabei gleichzeitig bestimmte Typen der „Christianisierung der antiken Stadt" (F. Deichmann) vorstellen. Weitere teilweise auch noch für die Antike relevante Pläne bieten die Karten 40–42.

Kaiser Iustinian machte seinen Geburtsort Tauresium unter dem neuen Namen Iustiniana Prima zur autokephalen Metropole mehrerer Provinzen (vgl. Karte 20). Die Stadt wurde ganz neu angelegt, die christlichen Bauten nahmen von vornherein einen zentralen Platz im Bauplan ein.

Telanissus (Deir Siman) bietet ein Beispiel für einen antiken Wallfahrtsort, der nie zur Stadt aufgestiegen ist. Hervorgerufen wurde die Wallfahrt durch Symeon den Styliten, der in Qalaṭ Siman bei Telanissus auf einer Säule gelebt hatte († 459). Schon in der 2. Hälfte des 5. Jh. entstand in Qalat Siman ein großes Symeon-Heiligtum mit einer bedeutenden Kirche, während sich in Telanissus Pilgerquartiere und 3 Klöster ansiedelten.

Hippo, die Stadt Augustins, weist ein zusammenhängendes „christliches Viertel" auf mit einer großen Basilika, die schon vor Augustin existierte und wohl die Kathedrale der Stadt war, ferner eine Reihe von Annexen. Aus noch älterer Zeit stammt die fünfschiffige Kirche, die man östlich vom Komplex der großen Basilika gefunden hat. – Da das christliche Viertel mitten in einer Villengegend entstand und nicht weit vom Forum entfernt war, gehört Hippo zu dem vor allem im Osten verbreiteten Typ von Städten, in denen das Christentum von Anfang an das Zentrum eroberte (vgl. Kommentar zu Karte 17).

Quellen: Vgl. oben unter Autoren. Allgemeine Lit. bei Karte 17.

J. Martin

16: Das christliche Rom der Antike

Autor: J. Martin

Die christliche Archäologie Roms spiegelt in besonderer Weise den Weg der christlichen Gemeinden in der Antike wider. Vor dem Ende der Verfolgungen war die Errichtung spezifisch christlicher Bauten unmöglich. Den Ersatz für Kulträume bildeten die sog. *domus ecclesiae* (Hauskirchen), d. h. Profanbauten oder Räume in Profanbauten, die von Privatpersonen für gottesdienstliche oder Gemeindezwecke zur Verfügung gestellt wurden. Von den über den Eingängen der Häuser angebrachten Inschriften mit den Namen der Eigentümer – den *tituli* – leitet sich vielleicht die Bezeichnung der alten Pfarrkirchen Roms her. Nach dem Ende der Verfolgungen konnte die Gemeinde mit der Errichtung spezifischer Kultstätten beginnen. Zunächst – besonders in der konstantinischen Zeit – wurden noch weitere *tituli* gegründet, deren Zahl im 5. und 6. Jh. um 25 betrug. Die alten Hauskirchen wurden durch neue Bauten ersetzt, während die neuen *tituli* wohl von vornherein öffentliche Basiliken waren. – Unser Wissen über die Zahl und die Namen der *tituli* basiert auf den Unterschriftenlisten römischer Synoden sowie den Angaben der 1. Redaktion des *Liber Pontificalis* (1. Hälfte des 6. Jh.). Ob ein *titulus* schon in der Verfolgungszeit als Hauskirche existierte, läßt sich meistens nur durch archäologische Untersuchungen unter den späteren Bauten erweisen!

Neben den *tituli* wurde eine große Zahl von Kirchen an den Gräbern der Märtyrer erbaut. Schon in der konstantinischen Zeit wurde Rom mit einem ganzen Ring dieser Coemeterialkirchen umgeben (S. Petri, S. Pauli, S. Sebastiani, Marcellini et Petri, S. Laurentii, Agnetis; die neuentdeckte konstantinische Basilika am Tor de'Schiavi gehört wohl auch in diese Kategorie). Sie lagen alle außerhalb der Stadt, da innerhalb der Mauern keine Toten bestattet werden durften. – Wichtigste Quellen für die Kirchen der frührömischen Zeit sind die Grabungsergebnisse – für spätere Jhh. kommen auch hier Erwähnungen in literarischen Quellen, insbesondere im *Liber Pontificalis,* hinzu.

Die Coemeterien umfassen sowohl die unterirdischen Katakomben als auch überirdische Begräbnisstätten. Oft entsprachen – wie auch die Karte zeigt – den Katakomben überirdische Begräbnisstätten. Wurden die Christen zunächst zusammen mit den Heiden bestattet, so bürgerten sich seit dem 2. Jh. eigene christliche Coemeterien ein und wurde schließlich die Trennung von der Kirche strikt gefordert. Die ältesten Teile der Coemeterien – fast ausschließlich Familiengräber – reichen bis ins 2. Jh. hinauf. Von der Gemeinde selbst sind Coemeterien wahrscheinlich erst seit dem 4. Jh. angelegt worden.

Über die römischen Klöster der Antike ist wenig bekannt. Der *Liber Pontificalis* weist durch lapidare Notizen die Gründung der Klöster ad Lunam (Lokalisierung unbekannt), In Catacumbas, SS. Johannis et Pauli beim Vatikan und S. Stephani beim Lateran dem 5. Jh. zu. Für das 6. Jh. fließen die Quellen reichlicher, da die Korrespondenz und die Dialoge Gregors d. Gr. viele Informationen bieten. Vereinzelt kommen auch Inschriften hinzu.

Quellen und Literatur: Das Material zu den *tituli* ist zusammengestellt bei J. P. Kirsch, Die römischen Titel-Kirchen im Altertum (Paderborn 1918). Die literarischen Quellen zu den Kirchen finden sich bei Ch. Huelsen, Le Chiese di Roma nel Medioevo (Firenze 1927) (mit Karten) und bei M. Armellini, Le Chiese di Roma dal sec. IV al XIX, 2 Bde, ed. C. Cecchelli (Roma 1942). Eine Bestandsaufnahme der archäologischen Forschungsergebnisse bietet R. Krautheimer, Corpus Basilicarum Christianarum Romae (Città del Vaticano 1937–62) (noch nicht abgeschlossen). Vgl. ferner R. Vielliard, Recherches sur les origines de la Rome chrétienne (Roma 1959); G. Matthiae, Le Chiese di Roma dal IV al X secolo (Bologna 1962). – Die Coemeterien sind zusammenfassend behandelt bei P. Testini, Le catacombe e gli antichi cimiteri cristiani in Roma: Roma cristiana II (Bologna 1966). Die Quellen zu den Klöstern sind bequem zugänglich bei G. Ferrari, Early Roman Monasteries: Studi di Antichità cristiana 23 (Città del Vaticano 1957).

J. Martin

17: Das Christentum in antiken Städten

Autoren: Ravenna: *G. Bovini;* Gerasa: Der Plan ist entnommen dem Werk von *C. Kraeling,* Gerasa, City of the Decapolis (New Haven, American School of Oriental Research, Conn. 1938); Salona: Der Plan ist entnommen dem Werk Recherches à Salone, hrsg. v. *E. Dygve* (Kopenhagen, Imprimerie de l'Université 1928); Mailand: Der Plan gibt den heutigen Stand der Forma Urbis Mediolani wieder (vgl. die Literatur unten).

Die „Christianisierung der antiken Stadt" (F. W. Deichmann) weist zwei Grundtypen auf: Wohl in der Mehrzahl der Fälle (im Westen fast ausschließlich, aber auch im Osten) siedelt sich das Christentum zunächst am Rand oder außerhalb der Städte an, wobei es infolge der wachsenden Bedeutung des Christentums nicht selten zur Bildung neuer städtischer Schwerpunkte um die Kirchen kommt. Beim zweiten Typ, der vor allem im Osten und in Afrika vorkommt, dringt das Christentum sofort in das Zentrum der Städte ein (Gerasa) (vgl. auch Hippo auf Karte 15). Als Gründe für den ersten Typ nennt F. W. Deichmann „die außerhalb der Mauern liegenden Friedhöfe und Gedenkstätten mit dort errichteten Martyrien"; ferner hätten die Stadtzentren „keinen Platz für kirchliche Gründungen" geboten; schließlich hätten auch Momente wie „die Lage in unmittelbarer Nähe von schon aufgelassenen Heiligtümern" eine Rolle gespielt. Diese Erklärungen können nur dann befriedigen, wenn Typ 2 als Ausnahme betrachtet und jeder einzelne Fall gesondert erklärt werden kann. Die weite Verbreitung von Typ 2 (vgl. D. Claude, s. u.) spricht gegen eine solche Theorie. Zwei andere Erklärungsmöglichkeiten bieten sich an, die hier allerdings nur als Hypothesen vorgeschlagen werden können: a) Deichmanns Argument, die Stadtzentren hätten keinen Platz für kirchliche Gründungen geboten, gilt zunächst für jede Stadt; es erhält erst dann differenzierende Bedeutung, wenn man zusätzlich fragt, ob es in einzelnen Reichsteilen für die Kirche grundsätzlich leichter gewesen ist als in anderen, in den Stadtzentren Grund und Boden für ihre Kultstätten zu erlangen (z. B. aufgrund unterschiedlicher Rechtslage oder Rechtsauslegung in bezug auf heidnische Kultstätten usw.); b) ferner könnte eine Rolle gespielt haben, daß im Osten die Anlehnung der Kirche an politische Formen und Theorien viel ausgeprägter war als im Westen (vgl. dazu z. B. die Arbeiten von F. Dvornik) und deshalb die städtischen Zentren für die Christen hier große Bedeutung hatten.

Zur Datierung der in den Plänen aufgeführten Kirchen: In Ravenna gehören dem 5. Jh. an der Dom, das Baptisterium Neonianum, S. Agata (im 6. Jh. vollendet), die Basilika Johannes' des Evangelisten, das Mausoleum der Galla Placidia, S. Croce und S. Francesco (= Basilica Apostolorum); die übrigen Monumente gehören ins 6. Jh. – In Gerasa gehören bis auf die Kathedrale (um 365?), die Prophetenkirche (464-465), die Theodoros-Kirche (494 begonnen) und die Genesios-Kirche (611) alle kirchlichen Bauwerke dem 6. Jh. an, und zwar vornehmlich der Zeit zwischen 526 und 556. – Von den Kirchen Salonas wurden die städtische Basilika und die Basilika der 5 Märtyrer im 4. Jh. erbaut, die Basilika in der Form eines Kreuzes Ende 5./Anfang 6. Jh., alle übrigen im 5. Jh. – Mailand verdankt Ambrosius (374-397) S. Tecla (= Basilica Salvatoris), die Apostel- und die Jungfrauen-Basilika. S. Lorenzo entstand zwischen 355 und 372.

Die Annexe zu den beiden Doppelkirchenanlagen in Gerasa und Salona sind nur vereinfacht markiert. Obwohl es sich dabei weitgehend um christliche Bauten handelt, sind sie nicht in Schwarz gegeben, da sich im einzelnen christliche und vorchristliche Bauelemente durchdringen.

Literatur: *Allgemein:* F. W. Deichmann, Art. „Christianisierung der antiken Stadt": RAC II (Stuttgart 1954) 1237–1241; G. Kretschmar, Der Standort der Kirchengebäude als städtebauliches und geistesgeschichtliches Problem in Antike und Mittelalter: Kirchenbau und Ökumene, Evangelische Kirchenbautagung in Hamburg 1961 (Hamburg 1962) 128–170; D. Claude, Die byzantinische Stadt im 6. Jh.: Byzantinisches Archiv 13 (München 1969). – *Zu Ravenna:* F. W. Deichmann, Frühchristliche Bauten und Mosaiken von Ravenna (München 1958); R. Farioli, Ravenna paleocristiana scomparsa (Ravenna 1961); G. de Angelis d'Ossat, Studi Ravennati (Ravenna 1962); G. Bovini, Storia e architettura degli edifici paleocristiani di culto di Ravenna (Bologna 1964); ders., Die Kirchen von Ravenna (München 1965); G. A. Mansuelli, Geografia e storia di Ravenna antica: Corsi di Cultura sull'arte Ravennate e Bizantino, 5.–17. März 1967 (Ravenna 1967) 157–190. – *Zu Gerasa:* vgl. oben. – *Zu Salona:* E. Dygve, A History of Salonitan Christianity (Oslo u. a. 1951); E. Ceci, I monumenti cristiani di Salona (Milano 1963). – *Zu Mailand:* Storia di Milano I (Milano 1953); G. Traversi, Architettura paleocristiana milanese (Milano 1964).

J. Martin

18: Die Wallfahrtsorte der Antike und des Mittelalters

Autor: B. Kötting

Die vorkonstantinische Zeit kennt nur schwache Ansätze für eine Wallfahrt zu den Gedächtnisstätten Christi. Nach Konstantin verstärkt sich die Pilgerfahrt nach Palästina, zumal die wichtigsten „Theophanie"stätten durch prachtvolle Kirchen ausgezeichnet wurden. Die Verehrung der Martyrer als der „Sieger über den Teufel" hatte die Wirkung, daß die echte oder vermeintliche Grabstätte bedeutender Blutzeugen von vielen Pilgern aufgesucht wurde. Das Motiv für die „Bedeutung" des Heiligen läßt sich oft nicht mehr erkennen. Nach dem Beginn der Reliquienübertragung und -teilung (2. Hälfte des 4. Jh., vgl. Karte 28) kam es zu Filiationen (z. B. Barcelona [Eulalia] abhängig von Mérida). Namentlich die Reliquien aus dem Heiligen Land (Kreuzsplitter, Heiliger Rock, Kleider Mariens usw.) wurden wallfahrtsbegründend.

Seit der Mitte des 5. Jh. entfaltet sich die Bilderverehrung. Die zögernde Zustimmung der kirchlichen Leitung erkennt man daran, daß z. B. die ersten Bilder Christi als *Acheiropoiiten* (nicht von Menschenhand gefertigt) auftauchen. Besonders die Entstehung der Marienwallfahrtsorte geht mit der Bilderverehrung parallel (früheste Bilder: „Schwarze Madonna" [Hohes Lied: „Schön, aber schwarz"]), da man von Maria keine Körper-, wohl aber Berührungsreliquien (Kleider) kannte. Berühmte Bilder Christi (Kruzifixe) gaben ebenfalls Anlaß zu Wallfahrten.

Der Realismus im eucharistischen Kult (seit dem 12. Jh.) rief die Pilgerfahrten zu blutenden Hostien und Blutreliquien ins Leben. Seit dem 16. Jh. machen die Marienwallfahrten den überwiegenden Anteil an neuen großen Kultzentren aus. – Zu allen Jahrhunderten (vom 4. Jh. bis heute) haben Erscheinungen (Theophanien, Angelophanien [Michael], Mariophanien) Wallfahrten begründet, im letzten Jh. fast ausschließlich.

An und für sich gibt es im Altertum, Mittelalter und in der Neuzeit eine breite Diffusion der Wallfahrtszentren und damit auch der Pilgerwege. Das Heilige Land steht an erster Stelle für alle christlichen Kirchen, Rom ebenso für die lateinische Kirche und seit dem 16. Jh. für die gesamtkatholische. Die Übernahme der Wallfahrt in die Sühne- und Strafordnung des Mittelalters hob die Wallfahrt ins Heilige Land, nach Rom und (seit den Kreuzzügen) nach Santiago in Westspanien als besonders bedeutsam heraus. Pilgerstraßen mit Zeugnissen der Verehrung (Reliquienniederlagen, Stiftungen, Kirchenpatronate usw.) geben heute noch darüber Auskunft. – Welche Orte man im einzelnen in eine Karte der Wallfahrten einträgt, wird bis zu einem gewissen Grad stets eine Frage des Ermessens bleiben, da die Bedeutung eines Pilgertreffpunktes von verschiedenen Faktoren abhängig ist.

Literatur: St. Beissel, Wallfahrten zu unserer Lieben Frau in Legende und Geschichte (Freiburg 1913); H. Leclercq, Pèlerinages aux lieux saints: DACL 14 (1939) 40–176; R. Kriss – L. Rettenbeck, Wallfahrtsorte Europas (München 1950); B. Kötting, Peregrinatio religiosa (Münster 1950); R. Roussel, Les pèlerinages à travers les siècles (Paris 1954); R. Oursel, Les pèlerins du Moyen-Age (Paris 1963); B. Kötting, Wallfahrt: LThK² X (1965) 942–946. – *Zu den Pilgerwegen:* A. Palmieri, I pellegrinaggi russi in Terra Santa: Bessarione 8 (1900) 571–605; L. Schürenberg, Die Bedeutung der Pilgerstraßen für die westfälische Architektur: Die Heimat 9 (1927); L. Vásquez de Parga – J. M. Lacarra – J. Uria Riu, Las peregrinaciones a Santiago de Compostela (Madrid 1948–49) (mit Karten, die als Vorlage für den Eintrag der Straßen nach Santiago dienten); O. Springer, Medieval Pilgrim Routs from Scandinavia to Rome: Medieval Studies 12 (1950).

B. Kötting

19: Das Christentum auf den Britischen Inseln bis zum 9. Jh.

Autoren: Für England und Schottland wurden – mit einigen Korrekturen – die Bistumssitze und Klöster aus der Karte des British Ordnance Survey „Britain in the Dark Ages" (Chessington ²1966) übernommen (Based upon the Ordnance Survey Map with the sanction of the Controller of Her Britannic Majesty's Stationery Office, Crown Copyright reserved). Für Irland wurde eine Auswahl der frühen keltischen Gründungen getroffen, die auf der „Map of Monastic Ireland" des Ordnance Survey, Dublin (Dublin 1959) verzeichnet sind. Wichtige Hinweise gaben R. P. C. Hanson und J. Morris.

Die Karte behandelt den Zeitraum vom 5. bis zum 9. Jh.: die Missionierung Irlands beginnt im 5. Jh., in England gab es schon früher Christen (vgl. Karte 4), doch wurde das Christentum zum großen Teil durch den Einfall der Angeln und Sachsen im 5. Jh. zerstört bzw. durch den Aufschwung des Mönchtums im 6. Jh. umgewandelt. Für das ganze britische Gebiet markieren dann die Normanneneinfälle des 9. und 10. Jh. einen tiefen Einschnitt.

Die Karten des Ordnance Survey geben keine Einzelbelege für ihre Eintragungen. Obwohl für einige Klöster aufgrund verschiedener Indizien Zweifel hinsichtlich ihres Alters bestehen, wurden sie nicht mit einem Fragezeichen versehen, da es nicht möglich war, alle Eintragungen des Ordnance Survey anhand der Quellen zu überprüfen. Als solche kommen in Betracht Diplomata, Kirchenhistoriker, Lebensbeschreibungen der Missionare und Heiligen, Annalen der Kirchen und Klöster sowie Landesannalen.

Bei den in England eingetragenen Bistümern ist zu beachten, daß es bis zum letzten Drittel des 7. Jh. keine festen Sitze gab. Die Bischöfe waren Bischöfe bestimmter Völker oder Teilvölker. – Die irische Kirche wurde im 6. Jh. rein monastisch. Die eingetragenen Bistümer wurden sämtlich vor dieser Zeit gegründet. Danach gab es bis zum 12. Jh. zwar Bischöfe, aber nur wenige Bistümer mit einem festumrissenen territorialen Jurisdiktionsbereich.

Quellen: Vgl. oben im Text; eine gute Zusammenstellung bei D. Knowles, The Monastic Order in England (Cambridge [2]1966) 727–732; für die Auswahl der irischen Klöster war hilfreich J. F. Kenney, The Sources for the Early History of Ireland: Ecclesiastical Review (New York 1966). – A. W. Haddan – W. Stubbs, Councils and Ecclesiastical Documents relating to Great Britain and Ireland (Oxford 1869–79); H. Scott, Fasti Ecclesiae Scoticanae, 8 Bde ([2]1915–50). – **Literatur**: J. Ryan, Irish Monasticism. Origins and Early Development (Dublin 1931); J. A. Duke, The Columban Church (1932); L. Gougaud, Christianity in Celtic Lands (London 1932); D. Knowles, The Religious Houses of Medieval England (London 1939); E. G. Brown, The Settlements of Early Saints in Wales (Cardiff 1954); H. G. Leask, Irish Churches and Monastic Buildings (Dundalk 1955); D. A. Easson, The Medieval Religious Houses of Scotland (1957); St. Cruden, The Early Christian and Pictish Monuments of Scotland (Edinburgh 1957); C. N. Johns, The Celtic Monasteries of North Wales: TCHS 21 (1960); J. H. S. Burleigh, A Church History of Scotland (London – New York – Toronto 1960); N. K. Chadwick, Celtic Britain (London 1963); M. u. L. de Paor, Early Christian Ireland (London [4]1964) (mit umfangreicher Literatur); J. Morris, The Dates of Celtic Saints: Journal of Theological Studies 17 (1966) 342–391; K. Hughes, The Church in Early Irish Society (London 1966); R. P. C. Hanson, St. Patrick (Oxford 1968) (mit Angabe der vorhergehenden umfangreichen Literatur). – Außerdem sind heranzuziehen zahlreiche Artikel von P. Grosjean in den Analecta Bollandiana, passim.

J. Martin

20 und 21: Die östliche Kirche bis um 600

Autor: J. Martin

Die Karten stellen die Patriarchate Konstantinopel, Antiochia und Jerusalem dar, ferner das durch Justinian geschaffene autokephale Erzbistum Iustiniana Prima, die seit 451 endgültig autokephale Kirche von Zypern sowie schließlich den illyrischen Anteil des römischen Patriarchats, der im 8. Jh. an Konstantinopel kam (vgl. Karte 30). Aufgenommen wurden alle Bistümer, die bis um 600 gegründet wurden (die *Notitia Antiochena* wurde mit Honigmann u.a. gegen Devreesse als Dokument des 6. Jh. interpretiert), soweit sie sich identifizieren und lokalisieren lassen. Bistümer, die nach 325 (vgl. Karten 4–5) nicht mehr bezeugt sind, wurden weggelassen; dagegen wurden die Zusammenlegung und der Untergang von Bistümern im 5. und 6. Jh. nicht berücksichtigt, da sich die entsprechenden Daten nicht immer sicher ausmachen lassen und vor allem in einigen Fällen sogar unklar ist, ob ein Bistum vor oder kurz nach 600 untergegangen ist. Die wenigen Fälle dieser Kategorie würden jedoch das Bild der Karten an keiner Stelle wesentlich verändern. – Außerhalb des Kartenausschnittes liegen am Südwestrand des Schwarzen Meeres die Eparchie Lazice mit der Metropole Phasis, im Norden des Schwarzen Meeres das autokephale Cherson (Sebastopol) und die ebenfalls schon in der Liste des Epiphanius (vgl. unten) als autokephal bezeugten Bosporus (Kertsch) und Nicopsis.

Die Einteilung der kirchlichen Sprengel in Metropolen, autokephale Erzbistümer und Bistümer trifft in dieser Form nur für das Patriarchat Konstantinopel zu. Zwischen Metropolen mit Suffraganen und solchen ohne Suffragane (z. B. Chalcedon) wurde nicht unterschieden. Die vier autokephalen Metropolen (Berytus, Cyrrhus, Emesa, Laodicea) sowie die sieben Synkelloi (Anasartha, Beroea, Chalcis, Gabala, Gabbula, Paltus, Seleucia Pieria) des Patriarchats Antiochia wurden mit dem Zeichen für autokephale Erzbistümer eingetragen, da sie diesen rangmäßig entsprachen (vgl. E. Chrysos [s. u.] 182).

Die Metropolitangliederung im Osten ist fast ausnahmslos in engem Anschluß an die staatliche Gliederung entstanden; da aber in den Fällen, in denen staatliche Provinzen zusammengelegt wurden, die alten kirchlichen Verbände normalerweise erhalten blieben, gibt die Karte nicht überall den Stand der staatlichen Einteilung um 600 wieder (so wurde die Provinz Honorias von Justinian mit Paphlagonia vereinigt – trotzdem blieb Claudiopolis kirchliche Metropole). – Der Metropolitanverband von Hierapolis (553 erstmals als Metropole bezeugt) in der Phrygia Pacatiana wurde nicht eingetragen, da es für die Zeit vor 600 keine Listen der Suffragane gibt; bei Epiphanius und in späteren Notitien werden als Suffragane Attuda, Dionysopolis und Mosyne genannt (neben weiteren, die nicht in die Karte eingetragen sind). – In Cappadocia gehörten zum Verband von Caesarea Thermae, Nyssa und Camuliana, ferner Theodosiopolis in Armenien, zum Verband von Tyana Cybistra, Faustinopolis und Sasima, zum Verband von Mocissus schließlich Nazianzus, Colonia, Parnassus und Doara. – Auf die Darstellung der Straßen wurde in den beiden Karten verzichtet, weil sie bei der Dichte der Bistümer die Situation nur verwirrt hätte.

Eingeklammerte Zeichen in den Karten stehen für Landschafts- oder Stammesbistümer. – Die Fragezeichen in den Karten beziehen sich auf die Lokalisierung. – Die verschiedenen Farben der Karten 20 und 21 erklären sich aus technischen Gründen (Karte 21 steht in einer vierfarbigen Form).

Quellen und Literatur: M. Le Quien, Oriens christianus, 3 Bde (Paris 1740, Neudr. Graz 1958) (heute in vielen Punkten ergänzungs- und korrekturbedürftig, aber bisher noch nicht ersetzt). – Die wichtigsten Quellen sind Präsenz- und Subskriptionslisten von Konzilien und Synoden. Besonders wichtig sind für das 5. und 6. Jh. die Listen der Konzilien von Chalcedon (451) und Konstantinopel (553). Vgl. dazu Acta Conciliorum Oecumenicorum, ed. Ed. Schwartz, II (Berlin 1933–38); E. Honigmann, The Original Lists of the Members of the Council of Nicaea, the Robber-Synod and the Council of Chalcedon: Byzantion 16 (1944) 20–80; E. Chrysos, Die Bischofslisten des V. ökumenischen Konzils (553): Antiquitas Reihe 1 Bd 14 (Bonn 1966). Zu den übrigen erhaltenen Akten vgl. H.-G. Beck, Kirche und theologische Literatur im byzantinischen Reich: Byzantinisches Hdb. II/1 (München 1959) 38–55. – Eine weitere wichtige Quellengruppe bilden die Notitiae episcopatuum. Für das Patriarchat Antiochia ist eine Notitia erhalten, deren Archetyp sich auf die 2. Hälfte des 6. Jh. zurückführen läßt (ed. E. Honigmann: Byzantion 25 [1925] 60–88). Dieser Zeitansatz wurde bestritten von R. Devreesse in seinem – im übrigen für das Patriarchat Antiochia grundlegenden – Werk Le Patriarcat d'Antioche depuis la paix de l'église jusqu'à la conquête arabe (Paris 1945); dazu vgl. E. Honigmann, Le Patriarcat d'Antioche: Traditio 5 (1947) 135–161. – Die erste erhaltene Liste für das Patriarchat Konstantinopel ist die des Ps.-Epiphanius aus dem 7. Jh. (ed. H. Gelzer, Ungedruckte und ungenügend veröffentlichte Texte der Notitiae episcopatuum: Abhh. der Bayer. Akad. der Wiss., Phil.-Hist. Kl. 21 [1901] 534–542), doch läßt sich aus ihr eine Ur-Klesis erschließen; vgl. H. Gerland, Die Genesis der Notitiae episcopatuum (Chalkedon 1931). – Zum Patriarchat Jerusalem, dessen Bistümer bis um 600 sämtlich aus Synodal- und Konzilsakten bekannt sind, vgl. A. Alt, Die Bistümer der alten Kirche Palästinas: Palästina-Jb. 29 (1933) 67–88: R. Devreesse, Les anciens évêchés de Palestine: Mémorial Lagrange (Paris 1940). – Weitere Literatur auch zu den hier nicht genannten Gebieten, bei Beck, aaO. 148–200. – *Zur Geographie der dargestellten Gebiete:* Hier können nur einige Hinweise gegeben werden. Allgemein sind vor allem heranzuziehen die Zeitschriften Anatolian Studies, Byzantion, Byzantinische Zschr., Revue des études byzantines; die Artikel in Pauly-Wissowas Realencyklopädie der klassischen Altertumswissenschaften und im DHGE; ferner Grabungs- und Inschriftenpublikationen, von den letzteren besonders die Monumenta Asiae Minoris Antiqua. Für den gesamten östlichen Bereich vgl. ferner A. H. M. Jones, The Cities of the Eastern Roman Provinces (Oxford 1937); Le Synekdèmos d'Hiéroklès et l'opuscule géographique de Georges de Chypre, ed. E. Honigmann: Corpus Bruxellense Historiae Byzantinae: Forma Imperii Byzantini – fasc. I (Bruxelles 1939). – Außerdem für Griechenland: A. Philippson – E. Kirsten, Die griechischen Landschaften, 4 Bde (Frankfurt 1950–59). – Für Kleinasien: Heranzuziehen sind vor allem die zahlreichen Arbeiten von L. Robert, besonders dessen Villes d'Asie Mineure (Paris [2]1962) (mit weiterer Lit. und Angabe von Kartenwerken); W. M. Calder – G. E. Bean, A Classical Map of Asia Minor (London 1958). – Für den Ostteil des byzantinischen Reiches: E. Honigmann, Die Ostgrenze des byz. Reiches: A. A. Vasiliev, Byzance et les Arabes, Bd III: Corpus Bruxellense Historiae Byzantinae 3 (Bruxelles 1961); L. Dillemann, Haute Mésopotamie orientale et pays adjacents: Inst. Français d'Archéologie de Beyrouth, Bibl. archéol. et histor. 72 (Paris 1962). – Für Syrien: R. Dussaud, Topographie historique de la Syrie antique et médiévale (Paris 1927); G. Tchalenko, Villages antiques de la Syrie du Nord, 3 Bde: Inst. Français d'Archéologie de Beyrouth, Bibl. archéol. et histor. 50 (Paris 1953–58). – Für Palästina: M. Avi-Yonah, Map of Roman Palestine ([3]1949); Atlas of Israel, hebräische Ausg. (Jerusalem 1956–64), engl. Ausg. (Jerusalem – Amsterdam 1970). – Weitere Hinweise, außer in den genannten Werken, bei E. Kirsten, Die griechische Polis als historisch-geographisches Problem des Mittelmeerraumes: Colloquium Geographicum 5 (Bonn 1956); G. Franz, Historische Kartographie (Hannover [2]1962).

J. Martin

Nachtrag: W. M. Ramsay, The Historical Geography of Asia Minor (London 1890); heranzuziehen sind jetzt durchgehend die Karten in TAVO und TIB.

22–23: Die westliche Kirche bis um 600

Autor: J. Martin

Die Karten stellen das Patriarchat Rom dar, und zwar etwa bis zu der Linie im Osten, an der die lateinisch-griechische Sprachgrenze verlief. Bis zum 8. Jh. ging das Patriarchat Rom über diese Grenze hinaus und umfaßte auch das Illyricum (vgl. Karte 20). In die Karten aufgenommen wurden – wie bei Nr. 20-21 – alle bis 600 gegründeten Bistümer, sofern sie nach 325 (vgl. Karten 4-5) bezeugt sind. Auch hier geben die Karten also nicht genau den Stand von 600 wieder, da Bistümer, die vor 600 untergegangen sind oder transferiert wurden, nicht besonders markiert sind; aber auch hier würde die Berücksichtigung dieser Kategorie für Spanien und Gallien gar nicht ins Gewicht fallen, während für Italien in einer Reihe von Einzelfällen nicht genau gesagt werden kann, ob ein Bistum den Langobardeneinfall ohne Kontinuitätsbruch überstand oder nicht (vgl. auch unten zu den Alpenländern).

Für Spanien und Gallien beruht die Karte fast ausschließlich auf den Akten, bes. den Präsenz- und Subskriptionslisten der westgotischen bzw. gallischen Synoden (vgl. Karte 13). Durch den Übertritt der Westgoten vom Arianismus zum Katholizismus im Jahre 589 wurde die Lage der Kirche im Westgotenreich wesentlich gebessert. Mit dem im gleichen Jahre abgehaltenen Nationalkonzil in Toledo begann eine Reihe großer Synoden, in der 2. Hälfte des 6. und am Anfang des 7. Jh. wurden mehrere neue Bistümer geschaffen und die Metropolitangliederung reorganisiert. Genaues Stichjahr der Karte für Spanien ist 610, das Datum des 2. Konzils von Toledo; erst seit diesem Zeitpunkt war Toledo Metropole der gesamten Carthaginensis.

Auch in Gallien fand nach den Eroberungen der Merowinger und der Taufe Chlodwigs (498/499) eine ganze Anzahl von Provinzial- und Nationalsynoden statt (vgl. Karte 13). Für die Kenntnis der gallischen Bistümer und der Kirchenorganisation am wichtigsten sind die von Agde (Agatho, 506), Orléans (Aurelianis, 511, 538, 541, 549), Epao (517), Paris (Parisius, 573) und Metz (Mettis, 585). – Die Namensformen der gallischen Städte sind für die Provence und das Rhône-Gebiet noch mit denen der Römerzeit identisch, in den übrigen Gebieten haben sie sich meistens seit dem 4. Jh. geändert. Gewählt wurden die Formen, die in den Konzilssubskriptionen am häufigsten vorkommen und die im übrigen auch mit den sonst gebräuchlichen Formen des 6. Jh. übereinstimmen, wenn man von den Kasusendungen absieht. Was diese betrifft, so stehen häufig für ein und dieselbe Stadt Nominativ- neben Akkusativ- und Ablativformen. Die Karte spiegelt diese Verschiedenheiten wider; es wurde nicht versucht, die Namengebung nach einem den Quellen nicht angemessenen einheitlichen Prinzip vorzunehmen.

Für Italien sind zwar auch die Konzilslisten eine wichtige Quellengruppe, doch müssen hier stärker als für die bisher besprochenen Gebiete auch lokale Traditionen (z. B. Bischofslisten) herangezogen werden, die von Lanzoni (vgl. unten) kritisch gesichtet worden sind. Viele Informationen bieten ferner die Briefe und Dialoge Gregors d. Großen. Die meisten Bistümer wurden im 4. und 5. Jh. gegründet. Die Völkerwanderung brachte zwar schwere Verwüstungen, aber keinen eigentlichen Kontinuitätsbruch; ebenso lebten Katholiken und arianische Ostgoten friedlich nebeneinander. Erst der Langobardeneinfall (568) hat das kirchliche Leben in Italien empfindlich getroffen.

Die Bistümer der Alpenländer und des Alpenvorlandes (Rätien, Noricum, Pannonien) sind uns ebenfalls nur teilweise durch Synodalberichte bekannt (Synoden von Sardica, Aquileia, Grado, Mediolanum). Für das 5. Jh. gibt die Vita Severini für Noricum wichtige Hinweise. Für Carnuntum kann aufgrund einer wahrscheinlich aus dem 4. Jh. stammenden, aber nicht eindeutigen Inschrift ein Bistum nur vermutet werden. Ebenso kennen wir keine Bischöfe von Augusta Vindelicum (Augsburg) und Savaria (Szombathely, Steinamanger) – die Bistümer können nur aufgrund von Indizien erschlossen werden. – Gemäß den oben angeführten Prinzipien der Karte ist der Verlust des Alpenvorlandes an die Alemannen in der 2. Hälfte des 5. Jh. nicht berücksichtigt. Man weiß z. B. nicht, ob das Bistum Augusta Vindelicum (Augsburg) den Alemanneneinfall überstanden hat.

Die kirchliche Organisation Dalmatiens schließlich geht aus zwei 530 und 533 in Salona abgehaltenen Synoden hervor, an denen im übrigen auch der Bischof von Siscia teilnahm. Es ist demnach möglich, daß die kirchliche Provinz Dalmatien im Norden über die – in der Karte gegebenen – Grenzen der staatlichen Provinz hinausreichte und die Pannonia Savia einschloß.

Die Kenntnis darüber, welche Bistümer zu einer Kirchenprovinz gehörten, verdanken wir entweder Synoden, die sich direkt mit dem Thema der kirchlichen Organisation eines Gebietes befaßten, oder – und das vor allem – den zahlreichen Provinzialsynoden, von denen Nachrichten überliefert sind. Die Linienführung der Kirchenprovinzgrenzen lehnt sich häufig an die politischen Einheiten an, wobei aber zu bedenken ist, daß im kirchlichen Bereich einmal geschaffene Einheiten oft spätere politische Veränderungen überdauern. Das hat dazu geführt, daß es gerade im Westen im Mittelalter und in der frühen Neuzeit viele Metropolitanverbände gab, die nicht den Staatsgrenzen entsprachen und deren Angleichung an die staatliche Organisation erst unter großer Mühe erreicht werden konnte (vgl. Karten 80, 96 und 97). Für die vorliegenden Karten bedeutet das z. B., daß die kirchliche Organisation Galliens um 600 nicht etwa der politischen Aufteilung des Frankenreichs entspricht, sondern noch genau die politische Gliederung unter Theodosius widerspiegelt:

Kirchenprovinz Beturigis (Bourges)	=	Aquitania I
Kirchenprovinz Burdigala (Bordeaux)	=	Aquitania II
Kirchenprovinz Elusa(Eauze)	=	Novempopulana
Kirchenprovinz Lugdunum (Lyon)	=	Lugdunensis I
Kirchenprovinz Rotomagus (Rouen)	=	Lugdunensis II
Kirchenprovinz Turones (Tours)	=	Lugdunensis III
Kirchenprovinz Senones (Sens)	=	Senonia
Kirchenprovinz Augusta Treverorum (Trier)	=	Belgica I
Kirchenprovinz Remis (Reims)	=	Belgica II
Kirchenprovinz Vesontio (Besançon)	=	Maxima Sequanorum

Die einzigen Ausnahmen für Gallien liegen bezeichnenderweise im Südosten, wo alte Vorrechte von Arelate (Arles) und Vienna (Vienne) im Spiel waren. In der Kirchenprovinz Arles wurden die Alpes Maritimae, die Narbonensis II, der Südteil der Viennensis und der Westteil der Narbonensis I zusammengefaßt, während unter Vienne die Alpes Graiae, der Nordteil der Viennensis und der Nordostteil der Narbonensis I standen. Die Kirchenprovinz Narbo war mit der Narbonensis I unter Abzug der genannten Teile identisch. Ähnliche Verhältnisse wie für Gallien lassen sich auch für Spanien und Italien aufzeigen, von einzelnen, jeweils besonders begründbaren Ausnahmen abgesehen.

Quellen und Literatur: Allgemein sind heranzuziehen die Orts- und Länderartikel des DHGE, LThK[2] und RAC, wo – bes. in den Bistumsartikeln – auch Spezialliteratur genannt ist. Im folgenden können nur zusammenfassende Werke zitiert werden. – Die Synoden der westgotischen Kirche bei Mansi, Bde IX–X; H. Leclercq, L'Espagne chrétienne (Paris 1906); Z. García Villada, Historia Eclesiástica de España, 3 Bde (Madrid 1929–36); E. A. Thompson: Latomus 21 (1962) 505–519 794–810; K. Schäferdiek, Die Kirche in den Reichen der Westgoten und Suewen bis zur Errichtung der westgotischen katholischen Staatskirche (Berlin 1967). – Zu Frankreich: Concilia Galliae a. 314 – a. 506 u. a. 511 – a. 695, 2 Bde: Corpus Christianorum, Series Latina CXLVIII–CXLVIIIA (Turnhout 1963); L. Duchesne, Fastes Épiscopaux de l'ancienne Gaule, 3 Bde (Paris [2]1907–15); E. Griffe, La Gaule Chrétienne à l'époque Romaine, 3 Bde (Paris 1964–66). – Zu Italien: F. Lanzoni, Le diocesi d'Italia dalle origini al principio del secolo VII (an. 604), 2 Bde: Studi e Testi 35 (Faenza 1927). – Zu den Alpen- und Donauländern: J. Zeiller, Les origines chrétiennes dans les provinces danubiennes de l'empire Romain (Paris 1918); H. Tüchle, KG Schwabens I (Stuttgart 1950); R. Noll, Frühes Christentum in Österreich (Wien 1954); H. Büttner – I. Müller, Frühes Christentum im Schweizerischen Alpenraum (Einsiedeln 1968). – Zu Dalmatien: J. Lučić: DHGE 14 (1960) 28–38 (mit weiterer Literatur). – Die Frage der geographischen Grundlagen ist für die vorliegenden Karten nicht so schwierig, da die meisten Orte auch heute noch bestehen und auf jedem modernen Atlas leicht zu finden sind. Vgl. jedoch – auch zu den Straßen – die ausgezeichneten Karten in den verschiedenen Bänden des Corpus Inscriptionum Latinarum; für Frankreich ferner A. Lognon, Géographie de la Gaule au VIe siècle (Paris 1878); A. Mirot, Manuel de Géographie historique de la France, 2 Bde (Paris [2]1948–50); A. Douzat, Les Noms de Lieux. Origine et évolution (Paris 1951); ders. – Ch. Rostaing, Dictionnaire des noms de lieux de France (Paris 1963). – Zu Italien: R. Thomson, The Italic Regions (Rom 1966). – Für die Alpenländer: E. Howald – E. Meyer, Die römische Schweiz (Zürich o. J. [1940]); F. Ertl, Topographia Norici (Kremsmünster 1965). – Zu Dalmatien: G. Alföldy, Bevölkerung und Gesellschaft der römischen Provinz Dalmatien (Budapest 1965). – Zu den Straßen gibt es sehr viele Einzeluntersuchungen. Vgl. die oben angegebene geographische Literatur, ferner K. Miller, Itineraria Romana (Stuttgart 1916, Neudr. Roma 1964). Der Artikel viae in Pauly-Wissowas Realencyklopädie steht leider noch aus.

J. Martin

24: Die afrikanische Kirche bis um 600

Autor: J. Martin

Die Karte beruht auf den gleichen Prinzipien wie die Karten 20–23; eingetragen wurden die bis 600 gegründeten Bistümer; unberücksichtigt blieben die Bistümer, die nach 325 (vgl. Karte 4) nicht mehr bezeugt sind, sowie die Orte, die *nur* donatistische Bischöfe hatten (vgl. Karte 7). – Die afrikanische Kirche zählte im 5. und 6. Jh. sicher mindestens doppelt so viele Bistümer als die ca. 250 auf der Karte verzeichneten. Die übrigen lassen sich nicht identifizieren oder lokalisieren (vgl. Kommentar zu Karte 7). Wie die Kirche in anderen Gebieten war auch die afrikanische Kirche in Kirchenprovinzen eingeteilt, doch gab es neben dem Primat von Carthago keine festen Metropolen: Die *prima sedes* jeder Provinz wurde jeweils nach der Anciennität der Bischöfe festgelegt. – Die auf der Karte gegebene Provinzeinteilung entspricht dem Stand des 5. Jh. Um 600 gehörte die Mauretania Sitifensis zu Numidia und war die Mauretania Caesariensis in Mauretania prima umbenannt.

429 bis 533 stand Nordafrika unter der Herrschaft der arianischen Vandalen, doch konnte die Kirche diese Zeit verhältnismäßig gut überstehen. Erst die arabische Eroberung im 7. Jh. (vgl. Karte 43) brachte fast allen afrikanischen Bistümern den Untergang.

Hauptquelle für die afrikanischen Bistümer sind neben den Teilnehmer- und Unterschriftenlisten der afrikanischen Synoden *Notitiae,* die – nach Provinzen geordnet – für das Jahr 484 die bestehenden Bistümer verzeichnen.

Quellen und Literatur: Vgl. Kommentar zu Karte 7. Im dort genannten Werk von Mesnage sind für jedes Bistum die Quellennachweise angegeben.

J. Martin

25: Die iroschottische, angelsächsische und fränkische Mission

A und B: Irische und irisch beeinflußte Klöster 590 – ca. 730

Autor: F. Prinz. Die Karte wurde nach den Karten VII A und VII B aus dem Buch des Autors Frühes Mönchtum im Frankenreich (R. Oldenbourg Verlag, München – Wien 1965) zusammengestellt. Das Itinerar Kolumbans wurde nach Vita Columbani und der Vita S. Galli eingetragen.

Die Karte schließt sich chronologisch an die Darstellungen auf S. 14 an. Mit der Ankunft Kolumbans und seiner Gefährten in Gallien (letztes Drittel des 6. Jh.) erhielt das gallo-fränkische Mönchtum entscheidende neue Impulse. Der Einfluß Kolumbans wirkte sich nicht nur direkt über seine Gründung Luxeuil aus – die Karte macht deutlich, daß die Zahl der Filiationen Luxeuils sogar verhältnismäßig klein ist –, sondern vor allem über seine Verbindung mit dem Pariser Hof. Die Unterstützung durch die merowingischen Könige bewirkte, daß das kolumbanische Mönchtum viele Förderer in Bischöfen erhielt, „die vor und neben ihrem geistlichen Amte hohe Funktionen am merowingischen Hofe in Paris einnahmen" (Prinz). In den alten Zentralbereich des Rhônemönchtums (vgl. Karte 14) sind die Iren kaum vorgedrungen; im nördlichen Burgund erlangten sie dagegen durch die Verbindung Luxeuils mit austrasischen Adligen großen Einfluß.

Quellen und Literatur: Mélanges Columbaniens: Actes du Congrès International de Luxeuil 1950 (Paris - Luxeuil 1950); G. Schreiber, Irland im deutschen und abendländischen Sakralraum (Köln 1956); F. Prinz, Frühes Mönchtum im Frankenreich (München - Wien 1965) (mit Quellen und weiterer Literatur). Die wichtigsten Quellen zum irischen Mönchtum sind außerdem bequem zusammengestellt bei J. F. Kenney, The Sources for the Early History of Ireland: Ecclesiastical (New York 1929, Neudr. 1966), Kap. VI. – Vgl. auch die Literatur zu Karte 37.

J. Martin
(unter Benutzung des Buches von F. Prinz)

C: Das missionarische Werk Willibrords, Winfrid-Bonifatius' und Pirmins

Autoren: Die Missionsgebiete Willibrords und Bonifatius' sowie die Angaben zu den Bistümern sind nach der Karte von *F. Prinz* im Ausstellungskatalog: „Werdendes Abendland an Rhein und Ruhr" (Essen 1956), S. 147, eingetragen, die Angaben zu den Klostergründungen nach Karte VII C des oben unter A und B genannten Buches von F. Prinz. Für Pirmin wurde außerdem die Arbeit von *A. Angenendt* (vgl. unten) benutzt.

Mit Willibrord und Winfrid-Bonifatius erreichte die angelsächsische Mission, die Wilfrith von York 678–679 unter den Friesen begonnen hatte, ihren Höhepunkt. Die Tätigkeit des Bonifatius umfaßte nicht nur die Mission bei den Friesen, in Thüringen und in Hessen, sondern vor allem auch die Reorganisation der fränkischen Kirche und der bayerischen Bistümer. Der durch Bonifatius inaugurierte Neuaufstieg der fränkischen Kirche unter römischer Observanz ging mit dem politischen Aufschwung des Frankenreiches unter den Karolingern Hand in Hand.

Gleichzeitig mit Bonifatius wirkte Pirmin († 753) im Südwesten Deutschlands. Die wohl erst um die Mitte des 9. Jh.s entstandene Vita weiß nur ungenau von Klöstern Pirmins. Sie nennt 10 Namen. Reichenau, Murbach und Hornbach sind durch Zeugnisse außerhalb der Vita als pirminische Gründungen gesichert; bei Schuttern und Gengenbach ist der pirminische Ursprung wahrscheinlich. Marmoutiers, Neuwiller und Wissembourg wurden von Pirmin reformiert.

Quellen und Literatur: Vgl. oben unter Autoren und im Text, ferner: C. Wampach, Sankt Willibrord. Sein Leben und Lebenswerk (Fulda [2]1954); Th. Schieffer, Winfrid-Bonifatius und die christliche Grundlegung Europas (Freiburg 1954); A. Angenendt, Monachi peregrini. Studien zu Pirmin und den monastischen Vorstellungen des frühen Mittelalters: Münstersche Mittelalter-Schriften VI (München 1970).

J. Martin

Nachtrag: H. Löwe, Pirmin, Willibrord und Bonifatius, in: Settimane di studio ... XIV (Spoleto 1967) 217–261.

D: Die Missionsgebiete der Liudgeriden und die Errichtung der sächsischen Missionsbistümer

Autoren: Die Missionsgebiete und die Route der Liudgeriden sind nach der Karte von *K. Hauck – L. Kerssen:* Kunst und Kultur im Weserraum 800–1600, Bd I (1966) nach S. 120 eingetragen. Für die Klöster stellte *M. Uhlenbrock* eine Liste zusammen. Wichtige Hinweise gab K. Hauck.

In der 2. Hälfte des 8. Jh. begann die fränkische Kirche aus eigener Initiative zu missionieren. Unter den Missionaren nahmen die Utrechter Geistlichen Liudger, der 1. Bischof und Organisator der Diözese Münster, und dessen Bruder Hildegrim, der 1. Bischof der später nach Halberstadt verlegten Diözese Osterwiek, eine hervorragende Stellung ein. – Genaue Gründungsdaten der Klöster anzugeben ist äußerst schwierig. Nicht für alle eingetragenen Klöster ist die Existenz vor 840 absolut gesichert. Die „Missionsklöster" dienten ausgesprochen der Missionierung und wurden später, wie z. B. 834 für Meppen beurkundet, aufgelöst oder anderen Klöstern inkorporiert (z. B. Meppen von Corvey). – Auf die Eintragung von „Missionsstützpunkten" wurde verzichtet, weil sie sich kaum angemessen erfassen lassen. Vgl. dazu besser die Karte der Reliquientranslationen (Nr. 28).

Quellen und Literatur: Vgl. oben unter Autoren, ferner S. Liudger. Festschrift zum 1150. Todestag (Essen – Werden 1959). – Zu den Klöstern: L. Schmitz-Kallenberg, Monasticon Westfaliae (Münster 1909); M. Uhlenbrock, Die Klöster in Sachsen unter den Karolingern (Diss. Münster, in Vorbereitung). – Zu den Bistümern vgl. die einzelnen Artikel im $LThK^2$.

J. Martin
(unter Benutzung von Mitteilungen von M. Uhlenbrock)

26: Nestorianer und Jakobiten in Vorderasien vom 9. bis zum 12. Jahrhundert

Autoren: Für die Jakobiten: *I. Nabe – v. Schönberg;* für die Nestorianer: *J. M. Fiey – J. Martin*

Zu den Jakobiten:

Im Anschluß an seine Kirchengeschichte gibt der syrische Patriarch Michael I. eine Bischofs- und Bistumsliste für die Zeit von ca. 800 bis gegen Ende seiner Regierungszeit 1199. Diese Liste bildet die Grundlage der Karte. Da sich die Angaben vor allem auf den westlichen Jurisdiktionsbereich des Patriarchen beziehen, bleiben manche Bistümer und Bischöfe aus dem Bereich des Metropoliten von Tagrit, des Oberhauptes der Jakobiten im ehemaligen Perserreich, unerwähnt. Dieser bekam in der zweiten Hälfte des 11. Jh. den Titel ‚Maphrian', war aber schon in den vorhergehenden Jhh. fast völlig unabhängig vom Patriarchen von Antiochien. – Wir finden ergänzende Angaben in der Kirchenchronik des Maphrians Bar Hebraeus (1226-86) und in einigen kleineren Chroniken, die von J. S. Assemani und M. Le Quien verarbeitet wurden. Allerdings erhalten wir durch das vorhandene Material besonders vom Osten nur ein skizzenhaftes Bild der damaligen kirchlichen Verhältnisse. Manche Orte werden nur einmal genannt, während sie vermutlich für längere Zeit einen Bischof hatten. Dennoch wird aus den erhaltenen Nachrichten ersichtlich, daß die syrisch-jakobitische Kirche im Mittelalter ausdehnungsmäßig eine Blüte erlebte. Sie konnte unter der Herrschaft der Abbasiden-Khalifen ihre Stellung festigen, ja bis ca. 1000 noch vergrößern. Erst danach nimmt ihre Ausdehnung im Osten und Westen ab, und es ist den Bistümern nach eine Konzentration auf den Raum Ostanatoliens festzustellen.

Quellen: *Für die kirchliche Situation und die Identifizierung der einzelnen Bischofssitze:* J. S. Assemani, Bibliotheca Orientalis Clementino-Vaticana, 4 Bde (Roma 1719–28), bes. Bd II; M. Le Quien, Oriens Christianus, 3 Bde (Paris 1740, Neudr. Graz 1958), Bd II; Michael Syrus: Chronique de Michel le Syrien, patriarche jacobite d'Antioche (1166-99), éditée et traduite en français par J. B. Chabot, 4 Bde (Paris 1899-1910, Neudr. Bruxelles 1963), bes. Bd III. – Ferner folgende die ältere Literatur zitierende Arbeiten: E. Honigmann, Le Couvent de Barsaumā et le Patriarcat Jacobite d'Antioche et de Syrie: CSCO 146 (Louvain 1954); P. Kawerau, Die jakobitische Kirche im Zeitalter der syrischen Renaissance (Berlin [2]1960); J. M. Fiey, Assyrie chrétienne, 3 Bde (Beyrouth 1965–68); W. Hage, Die syrisch-jakobitische Kirche in frühislamischer Zeit (Wiesbaden 1966).

I. Nabe – v. Schönberg

Zu den Nestorianern:

Die Quellensituation für die nestorianischen Bistümer ist noch ungünstiger als die für die jakobitischen: die Quellen sind verstreuter, zusammenfassende Listen oder Chroniken existieren nicht. Für die Ausgangssituation um 800 sind besonders wichtig die Briefe des Patriarchen Timotheos I. (780-823) sowie die Schriften des Thomas von Marga. Über den Stand um 900 geben Notizen des Metropoliten Elias von Damascus Auskunft. An das Ende der dargestellten Epoche gehört die arabische *Geschichte der Patriarchen des Orients* von Mari ibn Sulaiman (12. Jh.), die im 14. Jh. von Amr ibn Matta und Sliwa ibn Yohannan fortgesetzt wurde. Dazu kommen auch hier viele Einzelmitteilungen, über die man sich am besten anhand des oben zitierten Werkes von Fiey ein Bild machen kann.

Die Karte schließt nicht direkt an die der nestorianischen Bistümer im Jahre 497 (Nr. 10 A) an: Bistümer, die nach 497 gegründet wurden und vor 800 wieder untergingen, sind nicht berücksichtigt, doch handelt es sich hierbei nur um wenige Ausnahmefälle. Was die chronologische Einordnung der Bistümer angeht, so bedeutet die Kategorie „zwischen 9. und 12. Jh. bezeugt" nicht, daß ein Bistum von ca 800 bis um 1200 bestanden hat. In diese Kategorie wurden vielmehr auch Bistümer eingeordnet, die im 10. Jh. gegründet wurden bzw. die im 11. Jh. untergingen. Entscheidend für die Einordnung ist also die Bezeugung vor und nach 1000.

Die Karte macht deutlich, daß die Lage der Nestorianischen Kirche im Euphrat-Tigris-Gebiet während der ganzen Epoche verhältnismäßig stabil blieb. Größere Verluste waren nur im Gebiet des Persischen Golfes zu verzeichnen, an dessen Südwestseite die Nestorianer auch schon im 7. Jh. verschiedene Bistümer eingebüßt hatten.

Zur Geschichte der Jakobiten und Nestorianer in den östlich an den Kartenausschnitt anschließenden Gebieten vgl. Karte 27.

Quellen: Zu den Ausgaben des Thomas von Marga und Timotheos vgl. die entsprechenden LThK-Artikel; Elias von Damascus ist ediert in dem oben zitierten Werk von Assemani, Bd II; die genannten arabischen Schriftsteller sind mit lateinischer Übersetzung herausgegeben von F. Gismondi (Roma 1899). – **Literatur:** Neben den oben genannten Arbeiten von M. de Quien (ebenfalls Bd II) und J. M. Fiey vgl. ders.: L'Orient Syrien 9 (1964) 189–232, ferner die zu Karte 10A angegebene Literatur.

J. Martin

27: Das orientalische Christentum in Asien bis zum 14. Jh.

Autor: W. Hage

Kunde über das hier verzeichnete Christentum geben vor allem christlich-orientalische Chronisten (Bischofslisten), arabische Geographen, chinesische Geschichtsschreiber, abendländische Reisende und archäologische (u. a. literarische) Überreste. Ihnen zufolge erlebte das Christentum Mittel-und Ostasiens seine Blüte vom 12. bis 14. Jh. (frühere Jhh. sind besonders angegeben), gehörte überwiegend der nestorianischen Kirche an und fand seine Anhänger – abgesehen von Kaufleuten, Missionaren und Hierarchen syrischer und persischer Herkunft – vorwiegend im (die politische Macht tragenden) turko-tatarischen Volkstum. Das monophysitische Christentum fand dagegen offenbar kaum, das chalcedonensische nur in den westlichen Gebieten Eingang in die Bevölkerung Mittelasiens; es wurde von zeitweilig im Lande weilenden Mönchen, von Gefangenen oder ganzen Söldnertruppen (Alanen) getragen. – Einige Metropolien der Nestorianer waren (zeitweilig) durch Personalunion miteinander verbunden: Märw-Nischapur (13./14. Jh.), Samarqand-Turkestan (13. Jh.), Kaschgar-Navekath (14. Jh.), Almalygh-Tangut (13. Jh.), Chanbalyq-Almalygh (14. Jh.), China(Sin)-Chanbalyq (13. Jh.), China(Katai)-Öngüt (13. Jh.), Sianfu-China(Sin) (8. Jh.). Bistümer und Metropolien eines Volksstammes oder Gebietes erscheinen da, wo der Hierarch keinen festen Sitz hatte oder dieser unbekannt ist; vielleicht residierte der Metropolit von Tangut in Ninghsia und der Bischof der Hephthaliten in Badhges (Gebiet nördlich von Herat). Der melkitische Katholikos von „Romagyris" (unter der Jurisdiktion des Patriarchats Antiochia) residierte zunächst in Taschkent, dann in Nischapur. Durch den Fremdenhaß der Ming-Dynastie in China (seit 1368), den Übertritt der Chane der mongolischen Teilreiche zum Islam und die Kriegszüge Timurs ging das Christentum Mittel-und Ostasiens bis zum Beginn des 15. Jh. zugrunde. – Allein das seit dem 4. Jh. (oder früher?) durch syrische Kaufleute verbreitete und unter den Einheimischen verwurzelte Christentum Indiens überlebte. Es bildete eine Provinz der nestorianischen Kirche, bis es unter dem Einfluß der portugiesischen Entdecker mit Rom uniert wurde (Synode von Diamper 1599). Die innere Struktur dieser Kirchenprovinz (Bistümer?) liegt im Dunkel; die Hierarchen wechselten offenbar mehrfach ihren Sitz. – Auf Vermutungen oder unsicheren Quellenbelegen fußende Angaben sind mit einem Fragezeichen versehen.

Quellen: Für Mittel- und Ostasien (unter Benutzung der älteren Literatur): A. C. Moule, Christians in China before the Year 1550 (London 1930); F. Drake, Nestorian Monasteries of the T'ang Dynasty and the Site of the Discovery of the Nestorian Tablet: Monumenta Serica 2 (1936–37) 293–340; K. S. Latourette, A History of the Expansion of Christianity, Bd II (New York–London 1938); J. Foster, The Church of the T'ang Dynasty (London 1939); G. Messina, Il cristianesimo tra Turchi, Cinesi e Mongoli: La Civiltà cattolica 96 (1945) 90–102 290–301; J. Dauvillier, Les provinces chaldéennes „de l'extérieur" au moyen âge: Mélanges au F. Cavallera (Toulouse 1948) 260–316; ders., Byzantins d'Asie Centrale et d'Extrême-Orient au moyen âge: Revue des études byzantines 11 (1953) 62–87; ders., L'expansion de l'église syrienne en Asie Centrale et en Extrême-Orient: L'Orient Syrien 1 (1956) 76–87; Y. Saeki, The Nestorian Documents and Relics in China (Tokio [2]1951); B. Spuler, Die morgenländischen Kirchen (Leiden–Köln 1964); K. Enoki, The Nestorian Christianism in China in Mediaeval Time According to Recent Historical and Archaeological Researches: L'Oriente Cristiano nella storia della civiltà (Roma 1964) 45–81; Y. Ch'ên, Western and Central Asians in China under the Mongols, their Transformation into Chinese (Los Angeles 1966); I. P. Petruševskij, K istorii christianstva v Srednej Azii: Palestinskij Sbornik 15 (1966) 141–147. – Für Indien ferner: E. Tisserant, Eastern Christianity in India (London–New York–Toronto 1957); G. M. Moraes, A History of Christianity in India (Bombay 1964); P. J. Podipara, Die Thomas-Christen (Würzburg 1966). – Für die Handelsstraßen: A. Herrmann, Die alten Seidenstraßen zwischen China und Syrien (Berlin 1910). – Schon vorhandene Karte (abgesehen von den Skizzen in älteren Arbeiten und in der hier verzeichneten Literatur): A. Herrmann, An Historical Atlas of China, New Edition (Edinburgh 1966) 37 (Angaben über Bistümer zum Teil unzutreffend).

W. Hage

28: Reliquientranslationen zwischen 600 und 1200

Autoren: M. Zender–J. Fellenberg gen. Reinold

Die Karte bringt die historisch bedeutsamen und kultwirksamen Translationen, die in der Zeit zwischen 600 und 1200 n. Ch. aus Rom, Italien, dem Westfrankenreich und von anderwärts nach Orten im Gebiet des mittelalterlichen Reiches durchgeführt wurden oder die innerhalb dieses Reiches von einem Ort zu einem anderen stattfanden. Berücksichtigt sind die Übertragungen von *corpora,* selbst wenn sich später herausstellte, daß es sich nur um wenige Gebeine – oft nur um kleine Teile – handelte, dann von *capita, ossa,* von *brachium, manus* usw.

Im allgemeinen ist auf der Karte nur ein Heiliger genannt. Kamen Reliquien eines zweiten und dritten dazu, so heißt es meist „u. a.", es sei denn, es handelt sich um eine Heiligengruppe wie Petrus und Marcellinus oder Marius–Habakuk–Audifax. Kleinere Reliquien wurden nur berücksichtigt, wenn eine größere Anzahl von verschiedenen Heiligen in einem Akt übertragen wurde (Fulda, Quedlinburg, Metz).

Eingetragen sind alle Translationen, auch die legendären, da auch sie eine historische Aussage machen und im Mittelalter, zum Teil bis in die Gegenwart, den Kult bestimmten und bestimmen. Offenkundig unrichtige und oft schon im Mittelalter diskutierte und bestrittene Nachrichten von Translationen sind meist dadurch gekennzeichnet, daß das zugehörige Zeichen auf der Karte am endgültigen Ruheort in Klammern gesetzt ist. Bei jedem Kultort sind regelmäßig (mit wenigen Ausnahmen) Ortsname, Heiligenname und Translationsjahr angegeben, ferner beim größten Teil der Orte durch ein diakritisches Zeichen die Herkunft der Reliquien und der ursprüngliche Ruheort; da es wegen der Fülle der Karte nicht möglich war, Verbindungslinien zu ziehen, werden die Herkunftsorte bei den Translationen, die sich zwischen Orten im Kartenausschnitt vollzogen, durch eine Aufstellung am Schluß dieses Kommentars ergänzt.

Die Entscheidung, ob eine Nachricht zu berücksichtigen sei, mag im Einzelfalle subjektiv gefällt sein; im ganzen aber glauben wir, ein der Wirklichkeit nahekommendes Bild dieser für Kirche und Volk bedeutsamen Bewegung zu geben.

Quellen und Literatur: Grundlage für die Erstellung der Karte war eine genaue Durchsicht aller Bände der MGH. Benutzt wurden neben den kirchlichen und Heiligenlexika vor allem kult- und patroziniengeschichtliche Arbeiten, wie die von G. Schreiber, W. Stüwer, H. Tüchle, G. Zimmermann u. a., einschlägige allgemeine geschichtliche und kirchengeschichtliche Untersuchungen, wie die von E. Ewig, A. Hauck, E. de Moreau, U. Berlière, F. Prinz, und speziell dem Reliquienkult gewidmete Beiträge, wie die von S. Beissel, Fr. Falk, W. Hotzelt, B. Kötting und E. A. Stückelberg. Vgl. Einzeltitel im LThK², vor allem unter den Stichworten Heiligenverehrung, Patron, Reliquien.

Die nicht durch Zeichen angegebenen Herkunftsorte der Reliquien:

Übertragen nach	Übertragen von	Heiliger
Admont	Salzburg	Chrysanth u. a., Hermes
Admont	Salzburg	Paternianus
Andenne	Nivelles	Gertrud
Attigny	Eichstätt	Walburg
Augsburg	Reichenau	hl. Kreuz
Augsburg	Epfach, zw. Landsberg und Schongau	Wikterp
Bleidenstadt	Mainz-Kastel	Ferrucius
Boke	Cambrai	Landolin
Braunschweig	Trier	Auctor
Brugge	Reims	Donatian
Bruxelles	Ham b. Vilvorde	Gudula
Cambrai	Pommereuil-Candri	Maxellande
Commercy	Köln	Pantaleon
Corvey	Magdeburg	Justin
Corvey	Aachen	Stephanus
Dendermonde	Dickelvenne	Christiana
Dietkirchen	Kobern	Lubentius
Dortmund	Köln	Reinold
Egmont	Noordwijk	Jeron
Eichstätt	Heidenheim	Walburg
Einsiedeln	Augsburg	Digna
Einsiedeln	Zürich	Felix, Regula
Einsiedeln	Reichenau	Meinrad
Ellwangen	Langres	Meleusippus Eleusippes Mamertus
Épinal	Metz	Goërius
Epoy	Aussonne	Sindulf
Erfurt	Utrecht	Eoban u. a.
Euren	Trier	Numerian
Flavigny	Verdun	Firmin
Fontenelle	Hautmont	Ansbert
Freiburg	Lüttich	Lambert
Freising	Mais b. Meran	Corbinian
Furnes	Eichstätt	Walburg
Genf	Solothurn	Victor
Gent	Münsterbilsen	Amalberga
Gent	Boulogne od. Harlebeke	Bertulfus
Gent	Fontenelle	Ansbert
Gent	Wintershoven	Landoald u. a.
Gent	Fontenelle	versch. Rel.
Gent	Holthem	Livinus
Gent	Lotryck	Pharaldis
Gent-Mont Blandin	Fontenelle	Wandregisel
Gerpinnes	Villers-la-Poterie	Rolende
Goslar	Maastricht	Servatius
Goslar	Trier	Valerius
Gottesgnaden	Xanten	Victor u. Theb.
Halberstadt	Chalon, Metz	Stephanus
Halle	Magdeburg	Alexander u. a., Felix
Harzburg	Aachen	Anastasius u. a. Speus, Simeon
Hatton Châtel	Verdun	Hll. v. Verdun
Heiligenstadt	Mainz	Auraeus, Justina
Helmershausen	Trier	Modoald
Hersfeld	Fritzlar	Wigbert
Ichtershausen	Hildesheim	Godehard
Kempten/Allgäu	Metz	Hildegard
Kl. Neustadt/Main	Nivelles	Gertrud
Kobern	Trier	Matthias
Koblenz	Karden	Kastor
Koblenz	Remüs-Chur	Florin
Köln	Tongeren	Evergislus
Köln	Toul	Eliphius u. a.
Köln	Malmedy	Agilolf
Köln–Kunibert	Sachsen	Ewalde
Kraków	S. Florian	Florian
Laye	Metz	Chlodulf
Lièges	Maubeuge	Madalberta
Liessies	Fesseau	Etho
Lille	Seclin b. Lille	Eubert
Lüttich	Huy	Domitianus
Lyon	S. Maurice	Amor Viator
Magdeburg	Cambrai	Rothad u. a., Theoderich
Magdeburg	Cambrai	Theodoricus
Magdeburg	Xanten	Victor u. Theb.
Marbach	Lyon	Irenäus
Marmoutier	Metz	Auctor
Minden	Augsburg	Ulrich, Unschuld. Kinder
Monheim	Eichstätt	Walburg
Mons/Belgien	Lembeck	Veron
Montbéliard	Dampierre	Maimbert
Mouzon	Gruyères	Arnulf
Moyenmoutier	Trier	Bonifatius
Namur	Mainz	Alban
Neumünster	Metz	Terentius
Neuwiller	Metz	Adelphus
Niederhaslach	Straßburg	Florentius
Ninove	Kornelimünster	Cornelius
Odernheim/b. Worms	Metz	Rufus u. a., Lambathinus
Ottobeuren	Bischofszell	Theodor
Paderborn	Würzburg	Kilian
Passau	Altötting	Maximilian
Passau	Obermais/b. Meran	Valentin
Praha	Gnesen	Adalbert
Praha	Gnesen	Gaudentius
Praha	Tetin	Ludmilla
Praha	Corvey	Vitus
Prémontré	Köln	Gereon
Prüm	Aachen	Cosmas
Quedlinburg	Maastricht	Servatius
Rasdorf	Fulda	Caecilia u. a.
Regensburg	Langres	Speozippus u. a.
Reichenau	Schaennis	hl. Kreuz
Reichenau	Konstanz	Pelagius, Petronella, Petrus
Reichenau	Schännis/Zurzach	Hl. Blut
S. Blasien	Rheinau	Blasius
S. Gallen	Augsburg	Magnus
S. Gallen	Reichenau	Othmar
S. Hubert	Lüttich	Hubert
S. Pölten	Tegernsee	Hippolyt
S. Trond	Köln	Gereon
Salzburg	Worms	Amandus
Schaffhausen	Trier	Constans
Senones	Metz	Simeon
Siegburg	Dijon	Benignus
Siegburg	S. Maurice	Vitalis
Siegburg	Eichstätt	Walburg
Stade	Ratzeburg	Ansversus
Steinfeld	Karden	Potentius
Susteren	Utrecht	Gregor
Taben	Trier	Quiriak
Tholey	Piesport/Mosel	Kuno
Tholey	Verdun	Maurus, Salvinus, Araton
Tiel	Eichstätt	Walburg
Trier	Zürich	Felix, Regula
Tronchiennes	Merendre b. Gent	Gerulf
Utrecht	Dockum	Eoban
Verdun	Commercy	Pantaleon
Vergaville	Luxeuil	Eustasius
Weingarten	Graubünden	Gaudentius
Winnoksbergen	Wormhoudt	Winocus
Wintershoven	Bilsen	Landrada
Wissembourg	Ören b. Trier	Irmina

M. Zender – J. Fellenberg gen. Reinold

29 A: Die nubische Kirche im Mittelalter

Autor: J. Martin

Die Anfänge des Christentums in Nubien gehen für den äußersten Norden schon auf das 4. Jh. zurück: Für diese Zeit sind Christen auf der Insel Philae bezeugt. Die Mission des übrigen Nubien vollzog sich im 6. Jh., wobei Monophysiten und Orthodoxe miteinander rivalisierten.

Über die nubische Kirchenorganisation sind wir sehr schlecht unterrichtet. Die frühesten Einzelerwähnungen nubischer Bischöfe stammen aus dem 9. Jh. (ausgenommen Philae). Ein von J. M. Vansleb ediertes arabisches Verzeichnis, dessen Entstehungszeit ich nicht feststellen konnte, nennt neben den Bischofssitzen von Aksum (Äthiopien) auch die der nubischen Länder; für Alobadia und die Maccurritae sind sie bis auf das nicht identifizierte Suenkur (= Schangar?) in die Karte eingetragen; von den sechs für Alodia genannten Sitzen ist bisher kein einziger sicher identifiziert.

Für die Eintragung der Kirchen, deren Kenntnis ausschließlich auf Reiseberichten und modernen archäologischen Untersuchungen beruht, wurde das Inventarium von U. Monneret de Villard (s. u.) zugrunde gelegt. Weitere christliche Reste, z. B. Friedhöfe, finden sich auch noch in anderen Orten als den in der Karte verzeichneten.

Quellen und Literatur: S. Clark, Christian Antiquities in the Nile Valley (Oxford 1912); J. Kraus, Die Anfänge des Christentums in Nubien: Missionswiss. Studien, NR 2 (Mödling 1931) (mit Karten); U. Monneret de Villard, La Nubia Medioevale, 4 Bde (Le Caire 1935–57), bes. Bd I (Inventario); ders., Storia della Nubia cristiana: Orientalia Christiana Analecta 118 (Roma 1938) (mit Karten). – Eine gute historische Karte zu den nubischen Völkerschaften findet sich bei J. Marquart, Die Benin-Sammlung des Reichsmuseums für Völkerkunde in Leiden (Leiden 1913) am Schluß des Buches.

J. Martin

29 B: Die frühe Slawenmission

Autoren: L. Waldmüller - A. W. Ziegler

Den ersten Missionsversuch bei den Slawen hat wohl Kaiser Heraclius (610–647) unternommen, der zu den Kroaten Missionare aus Rom oder der westlichen Kirche kommen ließ. Vermutlich haben die Christen, die in Sirmium nach der Eroberung dieser Stadt durch die Awaren/Slawen 582 und in Pécs zurückgeblieben waren, das Christentum den Neuzugewanderten verkündet. Ca. 630 missionierte der Apostel der Belgier Amandus († 679) bei den Slawen. Der Salzburger Bischof Virgil († 784) sandte auf Bitten des im Chiemseekloster erzogenen Slawenfürsten Chetimar den Chorbischof Modestus zu den Slawen in Karantanien; Modestus gründete in Maria-Saal und S. Peter im Holz Kirchen. Der bayerische Herzog Tassilo III. (748–788, † 794) trieb eine selbständige Ostpolitik; er bestätigte 769 die vom Scharnitzkloster in Klais aus erfolgte Gründung von Innichen im Hochpustertal, eines Missionsklosters für die Slawen, gründete 777 Kremsmünster, das von Niederaltaich aus besiedelt wurde. Nach den Awarensiegen Karls d. Gr. 791 und 796 war der Weg frei für die Ostmission, für Salzburg (unter Erzbischof Arn, † 821) und Aquileia, deren Zuständigkeit Karl 811 durch die Drau abgrenzte. Im 8. Jh. evangelisierte das Kloster S. Giovanni al Timavo bei Aquileia unter den benachbarten Slawen. Im 9./10. Jh. missionierte und kolonisierte das Bistum Freising in Oberkärnten und donauabwärts, Regensburg (S. Emmeram) in Böhmen, an der Donau und am Plattensee, Passau in Ufernoricum und Oberpannonien; unter den Missionsklöstern werden u. a. Mondsee (gegr. vor 748) und Niederaltaich (von Reichenau aus besiedelt) genannt. Einen Höhepunkt bedeutet das Werk der aus Thessalonice stammenden Brüder Konstantin (Cyrill, † 869) und Method († 885), die von 863 ab in Mähren und Pannonien predigten; sie waren vom byzantinischen Kaiser auf Bitten des Mährenfürsten abgesandt, begaben sich zum Papst nach Rom, der 870 Method zum Erzbischof der wiedererrichteten Metropolie Sirmium und zu seinem Legaten für die Slawenmission in Pannonien und Mähren ernannte. Im Konflikt mit den bayerischen Missionaren Salzburgs, die schon vor den Slawenlehrern unter den Slawen das Evangelium verbreitet hatten, wurde Method gefangengesetzt und als Eindringling zur Verbannung (wahrscheinlich in Ellwangen) verurteilt, aber durch Vermittlung des Papstes freigelassen. Es war ein Konflikt der bayerischen mit der byzantinisch-römischen Mission und des ostfränkischen Reichskirchenrechtes mit dem universalen kanonischen Recht Roms. 864 nahm der Bulgarenfürst Boris in Konstantinopel die Taufe an. Bulgarische und russische Autoren setzen die erste Mission der Slawenlehrer und die Anfänge der von ihnen geschaffenen slawischen Schrift und Literatur nach Mazedonien, vor ihre Tätigkeit in Mähren und Pannonien.

Quellen: Die Quellenangaben sind weit verstreut und können hier nicht einzeln vermerkt werden; nur die Schriften zu den Slawenlehrern seien genannt: H. Löwe, Der Streit um Methodius: Kölner Hefte, Hist. Reihe 2 (Köln 1948); F. Grivec - F. Tomšič, Constantinus et Methodius Thessalonicenses. Fontes (Zagreb 1960). – **Ausgewählte Literatur:** A. W. Ziegler, Der Slawenapostel Methodius im Schwabenlande: Dillingen und Schwaben (Festschr. Dillingen 1949) 169–189; ders., Die Frühzeit des Christentums in Bayern: Bayer. Frömmigkeit, Ausstellung . . . Euchar. Kongreß 1960, Stadtmuseum München (München 1960) 51–55; ders., Religion, Kirche und Staat, Bd I (München 1969) 59f 178 190 194–197 241; F. Zagiba, Die baier. Slavenmission und ihre Fortsetzung durch Kyrill und Method: Jb. für die Gesch. Osteuropas, NF 9 (1961) 1–56 (ebd. 247–276 von dems. ein Forschungsbericht); Z. R. Dittrich, Christianity in Great Moravia (Groningen 1962); Cyrillo-Methodiana. Zur Frühgeschichte des Christentums bei den Slaven 863–1963, hrsg. von M. Hellmann – R. Olesch – B. Stasiewski – F. Zagiba (Köln - Graz 1964); Th. v. Bogyay, Kontinuitätsprobleme im karolingischen Unterpannonien: Das östliche Mitteleuropa in Geschichte und Gegenwart. Acta Congressus historiae Slavicae Salisburgensis . . . anno 1963 celebrati (Wiesbaden 1966) 62–68; Großmähren und die christl. Mission bei den Slawen, Katalog d. Ausstellung der Tschechoslowak. Akad. d. Wiss. 1966 Wien (Graz 1966) (Aufsätze v. Mitscha-Mährheim, Koller, Zagiba, Cibulka u. a.); F. Mayer, Causa Methodii. Vortrag auf dem III. Congr. Internat. Hist. et Philolog. Slavicae Salisburgo-Ratisbonensis, 1970 (im Druck); L. Waldmüller, Die ersten Begegnungen der Slaven mit dem Christentum und den christl. Völkern (in Vorbereitung).

L. Waldmüller - A. W. Ziegler

30 und 31: Die byzantinische Kirche um 1025

Autoren: J. Martin - O. Schlolaut (für bulgarische Kirche)

Die Karten stellen den Stand der byzantinischen Kirche zur Zeit ihrer größten Ausdehnung dar. Beide Karten schließen an die Karten zur östlichen Kirche um 600 (Nr. 20–21) an und markieren durch verschiedene Farben, was gegenüber der Zeit um 600 konstant geblieben ist und was sich verändert hat. Grundlage für die Eintragungen innerhalb des Patriarchats Konstantinopel sind die *Notitiae episcopatuum* der byzantinischen Kirche, insbesondere die Notitia Parthey (vgl. unten) III, die um 1050 anzusetzen ist. Sie mußte im Hinblick sowohl auf ihre Zuverlässigkeit als auch auf das Stichdatum der Karten laufend mit anderen Listen und sonstigen historischen Nachrichten verglichen werden.

Karte 31 bringt eine Gesamtdarstellung der byzantinischen Kirche, wobei – außer im armenischen Raum – nur die Metropolen und autokephalen Erzbistümer berücksichtigt werden. Die fehlende Einzeldarstellung für den kleinasiatischen Raum rechtfertigt sich deshalb, weil hier die Bistumsorganisation seit der Zeit um 600 erstaunlich konstant geblieben ist: es gibt ganze Metropolitanverbände, in denen sich bis auf einzelne in der Karte verzeichnete Rangerhöhungen nichts verändert hat. – Dagegen war die Kirchenorganisation in Armenien, auf dem Balkan und in Süditalien großen Wandlungen unterworfen. In Armenien, das auf der Gesamtkarte mitberücksichtigt ist, kam es infolge der byzantinischen Eroberungen seit dem 10. Jh. zur Gründung zahlreicher neuer Bistümer und einiger Kirchenprovinzen, wobei die Verhältnisse jeweils sehr schnell wechselten. Die Karte geht für Armenien etwas über das Schnittdatum 1025 hinaus und kennzeichnet den Stand, der sich um 1040 herausgebildet hatte. Bald danach gingen Teile der byzantinischen Eroberungen wieder verloren.

Der Balkanraum erlebte seit dem 7. Jh. die Slaweneinbrüche, im 8. Jh. (das genaue Datum ist umstritten: 732–733?, 752–757?) wurden das Illyricum und Süditalien an das Patriarchat Konstantinopel angeschlossen. Auch die Kontinuität der schon vor 600 bestehenden, also in der Karte schwarz eingetragenen Sprengel wurde in vielen Fällen durchbrochen: Kreta stand bis zum 9. Jh. unter der Herrschaft des Islam (vgl. Karte 43) – danach wurden die antiken Bistümer fast alle wiedererrichtet; vermutlich haben auch die meisten griechischen und Balkanbistümer, die im 9.–11. Jh. – vielfach unter neuem Namen (z. B. Lamia = Zetunium, Lychnidus = Ochrida, Heraclea = Butelis) – wieder auftauchen, die Slaweneinbrüche, die ihren Höhepunkt um die Mitte des 8. Jh. erreichten, nicht ohne Unterbrechung ihrer Kontinuität überstanden.

Die sizilischen Bistümer bestanden zum Zeitpunkt der Karte nur nominell, da die Insel vom Islam beherrscht war (vgl. Karte 43). Zusammen mit den süditalienischen Bistümern schieden sie im Laufe des 11. Jh. aus dem byzantinischen Kirchenverband aus (normannische Eroberung; päpstliches Lehen seit 1059). Schon um die Wende vom 10. zum 11. Jh. ging der byzantinische Einfluß in Süditalien zurück. In einer Bulle Johannes' XV. von 994 werden dem Erzbischof von Salerno u. a. die Bistümer Acerenza (Acheruntia), Bisignano (Bisunianum) und Cosenza (Constantia) unterstellt. Zumindest für Acerenza war diese Unterstellung effektiv, denn für 1024 ist ein lateinischer Bischof bezeugt. – Sitz von Locri war seit dem 8. Jh. Gerace, doch wird Locri weiter in den Notitien geführt. – In Rossano soll es bereits Ende des 10. Jh. Erzbischöfe gegeben haben, doch ist der erste erst 1089 bezeugt (vgl. $LThK^2$ IX 50); in den griechischen Notitien ist Rossano ebenso Bistum wie Panormus (Palermo), wo die Normannen bei ihrem Einrücken einen Erzbischof vorgefunden haben sollen. – Bova und Oppidum sind nie in den Notitien genannt, durch andere Quellen aber gut bezeugt. In den Gebieten südlich der Donau kam es zur Bildung des Bulgarenreiches (Errichtung des festen Standlagers Pliska 679), dessen Christianisierung durch die Massenverschleppung byzantinischer Gefangener unter Chan Krum (802–814) vorbereitet wurde. Die offizielle Christianisierung erfolgte 864–865 unter Boris (853–888) nach einem Angriff durch Byzanz unter Kaiser Michael III. In der Folgezeit suchte die bulgarische Politik eine selbständige Kirchenhierarchie zu erlangen und wandte sich dabei bald nach Rom, bald nach Konstantinopel, bis 870 nach der Verweigerung eines Erzbistums durch Rom die endgültige Hinwendung nach Byzanz erfolgte. Zar Simeon gelang die Errichtung eines eigenständigen Patriarchats (Preslav 926), das wieder aufgehoben wurde, als Ostbulgarien 972 byzantinische Provinz wurde. Das Oberhaupt der bulgarischen Kirche verlegte seine Residenz zunächst von Preslav nach Dristra, dann nach Stradica (Sofija), schließlich nach Westbulgarien (Vidin, dann Prespa/Insel Ail). Als Zar Samuil (972–1014) sich in Westbulgarien behaupten und sein Gebiet sogar wieder bis zum Schwarzen Meer ausdehnen konnte, verlegte er 976 das wiedererrichtete Patriarchat nach Ochrida. – Nach dem Untergang des 1. Bulgarischen Reiches erkannte Kaiser Basileios II. der „Bulgarentöter" die Autokephalie des Erzbistums Ochrida an, dessen Gebiet jedoch in der Folgezeit durch die alten Metropolen Thessalonice, Larissa, Naupactus und Dyrrhachium wieder erheblich eingeschränkt wurde.

Die religiös enthusiastische Aufstandsbewegung der walachischen Celniks Peter und Asen führte 1187 zum 2. Bulgarischen Reich. Staatliche und kirchliche Hauptstadt wurde Tŭrnovo. Nach der lateinischen Eroberung Konstantinopels 1204 kam es unter Zar Kalojan (1204 von einem Kardinallegaten gekrönt) zu einer losen Union mit Rom, die allenfalls bis 1235 dauerte, als das Patriarchat Tŭrnovo durch den Patriarchen des byzantinischen Nachfolgestaates Nicaea als autokephal anerkannt wurde. Die beiden bulgarischen Teilstaaten von Tŭrnovo und Vidin wurden in den Jahren 1393 bzw. 1396 von den osmanischen Türken erobert. Mit dieser Eroberung erlosch auch das Patriarchat. – Die eingetragenen Klöster waren in der Türkenzeit nationale Zentren des Bulgarentums.

Quellen und Literatur: *Bistumsverzeichnisse:* Hieroclis Synecdemus et Notitiae episcopatuum, ed. G. Parthey (Berlin 1866, Nachdr. Amsterdam 1967); H. Gelzer, Ungedruckte und wenig bekannte Bistümerverzeichnisse der orientalischen Kirchen: Byzantin. Zschr. 2 (1893) 22–72; ders., Ungedruckte und ungenügend veröffentl. Texte der Notitiae episcopatuum: Abhh. der Bayer. Akad. d. Wiss., Phil.-Hist. Kl. 21 (1901) 529–641. – Zu den Notitien vgl. neben den Anmerkungen der Herausgeber bes. Beck 148–200. – Für Armenien war unentbehrlich E. Honigmann, Die Ostgrenze des byzantinischen Reiches, in: A. A. Vasiliev, Byzance et les Arabes: Corpus Bruxellense Historiae Byzantinae 3 (Bruxelles 1961). – Für die thrakische Diözese ist heranzuziehen R. Janin, La hiérarchie ecclésiastique dans la diocèse de Thrace: Revue des études byzantines 17 (1959) 136–149; für Süditalien vgl. L. R. Menager, La byzantinisation religieuse de l'Italie méridionale (IXe-XIIe siècles) et la politique monastique des Normands d'Italie: Revue d'histoire ecclésiastique 53 (1958) 747–774, 54 (1959) 5–40. – Zu Bulgarien I. Snegarov, Geschichte des Erzbistums Ochrida (Istorija na Ochridskata archiepiskopija), 2 Bde (Sofija 1914–31); N. S. Deržavin, Geschichte Bulgariens (Istorija na Bulgarija), Bd II (Sofija 1947) (mit 9 Karten); D. Kosev (Hrsg.), Geschichte Bulgariens (Istorija na Bulgarija) (Sofija 1961). – Für die Lokalisierung vgl. neben der angegebenen Literatur noch die Hinweise zu den Karten 20–21.

J. Martin – O. Schlolaut

32: Die westliche Kirche um 1000

Autor: K. Janssen – J. Martin

Jedes Stichdatum hat, wenn es sich auf die Organisation der gesamten westlichen Kirche bezieht, Vor- und Nachteile. Günstig ist das Stichdatum 1000 für Mitteleuropa, wo der Ausbau der kirchlichen Organisation im 10. Jh. einen ersten Abschluß erfahren hat, ungünstig dagegen für Ungarn, wo kurz nach 1000 eine neue Kirchenorganisation entstand, ungünstig auch für Süditalien, wo im 10.–11. Jh. die kirchliche Gliederung völlig reorganisiert wurde.

Die Karte baut auf den Karten zur westlichen Kirche bis um 600 (Nr. 22 und 23) auf. Alles, was gegenüber dem auf diesen Karten dargestellten Stand konstant geblieben ist, erscheint in Schwarz. Alle Veränderungen – und zwar sowohl Bistumsneugründungen wie auch Bistumsverlegungen und Rangerhöhungen – erscheinen in der Zweitfarbe. Unmöglich war es, die untergegangenen Bistümer eigens zu markieren. Ebenfalls aus Platzmangel konnten nicht alle Zeichen beschriftet werden; die Namen der schwarzen Zeichen können den Bezugskarten 19, 22 und 23 entnommen werden. Bistümer, die nach 600 gegründet wurden, aber vor 1000 wieder untergegangen sind, blieben unberücksichtigt.

Eingetragen wurde jeweils der Sitz eines Bistums, der nicht unbedingt mit dem namengebenden Ort des betreffenden Bistums identisch zu sein braucht. Bei vereinigten Bistümern erscheint nur ein Sitz auf der Karte.

Einige Bemerkungen zu einzelnen Ländern: In Irland gab es um 1000 kaum Bistümer im festländischen Sinn (vgl. Kommentar zur Karte 19). Dennoch wurden die alten, vor der Umbildung der irischen Kirche in eine Mönchskirche entstandenen Bistümer aufgenommen; sie sollen daran erinnern, daß es in Irland Bischöfe gab, wenn auch nur wenige einen territorial bestimmten Jurisdiktionsbereich hatten. – Auf der Iberischen Halbinsel hatte die Reconquista kurz vor 1000 einen Rückschlag erlitten. Die Bistümer Salamanca, Zamora, Orense, Braga, Porto, Lamego, Viseu und Coimbra waren im 9. und 10. Jh. schon wiedererrichtet worden, kurz vor 1000 aber wieder untergegangen – sie sind deshalb auf der Karte nicht berücksichtigt (vgl. dazu Karte 60 B).

Korrekturzusatz: Durch ein Versehen ist das Bistum Oldenburg *in Holstein* bei Oldenburg in Oldenburg eingetragen.

Quellen und Literatur: Vgl. Die Kommentare zu den Karten 19, 22, 23, 25 B, 46 und 60 B. Die Zusammenstellung der Bistümer bei P. Gams, Series episcoporum ecclesiae catholicae (Regensburg 1873), Suppl. (ebd. 1879) ist unzureichend. Besonders hilfreich für die Zusammenstellung der Karte waren die historischen Karten und die Länder-, Landschafts- und Bistumsartikel des LThK^2, soweit sie die historische Entwicklung verzeichnen. Bei den genannten Artikeln auch weitere Literatur.

K. Janssen – J. Martin

33: Der Kirchenstaat

Autoren: Grundlage für die Darstellungen waren die Karten des LThK^2 (Bd VI nach Sp. 256) von *G. Böing.* Ratschläge für Ergänzungen und Modifikationen gaben *H. Fuhrmann* und *H. Tüchle.*

Einzelkarten zur Geschichte des Kirchenstaates können immer nur kleine Epochen behandeln, denn bis zum 15. Jh. gab es – das Gebiet des *Patrimonium Petri* ausgenommen – keine Kontinuität in der Herrschaftsausübung der Päpste. Daraus erklären sich die 4 Teilkarten, die signifikante Abschnitte in der Geschichte des Kirchenstaates festhalten wollen.

Die kartographische Darstellung insbesondere der beiden ersten Phasen (Anfänge, Rekuperationen Innozenz' III.) birgt einige kaum lösbare Probleme. Sieht man einmal von der Quellenlage ab, so bleiben vor allem zwei Schwierigkeiten: einmal die des Gegensatzes zwischen Anspruch und Wirklichkeit, zum anderen die, daß eine flächenmäßige Darstellung bestimmte Sachverhalte verschleiert. Der „Kirchenstaat" setzt sich anfangs aus vielen kleinen Patrimonia zusammen, die zudem, wenn sie einmal geschenkt waren, oft nur zögernd oder gar nicht herausgegeben wurden. Das gilt z.B. für die Pentapolis, aber auch für die Schenkungen Karls d. Gr. nach 787. Im einzelnen läßt sich dieser Sachverhalt kartographisch nicht darstellen, da es sowohl an vollständigen Informationen fehlt als auch eines sehr großen Kartenmaßstabes bedürfte, um nicht ein völlig verworrenes Bild zu erhalten. Die flächenmäßige Darstellung ist also für die Frühzeit eine Hilfskonstruktion – sie bedeutet nicht, daß der „Kirchenstaat" in seinen Anfängen schon wie ein moderner Territorialstaat aussah.

Der Gegensatz zwischen den Ansprüchen des Papstes und deren Realisierung ist auch für die Karte der Rekuperationen Innozenz' III. zu beachten. Die Karte faßt sowohl die Gebiete zusammen, die 1197 und während des Pontifikats Innozenz' III. fest erworben wurden (Ancona, Spoleto, Radicofani), als auch die, auf die Ansprüche des Papstes zwar anerkannt wurden, deren Besitz aber zunächst prekär blieb (Romagna, Bologna, Pentapolis).

Für die beiden letzten Teilkarten ist die kartographische Darstellung weniger problematisch. Unter Julius II. (1503–13) erreichte der Kirchenstaat seine größte Ausdehnung. Zugleich begann man jetzt, das noch auf der Karte sichtbare Nebeneinander einer Reihe von Einzelherrschaften abzubauen und den Kirchenstaat straff zu zentralisieren. Die letzten Lehen liefen in der 1. Hälfte des 17. Jh. aus und durften nicht mehr vergeben werden. – Parma und Piacenza blieben bis zu Paul III. (1534–49), Modena und Reggio bis 1597 beim Kirchenstaat, der dann in dieser verkleinerten Form bis zur französischen Eroberung Italiens (Karte D) bestand (Avignon und Venaissin wurden 1791 von Frankreich besetzt). In der Karte D sind nicht sämtliche Etappen der französischen Herrschaft in Italien berücksichtigt (z. B. nicht die Cisalpinische Republik als Vorgängerin des Königreiches Italien). Auf dem Wiener Kongreß wurde der Kirchenstaat praktisch in seinen alten Grenzen wiederhergestellt (vgl. Karte C mit D) und bestand so bis 1860; seitdem im wesentlichen auf das alte Kerngebiet des *Patrimonium Petri* beschränkt, fiel auch dieses zehn Jahre später dem neugebildeten italienischen Einheitsstaat zum Opfer.

Quellen und Literatur: Die Quellen zur Entstehung des Kirchenstaates sind zusammengestellt von J. Haller, Die Quellen zur Geschichte der Entstehung des Kirchenstaates (Leipzig – Berlin 1907). Für die Zeit seit dem Ende des 12. Jh. ist wichtig P. Fabre – L. Duchesne, Liber Censuum, 3 Bde (Paris 1889-1952). Insgesamt vgl. A. Theiner, Codex diplomaticus Dominii temporalis S. Sedis, 3 Bde (Roma 1861-62), ferner die Angaben in der Literatur. – Heranzuziehen sind alle Papstgeschichten (Pastor, Schmidlin, Caspar, Haller, Seppelt-Schwaiger) sowie die Handbücher zur Kirchengeschichte, außerdem besonders: L. Duchesne, Les premiers temps de l'État Pontifical (Paris ^{4}1912); F. Hayward, Le dernier siècle de la Rome pontificale 1769–1870, 2 Bde (Paris 1927–28); W. Ullmann, The Growth of Papal Government in the Middle Ages (London ^{3}1965). Vgl. ferner die einzelnen Papstartikel und den Artikel Kirchenstaat (von H. Tüchle) im LThK^2 mit weiterer Literatur.

J. Martin

Nachtrag: A. Esch, Bonifaz IX. und der Kirchenstaat (Tübingen 1969).

34: A. Der Gebetsbund von Attigny (760–762)
B. Reichenauer Gebetsverbrüderung mit geistlichen Gemeinschaften

Autoren: *K. Schmid - O. G. Oexle.* Die Karten wurden zuerst veröffentlicht: Frühmittelalterliche Studien, hrsg. von K. Hauck, Bd I (Berlin, Walter de Gruyter & Co., 1967), vor S. 407.

Auf der Synode von Attigny (wohl 762) setzten 44 geistliche Würdenträger „durch ein Dekret fest, jeder von ihnen solle im Falle des Todes eines Vertragspartners für diesen 100 Psalter und 100 Messen singen lassen und 30 Messen persönlich lesen". Dieser Gebetsoder „Totenbund", der in seinen Teilnehmern die „Formation der fränkischen Reichskirche" spiegelt, ist zugleich kennzeichnend für die Bedeutung der Verbrüderungsbewegung im fränkischen Reich, in der „die das Mittelalter bestimmende Gesellschaft" „als eine religiös geprägte Gemeinschaft" erscheint.

Aufschluß über die Verbrüderungsbewegung gibt eine eigene Quellengattung: Es handelt sich dabei einmal um liturgische Bücher, in die zum Gedächtnis während der Messe oder des Stundengebetes Namen eingetragen wurden, zum anderen um eigens angelegte *Memorialbücher.* Das bedeutendste erhaltene Zeugnis dieser Gattung ist das Gedenkbuch der Abtei Reichenau, das um 826 angelegt wurde. Der Stand der Gebetsverbrüderung um 826 läßt sich bequem aus den *capitula* ablesen, einem Inhaltsverzeichnis, das 52 Klöster und 4 Domstifter nennt. Eine historische Analyse der im Gedenkbuch enthaltenen Konventslisten ergibt, daß verschiedene von ihnen schon aus der Zeit des Gebetsbundes von Attigny stammen. Das Gedenkbuch wurde laufend ergänzt, so daß sich auch die späteren Stadien der Reichenauer Gebetsverbrüderung daraus ablesen lassen. Es ist noch nicht genau erforscht, inwieweit die Ausdehnung der Reichenauer Gebetsverbrüderung nach 843 mit dem Zerfall des Karolingerreiches in Zusammenhang steht. Bestimmte Schwerpunkte (z. B. um Lyon) der nach 826 geknüpften Verbindungen gehen aus der Karte auf den ersten Blick hervor. Ebenso wird deutlich, daß seit dem 10. Jh. „der Raum des ostfränkisch-deutschen Reiches mehr und mehr den Rahmen der Reichenauer Gebetsverbrüderungen bildete". Insgesamt nahm mit dem Karolingerreich auch die Kraft der Klosterverbrüderung ab und machte der neuen „Form des mehr an die Person gebundenen Totengedächtnisses" Platz.

Quellen: Concilium Attiniacense 762, vel 760–762: MGH Conc. II 1 S. 72f; MHG Libri confraternitatum Sancti Galli, Augiensis, Fabariensis, ed. P. Piper (1884). – **Literatur:** K. Schmid – J. Wollasch, Die Gemeinschaft der Lebenden und Verstorbenen in Zeugnissen des Mittelalters: Frühmittelalterliche Studien, hrsg. von K. Hauck, Bd I (1967) 365–405, daraus für die vorliegende Karte bes. K. Schmid, Probleme der Erforschung frühmittelalterliche(r) Gedenkbücher: S. 366–389 (mit weiterer Literatur).

Zusammengestellt nach den obengenannten Arbeiten (Zitate ebenfalls daraus)

Nachtrag: K. Schmid – J. Wollasch (Hrsg.), Memoria. Der geschichtliche Zeugniswert des liturgischen Gedenkens im Mittelalter (München 1984).

35 A: Schenkungen und Privilegien Karls des Großen (768–814)

Autor: F. Prinz. Die Karte und der folgende Text wurden übernommen aus Karl der Große. Persönlichkeit und Geschichte Bd I (Düsseldorf, Verlag L. Schwann, 1966).

Das Kartenbild veranschaulicht, daß die Schenkungen und Privilegien Karls für Kirchen und Klöster nicht nach Zufall oder Laune erfolgten, sondern bestimmten politischen Absichten des Herrschers entsprachen. Das karolingische Kerngebiet zwischen Maas, Rhein und Main tritt als Häufungszentrum hervor; in diesem Raum finden sich auch drei dem Herrscherhause nahestehende und von Karl mehrfach dotierte Klöster: Echternach, Prüm und Lorsch. Wenn der Kaiser das politisch-monastische Zellensystem des Abtes Fulrad von S. Denis, das weit in den elsässisch-alemannischen Raum ausgriff, unterstützte, dann treten schon an diesem Beispiel seine staatlich-organisatorischen Absichten zutage. Noch deutlicher werden sie, wenn man die am reichsten bedachten Klöster: Hersfeld und Fulda, ins Auge faßt, die beide in hohem Maße im staatlichen Interesse an der Sachsenmission tätig waren. Auch im Fall der bayerischen Klöster Niederaltaich und S. Emmeram in Regensburg wird deren Missionsarbeit im Osten der Anlaß für die Besitzübertragungen gewesen sein, mag auch Bayern nicht zu den Gebieten gehören, denen Karl besondere kirchliche Förderung zuteil werden ließ. In Italien sind es die personell fränkisch bestimmten Klöster S. Vincenzo am Volturno, Farfa und Nonantola, ferner die Kirche von Aquileia, die sich vorzugsweise der kaiserlichen Gunst erfreuen konnten; auch hier stand die Befestigung des fränkischen Einflusses im Vordergrund. Im Frankenreich südlich der Loire ist es hingegen die Gruppe der Reformklöster Benedikts von Aniane, die Karl durch Schenkungen und Privilegien förderte, so etwa Aniane selbst, ferner Gellone, Cormery, Saint Savin-sur-Gartempe, Lagrasse, Saint Polycarpe und Caunes. Aquitanien-Septimanien und vor allem die Gebiete östlich des Rheins sind auch jene Räume kirchlich-organisatorischer und kolonisatorischer Arbeit, in denen der Kaiser durch den Rechtsakt der Traditio, mit dem die bisherigen Klosterherren ihre Eigentumsrechte an ihn abtraten oder abtreten mußten, wie in Bayern nach 788, und ferner durch den mit der Traditio verbundenen Königsschutz helfend und sichernd eingriff und auf diese Weise sein besonderes herrscherliches Interesse demonstrierte. Schenkungen, Privilegierungen und Traditio erweisen sich somit als Mittel zur politisch-herrschaftlich-kirchlichen Erfassung von Räumen, an deren Ausbau und Festigung Karl besonders gelegen sein mußte.

Literatur: Vgl. das oben zitierte Werk, besonders den Beitrag von J. Semmler in Bd II.

F. Prinz

35 B: Der karolingische Klosterplan in der Stiftsbibliothek St. Gallen

Autor: Der Plan ist eine schematisierte Neuzeichnung der Faksimile-Ausgabe des S. Galler Klosterplanes (Historischer Verein des Kantons S. Gallen, 1952).

Dieses „document capital dans l'histoire" (R. Fawtier), das 112 × 77 Zentimeter mißt, besteht aus fünf zusammengenähten Blättern von Kalbspergament, die im frühen 9. Jahrhundert mit roten Strichen bezeichnet und von zwei Händen beschriftet worden sind. Der Sinn des Planes wird durch die siebenzeilige Widmung, die über dem Friedhof steht (auf dem Plan Nr. 31), erschlossen: „Haec tibi, dulcissime fili Cozberte, de positione officinarum paucis exemplata direxi, quibus sollertiam exerceas tuam . . ." (Ich habe dir, liebster Sohn Gozbert, diese bescheidene Kopie der Anordnung der Klostergebäulichkeiten gesandt, damit du daran deine Geschicklichkeit übest . . .).

Empfänger war also der Abt Gozbert in S. Gallen (816-837), der im Jahr 830 den Neubau der Basilika begann. Absender war höchstwahrscheinlich Heito, Bischof von Basel und Abt der Reichenau (vgl. W. Horn: Studien 103-127). Jedenfalls ergibt sich aus der paläographischen Untersuchung, daß der Plan um 820 in der Abtei Reichenau beschriftet worden ist (vgl. B. Bischoff: Studien 67-78).

Reichenau ist wohl die Schriftheimat, nicht aber der eigentliche Entstehungsort des Klosterplanes. Denn dieses in seiner S. Gallischen Bibliotheksheimat verbliebene „Exemplar" wurde neuestens aus philologischen und technischen Gründen als eine Kopie erkannt, und zwar als die damals auf der Reichenau durchgepauste, einzige erhaltene Kopie eines nicht mehr bestehenden, aber gleichfalls karolingischen Originals (vgl. B. Bischoff und W. Horn: Studien 68 und 79–102). Jenes verschollene Original dürfte ein vorbildliches „exemplum" gewesen sein, vielleicht ein Reichsplan, der die Idealanlage des karolingischen Musterklosters vorschrieb. Eine solche schematisch gezeichnete Idea konnte dem Mittelalter als reale Bauvorlage dienen, was ausgeführte Bauten wahrscheinlich machen (vgl. J. Duft: Studien 43-49). Jedenfalls weisen die Maßangaben in der Plankirche auf Verwirklichung hin, wenn auch gerade diesbezüglich ein bis heute noch nicht endgültig geklärter Widerspruch zwischen der Zeichnung und den Maßinschriften besteht (vgl. J. Duft 49-53).

Was von diesem Plan, der eine typisch mittelalterliche Mischung abstrakter Idee und trotzdem praktischer Ausführbarkeit darstellt, in S. Gallen baulich verwirklicht wurde, ist noch unbekannt, obwohl der Baugrund und das Umgelände für eine solche Anlage theoretisch ausgereicht hätten (vgl. H. Edelmann: Studien S. 279-289). Ein Vergleich mit monastischen Quellen ergibt weitgehende Übereinstimmung einer solchen Planung mit dem konkreten Klosterleben der Karolingerzeit im Sinn der Reformen Benedikts von Aniane (vgl. W. Hafner: Studien 177-192).

Literatur: Studien zum S. Galler Klosterplan, hrsg. von J. Duft (S. Gallen 1962, Nachdr. 1964).

J. Duft (entnommen dem Begleittext zur Faksimile-Ausg. des Klosterplanes)

Nachtrag: W. Horn – E. Born, The Plan of St. Gall. A Study of the Architecture and Economy of, and Life in a Paradigmatic Carolingean Monastery, 3 Bde (Berkeley – Los Angeles – London 1979); K. Hecht, Der St. Galler Klosterplan (Sigmaringen 1983).

36: Die Verfassung der byzantinischen Kirche im 10. Jahrhundert

Zusammenstellung: J. Martin

Das Schema beruht – bis in einzelne Formulierungen hinein – auf der Darstellung, die Beck S. 60–140 von der Verfassung der Byzantinischen Kirche gegeben hat. Das 10. Jh. wurde als Betrachtungszeitraum gewählt, weil zu dieser Zeit der Umwandlungsprozeß, den fast alle frühbyzantinischen Institutionen durchmachten, im wesentlichen abgeschlossen war und sich die Formen herausgebildet hatten, die in den meisten Fällen auch für die spätbyzantinische Zeit Gültigkeit hatten.

Wie jede schematische Darstellung ist auch dieses Schema eine Vereinfachung; es stellt die Regelfälle dar, von denen es oft genug Ausnahmen gegeben hat. Als Beispiel sei nur erwähnt die Bestellung der Patriarchen, bei der die Kaiser nicht selten von der im Schema genannten Regel abwichen. Zum anderen konnte, um die Darstellung nicht zu verwirren, im Schema nur ein Ausschnitt aus der Verfassung der Byzantinischen Kirche geboten werden. Einige Informationen seien deshalb hier nachgetragen: Die Weihe des Patriarchen vollzog, falls der Patriarch nicht vorher Bischof gewesen war, der Metropolit von Heraclea als Leiter des Metropolitanverbandes, zu dem ursprünglich Konstantinopel gehört hatte. Von den zahlreichen Patriarchal- bzw. Bischofsämtern sind im Schema die sog. 1. Pentade berücksichtigt, ferner der Archidiakonat als in der frühbyzantinischen Zeit herausragendes Amt sowie die *Ekdikoi,* deren Leiter in der spätbyzantinischen Zeit zur 1. Pentade gezählt wurde. Die Verantwortlichkeit für Kirchen bzw. Klöster scheint teilweise zwischen dem Sakkelarios und dem Sakkeliu gewechselt zu haben. Weitere wichtige Ämter waren die der Apokrisiare (Nuntien) und des Periodeutes, der wahrscheinlich den Gottesdienst auf dem Land versah. – Die Funktionen des Patriarchen sind deshalb nicht eingetragen, weil ihre Ausübung immer stark von der Persönlichkeit der einzelnen Patriarchen abhing und wahrscheinlich in vielen Fällen an die Zusammenarbeit mit der *Endemusa* gebunden war. Neben der Ernennung der Metropoliten und autokephalen Erzbischöfe stand den Patriarchen die Weihe des Chrisam und das Recht des Stauropegs (Gründung von Patriarchalklöstern) zu. Die Bischöfe waren, wie im Westen, die autorisierten Lehrer und Richter der Gemeinde.

Quellen und Literatur: Vgl. oben im Text. Beck gibt S. 140–147 auch einen zusammenfassenden Überblick über die Quellen des Kirchenrechts.

J. Martin

37: Das Mönchtum im Frankenreich, in Bayern und in Oberitalien bis 768 (788)

Autoren: Für das Frankenreich und Bayern ist die Karte eine Kompilation der Karten VI, X, XI und XII A–C aus dem Werk von *F. Prinz,* Frühes Mönchtum im Frankenreich (R. Oldenbourg-Verlag, München – Wien 1965). – Für Italien: *J. Martin.*

Die Karte will einen Gesamtüberblick über das frühmittelalterliche Mönchtum im Frankenreich, in Bayern und in Oberitalien vermitteln. Die Themen der Karten 14 und 25 werden dabei in gewisser Weise zusammengefaßt und weitergeführt.

Die Einteilung der Klostergründungen im fränkischen Bereich in drei auch geistig unterscheidbare Zeitabschnitte bringt das zonenweise Vordringen der monastischen Kultur aus dem Erhaltungsgebiet städtisch-antiken Lebens nach Norden und Osten zum Ausdruck. Die erste Phase umfaßt das altgallische Mönchtum sowohl in seiner martinischen Prägung als auch in der orientalisch beeinflußten Form des Rhône-Mönchtums. In der zweiten Phase, deren Repräsentanten Kolumban und Amandus sind, dringt das von den Iren geprägte Mönchtum (vgl. Karte 25 A) im Zuge des beginnenden Landesausbaus nach Norden und Nordosten vor. Die Klostergründungen entfernen sich meist vom Bannkreis städtischer Kultur, der germanische Adel ist sowohl als Gründer wie auch im Mönchsgewand immer stärker an dieser ursprünglich antik-christlichen Lebensform beteiligt. Zugleich gewinnt, aus Italien über Lérins ins Frankenreich kommend, die *Regula S. Benedicti* über andere ältere Mönchsregeln die Oberhand, bis sie schließlich im 8. Jh. die Regel schlechthin ist. Die 3. Phase schließlich, deren Repräsentanten Willibrord und Bonifatius sind (vgl. Karte 25 B), ist durch das Vordringen in heidnisch-germanisches Gebiet unter dem Schutze der fränkischen Staatsgewalt gekennzeichnet.

Die Verbindung zwischen staatlicher Macht und Mönchtum manifestiert sich am deutlichsten in den Klöstern, die von Mitgliedern der Herrscherhäuser gegründet oder dotiert worden sind (die Karte verzeichnet nur die erste Kategorie). Die Gründungen der Merowinger und Karolinger sind jeweils signifikant für die Reichweite ihrer politischen Macht, wobei besonders interessant ist, daß es im Rhein-Maas-Gebiet „schon sehr früh einen kirchenpolitischen (und damit auch politischen!) Kernraum karolingischer Macht gegeben haben muß, der für die merowingische Staatsgewalt mehr oder weniger undurchdringlich war". Eine Parallelerscheinung zeigt sich in Bayern – sie verweist zugleich auf den Zusammenhang, der zwischen den Klostergründungen Bayerns und des fränkischen Reichs besteht. In Westbayern gibt es bis auf das fragliche Thierhaupten keine Gründungen der Agilulfinger. Hier war vielmehr der westbayerische Adel tätig, der in enger Verbindung zu den Karolingern stand, so daß man von einer westbayerisch-fränkischen Klosterpolitik sprechen kann. Im Gegenzug dazu gründeten die Agilulfinger im Ostteil des Herzogtums eine Reihe von Klöstern, was wiederum ein Indiz dafür ist, daß sie sich hier einen Kernraum der Macht aufzubauen suchten.

Eine engere Verbindung zwischen Oberitalien und dem fränkischen Reich, die sich dann ebenfalls deutlich in der Klosterpolitik manifestieren sollte, wurde erst in der auf den Darstellungszeitraum der Karte folgenden Epoche geschaffen (vgl. für den Anfang dieser Epoche schon die Karte der Schenkungen und Privilegien Karls auf S. 35), wobei die Frankenherrscher häufig in die Rechte und Pflichten der Langobardenkönige gegenüber den Klöstern eintraten. Das kirchliche und insbesondere das klösterliche Leben Italiens hatte im 6. Jh. durch den Einfall der Langobarden einen einschneidenden Kontinuitätsbruch erlitten. Kaum ein Kloster überstand den Einfall, 577 wurde das berühmte Montecassino zerstört. Doch schon Anfang des 7. Jh. begann das Bekehrungswerk unter den Langobarden, das bis zum Ende des Jh. im wesentlichen abgeschlossen war. Die Folge davon war nicht nur das Wiedererstehen der alten großen Abteien (Montecassino 717, Farfa um 705), sondern auch die Gründung vieler neuer Klöster, wobei auch hier die langobardischen Herrscherhäuser aktiv mitwirkten. In der Karte sind nur die Klöster besonders markiert, bei deren Gründung Mitglieder der Herrscherhäuser die direkte Initiative hatten. Die Tätigkeit der Langobardenherrscher würde noch deutlicher, wenn man auch die Klöster bezeichnete, die mit königlicher Unterstützung (etwa durch Überlassung von Grund und Boden) zustande kamen (so Bobbio, Monte Amiata, Fainano, Nonantola). Ein großer Teil der übrigen Klostergründungen geschah durch – z. T. mit den Königshäusern verwandte – Herrscher einzelner Teilgebiete.

Die Karte ist für den langobardischen Teil nicht ganz vollständig, da es nicht möglich war, alle in den Quellen und in der Literatur genannten Klöster sicher zu lokalisieren; die für die Geschichte des Mönchtums bedeutsamen Klöster sind jedoch alle eingetragen.

Als Ergänzung der Legende ist nachzutragen, daß schwarze Fragezeichen Unsicherheit des Zeitansatzes, blaue Fragezeichen Unsicherheit in bezug auf die Gründung durch ein bestimmtes Herrscherhaus bedeuten.

Quellen und Literatur: *Für das Frankenreich und Bayern:* A. Beaunier – J. M. Besse, Abbayes et prieurés de l'ancienne France, 10 Bde (Paris 1908ff); A. Hauck, KG Deutschlands, Bde I–II (Leipzig – Berlin [8]1954); E. Lesne, Histoire de la propriété ecclésiastique en France, Bde I, II, V (Paris 1910–40); L. Ueding, Geschichte der Klöstergründungen der frühen Merowingerzeit (Berlin 1935); R. Aigrain, Le monachisme occidentale: Fliche-Martin, Histoire de l'Église V (Paris 1938) 505–542; P. Lehmann, Erforschung des Mittelalters, 5 Bde (Leipzig – Stuttgart 1941–60); R. Bauerreiss, KG Bayerns, 5 Bde (S. Ottilien 1949–55), Bd I ([2]1958); Il monachesimo nell'alto medioevo e la formazione della civiltà occidentale (Spoleto 1957); P. Riché, Éducation et culture dans l'occident barbare. VI–VIII siècle (Paris 1962); F. Prinz, Frühes Mönchtum im Frankenreich (München – Wien 1965) (mit weiterer Lit.). – *Für das Langobardenreich:* Wichtigste Quelle ist L. Schiaparelli, Codice diplomatico longobardo I–II (Roma 1929–33). – H. Grasshoff, Fränkisch-langobardisches Klosterwesen in Italien (Göttingen 1907); K. Voigt, Die königlichen Eigenklöster im Langobardenreiche (Gotha 1909); Ph. Schmitz, Geschichte des Benediktinerordens I (Einsiedeln – Zürich 1947); G. Penco, Storia del monachesimo in Italia dalle origini alla fine del Medio Evo (o. O. u. J. [1962]) (mit weiterer Lit.).

J. Martin (für das Frankenreich und Bayern unter Benutzung des Buches und brieflicher Mitteilungen von F. Prinz)

38: Das jakobitische Mönchtum des Mittelalters

Autoren: Karte A: I. Nabe – v. Schönberg
Karte B (Tur Abdin): H. Anschütz

Die Karte der syrisch-jakobitischen Klöster kann nur etwa die Hälfte der Klöster zeigen, die es zwischen 800 und 1150 im dargestellten Gebiet gegeben hat, da Angaben über die Lage einzelner Klöster meist nur beiläufig von den Chronisten dieser Zeit gemacht werden. Die meisten Notizen und vertrauenswürdigen Lokalisationen finden wir in der KG des Patriarchen Michael I. (1166–99), der seinen Jurisdiktionsbereich durch häufige Reisen wohl recht gut kannte. Leider sind auch seine Hinweise oft recht pauschal und ungenau; Klöster mit der Bezeichnung „bei jener Stadt" – z. B. Edessa – liegen oft in weitem Umkreis von ihr, so daß eine sichere Ortsangabe heute kaum noch möglich ist, es sei denn archäologische Untersuchungen oder Inschriften ermöglichten eine Identifikation der Klosterruinen.

Nur sehr großen und bedeutenden Klöstern dieser Zeit wird in den Chroniken auch hinsichtlich ihrer genauen Lage ein breiter Raum gewidmet. So wissen wir viel über das Kloster Bar Sauma in der Nähe von Melitene, über Mar Mattai bei Mossul und Qartamin im Tur Abdin (letzteres wird auch heute noch von Mönchen bewohnt). Als Klosterneubauten entstanden um das Jahr 1000 die Klöster Pesquin, Bar Gagai und Sergishjeh neben vielen kleineren im Gebiet von Melitene, das damals unter byzantinischer Herrschaft war – im muslimischen Bereich war ein Neubau von Kirchen und Klöstern prinzipiell verboten. So hören wir aus dieser Zeit höchstens von Restaurierungen oder Erweiterungen, aber auch von zahlreichen Verwüstungen und Plünderungen durch türkische und armenische Streifzüge, denen die Klöster meist wehrlos ausgesetzt waren. Allerdings halfen sich manche größere Klöster durch den Bau von starken Mauern und Befestigungsanlagen, deren Umfang und Größe wir zum Teil auch heute noch in den zahlreichen Ruinen bewundern können.

Die Klöster, die sich nicht lokalisieren lassen, sind im folgenden aufgeführt:

Abadhar
Abid Abdun
Abu'l-hauri
Aluk
Mar Amalina
Argula
Aschud
Mar Asia
Atu
Baitaja
Bar Buschir
Mar Bar Sauma
Bekennerkloster
Bet Hanisch
Bet Qenaja s. Klöster von Zabar
Bir Qum
Bukre (Tur Abdin)
Mar Daniel
Mar Elisa – Eliaskloster bei Samosata?
Ezron
Kloster der Fremden
Gaschum
Gubba-Baraja
Habib
Bar Hadbeschabba
Hala
Harsaphta
Haschrai – Qaschrai (Tur Abdin)
Hesna Hamusa
Hur Ebar (Tur Abdin)
Mar Joseph
Kanuschia
Kasliud
Kepha de Arzanie
Mar Mama
Maqrona
Mar Markus
Masora
Maurikios
Meriba
Muttergotteskloster s. Natapha
Muttergotteskloster (bei Gudpai)
Nahra de Qalliniqos
Natapha – Muttergotteskloster (Tur Abdin)
Nulabon
Perrin
Pesilta
Mar Petrus
Mar Phargisia
Phinehas
Qainan de Hadet
Qaisa Abia
Qaleph
Qaqosin
Qarirait
Qaschrai s. Haschrai
Raphin
Romanus
Mar Saba
Sabe
Samite
Samnug
Sarmin
Sarzaq
Sasarani
Seban
Mar Sena
Sergishjeh
Mar Severus
Siagta
Mar Simeon (Tur Abdin)
Souqin
Tarel
Tellal
Tell Patriq
Theodotus (Tur Abdin)
Klöster von Zabar – Bet Qenaje (5 Klöster in der Gegend um Melitene)
Zarnuqa

Außerhalb des Kartenausschnittes liegt das Kloster der Syrer (Ägypten; vgl. D. Suriani auf S. 11 B2).

Quellen und Literatur: J. S. Assemani, Dissertatio de monophysitis: Bibliotheca Orientalis Clementino-Vaticana, Bd II (Roma 1721) 1–162; W. Wright, Catalogue of the Syriac Manuscripts in the British Museum (London 1870–72); E. Sachau, Die Handschriftenverzeichnisse der königlichen Bibliothek zu Berlin. Verzeichnis der syrischen Hss. 23, 1. und 2. Abtlg. (Berlin 1899); Michael der Syrer: Chronique de Michel le Syrien, patriarche jacobite d'Antioche 1166–1199. Éditée pour la première fois dans le texte original et traduite en français par J.-B. Chabot (Paris 1899–1910, Neudr. Bruxelles 1963); H. Pognon, Inscriptions sémitiques de la Syrie, de la Mésopotamie et de la région de Mossoul (Paris 1907–08); E. Honigmann, Nordsyrische Klöster in vorarabischer Zeit: Zschr. für Semitistik 1 (1922) 15–33; ders., Le Couvent de Barsaumā et le Patriarcat Jacobite d'Antioche et de Syrie: CSCO 146 (Louvain 1954); P. Krüger, Das syrisch-monophysitische Mönchtum im Tur-Ab(h)din von seinen Anfängen bis zur Mitte des 12. Jh., Teil 1 (Diss. Münster 1937), Teil 2: Orientalia Christiana Periodica 4 (1938) 5–46; G. Tchalenko, Villages Antiques de la Syrie du Nord, 3 Bde (Paris 1953–58); J. M. Fiey, Assyrie chrétienne, 3 Bde (Beyrouth 1965–68); ders., Balad et le Beth Arabâyé irakien: Orient Syrien 9 (1964) 189–232.

I. Nabe – v. Schönberg

Die Karte zum Tur Abdin war ursprünglich als völlig selbständige Karte geplant, in der für die Namengebung die Bezeichnungen der syrischen Christen zugrunde gelegt worden waren. Daraus erklären sich die Unterschiede zwischen den Karten A und B in der Namengebung. Die Karte basiert ganz auf den Forschungen von Krüger (vgl. in der Literatur oben), der jedoch teilweise andere Namensformen verwendet. Sie sind im folgenden den in der Karte gebrauchten gegenübergestellt.

Krüger	*Karte*
Aha	Mar Aho
Azazael	Mar Izzozoyel
Bassus	Mar Bossus
Cyriacus	Mar Kuryakos
Dada	Mar Dodo
Dometius	Mar Dimet
Georg	Mar Giwargis
Habsusjat(h)a	Mar Loozor
Ja'qob(h)	Mar Jakub
Johannan	Mar Juhannan
Malka	Mar Malke
Kaphar Sema	Mar Serbil
El-Mokhr	Mar Zoche
Samuel	Mar Schmuel
Sarbil	Mar Scharbel
Selib(h)a	Der Salip
Sergius und Bacchus	Mar Sarkis Bakus
Stephanus	Mar Estefanus

J. Martin

39: Klöster im byzantinischen Reich

Autor: W. Hecht

Die monastische Bewegung hat während der ganzen byzantinischen Geschichte eine große Rolle gespielt. Seit der frühbyzantinischen Zeit waren die Klöster Zentren des religiösen und geistigen Geschehens und beeinflußten auch das politische Leben in Byzanz maßgeblich. Zwischen dem Kaiser, seiner Familie und den Großen des Reiches und auf der anderen Seite den Klöstern bestanden bis zum Fall Konstantinopels immer Beziehungen vielfältigster Art.

Wenn zu beobachten ist, daß die Schwerpunkte des mönchischen Lebens im byzantinischen Reich sich oft in der Nähe von größeren Städten befinden, so wird man im weiteren Raum um Konstantinopel einen Ballungsraum klösterlicher Niederlassungen erwarten. Tatsächlich bevorzugten die orthodoxen Mönche und Asketen in allen Jahrhunderten der byzantinischen Geschichte die Ufer des Bosporus und die Gestade und Inseln der Propontis für ihre Klöster und Lauren. 14000 Koinobiten lebten nach dem Zeugnis des russischen Erzbischofs Antonius von Nowgorod allein zwischen Konstantinopel und dem Schwarzen Meer. Während dagegen das nicht so städtereiche Thrakien verhältnismäßig wenige Klöster von einiger Bedeutung aufzuweisen hat, gehörte Bithynien zu den klosterfreudigsten Gegenden des Reiches. Kann dabei der Auxentiosberg bei Chalkedon eigentlich noch zum Einzugsgebiet Konstantinopels gezählt werden, so ist der Ulu-Dagh, der bithynische Olymp im Süden von Bursa, das Zentrum des Mönchtums für die Gebiete südlich des Marmara-Meeres. Hier sind Lauren und Klöster in einer Dichte anzutreffen, wie wir sie nur noch auf dem Athos und dem Latmos-Berg bei Milet wiederfinden. Daß das kleinasiatische Mönchtum seit der Ikonoklasmuskrise und wieder unter den Herrschern von Nikaia besondere Höhepunkte seiner Entwicklung erlebte, ist ebenso bekannt wie die Tatsache, daß das Vordringen der Türken im 11. Jh. eine schwere Bedrohung, im 14. Jh. den Niedergang des monastischen Lebens in der östlichen Reichshälfte bedeutete. Anhand der Viten hervorragender Vertreter des kleinasiatischen Mönchtums läßt sich zeigen, daß sich das geographische Schwergewicht des mönchischen Lebens im byzantinischen Bereich aus dem genannten Grund immer mehr in die europäische Reichshälfte mit dem Kristallisationspunkt Athos (vgl. Karte 45 B) und der neuen mönchischen Provinz Serbien (vgl. Karte 55 A) verlagerte.

Quellen: Grundlagen für die vorliegenden Karten sind die Nennungen der einzelnen Klöster in den Werken der wichtigeren byzantinischen Historiker und Literaten sowie Quellen rechtsgeschichtlicher Natur, wie sie vor allem in Form der Typika für verschiedene Klöster vorliegen. Unentbehrlich war die Zusammenstellung der bedeutenderen Klöster bei Beck,

207ff. Für die Ufer des Bosporus und die Gegend zwischen Chalkedon und Nikomedien boten die dem Werk von R. Janin, Constantinople byzantine. Développement urbain et répertoire topographique (Paris [2]1964), beigegebenen Karten eine wertvolle Hilfe. Über den bithynischen Olymp als Zentrum des mönchischen Lebens orientiert – mit Kartenmaterial – B. Menthon, Une terre de légende, L'Olympe de Bithynie (Paris 1935).

W. Hecht

40: Rom bis um 1000

Autor: J. Martin

Die Karte schließt an die Darstellung auf S. 16 an, berücksichtigt aber nur den Bereich innerhalb der Mauern. Der Stand um 600 ist in schwarzer Färbung gegeben, spätere Gründungen werden in blauer und roter Farbe erfaßt. In jedem Fall handelt es sich bei den chronologischen Einordnungen der Karte um die Gründungsdaten, nicht also um die Ausführung von Neu- oder Umbauten usw. Im übrigen ist man bei der chronologischen Einordnung häufig allein auf die erste Nennung einer kirchlichen Einrichtung angewiesen. Daß dieses Datum normalerweise nicht mit dem Gründungsdatum identisch ist und deshalb manche Kirchen oder Klöster älter sein können, als sie im Plan eingeordnet sind, versteht sich von selbst.

Zur Epoche bis um 800 ist in der Karte der ganze Pontifikat Leos III. (795–816) gerechnet, zu dem besonders viele Nachrichten über Kirchen und Klöster überliefert sind (vgl. unten). Diese Epoche ist die große Zeit der Diakonien, Einrichtungen, die der „caritativen Unterstützung der Armen" (Frutaz) dienten und zu denen jeweils auch eine Kirche gehörte. Ebenso wurde in dieser Zeit eine große Anzahl von Klöstern gegründet, von denen der Plan jedoch nur einen Teil zeigt, da sich viele nicht lokalisieren lassen.

Schon seit der Verlegung der Hauptstadt des Römerreiches von Rom nach Konstantinopel war die städtische Bedeutung Roms zurückgegangen. Dies und mehrfache Plünderungen hatten dazu geführt, daß auch die Bevölkerung stark abnahm, eine Entwicklung, die sich dann in der Lage der seit 600 neugegründeten Kirchen widerspiegelt. Deutlich ist eine Konzentration auf die Innenstadt und ganz besonders auf das Gebiet um das Marsfeld und um S. Peter zu beobachten, während die Klöster aus verständlichen Gründen noch weiter gestreut bleiben. Auch die Kirchen der folgenden Epoche befinden sich mit einer Ausnahme im Tiber- und Vatikangebiet. Insgesamt nimmt jetzt die Gründung neuer Kirchen und Klöster ab, was nicht verwundert, wenn man sich klarmacht, daß der größte Teil dieser Epoche in das *saeculum obscurum* fällt. Erst mit dem 11. Jh. setzte wieder ein Neubeginn größeren Ausmaßes ein.

Es wurde versucht, alle Kirchen, Klöster und Diakonien in die Karte einzutragen, die bis um 1000 bezeugt sind und die sich lokalisieren lassen. Die Titelkirchen sind hier nicht mehr eigens markiert (vgl. dazu Karte 16). Was die Quellen betrifft, so sind neben den archäologischen Funden besonders wichtig frühe Kataloge: An erster Stelle sind die Kap. 69–81 aus der Biographie Leos III. im *Liber Pontificalis* zu nennen, in denen von den Wohltaten des Papstes gegenüber Kirchen, Klöstern und Diakonien die Rede ist. Der vor 682 entstandene *Catalogus Salisburgensis* enthält die Namen von 21 Kirchen, während der auf eine Arbeit des 8./9. Jh. zurückgehende *Anonymus Einsidlensis* 61 Namen bringt (vgl. zu diesen und anderen Katalogen Huelsen [Kommentar zur Karte 16] I–XXV und 3–123).

Quellen und Literatur: Vgl. die Angaben zu Karte 16, dazu Codice Topografico della Città di Roma, a cura di R. Valentini – G. Zucchetti: Fonti per la storia d'Italia 81, 88, 90, 91 (Roma 1940–1953): A. P. Frutaz, Diakonie: LThK[2] III 324f (mit weiterer Lit.).

J. Martin

41: Das Christentum in mittelalterlichen Städten

A. Köln

Autor: Die Karte basiert auf dem Plan von *R. Haaß* im LThK[2] Bd VI nach Sp. 384. Korrekturen zur Lage verschiedener Kirchen und Klöster sowie Nachträge zu den Orden der Klöster trugen B. Nowak und J. Torsy bei.

Wenn Köln und Athen in diesem Atlas neben den großen Zentren der Christenheit dargestellt werden, dann ist das rein exemplarisch zu verstehen. Man hätte auch andere Städte auswählen können, doch bieten Köln und Athen – das eine durch seinen kirchlichen Rang, beide durch ihre kulturelle Bedeutung und kirchenbauliche Entwicklung – besonders gute Beispiele für das Christentum in mittelalterlichen Städten.

Die um 12 v. Chr. entstandene Siedlung der Ubier und spätere Veteranenkolonie *(Colonia Claudia Ara Agrippinensium)* erlebte ihre erste große Blütezeit als Metropole der Germania inferior. Das Christentum kam spätestens im 3. Jh. nach Köln, der erste Bischof ist auf den Synoden von Rom 313 und Arles 314 bezeugt. Schon früh sind auch Kirchen nachweisbar: die älteste Bischofskirche ist zwar bis heute nicht identifiziert, doch gehen die späteren Stiftskirchen S. Gereon, S. Severin und S. Ursula als Coemeterialkirchen auf das 4. Jh. zurück. Die Gründung der übrigen Stiftskirchen erfolgte vom Frühmittelalter bis um die Mitte des 11. Jh. (S. Kunibert im 7. Jh., S. Maria im Capitol um 700, S. Cäcilia 9. Jh., S. Andreas 953/965, S. Aposteln 965 [Kollegiatstift nach 1021], S. Maria ad gradus 1059, S. Georg 1056/75). Die Anfangsstadien der Pfarrorganisation werden im 9./10. Jh. mit den Kirchen S. Alban, S. Johannes Baptist, S. Kolumba, S. Laurenz, S. Maria Ablaß, S. Peter und S. Maria Lyskirchen sichtbar, doch ging die Neugründung von Pfarrkirchen während des ganzen Mittelalters weiter. Als kirchliche Metropole (seit Ende des 8. Jh.; besonders folgenreich für die Stadt war die Wirksamkeit des Erzbischofs Bruno I. [953–965], des Bruders Ottos d. Gr.) und infolge seiner wachsenden wirtschaftlichen und kulturellen Bedeutung war Köln auch Anziehungspunkt für die verschiedensten Orden: Im 10. Jh. erhielt Köln 2 Benediktinerklöster (S. Pantaleon um 957, etwas später wurde die Stiftskirche Groß-S. Martin in ein Benediktinerkloster umgewandelt). Benediktinerinnen ließen sich kurz nach 1141 (S. Mauritius) und 1178 (Makkabäer) in Köln nieder, das 1313 als Augustinerinnenkloster gegründete S. Agatha nahm 1459 die Benediktinerregel an. Die Zisterzienserinnenklöster Marienspiegel und Mariengarten stammen aus den Jahren 1215 bzw. um 1220, die Weißen Frauen von S. Maria Magdalena kamen 1229. Nach der Gründung der Bettelorden hielten auch diese schnell in Köln Einzug: die Dominikaner 1221, die Franziskaner 1222, die Karmeliten 1256, die Augustinereremiten 1264; die Dominikanerinnen um 1257, die Franziskanerinnen 1307. Als letzte der mittelalterlichen Orden gründeten Niederlassungen die Kartäuser (1334) und die Brüder vom gemeinsamen Leben (1402).

Die Karte gibt den Stand des späten Mittelalters wieder. Von den zahlreichen Beginen-Konventen sind nur die berücksichtigt, die sich (meist im 15. Jh.) zu Frauenklöstern entwickelt haben.

Quellen und Literatur: Die Quellen sind verarbeitet: Die Kunstdenkmäler der Stadt Köln, hrsg. von P. Clemen, Bd II, 3. Abt.: Die ehemaligen Kirchen, Klöster, Hospitäler und Schulbauten der Stadt Köln (Düsseldorf 1937). – Vgl. ferner: H. Keussen, Topographie der Stadt Köln im Mittelalter, 2 Bde (Bonn 1910); H. Vogts, Köln im Spiegel seiner Kunst (Köln 1950); A. Stelzmann, Illustrierte Geschichte der Stadt Köln (Köln 1958); Schriften zur Kölner Topographie, hrsg. von R. Steimel, Bd I: O. Doppelfeld, Über die wunderbare Größe Kölns (Köln-Zollstock 1961), Bd II: Unvergängliches Köln einst und heute (ebd. 1960).

J. Martin nach R. Haaß im LThK[2] VI 383f und 386–388.

B. Das byzantinische Konstantinopel

Autor: R. Janin

Die große Geschichte des nach der Tradition 658 von Siedlern aus Megara gegründeten Konstantinopel begann, als Kaiser Konstantin es 325 unter dem Namen *Nova Roma* zur Hauptstadt des Reiches machte. Der Umfang der Stadt wurde verdoppelt, nach dem Muster Roms wurde sie in 14 Regionen eingeteilt. Dazu kamen noch 2 Gebiete außerhalb der konstantinischen Stadt, die *Blachernen* und *Sykai* (heute Galata): so stellt sich Konstantinopel in einem offiziellen Verzeichnis von um 430 dar: *Urbs Constantinopolitana Nova Roma,* ed. O. Seeck: Notitia Dignitatum (Berlin 1865) 227–243.

Die für das staatliche und kirchliche Leben nötigen Gebäude mußten nun vervielfacht werden. Die von Rom zur Etablierung der Verwaltung herbeigerufenen Funktionäre nutzten die Stunde, um sich große Häuser zu bauen, von denen viele den neuen Vierteln ihren Namen gegeben haben. Hesychios von Milet in seiner *Patria* (6. Jh.) und andere spätere Patriographen wie Pseudo-Kodinos haben entsprechende Listen zusammengestellt. Th. Preger hat die drei wichtigsten Schriften zu diesem Thema veröffentlicht: *Scriptores originum Constantinopolitanarum* I (Leipzig 1901), II–III (ebd. 1908). Ihre Mitteilungen haben nicht den gleichen Wert wie die der Chronisten und Historiker (Eusebios im 4. Jh., Sokrates und Sozomenos im 5. Jh. usw.). Besonders an diesen Autoren kann man die Entwicklung des kaiserlichen Palastes und den ununterbrochenen Bau von Kirchen und Klöstern ablesen. Die größten Bauherren waren Konstantin und Konstantios im 4. Jh., der Ökonom der Hagia Sophia Markian († 450), die Kaiserin Pulcheria im 5. Jh., Juliana Anikia, Nachkommin Theodosius' d. Gr., im 5./6. Jh. und vor allem Justinian, der das ganze Reich mit neuen Bauwerken bedeckte (dazu besonders Prokop, De aedificiis), später Theophilos und Basileios Makedon (zu beiden vgl. bes. Theophanes Contin.). Das Zeremonienbuch Konstantins VII. Porphyrogennetos (10. Jh.) gibt Aufschluß über die verschwenderischen Bauten und die offiziellen zivilen und religiösen Zeremonien.

Über die ersten Kirchen von Byzanz sind wir nur schlecht unterrichtet, da die Patriographen das Thema ohne jede kritische Einstellung behandelten. Als Gregor von Nazianz im Herbst 379 nach Konstantinopel kam, fand er nur eine orthodoxe Kirche vor, Anastasia (Sokrates V 77; Sozomenos VII 5). Die offizielle Notiz von 430 nennt nur 12 Kirchen für die 14 Regionen; Sokrates und Sozomenos erwähnen noch andere, die den Novatianern gehörten.

Für das 4. Jh. ist die Existenz der Hagia Sophia und Hagia Irene bezeugt. Vom 5. Jh. an entstehen die großen Basiliken H. Ioannes Baptistes (463), die Theotokos der Blachernen und die der Kaiserin Pulcheria zugeschriebene Chalkoprateia (= H. Maria an der Cisterna Basilika), ferner die Kirchen der Juliana Anicia auf dem 4. Hügel (H. Polyeuktos, H. Euphemia, H. Stephanos). Auf Justinian gehen der grandiose Neubau der H. Sophia sowie H. Sergios und Bakchos u. a. zurück. Die Chora-Kirche stammt aus der gleichen Epoche. Im 6. Jh. gab es zahlreiche Klöster in der Stadt, die sich vor allem in wenig bevölkerten Stadtteilen ansiedelten. Basileios Makedon erneuerte H. Diomedes, erbaute die Nea im Palast und restaurierte H. Michael (Sosthenion). Die Komnenen erbauten sich einen neuen Palast oberhalb der Blachernen und gründeten das Pantepoptes- und Pantokrator-Kloster sowie die Theotokos Eleousa und die Theotokos Kecharitomene. Die Palaiologen können schließlich das Pammakaristos-Kloster und H. Demetrios für sich beanspruchen. – Die Kirchen in Galata sind bis auf H. Irene lateinische Gründungen.

Literatur: R. Janin, Constantinople byzantine (Paris [2]1969); ders., Les églises et les monastères: La Géographie ecclésiastique de l'empire byzantin, Bd III (Paris [2]1969), beide Werke mit Quellen und weiterer Literatur.

R. Janin

42: Das Christentum in mittelalterlichen Städten

A: Athen

Autor: J. Martin

Von der großen geschichtlichen Vergangenheit Athens blieb, was die politische Bedeutung betrifft, in der römischen Kaiserzeit wenig übrig. Es wurde zu einer Provinzstadt, was sich auch darin äußerte, daß es erst im 9. Jh. (869) zur kirchlichen Metropole aufstieg. Dennoch dauerte sein alter geistiger Ruhm weiter und bewirkte, daß es immer wieder das Interesse auf sich zog und verschwenderisch mit Bauten ausgestattet wurde. Auf dem kirchlichen Sektor war hier – wie an vielen anderen Orten – Justinian, der die athenische Akademie schloß, besonders tätig; ein großer Teil der antiken Kirchen, von denen viele antike Tempel abgelöst haben, geht auf seine Regierungszeit zurück. Eine genaue Chronologie aller antiken Kirchen Athens ist besonders schwierig, weil – gerade infolge des Absinkens der Bedeutung Athens – literarische Quellen weitgehend fehlen.

An der Situation der Stadt änderte sich auch in der folgenden Epoche nichts, obwohl sie, wie oben erwähnt, 869 zur kirchlichen Metropole aufstieg. Vom Bulgareneinfall 995 blieb sie verschont. Seit dem 11. Jh. setzte wiederum eine Bautätigkeit auf kirchlichem Gebiet ein, und Athen hat einige besonders schöne Beispiele byzantinischer Kirchenbaukunst hervorgebracht. Zu nennen sind vor allem Kapnikarea (11./12. Jh.) und die Panagia Gorgoepekoos (= Kleine Metropolis, 12. Jh.). Schon im 9. Jh. dürfte die Kirche H. Theodoroi gegründet worden sein – sie wurde im 11. Jh. umgebaut. In der Zeit der Frankokratie (1204–1458) gab es kaum noch Neugründungen von Kirchen, doch können wir den Stil der Kreuzfahrer an einigen Um- und Neubauten erkennen (z. B. Prophetes Elias, Metamorphosis tou Soteros).

Im Plan bedeuten Klammern um einen Namen, daß es sich um den heutigen Namen handelt und der alte Name unbekannt ist.

Quellen und Literatur: A. Xyngopulos, Byzantinische und türkische Denkmäler von Athen. Inventar der byzantinischen Denkmäler (Heureterion) II (Athenai 1929); H. Megaw, The Chronology of Some Middle Byzantine Churches: Annual of the British School of Athens 32 (1931/32) 90–130; F. W. Deichmann, Frühchristliche Kirchen in antiken Heiligtümern: Archäologisches Jb. 54 (1939) 105–136; K. Mires, Hai ekklesiai ton palaion Athenon (Athenai 1940); M. Chatzidakes, Byzantine Athens (Athenai 1958); J. Travlos, Poleodomike Exelixis ton Athenon (Athenai 1960) (mit Plänen, die hier weitgehend zugrunde gelegt wurden); A. Frank, The Middle Ages in the Athenian Agora (Princeton 1961).

J. Martin

B: Jerusalem

Autor: J. Martin. Korrekturhinweise gab M. Avi-Yonah.

Die religiöse Bedeutung, die Jerusalem für das Judentum hatte, wurde zunächst in das Christentum übernommen: als Urgemeinde wurde es die Mutterkirche aller übrigen Kirchen, doch nahmen diese Ansätze ein jähes Ende, als die Stadt im Jahre 70 von den Römern dem Erdboden gleichgemacht wurde. Als *Colonia Aelia Capitolina* von Hadrian im 2. Jh. neugegründet, konnte die Stadt zunächst nicht an die alte Tradition anknüpfen und wurde einfaches Bistum unter der Metropole Caesarea. Schon in Nicaea erhielt es jedoch wieder den Ehrenvorrang einer Obermetropole, bis in Chalcedon 451 das Patriarchat Jerusalem errichtet wurde (vgl. Karten 8 und 21). Bis zum Arabereinfall im 7. Jh. war nun Jerusalem ein kirchliches Zentrum ersten Ranges: mit dem im Osten an die Stadt angrenzenden Ölberg zusammen wurde es Mittelpunkt des palästinensischen Mönchtums und Ziel vieler Pilgerreisen in den Orient.

Alles dies spiegelt sich in den kirchlichen Bauwerken Jerusalems, doch können die im Plan dargestellten Bauten nur einen schwachen Abglanz von dem vermitteln, was es bis zum Beginn des 7. Jh. in Jerusalem gegeben haben muß. Unser Wissen über die bauliche Entwicklung Jerusalems in vorarabischer Zeit beruht auf Quellen sehr verschiedener Art. Zu den Kirchenhistorikern (Euseb, Theodoret, Sokrates, Sozomenos u. a.) kommen Viten der Heiligen und Klostergründer (z. B. Petros d. Iberers, die Sabas-Vita des Kyrillos von Scythopolis), Pilgerberichte (auch Hieronymus bietet in seinen Briefen wichtige Mitteilungen) und Prokops De aedificiis (für die Bauten Justinians). Eine Quelle besonderer Art ist schließlich die Mosaikkarte von Madaba, die auch ein Schaubild Jerusalems enthält. Alle diese Zeugnisse müssen mit den Ergebnissen der Archäologie zusammengenommen werden, die in Jerusalem besonders intensiv betrieben wurde und wird.

Nach Vincent-Abel (s. u.) ergibt sich für die kirchlichen Bauten Jerusalems folgende Chronologie: Die Grabeskirche und Eleona auf dem Ölberg sind konstantinisch; dem 4. Jh. gehören ferner an die Sion-Kirche (Cenaculum), die Himmelfahrtskirche auf dem Ölberg, die Gethsemani-Kirche und S. Jacobus im Cedron-Tal; außerdem die Gründungen der Melania der Älteren; an der Wende vom 4. zum 5. Jh. liegen das Kloster und Hospiz Passarions, im 5. Jh. wurden gegründet die Probatica, S. Stephanus, die Siloe-Kirche, S. Sophia, S. Johannes Baptistes, die Grab-Mariens-Kirche, S. Menas, S. Sabas. Von Justinian restauriert und wahrscheinlich ebenfalls im 5. Jh. gegründet wurden S. Thalaleus, S. Gregorious (Lokalisierung unbekannt), das Iberer-Kloster und S. Maria auf dem Ölberg. Im 6. Jh. wurde schließlich S. Maria Nova erbaut.

Durch die arabische Eroberung sowie durch Erdbeben wurden viele christliche Bauwerke zerstört, die jedoch teilweise schon während der arabischen Zeit wieder aufgebaut werden konnten. Dazu kamen als Neugründungen dieser Zeit das Benediktinerkloster S. Maria Latina, das kurz nach 800 vor allem für die Unterstützung der Pilger errichtet und mit Schutzrechten Karls d. Gr. ausgestattet wurde, im 11. Jh. die Benediktinerinnen von S. Maria Magna (zunächst S. Maria Magdalena gen.). Die Gründungszeit des Armenierklosters S. Jacobus ist nicht genau festzustellen, es gehört aber auch in die arabische Zeit.

Mit der Ankunft der Kreuzfahrer 1099 begann eine rege Bautätigkeit, die nicht nur die im Plan verzeichneten Neugründungen umfaßte, sondern auch viele im Plan nicht eigens markierte Neu- und Umbauten kirchlicher Gebäude aus früheren Jahrhunderten. Der Felsendom stammt nicht aus der Kreuzfahrerzeit, wurde aber erst jetzt als Kirche benutzt und ist deshalb rot gegeben. Hauptquelle für diese Epoche sind neben den Chronisten der Kreuzzüge wiederum Pilgerberichte, aber auch urkundliches Material.

Quellen und Literatur: Grundlegend ist H. Vincent – F. M. Abel, Jérusalem, Bd II: Jérusalem nouvelle (Paris 1914–26). Ferner: C. Enlart, Les Monuments des Croisés dans le Royaume de Jérusalem, 2 Bde (Paris 1925–28); M. Avi-Yonah, The Madaba Mosaic Map (Jerusalem 1954); J. T. Milik, La topographie de Jérusalem vers la fin de l'époque byzantine: Mélanges de l'Université St. Joseph, Beyrouth 37/7 (1961) 127–189. – Für die Klöster sind die Nachrichten gesammelt bei S. Vailhé, Répertoire alphabétique des monastères de Palestine: Revue de l'Orient chrétien, 1e sér. 4 (1899) 512–542, 5 (1900) 19–48 272–292.

J. Martin

43: Der Islam bis zum Beginn der Kreuzzüge

Autor: Die Karte wurde zusammengestellt aus mehreren Karten des Atlas of Islamic History von *H. W. Hazard,* compiled by H. W. Hazard and H. L. Cooke, Jr.: Princeton Oriental Studies 12 (Copyright 1951 by Princeton University Press).

Daß eine Karte zum Vordringen des Islam in einen Atlas zur Kirchengeschichte gehört, bedarf kaum einer Begründung: sie rechtfertigt sich nicht nur aus der das ganze christliche Abendland umfassenden Kreuzzugsbewegung, sondern ist auch unerläßlich für das Verständnis der Kirchengeschichte in Kleinasien und im Vorderen Orient, in Nordafrika und auf der Iberischen Halbinsel.

Das Verhalten der Eroberer gegenüber dem Christentum differierte gebiets- und dynastieweise sowie im Hinblick auf die verschiedenen Kirchen. Auf der Iberischen Halbinsel kam es – bis auf den Norden – zu einer längeren Unterbrechung der Kontinuität der Bistümer, bis sie im Zuge der Reconquista (vgl. Karte 60B) wiedererrichtet oder neue gegründet wurden. – Den schwersten Schlag erlitt das Christentum wohl in Nordafrika, dessen ehemals römische Provinzen an die 600 Bistümer gezählt hatten (vgl. Karte 24), von denen so gut wie nichts übrigblieb. – Die koptische Kirche in Ägypten hatte ein wechselhaftes Schicksal. Es gab Perioden der Toleranz und solche der Verfolgung, in denen vor allem wirtschaftlicher Druck auf die Christen ausgeübt wurde. Insgesamt kann man einen ständigen zahlenmäßigen Rückgang der Kirche bis zum 19. Jh. feststellen. – Über die Situation der orthodoxen Kirchen des Nahen Ostens während der Herrschaft des Islam sind wir sehr schlecht unterrichtet (vgl. zum Stand um 600 Karte 21). Die Patriarchate Jerusalem und Antiochia bestanden weiter, und ebenso werden die meisten Bistümer in den Notizen noch weitergeführt: ihre Existenz scheint jedoch zum großen Teil rein nominell gewesen zu sein. Welche Bistümer bei der Ankunft der Kreuzfahrer tatsächlich noch bestanden, läßt sich nicht sicher ausmachen. – Die jakobitische und nestorianische Kirche im Nahen und Mittleren Osten überstanden zwar den Arabereinfall auch nicht ohne Verluste (man vergleiche für das nordsyrische Mönchtum nur die Karten 12 und 38 miteinander), doch konnten sie sich später verhältnismäßig ungestört entwickeln und sogar eine erstaunliche missionarische Aktivität entfalten (vgl. die Karten 26–27). Ähnlich war die armenische Kirche (vgl. Karte 9A) zunächst starkem Druck ausgesetzt, den sie jedoch infolge der starken Verbindung von Glaube und Volkstum relativ gut überstand; als Ende des 9. Jh. eine neue tolerantere islamische Dynastie zur Herrschaft kam, erlebte die Kirche sogar einen neuen Aufschwung. – Das orthodoxe Kleinasien geriet erst gegen Ende der dargestellten Epoche – und auch hier teilweise zunächst nur vorübergehend – durch die Eroberung der Seldschuken in den Bannkreis islamischer Macht. In der Folgezeit sollte sich hier jedoch mit dem Osmanischen Reich ein neues Machtzentrum des Islam bilden (vgl. Karte 72).

Literatur: Vgl. die Literatur zu den genannten Karten. Weiteres ist bei H. E. Mayer, Bibliographie zur Geschichte der Kreuzzüge (Hannover [2]1965) bequem zusammengestellt.

J. Martin

44A: Die mittelalterliche Kirche in Böhmen und Ungarn

Autor: Die Karte ist – mit einigen Modifikationen und Ergänzungen – übernommen aus LThK[2] Bd X vor Sp. 353.
Zum Gebiet des späteren Ungarn in der Antike vgl. die Karten 20 und 23. Im 8. und 9. Jh. kreuzten sich hier von Rom, Byzanz und den bayrischen Bistümern ausgehende Missionsinitiativen (vgl. die Karten 29B und 46 mit Kommentaren).

Die Geschichte des eigentlichen Ungarn begann, als die Magyaren 896 das mittlere Donaubecken besetzten. Die Anfänge des Christentums in diesen Gebieten wurden zerstört. Erst in der 2. Hälfte des 10. Jh. setzten wieder Missionsbemühungen sowohl von Byzanz als auch von der westlichen Kirche her ein, deren Einfluß schließlich überwog. Stephan I., der im Jahre 1000 vom Papst die Königskrone erhielt, hat die Christianisierung Ungarns entscheidend vorangetrieben und zugleich die ungarische Kirche durch die Gründung von Bistümern und Klöstern organisiert. Die in der Karte eingetragenen Gründungsdaten der auf Stephan zurückgehenden Bistümer sind in der Literatur stark kontrovers und können deshalb nicht mehr als gewisse Leitdaten sein. Nitra wurde schon im 9. Jh. gegründet (vgl. Karte 29B) und von Stephan wiedererrichtet. Das Bistum Transsylvania (Alba Julia) wird Stephan zugeschrieben, obwohl der erste Bischof erst Anfang des 12. Jh. nachweisbar ist. – Noch im 11. Jh. dehnte Ungarn seinen Einflußbereich durch die Eroberung Kroatiens nach Südwesten aus. 1091 gründete König Ladislaus das Bistum Agram (Zagreb), das auf der Karte zu ergänzen ist. Es wurde im 12. Jh. zusammen mit Csanád, Oradea (Großwardein) und Transsylvania (Alba Julia) der neuerrichteten Metropole Kalocsa unterstellt.

Böhmen gehörte vor der Gründung des Bistums Prag (973) zum Bistum Regensburg, das hier auch missionierte. In Mähren wirkten neben Missionaren aus Salzburg und Passau auch die Brüder Kyrillos und Methodios. Ein eigener Bischof für Mähren ist schon im 10. Jh. bezeugt – seit 1063 wurde Olmütz fester Bischofssitz. 1344 wurde Prag zur Metropole erhoben mit den Suffraganen Olmütz (Olomouc) und dem neugegründeten Leitomischl (Litomyšl).

Zu den mittelalterlichen Ordensniederlassungen in Ungarn, Böhmen und Mähren vgl. die Karten 51–54 und 58–59. Ergänzend sind in der vorliegenden Karte die königlichen Stifter dargestellt, die nicht nur in religiöser, sondern vor allem auch in politischer und rechtlicher Beziehung in Ungarn eine wichtige Rolle spielten.

Literatur: Vgl. die Literatur zu den im Text genannten Karten, ferner die Bistumsartikel des LThK[2] sowie die Artikel Böhmen (von F. Seibt) und Ungarn I (von L. Mezey) im gleichen Werk (mit reichhaltigen weiteren Literaturangaben).

J. Martin

44B: Die Kirche im Kiewer Rußland (von der Einführung des Christentums bis zur Zerstörung Kiews [989–1240])

Autor: O. Schlolaut

Der erste russische Staat hat sich allmählich seit der Mitte des 9. Jh. entlang des Handelsweges zwischen den Warägern und den Griechen gebildet, bis er schließlich mit dem Eintritt in die Familie der christlichen Völker feste Gestalt annahm. Die offizielle Annahme des Christentums erfolgte unter Wladimir d. Hl. (978–1015), der im Herbst 989 in Cherson (Korsun) auf der Krim durch den griechischen Bischof der Stadt die Taufe empfing. Der byzantinische Kaiser sandte ihm die nötigen Metropoliten, Bischöfe und Priester.

Die kirchliche Einteilung Rußlands in der vormongolischen Periode steht in enger Wechselbeziehung zu seiner Einteilung in Teilfürstentümer, besonders auf der Grundlage der Erbteilung, die Jaroslaw († 1054) für seine fünf Söhne vorgenommen hatte. Welche Bistümer in Wladimirs Zeit gegründet wurden, ist unbekannt, doch kann man neben der Metropolie Kiew folgende annehmen: Tschernigow, Belgorod, Wladimir in Wolhynien, Nowgorod (seit 1165 Erzbistum), Rostow, zu denen wahrscheinlich noch zu zählen sind: Turow, Polock, Tmutarakan. Später kamen hinzu: Perejaslawl, Jurew (Dorpat), Smolensk (1137), Galitsch (spätestens 1165), Rjasan (zwischen 1187 und 1207), Wladimir an der Kljasma (1214), Peremyschl (1220), Ugrowsk (kurz vor der mongolischen Eroberung). Wenig bezeugt ist ein Bistum von Kanew (Mitte des 12. Jh.). Im Bemühen, auch in kirchlicher Hinsicht nicht mehr von Kiew abhängig zu sein, versuchte Andrej Bogoljubskij († 1175) vergeblich, das Bistum seines Landes, des alten Teilfürstentums Rostow-Susdal, zur Metropolie erheben zu lassen.

Mit der Zerstörung Kiews durch die Mongolen im Dezember 1240 fand der Kiewer Staat sein Ende. In Südrußland bildete sich das Mongolenreich der Goldenen Horde, in dessen Hauptstadt Saraj 1261 ein russisches Bistum errichtet wurde. Die Metropoliten von Kiew verließen die Stadt Kiew im Jahre 1299 und verlegten ihre Residenz in das Gebiet des alten Teilfürstentums von Rostow-Susdal, 1326 in die Stadt Moskau (erste Befestigung des „Kreml" durch Jurij Dolgorukji im Jahre 1156).

Besondere Bedeutung für die Ausprägung eines eigenständigen russischen Christentums hatte das Entstehen des russischen Mönchtums. Die Anfänge liegen im Dunkeln, Verbindungen zu den wichtigsten alten Zentren des Mönchtums sind wahrscheinlich. Erst von Jaroslaw (1019–54) berichtet die Chronik unter dem Jahr 1037, daß er in Kiew zwei Klöster gründete: das des hl. Georg für Männer und das der hl. Irene für Frauen. Insgesamt gibt es Nachrichten über etwa siebzig Klöster, die vom 11. bis Mitte des 13. Jh. gegründet wurden. Es sind vornehmlich Fürsten-(Ktitor-)Stiftungen. In allen Hauptstädten der Teilfürstentümer entstanden Männer- und Frauenklöster. Einige Klöster sind auch von Bischöfen gegründet. Entscheidend für das Leben in den russischen Klöstern war die Wirksamkeit des hl. Feodosij, des dritten Abtes (seit 1062) des Kiewer Höhlenklosters. Das Höhlen-(Petscherskij-)Kloster war kein Ktitor-Kloster, es hatte sich allmählich um Einsiedlerhöhlen außerhalb der Stadt gebildet. Durch die Einführung der Koinobia-Regel des Studionklosters durch Feodosij und dessen eigenes vorbildliches asketisches Leben wurde das Höhlenkloster zum Vorbild aller anderen altrussischen Klöster.

Die Klöster lagen entlang den großen Handels- und Wasserwegen, in den Städten am Dnjepr, in und bei Kiew, Nowgorod und Smolensk. Mitte des 12. Jh. liegen wohl die Anfänge der Klosterkolonisation nördlich der Wolga. Die Stadt Wologda z. B. (erstmals erwähnt unter dem Jahr 1147) erscheint als eine Siedlung neben einem vom hl. Gerasim gegründeten Einöd-Kloster. Die Umgebung von Wologda und das Gebiet um Beloozero werden die bevorzugten Gegenden für die Errichtung von Einsiedeleien. Seit 1169 besteht das Pantelejmon-Kloster als Hauptkloster der Russen auf dem Athos.

Literatur (Auswahl): Makarij (Metropolit von Moskau, Michail Petrovič Bulgakov), Istorija russkoj cerkvi, Bde I–III (Sanktpeterburg [3]1888–1889); E. Golubinskij, Istorija russkoj cerkvi, 2 Tl.e (Moskva [2]1901–1904); G. Laehr, Die Anfänge des russischen Reiches. Politische Geschichte im 9. und 10. Jh.: Historische Studien, hrsg. von E. Ebering, Heft 189 (Berlin 1930); N. de Baumgarten, Chronologie ecclésiastique des Terres russes du Xe au XIIIe siècle: Orientalia christiana 17/1 Num. 58 (Roma 1931); G. Vernadsky, Kievan Russia (New Haven 1948); A. M. Ammann, Abriß der ostslawischen Kirchengeschichte (Wien 1950); I. Smolitsch, Russisches Mönchtum. Entstehung, Entwicklung und Wesen. 988–1917: Das östliche Christentum, hrsg. von H. Biedermann, NF Heft 10/11 (Würzburg 1953); A. W. Bunin, Geschichte des russischen Städtebaus bis zum 19. Jh. (Berlin 1961); Sovetskaja istoričeskaja enciklopedija. Glavnyj redaktor E. M. Žukov, bisher 12 Bde (Moskau 1961 ff); G. Stökl, Russische Geschichte von den Anfängen bis zur Gegenwart (Stuttgart 1962); L. Müller, Zum Problem des hierarchischen Status und der jurisdiktionellen Abhängigkeit der russischen Kirche vor 1039: Osteuropa und der deutsche Osten. Beiträge aus Forschungsarbeiten und Vorträgen der Hochschulen des Landes Nordrhein-Westfalen, Reihe 3. Westfälische Wilhelms-Universität zu Münster, Buch 6 (Köln-Braunsfeld o. J.); P. Kawerau, Geschichte der mittelalterlichen Kirche (Marburg 1967); ders., Arabische Quellen zur Christianisierung Rußlands: Osteuropastudien der Hochschulen des Landes Hessen, Reihe 2. Marburger Abhandlungen zur Geschichte und Kultur Osteuropas Bd 7 (Wiesbaden 1967).

O. Schlolaut

45 A: Basilianerklöster in Unteritalien und Sizilien

Autor: W. Hecht

Zu den bevorzugten Landschaften des griechischen Mönchtums gehörten Unteritalien und Sizilien. Als nach dem Araberstturm an der Ostgrenze des Rhomäerreiches viele byzantinische Flüchtlinge aus Syrien und Palästina in Sizilien und Kalabrien eine neue Heimat suchten, fand mit ihnen das basilianische Mönchtum dort Eingang. Zur Zeit der ikonoklastischen Kaiser nahm es einen bemerkenswerten Aufschwung, da diese am Westrand des Reiches ihr Programm nur mit großer Zurückhaltung zu verwirklichen suchten.Nach der Periode des Bilderstreites breiteten sich die Basilianer von Kalabrien nach Norden aus. Die Schwächung der politischen Position des byzantinischen Reiches in Italien wirkte sich kaum nachteilig für die Basilianermönche aus. Auf der anderen Seite fanden die byzantinischen Rückeroberungsversuche des 11. und 12. Jh. gerade in den Gebieten den stärksten Rückhalt, in welchen die Klöster und Lauren der griechischen Mönche in besonderer Dichte auftraten. Trotzdem ist festzuhalten, daß die Blüte des griechischen Mönchtums mit der Glanzzeit des sizilianischen Normannenreiches zusammenfällt, das Byzanz stets als seinen Todfeind betrachtete.

Die wichtigsten Zentren in dieser byzantinischen Klosterprovinz waren ohne Zweifel S. Salvatore in Messina, von dem Verbindungslinien zum Sinai hinüberführen, ferner die Abtei von Rossano und S. Nicola di Casole, das zu einem bedeutenden geistigen Umschlageplatz von abendländischer und byzantinischer Kultur wurde. Weiter im Norden muß auf die griechischen Klöster in Rom (vgl. auch Karte 40) und seiner Umgebung, hier besonders auf Grottaferrata, hingewiesen werden. Insgesamt wird man mit ein paar hundert klösterlichen Niederlassungen der Orthodoxen in Italien zu rechnen haben, von denen immerhin über 250 Klöster – etwa ein Fünftel davon auf Sizilien – quellenmäßig gesichert sind.

Der Bedeutung des monastischen Lebens der Griechen in Italien kann man nur damit voll gerecht werden, daß man hier den Ursprung wesentlicher Impulse sieht, welche die Kultur der Renaissance heraufgeführt haben.

Quellen: In der vorliegenden Karte sind im wesentlichen jene Klöster berücksichtigt, über welche Monographien vorliegen, vgl. M. Petta, Saggio bibliografico sui monasteri Basiliani d'Italia: Bollettino della Badia Greca di Grottaferrata. Nuova serie 5 (1951) 46–76. Ferner wurden solche klösterlichen Niederlassungen in die Karte aufgenommen, die in der politischen Entwicklung oder der Geistesgeschichte eine größere Rolle spielten. Literatur über das basilianische Mönchtum und einzelne Klöster findet sich bei Beck 227 ff; L. R. Ménager, La „byzantinisation" religieuse de l'Italie méridionale (IXe–XIIe siècles) et la politique monastique des Normands d'Italie: RHE 53 (1958) 747–774, 54 (1959) 5–40. Die eingetragenen politischen Grenzen – nach G. Ostrogorsky, Geschichte des byzantinischen Staates (München [3]1963) – sollen auf die politische Funktion des basilianischen Mönchtums bis zum Beginn der Stauferzeit hinweisen.

W. Hecht

45 B: Die Athosklöster

Autor: Die Karte wurde dem Werk Millennium du Mont Athos, hrsg. von der Benediktinerabtei Chevetogne, 2 Bde (Chevetogne 1965) entnommen.

Bis zum Ende des 10. Jh. gehörte der Athos nicht zu den großen Zentren des byzantinischen Mönchtums, die etwa auf dem bithynischen Olymp oder im Latmus-Gebiet bei Milet lagen (vgl. Karte 39). Der Aufstieg des Athos begann, als im 9./10. Jh eine Verfassung für die bis dahin ausschließlich eremitisch oder in Form lockerer Anachoretensiedlungen lebenden Mönche des Athos geschaffen und seit der Mitte des 10. Jh. Coenobitenklöster gegründet wurden. Den größten Einfluß unter ihnen erreichte die 963 entstandene Megisti Lavra (Megiste Laura), andere Klöster des 10. Jh. waren Vatopedi, Iviron und Xeropotamou, im 11. Jh. folgten u. a. Xenophontos, Docheiariou, Esphigmenou, Konstamonitou, Karakaliou. In der von Kaiser Johannes I. Tzimiskes (969 bis 976) der Mönchssiedlung gegebenen Verfassung erhielt die coenobitische Lebensform auf dem Athos schon einen festen Platz und konnte sich in der ersten Blüteperiode des Heiligen Berges, die etwa bis zum Ende des 11. Jh. reichte, kräftig entfalten. Das 12. Jh. brachte mit der Gründung des Serbenklosters Chilandarion und des Bulgarenklosters Zographon (beide sind als kleinere griechische Klöster schon im 11. Jh. bezeugt) neue Elemente in die Mönchssiedlung.

Die Quellen und die Literatur sind ausführlich im oben zitierten Werk verarbeitet. Knappe Überblicke, die auch für die Formulierung dieses Kommentars herangezogen wurden, geben Beck 218–222 und K. Baus: LThK[2] Bd I 1008–10.

J. Martin

46: Die Kirchenprovinz Salzburg im Mittelalter

Autor: F. Dörrer

Die Kirche im bajuwarischen Stammesgebiet entbehrte einer eigenen Metropole, bis 798 Salzburg zum Erzbistum erhoben wurde. Anfänglich umfaßte die „bayerische" Kirchenprovinz 6 Diözesen: Salzburg, Freising, Regensburg und Passau, welche vier Bistümer nach älteren Vorstufen 739 vom hl. Bonifatius definitiv errichtet und abgegrenzt worden waren, dazu im damals noch stark rätoromanischen, von Bajuwaren nur durchsiedelten und beherrschten, später „Tirol" genannten Alpengebiet das schon vor 580 erwähnte Bistum Säben, das einst der Metropole Aquileia unterstanden war und dessen Residenz um 990 nach Brixen verlegt wurde, schließlich an der Grenze gegen die Alemannen das vermutlich kleine, infolge Quellenarmut nicht genau bestimmbare Bistum Neuburg (Residenz N. auf der Staffelseeinsel oder N. an der Donau?). Es wurde bald nach 800 dem Bistum Augsburg (Kirchenprovinz Mainz) angegliedert und schied somit früh aus der Kirchenprovinz Salzburg aus. Deren das bajuwarische Kernland weit überragende, hauptsächlich von Salzburg, Passau und Regensburg trotz mehrfacher Rückschläge gemeisterte Aufgabe war die Ostmission. Die Gebiete nördlich der Donau, Böhmen, Mähren und die Westslowakei waren für die Kirche völliges Neuland, wogegen in den einstigen norischen und pannonischen Provinzen des Römerreiches (heute Süd- und Ostösterreich südlich der Donau, Westungarn, Slowenien) bereits in der Spätantike sogar Bistümer bestanden hatten, aber dann durch viele Wellen heidnischer Völker, zuletzt der Awaren und der bis über den Alpenhauptkamm und zur Enns vorgedrungenen Slawen vernichtet worden waren. In Karantanien missionierte Salzburg schon Mitte des

8. Jh., Pannonien fiel ihm durch Karls d. Gr. Awarensieg zu (vgl. Karte 29 B). Noch während des Krieges war zwischen den Metropoliten von Salzburg und Aquileia die Teilung des Missionslandes entlang der Drau vereinbart worden (795), welche Grenze Kaiser Karl 811 bekräftigte und bis 1786 blieb. Mitte und Süden der Alpen und die anschließende Ebene wuchsen Salzburg als unmittelbares Diözesangebiet zu (Kirchweihen und Besitz bis zum Plattensee und Fünfkirchen bezeugt), wogegen donauabwärts Passau wirkte (zwischen Wienerwald und Raab konkurrierten zeitweilig beide). Nordöstlichster erwiesener Stützpunkt war Nitra in der Slowakei, wo um 830 der Salzburger Erzbischof eine Kirche und für die 880 der Papst einen deutschen Bischof weihte. Doch die Entscheidung Roms zugunsten einer autochthonen slawischen Hierarchie für Pannonien und Mähren (Method 869 Erzbischof „von Sirmium") begrenzte und beschnitt erstmals das Ostwirken der bayerischen Bistümer. Dem Ungarnvorstoß nach Westen fielen um 900 außer jener kurzlebigen slawischen Kirchenprovinz auch heute österreichische Gebiete der Kirchenprovinz Salzburg zum Opfer. Nach dem Lechfeldsieg 955 erneuerten Passau und Salzburg ihr Missionswirken, dessen Erfolg jedoch schon kurz nach 1000 die Errichtung einer eigenen ungarischen Hierarchie und damit den endgültigen Verlust Ungarns (einschließlich des heutigen Burgenlandes) für die Kirchenprovinz Salzburg zeitigte. Böhmen und Mähren waren schon 973 mit Gründung des Bistums Prag, das der Metropole Mainz unterstellt wurde, endgültig aus der Kirchenprovinz Salzburg ausgeschieden, die somit um 1000 ihre bis ins 18. Jh. gültige Außengrenze erhielt. Die auch nach diesen Verlusten riesige Ausdehnung der Diözesen Salzburg und Passau erheischte zunehmende Untergliederung und Einsetzung von Hilfsbischöfen. Nach dem mißglückten Versuch mit Chorbischöfen (Maria Saal) gründeten die Erzbischöfe 1072-1225 vier kirchen- und staatsrechtlich sonderbare Eigenbistümer (Gurk, Chiemsee, Seckau, Lavant), deren Oberhirten zugleich als Diözesanbischöfe in ihren eigenen kleinen Sprengeln und als Hilfsbischöfe in der umschließenden Erzdiözese zu wirken hatten. Zu Quasidiözesen innerhalb dieser wurden gewisse, mit räumlich geschlossenen oder ausgedehnten Inkorporationsgebieten begabte Stifte und Orden (Berchtesgaden – Augustiner-Chorherren, S. Lambrecht – Benediktiner, sog. Millstätter Distrikt – Jesuiten), doch glückte dies nur Berchtesgaden schon im Mittelalter. Bemühungen um eigene Bistümer für die österreichischen Länder seit dem frühen 13. Jh. zeitigten erst unter Kaiser Friedrich III., dem die Gründung der exemten Bistümer Laibach (1462, Hauptgebiet im Patriarchat Aquileia), Wien und Wiener Neustadt (beide 1469) gelang, einen kleinen Erfolg. Doch minderten deren winzige Diözesangebiete die Kirchenprovinz Salzburg fast nicht. Erst das 18. Jh. brachte deren völlige Umwandlung (siehe Karte 96 B). Aus ihr sind schließlich 9 heutige Kirchenprovinzen und vergleichbare Kirchengebiete (Kirchenprovinzen Salzburg, Wien, München, Prag, Olmütz, Gran, Trient; Slowakei und Slowenien derzeit noch ohne Metropolen) ganz oder großenteils hervorgegangen.

Literatur: Im LThK² unter den einzelnen Bistums- u. Ländernamen ausgewiesene kirchen- und diözesangeschichtl. Lit. – Schon vorhandene Karten: Kirchenkarte des Hist. Atlas der österr. Alpenländer, II. Abt. (Wien 1951) (mit vielen Erläuterungsbänden); E. Lendl, Salzburg-Atlas (Salzburg 1955); E. Bernleithner, Kirchenhistorischer Atlas von Österreich (Wien 1966) (mit Verzeichnis weiterer Lit. und Karten); F. Dörrer, zahlreiche Karten von Teilgebieten in Aufsätzen seit 1953 (s. bei Karte 96 B), Karte Salzburg in LThK² Bd IX).

F. Dörrer

47: Die Klosterreform von Cluny

Autor: I. Liebrich

In einer kritischen Würdigung der Arbeit von K. Hallinger über das Reichsmönchtum im 10., 11. und 12. Jh. forderte Th. Schieffer, und mit ihm später G. Tellenbach, „Paralleluntersuchungen über das Werden des Cluniazenserverbandes". Unsere Kenntnisse über seine Ausbreitung beruhen bislang auf Untersuchungen spätmittelalterlicher Quellen, wie den Generalkapiteln und den Visitationsprotokollen, die naturgemäß über das historische Wachsen des Verbandes nichts aussagen. Die systematische Durcharbeitung der zeitgenössischen Quellen aus den großen Reformepochen der burgundischen Abtei ist noch immer an der außerordentlichen Materialfülle gescheitert; trotz der genauen Erforschung zahlreicher Reformvorgänge, ja ganzer Cluniazenserprovinzen liegt keine historische Arbeit vor, die befriedigen könnte. „Die innere Gliederung" des Verbandes ist noch wenig erforscht, immer noch herrscht Unklarheit darüber, welche Klöster man dem *ordo cluniacensis* zuzurechnen hat, wie Reform, *ordo cluniacensis* und Verband sich zueinander verhalten. Der Versuch K. Hallingers, die monastische Zugehörigkeit eindeutig zu entscheiden, ist mit Vorbehalten aufgenommen worden, da seine Filiationsmethode Quellen ganz unterschiedlicher Art zu einer wissenschaftlich abstrakten Aussage einebnet.

Das hochmittelalterliche Reformmönchtum dachte in seinen Anfängen nicht in Verbänden, womit die Eigenständigkeit der verschiedenen Zentren nicht geleugnet werden soll. Eine Untersuchung des *ordo cluniacensis* muß sich beim heutigen Forschungsstand zunächst damit bescheiden, von einer quellenmäßig sicheren Basis aus eine möglichst umfassende Aufstellung aller Abteien und Priorate zu erreichen, die der burgundischen Abtei im rechtlichen Sinne unterstanden (insofern ist der Titel unserer Karte „Die Klosterreform von Cluny" etwas zu weit gefaßt). Da Cluny von seiner Gründung an unter dem besonderen Schutz der Päpste stand, lag es nahe, die päpstlichen Besitzbestätigungen für Cluny zur Grundlage einer solchen Aufstellung zu machen, die anders als die späten Visitationsprotokolle auch das Wachsen der Gemeinschaft widerspiegeln (die Anregung dazu erhielt ich von meinem Lehrer Dr. J. Wollasch). – Wir haben uns, um vom Methodischen her eine klare und überprüfbare Aussage machen zu können, auf die Auswertung der Besitzbestätigungen beschränkt, müssen aber ausdrücklich betonen, daß diese Aufstellung keineswegs alle uns bekannten Cluniazenserpriorate erfaßt. Die Cluny angeschlossenen Abteien blickten oft auf eine viel ältere Geschichte zurück als die Mutterabtei, waren ihrerseits päpstliche Klöster und entfalteten, wie auch zahlreiche größere und kleinere Priorate – man denke nur an die englischen Besitzungen von La Charité –, eine eigene Reformtätigkeit und Besitzpolitik. Die päpstlichen Besitzbestätigungen für diese Dependancen Clunys hätten also eigene Skizzen erforderlich gemacht, was den Rahmen unseres Kartenwerkes gesprengt hätte. Andererseits verzeichnen die für Cluny als Empfänger ausgestellten Bullen in vielen Fällen auch solche Klöster, die zur Zeit der Abfassung oder später der unmittelbaren Leitung eines der cluniazensischen Häuser unterstanden; sie sind – soweit sie sich identifizieren ließen – unterschiedslos in unsere Karte aufgenommen worden.

Da die Äbte von Cluny die Bestätigung ihrer Privilegien oft erst Jahre nach ihrem Amtsantritt einholten, kann eine Untersuchung, die auf diesen Urkunden basiert, nicht exakt erfassen, unter welchem Abt die einzelnen Dependancen gegründet bzw. angegliedert worden sind. Die erste umfassende Besitzbestätigung erfolgte überhaupt erst 998–999 (Jaffé-Loewenfeld 3896) unter Abt Odilo. Von da ausgehend, sucht unsere Einteilung in vier Epochen den für die Ausbreitung des Cluniazenserverbandes wichtigsten Abschnitt herauszuarbeiten: das Abbatiat Hugos des Großen. Die Einschnitte im einzelnen sind angesetzt unter 1) Abt Odilo: 998–999 (Jaffé-Loewenfeld 3896); 2) Abt Hugo: 6. März 1058 (Jaffé-Loewenfeld 4385); 3) Abt Pontius: 16. Oktober 1109 (Jaffé-Loewenfeld 6241). Als obere zeitliche Grenze haben wir das Pontifikat Innozenz' III. gewählt, da mit ihm die päpstlichen Reformversuche des Cluniazenserverbandes einsetzen und schon das letzte Drittel des 12. Jh. keinen wesentlichen Zuwachs mehr verzeichnet.

Die Bezeichnungen der cluniazensischen Dependancen in den Quellen wechseln. Wir haben sie in drei Kategorien zusammengefaßt: Abteien *(abbatia)*, Priorate *(cella, prioratus, monasterium, oboedientia, cellula)* und *ecclesiae*. Viele dieser *ecclesiae* sind, wie z. B. im Maconnais, Eigenkirchen des Klosters, in zahlreichen Fällen aber bezeichnen sie nachweislich Priorate bzw. sind Priorate aus ihnen hervorgegangen. (Wir haben in der Karte die Bezeichnung der Quellen beibehalten.)

Nachtrag zur Karte:

Drei spanische Klöster (= Priorate nach 1109) ließen sich nicht genau lokalisieren: Entrepeñas (Prov. Palencia), Valverde (Diöz. Lugo), Villaverde (Diöz. Astorga). Einige *ecclesiae* und Priorate sind beim Druck übersehen worden bzw. ließen sich wegen der Kartendichte im letzten Korrekturverfahren nicht mehr einfügen: *ecclesiae bis 998:* Lacenas (Rhône), Liergues (Rhône), Maringues (Puy-de-Dôme), S. Georges-de-Reneins (Rhône), S. Victor-sur-Rhins (Loire); *ecclesiae 1058–1109:* Cormède (Puy-de-Dôme), Monteignet (Allier), S. Amand (com. Maitres d'Astières, Puy-de-Dôme), S. Christophe-la-Montagne (Rhône), S. Hippolyte (com. Bonnay, Saône-et-Loire); ferner für die Zeit nach 1109 die Priorate Brery (Jura) und S. Pierre de Jouhe (Jura) sowie die *ecclesiae* Armix (Ain) und Frébuhans (Jura).

Nicht identifizieren ließen sich die Priorate: *für die Zeit bis 998:* cella Mizoscum (Diöz. Viviers), cella Oiadellis (Diöz. Autun); *1058–1109:* Chaberors (?), Esalas (?), S. Majoli de Castemola (Diöz. Pavia), monasterium S. Pauli in Valle olei (Vallosiae) (Diöz. Narbonne, Dependance von Moissac), obedientia quae dicitur Villa (Diöz. Nevers), obedientia

Vultulina (Valtelina) (Dependance von Pontida, Prov. Como) (?); *nach 1109:* obedientia de Asturia (Spanien), obedientia Cavaniacensis (Dependance von Baume), Mediana (Oberitalien), monasterium S. Joannis de Bosco (in Burgundia), obedientia de Sinziciaco (Dependance von Baume).

Von den *Ecclesiae* waren etwa 35 nicht zu identifizieren; die Zahl ist deshalb etwas unbestimmt, weil nicht feststeht, ob die eine oder andere *ecclesia* mit bereits identifizierten Häusern identisch ist (die Angaben beschränken sich oft nur auf Patrozinien).

Quellen und Literatur: Die Urkunden sind ediert in Bullarium sacri ordinis cluniacensis, éd. Petrus Simon (Lugduni 1680); Bibliotheca Cluniacensis, éd. M. Marrier – A. Quercetanus (Lutetiae Parisiorum 1614); Ergänzungen bei Aug. Bernard – A. Bruel, Recueil des chartes de l'abbaye de Cluny, 6 Bde: Collection des Documents inédits (1876–1903). – Die Identifizierungen basieren auf den Arbeiten von G. de Valous, Le monachisme clunisien des origines au XVe siècle, 2 Bde (Paris 1935) und Le domaine de l'abbaye de Cluny au Xe et XIe siècle (1923). Für die oberitalienischen Priorate haben wir die Diss. (mschr.) von E. Guffanti, I monasteri cluniacensi nell'attuale Lombardia (Milano 1965) benutzt. Abgesehen von zahlreichen Einzelarbeiten, die wir hier nicht aufführen können (die ältere Lit. findet sich in dem Cluny-Artikel von G. de Valous: DHGE 13, 38–174), haben wir bes. herangezogen die einschlägigen Bände des Dictionnaire topographique de la France und der Pouillés de France (in den Recueils des historiens de Gaules et de la France) sowie den Index zur Edition der Statuts, chapitres généraux et visites de l'ordre de Cluny von G. Charvin, Bd I (1965). – Karten zur Reform von Cluny finden sich im Atlas zur KG von K. Heussi – H. Mulert ([3]1937); bei S. Berthelier, L'expansion de l'ordre de Cluny et ses rapports avec l'histoire politique et économique de X[e] au XIIe siècle: Révue Archéologique, 6e ser., 11 (1938) 319–326; in A Cluny. Congrès scientifique (Dijon 1950) 188; die jüngste Arbeit stammt von H. Jakobs, Die Klosterreformen von Gorze, Cluny und S. Victor in Marseille bis etwa 1150: Großer Historischer Weltatlas, II. Tl.: MA, hrsg. vom Bayerischen Schulbuchverlag (München 1970) 80. – Zu den oben angedeuteten Forschungsproblemen des Reformmönchtums vgl. K. Hallinger, Gorze – Kluny. Studien zu den monastischen Lebensformen und Gegensätzen im Hoch-MA, 2 Bde (Rom 1950–51); Th. Schieffer, Cluniazensische oder gorzische Reformbewegung?: Archiv für mittelrheinische KG 4 (1952) 24–44; G. Tellenbach, Zur Erforschung Clunys und der Cluniazenser. Einführung zu Neue Forschungen über Cluny und die Cluniazenser (Freiburg 1959) 3–16; C. Violante, Il monachesimo cluniacense di fronte al mondo politico ed ecclesiastico: Spiritualità Cluniacense: Convegni del Centro di Studi sulla Spiritualità medievale II (Todi 1960) 153–242; J. Wollasch, Mönchtum des Mittelalters zwischen Kirche und Welt (München 1973).

I. Liebrich

Nachtrag: H. Richter (Hrsg.), Cluny. Beiträge zur Gestalt und Wirkung der cluniazensischen Reform (Darmstadt 1975).

Sanblasianer Reform

S. Blasien: Ochsenhausen, Weitenau, Bernau (Fahr), Wislikofen, Bürgeln, Sitzenkirch, Trub, Muri (Engelberg), Göttweig (S. Lambrecht [Maria Hof, Lind, Aflenz, Altenburg, Mosnitz], Garsten [Gleink], Vornbach, Seitenstetten, Lambach); Wiblingen, Donauwörth, Erlach, Stein, Ensdorf, Ettenheimmünster, S. Walburg, Sulzburg, Fultenbach, Lüneburg, S. Leonhard, Maursmünster (Sindelsberg, S. Quirin).

Hirsauer Reform

Hirsau: Schönrain, Reichenbach, Alspach, Mönchsrot, Schaffhausen (Wagenhausen, Grafenhausen, Langenau, Lippoldsberg, Benediktbeuren, Rommersdorf, Lipporn, Schönau); Hasungen, S. Georgen (Ottobeuren, Amtenhausen, Lixheim, S. Marx, Hugshofen, S. Ulrich und Afra–Augsburg, Admont [Seeon, Melk, S. Peter–Salzburg, S. Georgen am Längsee, Attel, Prühl, S. Emmeram–Regensburg, Weihenstephan, Bergen, Odilienberg], Gengenbach, Mallersdorf, Friedenweiler, Graufthal, Widersdorf, S. Johann, Urspring, Eitting, Rippoldsau, Ramsen); Petershausen (Rheinau, Mehrerau–Bregenz, Kastl [Reichenbach], Neresheim [Auhausen], Fischingen); Reinhardsbrunn, Zwiefalten (Kladrau, Elchingen), S. Peter–Erfurt, Komburg (Lorch), S. Peter auf dem Schwarzwald (Herzogenbuchsee), Blaubeuren, S. Paul (Arnoldstein) Millstatt, Rosazzo, Corvey (Pegau, Lausick, Oldisleben, Reinsdorf, S. Michael–Hildesheim, Marienmünster, Bürgel, Goseck, Homburg, Kemnade, Schkölen, Bursfelde [S. Ägidien–Braunschweig]); Weingarten, Isny, Berge (Ballenstedt, Ammensleben, Nienburg, Königslutter, Stolp); Scheyern, Gottesau, Pfäfers, Paulinzelle, Lorsch, Aura, Prüfening (Banz, Asbach, Münchsmünster, Biburg); Michelsberg–Bamberg (Theres, S. Fides–Bamberg, Ensdorf, Deggingen, Fulda); Bosau, Alpirsbach, Odenheim, Breitenau, Beinwil, Ahausen, Amorbach, Schwarzach a. Rh., Mettlach, Schwarzach a. Main, Kentheim.

Literatur: J. Semmler, Die Klosterreform von Siegburg. Ihre Ausbreitung und ihr Reformprogramm im 11. und 12. Jh.: Rheinisches Archiv 53 (Bonn 1959); H. Jakobs, Die Hirsauer. Ihre Ausbreitung und Rechtsstellung im Zeitalter des Investiturstreites: Kölner Historische Abhandlungen Bd 4 (Köln – Graz 1961); ders., Der Adel in der Klosterreform von S. Blasien: Kölner Historische Abhandlungen Bd 16 (Köln – Graz 1968).

H. Jakobs

48 A: Die Jungcluniazenser in Deutschland

Autor: H. Jakobs

Von Kassius Hallinger wurden jene von Cluny beeinflußten Reformgruppen Jungcluniazenser genannt, die sich auf dem Gebiet des hochmittelalterlichen Deutschen Reiches im 11. u. 12. Jh. entfaltet haben: die Reformen von S. Bénigne in Dijon über Fruttuaria (Piemont) nach Siegburg und S. Blasien (um 1070), sodann die Reform Hirsaus, das auf dem Höhepunkt der ersten Phase des Investiturstreites (1077/79) zu Cluny selber in Kontakt getreten war. Die Übernahme cluniazensischer Mönchsgewohnheiten auf das Reichsgebiet ist im Zusammenhang der allgemeinen Kirchenreform und der Fürstenopposition gegen den deutschen König zu sehen. Die Siegburger Reform war von vornherein vom Kölner Erzbischof Anno II. als eine bischöfliche Klosterreform konzipiert, während bei Sanblasianern und Hirsauern anfangs der Typ des Dynastenklosters die Bewegung trug. Insgesamt gesehen, ist aber diese Clunisierungswelle in Deutschland nach und nach beinahe zur Hälfte von der bischöflichen Klosterpolitik absorbiert worden. Die Karte handelt von der Ausbreitung der beiden Reformrichtungen über Siegburg/S. Blasien und Hirsau in Deutschland bis um die Mitte des 12. Jh. Wissenschaftlich aufgearbeitet wurde diese Bewegung durch die am Schluß genannten Werke.

Reformüberschneidung oder -ablösung ist in der Karte durch 2 Zeichen angedeutet. Um das Kartenbild zu entlasten, wird hier eine Zusammenstellung der Klöster in Filiationsgruppen gegeben; in Klammern stehen jeweils die Tochterklöster der vorgenannten Abtei:

Siegburger Reform

Siegburg: Hirzenach, Remagen, Oberpleis, Nonnenwerth, Fürstenberg, Zülpich, Stockum, Millen, Tüddern, S. Pantaleon in Köln (S. Moritz in Minden, S. Ursula in Köln, Königsdorf, S. Mauritius in Köln); Saalfeld (Coburg, Probstzella); Grafschaft (Belecke); Huisburg, Iburg, Brauweiler (Dacia, Groß-S.-Martin in Köln); Sinsheim, Mönchen-Gladbach (Buchholz, S. Quirin-Neuß, Neuwerk); Deutz, S. Paul-Utrecht (Hohorst); Flechtdorf, Mondsee, Waldsassen, Weltenburg, Burtscheid, Gronau, Weerselo.

48 B: Die Klosterreform von S. Bénigne (Dijon)

Autor: I. Liebrich

Solange die Forschung über die gegenseitige Beeinflussung und Durchdringung der verschiedenen Reformkreise kein klares Bild erarbeitet hat, lassen sich die monastischen Reformen des Hochmittelalters nur von den einzelnen Ausgangsorten her darstellen (vgl. auch den Kommentar zu Karte 47). Deshalb wurde in der vorliegenden Karte die Reform von S. Bénigne auf den Kreis der Gemeinschaften eingegrenzt, die der von Cluny herkommende Abt Wilhelm von Volpiano (990–1031) selbst geleitet hat bzw. in die eine Reformgruppe aus dem Konvent von Dijon eingeführt und (oder) einer seiner Schüler zum Abt eingesetzt worden ist. Das weitere Ausstrahlen der Reform in Oberitalien, in der Normandie und in Lothringen mußte unberücksichtigt bleiben, da diese Reformen wieder von eigenen Kräften getragen wurden, die politisch wie monastisch verschiedene Wege gegangen sind. – Bliebe der Blick auf die Reformzeit eingeschränkt, so müßte ein falsches und ungenügendes Bild des Beziehungsfeldes unseres Klosters entstehen. Die Gebetsverbrüderungen des Dijoner Klosters, wie sie ein Codex aus dem 12. Jh. (Bibl. municipale de Dijon, Ms. 634) aufbewahrt, zeigen, daß die engen Beziehungen aus der Reformzeit nicht selten gänzlich wieder abbrachen, daß das Kloster andererseits aber sehr bald und ohne Rücksicht auf die monastische Formung mit anderen, auch jüngeren Gemeinschaften in Verbindung getreten ist. – Zum unmittelbaren Einflußbereich eines Klosters gehören seine Priorate. Von den 25 in der Bulle Calixts II. vom 29. Oktober 1124 (Jaffé-Loewenfeld 7169) aufgeführten Dependancen waren 7, möglicherweise auch 10, schon in der Reformzeit beim Kloster: S. Amâtre, Sexfontaines, S. Blin, S. Étienne de Beaune, Salmaise, Palleau, Vosnon, Montigny (?), Silmont (?), Jussey (?).

Quellen: E. Bougaud – J. Garnier, Chronique de l'abbaye de Saint-Bénigne de Dijon: Analecta Divionensia, Bd IX (Dijon 1875), bes. 130–185; Raoul Glaber, Les cinq livres de ses Histoires (900–1040), éd. M. Prou (Paris 1886) (Collection de textes); Rodulfus Glaber, Vita S. Guilelmi abbatis S. Benigni Divionensis: Migne, Patrologia Latina 142, 697–720; G. Chevrier – M. Chaume, Chartes et documents de Saint-Bénigne de Dijon, Bd II (990–1124) (Dijon 1943) (Analecta Burgundica). – Der Text der Verbrüderungen findet sich in Bibl. municipale Dijon Ms. 634 fol. 123v–125v. – Die Bulle Calixts II. (Jaffé-Loewenfeld 7165) ist abgedruckt in E. Pérard, Recueil de plusieurs pièces curieuses servant à l'histoire de Bourgogne (Paris 1664). – **Literatur:** E. Sackur, Die Cluniacenser in ihrer kirchlichen und allgemeingeschichtlichen Wirksamkeit bis zur Mitte des 11. Jh., 2 Bde (Halle 1892–94); K. Hallinger, Gorze – Kluny. Studien zu den monastischen Lebensformen und Gegensätzen im Hoch-MA, 2 Bde (Rom 1950–51); J. Marilier, Guillaume de Volpiano: Catholicisme 5 (1958) 384f (mit Lit.); zuletzt H. H. Kaminsky, Zur Gründung von Fruttuaria durch den Abt Wilhelm von Dijon: Zschr. für KG 77 (1966) 238–267; eine eigene Arbeit über die Gebetsverbrüderungen von S. Bénigne ist in Vorbereitung.

I. Liebrich

49: Die Entwicklung der Klosterverbände von Camaldoli und Vallombrosa

Autor: W. Kurze

Die Eremitage **Camaldoli** gründete (der hl.) Romuald in den Jahren 1023–26. Trotz eindrucksvoller Belege für den hohen Stand geistigen Lebens in den ersten Jahrzehnten ihres Bestehens erhielt die Eremitenkolonie erst 1072 durch den Ausbau der 1059 geschenkten Kirche S. Pietro in Cerreto zum Kloster und 1073 durch die Übertragung der Abbadia Adelmo die Möglichkeit, über den Rahmen Camaldolis hinaus zu wirken. Die Urkunde Papst Paschals II. (23. März 1105) zählt schon 13 Camaldoli gehörige Klöster auf. In der 1. Hälfte des 12. Jh. erhöht sich diese Zahl noch beträchtlich. Bemerkenswert ist die straffe Organisation des Klosterverbandes und die strenge Aufsicht, die der Prior von Camaldoli über das geistige Leben der einzelnen Eremitagen und Klöster führte. Verfallserscheinungen bemerkt man dann gegen Mitte des Jh. In der 2. Hälfte des 12. Jh. werden nur noch wenige Klöster Camaldoli übertragen. Die große spirituelle Kraft der Camaldolenser, wie wir sie aus der vorhergehenden Periode kannten, war erloschen. – Die spätmittelalterliche Entwicklung hat andere Wurzeln und bleibt hier unberücksichtigt.

Das fast ganz auf strenge Formung des geistigen Lebens in den Eremitagen und Klöstern ausgerichtete Interesse der Camaldolenser wurde nur in engem topographischem Rahmen wirksam. Viel größere Strahlkraft entwickelten die **Vallombrosaner,** die in militanter Weise auf seiten des Reformpapsttums in die politischen Vorgänge Italiens eingriffen. Grund zu dieser Haltung legte schon Johannes Gualbertus, der das Kloster Vallombrosa auf einem ihm im Jahre 1039 geschenkten Besitz baute. Bis zu seinem Tode († 1073) konnte er noch 4 weitere Klöster gründen und 3 ihm übertragene ältere Abteien reformieren. Schon Johannes sorgte für den engen Zusammenschluß aller Anstalten in einem Klosterverband. Auch für Vallombrosa endete die Epoche großer Wirksamkeit etwa in der Mitte des 12. Jh., nur strahlten seine Ideen weit über den engen Rahmen Toscanas nach Oberitalien aus.

Als Grundlage für die Karten dienten – mit einigen Korrekturen – die Listen der von den Päpsten in ihren Urkunden Camaldoli und Vallombrosa bestätigten Klöster; vgl. P. Kehr, Italia pontificia III (1908), Etruria 171ff. 83ff.

Quellen: *Camaldoli:* J. B. Mittarelli – A. Costadoni, Annales Camaldulenses ordinis Sancti Benedicti, 9 Bde (1755-73); Regesta chartarum Italiae 2 (1907), 5 (1909), 13 (1914), 14 (1928) = Regesto di Camaldoli I, II, hrsg. von L. Schiaparelli – F. Baldasseroni, III, IV, hrsg. von E. Lasinio. – **Literatur:** D. A. Pagnani, Storia dei Benedettini Camaldolesi (1949); G. M. Cacciamani, Atlante storico-geografico camaldolese (Camaldoli 1963); G. Tabacco, Romualdo di Ravenna e gli inizi dell'eremitismo camaldolese: L'eremitismo in occidente nei secoli XI e XII, Atti della II settimana internazionale di studio, Mendola 1962 (Milano 1965); W. Kurze, Zur Geschichte Camaldolis im Zeitalter der Reform: Il monachesimo e la riforma ecclesiastica (1049–1122): ebd. IV settimana 1968 (im Druck).
Quellen: *Vallombrosa:* (F. Nardi), Bullarium Vallumbrosanum (Florentiae 1729). – **Literatur:** N. Vasaturo, L'espansione della congregazione vallombrosana fino alla metà del secolo XII: Rivista di storia della chiesa in Italia 16 (1962) 456ff.

W. Kurze

50: Die regulierten Chorherren bis 1250

Autoren: Grundlage war die Karte des LThK[2] (Bd II nach Sp. 1084) von *R. Forgeur,* die von *O. Engels* und *J. Siegwart* ergänzt und korrigiert wurde.

Die Augustiner-Chorherren lassen sich als Orden sehr schwer von ähnlichen und verwandten unterscheiden. Das Wort „Augustiner" meint sogar eher die Augustiner-Eremiten, die im 13. Jh. aufkamen. Vom 8. Jh. bis zum 11. Jh. gab es immer wieder Reformkanoniker, die sich zuerst (vor allem bis zur Mitte des 10. Jh.) von monastischen Idealen inspirieren ließen. Seit dem 10. und 11. Jh. begannen Kanoniker immer mehr, ein gemeinsames Leben mit äußerer Tätigkeit in Schule und Seelsorge zu verbinden. Diese Entwicklung wurde von den Regularkanonikern, die Gelübde ablegten, rückgängig gemacht und ging bei den Säkularkanonikern seit etwa 1060 und vor allem seit 1123 in die Richtung einer Verweltlichung. Seit dem Auftauchen der Augustinusregel als strikter Norm einer Stiftsobservanz in St. Dionysius in Reims (spätestens 1067 unter Erzbischof Gervasius [1055–67]) lag der Akzent der Reformkanoniker ein halbes Jh. stärker auf dem zönobitischen oder gar eremitischen und streng asketischen Leben, dem Zölibat und der *vita apostolica* im Sinne des Verzichts auf alles persönliche Eigentum. Das äußere Apostolat war damals meistens Sache der Stiftsvorsteher und weniger Ausnahmen bei den Regulierten. Wenige Jahre nach dem Wormser Konkordat von 1122 wandten sich fast alle Augustiner-Chorherren, auch die Prämonstratenser, immer mehr der Seelsorge zu, bis im 13. Jh. die Bettelorden ihnen an vielen Orten diese Aufgabe abnahmen.

Regularkanoniker mit strengster Armut gab es schon vor dem Auftauchen der Augustinusregel (vgl. LThK[2] I 1151: Avignon, St. Rufus, Jahr 1139). Die Regel fügte in solchen Fällen nur die Autorität des Kirchenvaters zu einer schon bestehenden Institution hinzu. Sicher ist jedenfalls, daß die Einführung der Augustinischen Regel auch die drei Gelübde mit sich brachte, auch wenn in der Profeßformel oft nur der Gehorsam ausdrücklich erwähnt wurde. Wir nennen alle jene Chorherren des 11. Jh. Regularkanoniker, die sich selber *regulares* nannten (z. B. die Bamberger Domherren im Jahre 1162), auch wenn sie die Augustinusregel nicht kannten oder nicht als Norm betrachteten. Das Wort *regularis* konnte sich im 11. Jh. auch auf die Aachener Regel von 816 beziehen. Augustiner-Chorherren aber sind jene, bei denen die Augustinusregel ausdrücklich erwähnt wurde oder, wo wir mit guten Gründen vermuten dürfen, diese Regel sei bereits verbreitet, so um 1090 im Westen bis zum Rheinland, seit dem Wormser Konkordat auch in ganz Deutschland. Wo nach 1067 ausdrücklich eine Profeß, ein Gelübde, ein Gehorsamseid gegenüber dem Stiftsvorsteher erwähnt werden, wo Formeln wie *sine proprio vivere, vita communis et regularis* usw. vorkommen, da schließen wir auf Augustiner-Chorherren.

Schwieriger ist es dann, diese im 12. Jh. von den anderen kanonikalen Religiosen zu unterscheiden, z. B. von den Prämonstratensern, den kanonikalen Ritterorden (z. B. Rittern vom Hl. Grab, Kreuzherren), den ältesten Predigerbrüdern, die die Patres (Priester) einfach *canonici* nannten, und von mehreren Spitalbrüderkongregationen.

Praktisch befolgen wir hier den Weg, die ganz kleinen Kongregationen (z. B. Marbach, Springiersbach) unter die selbständigen Stifte einzureihen, ohne auf die Gruppierung zu achten, und die Stifte, die am Anfang noch eine gewisse Selbständigkeit besaßen, auch hierher zu rechnen, selbst wenn sie einem Ritterorden angehörten (z. B. Denkendorf dem Orden vom Hl. Grab). Die großen zentralisierten Orden werden aber hier ausgenommen (Prämonstratenser, Ritterorden nach der Zentralisierung). Die Grenzfälle bleiben umstritten. So blieb das Stift S. Luzi in Chur bis 1160 unter bischöflicher Jurisdiktion. Wir zählen es aber zu den Prämonstratensern seit der Gründung (vor 1150) wegen bestimmter für die Prämonstratenser typischer Privilegien (Freiheit vom Neubruchzehnten) und wegen vermutlich prämonstratensischer Observanz seit dem Beginn. Bei anderen Kirchen reichen die Quellen nicht aus, um sie von weltlichen Stiften oder gar von Klöstern der Augustiner-Eremiten zu unterscheiden. Weil Manegold von Lautenbach eine Zeitlang im Stift Lautenbach lebte, bevor er das Augustiner-Chorherrenstift Marbach gründete, gilt oft Lautenbach als Regularstift, obwohl es dafür keine eindeutigen Zeugnisse gibt und obwohl dort, wo die Quellen eindeutig reden, Lautenbach ein Säkularstift, d. h. ein Stift ohne Gelübde und mit weitmaschigem Gemeinschaftsleben (Gemeinsamkeit von Beten, Essen und Schlafen im gleichen Raum mit der Tendenz, auch dieses Gemeinsame aufzulösen), war; vgl. Ch. Haby, Stift Lautenbach: Alsatia monastica II (Kevelaer 1958) (bes. 39–58 als Augustiner-Chorherrenstift beschrieben). – Neben den in der Karte markierten Reformgruppen und -verbänden ist noch die Marbacher Gruppe zu nennen, zu der Backnang, S. Leonhard in Basel, Goldbach, Oelenberg, Hördt, S. Trinitas in Straßburg, S. Arbogast bei Straßburg, S. Märgen, Kreuzlingen, Ittingen, Zürichberg, vielleicht auch Beuron gehören.

Die Darstellung der Karte beschränkt sich auf Mitteleuropa, da für die meisten übrigen Gebiete wegen der oben genannten Schwierigkeiten eine fundierte Kartierung noch nicht möglich ist.

Quellen und Literatur: *Grundlegend:* A. Hauck, Kirchengeschichte Deutschlands III–IV (Leipzig 1906–13) (Stiftslisten); L. H. Cottineau, Répertoire topo-bibliographique des abbayes et prieurés, 2 Bde (Mâcon 1935); N. Backmund, Monasticon Praemonstratense, 3 Bde (Straubing 1949ff); wichtig sind auch die Kunstführer zu den einzelnen Stiften. – *Allge-*

meines: Ch. Dereine, Chanoines: DHGE XII 353–405; ders., Vie commune, règle de S. Augustin et chanoines réguliers au XIe siècle: RHE 41 (1946) 356–406; Canonicorum regularium Sodalitates (Vorau 1954); F. J. Schmale, Kanonie, Seelsorge, Eigenkirche: HJ 87 (1959) 38–63; Ch. Giroud, L'ordre des chanoines réguliers de Saint-Augustin et ses diverses formes de régime interne. Essai de synthèse historicojuridique (Diss. Lateran. Martigny 1961); La vita comune del clero nei secoli XI e XII. Atti della Settimana di studio, Mendola settembre 1959, 2 Bde: Pubblicazioni dell'Università cattolica del S. Cuore ser. 3, scienze storiche 2 (= Miscellanea del Centro di Studi medioevali 3) (Milano 1962) (grundlegend). – *Regionale Untersuchungen:* S. Brunner, Ein Chorherrenbuch (Wien–Würzburg 1883); J. Wirges, Die Anfänge der Augustiner-Chorherren . . . (Betzdorf 1928); S. Reicke, Das deutsche Spital und sein Recht im MA: Kirchenrechtliche Abhh. 111–114 (Stuttgart 1932); R. Bauerreiß, KG Bayerns, 5 Bde (S. Ottilien 1949–55); J. C. Dickinson, The Origins of the Austin Canons and their Introduction into England (London 1950); J. Choux, Recherches sur le diocèse de Toul au temps de la réforme grégorienne. L'épiscopat de Pipon (1069–1110): Recueil de documents sur l'histoire de Lorraine (Nancy 1952); Ch. Dereine, Les chanoines réguliers au diocèse de Liège avant saint Norbert: Mémoires de l'Académie royale de Belgique 47/1 (Bruxelles 1952); ders., La réforme canoniale en Rhénanie (1075–1150): Mémorial d'un voyage d'études de la Société nationale des antiquaires de France en Rhénanie (1951) (Paris 1953) 235–240; J. Mois, Das Stift Rottenbuch in der Kirchenreform des 11.–12. Jh. (München 1953); G.-G. Mérsseman, Die Reform der Salzburger Augustinerstifte 1218: Zschr. für schweizer. KG 48 (1954) 81–95; M. Barth, Hdb. der elsässischen Kirchen: Archives de l'Église d'Alsace 22–24 (NS 11–13) (1960–63); F. Pauly, Springiersbach:TTS 13 (Trier 1962); J. Siegwart, Die Chorherren- und Chorfrauengemeinschaften in der deutschsprachigen Schweiz vom 6. Jh. bis 1160: Studia Friburgensia NF 30 (Freiburg/Schweiz 1962); ders., Die Consuetudines des Augustinerchorherrenstiftes Marbach im Elsaß (12. Jh.): Spicilegium Friburgense 10 (Freiburg/Schweiz 1965); J. J. Bauer, Sankt Peter zu Ager: Spanische Forschungen, Gesammelte Aufsätze 19 (1962) 99–113; ders., Die vita canonica in den katalanischen Kollegiatkirchen im 10. und 11. Jh.: ebd. 21 (1963) 54–82; O. Engels, Episkopat und Kanonie im mittelalterlichen Katalonien: ebd. 21 (1963) 83–135; N. Backmund, Die Chorherren und ihre Stifte in Bayern. Mit einem Beitrag von A. Mischlewski (Passau 1966); H. Dubled, Recherches sur les chanoines réguliers de saint Augustin au diocèse de Strasbourg: Archives de l'Église d'Alsace 32 (NS 16) (1967–68) 5–52. – *Verschiedenes:* J. Becquet, La bibliothèque des chanoines réguliers d'Aureil en Limousin au XIIIe siècle: Bulletin de la Société archéologique et historique des Limousin 92 (1965) 107–134; J. Obersteiner: Carinthia I 156 (1966) 593–634 (Gurker Domkapitel und -stift); F. Pagnitz, Quellenkundliches zu den mittelalterlichen Domen und zum Domkloster in Salzburg: Mitt. der Gesellschaft für Salzburger Landeskunde 108 (1968) 21–156.

J. Siegwart

51: Die Ausbreitung der Kartäuser bis 1500

Autor: H. Rüthing

Aus der 1084 von Bruno von Köln in der Chartreuse gegründeten Niederlassung entwickelte sich allmählich ein Orden, der stärker als andere mittelalterliche Orden darauf gesehen hat, daß die Gründung von neuen Konventen stets einer strengen Kontrolle unterworfen blieb. Jede Neugründung bedurfte, um vollberechtigtes Mitglied des Ordens zu werden, der Zustimmung des Generalkapitels, die erst einige Jahre nach der Gründung erteilt wurde (Inkorporation). Dadurch hat die zentrale Ordensleitung immer einen genauen Überblick über die Zahl ihrer Konvente behalten. Auf jedem der seit 1155 jährlich tagenden Generalkapitel mußten die Prioren der einzelnen Kartausen ihren Rücktritt anbieten; somit wurde jedes Jahr über jedes einzelne Haus diskutiert. Ferner mußten jährlich für die verschiedenen Provinzen Visitatoren bestimmt werden, deren genaue Berichte dem Generalprior übersandt wurden. Diese strenge Kontrolle über alle Konvente hat ausreichend archivalisches Material zusammenfließen lassen, um einen sehr genauen Überblick über die Ausbreitung des Kartäuserordens gewinnen zu können. – Da ein modernes, wissenschaftlichen Ansprüchen genügendes „Monasticon" des Kartäuserordens fehlt, mußte für diese Karte auf ältere Zusammenstellungen zurückgegriffen werden. Im Jahre 1509/10 wurde unter dem Ordensgeneral François du Puy für die große Statutenausgabe von 1510 eine nach Provinzen geordnete offizielle Liste aller damals bestehenden Konvente angefertigt. Diese Zusammenstellung liegt neben Verzeichnissen für einzelne Ordensprovinzen dieser Karte zugrunde. Zur Feststellung der bis 1500 untergegangenen Konvente und der an einen anderen Orden übergegangenen Häuser sowie zur Fixierung der Gründungszeit wurden neben zahlreichen Spezialuntersuchungen die großen Ordensgeschichten herangezogen. Die bis heute umfangreichsten und die zuverlässigsten Unterlagen liefert der Kartäuser Charles Le Couteulx. Seine im 17. Jh. verfaßten *Annales ordinis Cartusiensis* beruhen auf dem archivalischen Material der Grande-Chartreuse und auf Archivalien und Chroniken, die er sich aus den einzelnen Kartausen hat zusenden lassen. Die *Annales ordinis Cartusiensis* bringen sorgfältige Angaben über Zahl, Gründungszeit und Lage aller bis 1429 errichteten Kartausen. Le Couteulx' Angaben sind genauer als die der meisten neueren Werke und der schon vorhandenen Karten (s. u.), die vielfach korrigiert werden mußten. – Als Gründungsdatum ist nicht das Jahr der Inkorporation angenommen, sondern das Jahr, in dem die Stiftungsurkunde ausgestellt wurde, oder – wo das nicht der Fall war – das Jahr, in dem sich die ersten Mönche niederließen. Die Provinzeinteilungen und -bezeichnungen beruhen auf den offiziellen Angaben von 1509/10; sie gelten auch für das Jahr 1500. Die Namengebung der Kartausen konnte nicht nach einem starren Prinzip gehandhabt werden. Jedes Kloster hatte einen lateinischen Namen, der sich zum gängigen Klosternamen entwickelte, wenn das Kloster *in eremo* lag, wie das in den beiden ersten Jhh. der Ordensgeschichte meistens der Fall war (z. B. Mons Dei – Mont Dieu). Befand sich eine Kartause in oder nahe bei einer Stadt, was seit etwa 1300 immer häufiger vorkam, oder lag eine sonst bekannte Orts- oder Flurbezeichnung vor, so konnte deren Name in der Praxis oft die Eigenbezeichnung des Klosters verdrängen (z. B. Lex Mariae – Marienehe – Rostock). Bei der Nomenklatur waren Ermessensentscheidungen nicht zu umgehen; durchweg sind die in der Praxis des Ordens und in der Literatur geläufigeren Bezeichnungen gewählt worden.

Quellen und Literatur: Statuta ordinis Cartusiensis a domino Guigone priore Cartusiae edita (Basel 1510) (am Schluß des Bandes eine Zusammenstellung aller damals bestehenden Kartausen); C. Le Couteulx, Annales ordinis Cartusiensis ab anno 1084 usque ad annum 1429, 8 Bde (Montreuil 1887–91); F.-A. Lefebvre, Saint Bruno et l'Ordre des Chartreux, 2 Bde (Paris 1883) (enthält im 2. Band, S. 189–379, eine flüchtig gearbeitete und nicht immer fehlerfreie Zusammenstellung sämtlicher Kartausen); Maisons de l'Ordre des Chartreux. Vues et notices, 4 Bde (Montreuil – Tournai – Parkminster 1913–19) (mit nach Ordensprovinzen geordneten Karten; in vielen Einzelheiten ungenau). – *Schon vorhandene Karten:* Hilarion Bonière, Carte géographique des Maisons de l'Ordre des Chartreux depuis sa Fondation jusques à l'Année 1785 (1785). – Hierauf stützen sich die Karten in Maisons de l'Ordre des Chartreux (s. o.) und die Karte von H. M. Sommer im LThK[2] VII nach Spalte 1208. Die Karte von Sommer enthält genauere Angaben über Gründung und Auflösung der Kartausen. – Von den lokalen Karten ist wichtig: B. Bligny, L'Église et les Ordres religieux dans le Royaume de Bourgogne aux XIe et XIIe siècles (Grenoble 1960) Karte 5 (verzeichnet die Kartausen des Königreiches Burgund bis 1200).

H. Rüthing

Nachtrag: A. Gruys, Cartusiana. Un instrument heuristique, 2 Bde und Suppl. (Paris 1976–78).

52 und 53: Die Klostergründungen der Zisterzienser

Autor: K. Janssen. Für die zeitliche Gliederung und einige Lokalisierungsfragen wurde benutzt: *F. van der Meer,* Atlas de l'ordre cistercien (Elsevier, Amsterdam – Bruxelles 1965).

Für einen Überblick über die am Ende des Mittelalters mehr als 700 Abteien des Zisterzienserordens bieten sich zwei Quellengruppen an. 1. Schon bald nachdem das 1098 von Robert von Molesme gegründete Cîteaux die ersten Tochterklöster gegründet hatte, erwiesen sich regelmäßige Äbtekapitel als notwendig. Ein großer Teil der Beschlüsse der Kapitel ist erhalten. Seit dem Ende des 12. Jh. nehmen in diesen Generalkapitelsbeschlüssen Entscheide für und über einzelne Konvente einen immer größeren Raum ein, so daß sich aus ihnen zumindest für die Zeit nach 1200 eine – wenn auch lückenhafte – Liste der Abteien zusammenstellen läßt. 2. Um die vorhandenen Lücken zu schließen und genauere Auskünfte über die gut 500 vor 1200 neu gegründeten oder dem Zisterzienserorden beigetretenen Konvente und ihre Entstehungs- bzw. Aufnahmezeit zu bekommen, sind die sog. „catalogi abbatiarum" heranzuziehen. Diese Listen, die sämtliche Abteien des Ordens verzeichnen sollten, wurden seit dem Ende des 12. Jh. im Auftrag des Generalkapitels geführt. Seit 1218 fiel dem Cantor von Cîteaux diese Aufgabe zu, die zunächst einen sehr praktischen Zweck verfolgte: Die Rangfolge der Äbte auf dem Generalkapitel bestimmte sich nach den Gründungsdaten ihrer Klöster. Außerdem sollten die Kataloge dem Generalkapitel den Überblick und damit die Kontrolle über die ständig wachsende Zahl der Klöster gewährleisten. Aus dem Mittelalter sind etwa zehn solche Kataloge erhalten; die Reihe setzt sich in der Neuzeit fort. Der älteste Katalog stammt aus der Zeit kurz nach 1200; er enthält Angaben über Tag und Jahr der Gründung. Spätere Kataloge fügen dem Angaben über die „Genealogie" (d. h. die Filiationsverhältnisse) und über die Lage der Konvente (Land, Diözese) hinzu, um Verwechslungen zu vermeiden, die wegen der Namensgleichheit oder -ähnlichkeit vieler Konvente immer wieder vorkamen und schon die Generalkapitel des frühen 13. Jh. irritierten. Obwohl diese Kataloge, die nicht nur in Cîteaux vorhanden waren, authentischen und offiziellen Charakter haben sollten, sind sie nicht frei von Fehlern: viele Klöster fehlen, andere sind zwei- oder dreimal aufgenommen, Nonnenklöster sind bei den Männerkonventen mitgezählt, Gründungsdaten falsch wiedergegeben usw. Dennoch bleiben die Kataloge die wichtigste Grundlage für jedes zisterziensische Monasticon. Über den Ursprung und die Existenz vieler Abteien sind wir nur durch sie unterrichtet. Durch einen Vergleich der einzelnen Kataloge, wie ihn

Janauschek vorgenommen hat (s. u.), lassen sich die meisten Fehler korrigieren. Zieht man die reiche Überlieferung einzelner Klöster und die wissenschaftliche Literatur hinzu, läßt sich mit einiger Sicherheit sagen, daß die in die Karte aufgenommenen Konvente dem Zisterzienserorden dauernd als vollberechtigte Mitglieder im Status einer Abtei angehörten. Priorate, Kollegien, Grangien und ähnliche Niederlassungen sind nicht berücksichtigt.

Außerhalb der erwähnten Quellen finden sich – auch in der Literatur – zahlreiche Hinweise auf Konvente, die dem Zisterzienserorden angehört haben sollen, aber weder in den Beschlüssen des Generalkapitels noch in den Katalogen des Ordens erwähnt werden. Obwohl diese Hinweise z. T. Papsturkunden entstammen, ist nicht sicher zu entscheiden, ob die Konvente als Zisterzienserabteien anzusehen sind. Sie werden in der Karte nicht verzeichnet. Auch die zahlreichen Klöster, die den Zisterziensern zur Reform übergeben wurden, jedoch – wenn überhaupt – nur kurzfristig zisterziensische Gewohnheiten annahmen, sind nicht aufgenommen. Ebensowenig wurden die Konvente berücksichtigt, die über das Stadium der Planung und die ersten Anfänge nicht hinauskamen. Die Niederlassungen der dem Zisterzienserorden rechtlich unterstellten oder ihm eng verbundene Ritterorden von Calatrava, Alcántara, Montesa und Avis sind nicht verzeichnet.

Der Zisterzienserorden hat auf lokale Verwaltungsgliederungen verzichtet. Wichtigstes Organisationsprinzip ist das Filiationsgesetz, das bei grundsätzlicher Autonomie aller Klöster dem Mutterkloster gewisse Visitations- und Aufsichtsrechte über das Tochterkloster sicherte. Dadurch gewannen Cîteaux und seine vier ältesten Töchter, die Primarabteien La Ferté, Pontigny, Clairvaux und Morimond, besondere Bedeutung. Die Karte differenziert deshalb – wie der Orden selbst – nach den von diesen Klöstern ausgehenden Filiationsreihen („lineae"). „Umfiliationen", die vorkamen, wenn ein Kloster von den Mönchen verlassen und später neu errichtet wurde, sind nicht berücksichtigt.

Quellen und Literatur: Die „catalogi abbatiarum" sind kritisch verarbeitet in: L. Janauschek, Originum Cisterciensium tomus I (Wien 1877, Neudr. Ridgewood N. J. 1964); die Generalkapitelsbeschlüsse sind veröffentlicht von J.-M. Canivez, Statuta capitulorum generalium Ordinis Cisterciensis ab anno 1116 ad annum 1786, 8 Bde: Bibliothèque de la Revue d'Histoire Ecclésiastique 9–14B (Louvain 1933–41). – Schon vorhandene Karten (in Auswahl): F. van der Meer, Atlas de l'Ordre Cistercien (Amsterdam – Bruxelles 1965) (verzeichnet auch Priorate, Kollegien, in Auswahl Grangien und Nonnenklöster); Großer historischer Weltatlas, Bd II, hrsg. vom Bayerischen Schulbuch-Verlag (München 1970) S. 81 (H.-M. Klinkenberg).

H. Rüthing

Nachtrag: M. Cocheril – E. Manning, Dictionnaire des Monastères Cisterciens (Rochefort 1976–79).

54: Die Ausbreitung der Prämonstratenser bis 1300

Autor: Grundlage war die Karte im LThK[2] (Bd VIII nach Sp. 584) von *N. Backmund*

Die Prämonstratenser haben wie die ähnlich straff zentralisierten Orden der Zisterzienser und Kartäuser bereits wenige Jahre nach der Gründung ihres Mutterklosters Prémontré durch Norbert von Xanten (1120) jährliche Generalkapitel eingeführt. Da die Beschlüsse dieser Kapitel zum größten Teil verloren sind, scheiden sie als Grundlage für eine umfassende Zusammenstellung der Häuser der Prämonstratenser aus. Die Karte geht deshalb von den Klosterkatalogen aus, die seit dem frühen 13. Jh. offiziell im Auftrag des Generalkapitels oder als Privatarbeiten angefertigt wurden. Der älteste erhaltene Katalog wurde vor 1240 angelegt, der umfassendste ist ein Verzeichnis vom Jahre 1320 aus der Abtei Tongerloo. Diese und die anderen Kataloge sind, was die Zahl und die Art der Konvente, deren Zugehörigkeit zu den Zirkarien, die Paternitätsverhältnisse usw. angeht, oft ungenau und fehlerhaft. Sie müssen durch andere, meist lokale Quellen ergänzt und korrigiert werden. Dabei bleiben zahlreiche Unsicherheiten bestehen, besonders für die Zeit vor 1200. Lücken in der Karte sind beim jetzigen Stand der Forschung nicht auszuschließen.

Die Karte umfaßt nicht alle Niederlassungen der Prämonstratenser. Aufgenommen sind zunächst alle Männerklöster im Range von Abteien oder ihnen gleichberechtigte Propsteien. Priorate, meist Konvente minderen Rechts und von einer Abtei bzw. Propstei abhängig, sind nur dann verzeichnet, wenn man nachweisen oder vermuten kann, daß sie wenigstens zeitweise als *prioratus sui iuris* eine größere Unabhängigkeit erreichten: Behaune, Cill na Manach, Krzyzanowice, Loch Uachtair, S. Elisabeth, Straßburg. Die meisten Konvente der 1. Hälfte des 12. Jh. wurden als Doppelklöster gegründet. Nur wenige behielten diesen Status bis zum Ende des Mittelalters bei, da die Doppelklöster bereits 1140 von der Ordensleitung offiziell verboten wurden. Zwar wurden auch nach 1140 noch Doppelklöster errichtet, doch setzte gleichzeitig eine Bewegung ein, Männer- und Frauenkonvente zu trennen: entweder verließen die Chorherren das Haus, oder die Nonnen wurden ausgesiedelt. Viele Doppelklöster wurden auf diese Weise zu Nonnenklöstern. Nur ein Teil von ihnen ist in die Karte aufgenommen; sie wurden nicht besonders gekennzeichnet. Der Autor versucht, folgendes Kriterium für die Auswahl der aus Doppelklöstern entstandenen Nonnenklöster anzuwenden: er verzeichnet nur diejenigen Klöster, bei denen zur Zeit der Gründung der männliche Konvent mehr Mitglieder hatte als der Nonnenkonvent. Alle anderen Nonnenklöster, Priorate und prioratsähnliche inkorporierte Pfarreien sind nicht aufgeführt, auch wenn sie in den mittelalterlichen Katalogen genannt werden.

Die Karte gibt nicht den Stand des Prämonstratenserordens um 1300 wieder, sondern verzeichnet die bis dahin erfolgten Gründungen (bzw. die Aufnahme schon bestehender Klöster und Stifte); d. h., der Verlust oder die Aufgabe von Konventen vor 1300 wird nicht vermerkt.

Die Prämonstratenser haben seit der 2. Hälfte des 12. Jh. eine sich immer weiter differenzierende lokale Gliederung ihres Ordens geschaffen. Diese Gliederung in Zirkarien ist als eines der wichtigsten Organisationsprinzipien des Ordens in der Karte vermerkt. Die Karte versucht, die bis in die Neuzeit nahezu unverändert gültige Neuordnung der Zirkarien von ca. 1290 zu berücksichtigen; sie lehnt sich an den Tongerlooer Katalog von 1320 an. Dazu ist anzumerken, daß die vormals getrennten Zirkarien *Suevia* und *Bavaria* zu diesem Zeitpunkt bereits als eine Zirkarie gelten. Wegen der auch hier unsicheren Quellenlage muß offenbleiben, ob alle als Zirkarien in die Karte eingezeichneten Klostergruppen tatsächlich als vollausgebaute Zirkarien mit *Circatores* an der Spitze gelten können. Das trifft besonders für kleine und entlegene Zirkarien, wie z. B. die *Circaria Slaviae,* zu, deren Konvente möglicherweise dem Ordensgeneral direkt unterstanden und von anderen Zirkarien mitverwaltet wurden; im Tongerlooer Katalog werden sie deshalb auch als Konvente *in Slavia* bezeichnet. Ähnliches gilt für die m. W. erst in Darstellungen der Neuzeit auftauchende *Circaria Livoniae,* deren Konvente Riga und Mežotne in den mittelalterlichen Katalogen den Zirkarien *Polonia* oder *Slavia* zugerechnet werden. Nicht ganz deutlich ist auch die Situation einiger Konvente in Irland, Schottland, Norwegen und im Vorderen Orient, die im Katalog von Tongerloo keiner Zirkarie, sondern nur einem Gebiet zugewiesen sind. – Bei den Niederlassungen in Börglum, Brandenburg, Havelberg, Litomyšl, Magdeburg, Ratzeburg und Riga handelt es sich um die jeweiligen Domkapitel, die dem Orden inkorporiert waren.

Quellen und Literatur: Die mittelalterlichen Klosterlisten sind kritisch ediert von N. Backmund, Monasticon Praemonstratense, 3 Bde (Bd. I 1–2 Straubing [2]1983, III 1960), hier Bd. III 365–451. Die von F. Petit, La spiritualité des Prémontrés aux XIIe et XIIIe siècles (Paris 1947) 283–286, publizierte Liste ist eine von J. Le Paige, Bibliotheca Ordinis Praemonstratensis (Paris 1633), übernommene Kompilation verschiedener Kataloge. – Neben der grundlegenden Arbeit von Backmund (s. o.) ist heranzuziehen R. van Waefelghem, Répertoire des sources imprimées et manuscrites relatives à l'histoire et à la liturgie des monastères de l'Ordre de Prémontré (Bruxelles 1930). – Schon vorhandene Karten: Backmund Bd I–III, nach Zirkarien geordnet und alle Niederlassungen (auch Nonnenklöster und Priorate) umfassend; Großer historischer Weltatlas, Bd II, hrsg. v. Bayerischen Schulbuch-Verlag (München 1970) zu S. 81 (von H.-M. Klinkenberg).

H. Rüthing

55A: Das serbische Patriarchat Peć

Autor: O. Schlolaut

Serbien liegt inmitten des Gebietes, in dem sich seit dem 9. Jh. der Kampf zwischen byzantinischem und westlichem Christentum zutrug, so daß dort die kirchliche Abhängigkeit von Ostrom keineswegs selbstverständlich war. Noch im 12. Jh. lehnten sich einzelne Lokalfürsten der Zeta vorübergehend an Rom an und förderten die von den dalmatinischen Bistümern getragene westliche Mission. – Erst unter der Dynastie der Nemanjiden (1167–1371) erfolgte nach anfänglichem, politisch bedingtem Schwanken (1217 Krönung Stefans II., des „Erstgekrönten", durch einen päpstlichen Legaten) durch die Gründung einer serbischen Nationalkirche 1219 die endgültige Hinwendung zur Orthodoxie. Ihr Organisator war Rastko – als Mönch Sava –, ein Sohn Stefan Nemanjas. Seine bischöfliche Weihe und die Anerkennung als Erzbischof einer autokephalen Kirche der Serben erhielt er vom byzantinischen Patriarchen 1219 in Nicaea (nicht, wie Le Quien II 321 meint, vom lateinischen Patriarchen in Konstantinopel). Bei der Organisation der serbischen Kirche ergaben sich natürlicherweise Differenzen mit dem autokephalen Erzbistum Ohrid. Folgende Bistümer hat der hl. Sava mit Sicherheit der Jurisdiktion seiner Kirche unterstellt: Zeta, Ras, Hosno Hum, Toplica, Budimlja, Dabar, Moravica. Die Bischöfe residierten in Klöstern ihrer Diözese. Der Erzbischof residierte im Kloster Žiča, wo auch die Krönungskirche der serbischen Könige war. 1235 wurde P e ć ständiger Sitz des Erzbischofs, während jedoch der Regierungssitz häufig wechselte. Mit der Ausdehnung des serbischen Reiches erweiterte sich auch der kirchliche Jurisdiktionsbereich; hinzu kamen die Diözesen Lipljan oder Gračanica, Braničevo, Mačva, Skoplje, Belgrad.

Die weiteste Ausdehnung erlangt Serbien unter Stefan Dušan (1331–55). Bevor sich Stefan zum „Zaren der Serben und Rhomaier" proklamieren lassen konnte, mußte er das Oberhaupt seiner Kirche zum Patriarchen erheben lassen. Dies geschah auf einer Reichsversammlung in der neuen Hauptstadt Skoplje am 9. April 1346 (im Beisein u. a. des Erzbischofs von Ohrid und des Patriarchen von Tŭrnovo). Die innere Organisation des Patriarchats Peć ist uns nicht bekannt; fest steht nur, daß 1347 oder 1348 auch das Bistum von Skoplje zum Protothronos erhoben wurde. Erst 1375 wurde (nach vorherigem Bann) das serbische Patriarchat von Konstantinopel anerkannt.

Nach der verlorenen Schlacht auf dem Amselfelde (Kosovo-polje) am 20. Juni 1389 wurde Serbien türkischer Vasallenstaat. 1459 wurde auf Betreiben der Griechen in Konstantinopel das Patriarchat aufgehoben und die serbische Kirche dem (griechischen) Erzbistum Ohrid unterstellt. 1557 aber konnte auf Betreiben eines Großvezirs serbischer Herkunft, Mehmed Sokolović, das Patriarchat Peć wieder errichtet werden. 1766 wurde es vom Sultan wieder aufgehoben und dem Erzbistum Prizren und damit mittelbar dem Patriarchen in Konstantinopel unterstellt.

Seit Anfang des 18. Jh. besteht ein serbisches Patriarchat in Karlovac in Syrmien. – Einen besonderen Platz nimmt die seit 1485 in Cetinje, der Hauptstadt Montenegros, bestehende Metropolitie ein. In dem unzugänglichen Hochland hatten die dortigen Hierarchen seit 1516 – praktisch von den Türken unabhängig – zugleich die weltliche Macht inne.

Literatur: C. Jireček, Der Großvezier Mehmed Sokolović und die serbischen Patriarchen Makarij und Antonij: Archiv für slavische Philologie 9 (1886) 291–297; ders., Geschichte der Serben, 2 Bde (Gotha 1911, Neudr. Amsterdam 1967); ders., Staat und Gesellschaft im mittelalterlichen Serbien. Studien zur Kulturgeschichte des 13.–15. Jh.: Denkschriften der Kaiserlichen Akademie der Wissenschaften in Wien, Phil.-hist. Kl., Bde 56, 2. 3 – 58, 2 – 64, 2 (Wien 1912); H. Ruvarac, Nochmals Mehmed Sokolović und die serbischen Patriarchen: Archiv für slavische Philologie 10 (1887) 43–53; St. Stanojević, Istorija srpskoga naroda. Drugo izdanje, popravleno i popunjeno (Beograd 1910); ders., Istorija srpskog naroda u srednjem veku. Knj. 1: O izvorima (Beograd 1937); St. Novaković, Zakonski spomenici srpskih država srednjega veka (Beograd 1912); V. Marković, Pravoslavno monaštvo i manastiri u srednjevekovnoj Srbiji (Sremski Karlovci 1920); A. Hudal, Die serbisch-orthodoxe Nationalkirche: Beiträge zur Erforschung der orthodoxen Kirchen 1 (Graz – Leipzig 1922); J. Matl, Der heilige Sava als Begründer der serbischen Nationalkirche. Seine Leistung und Bedeutung für den Kulturaufbau Europas: Kyrios 2 (1937) 23–37; M. A. Purković, Srpski episkopi i mitropoliti srednjeg veka (Skoplje 1938); V. R. Petković, Pregled crkvenich spomenika kroz povesnicu srpskog naroda (Beograd 1950); O. D. Mandić, Bosna i Hercegovina. Povjesno-kritička istraživanja. Svezak prvi: Državna i vjerska pripadnost sredovječne Bosne i Hercegovine. S 9 kartografisih crteža: Hrvatski povjesni institut. Knj. 3 (Chikago/Ill. 1960); Dj. Slijepčević, Istorija srpske pravoslavne crkve. Knjiga 1: Od Pokrštavanja Srba do kraja XVIII veka (München 1962); S. Ćircović, Istorija srednjovekovne Bosanske države (Beograd 1964); St. Clissold (ed.), A. Short History of Yugoslavia from Early Times to 1966 (Cambridge 1966); Istorija Crne Gore. Knjiga prva: Od najstarijich vremena do kraja XII vijeka (Titograd 1967).

O. Schlolaut

55B: Die armenische Kirche zur Zeit des Konzils von Rom-Gla (1179)

Autor: W. Hecht

Der byzantinische Kaiser Manuel I. Komnenos ist für die universalistischen Tendenzen seiner Außenpolitik bekannt. Ähnlich gelagerte Ziele verfolgte dieser Herrscher auch auf dem Gebiet der Religionspolitik. So war er bestrebt, auch mit den monophysitischen Armeniern ins Gespräch zu kommen und nach Möglichkeit eine Kirchenunion von Orthodoxen und Monophysiten zu erreichen. Die diesbezüglichen Verhandlungen führten so weit, daß der armenische Katholikos Gregor IV. Dhega (1173–93) an Ostern 1179 bei einem Konzil in Rom-Gla den Vertretern der armenischen Gesamtkirche die Frage der Kirchenunion mit den Griechen zur Diskussion unterbreiten konnte. Wegen der Wichtigkeit der anstehenden Fragen hatten sich die meisten armenischen „Bischöfe" und die Repräsentanten derjenigen monophysitischen Konvente, deren Vorsteher gleichfalls episkopale Würde zukam, am Sitz des Katholikos eingefunden. So konnten 33 armenische Bischöfe die Anwesenheitsliste der Synodalakten unterzeichnen. Aus dem Briefwechsel, den vor allem die Gegner einer Kirchenunion nach Abschluß der Beratungen in Rom-Gla mit dem Patriarchat führten, läßt sich die armenische Bischofsliste unmittelbar vor der Spaltung der armenischen Kirche und vor der Entstehung des Königreiches Kleinarmenien auf annähernde Vollständigkeit bringen. – Besonders seit der seldschukischen Invasion in Kleinasien verbreiteten sich die armenischen Christen im ganzen byzantinischen Reich. Die dabei entstandenen wichtigsten Armeniergemeinden tauchen immer wieder in den Quellen zur byzantinischen Geschichte der Komnenenzeit auf.

Quellen und Literatur: Die vorliegende Karte wurde aufgrund der Angaben von P. Tekeyan, Controverses christologiques en Arméno-Cilicie dans la seconde moitié du XIIe siècle (1165–1198): Orientalia Christiana Analecta 124 (Rom 1939) 35ff, über das Konzil von 1179 in Rom-Gla gezeichnet. Wertvolle Dienste bei der Identifizierung einzelner Ortsnamen leisteten S. Der Nersessian, Armenia and the Byzantine Empire (Cambridge 1947) und, vor allem für die armenischen Klöster, J. Mécérian, Histoire et institutions de l'église arménienne: Recherches publiées sous la direction de l'Institut des Lettres Orientales de Beyrouth XXX (Beyrouth o. J.) 235ff. Die politischen Grenzen entsprechen mit dem Stand und ungefähren Verlauf von etwa 1180 den Angaben bei G. Ostrogorsky, Geschichte des byzantinischen Staates (München [3]1963), und R. Grousset, Histoire des croisades II (Paris 1935), sowie eigenen Feststellungen.

W. Hecht

56 A: Der Sackbrüderorden

Autor: K. Elm

Der Sackbrüderorden *(Ordo de Poenitentia Jesu Christi)* wurde in den vierziger Jahren des 13. Jh. auf dem Mont Fenouillet bei Hyères (Dep. Var) von Raimund Attanulfi (Athénoux), einem Schüler des Hugo von Digne, gegründet. In den Anfängen war seine Spiritualität durch die Verbindung von eremitischer Bußgesinnung und franziskanischem Armutseifer geprägt. Seit ca. 1255 traten in Anpassung an das Vorbild der Dominikaner Studium und Seelsorge in den Vordergrund. Zusammen mit anderen kleineren Bettelorden wurde der Sackbrüderorden aufgrund der 23. Konstitution des II. Konzils von Lyon (1274) aufgehoben. Er zählte damals, wie vor allem R. W. Emery in mühevoller Kleinarbeit aus weitverstreuter urkundlicher Überlieferung ermittelt hat, mindestens 112 vornehmlich in West- und Südeuropa beheimatete Niederlassungen, von denen ein Teil nach 1274 vorübergehend oder dauernd an die größeren Bettelorden fiel und so zu ihrer schnellen Ausbreitung beitrug. Die kurze Geschichte des Ordens verdient vor allem deswegen Beachtung, weil sie deutlich macht, wie stark im 13. Jh. der mendikantische Armutsgedanke auch außerhalb der bekannteren Bettelorden gemeinschaftsbildend wirkte.

Literatur: R. W. Emery, The Friars of the Sack: Speculum 18 (1943) 323–334; ders., A Note of the Friars of the Sack: ebd. 35 (1960) 591–595; G. M. Giacomozzi, L'Ordine della Penitenza di Gesù Cristo: Scrinium historiale II (Rom 1962); K. Elm, Ausbreitung, Wirksamkeit und Aufhebung des provençalischen Sackbrüderordens in Mitteleuropa: Fancia 1 (1971).

K. Elm

56B: Die Waldenser 1177–1277

Autor: J. Fearns

Die Karte basiert auf einer Untersuchung aller gedruckten Quellen vom III. Laterankonzil (1179) bis zu den polemischen Schriften der 2. Hälfte des 13. Jh. (Stephan von Bourbon, Anonymus von Passau u. a.). Informationen aus spätmittelalterlichen Quellen über die frühere Periode wurden nicht berücksichtigt. Ebenfalls unbeachtet blieben alle Aussagen der Quellen über die *Pauperes Christi* und andere zur Kirche zurückgekehrten waldensischen Gruppen.

Die Karte stellt lediglich den Versuch dar, den jetzigen Stand der Forschung festzuhalten. Es erhebt sich freilich die Frage, wieweit die auf der Karte gezeigte Streuung der tatsächlichen Verbreitung der Waldenser entspricht. Zum gegenwärtigen Zeitpunkt kann keine völlig befriedigende Antwort gegeben werden. Es ist jedoch aus verschiedenen Gründen wahrscheinlich, daß die hohe Dichte in Südwestfrankreich die Wirklichkeit widerspiegelt, während die Zusammenballung in Österreich um 1266 eher auf eine ungleichmäßige Überlieferung bzw. Erschließung der Quellen im deutschsprachigen Raum zurückzuführen ist. Das noch unerschlossene handschriftliche Material (vor allem die Inquisitionsprotokolle mit ihren wertvollen Angaben über die Herkunft und die Missionsgebiete der waldensischen Prediger) verspricht für diese und andere Gebiete eine Erweiterung und Verschärfung des hier gebotenen Bildes vom ersten Jh. der Waldenserbewegung.

Vorlagen: Folgende drei Werke enthalten Waldenserkarten: Y. Dossat, Les vaudois méridionaux d'après les documents de l'Inquisition: Cahiers de Fanjeaux 2 (1967) 207ff; M. Nickson, The Pseudo-Reineriustreatise: Archives d'histoire doctrinale et littéraire du Moyen-âge 34 (1967) 255ff; K.-V. Selge, Die ersten Waldenser, 2 Bde (Berlin 1967). – **Quellen:** Ein großer Teil der Quellen bis 1218 ist abgedruckt in G. Gonnet, Enchiridion Fontium Valdensium I (Torre Pelice 1958). Einen guten Überblick über den gesamten Quellenbestand bietet G. Gonnet, Le Confessioni di fede Valdesi prima della Reforma (Torino 1967). – **Literatur:** Für Werke vor 1950 siehe A. Armand-Hugon – G. Gonnet, Bibliografia Valdese (Torre Pelice 1950); für die neueste Literatur am besten den Forschungsbericht von K.-V. Selge, Die Erforschung der mittelalterlichen Waldensergeschichte: Theologische Rundschau 33 (1968) 281–343, bes. 320ff. Neben den oben erwähnten Werken von Dossat, Selge, Nickson und Gonnet siehe auch C. Thouzellier, Catharisme et Valdéisme en Languedoc (Paris [2]1969).

J. Fearns

57: Häretische Bewegungen im Hochmittelalter

Autor: M. D. Lambert

A: Bogumilen, Paulikianer und westliche Häresien ca. 970–1100

Die Karte stellt summarisch die westeuropäische Häresie von ca. 970 bis 1100 und die gleichzeitige Verbreitung der Bogumilen und Paulikianer im Byzantinischen Reich und seinen Grenzländern dar. In ihr wird die Hypothese vertreten, daß der erneute Ausbruch der westlichen Häresie im 11. Jh. nicht nur von westeuropäischen Faktoren, sondern auch vom byzantinischen Dualismus abhängig war. Sechs häretische Episoden im Westen sind als *protodualistisch* charakterisiert, d. h. als Verbindung zwischen dem spontanen Verlangen nach Aszese und einer stärker spirituell ausgerichteten Lebensweise im Westen und einer dualistischen Mission aus dem Osten (sei es durch die Bogumilen selbst oder über Vermittler). Der Terminus *protodualistisch* unterscheidet diese Gruppen mit kurzer Lebensdauer von den katharischen Kirchen des 12. und 13. Jh., die aus einer ähnlichen Verbindung hervorgingen, aber die Kraft hatten, länger als eine Generation zu bestehen. Direkte Beweise für die Anwesenheit der Bogumilen in Westeuropa im 11. Jh. gibt es nicht. Die Hypothese beruht auf einem Vergleich zwischen dogmatischen Merkmalen des östlichen Dualismus und einigen der westlichen häretischen Episoden.

Literatur: Untersuchung der Quellen und weitere Lit. bei M. D. Lambert, Medieval Heresies (New York 1971). – Zur Methode dogmatischer Vergleiche J. Fearns, Peter von Bruis und die religiöse Bewegung des 12. Jh.: Archiv für Kulturgeschichte 48 (1966) 311–355. – Die neueste Darlegung eines anderen Standpunktes bei J. B. Russell, Dissent and Reform in the Early Middle Ages (Berkeley – Los Angeles 1965). – Zu den östlichen Häresien: D. Obolensky, The Bogomils (Cambridge 1948); N. Garsoïan, The Paulician Heresy (Paris – The Hague 1967). – Der Autor dankt J. Fearns (Univ. Konstanz) und J. B. Russell (University of California) für ihre Hilfe.

B: Die katharischen Bistümer und die Verbreitung des „Schismas" von Osten nach Westen

Quellen: a) Akten des katharischen Konzils von Saint-Félix-de-Caraman (= Act. Fel.), das wahrscheinlich 1167 abgehalten wurde: ed. G. Besse, Histoire des ducs, marquis et comtes de Narbonne (Paris 1660) 483–486; ed. A. Dondaine: Miscellanea Mercati V = Studi e Testi 125 (Città del Vaticano 1946) 324–355 (mit Analyse); ed. E. Griffe, Les débuts de l'aventure cathare en Languedoc (1140–1190) Appendix 77–83. – Die Authentizität wird angegriffen von L. de Lacger: RHE 29 (1933) 314f; Y. Dossat: Bulletin philologique et historique du comité des travaux historiques et scientifiques années 1955 et 1956 (Paris 1957) 339–347; ders. (zur Frage der Milinguii): Cathares en Languedoc: Cahiers de Fanjeaux (= CR) III (Toulouse 1968) 201–214. – Informationen, die aus dieser Quelle allein kommen, bleiben zweifelhaft. Vgl. unten unter Anmerkungen zu Melnik, Milinguii, Act. Fel. – b) De Heresi Catharorum in Lombardia (= DHC) von einem anonymen lombardischen Katholiken vor 1214–15, ed. A. Dondaine: Acta Fratrum Praedicatorum (= AFP) 280–312. – c) Summa de Catharis et Pauperibus de Lugduno vom Dominikaner-Inquisitor Rainier Sacconi 1250, ed. Martène-Durand: Thesaurus Novus Anecdotorum V (Paris 1717) 1761–1776; ed. A. Dondaine, Liber de Duobus Principiis (Roma 1939) 64–78; nach einem neuen Manuskript ed. D. Kniewald, Vjerodostojnost latinskih izvora o bosanskim krstjanima: Rad Jugoslavenske akademije znanosti i umjetnosti 270 (1949) 104ff, als Buch (Zagreb 1949). – d) Tractatus de Hereticis (= TDH) vom Dominikaner-Inquisitor Anselm von Alexandria, kurz nach 1266, ed. A. Dondaine: AFP 20 (1950) 234–324. – **Literatur:** A. Borst, Die Katharer: Schriften der MGH XII (Stuttgart 1953) 96–102 202–213 231–239; R. Manselli, L'Eresia del Male (Napoli 1963); C. Thouzellier, Catharisme et Valdéisme en Languedoc (Paris 1966) 196; Cathares en Languedoc: CF III (Toulouse 1968) (Symposion). – Zur italienischen Hierarchie grundlegend: A. Dondaine in den zitierten Artikeln AFP 19 (1949), 20 (1950); E. Dupré-Theseider: CF III 299–316. – Zur Hierarchie der Languedoc gibt es kein Dondaine vergleichbares Werk; vgl. J. Guiraud, Histoire de l'Inquisition au moyen âge, 2 Bde (Paris 1935–38) (mit Kenntnis der Inquisitions-Manuskripte, aber nicht immer zuverlässig). – Zum Balkan und den byzantinischen Kirchen: ältere Lit. bei D. Obolensky, The Bogomils (Cambridge 1948), bes. 151–167; vgl. noch unten.

Anmerkungen: Die Zahlen der *perfecti* sind nach Sacconi eingetragen. – *Nord-Frankreich:* Mont-Aimé, vermuteter Bischofssitz des 12. Jh., *episcopus Francie* (TDH); soll den radikalen Dualismus unter dem Einfluß von Niketas in S. Félix angenommen haben (Act. Fel.). – *Languedoc:* Die Diözesen waren territorial umschrieben. Alle sollen den radikalen Dualismus (ordo von Drugonthia) bei der Ankunft des Niketas angenommen haben (Act. Fel.). Später bestanden gemäßigter Dualismus (Thouzellier [s. o.] 228 und Y. Dossat: CF III 77–79) und doktrinäre Zwistigkeiten (A. Dondaine: AFP 29 [1959] 228–276), doch konnten sie die Einheit nicht zerstören. – Albi (Act. Fel.) war wahrscheinlich der 1. Bischofssitz (doch vgl. M. Becamel: CF III 238f); Agen, Carcassonne, Toulouse wurden Bistümer zur Zeit von Niketas' Besuch (Act. Fel.), Razès 1225 (vgl. Borst [s. o.] 234). Zur Identität der in Act. Fel. genannten *Eccl. Aranensis* mit Agen *(Eccl. Agensis)* vgl. Y. Dossat: Bulletin Philologique (s. o.); ders.: Annales du Midi 63 (1951) 77–78; C. Thouzellier (s. o.) 14 Anm. 7. – *Italien:* Ursprünglich bestand ein Bistum für die Lombardei, die Toscana und die Mark von Treviso (DHC); weitere Bistümer entstanden infolge der von Niketas hervorgerufenen Auseinandersetzungen um die Gültigkeit des *consolamentum*. Alle Bistümer basierten auf dem Glauben von Anhängern, außer in Mittelitalien, wo die Diözesen territorial umschrieben waren. Die für die Bistümer eingetragenen *ordines* (oder ihr Glauben: radikaler oder gemäßigter Dualismus) wechselten teilweise. Gegen 1250 näherten sie sich stärker einander an (Sacconi), doch gab es keine Einheit (Feindschaft bes. zw. Concorezzo u. Desenzano). – *Balkanraum und Byz. Reich:* Die eingetragenen Bistümer markieren keinen präzisen Ort; sie basierten mehr auf der Persönlichkeit von Führern, die herumzogen (vgl. J. Fine jr.: Speculum 61 [1966] 526–529). Bulgaria und Drugonthia waren die Mutterkirchen aller anderen (Sacconi). – Bulgaria war in Sacconis Zeit ein Bistum in Mazedonien (= West-Bulgaria); vgl. B. Primov: Études historiques à l'occasion du XIe congrès international des sciences historiques – Stockholm Août 1960 (Sofija 1960) 79–102; dessen Urteil ist von der Hypothese Obolenskys (s. o.) beeinflußt, daß das Bogomilentum im bulgarischen Mazedonien seinen Ursprung habe; so auch D. Angelov: Byzantino-Slavica 10 (1949) 303–312, dagegen I. Dujčev: Medioevo Bizantino-Slavo I: Storia et Letteratura 102 (Roma 1965) 251–282; vgl. E. Werner: Studi Medievali III ser. 3 (1962) 249–279; ders., Gnosisforschung und Balkandualismus: Studia z dziejów kultury i ideologii poświecone ewie maleczyńskiej (Wrocław – Warszawa 1968) 43–62. – Die lateinische Kirche Konstantinopels soll während des 4. Kreuzzugs entstanden sein (TDH, vgl. Primov [s. o.]). Die griechische Kirche unterschied sich von den Anhängern der Kirchen von Bulgaria und Drugonthia *(Graeci manichaei)*; vgl. A. Dondaine: AFP 29 (1959) 228–276. Beide Kirchen waren wahrscheinlich radikal dualistisch. – Drugonthia, ursprünglich Dragovitsa = Paulikianische Gemeinschaft in Thrakien, die radikal dualistisch war (Obolensky [s. o.]; vgl. auch Primov [s. o.]). Oder es handelte sich um Paulikianer, die – um Bogumilen vermehrt – sich unter Kaiser Manuel zum radikalen Dualismus hinwendeten (vgl. D. Angelov, Bogomitstwoto w Bulgarija [Sofija 1961] mit Werner: Studi Medievali [s. o.]). Drugonthia ist vielleicht vom Fluß Dragovitsa nahe Philippopolis in Thrakien, einem traditionellen paulikianischen Zentrum, abgeleitet. – Melnik, im Struma-Tal, ist eine mögliche Identifizierung für *eccl. Melenguiae* (Act. Fel.; vgl. Obolensky [s. o.]). – Milinguii, slawischer Stamm im Süden der Peloponnes, halb unabhängig unter Byzanz und dem Kreuzfahrer-Fürstentum von Achaia, im 10. Jh. zum Christentum bekehrt. Dossat: CF III 201–214, argumentiert gegen den Bogumilismus der Milinguii, dagegen Griffe (s. o.). – Philadelphia, *Philadelphia in Romania* (Sacconi), *eccl. Romanae* (Act. Fel.). Romania war zu Sacconis Zeit das lateinische Kaiserreich von Konstantinopel (Obolensky [s. o.] 159f.). – Sclavonia = Dalmatien und Bosnien; im 12. Jh. Katharer Dalmatiens (Act. Fel.: *eccl. Dalmatiae)*, die im 13. Jh. allmählich durch Verfolgungen nach Bosnien verdrängt wurden; vgl. S. Ćirkovič, Die bosnische Kirche: L'Oriente cristiano nella storia della civiltà: Accademia nazionale dei Lincei 361 (Roma 1964) 554 Anm. 17; J. Šidak: Zbornik Filozofskog fakulteta u Zagrebu III (1955) 11–40 (deutsche Inhaltsangabe S. 40). Um die Mitte des 13. Jh. war die Staatskirche Bosniens häretisch; vgl. J. Šidak: Historijski Zbornik 7 (1954) 129–142 (deutsche Inhaltsangabe S. 142); Das Problem des Bogumilismus in Bosnien: Relazioni del X Congresso internazionale di scienze storiche Roma 4.–11. Sett. 1955. VII: Riassunti delle comunicazioni (Firenze 1955) 213–215. In Dalmatien handelte es sich um gemäßigten Dualismus, die bosnische Kirche wurde offenbar radikal (vgl. Ćirkovič [s. o.]). Die italienischen Anhänger des *ordo* von Sclavonia befanden sich hinsichtlich der Lehre auf einer mittleren Position zwischen Desenzano und Concorezzo.
Das katharische Konzil von Mosio wurde 1178, das von Pieusse 1225 gehalten. Die Authentizität der Act. Fel. und damit des Konzils von Saint-Félix-de-Caraman (heutiges Saint-Félix-de-Lauragais), 1167 unter Niketas abgehalten, wird bezweifelt; vgl. A. Borsts (s. o.) Verteidigung S. 11 Anm. 26. Die Datierung stammt von Dondaine; die Alternative 1172 ist möglich.

C: Das Kernland der Katharer in Südfrankreich

Die Karte stellt drei Elemente der katharischen Organisation in den ländlichen Gebieten des Lauragais dar, das innerhalb des von den katharischen Bistümern Albi, Carcassonne und Toulouse gebildeten „Ketzerdreiecks" lag. Durch seine ausgezeichnete Analyse des Ms. 609 der Stadtbücherei von Toulouse, das über die Ergebnisse der Untersuchungen des Bernard de Caux und Jean de Saint Pierre (1245–46) berichtet, hat Y. Dossat (Les crises [s. o.]) gezeigt, daß dies um die Mitte des 13. Jh. das Herzland des Katharismus war. Zu Einzelheiten aller der Orte, in denen bei der genannten Untersuchung Häresie entdeckt wurde, vgl. die Karte Dossats S. 228f und seine Tabelle der Urteile S. 258f. – Eine umfassendere Liste der Diakone als die in die Karte eingetragene gibt J. Guiraud, Histoire de l'Inquisition I (Paris 1935) 211–227 270, aber da Guiraud nicht immer zuverlässig ist, wurde nur die von Y. Dossat korrigierte Version in CF III 26 herangezogen. Die Informationen beruhen auf Inquisitionsberichten, hauptsächlich denen in der Sammlung Doat, beziehen sich also auf das 13. Jh. – Die Häuser der *perfectae* sind nach G. Koch, Frauenfrage und Ketzertum im Mittelalter (Berlin 1962) eingetragen. Sie waren um die Mitte des 13. Jh.

angesichts der Verfolgungen untergegangen. Quelle für sie sind wiederum die Inquisitionsberichte, bes. Bd. 21–24 der Sammlung Doat. *Castrum dorna* (Koch [s. o.] 54) wurde nicht aufgenommen, da das Original von männlichen Häretikern spricht. Es ist nicht immer möglich, in den Quellen zwischen ständigen Häusern der *perfectae* und zufälligen Versammlungen zu unterscheiden. – Die Karte ist als erster Überblick über die Häresie in einem Teil der Languedoc am Vorabend ihrer Ausrottung zu betrachten. Sie behandelt weder das von der Häresie viel weniger tangierte Gebiet nahe der Mittelmeerküste noch den Raum, der unter dem Einfluß des kathar. Bistums von Agen stand. Die Häresie weiter im Süden, am Rande der Pyrenäen, blühte bes. an der Wende vom 13. zum 14. Jh. und ging auf die Anstrengungen des Pierre Autier, eines Notars von Aix, zurück.

D. Die Katharer in Nord- und Mittelitalien im 13. Jh.

Die Diakonien sind nach TDH 324, die Orte mit Häresien nach A. Borst (s. o.) eingetragen (dort auch weitere Lit.). Verona war ein Zufluchtsort für Katharer aus Nordfrankreich. Eine umfassendere Darstellung mit einigen Modifikationen gibt R. Manselli (s. o.). – Die Karte ist ein erster Versuch, die Nachrichten über katharische Zentren im Zusammenhang darzustellen. Es läßt sich nicht immer sauber unterscheiden zwischen dauerhaften Zentren und Städten, die zwar wiederholt, aber nur oberflächlich vom Katharismus berührt wurden. Die Daten der Vernichtung der katharischen Gemeinschaften findet man bei R. Manselli (s. o.) Kap. XI. Wirksame Verfolgungen begannen erst nach dem Machtanstieg Karls von Anjou in Italien; bis dahin konnten die italienischen Gemeinschaften den verfolgten Katharern der Languedoc, deren Hierarchie nach Italien floh, Zuflucht gewähren. Die Zufluchtsorte sind nach E. Dupré-Theseider (s. o.) eingetragen. Süditalien nahm Katharer auf, aber die Quellen sind spärlich. Nachrichten über Katharer in Sizilien betreffen vielleicht nur das Königreich. – Ein halblegendarischer Bericht über den Ursprung der italienischen Katharer findet sich in TDH: die Tradition ihrer Herkunft aus Nordfrankreich mag korrekt sein, aber andere Details sind verdächtig. M. D. Lambert

58: Die Ausbreitung der Franziskaner bis 1300

Autoren: P. Péano – Cl. Schmitt

Die Karte verzeichnet alle Gründungen des 1. Ordens bis 1300, mit Ausnahme der italienischen Gründungen, die sich aus Raumgründen nicht unterbringen ließen. Für Italien ist jeweils nur der Vorort einer Kustodie genannt und dazu die Zahl der in dieser Kustodie bis 1300 gegründeten Konvente gesetzt. Die Namen dieser Konvente werden am Schluß dieses Kommentars aufgeführt. Zur Markierung der besonderen Darstellungsweise und der Fülle der Konvente ist Italien grau eingefärbt.

Der 1209 gegründete Franziskanerorden nahm eine schnelle Entwicklung. Auf dem Generalkapitel von Portiuncula (1217) wurde er in die 10 Provinzen Toscana, Marche, Milano, Terra di Lavoro, Puglia, Calabria, Teutonia, Francia, Parisiensis, Provence und Spanien – Portugal geteilt und diesen noch Terra Sancta hinzugefügt. Das Generalkapitel von 1219 fügte Aquitania, das von 1223 England hinzu, so daß der Orden beim Tod des hl. Franciscus 13 Provinzen umfaßte. Unter dem Generalat des Jean Parenti (1227–32) wurden die Provinzen Irland, Saxonia, Aragón und Castilla eingerichtet. Nachdem unter dem Generalat des Elias von Cortona die Zahl der Provinzen auf 72 erhöht werden sollte (Anspielung auf die Jünger Christi; vgl. Thomas d'Eccleston, De adventu Fratrum Minorum in Angliam, ed. A. G. Little [Manchester 1951] 41), reduzierte das Generalkapitel von Rom (1239) die Zahl auf 32 (vgl. Golubovich [s. u.] 239–240), denen auf dem Generalkapital von Pisa (1263) noch Bologna und Romania (oder Graecia) hinzugefügt wurden. Die Zahl von 34 Provinzen blieb während des 13. und 14. Jh. konstant. Die Liste von 1263 verzeichnet 104 Kustodien mit 651 Konventen, die von 1282 175 Kustodien mit 1271 Konventen.

Zu den Provinzen Romania und Terra Sancta vgl. Karte 61, zu den östlichen Vikariaten Axia und Tharsis Karte 63.

Die Konvente Italiens, die nicht in die Karte aufgenommen wurden, sind (die Vororte der Kustodien in kursiv):

Provinz S. Francesco:
Assisi: S. Francesco, S. Chiara, Porziuncula, Carceri, S. Damiano, Spello, Bettona, Bastia, Rocca S. Angelo. – *Perugia:* Perugia Monteripido, Farneto, Civitella Benazzone, Isola del Lago, Agello, Corciano, Cibotollo, Marsciano, Deruta, Monte Giove, Preggio. – *Valle Spoletana:* Spoleto, Foligno, Trevi, Giano dell'Umbria, Montefalco, Bevagna, Brogliano, Monte Luco. – *Gubbio:* Gualdo Tadino, Nocera Umbra, Costacciaro, Caprignone. – *Città di Castello:* Borgo San Sepolcro, Citerna, Cerbaiolo, Montone, Fratta Tadina. – *Todi:* Acquasparta, Amelia, Lugnano in Teverina, Alviano, Romita Arnolfo, Pantanelli, Montaione, Canale. – *Narni:* Terni, San Gemini, Arrone, Stroncone, Calvi dell'Umbria, Piediluco. – *Norcia:* Valle di Nera, Cascia, Cerreto, Monte S. Martino, Visso, Ospedale S. Lazaro, S. Maria Maddalena. – *Monteleone:* Leonessa, Posta, Montereale, Arquata, Amatrice, Monticelli, Accumoli.

Provinz Toscana:
Firenze: Prato, Figline Valdarno, Borgo S. Lorenzo, Bosco (Scarperia), Barberino, Castelfiorentino. – *Siena:* S. Gimignano, Poggibonsi, Volterra, Colle di Val d'Elsa, Asciano. – *Pisa:* Vicopisano, Pontremoli, Sarzana. – *Lucca:* Pistoia, S. Miniato, Pescia, Fucecchio, Carmignano. – *Arezzo:* La Verna, Cortona, Castiglione, Lucignano, Poppi, Gangchereto. – *Chiusi:* Città della Pieve, Montepulciano, Cetona, Montalcino, Radicofani, Piano, Pienza, Colombaro, S. Quirico d'Orcia, Sarteano, S. Processo. – *Massa:* Grosseto, Castiglione della Pescaia, Montieri, Piombino, Suvereto.

Provinz Milano:
Milano: Lodi, Pozzolo, Gallarate, Saronno. – *Monza:* Vemercate, Oreno, Desio, Mariano, Cantù. – *Brescia:* Valcamonica, Garignano, Bergamo, Crema. – *Como:* Varese, Lugano, Locarno. – *Vercelli:* Biella, Novara, Ivrea, Aosta.

Provinz Bologna:
Bologna: Vergnana, Riccardina, Pianoro, Crespellano, Confortino, Calderara di Reno, Ronchi, S. Giovanni in Persiceto. – *Ferrara:* Modena, Carpi, Fanano, Mirandola, Reggio Emilia, Montefalcone. – *Parma:* Borgo S. Donnino (Parma), Cremona, Casalmaggiore, Piacenza, Bobbio. – *Ravenna:* Faenza, Lugo, Montereggio, Bagnacavallo, Imola. – *Forlì:* Cesena, Santarcangelo di Romagna, Rimini, Villa di Verrucchio, Longiano, Bertinoro, Meldola, Castrocaro, Monte Paolo.

Provinz Marche:
Ascoli Piceno: Offida, Montefiore dell'Aso, Montalto delle Marche, Montefalcone Appennino, Castignano, Venarotta, Ripatransone, Poggio Canoso, Acquaviva, S. Vittoria in Mantenano, Cossignano, Arquata del Tronto. – *Fermo:* Monterubbiano, Falerone, Montottone, Monsampietro, Montegranaro, S. Elpidio, Massa Fermana, Amandola, Montegiorgio, Mogliano, S. Angelo in Pontano, Sarnano, Montoemo, Penna S. Giovanni, Arcevia. – *Camerino:* Tolentino, Civitanova Marche, Montelupone, Serrapetrona, S. Severino, Macerata, Potenza Picena, Pieveboviglana, Morrovalle. – *Ancona:* Tornasano, Camerano, Castelfidardo Sirolo, Recanati, Treia, Cingoli, Forano, Osimo, Castignano. – *Iesi:* Fabriano, Sassoferrato, Serra dei Conti, Ostra-Vetere, Senigallia, Montabbodio (heute Ostra), Serra S. Quirico, Staffolo, Apiro, Matelica. – *Fano:* Pesaro, Fossombrone, Mondavio, Pergola, Corinaldo, Fratte, Saltara. – *Urbino:* Cagli, S. Angeli in Vado, Lunano, Urbania, Mercatello sul Metauro, Sassocorvaro, S. Leo, S. Marino.

Provinz Roma:
Roma: S. Francesco a Ripa, Araceli (beide Rom), Campagnano di Roma, Monte Compatri, Civita Castellana, Sutri. – *Viterbo:* Toscanella, Montefiascone, Montalto di Castro, Orte. – *Orvieto:* Bagnorea, Bolsena, Acquapendente, Proceno, Pitigliano. – *Rieti:* Tarano, Toffia, Monteleone, Rocca Sinibalda, Longone Sabino, Radicario, Poggio Bustone, Fonte Colombo, Greccio. – *Tivoli:* Vicovaro, Roviano, Civitella S. Paolo, Subiaco, Carsoli. – *Anagni:* Piglio, Alatri, Ferentino, Valmontone, Zagarolo, Sonnino. – *Velletri:* Albano Laziale, Nettuno, Sermoneta, Sezze, Piperno, Terracina.

Provinz Genova:
Genova (2 Konvente): Chiavari, Sestri Ponente, Genova–Albaro, Chiapella, Savona, Cairo. – *Pavia:* Voghera, Tortona. – *Alessandria:* Casale, Acqui, Valenza del Po, Cassine. – *Torino:* Chieri, Moncalieri, Pinerolo, Suza, Rivarolo Canavese, Avigliana. – *Asti:* Moncalvo, Alba, Cortemilia. – *Albenga:* Noli, Ventimiglia, Ceva, Mondovì, Cuneo, Fossano.

Marca Trevigiana:
Padova: Monselice, Curtarolo, Bovolenta, Montagnana, S. Orsola, Piove di Sacco, Este, Rovigo, Lendinara, Vicenza, Bassano, Lonigo, Angarano. – *Venezia:* S. Maria Gloriosa ai Frari, S. Francesco in Contrada (del Deserto), S. Francesco alle Vigne (alle Venezia), Chioggia, Treviso, Conegliano, Asolo, Belluno, Feltre. – *Verona:* Cologna Veneta, Somma campagna, Mantova, Serravalle a Po, Trento, Riva. – *Cividale del Friuli:* Udine, Gemona del Friuli, Polcenigo, Portogruaro, Castello di Porpetto, Gorizia (Görz).

Provinz Sicilia:
Messina: Taormina, Patti, Catania, Randazzo. – *Palermo:* Termini Imerese, Cefalù, Castelbuono. – *Siracuse:* Lentini, Noto, Ragusa, Caltagirone, Vizzini. – *Agrigento:* Naro, Terranova, Piazza, Castro Giovanni, Polizzi Generosa. – *Trapani:* Marsala, Salemi, Mazara, Alcamo.

Provinz S. Angelo:
Civita Campomanaro: Guglionesi, Termoli, Procina, Vasto d'Amone, Monteodorisio. – *Campobasso:* Isernia, Boiano, Venafro, Agnone, Pianisi. – *Lucera:* S. Severo, Foggia, Troia, Ascoli-Satriano, Casalnuovo (Manduria), Corneto. – *Monte S. Angelo* (Monte Gargano): Manfredonia, Vieste, S. Giovanni Rotondo, Peschici, Rodi Garganico, Ischitella, Cagnano-Varano.

Provinz Puglia:
Barletta: Andria, Canosa di Puglia, Venosa, Malfi. – *Bari:* Bitonto, Biseglie, Trani, Corato, Giovinazzo, Molfetta. – *Matera:* Monte Peloso (heute Irsinia), Tricarico, Gravina in Puglia. – *Taranto:* Oria, Ostuni, Monopoli, Gioia del Colle. – *Brindisi:* Lecce, Otranto, Alessano, Nardo.

Provinz Calabria:
Reggio Calabria: Gerace, Tropeja, Seminara, Monte Leone. – *Cotronei:* Catanzaro, Squillace, Nicastro. – *Castrovillari:* S. Marco Argentano, Coriliano, Scala. – *Cosenza:* Bisignano, Amantea, Martirano.

Provinz Penna:
L'Aquila: Fontecchio, Castelvecchio Subequo, Ofena, Sulmona, Popoli. – *Penne:* Loreto Aprutino, Catignano, Manopello, Alanno. – *Chieti:* Francavilla al Mare, Ortona a Mare, Lan-

ciano, Palena, Guardiagrele, Buchianico, Pescara. – *Atri:* Valle S. Giovanni (Stadteil von Teramo), Cellino Attanasio, Silvi, Città S. Angelo, Montesilvano. – *Teramo:* S. Giusta di Montorio al Vomano, Campli, Civitella del Tronto, Controguerra, S. Omero, Giulanova, Morro d'Oro. – *Pescina:* Avezzano, Tagliacozzo, Balsorano, Celeno, Corvaro.

Provinz Terra di Lavoro:
Napoli: S. Lorenzo, S. Chiara, S. Marianuova (Napoli), Aversa, Capua, Teano, Sessa Aurunca, Carinola, Mignano, Monte Lungo, Maddaloni. – *Salerno:* Amalfi, Ravello, Sarno, Nocera, Sorrento, Castellammare di Stabia. – *Potenza:* Muro Lucano, Saponara (heute Grumento Nova), Marsico, Eboli, Auletta, Agropoli, Diano (?), Montella. – *Benevento:* S. Agata dei Goti, Cerreto, Avellino, Mirabella, Ariano Irpino, Montefusco. – *S. Germano* (bei Cassino): Alvito, Vicalvi, Arpino, Sora, Ceprano, Aquino, Gaeta, Maranola.

Literatur: *Allgemein:* C. Eubel, Provinciale vetustissimum (Quaracchi 1892), vgl. auch Bullarium Franciscanum V (Roma 1898) 579–604; G. Golubovich, Series Provinciarum Ordinis Fratrum Minorum Saec. XIII–XIV: Archivum Franciscanum Historicum (= AFH) 1 (1908) 1–22; ders., Biblioteca Bio-Bibliografica della Terra Santa e dell'oriente Francescano II (Quaracchi 1913) 214–259; L. Wadding, Annales Minorum I–V (Quaracchi 1931) (für die Jahre 1226–1300); D. Cresi, Statistica dell'Ordine Minoritico all'anno 1282: AFH 56 (1963) 157–162. – *Zu einzelnen Ländern: Deutschland – Österreich:* V. Greiderer, Germania Franciscana, 2 Bde (Innsbruck 1777–81); G. E. Friess, Geschichte der Österreichischen Minoritenprovinzen: Archiv für Österreichische Geschichte 44 (1882) 81–245; C. Eubel, Geschichte der Oberdeutschen (Straßburger) Minoritenprovinz (Würzburg 1886); L. Lemmens, Niedersächsische Franziskanerklöster im Mittelalter (Hildesheim 1896); P. Schlager, Beiträge zur Geschichte der Kölnischen Franziskaner-Ordensprovinz im Mittelalter (Köln 1904); ders., Verzeichnis der Klöster der Sächsischen Franziskaner-Ordensprovinzen: Franziskanische Studien 1 (1914) 230–242. – *Dacia:* S. Halberg – R. Norberg, O. Odenius, Franciskanska Ämbets – och Konventssigill från Sveriges Medeltid: Kirkohistorisk Årsskrift 61 (1964) 50–85. – *Slawische Länder:* D. Fabianich, Storia dei Frati Minori dai primordi della loro istituzione in Dalmazia e Bosnia I (Zara 1863). – J. Jelecic, Kultura i Bosanski Franjevci (Sarajevo 1912); *Ungarn:* G. P. Szabó, Ferencrendiek a Magyar tortenelemben (Budapest 1921) 199–377. – *Frankreich:* A. de Sérent, Géographie de la Province de France, 1217–1792: La France Franciscaine 1 (1912) 91–135; ders., Géographie de la province de Provence: ebd. 2 (1913) 118–149: H. Lemaître, Géographie historique des établissements de l'Ordre de saint François: Revue d'Histoire Franciscaine 3 (1926) 510–574 (Aquitanien), 4 (1927) 445–514 (Burgund), 6 (1929) 229–353 (Touraine); R. W. Emery, The Friars in Medieval France, A Catalogue of French Mendicant Convents, 1200–1550 (New York – London 1962). – *Hibernia:* M. O. Cleirigh, Elenchi conventuum in Hibernia fundatorum et series Ministrorum: AFH 25 (1932) 349–377. – *Italien:* N. Papini, L'Etruria Francescana ... (Siena 1787); A. Casini, Francescanesimo Ligure (Genova 1901); P. M. Sevesi, Saggio storico-critico sull'origine, progresso e vincende dell'alma Provincia Minoritica di Milano (Brescia 1906); P. M. Sevesi, Almae Minoriticae ... Medilanensis ... Primordia (Genova 1909); B. da Carasco, La Provincia Francescana di Genova (Genova 1909); D. M. Sparacio, Siciliensis Provinciae Ordinis Minorum Conventualium Conspectus historicus (Romae 1925); G. D'Agostino, San Francesco e i Francescani negli Abruzzi, Bd. II–III (Lanciano 1925–27); A. Chiappini, L'Abruzzo Francescano nel secolo XIII: Rassegna di storia et d'Arte d'Abruzzo e Molise 2 (1926) 97–146; Pou y Marty, Conspectus trium Ordinum Religiosorum S. P. N. Francisci (Romae 1929); A. Primaldo Coco, Saggio di storia francescana di Calabria (Taranto 1931); T. Spimpolo, Storia dei Frati Minori della Provincia Veneta di San Francesco, I (Vicenza 1933); F. A. Benoffi, La Toscana seraphica (Roma 1936); G. Leanti, L'Ordine Francescano in Sicilia nei secoli XIII e XIV: Miscellanea Franciscana 37 (1937) 547–574; A. Talamonti, Cronistoria dei Fratri Minori della Provincia Lauretana delle Marche, I (Sassoferrato 1938); A. Casini, Cento Conventi. Contributi alla storia della Provincia Francescana Ligure (Genova 1950); A. Sartori, La Provincia del Santo dei Frati Minori Conventuali. Notizie storiche (Padova 1958); Ch. Martini, Francescanesimo nel Sannio e nell'Irpina (Benevento 1961); I. M. Bastianini, Brevis conspectus seraphicae provinciae Umbriae (Perusiae 1964); D. Forte, Testimonianze Francescane nella Puglia Dauna (San Severo 1967); G. d'Andrea, I Frati Minori Napoletani nel loro sviluppo storico (Napoli 1967); H. Sbaralea, Provincia Bononiensis Ordinis Minorum Conventualium S. Francisci (Quaracchi). – *Spanien:* A. de Saldes, La Orden Franciscana en el antiguo reino de Aragón. Colección diplomática: Rev. Est. Franc. 1 (1908), 2,3,4 passim; A. López, La Provincia de España de los Frailes Minores (Santiago 1915); P. Sanahuya, Historia de la Seráfica Provincia de Cataluña (Barcelona [1959]).

P. Péano – Cl. Schmitt

59: Die Ausbreitung der Dominikaner bis 1500

Autor: M. Lohrum

Im Jahre 1500 bestanden folgende Provinzen (die Reihenfolge entspricht der Rangfolge auf dem Generalkapitel): Hispania, Tolosana, Francia, Lombardia Inferior, Romana, Regnum, Hungaria, Teutonia, Anglia, Polonia, Dacia, Aragonia, Terra Sancta (vgl. dazu Karte 61), Bohemia, Provincia, Lombardia Superior, Saxonia, Dalmatia, Trinacria, Portugallia, Scotia, Hibernia, ferner die Societas Fratrum Peregrinantium (vgl. dazu die Karten 61 und 63). Die Kongregationen, observante wie konventuale, wurden nicht eigens markiert (vgl. zu den Observanten-Kongregationen Karte 70). Es sind nur Konvente aufgeführt, d. h. Ordensniederlassungen, die mindestens 12 Religiosen zählten und vom Generalkapitel anerkannt waren. Die Gründungsdaten der Konvente, besonders im 13. Jh., lassen sich oft nur annähernd bestimmen. Der Hauptgrund dafür ist wohl in der Armut zu suchen, weil die Konvente keine Besitzungen hatten und so entsprechende Dokumente fehlen. Zwischen der Gründung und der Anerkennung durch das Generalkapitel, die die Rangfolge in den überlieferten Klosterverzeichnissen festlegt, liegt oft ein Zeitraum von einigen Jahren. Von manchen Konventen ist weder das Gründungsjahr noch die Bestätigung bekannt, sondern nur die erste Erwähnung, weil in den Generalkapitelsakten oft der Name des Konventes fehlt. Vor dem Stichjahr 1500 waren schon verschiedene der aufgeführten Konvente durch Hussitenkriege, Tatareneinfälle und das Vordringen des Islam untergegangen.

Literatur: *Für den ganzen Orden:* J. Quétif – J. Echard, Scriptores Ordinis Praedicatorum, 2 Bde (Paris 1719–21), 3 Suppl.-Bde (ebd. 1721–23), fortgesetzt von R. Coulon (Paris 1909 ff); Analecta Sacri Ordinis Praedicatorum (Roma 1892 ff) I–IV; A. Walz, Compendium historiae Ordinis Praedicatorum (Roma [2]1948). – *Einzelne Provinzen:* L. Sutter, Die Dominikanerklöster auf dem Gebiete der heutigen deutschen Schweiz im 13. Jh. (Luzern 1893); C. Douais, Acta capitulorum provincialium O. P. (Toulouse 1894); Quellen und Forschungen zur Geschichte des Dominikanerordens in Deutschland (Leipzig 1907 ff), Bd I und IV; N. Pfeiffer, Die ungarische Dominikanerprovinz von ihrer Gründung 1221 bis zur Tatarenverwüstung 1241–42 (Zürich 1913); B. Altaner, Die Dominikanermissionen des 13. Jh. (Habelschwerdt 1924); Monumenta ordinis Fratrum Praedicatorum historica, ed. B. M. Reichert (Roma 1896–1904, Forts. Paris 1931 ff) XVII und XXIV; Archivum Fratrum Praedicatorum (Roma 1931 ff) IV und XXVI; R. Loenertz, La Société des Frères Pérégrinants (Roma 1937); O. J. Woroniecki, Sw. Jacek Ordrowaz (Katowice 1947); J. Gallén, La Province de Dacie de l'Ordre des Frères Prêcheurs (Helsingfors 1946); W. A. Hinnebusch, The Early English Friars Preachers (Roma 1951); J. Kloczowski, Dominikanie Polscy na Slasku w XIII–XIX wieku (Lublin 1956); M. M. de Los Hoyos, Registro documental-dominicano español, 3 Bde (Madrid – Valladolid 1961–63). – *Karten:* Archivum Fratrum Praedicatorum (s. o.) XXVI; Enciclopedia Cattolica, Sp. 1748; J. Gallén (s. o.); Los Hoyos (s. o.); LThK[2], Bd X nach Spalte 1376; Monumenta ... (s. o.) XXIV.

M. Lohrum

60A: Die Wege der Kreuzfahrer und die lateinischen Staaten

Autor: *J. Martin.* Für die Eintragung der Kreuzzugswege wurde die Karte von *A. Waas* im LThK[2] (Bd VI vor Sp. 385) zugrunde gelegt.

In die Karte eingetragen wurden neben den lateinischen Staaten auch die byzantinischen Restreiche von Nicaea und Trapezunt, das Kgr. Armenien und das Einflußgebiet der Assassinen, das eine gewisse Pufferzone zwischen den Kreuzfahrerstaaten und den Ajjubiden-Reichen bildete.

Die Karte deckt einen Zeitraum von $1^1/_2$ Jhh. Das ist für die Eintragung der Kreuzzugswege nicht problematisch, kann aber im Hinblick auf die lateinischen Staaten leicht einen falschen Eindruck vermitteln. Die Karte stellt hier keinen Zustand dar, der in dieser Form einmal Wirklichkeit gewesen wäre, sondern eine zeitliche Abfolge: Als 1204 das Lateinische Kaiserreich von Romania gebildet und die Byzantiner auf die Restreiche von Nicaea und Trapezunt beschränkt wurden, hatten die lateinischen Staaten im Vorderen Orient ihren Höhepunkt bereits überschritten.

Eine zweite Schwierigkeit der kartographischen Darstellung ist, daß sie, wenn man nicht mehrere Karten nebeneinander stellt, nur einen statischen Eindruck von der Ausdehnung der lateinischen Staaten vermitteln kann; in Wirklichkeit gab es keine festen Grenzen; diese waren vielmehr infolge von Neu- und Rückeroberungen dauernd in Bewegung. Die Karte zeigt nur die größte Ausdehnung der lateinischen Staaten, wie sie etwa zwischen 1130 und dem 2. Kreuzzug von 1147–49 erreicht wurde.

Als erste lateinische Staaten wurden Edessa (1098) und Antiochien (1098/99) errichtet. Mit beiden Gründungen, besonders aber mit der von Antiochien, wurde ein wichtiges päpstliches Ziel der Kreuzzüge praktisch schon unmöglich gemacht: die Union mit der byzantinischen Kirche und die Zusammenarbeit mit Byzanz bei der Wiedereroberung der Heiligen Stätten. Auf Edessa wie Antiochien machte das Byzantinische Reich Ansprüche geltend. Nahm es die von der Bevölkerung ausgehende Einsetzung Balduins, des späteren Königs von Jerusalem, in Edessa noch hin, so versagte es nach der Usurpation Antiochiens durch Bohemund den Kreuzfahrern jede Hilfe.

Das Kgr. Jerusalem wurde 1099 nach der Einnahme der Stadt durch die Kreuzfahrer gegründet. Als letzter lateinischer Staat entstand die Gft. Tripolis im Zeichen machtpolitischer Spannungen zwischen dem Kgr. Jerusalem und dem Ftm. Antiochien, das das Gebiet der späteren Gft. Tripolis als seine Einflußsphäre betrachtete. Es gelang König Balduin I. von Jerusalem, das zwischen 1103 und 1109 (Fall von Tripolis) vom Grafen Raimund von S. Gilles und dessen Sohn Bertram eroberte Gebiet zu einer Art Lehen des Kgr. Jerusalem zu machen.

Das Schicksal aller genannten Staaten verlief in der Folgezeit weitgehend parallel: sie erreichten, wie oben erwähnt, in den 40er Jahren des 12. Jh. den Höchststand ihrer Ausbreitung und konnten – mit Ausnahme von Edessa und Antiochien – diesen Stand im wesentlichen bis 1187 halten. Die Stadt Edessa ging schon 1144 verloren, die übrige Gft. und die östlichen Teile von Antiochien 1149. Saladin eroberte schließlich 1187–89 alle lateinischen Staaten für den Islam zurück. Seit 1191 (3. Kreuzzug) setzten Neueroberungen durch die Kreuzfahrer ein, doch gelang es den Lateinern auch im 13. Jh. nicht, jemals wieder den vorherigen Stand zu erreichen. Viele ihrer Eroberungen führten nur ein ephemeres Dasein, bis 1291 mit dem Fall von Akkon die Lateinerherrschaft im Vorderen Orient unwiderruflich zu Ende war.

Eine besondere Bedeutung gewann gerade durch die Verluste an Saladin Zypern für die Kreuzfahrer. 1191 durch Richard Löwenherz von den Byzantinern erobert, verkaufte es der englische König an die Templer, die es nach einem Aufstand an Guy von Lusignan weiterverkauften (1192). Die Herrschaft der Lusignans bestand bis 1489; im Herbst 1197 erhielt der Nachfolger Guys von Heinrich VI. die Königskrone. Im 13. Jh. war Zypern der wichtigste Ausgangs- und Rückzugspunkt aller Unternehmungen der Kreuzfahrer.

Im letzten Drittel des 11. Jh. kamen Armenier auf der Flucht vor türkischen Eroberern nach Cilicien und bildeten dort kleinere Herrschaften. Im Laufe des 12. Jh. versuchte das Geschlecht der Rupeniden, sich eine eigene Machtposition gegen Byzanz aufzubauen, und koalierte dabei häufig mit den Kreuzfahrern. Trotz einiger schwerer Rückschläge (1137/38 und 1158 Besetzung Ciliciens durch byzantinische Truppen) stieg die Macht der Rupeniden ständig. Endpunkt dieser Entwicklung war, daß Leon II. 1198 von Heinrich VI. die Königskrone empfing. Gleichzeitig wurde eine Union zwischen der armenischen Kirche und Rom geschlossen, was der Papst als Voraussetzung für die Königskrönung Leons gefordert hatte (vgl. auch Karte 61).

Das Lateinische Kaiserreich Romania entstand nach der Eroberung Konstantinopels durch Kreuzfahrer im Jahre 1204. Die Führer des größten Teils der Teilnehmer am 4. Kreuzzug und Venedig waren auf ein Angebot des griechischen Kaisersohnes Alexius eingegangen, für ihn und seinen abgesetzten Vater Isaak Angelus den byzantinischen Thron zurückzuerobern. Alexius hatte dafür den Kreuzfahrern und Venedig hohe Geldsummen und Hilfe gegen die Sarazenen versprochen. Im Juli 1203 wurde die Stadt erstmals den Kreuzfahrern übergeben. Isaak Angelus und Alexius wurden als Herrscher eingesetzt, waren bei den Griechen aber von vornherein durch die Verbindung zu den verhaßten Lateinern diskreditiert; schon im Februar 1204 verloren sie Thron und Leben. Daraufhin entschlossen sich die Kreuzfahrer zu einem zweiten Angriff auf die Stadt, die sie im April 1204 einnahmen und furchtbar plünderten. Das nun installierte Lateinische Kaiserreich bestand bis 1261, als die Byzantiner, die ihr Restreich von Nicaea aus regierten – ein weiteres byzantinisches Teilreich hatte sich um Trapezunt gebildet –, Konstantinopel wiedereroberten.

Die Venetianer, die entscheidend am konstantinopolitanischen Unternehmen beteiligt waren, sicherten sich auch großen Einfluß im Kaiserreich. Zugleich gelang es ihnen, im Laufe der Zeit wichtige Schlüsselstellungen auf dem griechischen Festland, den Inseln und an der adriatischen Küste zu gewinnen – sie sind auf der Karte graublau eingefärbt (zu ergänzen ist Methone auf der Peloponnes).

Literatur: St. Runciman, A History of the Crusades, 3 Bde (Cambridge 1951–53, dt. München 1957–60); A. Waas, Geschichte der Kreuzzüge, 2 Bde (Freiburg 1956); A History of the Crusades, hrsg. von K. M. Setton u. a., auf 5 Bde geplant (Philadelphia 1958ff); H. E. Mayer, Geschichte der Kreuzzüge (Stuttgart [6]1985). – Weitere Literatur bei H. E. Mayer, Bibliographie zur Geschichte der Kreuzzüge (Hannover [2]1965).

J. Martin

Nachtrag: TAVO.

60 B: Die Reconquista und die Wiedererrichtung der iberischen Kirchenorganisation

Autor: O. Engels

Die Rückeroberung der von den Mauren besetzten Halbinsel ging von christlichen Widerstandszentren in Asturien, Navarra und Aragón aus; im Osten waren die Franken ihre Träger. Geopolitisch verlief sie in parallel geführten, von Nord nach Süd weisenden Stoßrichtungen. Zeitlich lassen sich drei Phasen unterscheiden: a) bis zum Jahre 1000 etwa wurde die Front bis zum Duero vorgeschoben, im Osten stagnierte sie, nachdem schon im beginnenden 9. Jh. das südliche Vorfeld der Pyrenäen erobert worden war; b) die zweite Phase umfaßte die Eroberung von Coimbra (1064), Toledo (1085), Tarragona (1090), Zaragoza (1118), Lissabon (1147), Tortosa (1148) und Lérida (1149); in der dritten wurden die Balearen (1229), Valencia (1238), Córdoba (1236) und Sevilla (1248) erobert. Mit der Einnahme Granadas (1492) galt die Reconquista als abgeschlossen.

Die Front bildete in ihrem jeweiligen Verlauf keineswegs immer eine linear faßbare und starre Schranke. Die Aktionen des Kalifats erschöpften sich gewöhnlich in jährlichen Expeditionen, die tief ins christliche Hinterland eindringen konnten (Al-Manzur um 985 in Barcelona und Santiago); die Bistümer an der westlichen Atlantikküste gingen teils dadurch, teils durch Normanneneinfälle im ausgehenden 10. Jh. wieder zugrunde. Und die christliche Seite verpuffte ihre Kräfte nach der Auflösung des Kalifats in kleinere Taifenreiche (1031) gerne in vorschnellen Eroberungen (1010 Córdoba, Alfons VI. an der Südküste, 1114 Mallorca, 1147 Córdoba, Sevilla und Almería), die wieder aufgegeben werden mußten. Mit einer Aufnahmebereitschaft für die maurische Kultur im 10. Jh. gingen nicht selten politische Abhängigkeiten vom Kalifat einher, die im Laufe des 11. Jh. in ein politisches Übergewicht christlicher Herrschaften über verschiedene Taifenreiche umschlugen, ohne damit die christliche Kultur in entsprechender Weise nach Süden hin vorzeitig ausbreiten zu können.

Im Zuge der Maurenokkupation 711–714 löste sich das Westgotenreich völlig auf. Die Widerstandszentren Asturien (einschließlich Galicien) und Navarra entwickelten sich zu eigenen Königreichen; die Grafschaften des Nordostens waren bis in das ausgehende 10. Jh. Teil des westfränkischen Reiches (Unabhängigkeit erst 1258 von Frankreich anerkannt). Asturien – Galicien setzte sich im Königreich León fort. Von ihm spaltete sich in der ersten Hälfte des 12. Jh. Portugal ab, erklärte sich zu einem eigenen Königreich und verfolgte die Reconquista eigenständig bis zur Südküste. Zu Beginn des 11. Jh. dominierte Navarra unter Sancho III. el Mayor, der auch die Grafschaften Aragón und Kastilien (seit dem 10. Jh. von Asturien – Leon weitgehend unabhängig) beherrschte und seinen Einfluß auf Ribagorza und zeitweise auf León ausdehnte. Mit dem Tode Sanchos (1032) teilte sich das Gesamtreich in Navarra, Kastilien und Aragón (und vorübergehend Sobrarbe), blieb vorerst aber noch ein gemeinsames Königtum, so daß der Königstitel auch auf die Dynastien von Kastilien und Aragón übergehen konnte. Kastilien und León vereinigten und trennten sich (zuletzt 1157–1229) in der Folgezeit mehrfach. Aragón verband sich 1137 mit der Grafschaft Barcelona, die seit dem 11. Jh. in Katalonien durch Lehnshoheiten dominierte, zur Krone Aragón unter der Führung des katalanischen Grafenhauses; Aragón, der katalanische Prinzipat wie auch die später hinzukommenden Königreiche Valencia und Mallorca (unter Einschluß von Roussillon/Cerdaña) bildeten innerhalb der Krone fortan eigene, nur durch einen gemeinsamen Herrscher verbundene Länder.

Von all diesen Reichen hielt nur Asturien und in seiner Nachfolge León am Ziel einer Wiederherstellung des untergegangenen Westgotenreiches fest. León entwickelte in diesem Zusammenhang auch eine Kaiseridee, die in ihrem Inhalt noch keineswegs zufriedenstellend umrissen ist. Die politische Einigung der Halbinsel im 15./16. Jh. vollzog sich schließlich auf einer ganz anderen Ebene. Die verschiedenen Landesherrschaften formierten sich durch Erbteilungen, Erbschaften infolge Heimfall oder Heirat und durch Erfolge in der Reconquista. Die Reconquistaziele im einzelnen waren zunächst eng begrenzt, wenigstens im Osten. Die testamentarisch bekundete Absicht des Monarchen, eine maurische Stadt zu erobern, gab dem Erben ein Anrecht auf Herrschaft oder Mitherrschaft über diese Stadt nach erfolgter Eroberung. Das eroberte Gebiet wurde mit Hilfe der kirchlichen Jurisdiktion an den älteren Herrschaftsbereich gebunden; umgekehrt konnten mit denselben Mitteln aber auch Herrschaftsteilungen konsolidiert werden. Seit dem ausgehenden 11. Jh. trat hier der päpstliche Schutz zur Begründung (Portugal) oder Sicherung (Navarra, Aragón, Krone Aragón) eigener Autonomie oder von Gebietserweiterungen (Barcelona wegen Tarragona) zusätzlich hinzu. Im ausgehenden 12. Jh. kam es schließlich zur vorsorglichen Abgrenzung großräumiger Eroberungszonen, die, wie die Rückgabe Murcias an Kastilien durch Jakob I. von Aragón zeigt, auch tatsächlich eingehalten wurden.

In etwa spiegeln sich diese Voraussetzungen in der Wiederherstellung der kirchlichen Hierarchie wider. Mit der Maurenokkupation brach die Jurisdiktion der westgotischen Kirche nicht völlig zusammen. Wenigstens bis zum Einfall der Almoraviden im ausgehenden 11. Jh. lebten die christlich gebliebenen Mozaraber in friedlicher Koexistenz mit der islamisierten Umwelt. Wie viele Bischofssitze intakt blieben, läßt sich allerdings nicht ausmachen; nur von Iria, Britoña, Lugo und Seo de Urgel weiß man sicher, daß sie ihre Existenz nicht unterbrechen mußten. Auch der Primatialsitz Toledo blieb weiterhin Zentrum der politisch zerrissenen iberischen Kirche, bis der Ausgang des Adoptianistenstreites seine Autorität diskreditierte. Seitdem fühlte sich der politisch christliche Norden als Hüter der bislang von Toledo repräsentierten gotisch-kirchlichen Tradition und schuf sich im merkwürdigerweise ausgerechnet jetzt entdeckten Apostelgrab zu Santiago ein neues kultisches Zentrum. Metropolitansitze, die den Zerfall des westgotischen Kirchenverbandes auf regionaler Ebene hätten auffangen können, gab es nicht mehr, seit Toledo um seiner Primatialstellung willen 681 die Metropolitanrechte zu unterhöhlen begonnen hatte.

Bis auf Seo de Urgel mußten in der „Spanischen Mark" alle Bischofssitze von Grund auf wiederhergestellt werden; sie wurden gleich der fränkisch-römischen Kirchenordnung eingegliedert und als Suffraganbistümer der Metropole Narbonne angeschlossen. Hier und im galicischen Westen lebte die gotische Sprengeleinteilung fort. Im übrigen christlichen Norden dagegen entstanden völlig neue Bischofssitze mit heute z. T. unbekannten Sprengelgrenzen, die ihr Dasein politischen Erfordernissen verdankten. Inwieweit Oviedo als Hauptstadt des asturischen Reiches eine bevorzugte Stellung einnahm, ist noch umstritten; Metropole im strengen Sinne war dieser Sitz jedenfalls nicht. Im Zuge von Herrschaftsteilungen entstanden in Besalú, Ribagorza (Roda) und besonders in der Grafschaft Kastilien dynastische Hausbistümer, deren weitere Existenz vom Schicksal der betreffenden Herrschaft abhing. Nur so erklärt sich auch die Vielzahl kurzlebiger Bischofsreihen in Kastilien mit wechselnder Residenz und nicht definiertem Jurisdiktionsbereich, bis das 1075 in Burgos errichtete und alles zusammenfassende Bistum diesen Zustand ablöste.

Die Situation änderte sich grundlegend, als kurz nach der Mitte des 11. Jh. ein Legat Alexanders II. erstmals spanischen Boden betrat. Das Bemühen des Reformpapsttums, den spanischen Episkopat (außer Katalonien natürlich) zum Übertritt von gotischer zu römischer Liturgie und Disziplin zu veranlassen, gab auch der Reconquista einen stärker religiösen Akzent; das Ziel verengte sich auf eine Wiederherstellung des alten kirchlichen Rechts. Dabei verfiel gerade die Kurie in den Fehler, antik-römischen und westgotischen Zustand in unhistorischer Weise in eins zu setzen. In diesem Sinne wurde Toledo 1086/88 als Primatialsitz wiederhergestellt, seine Primatialfunktion aber auf die römische Hispania begrenzt, obwohl Septimanien von Anfang an der Jurisdiktion des Primas unterstanden hatte; zugleich sollte die alte Kirchenprovinzordnung wiederaufleben, die ja gerade vom Primas ausgeschaltet worden war. Diese von extremem Rechtsdenken geleitete Anschauung führte nicht nur hier zu kirchenpolitischen Reibungen, sondern auch auf der Diözesanebene; denn nach Möglichkeit sollten die nur faktisch, aber nicht rechtlich untergegangenen westgotischen Bischofssitze eine Fortsetzung erfahren.

Der so eingeengte Spielraum führte zu merkwürdigen Konstruktionen. a) Ohne Schwierigkeiten ließen sich westgotische Bischofssitze in erobertem Neuland wiederherstellen, wenn deren geographische Lage eindeutig war und der betreffende Ort auch in maurischer Zeit den Charakter eines stadtähnlichen Zentrums nicht eingebüßt hatte. Tarragona, Tortosa und die schon im 10. Jh. eroberten Orte Salamanca, Ávila, Segovia und Burgo de Osma ließ man, nachdem das wegen seiner Nachbarschaft bedrohliche Taifenreich Toledo eingenommen war, in diesem Sinne wiederaufleben. b) Kannte man auf Grund der Unterschriften in den Toledaner Konzilsakten nur den Namen des Sitzes, aber nicht mehr die Stelle des abgegangenen Ortes, suchte man ein noch lebendiges Zentrum, das im alten Sprengel gelegen haben und deshalb die Rechtsnachfolge übernehmen konnte. Auf der Suche nach dem alten Arcabriga entschied man sich 1172 für Albarracín, mußte aber 1176 feststellen, daß Albarracín im Sprengel von Segorbe gelegen hatte, und betraute deshalb 1178/83 das jüngst eroberte Cuenca mit der Rechtsnachfolge Arcabrigas, dem auch das ehemalige Bistum „Valeriensis" zugewiesen wurde, weil dessen genaue geographische Lage ebenfalls unbekannt war. c) Eine andere Lösung in schon längst erobertem Bereich bestand in der Annahme, die in Wirklichkeit aus dynastischen oder landeskirchlichen Gründen entstandenen Bischofssitze seien Fortsetzungen alter westgotischer Sitze gewesen, weil deren letzter Bischof vor den Mauren in die Berge geflohen sei und dort die Bischofsreihe fortgesetzt habe. Man glaubte somit Roda über Barbastro nach Lérida, Sasabe über Jaca nach Huesca und Alava über Nájera nach Calahorra zurückzuverlegen. Politische Aspekte spielten natürlich mit; Peter von Aragón ließ beispielsweise den gerade von Roda nach Barbastro transferierten Bischof vom Papst als Rechtsnachfolger der alten Bischöfe von Lérida bestätigen und meldete damit einen massiven Besitzanspruch auf das noch zu erobernde Lérida in Rivalität zu den Grafen von Barcelona und Lérida an.

Erhebliche Schwierigkeiten bereitete die Kirchenprovinzeinteilung. Erzbischof Bernhard von Toledo (1086 bereits gewählt) hatte seit der Bestätigung seiner Primatialwürde (1088) auch die Rechte aller noch nicht wiederhergestellten Metropolitansitze wahrzunehmen. Schon dadurch stand er im Mittelpunkt endloser Streitigkeiten. Braga beanspruchte die Metropolitanjurisdiktion über die ehemalige Galaecia. Oviedo und León machten jedoch geltend, niemals einem Metropoliten unterstellt gewesen zu sein, und wurden zu Beginn des 12. Jh. eximiert. In der Folge suchte Toledo seine Metropolitanhoheit auf die beiden Bistümer auszudehnen, wogegen Pelayo von Oviedo sich mit Hilfe von Fälschungen auflehnte, die seinen Bischofssitz als eine im 9. Jh. errichtete Metropole erweisen sollten. Santiago (hier residierte der Bischof von Iria schon seit langem) pochte indessen auf seinen Rang als Kirche eines Apostelgrabes. Es wurde deshalb 1095 von der Jurisdiktion des Primas eximiert, 1120 zum Sitz eines Erzbischofs erklärt und, da es einen westgotischen Rechtsvorgänger benötigte, in die Metropolitanrechte des noch nicht zurückeroberten Mérida eingesetzt. Daraus ergab sich das Kuriosum, daß Braga für die galicischen Bistümer und Santiago für die südlich an die Provinz Braga angrenzenden lusitanischen Bistümer zuständig war. Doch konnte diese Jurisdiktionsverteilung nicht zur faktischen Anwendung kommen, weil das zur Unabhängigkeit strebende Portugal jede Tätigkeit Santiagos im Bistum Coimbra unterband und infolgedessen umgekehrt die galicischen Bistümer Santiago als dem natürlichen Mittelpunkt zufielen. Wenn auch rechtlich bis ins 14. Jh. umstritten, wurde Santiago so die Metropole des Königreiches León (auf der Karte der gelb-braune Korridor entlang der portugiesischen Ostgrenze), und die alte Metropole Mérida blieb für immer unterdrückt.

Die Kurie tolerierte die Anpassung an die politischen Grenzen, weigerte sich aber strikt, diesen Umstand als Grundsatz anzuerkennen. Burgos galt in unhistorischer Weise als Rechtsnachfolger des westgotischen Oca, das Suffraganbistum der „Tarraconensis" gewesen war. Alfons VI. argumentierte politisch, ein Bistum seines Reiches könne nicht einer Metropole unterstellt sein, die zur Herrschaft des Grafen von Barcelona gehöre, während Bernhard von Toledo geltend machte, Burgos selbst liege im Sprengel des alten Osma und müsse schon deshalb Suffragan von Toledo sein; Urban II. hingegen entschied 1096, Burgos werde eximiert, weil die zuständige Metropole Tarragona noch nicht funktionsfähig sei. In der Tat konnte Bischof Olegar von Barcelona erst 1128 seine Residenz in Tarragona aufschlagen. Und die Kirchenprovinz wurde erst umschrieben, nachdem Aragón und Katalonien politisch geeint waren, freilich ohne diesen Tatbestand zu erwähnen. Die Kirchenprovinz deckte sich so für kurze Zeit mit der Krone Aragón (auf Navarra erhob Aragón Rechtsansprüche); alle später hinzukommenden Gebiete neigten wahrscheinlich deshalb lange Zeit dazu, den Charakter von Nebenländern anzunehmen. Durch den Vergleich von Támara (1127) verlief die aragonisch-kastilische Grenze mitten durch die beiden Bistümer Tarazona und Sigüenza. Es lag nahe, daß die beiden Monarchen auf dem Konzil zu Burgos von 1136 eine entsprechende Korrektur der Diözesangrenzen anstreben würden. Im Grunde entsprach der Legat Innozenz' II. auch diesem Wunsch, berief sich aber getreu der kurialen Rechtsfiktion auf Angaben der sog. „Divisio Wambae", einer angeblich von einem westgotischen Reichskonzil unter Vorsitz König Wambas beschlossenen und zu Anfang des 12. Jh. wiederentdeckten minuziösen Sprengeleinteilung der gotischen Kirche, die solche Grenzrevisionen nicht nur erlaubte, sondern sogar erforderlich machte.

Erst zu Ende des 12. Jh. ließ man vom westgotischen Vorbild ab, als auch die Reconquistaidee eine Säkularisierung erfuhr. Valencia und Segorbe, die zur „Carthaginensis" gehört hatten, konnten infolgedessen aus politischen Gründen Tarragona unterstellt werden. Ohne Widerstände dieser Art ließen sich später deshalb auch die neuen Metropolitansitze Zaragoza, Lissabon und zuletzt Valencia aus den Provinzen Braga und Tarragona herauslösen. Und das Königreich Granada fand nach seiner Eroberung in einer eigenen Kirchenprovinz eine Fortsetzung, obwohl es einen vergleichbaren Metropolitanbezirk in der Westgotenzeit nicht gegeben hatte.

Allgemeine Literatur (in Auswahl): H. Flórez, España Sagrada. Teatro geográfico-histórico de la Iglesia de España, 58 Bde (Madrid 1754-1952); Z. García Villada, Historia eclesiástica de España, 3 Bde (Madrid 1929–36) (reicht bis 1052); L. Vázquez de Parga, La división de Wamba (Madrid 1943); I. de las Cagigas, Minorías étnico-religiosas de la Edad Media española, I Los mozárabes, 2 Bde (Madrid 1947–48); D. Mansilla, La reorganización eclesiástica española del siglo XVI: Anthologica annua 4 (1956) 97–238 (ausführlich über Vorgeschichte); J. Gõni Gaztambide, Historia de la bula de la cruzada en España (Vitoria 1958). *Regionale Untersuchungen: a) Portugal:* F. de Almeida, História da Igreja em Portugal I (Coimbra [2]1930); J. A. Ferreira, Fastos episcopais da Igreja Primacial de Braga, 2 Bde (Braga 1928–30); C. Erdmann, Das Papsttum und Portugal im ersten Jh. der portugiesischen Geschichte: Abhh. der Preuß. Akad. der Wiss., phil.-hist. Kl. (Berlin 1928), Nr. 5 (= Boletin do Instituto Alemão 5, 1935); P. David, Études historiques sur la Galice et le Portugal du VIe au XIIe siècle (Lissabon – Paris 1947); Avelino de Jesus da Costa, Obispo D. Pedro

e a organizaçao da diocese de Braga, 2 Bde (Coimbra 1959–60); D. Mansilla, Formación de la provincia Bracarense después de la invasión árabe: Hispania Sacra 14 (1961).
b) León: A. G. Biggs, Diego Gelmírez, First Archbishop of Compostela (Washington 1949); A. Palomeque Torres, Episcopologio de las sedes del reino de León (León 1966) (infolge dieser Arbeit waren einige Gründungsjahre im Vergleich zur entsprechenden Karte 87d des Großen Histor. Weltatlas II, hrsg. von J. Engel [1970], zu korrigieren).
c) Kastilien: J. F. Rivera Recio, La erección del obispado de Albarracín: Hispania 14 (1954); A. Ubieto Arteta, Los primeros años de la diócesis de Sigüenza: Homenaje a J. Vincke I (Madrid 1962–63) 135–148; J. F. Rivera Recio, La Iglesia de Toledo en el siglo XII (1086–1208) I (Roma 1966); O. Engels, Papsttum, Reconquista und spanisches Landeskonzil im Hoch-MA: Annuarium Historiae Conciliorum 1 (1969) 37–49 241–287.
d) Navarra und Krone Aragón: J. Villanueva, Viage literario a las Iglesias de España, 22 Bde (Madrid – Valencia 1803–52); P. Kehr, Das Papsttum und der katalanische Prinzipat bis zur Vereinigung mit Aragón: Abhh. der Preuß. Akad. der Wiss., phil.-hist. Kl. (Berlin 1926), Nr. 1 (= Estudis Universitaris Catalans 12–15 [1927–30]); ders., Das Papsttum und die Königreiche Navarra und Aragón bis zur Mitte des 12. Jh.: ebd. (Berlin 1928) Nr. 4; J. Vincke, Staat und Kirche in Katalonien – Aragón während des MA I (Münster 1931); A. Ubieto Arteta, Episcopologio de Álava (Siglos IX–XI): Hispania Sacra 6 (1953); ders., Las diócesis navarro-aragonesas durante los siglos IX y X: Pirineos 10 (1954); R. d'Abadal i de Vinyals, Catalunya Carolíngia III 1 (Barcelona 1955) 170–192 (Bistum Roda); O. Engels, Abhängigkeit und Unabhängigkeit der Spanischen Mark: Span. Forsch., Gesammelte Aufsätze 17 (1961) 10–56; R. d'Abadal i de Vinyals, Dels visigots als Catalans I (Barcelona 1969); O. Engels, Schutzgedanke und Landesherrschaft im östlichen Pyrenäenraum (9.–13. Jh.) (Münster 1970).

O. Engels

61: Die lateinische Kirche des Ostens 1100–1400

Autor: J. Martin

Den Eroberungen der Kreuzfahrer im Vorderen Orient (vgl. Karte 60) folgte unmittelbar die Errichtung einer lateinischen Kirchenorganisation oder besser: lateinischer Bistümer; denn die lateinische Kirche wurde nicht nach einem festen Plan installiert, sondern war in ihrer Organisation abhängig von den politischen Gegebenheiten des Augenblicks. Dabei war das Vorbild der orthodoxen Kirche, über deren Zustand zur Zeit der Ankunft der Kreuzfahrer wir sehr ungenügend unterrichtet sind, nur bedingt wirksam: Das erste lateinische Bistum Palästinas z. B., Ramla, hatte nie einen orthodoxen Bischof, wurde allerdings dann bald in die alte Bischofsstadt Lydda verlegt. Ebenso hatte in Bethlehem und Nazareth nie ein orthodoxer Bischof residiert – Nazareth trat als Metropole offenbar die Nachfolge von Scythopolis an (vgl. Karte 21). Die übrigen Bistümer des Vorderen Orients hatten – mit Ausnahme von Albara – eine alte Tradition, die allerdings in den meisten Fällen unterbrochen gewesen zu sein scheint: die meisten Bistümer der orthodoxen Kirche dürften während der Herrschaft des Islam nur noch auf dem Papier bestanden haben.

Die alten Patriarchate Jerusalem und Antiochia wurden im Anschluß an die Tradition als lateinische Patriarchate errichtet, doch hatten die Patriarchen im Rahmen der römischen Kirche bei weitem nicht die selbständige Position wie die alten orthodoxen Patriarchen; ihre Stellung war jetzt stärker der der Metropoliten angeglichen. Infolge der Ausdehnung des Kgr. Jerusalem kam es auch zu einer Änderung der alten Patriarchatsgrenzen: Unter Zustimmung des Papstes wurde die einst zum Patriarchat Antiochia gehörende Metropole Tyrus mit den Suffraganen Berytus, Sidon, Akkon und Paneas (vgl. Karte 21) zum Patriarchat Jerusalem geschlagen, während die übrigen Suffragane von Tyrus bei Antiochia blieben.

Gehören die lateinischen Bistümer des Vorderen Orients, der Gft. Edessa und des Kgr. Armenien entsprechend den politischen Verhältnissen (vgl. Karte 60) im wesentlichen dem 12. Jh. an – nur wenige von ihnen erlebten im 13. Jh. eine kurze Wiederauferstehung; die 1198 mit dem armenischen Patriarchat von Sis geschlossene Union dauerte bis 1375 (vgl. Karte 132) –, so wurde das lateinische Patriarchat Konstantinopel 1204 mit der Bildung des lateinischen Kaiserreichs errichtet und ging mit diesem 1261 faktisch unter, obwohl es von Rom nicht aufgehoben wurde. Die seit 1204 gegründeten lateinischen Bistümer Thrakiens und Nordwestkleinasiens waren mit wenigen Ausnahmen ebenfalls nur von kurzem Bestand – auch hier gab es übrigens, wie man aus einem Vergleich mit den Karten 21 und 30 ersehen kann, eine Reihe von Veränderungen gegenüber der orthodoxen Kirchenorganisation (vgl. dazu besonders R. L. Wolff, s. u.). Die bulgarische Kirche (vgl. Karte 30) war von 1204 bis 1235 mit Rom uniert. Eine längere Lebensdauer (bis zur türkischen Eroberung) hatten lediglich die ebenfalls seit 1204/05 gegründeten lateinischen Bistümer Griechenlands (auf den Inseln wurde ihre Kontinuität teilweise bis zur Gegenwart nicht unterbrochen).

Für den Bereich des Patriarchats Konstantinopel sowie der bulgarischen und zyprischen Kirche beruht die Karte vor allem auf dem sog. *Provinciale Romanum,* einer Liste von Erzbistümern und Bistümern, die in den 1192 vollendeten *Liber censuum* aufgenommen wurde. Eine zweite Edition des *Liber censuum* erfolgte 1228 – in ihr waren die neuen Bistümer der lateinischen Eroberungen ergänzt. Als nicht lokalisierbar fehlen auf der Karte folgende im *Provinciale* genannte Bistümer: Kirchenprovinz Cyzicus: de Palea, de Epigonia, Libariensem; Kirchenprovinz Philippi: Draginensem; Kirchenprovinz Neae Patrae: Lavacensem (Aulaki am Malischen Golf?); Kirchenprovinz Thebae: Castoriensem; Kirchenprovinz Creta: Arianensem, Milopotamiensem, Cyrothomissiensem. Für die ebenfalls nicht sicher lokalisierbaren Bistümer Lindinensem und Destillaria (unter Parium) sowie Lacorensem und de Candimonia (unter Cyzicus) wurden die von R. L. Wolff (s. u.) vorgeschlagenen Identifizierungen (Lentiana, Dascylium, Larco, Calolimena) mit Fragezeichen eingetragen. – Unberücksichtigt blieben Veränderungen der Kirchenorganisation, d. h., die in die Karte eingetragenen Bistümer haben zu keinem Zeitpunkt alle nebeneinander bestanden.

Für den Bereich der Patriarchate Antiochia und Jerusalem verzeichnet das *Provinciale* viele Bistümer, die nie einen lateinischen Bischof gehabt haben (wahrscheinlich hat das *Provinciale* hier einfach Notizen der orthodoxen Kirche übernommen). Hier wie auch für einige Bistümer aus dem zuerst genannten Bereich müssen als ergänzende Quellen Papstbriefe, Historiker der Kreuzfahrerzeit und Ordenschroniken herangezogen werden. – Sitze, die rein titular blieben, wurden in der Karte nicht berücksichtigt. Das eingetragene Erzbistum Petra hatte seinen Sitz nicht in Petra, sondern in Kerak (vgl. Karte 60).

Die Niederlassungen der Franziskaner und Dominikaner wurden in die Karte eingetragen, weil beide Orden in der Zukunft die Hauptträger der Mission im Osten wurden (vgl. Karte 63). Neben ihnen gab es in Palästina schon seit karolingischer Zeit Benediktiner (vgl. S. Maria Latina auf Plan 42 B); in der Kreuzfahrerzeit gründeten auch die Zisterzienser und Prämonstratenser eine Reihe von Niederlassungen.

Quellen: M. LeQuien, Oriens Christianus, Bd III (Paris 1740, Neudr. Graz 1958); C. Eubel, Hierarchia Catholica Medii Aevi, Bd I (1198–1431) (Münster 1898); Le Liber Censuum de L'Église Romaine, ed. P. Fabre – L. Duchesne, Bde I–II (Paris 1889–1910), III: Tables des Matières (Paris 1952). Über die für die KG Palästinas in Frage kommenden Quellen gibt eine knappe Übersicht Hotzelt (s. u.) 2–6. Weiteres vgl. in der Literatur. – **Literatur:** Vgl. die Literatur zu Karte 60A, ferner: W. Hotzelt, KG Palästinas im Zeitalter der Kreuzzüge: Palästinahefte des Deutschen Vereins vom Heiligen Land 29–32 (Köln 1940); R. L. Wolff, The Organization of the Latin Patriarchate of Constantinople, 1204–1261: Traditio 6 (1948) 33–60 (mit reichen Quellen- und Lit.-Angaben); J. Lognon, L'organisation de l'église d'Athènes par Innocent III: Archives de l'orient chrétien 1 (1948) 336–346; J. Richard, Le royaume latin de Jérusalem (Paris 1953); G. Konidares, Ekklesiastike Historia tes Hellados apo 49/50–1951 (Athenai 1954–60). – *Zu den Franziskanern:* Vgl. die Literatur zu Karte 58 (bes. Golubovich), ferner: L. Lemmens, Die Franziskaner im Heiligen Lande, Tl. 1: Franziskanische Studien Beih. 4 (Münster 1925); R. L. Wolff, The Latin Empire of Constantinople and the Franciscans: Traditio 2 (1944). – *Zu den Dominikanern:* Vgl. die Literatur zu Karte 59, ferner: B. Altaner, Die Dominikanermissionen des 13. Jh.: Breslauer Studien zur histor. Theologie 3 (Breslau 1922).

J. Martin

Nachtrag: G. Fedalto, La chiesa latina in Oriente, I (Verona 1973); TIB.

62: Das Erzstift Riga und das Ordensland bis 1466

Autor: M. Hellmann

Grundlegend für die historische Geographie des Preußenlandes ist das Werk von M. Toeppen, *Historisch-Comparative Geographie von Preußen (1858),* das nicht nur das damalige Wissen zusammenfaßte, sondern eine sehr genaue Untersuchung der Wandlungen der Grenzführung gab. Darauf baute die weitere Forschung auf. Für die Karte wurden außer diesem Werk und anderen Arbeiten zugrunde gelegt die beiden Karten *Das Preußenland 1230–1310* und *Das Preußenland 1310–1466* aus dem Atlaswerk *Staats- und Verwaltungsgrenzen in Ostmitteleuropa,* hrsg. vom Göttinger Arbeitskreis, Teil 2 (Das Preußenland), bearb. von E. Keyser (München 1954). Für den livländischen Teil des Ordenslandes und die livländischen Bistümer konnte auf die Vorarbeiten zurückgegriffen werden, die P. Johansen in den Karten zu dem Artikel *Deutschbalten und baltische Lande* im *Handwörterbuch des Grenz- und Auslandsdeutschtums,* Bd II (Breslau 1936) 168ff und Karte *Die deutschen Siedlungen Alt-Livlands* sowie H. Laakmann in dem Atlaswerk *Staats- und Verwaltungsgrenzen in Ostmitteleuropa,* Teil 1, *Die Baltischen Lande,* Karte *Die Bevölkerung um 1200* und *Die livländischen Staaten 1492* vorgelegt hatten. Die Karte zeigt den Zustand bis zum Jahre 1466, d. h. bis zum 2. Thorner Frieden, in dem der Deutsche Orden auf Westpreußen links der Weichsel, Danzig, den größten Teil Westpreußens rechts der Weichsel mit der Marienburg, das Kulmerland und die Michelau sowie das Ermland verzichten mußte. Die Veränderungen in der Verwaltungsgliederung des Ordensgebietes konnten jeweils nur angedeutet werden. Sie waren im allgemeinen nicht von entscheidender Bedeutung. Für Livland blieben die Grenzen nach 1466 bis zur Auflösung der livländischen Staatenkonföderation 1561 bestehen. Das ehemalige preußische Ordensland, seit 1525 unter dem letzten in Preußen (Königsberg) residierenden Hochmeister Albrecht von Brandenburg-Ansbach in ein weltliches Herzogtum unter polnischer Lehnshoheit umgewandelt, blieb über die Vereinigung mit der Mark Brandenburg hinaus bis 1772, d. h. bis zur Ersten Teilung Polens, in seinem äußeren Besitzstand unverändert.

Im Gegensatz zu Livland, in dem die Bistümer (Erzbistum Riga, Bistum Dorpat, Bistum Ösel-Wiek) selbständige Territorien und Markgrafschaften des Reiches waren – nur die Bistümer Kurland und Reval waren keine Fürstentümer, der Bischof und das Domkapitel von Kurland zwar Landesherren, aber dem Deutschen Orden inkorporiert, der Bischof von Reval nur Besitzer von Tafelgütern –, ist von den preußischen Bistümern nur das Bistum Ermland von dem übermächtigen Einfluß des Deutschen Ordens frei geblieben und hat sich nicht inkorporieren lassen. Während hier der Orden unbestritten die politische und militärische Führung des Landes innehatte, gelang dies in Livland, wo er 1237 das Erbe des untergegangenen Schwertbrüderordens angetreten hatte, nicht. Insbesondere der Erzbischof von Riga und die 1201 von dem dritten Bischof, Albert, gegründete Stadt Riga haben sich im 13. und 14. Jh. heftig gegen den Deutschen Orden zur Wehr gesetzt. Seit dem Landtag zu Walk 1422 wurden regelmäßige Zusammenkünfte aller Landesherren abgehalten, 1435 eine Landeseinung durch die Stände herbeigeführt. In Preußen hatten die Stände zur gleichen Zeit die Mitwirkung bei der Landespolitik durchgesetzt, 1422 erstmals einen Vertrag mit einer auswärtigen Macht garantiert (Friedensvertrag am Melnosee mit Litauen). 1525 entschied sich der Hochmeister Albrecht von Brandenburg-Ansbach für die Lehre Luthers. Da das Bistum Kulm zum größten Teil nach 1466 unter polnische Oberhoheit geriet, blieb es, ebenso wie das Bistum Ermland, erhalten, während die Bistümer Samland und Pomesanien nach dem Übertritt der beiden Bischöfe zum Luthertum mit dem Herzogtum Preußen vereinigt wurden. In Livland trat der letzte Ordensmeister Gotthard Kettler 1561 als weltlicher Herzog von Kurland und Semgallen zum Luthertum über und unterwarf sich polnischer Lehnsoberhoheit. Der letzte Erzbischof von Riga, Wilhelm von Brandenburg-Ansbach, ein Bruder Herzog Albrechts von Preußen, verzichtete 1562 auf seine Würde. Die Bistümer Ösel-Wiek und Kurland kaufte Dänemark, der letzte Bischof von Dorpat – die Stadt war, wie alle Städte Livlands mit Riga an der Spitze, lutherisch geworden – wurde nach Moskau verschleppt. Reval und Nordestland unterwarfen sich Schweden. Damit hörte das Bistum auf zu bestehen.

Literatur: B. Schumacher, Geschichte Ost- und Westpreußens (Würzburg [2]1957); R. Wittram, Baltische Geschichte 1180–1918 (München 1954); M. Hellmann, Das Lettenland im Mittelalter (Köln 1954); Baltische KG, hrsg. von R. Wittram (Göttingen 1956); F. Benninghoven, Rigas Entstehung und der frühhansische Kaufmann (Hamburg 1961); ders., Der Orden der Schwertbrüder (Köln–Graz 1965); B. Poschmann, Bistümer und Deutscher Orden in Preußen 1243–1525 (Diss. Münster 1962); P. G. Thielen, Die Verwaltung des Ordensstaates Preußen (Köln–Graz 1965). – Alle genannten Studien haben reiche Literaturangaben.

M. Hellmann

63: Das römisch-katholische Christentum im Machtbereich der Mongolen (13.–14. Jh.)

Autor: W. Hage

Träger des römisch-katholischen Christentums waren Kaufleute in den italienischen Handelsniederlassungen an der Küste des Schwarzen Meeres (Kirchenprovinz Bosporus) und auf ihren Reisen bis China (z. B. Marco Polo), ferner von den Mongolen auf ihren Kriegszügen verschleppte und in Mittelasien (z. B. Qaraqorum) angesiedelte Ungarn, Franzosen und Deutsche. Kunde von ihnen brachten seit 1245 vorwiegend als päpstliche Gesandte reisende Ordensleute. Franziskaner und Dominikaner hatten zudem seit dem 13. Jh. Missionserfolge unter turko-tatarischen Volksstämmen und (seit der Wende zum 14. Jh.) in Indien sowie (zumindest zeitweilig) Unionserfolge unter christlichen Alanen, Öngüt und Armeniern (gegen Mitte des 14. Jh. Gründung des armenischen Unitoren-Ordens unter dominikanischem Einfluß im Kloster Qrna bei Nachdschowan). Auf das Netz der Niederlassungen und die Missionsorganisationen beider Orden stützte sich die hierarchische Gliederung Asiens: unter franziskanische Obhut wurde das Erzbistum Peking (Chanbalyq) gestellt (1307 Johannes von Montecorvino erster Erzbischof, Jurisdiktion über China und Mittelasien), während den Dominikanern die Verwaltung des Erzbistums Sultanijä (seit 1318, Jurisdiktion über Persien und Indien) zugesprochen wurde. Für das Gebiet nördlich des Kaukasus wurde 1349 die Kirchenprovinz Matrega errichtet, das Bistum Sarai wurde 1362 zum Erzbistum für das Herrschaftsgebiet der Goldenen Horde erhoben. Das römisch-katholische Christentum Indiens überdauerte nur wenige Jahrzehnte, in Mittel- und Ostasien teilte es das Schicksal der orientalischen Kirchen und ging bis zum Beginn des 15. Jh. zugrunde, während es sich westlich des Kaspischen Meeres noch bis zum Ende des 15. Jh. halten konnte. – Zweifelhafte Angaben, vor allem unsichere Lokalisierungen sind mit Fragezeichen versehen.

Quellen und Literatur: M. Le Quien, Oriens Christianus, Bd III (Paris 1740, Nachdruck Graz 1958); G. Golubovich, Biblioteca Bio-Bibliografica della Terra Santa e dell'Oriente Francescano, Bde I–II (Quaracchi/Florenz 1906–13); B. Altaner, Die Dominikanermissionen des 13. Jh. (Habelschwerdt/Schlesien 1924); L. Lemmens, Geschichte der Franziskanermissionen (Münster 1929); A. van den Wyngaert, Sinica Franciscana, Bd I (Quaracchi/Florenz 1929) (hierin die Reiseberichte der Franziskaner); R.-J. Loenertz, La Société des Frères Pérégrinants (Rom 1937); A. C. Moule–P. Pelliot, Marco Polo, the Description of the World, Bde I–II (London 1938); K. S. Latourette, A History of the Expansion of Christianity, Bd II (New York–London 1938); J. Richard, Les missions chez les Mongols aux XIIIe et XIVe siècles: Histoire universelle des missions catholiques, Bd I (Paris 1956) 173–195; M. A. van den Oudenrijn, Uniteurs et Dominicains d'Arménie: Oriens Christianus 40 (1956) 94–112, 42 (1958) 110–133, 43 (1959) 110–119; C. W. Troll, Die Chinamission im Mittelalter: Franziskanische Studien 48 (1966) 109–150, 49 (1967) 22–79. – Unter den schon vorhandenen Karten (so bei Richard und Troll) sind hervorzuheben diejenigen bei Golubovich, Bd II (Lokalisierung vor allem der franziskanischen Niederlassungen) und W. W. Rockhill, The Journey of William of Rubruck to the Eastern Parts of the World 1253–55 (London 1900) (Reiserouten des Johannes von Piano Carpini und Wilhelm von Rubruk).

W. Hage

64: Die Universitäten bis 1500

Autor: H. Rüthing

Ausgangspunkt der vorliegenden Karte sind die drei großen Gesamtdarstellungen zur Geschichte der mittelalterlichen Universitäten von Denifle, Rashdall und d'Irsay (s. u.). Sie konnten allerdings nur Ausgangspunkt sein, denn durchweg mußten ihre Angaben nach den Quellen und nach der neuesten Spezialliteratur überprüft werden. Bei der mitunter schwierigen Entscheidung, bei welchen der mittelalterlichen Schulen man von Universitäten sprechen kann, wurden die von Denifle und Rashdall entwickelten, inzwischen von der Forschung allgemein akzeptierten Kriterien angewandt. Dennoch waren in einzelnen Fällen (z. B. bei Modena, das nicht aufgenommen wurde) Ermessensentscheidungen nicht zu umgehen. Die sog. *paper universities* (Rashdall), die „nicht ins Leben traten" (Denifle), sind berücksichtigt, wenn päpstliche oder kaiserliche Stiftungsbriefe vorliegen.

Die herkömmliche Unterscheidung zwischen den aus eigenständigem Zusammenschluß von Magistern oder Studenten erwachsenen Universitäten („Universitäten ohne Stiftungsbriefe", *studia generalia ex consuetudine* o. ä.) und den sog. „Gründungsuniversitäten" ist als grundlegend beibehalten worden. Im übrigen basiert diese Karte jedoch auf anderen Fragestellungen als die zahlreichen schon vorhandenen Karten, die meistens nur die Tatsache der Entstehung oder Gründung einer Universität registrieren, das Gründungsdatum angeben und – seltener – den Untergang einer Universität noch im Mittelalter festhalten. Während einige Karten – so die in Westermanns Großem Atlas zur Weltgeschichte (s. u.) – den juristischen Aspekt der Privilegierung (päpstliches Privileg, kaiserliches Privileg, königlich-landesherrliches Privileg) in den Vordergrund stellen, soll hier bei allen Universitäten, die nicht als *studia generalia ex consuetudine* gelten, die Frage nach der Gründungsinitiative gestellt werden; d. h., es soll gefragt werden, von wem der entscheidende Anstoß ausging, eine neue Universität zu errichten oder eine bereits existierende Schule durch Privileg in den Rang einer Universität zu erheben. Diese Frage nach der Gründungsinitiative, die durch die Art der Privilegierung einer Universität noch keineswegs beantwortet ist, läßt sich anhand des reichen urkundlichen Materials in den meisten Fällen mit großer Sicherheit entscheiden. Es wird zwischen folgenden „Initiatoren" unterschieden: Papst, „Landesherr" (worunter verstanden wird: Könige, Landesherren im Sinne der deutschen Verfassungsgeschichte, aber auch die Vasallen der französischen Krone und die italienischen Signori, wenn nur sie – und nicht die Kommune – in den Gründungsurkunden genannt werden oder wenn sie außerhalb ihrer Stadt eine Universität gründeten), ferner: Stadt, Bischof und Kanoniker oder andere kirchliche Institutionen. Daß bei der Erhebung schon bestehender Schulen in den Rang von Universitäten die Angehörigen dieser Schulen mit initiativ wurden, ist in einigen Fällen belegt, in anderen anzunehmen, wird jedoch in der Karte nicht verzeichnet. Von „Rangerhöhung" wird gesprochen, wenn ein unmittelbares Anknüpfen an ältere kirchliche oder öffentliche Schulen – sei es personell, sei es institutionell – nachweisbar ist. Auch hier waren Ermessensentscheidungen nicht zu umgehen.

Die Errichtung einer Universität konnte bereits im Spätmittelalter ein komplizierter und langwieriger Prozeß sein. Selbst wenn man davon ausgeht, daß das Auf und Ab von Gründungsabsicht, Erwirken oder Ausstellen eines Stiftungsbriefes, Errichtung der Universität, Fehlschlag, Neugründung, Reform usw. in einer Karte keinen adäquaten Niederschlag finden kann, bleiben zahlreiche Datierungsprobleme bestehen. Der Versuch, ein einheitliches Prinzip für die Fixierung der Gründungsdaten anzuwenden, mußte aufgegeben werden. Die Karte lehnt sich, soweit nicht offensichtliche Fehler vorliegen, an die in der Literatur gängigen Gründungsdaten an. In Zweifelsfällen wurde die in einer Universität gültige Tradition berücksichtigt (z. B. Basel: 1460, nicht 1459). Sind ernsthafte Gründungsabsichten (z. B. durch Ausstellung oder Erwerb eines Stiftungsbriefs) bezeugt, die zunächst zu keinem, auch zu keinem kurzfristigen Erfolg führten, so ist auch dieses Datum vermerkt. Auch hier gibt es – zumal in Italien und Spanien – Grenzfälle, bei denen die getroffene Entscheidung kritisiert werden kann. Bei Gründungsversuchen, die überhaupt nicht zum Erfolg führten *(paper universities),* ist nur der erste belegte Versuch angegeben; die mitunter zahlreichen weiteren Ansätze sind nicht aufgenommen (z. B. Chełmno 1386, 1434). Bei den vor 1200 entstandenen Universitäten wurde auf den Versuch einer genauen Datierung überhaupt verzichtet. Auch die Angaben für einige in der 1. Hälfte des 13. Jh. entstandene Universitäten können nur Anhaltspunkte bieten (Cambridge, Angers, Orléans).

Die Angaben zur Errichtung der theologischen Fakultäten bedürfen einiger Erläuterungen: Nur ein Teil der mittelalterlichen Universitäten besaß ein theologisches Studium bzw. später eine theologische Fakultät im spezifischen Sinn. Während sich im 12. und 13. Jh. theologische Studien und Fakultäten relativ frei entwickeln konnten (*ex consuetudine,* durch päpstliches oder landesherrliches Privileg), begannen seit dem Ende des 13. Jh. die Päpste die Errichtung theologischer Fakultäten streng zu kontrollieren und zu limitieren. An einigen Universitäten wurden sogar bereits existierende theologische Fakultäten in ihren Rechten beschränkt. Erst in der 2. Hälfte des 14. Jh. gaben die Päpste ihre Zurückhaltung bei der Gründung theologischer Fakultäten langsam auf. Durch die restriktive päpstliche Politik hatte sich die Auffassung verfestigt, die Erlaubnis zur Errichtung einer theologischen Fakultät sei päpstliches Vorrecht. Die Hinweise der Karte auf eine theologische Fakultät bedeuten somit für die Zeit seit Ende des 13. Jh. mit wenigen Ausnahmen (Huesca, Genf, Torino), daß auf Grund eines päpstlichen Privilegs eine theologische Fakultät errichtet oder organisiert wurde. Das heißt aber nicht, daß an diesen Universitäten nicht schon vorher einzelne theologische Lehrer tätig sein konnten (z. B. Montpellier, Salamanca); es gibt Universitäten, an denen wiederholt Theologen wirkten, ohne daß es zur Errichtung einer theologischen Fakultät kam (z. B. Lérida).

Quellen und Literatur: *Gesamtdarstellungen:* H. Denifle, Die Entstehung der Universitäten des Mittelalters bis 1400 (Berlin 1885, Neudr. Graz 1956); H. Rashdall, The Universities of Europe in the Middle Ages, 3 Bde, hrsg. von F. M. Powicke – A. B. Emden (Oxford [2]1936); S. d'Irsay, Histoire des universités françaises et étrangères des origines à nos jours, Bd I: Moyen âge et renaissance (Paris 1933). – *Größere Räume umfassende Darstellungen und Quellensammlungen:* G. Kaufmann, Geschichte der deutschen Universitäten, 2 Bde (Stuttgart 1888–96, Neudr. Graz 1958); M. Fournier, Les statuts et privilèges des universités françaises depuis leur fondation jusqu'en 1789, 4 Bde (Paris 1890–94); V. de la Fuente, Historia de las universidades, colegios y demás establecimientos de enseñanza en España, 4 Bde (Madrid 1884–89); C. M. Ajo, Historia de las universidades Hispánicas, 7 Bde (Madrid 1957–68), bes. Bd I. – *Schon vorhandene Karten* (in Auswahl): Rashdall (s. o.) am Schluß von Bd III; d'Irsay (s. o.) nach S. 368; Westermanns Großer Atlas zur Weltgeschichte, hrsg. von H.-E. Stier u. a. (Braunschweig [2]1968) S. 91; Großer historischer Weltatlas, Bd II hrsg. vom Bayerischen Schulbuch-Verlag (München 1970) S. 127 (A. Birken).

H. Rüthing

65: Die Geißlerbewegung 1348–1349

Autor: J. Fearns

Die Geißlerzüge von 1348–49 können in vollem Umfang kartographisch nicht mehr erfaßt werden. Die meist sehr allgemein gehaltenen Aussagen der Quellen *(in omnibus civitatibus et in oppidis et villis; per universas regiones)* deuten auf eine Massenverbreitung hin; genau datierbare und lokalisierbare Angaben sind dagegen spärlich. Dennoch sind sie ausreichend, um den Verlauf der Bewegung in großen Zügen verzeichnen zu können. Es scheint klar zu sein, daß es sich nicht um mehrere spontane, voneinander unabhängige Ausbrüche handelt; vielmehr lassen sich eine gewisse Kontinuität in der Entwicklung und ein Fortschreiten der Hauptzüge von Gebiet zu Gebiet festhalten. Die Bewegung hat ihren Ausgang wohl in den österreichischen Landen genommen, wenngleich einige Quellen Ungarn als Ursprungsland bezeichnen. Nach den ersten Prozessionen in der Steiermark (Sept. 1348), in Niederösterreich und im westlichen Ungarn (Anfang 1349) tauchen die Geißler überall in Böhmen (März 1349), Polen, Meißen (Anfang April), Sachsen und Brandenburg (April) auf. Von diesen Gegenden ging die Hauptstoßrichtung südwestlich durch Thüringen (Ende April), Franken (Anfang Mai) und Schwaben (Mai/Juni). Auf mehreren Wegen erreichten die Geißler den Rhein; einige gingen dann rheinaufwärts nach Straßburg (Mitte Juni) und Basel, andere rheinabwärts nach Speyer, Mainz und Köln (Mitte Juli). Schnelle Vorläufer gelangten wahrscheinlich schon Ende Juni in die östlichen Teile der Niederlande (Lüttich); die große Welle der Begeisterung für die Selbstgeißelungen setzte hier jedoch erst Mitte August ein. Von den Niederlanden, die schnell zur Hochburg der Geißlerbewegung wurden, gingen vereinzelte Züge nach Nordfrankreich (Sept./Okt.) und England (Sept.), ohne in diesen Gebieten die sonst übliche Massenreaktion hervorzurufen. Im Spätherbst flaute die Bewegung schon ab; nur in den Niederlanden hielt sie bis in die frühen Monate von 1350 an.

Die globalen Schätzungen der Chronisten über die Gesamtzahl der Geißler sind zweifelsohne zu hoch. Die Angaben über die Teilnahme an den einzelnen Zügen in den Städten bleiben dagegen in durchaus glaubhaften Grenzen (etwa 50–200 pro Zug, mit höheren Zahlen meist nur in den auch sonst als Zentren der Bewegung bekannten Gegenden). Die sprichwörtliche Unzuverlässigkeit der mittelalterlichen Zahlenangaben trifft in diesem Fall so wenig zu, daß es sinnvoll erschien, die numerische Stärke der Geißler in den Städten in die Karte aufzunehmen. Die angegebenen Zahlen können freilich nicht als absolute verstanden werden. Sie sind lediglich Orientierungswerte, die vor allem eine Differenzierung zwischen den Ballungszentren der Bewegung und den relativ schwach besuchten Gebieten ermöglichen sollen.

Vorlagen: Die auf der Karte eingezeichneten Pestlinien wurden übernommen von E. Carpentier, Autour de la Peste Noire: Famines et Epidémies dans l'histoire du XIVe siècle: Annales 17 (1962) 1070–1071. – **Quellen:** Die Quellen für die Niederlande sind nahezu vollständig abgedruckt in P. Frédéricq, Corpus documentorum Inquisitionis haereticae pravitatis Neerlandicae, 5 Bde (Gent 1888–1902). Für Deutschland finden sich gute und ausführliche Darstellungen in den „Chroniken der deutschen Städte" Bd 7 (Magdeburg), Bd 8 (Straßburg), Bd 19 (Lübeck), außerdem in Hugo von Reutlingen, Chronicon, hrsg. von P. Runge (s. u.) 24–42; Tileman Ehlen von Wolfhagen, Die Limburger Chronik, hrsg. von A. Wyss: MGH Deutsche Chroniken IV/1. Für Österreich siehe die verschiedenen Berichte in den „Annales Austriae": MGH SS 9, S. 479–853. – **Literatur:** E. Förstemann, Die christlichen Geißlergesellschaften (Halle 1828); K. Lechner, Die große Geißelfahrt des Jahres 1349: Historisches Jb. 5 (1884) 437–462; P. Runge, Die Lieder und Melodien der Geißler des Jahres 1349 nach der Aufzeichnung Hugos von Reutlingen nebst einer Abhandlung über die italienischen Geißlerlieder von Heinrich Schneegans . . . und einem Beitrage zur Geschichte der deutschen und niederländischen Geißler von Heino Pfannenschmidt (Leipzig 1900); A. Hübner, Die deutschen Geißlerlieder (Berlin–Leipzig 1931); E. Delaruelle, Les grandes processions de pénitents de 1349 et 1399: Il movimento dei Disciplinati nel Settimo Centenario dal suo inizio (Perugia 1260) (Perugia 1960) 109–145; G. Szekely, Le mouvement des Flagellants: Hérésies et Sociétés, hrsg. von J. Le Goff (Paris 1968) 229–238.

J. Fearns

Nachtrag: J.-N. Biraben, Les hommes et la peste en France et dans les pays méditerranéens, 2 Bde (La Haye 1975–76).

66: Die Obedienzen des Abendländischen Schismas

Autor: O. Engels

Am 8. April 1378 wurde in Urban VI. ein Italiener zum Papst gewählt, der nach dem langen Aufenthalt seiner Vorgänger in Avignon wieder in Rom residieren sollte. Die tumultuarischen Vorgänge seiner Wahl blieben selbst Augenzeugen ein Rätsel; ebensowenig ist der nachträgliche *tacitus consensus* der Kardinäle zu dieser Wahl über jeden Zweifel erhaben. Die fast an despotischen Größenwahnsinn grenzende Regierungsweise dieses Papstes veranlaßte eine Kardinalsmehrheit, sich am 26. Juli unter Berufung auf seinerzeit ausgeübten Zwang von ihm wieder loszusagen. Sie wählte am 20. September in Fondi einen neuen Papst in Clemens VII. Die Rechtslage war völlig unklar, und die gegnerischen Lager waren ungefähr gleich stark, so daß das Schisma Dauercharakter annahm. Clemens VII., der nach Avignon ausweichen mußte und dort seine Residenz aufschlug, erhielt 1394 in Benedikt XIII. einen Nachfolger, der von seiner Legitimität zutiefst durchdrungen war.

Ebenso setzte sich die römische Papstreihe mit Bonifaz IX. (1389-1404), Innozenz VII. (1404-1406) und Gregor XII. fort.

An Bemühungen, das Schisma zu beseitigen, fehlte es nicht. Im Februar 1395 verlangte eine Pariser Nationalsynode den Verzicht beider Prätendenten, im Herbst 1397 dachte man an ihre gewaltsame Absetzung durch die Fürsten, und im Sommer 1398 beschloß die dritte Pariser Nationalsynode den Obedienzentzug für das französische Königreich, der bis zum Mai 1403 währte. Die beiden Prätendenten vereinbarten im Vertrag von Marseille vom April 1407 schließlich selbst eine persönliche Zusammenkunft, um sich über die Legitimität der einen oder anderen Sukzession zu einigen; doch scheiterte dieser Weg an der französischen Diplomatie, weil sie nur bei einer Abdankung beider Prätendenten nicht ausgeschaltet werden zu können glaubte. Über diesen Fehlschlag bestürzt, sagte die römische Kardinalsmehrheit ihrem Papst im Mai 1408 den Gehorsam auf und vereinigte sich im Juni mit avignonischen Kardinälen zu einem einzigen Kollegium. Frankreich hatte unterdes seine Neutralität in der Obedienzfrage erklärt; Benedikt XIII. sowie Gregor XII. verlegten ihre Residenzen, die sie im Hinblick auf das geplante Treffen kurzfristig in Portovenere bzw. Lucca aufgeschlagen hatten, nach Perpignan bzw. Rimini. Die Kardinäle suchten nun ohne Einvernehmen mit den beiden Prätendenten die Lösung des Schismas herbeizuführen, indem sie im Juli/August 1408 ein Konzil nach Pisa für das kommende Frühjahr einberiefen. Frankreich erklärte sich schon im Oktober für diese Lösung, während deutsche Fürsten nur zögernd – allen voran König Wenzel von Böhmen im November und Herzog Friedrich von Österreich im Dezember – und zum Teil aus Gegnerschaft gegen König Ruprecht, der noch im Oktober das Reich auf einem Fürstentag zu Frankfurt für die römische Obedienz geschlossen zu halten versucht hatte, dem Konzilsplan zustimmten.

Die Versammlung, die am 25. März 1409 in Pisa eröffnet wurde, verstand sich als ein Ökumenisches Konzil, wurde aber, vor allem von deutscher Seite, schlecht beschickt. Doch nicht deswegen blieb die Absetzung beider Päpste unter Berufung auf ihre Häresie (weil sie sich in der Beseitigung des Schismas untätig zeigten) wirkungslos, sondern weil das von Kardinälen einberufene und geleitete Konzil mit dem kirchenrechtlichen Grundsatz kollidierte, daß nur ein vom Papst einberufenes und geleitetes Konzil rechtmäßig sei. Benedikt und Gregor hatten, um diesen Grundsatz zu unterstreichen und zugleich dem Konzilsbedürfnis entgegenzukommen, ebenfalls eigene Versammlungen nach Perpignan bzw. Cividale einberufen, deren Wirkung gleich ineffektiv blieb. Darüber hinaus beriefen sie sich auf den Rechtssatz, daß der Papst von niemandem gerichtet werden dürfe, also auch nicht absetzbar sei, wenn nicht durch freiwilligen Verzicht. So war fortan nicht der auf dem Pisanum am 17. Juni gewählte Alexander V. einziger Papst, wie die Konzilsobedienz gewollt hatte, sondern dieser begründete lediglich neben den beiden anderen eine dritte Papstreihe, die 1410 durch Johannes XXIII. eine Fortsetzung erfuhr.

Die Konzilsobedienz war nun die größte, und sie wuchs noch durch Übertritte nach dem Tode König Ruprechts (18. Mai 1410) und mit dem Vertrag Johannes' XXIII. mit Ladislaus von Neapel (17. Juni 1412). In Karl Malatesta von Rimini blieb dem römischen Papst im Grunde die einzige Stütze, obwohl gerade dieser über die Obedienzgrenzen hinweg auf eine Lösung des Schismas drängte. Nur widerwillig suchte Johannes mit einem Konzil in Rom während des Februar 1413 in dieser Sache einen Anfang zu machen, das natürlich nichts ausrichtete, aber sich wenigstens vertagte. Als Ladislaus im Juni Rom besetzte, floh Johannes nach Bologna (das 1411 zusammen mit der Emilia nur vorübergehend in die Gewalt des Malatesta geraten war) und wandte sich hilfesuchend an den 1410/11 zum römischen König gewählten Siegmund. Er nun nahm die Konzilsangelegenheit in die Hand. Mit Vertretern Johannes' XXIII. traf er in Como eine Vereinbarung über die Berufung des nächsten Konzils nach Konstanz und erreichte, daß auch Gregor XII. Vertreter zu schicken versprach. Währenddessen arbeitete auch König Ferdinand von Aragón in den Verhandlungen zu Morella (Bistum Tortosa) auf einen Anschluß der avignonischen Obedienz an die Konzilsidee hin. Keine Obedienz war von ihrer Legitimität mehr restlos überzeugt; es lag in der Hauptsache am Geschick Siegmunds, in politischen Differenzen zu vermitteln, die das Einigungswerk hätten gefährden können.

Das Konstanzer Konzil trat am 5. November 1414 unter der Leitung Johannes' XXIII. zusammen. Daß es keine Versammlung wurde, die in Fortsetzung des Pisanums die Konzilsobedienz bestätigte und damit das Schisma fortgesetzt hätte, ist das Verdienst Siegmunds. Nachdem Johannes den Konzilsort heimlich verlassen hatte, um die Versammlung zu sprengen, wurde seine Deposition am 29. Mai 1415 festgestellt. Das jetzt papstlose Konzil nahm am 4. Juli 1415 den freiwilligen Verzicht Gregors XII. entgegen und erklärte auch, nachdem die iberischen Vertreter die avignonische Obedienz aufgekündigt hatten, den Pontifikat Benedikts XIII. am 26. Juli 1417 für beendet. Mit der Wahl Martins V. am 11. November 1417 in Konstanz galt das Schisma als überwunden. Nur Benedikt beugte sich in Peñiscola dem Urteilsspruch nicht; seine Obedienz erstreckte sich nur mehr auf die südfranzösischen Grafschaften Béarn, Bigorre, Comminges und Foix, und in Armagnac dauerte sie sogar über seinen Tod (Sept. 1424) und die Resignation seines Nachfolgers Clemens VIII. (Juli 1429) hinaus bis zum 7. April 1430.

Aufgrund dieses Verlaufes teilt sich die Karte in einen Zeitraum vor 1409 (Farbflächen) und nach 1409 (Schraffur). Innerhalb dieser beiden Zeiträume ist der Beginn der dreifachen Obedienz relativ leicht zu überblicken, weswegen die zeitlich differierenden Zuordnungen auch kenntlich gemacht sind. Von den Anfängen des Schismas überhaupt läßt sich jedoch kein zuverlässiges Bild gewinnen, weil mit unterschiedlich dichtem Nachrichtenfluß vor allem in entferntere Gebiete und auch mit zunächst keineswegs fest eingenommenen Positionen angesichts einer unüberblickbaren Situation gerechnet werden muß. Nicht eigens hervorgehoben ist deswegen eine Zuneigung zur avignonischen Obedienz bis 1379 im Herzogtum Braunschweig-Lüneburg (die noch nicht einmal gesichert ist) oder in Naupactus und bis 1380 in Norwegen, dem auch die zur Kirchenprovinz Drontheim gehörenden und in der ganzen Zeit nie von der Haltung ihrer Metropole abweichenden Bistümer in Grönland und Island sowie die Färöer, Hebriden und Orkney-Inseln zuzurechnen sind. Anders verhält es sich mit den Reichen auf der Iberischen Halbinsel; ihre Indifferenz in Portugal (bis Anfang 1380), in Kastilien (bis 19. Mai 1381), in Navarra (bis 6. Februar 1390) und in der Krone Aragón (bis 24. Februar 1387) geht auf einen jeweils förmlichen Beschluß zurück.

Man geht gewöhnlich von der Annahme aus, daß der Landesherr die Obedienzzugehörigkeit entschieden hat; und man glaubt sich darin bestätigt, weil das Schisma ohne die Bereitwilligkeit der Landesherren nicht hätte beendet werden können. Bei näherem Zusehen aber – von Deutschland wußte man es längst – zeigt sich die Sachlage komplizierter, da entweder nachgeordnete Gewalten so viel politischen Spielraum besaßen, daß sie eine abweichende Haltung durchsetzen konnten bzw. mit Hilfe einer solchen Haltung eine Sonderstellung zu erreichen suchten, oder kirchliche Jurisdiktionsträger nach eigenem Ermessen ihre Obedienzzugehörigkeit bestimmten. Das erschwert nicht nur die kartographische Darstellung, sondern bringt auch infolge unserer lükkenhaften Kenntnis im engeren regionalen Bereich Unsicherheiten in das Bild.

Verschiedene Beispiele können dies veranschaulichen. Als ein Zeichen politischer Reaktion ist zu werten, daß *Portugal,* nachdem es sich seit Aufgabe der Indifferenz der avignonischen Obedienz angeschlossen hatte, sofort zur anderen Obedienz übertrat, als das benachbarte *Kastilien* seine indifferente Haltung aufgab. Mit Ausnahme vom August 1382 bis 1385 gehörte Portugal so stets einer anderen Obedienz an als sein Nachbar. Ähnlich verhielt es sich in den engräumigen Herrschaftsgegensätzen an Rhein und Maas. Die Stadtterritorien von *Toul* und *Verdun* gehörten der römischen Obedienz an, weil das umliegende Fürstbistum sich der anderen Seite angeschlossen hatte; im Prinzip war es auch in *Straßburg* so, bis das Hochstift im Juli 1393 zur römischen Obedienz überging, wobei die Stadt aus wirtschaftlichen Gründen schon vorher faktische Neutralität praktiziert hatte. Da die Diözese *Chur* (ausgenommen die eidgenössischen Territorien) bis 1407 der avignonischen Obedienz anhing (bis 1388 allerdings umstritten), hatte sich die Abtei *Disentis* von Anfang an für den römischen Papst entschieden. Ebenso war die Obedienzzugehörigkeit von *Kleve, Mark* und der Abtei *Werden* gegen den Kölner Kurfürsten gerichtet.

Die unsichere Obedienzzugehörigkeit in *Wales* seit 1404 geht auf das Bemühen zurück, sich aus dem englischen Königreich zu lösen. Regelrechte Aufstände in der *Provence* spiegeln sich darin wider, daß von 1382 bis zum September 1387 die Städte Aix, Tarascon, Draguignan sowie Toulon (Nizza sogar bis 1396) und von 1399 bis 1402 die Orte Éguilles, Pélisanne, Les Pennes, Saint-Remy und Baux zur römischen Obedienz überwechselten. Ähnlich war es auch im *Kirchenstaat,* dessen Lokalgewalten in der anderen Obedienz ein Mittel sahen, sich der Herrschaft des römischen Papstes zu entziehen. Zu Anfang neigten hier der avignonischen Obedienz zu: Rom, Anagni, Cisterna, Marino, Montefiascone, Rocca di Papa und Veroli. Fest zur avignonischen Obedienz hingegen zählten bis 1386: Fermo, Marsico, Orvieto, Pesaro, Tagliacozzo und Valera; bis zum Mai 1387: Amelia, Bracciano, Montaltro di Castro, Narni, Nepi, Ronciglione, Soriano, Toscanella sowie Viterbo; und um 1390 kehrten zur avignonischen Obedienz zurück: Foligno, Montefiascone, Orvieto, Soriano, Tagliacozzo, Todi, Toscanella und Viterbo. Von ihnen hatten Montefiascone (1382–86) und Todi (1382–87) schon einmal dieser Obedienz angehört. Vorübergehend erkannten den avignonischen Papst noch an: Civitavecchia (bis nach 1387), Corneto – der Hafen von Tarquinia – (bis April 1384), Fondi (bis 10. März 1397 und 1399 – Anfang 1400), Preneste (bis 17. Mai 1397, 1400–1401 und 1405?), Spoleto (1383–90/91) und Terni (1383–87).

Ganz andere Motive indes hatten die sonderbaren Verhältnisse im heutigen Belgien. *Flandern* erklärte sich Dezember 1378/Mitte 1379 provisorisch für die römische Obedienz, bis ein Generalkonzil über das Schisma entscheiden werde. Das Gebiet der Jolante von Bar jedoch (Gravelines, Dünkirchen, Bourbourg, Poperinge, Cassel und Watten) fiel Dezember 1382 – 25. Mai 1383 (durch Eroberung in dieser Zeit auch der Küstenstreifen bis Nieupoort) vorübergehend und Ende 1383 endgültig an die avignonische Obedienz. Ihm folgten im Zuge der Herrschaftsübernahme durch Burgund die Städte Lille, Douai, Orchies im Frühjahr 1384 und Westflandern mit Ypres, Brugge und Sluis 1392. Antwerpen hingegen erklärte 1390 seine Neutralität, und im übrigen Flandern mußte der Herzog von Burgund die römische Obedienz tolerieren. Ähnlich eigenständig verhielten sich auch die Gemeinden in *Brabant* und *Hennegau.* Obwohl die Bischöfe von Cambrai und Tournai erklärte Anhänger des avignonischen Papstes waren und das Grafenhaus von Hennegau-Holland aus der wittelsbachischen Seitenlinie erst 1385/86 zur römischen Obedienz übertrat (es verlegte 1389 seine Residenz in den Haag), hatten sich die Städte Leuven und Mechelen von Anfang an für den römischen Papst erklärt; und die übrigen Städte achteten auf strikte Neutralität, die es den Bischöfen von Cambrai nicht erlaubte, ihre Ernennungsbullen zu verkünden, obwohl die Bevölkerung ihre Jurisdiktion anerkannte. Lediglich der zum Bistum Utrecht gehörende Randstreifen im nördlichen Brabant folgte der Obedienz des Diözesanbischofs.

Einen wirren Zustand wies auch das Bistum *Konstanz* auf infolge der Tatsache, daß sich sein mächtigster Landesherr, Herzog Leopold von Österreich (Steiermark, Kärnten, Tirol und Vorderösterreich), bis zu seinem Tode 1386 für die avignonische Obedienz entschieden hatte. Bis 1385 blieb die Obedienzzugehörigkeit einzelner Kirchen und Orte umstritten mit Ausnahme der Städte Zürich, Luzern und aller rechtsrheinischen Orte des Schwäbischen Städtebundes (nur Lindau und Ulm zählten von diesem Bund zur avignonischen Obedienz) sowie der Klöster Blaubeuren, S. Gallen und S. Georgen, die stets der römischen Obedienz anhingen. Nach 1386 traten dann zur römischen Obedienz über: die Städte Aarau (nach 1405), Baden (1406), Frauenfeld (nach 1407), Schaffhausen (nach 1396), Winterthur (nach 1396) und Zofingen (1397/1400); die Landstände Schwyz, Nidwalden und Uri (um 1387); die Klöster und Stifte Beromünster (um 1400), Kappel (um 1387), Muri (1402/1407), S. Blasien mit den Prioraten Gutnau, Sitzenkirch, Schönau, Berau und Wittnau (1402), S. Ulrich (nach 1392), S. Urban und Gnadenthal (vor 1396), Sulzburg (Ende 14. Jh.), Tennenbach, Günterstal und Wonnental (Ende 14. Jh.), Wagenhausen und Thorberg (?), Waldkirch (Ende 14. Jh.) und Wettingen (1387); der Archidiakonat Breisgau und das Dekanat Villingen sowie ein Teil des Klettgaues (um 1400) außer den im Breisgau liegenden Städten Freiburg und Neuenburg, die noch 1409 zur avignonischen Obedienz gehörten. Das Bistum *Basel* war ähnlich zerrissen. Die Stadt Basel verhielt sich so lange indifferent (bis 1382), bis das Hochstift zur römischen Obedienz überwechselte; dessen fürstbischöfliche Gebiete jedoch, die kirchlich zum Bistum Besançon (Pruntrut) und Lausanne (Biel) gehörten, verblieben wie ihr Diözesanbischof bei der avignonischen Obedienz. Der oberelsässische Teil des Bistums Basel wiederum war von der Haltung des Habsburgers Leopold bestimmt; die Städte Colmar und Mülhausen erkannten von Anfang an Urban VI. an, das Kloster Murbach hingegen erst seit 1386/87. Und im Rhônetal: das obere Wallis war seit jeher römischer Obedienz, Sitten selbst jedoch erst seit dem 15. Juli 1393.

Das Schisma konnte auf diese Weise landesherrschaftliche Schwächen bloßlegen. Das lusignanische Königshaus in *Zypern* war bis 1409 der avignonischen Obedienz verbunden, die Genuesen jedoch konnten die Insel aufgrund ihrer wirtschaftlichen Machtstellung zur Neutralität verpflichten. Beide Papstprätendenten ernannten Bischöfe, die sich in ihrem Sprengel dann durchsetzen mußten; infolgedessen dominierte in allen Bischofsstädten der Insel (mit Ausnahme von Paphus?) bis 1403 die römische Obedienz. Darauf ist auch die wirre Lage im südwestfranzösischen Raum zurückzuführen. Der Graf von *Foix* übte nach dem Vorbild der Krone Aragón bis 1387 Indifferenz; währenddessen blieben die beiden Bistümer Pamiers und Mirepoix durch ein Schisma zerrissen. Ebensowenig ließ sich im *englischen* Festlandbesitz die Haltung der Krone lückenlos durchsetzen. Bischöfliche Schismen durch Providierungen beider Päpste gab es in Bordeaux, Aire (seit 1386), Bayonne, Bazas, Dax (bis 1385 und seit 1391) und Agen (seit 1389). Ab 1406 dominierte in Aire die avignonische Obedienz und 1382/83–85 in Dax, die römische Obedienz hingegen nach 1384 in Bordeaux, bis 1405 in Bayonne und seit 1382/87 in Bazas. Schwächen zeigte die englische Herrschaft auch im westlichen *Irland;* die Bischofssitze Tuam, Kilmacduagh, Clonfert und Ardagh sind um 1380 als Anhänger des avignonischen Papstes nachweisbar, wie lange, muß allerdings offenbleiben.

Durchsetzen konnte sich auch nicht der König von *Aragón* auf den zu seiner Krone gehörenden Inseln *Sardinien* und *Sizilien.* Nur Cagliari war stets avignonischer Obedienz, aber schon die Zugehörigkeit von Terralba ist unsicher, während alle anderen sardinischen Bistümer der römischen Obedienz anhingen, unter ihnen Galtelli und S. Giusta allerdings erst seit ca. 1387 und Dolia seit 1390. Die sizilischen Bischöfe (und die Insel Malta) befanden sich ebenfalls in römischer Obedienz; Catania, Agrigento und Monreale machten hiervon nur in den Jahren 1395/96–1408 eine Ausnahme.

Das Königreich *Neapel* erklärte sich aus politischen Gründen bis zum 18. Mai 1379 und nochmals vom Oktober 1379 an für Clemens VII., bis es 1381/82 durch den Herrschaftswechsel der römischen Obedienz angeschlossen wurde. Doch vor 1382 schon wurde der römische Papst anerkannt an den Bischofssitzen: Alife, Chieti, Civitate, Lacedogna, Muro, Penne, Sant'Angelo und Termoli. Nur zögernd wechselten nach 1382 zur römischen Obedienz über die Sitze: Aquila, Bisaccia, Capua, Cassano, Marsi, Rossano, Sora und Taranto (alle vor 1386); Cosenza, Isernia, Monteverde, Nardò, Potenza und Strongoli (alle vor 1390); Acerenza, Anglona, Aquino, Bari, Belcastro, Caserta, Cerenza, Fiorentino, Lesina, Lucera, Santa Severina und Tricarico (alle nach 1390). Und der avignonischen Obedienz schlossen sich später (wieder) an die Sitze: Otranto (nach 1390); Cosenza (?), Isola, Reggio und Squillace (alle nach 1400). Von dieser rückläufigen Bewegung scheint auch *Durazzo* auf der anderen Seite der Adria erfaßt worden zu sein, das 1390–92 kurzfristig der avignonischen Obedienz angehörte, während seine Suffraganbistümer diesen Wechsel nicht mitmachten.

Auf einen Herrschaftswechsel ist auch die römische Obedienz in *Luxemburg* seit 1383 zurückzuführen, das sich 1400 aber wieder dem französischen Vorbild anschloß, bis 1403 den Status des Obedienzentzuges befolgte und dann mit Frankreich Papst Benedikt XIII. anerkannte. Durch französischen Herrschaftseinfluß entschied sich auch *Genua* um die Mitte des Jahres 1404 für die avignonische Obedienz, während der Bischofssitz von Ventimiglia ihr schon immer angehört hatte. Unsicherheiten herrschten überhaupt in den Frankreich benachbarten Grenzgebieten. *Asti* gehörte an sich der avignonischen Obedienz an, konnte jedoch vor 1382 und seit 1401 Einbrüche von römischer Seite nicht verhindern. Umgekehrt zählte *Tortona* zur römischen Obedienz mit Ausnahme der Jahre 1385–93. *Vercelli* wurde im Oktober 1404 auf die avignonische Seite herübergezogen. *Lüttich,* ebenfalls römischer Obedienz, schloß sich September/Oktober 1399 – Oktober 1404 dem Obedienzentzug an und etwas später kurzfristig (September 1406 – 23. September 1408) auch der avignonischen Obedienz. Im übrigen muß man sich hüten, allein von engeren politischen Beziehungen mit Frankreich auch auf einen Wechsel zur avignonischen Obedienz zu schließen, wenn keine anderweitigen Kriterien erkennbar sind. Das betrifft *Geldern* und *Jülich;* für die Markgrafschaft *Baden* (seit 1385) und *Württemberg* sind Beziehungen zur avignonischen Kurie nachweisbar, aber es ist fraglich, ob sie auch zu einer offiziellen Anerkennung geführt haben.

Kritisch konnte es dort werden, wo sich ein Bistum in den turbulenten Wochen vor der Wahl Clemens' VII. erledigte. Das war in *Lüttich* der Fall. Der Gewählte, Eustachius Persand von Rochefort, ersuchte in Rom um seine Bestätigung; Urban VI. aber transferierte den Utrechter Bischof Arnold von Horn nach Lüttich, weil die Gesandtschaft des Elekten Beziehungen mit den oppositionellen Kardinälen aufgenommen hatte. Das drohende Schisma – Eustachius holte sich seine Bestätigung jetzt in Avignon – wurde nur durch den mit kriegerischen Mitteln erzwungenen Einzug Arnolds in Lüttich am 11. Mai 1379 abgewendet. Ein Versuch der Clementisten, die im Hochstiftsgebiet nicht unbedeutend waren, ihn zu stürzen, mißglückte 1382; Lüttich hielt an der römischen Obedienz fest. Für den *Mainzer* Erzstuhl gab es in Ludwig von Meißen einen von Papst und Kaiser anerkannten Kandidaten und den *Speyrer* Bischof Adolf von Nassau, der, schon im Besitz des Bischofsstuhles, von Clemens VII. am 18. April 1379 mit Mainz providiert wurde. Speyer vergab Clemens an Adolfs Bruder Johannes. Nur durch die Entschädigung Ludwigs mit dem Magdeburger Erzstuhl und durch den Beitritt der Städte Köln, Mainz, Straßburg und Worms zum Frankfurter Bund konnte Erzbischof Adolf Anfang des Jahres 1381 zum Wechsel in die andere Obedienz veranlaßt werden. In Speyer hingegen blieb die Obedienz noch bis in den Beginn des Jahres 1390 umstritten.

Die Fronten, nachdem sie sich einmal eingespielt hatten, blieben bis 1409 also nicht absolut starr. Ein Wechsel von einer Obedienz zur anderen – wozu noch die Fürstentümer *Athen* (bis 1390 avignonisch) und *Achaia* sowie *Naxos* (bis 1388 vorwiegend avignonisch) zu zählen wären – war im weiteren Verlauf nicht ausgeschlossen. Abgesehen von den Beschlüssen auf der Iberischen Halbinsel, die Indifferenz zu beenden, d. h. zur Legitimität einer der beiden Päpste definitiv Stellung zu nehmen, handelte es sich jedoch nur um kleinräumige Veränderungen. Clemens VII. wußte das Expansionsbedürfnis der französischen Politik geschickt zu nutzen, Bonifaz IX. profitierte von der Angst der Italiener vor französischen und deutschen Eingriffen. Diese Abhängigkeit von den Interessengegensätzen der großen europäischen Politik hielt das Schisma eigentlich aufrecht. Sie spiegelt sich sogar noch in den Daten der Subtraktion wider, die eine Kirchenunion *via cessionis* erzwingen sollte. Der *französische* König entzog Benedikt am 28. Juli 1398 die Obedienz und hielt die Subtraktion bis zum 28./30. Mai 1403 aufrecht. Ihm folgten die ganz im Banne der französischen Politik stehenden Länder *Kastilien* (12. Dezember 1398 – 28. April 1403) und *Navarra* sowie das Herzogtum *Bar* und die Hochstifte *Toul* und *Verdun*. *Luxemburg* (1400-1403) und *Namur* (1399-1403) konnten sich dagegen erst etwas später zur Subtraktion entschließen; die *Provence* kehrte weit früher zur Obedienz zurück (30. September 1398 – Mai 1402), und die *Bretagne* (11. Februar 1400 – Mai 1403) wollte über eine nur partielle Subtraktion nicht hinausgehen. Eine solche beschloß auch König Siegmund von *Ungarn* (6. April 1404), der einzige im Bereich der römischen Obedienz, allerdings aus anderen Erwägungen.

Mit der 1409 ins Leben getretenen Konzilsobedienz entstand ein neues Bild, weil sich weite Gebiete dieser dritten Obedienz bis zur Beseitigung des Schismas anschlossen. Lediglich in *Sardinien* und *Sizilien* erfuhr die avignonische Obedienz einen Zuwachs, vermutlich auf energisches Betreiben des Königs von Aragón. Auf Sardinien wurde Benedikt XIII. seit 1410 in der Diözese Sulci anerkannt; seit 1412 in den Bistümern Ales und Suelli, und seit 1414 spätestens in den Diözesen Cagliari, Dolia, Galtelli, Oristano und Santa Giusta. Spätestens seit 1414 gehörte auch die ganze Insel Sizilien der avignonischen Obedienz an, das Bistum Catania nachweislich schon seit 1411. Auszunehmen von der Konzilsobedienz ist eine Reihe von Städten, die wie Brüssel ihre erklärte Neutralität fortsetzten oder denen die Obedienzzugehörigkeit gleichgültig geworden war, wie Frankfurt a. M., Ulm, Straßburg, Nürnberg, Augsburg, Windsheim, Schweinfurt, Weißenburg, Friedberg (Hessen), Gelnhausen und Gmünd.

Im Hinblick auf das Pisaner Konzil, das die Kirchenunion herbeiführen sollte, begannen die Fronten schon vorher einzubrechen. Den Anfang machte *Frankreich*, dessen König Karl VI. am 12. Januar 1408 seinem Papst die Bedingung stellte, das Königreich werde seine Neutralität erklären, wenn der Friede bis zum 24. Mai nicht hergestellt sei; die Erklärung erfolgte dann tatsächlich am 25. Mai. *England* ging nicht soweit, sondern folgte am 24. Juni 1408 mit einem partiellen Obedienzentzug. Von einer förmlichen Gehorsamsaufkündigung kann man im weiteren Verlauf ohnehin nicht sprechen, aber sie lag in der Anerkennung eines Kardinalskonzils, das von den beiden Papstprätendenten aus prinzipiellen Gründen abgelehnt wurde, im Grunde eingeschlossen. Die Entscheidung, wieweit ein solches Konzil überhaupt Aussicht auf Erfolg haben konnte, fiel in *Deutschland*.

Im September 1408 gelangte die Einladung zum Pisanum nach Deutschland. König Ruprecht suchte die Einheit des Reiches zu wahren, und seine Einstellung zur römischen Obedienz war bekannt. Wenzel von Böhmen, der abgesetzte römische König, sah hier nun eine Möglichkeit seiner Rehabilitierung. Am 26. November 1408 erklärte er sich zur Beschickung der Synode bereit, wenn das Konzil seine Gesandten als die des römischen Königs anerkennen würde, und sagte am 22. Januar 1409 Gregor seinen Gehorsam auf. Erzbischof Zbyněk von Prag und Bischof Johannes Bucca von Leitomischl lehnten sich gegen dieses allzu durchsichtige Manöver auf, wodurch der hussitische Konflikt in Böhmen noch verschärft wurde; Zbyněk mußte aber am 2. September 1409 auf Verlangen Wenzels im Einverständnis mit seinen Suffraganen Alexander V. anerkennen.

Im November 1408 erschien in Landulf Marramaldi von Bari ein bedeutender Vertreter der Pisaner Kardinäle in Deutschland. Der Markgraf von Baden, Herzog Friedrich von Österreich (Steiermark usw.) und der Bischof von Lüttich ließen sich im Dezember für das Konzil gewinnen. Der Mainzer Erzbischof Johann II. von Nassau war schon aus territorialpolitischen Gründen (Gegnerschaft zur benachbarten Kurpfalz) für das Pisanum eingenommen, verhielt sich äußerlich aber noch unentschieden, um auf einer Provinzialsynode am 8. Januar 1409 auch seine Suffraganbischöfe von der römischen Obedienz abziehen zu können. Gewonnen wurde jedoch nur der Kölner Kurfürst. Um dieselbe Zeit warb die Wiener Universität für das Konzil und überzeugte den Herzog von Österreich (ob und unter der Enns). Auf der anderen Seite fand der ebenfalls im Januar zusammentretende Fürstentag in Frankfurt nicht die Resonanz, die Ruprecht sich für seine Ziele erhofft hatte. Der Hochmeister des Deutschen Ordens (am 5. Februar), der Bischof von Brixen (am 25. März), der Graf von Holland (am 3. März), schließlich auch unabhängig davon das Königreich Polen (einschließlich des Bistums Posen!) und die Signorie Florenz ließen sich nicht davon abhalten, das bevorstehende Konzil ebenfalls zu begrüßen.

Wesentlich mehr Fürsten, als hier genannt, ließen sich tatsächlich auf dem Konzil durch Gesandte vertreten. Man darf annehmen, daß sie gleichfalls mit der vorgesehenen Konzilslösung einverstanden waren. Doch ist Vorsicht geboten, denn auch die Erzbischöfe von Prag und Magdeburg hatten Vertreter entsandt. Prag hielt an der römischen Obedienz aber noch länger fest; und vom Magdeburger Erzbischof ist bekannt, daß er zusammen mit den Bischöfen von Halberstadt, Hildesheim, Merseburg, Naumburg, Brandenburg und Havelberg den Konzilspapst erst am 16. Juni 1410 anerkannte. Hartnäckiger Verteidiger der römischen Obedienz in Deutschland war König Ruprecht. Während die Kurfürsten von Köln und Mainz am 16. Oktober 1409 ein Bündnis gegen jeden schlossen, der sie ihrer kirchlichen Haltung wegen angreifen werde, suchte Ruprecht am 4. März 1410 ein Gegenbündnis aufzurichten; der Landgraf von Hessen und die Herzöge von Braunschweig-Lüneburg (Braunschweig-Wolfenbüttel ausgenommen) und Braunschweig-Grubenhagen ließen sich verpflichten. Die Gegensätze trugen eindeutig territorialpolitischen Charakter; auf der einen Seite wurde Mainz eingekreist, und auf der anderen Seite entstand eine römisch orientierte Landbrücke von der Kurpfalz bis zur Oberpfalz (zu der wahrscheinlich auch die Burggrafschaft Nürnberg gehörte). Mit dem Tode Ruprechts (18. Mai 1410) brach jedoch diese Front zusammen. Der Bischof von Paderborn, der sich einer starken Konzilsanhängerschaft in seinem Bistum kaum erwehren konnte, war schon am 10. März 1410 zum Konzilspapst übergetreten, am 31. März auch der Bischof von Freising. Um die Mitte des Jahres 1410 folgten dann die Bischöfe von Verden (zusammen mit Lüneburg und Grubenhagen?), Würzburg, Bamberg und Eichstätt und vor dem 7. Januar 1411 auch der Bischof von Dorpat. Herzog Boguslaw von Pommern hatte sich auf dem Pisanum vertreten lassen; deshalb ist anzunehmen, daß sich von der Diözese Kammin nur das Hochstift zur römischen Obedienz weiterhin bekannte. Sein Bischof Nikolaus von Schiffenburg wurde jedoch als Anhänger Gregors von Alexander V. abgesetzt und an seiner Stelle am 14. März 1410 Magnus von Sachsen-Lauenburg mit dem Bistum providiert (von einem etwaigen bischöflichen Schisma ist nichts bekannt).

Auch im außerdeutschen Bereich der römischen Obedienz gab es teilweise nur zögernde Übertritte. *Venedig* erkannte den Konzilspapst erst am 21. August 1409 an. Ihm folgte einige Wochen später König Siegmund von *Ungarn*, hielt aber bis zur ersten Wahl zum römischen König an der partiellen Subtraktion fest. Die Markgrafschaft *Montferrat* entschloß sich 1412 (in Verbindung mit Neapel ?) zum Wechsel. Auf *Avignon* und die Grafschaft *Venaissin* verzichtete Benedikt XIII. im Oktober 1411; so lange hatte sich dort seine Obedienz wenigstens zum Teil noch halten können. Die Anerkennung im *Kirchenstaat* mußten sich Alexander und sein Nachfolger schrittweise erzwingen. Im September 1409 fielen an die Konzilsobedienz: Montefiascone, Orvieto, Tagliacozzo und Viterbo; Rom vollständig erst am 15. Februar 1410; 1412 die Städte: Ancona, Assisi, Fermo und Perugia und 1414 Cervia. Gregor XII. treu blieben lediglich die Bischofssitze: Fano, Fondi, Fossombrone, Jesi, Montefeltro, Pesaro, Recanati, Rimini, Senigallia und Urbino.

Was die kartographische Darstellung an großen Zügen für das Abendländische Schisma deutlich macht, ist der Zuwachs, den die Konzilsobedienz auch nach dem Pisanum noch erhielt. Territorialpolitische Gegensätze bestimmten am Ende bei weitem nicht mehr (nur noch Schottland gegen England, Cividale gegen den Patriarchen von Aquileja, Riga gegen den Deutschen Orden, Berg gegen Köln) wie vor 1409 die Obedienzzugehörigkeit. Der Grund dürfte in einer Obedienzmüdigkeit zu suchen sein; fehlte das Engagement für die Legitimität eines Papstes, dann verlor auch die Obedienz den Charakter einer Barriere. Auf diese Weise hat das Pisanum, auch wenn es sein Ziel nicht erreichen konnte, der Konstanzer Lösung weit stärker vorgearbeitet, als man gemeinhin anzunehmen geneigt ist. Es trägt zur Erklärung bei, daß das Konstanzer Einigungswerk nach so viel Anläufen überhaupt zustande kam.

Quellen: Mansi Bd XXVI und XXVII; Repertorium Germanicum Bd I–III; Deutsche Reichstagsakten Bd I–VI; Analecta Vaticano-Belgica VIII (Bruxelles – Roma 1924), XII (1930), XIII (1932); Monumenta Vaticana res gestas Bohemiae illustrantia V (1903–05); Dietrich von Niem, De schismate libri tres, ed. G. Erler (Leipzig 1890); E. Baluze – G. Mollat, Vitae paparum Avenionensium, Bd I–IV (Paris 1916–28); F. Ehrle, Neue Materialien zur Geschichte Peters von Luna: Archiv für Literatur und KG des Mittelalters 6 (1892), 7 (1900); ders., Martin de Alpartils chronica actitatorum temporibus domini Benedicti XIII (Paderborn 1906); J. Vincke, Schriftstücke zum Pisaner Konzil (Bonn 1942); H. Finke, Forschungen und Quellen zur Geschichte des Konstanzer Konzils (Paderborn 1889); ders., Acta Concilii Constanciensis, 4 Bde (Münster 1896–1928). – **Literatur**: N. Valois, La France et le grand schisme d'Occident, 4 Bde (Paris 1896–1902); K. Eubel, Die provisiones praelatorum während des Großen Schismas: Römische Quartalschrift 7 (1893) 405–446; E. Göller, Repertorium Germanicum I (Berlin 1916), ausführliche Einleitung, daraus die Angaben über die Obedienzzugehörigkeit bei A. Hauck, KG Deutschlands V/2 (Berlin–Leipzig ^{8}1954) 672–869; P. Stacul, Il cardinale Pileo da Prata (Roma 1957); A. Franzen – W. Müller, Das Konzil von Konstanz (Freiburg 1964). – **Spezialliteratur**: M. Seidlmayer, Die Anfänge des großen abendländischen Schismas (Münster 1940); W. Ullmann, The Origins of the Great Schism (London 1948); O. Přerovský, L'elezione di Urbano VI e l'insorgere dello scisma d'occidente (Roma 1960); M. de Bouard, La France et l'Italie au temps du grand schisme d'occident (Paris 1936); E. Göller, Sigismunds Kirchenpolitik vom Tode Bonifaz' IX. bis 1413 (Freiburg 1902); A. Cutolo, Re Ladislao d'Angiò-Durazzo, 2 Bde (Milano 1936); P. Brezzi, Lo scisma d'occidente come problema italiano: Archivio della Diputazione Romana di Storia Patria 67 (1944) 391–450; E. Perroy, L'Angleterre et le grand schisme d'occident. Étude sur la politique religieuse de l'Angleterre sous Richard II, 1378–1399 (Paris 1933); L. S. Fernández, Castilla, el cisma y la crisis conciliar 1378–1440 (Madrid 1960); J. Vincke, Die Krone von Aragón und das große abendländische Schisma: Staatl. Akademie zu Braunsberg, Personal- und Vorlesungsverzeichnis SS 1944; J. Zunzunegui, El reino de Navarra y su obispado de Pamplona durante la primera época del cisma de occidente (San Sebastián 1942); J. C. Baptista, Portugal e o cisma de occidente: Lusitania Sacra 1 (1956) 65–203; K. Schönenberger, Das Bistum Konstanz während des großen Schismas (Diss. Fribourg 1926); ders., Das Bistum Basel während des großen Schismas (Basel 1928); J. Rott, Le grand schisme d'occident et le diocèse de Strasbourg: Mélanges d'archéologie et d'histoire 52 (1935) 366–395; G. A. van Asseldonk, De Nederlanden en het western schisma tot 1398 (Diss. Nijmegen/Utrecht 1955); J. Paquet, Le schisme d'Occident à Louvain, Bruxelles et Anvers: Revue d'histoire ecclésiastique 59 (1964) 401–436; A. Gerlich, Die Anfänge des großen abendländischen Schismas und der Mainzer Bistumsstreit: Hessisches Jb. für Landesgeschichte 6 (1956) 25–76; ders., Die Kirchenpolitik des Erzbischofs Johann II. und des Domkapitels von Mainz, 1409–1417: Zschr. für die Gesch. des Oberrheins NF 105 (1957) 334–344; G. Mollat, L'application en France de la soustraction d'obédience à Benoît XIII jusqu'au concile de Pise: Revue du Moyen-âge latin 1 (1945) 149–163.

O. Engels

67: Die Reformen von Bursfelde, Kastl und Melk

Autor: J. Martin. Korrekturhinweise für Bursfelde gab P. Volk (vgl. auch unten).

Nach einer Periode des Niedergangs setzten im Benediktinerorden gegen Ende des 14. Jh. Reformen ein, die sich zunächst in Italien (S. Giustina in Padova, Subiaco) ausbreiteten und in der 1. Hälfte des 15. Jh. – vor allem durch die Vermittlung des Konstanzer Konzils und teilweise unter starkem Einsatz der Landesherren – auch im deutschsprachigen Raum Eingang fanden. Als Beispiele dieser Reformen sind in der Karte die von Bursfelde, Kastl und Melk dargestellt. Die zum Bursfelder Reformkreis gehörenden Männerklöster sind unschwer zu erfassen, weil Bursfelde eine regelrechte Kongregation gebildet hat und jährlich Generalkapitel (erstmals 1446) abgehalten wurden, die P. Volk (s. u.) bearbeitet hat. Für die zu Bursfelde gehörenden Nonnenklöster gibt es verschiedene ältere Listen, die von Ph. Hofmeister (s. u.) kritisch gesichtet wurden. – Wesentlich schwerer sind die Klöster zusammenzustellen, die dem Kastler und Melker Reformkreis angehörten. Beide Reformkreise brachten es zu keiner Kongregation, so daß man für die Entscheidung darüber, ob ein Kloster von einer der beiden Reformen erfaßt wurde, auf Kloster- und Bistumschroniken, erhaltene Visitationsrezesse u. ä. angewiesen ist. Abgesehen von der Lückenhaftigkeit dieses Materials, ist bisher auch noch nicht alles vorhandene Material aufgearbeitet worden. Für Kastl basiert die Karte auf den Forschungen von B. Wöhrmüller (s. u.). Für Melk gibt es keine zusammenfassende Arbeit – die in der Literatur gemachten Angaben widersprechen sich teilweise erheblich. Folgende Kriterien waren für die Zurechnung zum Melker Reformkreis ausschlaggebend:

1) Berichte über die Visitation eines Klosters im Sinne der Melker oder Tegernseer *consuetudines*;

2) Vorhandensein von Handschriften der Melker oder Tegernseer *consuetudines* in einem Kloster;

3) Einsetzung von Äbten, die aus reformierten Klöstern kamen, oder Beschickung eines neugegründeten Klosters mit Mönchen aus reformierten Klöstern.

Andere denkbare Kriterien, z. B. solche liturgiegeschichtlicher Art, konnten nicht benutzt werden, da die ihnen zugrunde liegenden Daten noch nicht genügend erforscht sind. – Die Frage, ob die Visitation eines Klosters im Melker Sinne dauerhaften Erfolg hatte oder nicht, blieb für die Zurechnung zum Melker Reformkreis unberücksichtigt – allerdings mit einer wichtigen Ausnahme: 1451/52 wurden die Klöster der Salzburger Kirchenprovinz im Auftrag des Kardinallegaten Nikolaus von Cues visitiert. Die Visitation geschah im Sinne der Melker Regel, die damit beabsichtigte Reform drang aber nicht durch. Die Visitationen der Jahre 1451/52 wurden deshalb *allgemein* nicht als Kriterium für die Zugehörigkeit zum Melker Reformkreis benutzt. – Insgesamt ist die Karte wegen der genannten Schwierigkeiten nur als vorläufiger Versuch einer Zusammenstellung der Melker Klöster zu betrachten.

Quellen u. Literatur: *Zu Bursfelde:* P. Volk, Die Generalkapitel der Bursfelder Kongregation (Münster 1928) (bes. 101 ff); Ph. Hofmeister, Liste der Nonnenklöster der Bursfelder Kongregation: SM 53 (1935) 77–102; Liste der Männerklöster der Bursfelder Kongregation, mit Lokalisierungsangaben zusammengestellt von K. Elm: Aus Kunst und Kultur im Weserraum 800–1600. Ausstellung des Landes Nordrhein-Westfalen, Bd I (Corvey 1966) 248–250; W. Ziegler, Die Bursfelder Kongregation in der Reformationszeit: Beitr. zur Geschichte des alten Mönchtums und des Benediktinerordens 29 (Münster 1968) (mit Karte). – *Zu Kastl:* B. Wöhrmüller, Beiträge zur Geschichte der Kastler Reform: SM 42 (1924) 10–40. – *Zu Melk:* I. Zibermayr, Johann Schlittpachers Aufzeichnungen als Visitator der Benediktinerklöster der Salzburger Kirchenprovinz: Mitt. des Inst. für Östr. Gesch.forschung 30 (1909) 258–279; ders., Die Legation des Kardinals Nikolaus Cusanus und die Ordensreform in der Kirchenprovinz Salzburg: Reformationsgeschichtl. Studien und Texte 29 (1914); ders., Die Reform von Melk: SM 39 (1918) 171–174; G. Steinhäuser, Die Klosterpolitik der Grafen von Württemberg bis Ende des 15. Jh.: ebd. 34 (1913) 1–62 201–242; J. Heldwein, Klöster Bayerns am Ausgang des Mittelalters (München 1913); J. Zeller, Beiträge zur Geschichte der Melker Reform im Bistum Augsburg: Archiv für die Geschichte des Hochstifts Augsburg 5 (1916); F. X. Thoma, Petrus von Rosenheim O.S.B.: SM 45 (1927) 94–222; R. Bauerreiß, Kirchengeschichte Bayerns I–V (S. Ottilien 1949–55); J. Hemmerle, Die Benediktinerklöster in Bayern (München 1951); H. Tüchle, Kirchengeschichte Schwabens II (Stuttgart 1954) 187 ff; G. Spahr: Weingarten 1056–1956 (Weingarten 1956) 58–86; ders., Die Reform im Kloster S. Gallen: Schr. des Vereins für die Geschichte des Bodensees 76 (1958) 1–62; K. Schreiner, Sozial- und standesgeschichtl. Untersuchungen zu den Benediktinerkonventen im östl. Schwarzwald: Veröff. der Kommission für geschichtl. Landeskunde in Baden-Württemberg Reihe B, Bd 31 (Stuttgart 1964) 75 ff; R. Bauerreiß, Ottobeuren und die klösterlichen Reformen: Ottobeuren – Festschr. zur 1200-Jahrfeier der Abtei, hrsg. v. Ae. Kolb – H. Tüchle (Augsburg 1964) 73–109; J. Angerer, Die Bräuche der Abtei Tegernsee unter Abt Kaspar Ayndorffer (Augsburg 1968); briefliche Mitteilungen von Herrn J. Angerer zum Vorhandensein von Handschriften der Melker *consuetudines* in verschiedenen Klöstern.

J. Martin

68 A: Die Klöster des Kapitels von Windesheim

Autor: H. Rüthing

Die älteste Liste der Klöster, die das 1394/95 konstituierte „Kapitel von Windesheim" bildeten, bietet Johannes Busch († 1479) in seinem *Chronicon Windeshemense.* Diese Liste gibt den Stand des Jahres 1464 wieder und nennt 68 Männer- und 13 Frauenklöster. Die nächste und wichtigste Zusammenstellung der dem Windesheimer Kapitel zugehörigen Konvente kann trotz eines Fehlers (Reimerswaal ist vergessen worden) als authentisch gelten: im Jahre 1530 ließ das Generalkapitel – wohl als Reaktion auf den Verlust der ersten Häuser durch die Reformation – einen vollständigen, zum Druck bestimmten Katalog aller Konvente zusammenstellen, die je dem Windesheimer Kapitel angehört hatten (83 Männer- und 13 Frauenklöster). Alle späteren Listen, die von Acquoy (s. u.) genannt werden, gehen auf diese beiden Kataloge, die der Karte zugrunde liegen, zurück. In diesen Katalogen sind – wie in der Karte – nur die Konvente aufgeführt, die dem Windesheimer Kapitel als ordentliche Mitglieder beigetreten sind und voll der Jurisdiktion des Generalkapitels unterlagen. Die zahlreichen Klöster, die auf andere Weise mit Windesheim oder mit Windesheimer Häusern in Verbindung standen, sei es durch Visitationen und Reform (wie viele der von Johannes Busch reformierten Klöster), sei es durch Übernahme der Windesheimer Statuten oder Teile derselben (wie z. B. das Kapitel von Sion), sei es durch Gebetsverbrüderungen o. ä., sind nicht berücksichtigt. Die Beziehungen dieser Klöster zu Windesheim sind im einzelnen so differenziert, daß sie sich kartographisch kaum fassen lassen. Das gilt besonders für viele Augustinerinnenklöster, die in enger Verbindung zu Windesheim standen (z. B. S. Agnes in Gent), aber nicht vollberechtigte Mitglieder des Windesheimer Kapitels werden konnten, da seit 1431 ein – allerdings nicht strikt eingehaltener – Beschluß des Generalkapitels die Aufnahme von Frauenkonventen untersagte. – Das Windesheimer Kapitel weitete sich durch Reform und Aufnahme bereits bestehender Konvente (vgl. dazu Karte 50) und durch Neugründungen aus. Die fast vollständige Aufnahme von zwei anderen Kapiteln, dem Groenendaaler Kapitel (1412) und dem Neußer Kapitel (1430), ist als Beleg für die starke Anziehungskraft des Windesheimer Kapitels verzeichnet. Als „Neugründungen" sind hier nicht nur die Häuser gekennzeichnet, die unmittelbar vom Windesheimer Kapitel initiiert wurden, sondern auch die Konvente, bei denen die Absicht der Stifter erkennbar ist, ihre Gründung Windesheim anzugliedern.

Die Karte gibt bis auf die erst im 17. Jh. offiziell in das Windesheimer Kapitel aufgenommenen Konvente Oostmalle, Grauhof, Halberstadt, Heiningen und Dorstadt den Stand des Jahres 1511 wieder.

Quellen und Literatur: Des Augustinerpropstes Iohannes Busch Chronicon Windeshemense und Liber de reformatione monasteriorum, hrsg. von K. Grube: Geschichtsquellen der Provinz Sachsen und angrenzender Gebiete 19 (Halle 1886) 367-370; Acta Capituli Windeshemensis, hrsg. von S. van der Woude: Kerkhistorische Studien 6 ('s-Gravenhage 1953) 132–137. – J. G. R. Acquoy, Het klooster te Windesheim en zijn invloed, 3 Bde (Utrecht 1875–1880), bes. Bd III. – *Schon vorhandene Karten:* R. R. Post, The Modern Devotion (Leiden 1968), am Schluß des Buches (Karte von H. F. J. Lansink). – Von den lokalen Karten ist wichtig: Geschiedkundige Atlas van Nederland, Bd I ('s-Gravenhage 1913–32) Bl. 81.

H. Rüthing

Nachtrag: Monasticon Windeshemense, hrsg. von W. Kohl – E. Persoons – A. G. Weiler, 4 Bde (Brüssel 1976–84).

68B: Die Brüder vom gemeinsamen Leben

Autor: H. Rüthing

Die von Geert Groote († 1384) und Florens Radewijns († 1400) initiierte Bewegung der Brüder vom gemeinsamen Leben brachte es trotz mancher Versuche und trotz z. T. enger Verbindung der Brüderhäuser untereinander zu keinem geschlossenen Verband mit zentraler Leitung und Verwaltung. Daher fehlt es auch an einer mittelalterlichen oder frühneuzeitlichen Zusammenstellung aller Niederlassungen der Brüder. Die Geschichte der Brüder vom gemeinsamen Leben ist jedoch so gut erforscht, daß sich anhand der zerstreuten Quellen und der modernen Untersuchungen eine Karte ihrer Gründungen mit einer relativ geringen Fehlerquote herstellen läßt, auch wenn in einigen wenigen Fällen Zweifel bestehen können, ob von einem Bruderhaus im strikten Sinn die Rede sein kann (z. B. Beverwijk, aber auch Tübingen). Diese Zweifel rühren z. T. daher, daß die einzelnen Häuser wegen ihres kirchenrechtlich ungesicherten Status sehr unterschiedliche Verfassungen und Lebensordnungen *(consuetudines)* haben konnten; in Deutschland z. B. erreichten zahlreiche Niederlassungen der gelübdelos lebenden Brüder den Status eines Kollegiatstifts. In die Karte sind alle jene Orte aufgenommen, wo die Brüder ein Haus errichteten oder bei denen ihre Absicht deutlich wird, eine Niederlassung zu gründen, auch wenn diese nicht zustande kam, schon bald nach ihrer Errichtung zugrunde ging oder – um eine kirchenrechtlich gesicherte Stellung zu gewinnen – sich einer Ordensgemeinschaft anschloß. – Die Versuche, die einzelnen Häuser zu generalkapitelähnlichen Gruppen zusammenzuschließen, sind verzeichnet, soweit das die Quellen gestatteten (Münstersches Kolloquium, seit 1431; das sog. Oberdeutsche Generalkapitel, Vorformen seit 1471; die älteste Einrichtung dieser Art, das Zwollesche Kolloquium, das vermutlich die meisten niederländischen Häuser umfaßte, konnte wegen der nur spärlichen Nachrichten über diese Institution nicht aufgeschlüsselt werden). – Da die Brüder vom gemeinsamen Leben neben ihrer Schreibtätigkeit, die sich in fast allen Häusern nachweisen läßt, besonders durch die Betreuung von Jugendlichen und Schülern über ihren eigenen Kreis hinaus Bedeutung erlangten, ist jede nachweisbare Form einer erzieherischen Tätigkeit vermerkt; sei es, daß die Brüder selbst Schulen unterhielten oder an öffentlichen Schulen lehrten (beides war seltener, als gemeinhin angenommen wird), sei es, daß sie Bursen, Internate o. ä. (in den Niederlanden meist *domus pauperum* genannt) errichteten, sei es, daß sie Schüler in ihr eigenes Haus aufnahmen.

Der Versuch, auch die Häuser der Schwestern vom gemeinsamen Leben in die Karte aufzunehmen, mußte scheitern. Seit der 2. Hälfte des 14. Jh. schossen – zumal in den Niederlanden – Schwesternhäuser wie Pilze aus dem Boden. Da jedoch die moderne Literatur die Schwestern vom gemeinsamen Leben bisher sträflich vernachlässigt hat, ist es bei den überaus spärlichen Quellen vorerst in den meisten Fällen unmöglich, zu entscheiden, ob es sich bei einer der zahlreichen Vereinigungen frommer Frauen im strengen Sinn um ein Haus der Schwestern vom gemeinsamen Leben handelt. Die Angaben über die Zahl der Schwesternhäuser schwanken zwischen 32 und weit über 100. Es bedarf noch zahlreicher lokalgeschichtlicher Untersuchungen, ehe eine auch nur annähernd korrekte Karte der Schwestern vom gemeinsamen Leben erarbeitet werden kann.

Quellen und Literatur: Neben zahlreichen lokalen mittelalterlichen Quellen wurden vor allem herangezogen: Jacobus Traiecti alias de Voecht, Narratio de inchoatione domus clericorum in Zwollis, hrsg. von M. Schoengen: Werken uitgegeven door het Historisch Genootschap gevestigd te Utrecht Ser. 3, 13 (Amsterdam 1908); Annalen und Akten der Brüder des gemeinsamen Lebens im Lüchtenhofe zu Hildesheim, hrsg. von R. Doebner: Quellen und Darstellungen zur Geschichte Niedersachsens 9 (Hannover 1903) (enthält u. a. Protokolle des Münsterschen Kolloquiums). – An modernen Darstellungen wurden u. a. konsultiert: M. Schoengen, Monasticon Batavum 2. De Augustijnsche Orden (Amsterdam 1941); B. Windeck, Die Anfänge der Brüder vom gemeinsamen Leben in Deutschland (masch. phil. Diss., Bonn 1951); I. Crusius, Die Brüder vom gemeinsamen Leben in Deutschland (masch. phil. Diss., Göttingen 1961); R. R. Post, The Modern Devotion (Leiden 1968); E. Persoons, De Broeders von het Gemene Leven in Belgie: Ons Geestelijk Erf 43 (1969) S. 3–30.– *Schon vorhandene Karten:* Deutscher Kulturatlas II (Berlin o. J.) Bl. 43 (128) (H. Volz); Post (s. o.) am Schluß des Buches (Karte von H. F. J. Lansink). – Von den lokalen Karten ist wichtig: Geschiedkundige Atlas van Nederland, Bd. I ('s-Gravenhage 1913–32) Bl. 81.

H. Rüthing

Nachtrag: Monasticon Fratrum Vitae Communis, hrsg. von W. Leesch – E. Persoons – A. G. Weiler, bisher 2 Bde (Brüssel 1977–79).

69A: Die hussitischen Städtebünde 1421 und 1427

Autor: Die Karte wurde zusammengestellt nach den unten genannten Untersuchungen und Vorlagen.

Bereits kurz nach dem Tode des Jan Hus (6. 7. 1415) bildeten sich in seiner böhmischen Anhängerschaft verschiedene Richtungen aus. Dabei handelte es sich jedoch keineswegs um feste Denominationen. Die Skala der politischen und religiösen Auffassungen war breit (sie reichte von gemäßigten utraquistischen Monarchisten bis zu sozialrevolutionären Chiliasten); die Grenzen zwischen den einzelnen Gruppierungen waren dauernd im Fluß. Eine Kartierung der sich ständig wandelnden Strömungen ist deshalb kaum möglich. Einen – sicher nur unvollkommenen – Ersatz kann ein Überblick über die sich seit 1420 herausbildenden Städtebünde bieten. Unvollkommen ist der Ersatz vor allem aus zwei Gründen: 1. kamen die Städtebünde nicht durch einen planvollen und freien, vornehmlich religiös motivierten Zusammenschluß der einzelnen Mitglieder zustande. Viele Städte wurden durch militärische Maßnahmen zu einem mehr oder weniger festen Anschluß an eine der beiden Hauptrichtungen, die durch das „gemäßigte" Prag und durch das „radikale" Tabor repräsentiert wurden, gezwungen (der mit den Taboriten verbündete Städtebund der Orebiten oder Waisen trat erst später hinzu); 2. vollzogen sich in den politischen wie in den religiösen Auffassungen der Prager und der Taboriten einige Wandlungen. Die Taboriten des Jahres 1420 unterscheiden sich von denen der folgenden Jahre in zahlreichen Punkten. Dennoch bleiben wichtige religiöse und theologische Anschauungen der Prager und der Taboriten seit 1421 unverändert. Während die Prager Richtung glaubte, trotz der in den „Vier Prager Artikeln" 1420 niedergelegten Forderungen nach Laienkelch, Freiheit der Predigt, Priesterarmut und „Bestrafung der Todsünden" einen endgültigen Bruch mit der Kirche vermeiden zu können, waren die teilweise stark von Endzeitvorstellungen geprägten theologischen – die sozialen bleiben hier außer acht – Anschauungen der militanteren Taboriten über Kirche, Amt, Sakramente, Liturgie, Gebet usw. mit der Lehre der römischen Kirche unvereinbar. Da die politischen Häupter der zeitweise blutig verfeindeten Bünde, Prag und das 1420 gegründete Tabor, zugleich die beiden bedeutendsten Vororte des Versuchs waren, das politische, soziale und religiöse Programm des Hussitismus auch theoretisch zu formulieren, kann die Zugehörigkeit der wichtigsten nichtkatholischen Städte Böhmens zum Bund der Prager oder der Taboriten – bei aller gebotenen Vorsicht – als Indikator für die Verbreitung der beiden religiösen Hauptströmungen des Hussitismus dienen. Dabei darf nicht verschwiegen werden, daß die Veränderungen in den Städtebünden zwischen 1421 und 1427 weitgehend von politischen und militärischen Faktoren bestimmt wurden.

Literatur: (Auswahl): S. Binder, Die Hegemonie der Prager im Hussitenkriege, 2 Bde (Prag 1901–03); J. Macek, Die hussitische revolutionäre Bewegung (Berlin 1958); F. Seibt, Hussitica. Zur Struktur einer Revolution (Köln – Graz 1965); H. Kaminsky, A History of the Hussite Revolution (Berkeley – Los Angeles 1967); Hdb. der Geschichte der böhmischen Länder, Bd 1, hrsg. von K. Bosl (Stuttgart 1967) (Beitrag von F. Seibt). – *Schon vorhandene Karten:* (Auswahl): Macek (s. o.) am Schluß des Bandes; Školni Atlas Československých Dějin (Praha 1959) 10 b; Kaminsky (s. o.) Tafel 10 und 11.

H. Rüthing

69B: Die Lollarden

Autor: M. D. Lambert

Die Informationen der Karte stammen aus dem Buch von J. A. F. Thomson (vgl. unten), dessen Zeitskala jedoch leicht modifiziert wurde. Die Karte will das Lollardentum darstellen, das nach der Katastrophe der Oldcastle-Revolte im Untergrund überlebte. Verfolgungen wegen Teilnahme an der Revolte wurden ebensowenig berücksichtigt wie Gerichtsverfahren wegen Häresie, die unmittelbar nach der Revolte gegen Nichtteilnehmer angestrengt wurden und sich hauptsächlich mit vor 1414 begangenen Vergehen beschäftigten. Die Herkunftsorte der Teilnehmer an den Aufständen von 1414 und 1431 sind in der Karte gesondert markiert. Terminus ad quem der Karte ist 1522: nach diesem Datum wird es schwierig, mit einiger Sicherheit zwischen Lollarden und den neuen „Häresien" zu unterscheiden, die vom Kontinent kamen.

Die Arbeit von J. Fines (vgl. unten) wurde zur Ergänzung von Thomson herangezogen, vor allem im Hinblick auf die Verfolgungen in der Diözese Norwich 1428 und in den Chilterns 1462–64 und 1521–22. In den Fällen, in denen die genauen Daten der Gerichtsverhandlungen gegen Häresieverdächtige unbekannt sind, wurden Schemadaten eingeführt: 1464 für die früheren, 1521 für die letzten Chilterns-Verfolgungen. Zwei Karten, die die Verbreitung der 1428 in East Anglia und 1521–22 in den Chilterns entdeckten Häresie zeigen und deren Informationen für die vorliegende Karte benutzt wurden, finden sich in der Arbeit von Fines gegenüber S. 60 und 167.

Die von Thomson und, wenn möglich, von Fines aufgeführten Orte, in denen Häretiker entdeckt und verfolgt wurden, sind in drei Kategorien eingeteilt worden. Die erste Kategorie betrifft Fälle, in denen die angebliche Häresie von vornherein nur Antiklerikalismus u. ä. ohne jede dogmatische Basis zu beinhalten scheint – sie wurde in der Karte nicht berücksichtigt. Die zweite Kategorie umfaßt Anklagen wegen Besitzes verdächtiger englischer Bücher. Orte, in denen Häretiker mit solchen Büchern entdeckt wurden, sind in der Karte rot unterstrichen (falls bei einem Ort mehr als ein Verfolgungsdatum genannt ist, sind auch die in Frage kommenden Daten unterstrichen). Der Besitz von Büchern bietet ein wenn auch nicht absolut schlüssiges, so doch objektives Kriterium für das Vorhandensein von Lollarden (im Gegensatz zu spontaner Häresie oder Antiklerikalismus). Eine dritte Kategorie schließlich betrifft Orte, in denen Häretiker entdeckt und vor Gericht gezogen wurden, bei den Verhandlungen aber englische Bücher nicht erwähnt werden. In einigen dieser Fälle gibt es andere klare Anzeichen für Lollardismus, wie z. B. Äußerungen der Verehrung für Wyclif oder Beweise für Verbindungen mit gut bekannten lollardischen Missionaren, wie William White oder James Willis. In anderen Fällen erlaubt die Kargheit der verfügbaren Informationen keine Sicherheit: die Indizien sprechen jedoch eher für Häresie als für Antiklerikalismus.

Die Karte tendiert dazu, die Ausbreitung der Häresie eher zu unterals zu überschätzen. Sie berücksichtigt nur Fälle, die vor Gericht kamen. Gelegentliche Hinweise zeigen, daß es noch weitere Gerichtsverfahren gab, von denen wir nichts wissen, und daß Häretiker auch der gerichtlichen Verfolgung entschlüpfen konnten. Daneben gab es häretische Ausbrüche, die nicht datiert werden können und deshalb beiseite gelassen wurden.

Die Daten der Karte beziehen sich auf die Gerichtsverhandlungen gegen Verdächtige. Die eingetragenen Orte sind normalerweise die, in denen ein Angeklagter zur Zeit der Verfolgung lebte. Bei Zeugnissen, die sich nur auf die Diözese beziehen, in der ein Verdächtiger vor Gericht kam, ist das Datum durch ein Sternchen gekennzeichnet. Besondere Probleme bietet London: es ist nicht immer möglich, zu entscheiden, ob Verdächtige aus der Stadt oder einem anderen Teil der Diözese kamen oder ob sie in Englands größter Stadt Schutz suchten, nachdem sie sich anderswo verdächtig gemacht hatten.

In die Karte konnten aus Raumgründen nicht alle Daten für gerichtliche Verfolgungen eingetragen werden. Orte, für die mehrere Zeugnisse vorliegen, werden deshalb in der folgenden Liste mit den entsprechenden Daten noch einmal aufgeführt. Fett gesetzte Daten beziehen sich auf Verfolgungen wegen Besitzes englischer Bücher.

Quellen und Literatur: J. A. F. Thomson, The Later Lollards 1414–1520 (Oxford 1965); J. Fines, Studies in the Lollard Heresy (Ph. D. thesis, University of Sheffield 1964).

M. D. Lambert

Zu 69B: Die Lollarden

Amersham	1464	1511	1521	
Benenden	1425	1511		
Bristol	1420	1423	1429*	1441
		1448	1476	1499
Canterbury	1469	1498	1511	
Chesham	1428	1464	1521	
Colchester	**1428**	1458	1511	1518
		1521		
Coventry	1424–5	**1486**	1489	**1511**
		1520	1522	
Henley	**1462**	1464	1521	
Hinton	1476	1486		
Hungerford	**1505**	1521		
Lincoln	**1420–31**	1428*		
London	**1415**	1417	1418	1421–2
		1428	1430	1433
		1438	1440	1448
		c. 1450–6	1476	1482
		1494	1496	1499
		1500	1508	**1509**
		1511	1512	**1518**
		1521		
Lydney	1470	**1472**	c. 1499	
Maidstone	1495	c. 1499	**1511**	
Newbury	**1491**	c. 1502	**1504**	1521
Reading	1416	1499	1508	1521
Rolvenden	1425	1511		
Salisbury	1479*	c. 1504*	1518*	
Steventon	**1428**	1464	1491	1521
Tenterden	1422	1425	1428	1438
		1450	**1511**	
Wells	1476*	**1491***	1501	
Winchester	1428*	1454*	1491*	
Windsor	1502	1521		
Wittersham	1428	**1431**	1455	

Zu den Eintragungen der Karte sind noch folgende Orte zu ergänzen

Burnham Abbey	1521	Stockenchurch	1464	Wrington	1476
Hedgerley	1428	Turville	1454		

Turville ist auch Herkunftsort von Teilnehmern am Aufstand 1414.

70: Observanten-Kongregationen der Augustiner und Dominikaner am Beginn des 16. Jahrhunderts

Autoren: für Augustiner: *B. A. L. van Luijk,* für Dominikaner *M. Lohrum*

Zu den Augustinern: Der 1210–56 entstandene Augustiner-Orden (O. E. S. A.) hatte nach der Unierung (1256) drei Hauptrichtungen, die sich im Laufe des 14. Jh. in einen Konventualen- und einen Observantenzweig entwickelten. Die ersten Observantengruppen entstanden etwa gleichzeitig in verschiedenen Gegenden. Zwischen der Entstehung (im folgenden = 1. Jahreszahl) und der Bestätigung haben im Laufe des 14. und 15. Jh. Unierungsversuche stattgefunden, die fehlschlugen (im folgenden = 2. Jahreszahl).

Die Kongregation von Lecceto *(Ilicetana - Senensis - Tusciae - Etruriae congregatio)* (1380/1449) verstärkte das seelsorgerische Leben im Hinterland und in städtischen Randgebieten (ein allen Kongregationen gemeinsamer Charakterzug). Dazu belebten die Mitglieder die persönliche Armut und lehnten lange Zeit den Magistertitel ab. Wie in allen Kongregationen war die Anzahl der zugehörenden Konvente ziemlich fluktuierend wie auch die Bindung an den Orden und den Priorgeneral. – Die Carbonari *(Congregatio S. Johannis a [de] Carbonaria* oder *Neapolitana)* (1390/1449) übernahmen das Lecceto-Ideal, wie auch die Lombarden *(Congregatio Insubrica* oder *S. Marci)* (1397/1439), die sich sehr unabhängig vom Orden entfalteten und fast wie die Konventualen lebten. Dadurch kam es in dieser zahlenmäßig stärksten, weit ausgedehnten Kongregation zu Zwiespalt, und es entstand die Kongregation von Genua *(Januensis - S. Mariae Consolationis - Baptistinorum)* (1471), die gute Beziehungen zu den Konventualen und den Generaloberen des Ordens hatte. In Rom entstand eine Observanzbewegung, die ihren Sitz nach Perugia verlegte (1430/1439) und nur lokalen Einfluß ausübte *(Congregatio Perusina* oder *Apruntina)*. – In der Dogenrepublik Venedig entwickelten sich die Observanten von Mont'Ortone (1436), die in den Dorfkirchen, welche sie bedienten, fast keine Spuren hinterlassen haben. Ihr Ideal wurde später in Dalmatien übernommen (1511). – In Süditalien formierte sich die Kongregation von Deliceto *(Dulcetana* oder *Apulia congregatio)* (1505/1519) mit am Anfang nicht den Ordenskonstitutionen entsprechenden Gewohnheiten.

Auf Anregung des Andreas Proles entstand in den deutschen Ländern eine Observanz *(Congregatio Saxoniae - Alemaniae)* (1385/1438), die viele Streitigkeiten hervorrief, in Lebensweise und -haltung mit der Lombardischen Kongregation übereinstimmte und zu ihren Mitgliedern Martin Luther zählte. Die Anzahl der zugehörenden Konvente war stark fluktuierend.

Quellen und Literatur: A. Lubin, Orbis Augustinianus sive conventuum O.E.S.A. chorographica et topographica descriptio (Parisiis 1659); Th. Kolde, Die Deutsche Augustiner-Congregation und Johann von Staupitz (Gotha 1879); St. Augustin zur Jahrhundertfeier dargeboten von der Deutschen Provinz der Augustiner-Eremiten (Würzburg 1930) 156–173; A. Zumkeller, Martin Luther und sein Orden: Analecta Augustiniana 25 (Rom 1962) 254–290; B. A. L. van Luijk, L'Ordine agostiniano e la riforma monastica: Augustiniana 19 (1969) 349–383 (mit reichen Lit.-Angaben in den Appendices); ders., Atlas augustinien du XIIIe au XIXe siècle (in Vorbereitung); A. Kunzelmann, Geschichte der Deutschen Augustiner-Eremiten, 2. Tl.: Augustiniana (in Vorbereitung).

B. A. L. van Luijk OSA

Zu den Dominikanern: Die Ordensreform wurde von dem Ordensgeneral Raimund von Capua (1380–99) eingeleitet. Sie ging hauptsächlich aus von Colmar, wo Konrad von Preußen 1389 die Observanz eingeführt hatte, und von Venedig, S. Dominikus, 1390 durch Johannes Dominici reformiert. Die Observanzkonvente erhielten Generalvikare. Diese Konvente schlossen sich auch teilweise in Kongregationen zusammen. Bis 1500 entstanden folgende Observanzkongregationen: Lombardia, Hollandia, Tuscia, S. Marci, Francia, Ragusina, Hispania, Aragonia, Portugallia. Als erste Provinz trat die Teutonia 1475 zur Reform über. Die Konventualen schlossen sich zur *Congregatio Germaniae Superioris* zusammen, die mit Fortschritt der Reform immer mehr Konvente verlor.

Es werden hier nur die beiden bedeutendsten Kongregationen, die lombardische und die holländische, aufgeführt, dazu die Reform der Teutonia.

Quellen und Literatur: Analecta Sacri Ordinis Praedicatorum I, II, IV; Quellen und Forschungen zur Geschichte des Dominikanerordens in Deutschland (Leipzig 1907ff), Bd I–IV, XIV, XXVI; A. de Meyer, La congrégation de Hollande 1465–1515 (Liège 1947); A. Walz, Compendium Historiae Ordinis Praedicatorum (Romae [2]1948); B. Hübscher, Die deutsche Predigerkongregation 1517–1520 (Freiburg/Schweiz 1953).

M. Lohrum

71: Die römisch-katholische Kirche um 1500

Autor: J. Martin

Die Karte baut auf den gleichen Prinzipien auf wie Karte 32 (vgl. den Kommentar dazu): das gegenüber dem Stand von 1000 Konstante erscheint in Schwarz, die Veränderungen werden in der Zweitfarbe dargestellt. Bei Vereinigungen von Erzbistümern sind, anders als bei Bistumsunionen, beide Partner der Vereinigung genannt (z. B. Matera und Acerenza).

In Süditalien, Sizilien, Jugoslawien und Albanien sind die Bistümer, die um 1000 noch zur griechischen Kirche gehörten (vgl. Karte 30) und später zu Rom kamen, nicht als Neugründungen notiert. – Die große Zahl der Neugründungen in Irland ergibt sich daraus, daß im 12. Jh. die irische Kirche umorganisiert, d. h. die Diözesanorganisation eingeführt wurde. An den Orten der neuen Bistümer bestanden durchweg schon vor 1000 Klosterkirchen.

Die in Spanien und Portugal als neu eingetragenen Bistümer haben zum großen Teil eine auf die Antike oder die Westgotenzeit zurückreichende Tradition (vgl. Karte 22). Da diese jedoch durch die Herrschaft des Islam lange unterbrochen wurde und die meisten Bistümer um 1000 nicht bestanden, werden sie in der Karte als Neugründungen geführt (vgl. Karte 60B).

Die neuen Bistümer in Südfrankreich gehen auf die Neuordnung von 1317 zurück, die Bistümer Ungarns wurden zum großen Teil bald nach 1000 gegründet (vgl. Karte 44), die des Baltikums entstanden im 13. Jh. (vgl. Karte 62).

Während für die Zeit um 1000 nicht genügend genaue Unterlagen vorhanden waren, um die Grenzen der Kirchenprovinzen in die Karte 32 einzutragen, ist die Situation für das Jahr 1500 besser. Die Grenzen wurden aus den entsprechenden Karten des LThK übernommen; ihre Kenntnis beruht vor allem auf päpstlichen Errichtungs- und Circumskriptionsbullen, Papstbriefen sowie urkundlichem Material der Diözesen. – Aus Platzgründen war es nicht möglich, in Italien alle exemten Gebiete einzutragen.

Quellen und Literatur: Vgl. das im Kommentar zur Karte 32 Genannte, ferner die Kommentare zu den Karten 44, 60B und 62; C. Eubel, Hierarchia Catholica medii aevi I–III (Münster [2]1913–23).

J. Martin

72: Der Islam (das Osmanische Reich) vom 13.–17. Jahrhundert

Autor: Die Karte wurde zusammengestellt aus mehreren Karten des Atlas of Islamic History, compiled by H. W. Hazard and H. L. Cooke, Jr.: Princeton Oriental Studies 12 (Copyright 1951 by Princeton University Press).

Während Karte 43 den Islam bis zum Beginn der Kreuzzüge darstellt, setzt die vorliegende Karte in der Zeit nach dem Ende der Kreuzzüge ein und verzeichnet alle Eroberungen des Osmanischen Reiches bis 1683 – dieses Jahr markiert den Höchststand der Ausbreitung des Osmanischen Reiches in Südosteuropa – sowie die Verluste bis zum Ende des 17. Jh. Für die weitere Entwicklung im Balkanraum vgl. Karte 96A.

Mit dem 13. Jh. traten die osmanischen Türken, ein aus Zentralasien durch die Mongolen vertriebenes Volk, in die Geschichte ein. Innerhalb kürzester Zeit gelang es ihnen, sich ein Machtzentrum in Kleinasien aufzubauen und noch im 14. Jh. ihr Reich tief in den Balkan hinein auszudehnen – unter Murad I. (1362–69) wurde Edirne (Hadrianopel) sogar Hauptstadt des Sultanats. Das stufenweise Vordringen – ein Höhepunkt war die Einnahme von Konstantinopel 1453 – gibt die Karte schematisch wieder. Dabei wurde für die Einfärbung normalerweise die Ersteroberung zugrunde gelegt – auf dem Balkan haben sich z. B. vom 14.–16. Jh. infolge dauernder Kriege die Fronten häufig verschoben –, viele Gebiete mußten mehrfach erobert werden, weil es ihnen zwischenzeitlich immer wieder gelang, das türkische Joch abzuschütteln.

Kirchengeschichtlich bedeutsam wurde das Vordringen des Islam in vielerlei Hinsicht. Am wichtigsten ist zunächst, daß die einst blühende Kirche Kleinasiens (vgl. Karten 20–21 und 31) praktisch völlig ausgelöscht wurde. Das gleiche Schicksal erlitten viele orthodoxe Kirchen auf dem Balkan und die meisten der während der Kreuzfahrerzeit errichteten lateinischen Bistümer, soweit sie nicht schon vorher untergegangen waren (vgl. Karte 61). Ferner war die „Türkengefahr" ein ständiger wichtiger Faktor der abendländischen Geschichte und KG bis zum 17. Jh. Besonders bedeutsam wurde diese Türkengefahr in der Reformationszeit, weil sie dauernd die Aufmerksamkeit der habsburgischen Herrscher vom Geschehen im Reich ablenkte (vgl. die Kriege Ferdinands I. um die ungarische Krone) und somit eine der Voraussetzungen für die verhältnismäßig ungestörte Ausbreitung der Reformation bildete.

J. Martin

73: Die obrigkeitliche Einführung der Reformation in Deutschland bis 1570

Autor: E. W. Zeeden – J. Burkhardt

Die Karte geht vom politischen Territorium als Darstellungseinheit aus. Kriterium der konfessionellen Zuordnung ist dabei – als wichtigster Faktor der gewählten Einheit – die Konfession der Obrigkeit. Obrigkeiten waren in Deutschland die reichsunmittelbaren weltlichen und geistlichen Fürsten; Herrschaften und Städte. Die Karte bringt daneben auch einige besonders starke Landstände mit Zwischenobrigkeitscharakter. Die beginnende Bekenntnisverteilung innerhalb des reformatorischen Kirchenwesens und die katholischen Minderheiten sind nicht berücksichtigt (vgl. Karten 76–77).

Um den Stand von drei Stichjahren in *einem* Kartenbild darstellen zu können, verzichtet die Karte darauf, zwischen dem Bekenntnis von Obrigkeit und Bevölkerung zu differenzieren. Nicht immer wurde die Bevölkerung nach dem Übertritt eines Fürsten zum Protestantismus geschlossen evangelisch. Umgekehrt gab es starke evangelische Bevölkerungsteile, z. B. in einigen geistlichen Staaten, in Österreich oder in Jülich-Berg-Kleve unter altgläubiger Obrigkeit. Die größten Territorien sind in der Karte angegeben, doch ohne zeitlich differenzierende Abstufung, da das allmähliche Anwachsen der reformatorischen Bewegung in den Territorien präzis kaum dargestellt werden kann. So wurde für sie 1570 als Stichjahr zugrunde gelegt, weil es im großen und ganzen einen Höhepunkt in der Ausbreitung der Reformation darstellt. Die Karte unterscheidet drei Stufen im Vordringen der Reformation bis zur völligen Herrschaft des evangelischen Bekenntnisses. Die Stufung geht von Nachrichten über die Verbreitung aus, bietet jedoch nicht eine exakte Bevölkerungsstatistik, sondern berücksichtigt Merkmale und Kräfte qualitativen Charakters (Stellung und Haltung der Landstände, Zustand der Hauptobrigkeit – gefährdete Bistümer! – reformatorische Zentren einerseits und entschieden altgläubige bzw. frühgegenreformatorische Kräfte auf der anderen Seite). – Besonders schwierig sind die Verhältnisse innerhalb der Eidgenossenschaft, soweit es sich nicht um die protestantischen Stadtkantone und die katholische Innerschweiz handelt. In Kantonen wie Appenzell, Graubünden, Glarus und S. Gallen gab es keine verbindliche obrigkeitliche Entscheidung; die konfessionelle Zuordnung wechselte daher von Ort zu Ort.

Aus darstellungstechnischen Gründen – weil es sich um winzige Gebiete, teilweise konfessionell gemischt, handelt – können die Splitterherrschaften im Süden und Westen nicht erfaßt werden. Sie erscheinen als *weiße* Flecken innerhalb des engeren deutschen Gebietes. Viele ritterliche Herrschaften im Elsaß, in der Pfalz, in Franken und Schwaben wurden evangelisch.

Literatur: L. von Ranke, Deutsche Geschichte im Zeitalter der Reformation, Krit. Ausg. 6 Bde, hrsg. von P. Joachimsen (München 1925); J. Janssen, Geschichte des deutschen Volkes seit dem Ausgang des MA. Allgemeine Zustände des deutschen Volkes, Bde III und IV (Freiburg ^{13}1887–90); M. Ritter, Deutsche Geschichte im Zeitalter der Gegenreformation und des Dreißigjährigen Krieges 1555–1648, Bde I–III (Stuttgart 1889–1908); Karl Müller, KG II/1–2 (Tübingen 1902–19); L. v. Pastor, Geschichte der Päpste seit dem Ausgang des Mittelalters IX (Freiburg ^{5}1925); K. Eder, Die Kirche im Zeitalter des konfessionellen Absolutismus (1555–1648): KG, hrsg. von J. P. Kirsch, III/2 (Freiburg 1949); K. Bihlmeyer – H. Tüchle, KG III: Die Neuzeit und die neueste Zeit (Paderborn $^{13-14}$1956); E. W. Zeeden, Das Zeitalter der Glaubenskämpfe 1555–1648; B. Gebhardt, Hdb. der deutschen Geschichte, hrsg. von H. Grundmann, Bd II (Stuttgart ^{9}1970); ders., Grundlagen und Wege der Konfessionsbildung in Deutschland im Zeitalter der Glaubenskämpfe: Historische Zeitschrift 185 (1958) 248–299; ders., Die Entstehung der Konfessionen. Grundlagen und Wege der Konfessionsbildung im Zeitalter der Glaubenskämpfe (München – Wien 1965); ders., Das Zeitalter der Gegenreformation (Freiburg – Basel – Wien 1967); E. Hassinger, Das Werden des neuzeitlichen Europa 1300–1600: Geschichte der Neuzeit, hrsg. von G. Ritter (Braunschweig ^{2}1964); H. Jedin (Hrsg.), Hdb. der KG IV: Reformation, Katholische Reform und Gegenreformation (Freiburg – Basel – Wien 1967).

Regionales: Bibliographie bei E. W. Zeeden: B. Gebhardt, Hdb. . . . (s. o.) 187f und 204f. – Grundlegende Quellensammlung mit teilweise vorzüglichen Einleitungen E. Sehling (Hrsg.), Die evangelischen Kirchenordnungen des 16. Jh., 5 Bde (1902–13), fortgesetzt vom Institut für Kirchenrecht der EKiD: Bd VI 1–2 und VII 1 Niedersachsen (1955–63), Bd VIII Hessen 1 (1965), Bd XI–XIII Bayern (1961–66), Bd XIV Kurpfalz (1969). – G. J. Th. Lau, Geschichte der Einführung und Verbreitung der Reformation in den Herzogtümern Schleswig-Holstein bis zum Ende des 16. Jh. (Hamburg 1867); E. Dresbach, Reformationsgeschichte der Gft. Mark (Gütersloh 1909); W. Platzhoff, Vom Interregnum bis zur Französischen Revolution (1250–1789): Geschichte des Rheinlandes, hrsg. von der Gesellschaft für Rheinische Geschichtskunde, I (Essen 1922); J. Adam, Evangelische KG der elsässischen Territorien (Straßburg 1928); G. Lösche, Geschichte des Protestantismus im vormaligen und im neueren Österreich (Wien – Leipzig ^{3}1930); L. Michel, Der Gang der Reformation in Franken (Erlangen 1930); J. Rauscher, Württembergische Reformationsgeschichte (Stuttgart 1934); E. Feddersen, KG Schleswig-Holsteins II: Schriften des Vereins für Schleswig-Holsteinische KG 1, 19 (1938); Johann Meyer, KG Niedersachsens (Göttingen 1939); M. Simon, Evangelische KG Bayerns II (München 1942); E. Tomek, KG Österreichs II (Innsbruck 1949); L. Stamer, KG der Pfalz II, III/1.2 (Speyer 1949–59); G. Mecenseffy, Geschichte des Protestantismus in Österreich (Graz – Köln 1956); E. W. Zeeden, Kleine Reformationsgeschichte von Baden-Durlach und Kurpfalz (Karlsruhe 1956); H. Heyden, KG Pommerns, 2 Bde: Osteuropa und der deutsche Osten, Reihe III, Bd 5 (Köln 1957); K. Weller, Württembergische Geschichte (Stuttgart ^{4}1957); K. E. Demandt, KG des Landes Hessen (Kassel 1959); H. Hantsch, Die Geschichte Österreichs I (Graz – Wien – Köln ^{4}1959); H. Steitz, Geschichte der evangelischen Kirche in Hessen und Nassau, 1. Tl. (Marburg 1961); R. Bränik, Die Verfassung der lutherischen Kirche in Jülich-Berg, Cleve-Mark-Ravensberg in ihrer geschichtlichen Entwicklung: Schriftenreihe des Vereins für Rheinische KG 18 (Düssledorf 1964); G. Schäfer, Kleine Württembergische KG (Stuttgart 1964); R. Bauerreiß, KG Bayerns, Bd VI (Augsburg 1965); H. Schüler, Geschichte der evangelischen Kirche zwischen Rhein und Mosel, hrsg. im Auftrag des Landkreises (St. Goar) von F. J. Heyden (Boppard 1966); M. Spindler (Hrsg.), Hdb. der bayrischen Geschichte, Bd II (1969).

Nachschlagwerke: Wetzer und Weltes Kirchenlexikon, hrsg. von J. Hergenröther – F. Kaulen, 12 Bde und Register-Bd (Freiburg ^{2}1882–1903); LThK^{2}; RGG^{3}; Rössler-Franz, Handwörterbuch zur deutschen Geschichte (München 1958); E. Keyser (Hrsg.), Badisches Städtebuch (Stuttgart 1959), Hessisches Städtebuch (Stuttgart 1959), Rheinisches Städtebuch (Stuttgart 1956), Württembergisches Städtebuch (Stuttgart 1962), Städtebuch Rheinland-Pfalz und Sauerland (Stuttgart 1964); Ploetz, Geschichte der Deutschen Länder. Territorien-Ploetz, hrsg. von G. W. Sante, I (Würzburg 1964).

Atlanten: Spezialatlanten, insbesondere für die deutschen Länder, mit teilweise wertvollen Erläuterungen, wie z. B. der Geschichtliche Atlas der Rheinprovinz, bibliographisch zusammengestellt bei G. Franz, Historische Kartographie (Hannover ^{2}1962); vgl. außerdem die zusammenfassenden Atlanten: Großer Historischer Weltatlas, hrsg. vom Bayerischen Schulbuchverlag, Red. J. Engel, III: Neuzeit (München 1957); Historischer Atlas der Schweiz, hrsg. von H. Amman – K. Schib (Aarau 1958); Putzger, Historischer Weltatlas, Jubiläumsausgabe (Bielefeld u. a. ^{85}1963).

Konfessionskarten: Karl Müller, Verbreitung der Reformation in Deutschland und der Schweiz von 1524 bis Anfang der sechziger Jahre: KG II/1 (Leipzig 1902) (Faltblatt); L. G. Ricek – P. Langhans, Niederösterreich im Zeitalter der Reformation. Die Pfarrgemeinden nach ihren Glaubensbekenntnissen und ihrer Volkszugehörigkeit: Lösche (s. o.) nach S. 128; Konfessionen in Deutschland um 1546: Großer Historischer Weltatlas (s. o.) 116; K. Schib, Die Konfessionen um 1530 und Die Konfessionen um 1700: Historischer Atlas der Schweiz (s. o.) 34 35; E. W. Zeeden, Ausbreitung der Reformation in Deutschland bis zur Mitte des 16. Jh: LThK^{2}, Bd VIII nach Sp. 1080; Reformation und katholische Erneuerung in Mitteleuropa, I und II: Putzger (s. o.) 65; Konfessionen in Europa um 1570: ebd 68; G. Schäfer, Territorien und Konfessionen bis zum Anfang des 19. Jh.: Kleine Württembergische KG (Stuttgart 1964) nach S. 64.

E. W. Zeeden

74 und 75: Protestantische Kirchenverfassungen (Ordnungen)

Autoren: P. Münch – E. W. Zeeden

Der Kommentartext befindet sich auf S. 74 des nachfolgenden Kartenteils.

Quellen: E. Sehling, Die evangelischen Kirchenordnungen des 16. Jh. I (Sachsen und Thüringen) (Leipzig 1902), XIV (Kurpfalz), bearbeitet von J. F. Goeters (Tübingen 1969); W. Niesel, Bekenntnisschriften und Kirchenordnungen der nach Gottes Wort reformierten Kirche (Zollikon – Zürich 1938). – **Literatur**: Karl Müller, KG II/2 (Tübingen 1923): K. Heussi, Kompendium der KG (Tübingen ^{12}1960); S. Grundmann, Kirchenverfassung VI: Geschichte der evangelischen Kirchenverfassung: RGG^{3} III 1570–1584; Erik Wolf, Ordnung der Kirche (Frankfurt 1961); E. W. Zeeden, Kirchenordnungen III: Evangelische Kirchenordnungen: LThK^{2}, Bd VI Sp. 241–243; H. Jedin (Hrsg.), Hdb. der KG IV (Freiburg – Basel – Wien 1967).

P. Münch – E. W. Zeeden

76 und 77 B: Protestantische Bekenntnisse und Bekenntnisschriften in Mitteleuropa um 1600

Autoren: P. Münch – E. W. Zeeden

Die Karten stellen durch entsprechende Einfärbung der Territorien die Verbreitung der wichtigsten protestantischen Bekenntnisse und Bekenntnisschriften dar (unter „Lutheraner ohne Konkordienbuch" sind Bekenntnisvariationen auf der Basis der Confessio Augustana von 1530 zusammengefaßt). Katholische Gebiete sind weiß (auf Karte 77 B gelb) gelassen – protestantische Kleinstherrschaften, die es auch in diesen Gebieten (innerhalb des Reiches) gab, konnten nicht berücksichtigt werden. Bedeutendere Minderheiten sind durch Schraffuren angezeigt, wobei jedoch die Stärke der Schraffur nur sehr annäherungsweise etwas über die konfessionellen Stärkeverhältnisse aussagen kann. Desgleichen werden für die eingetragenen Städte die Mehr- und Minderheitsverhältnisse schematisch dargestellt, weil die Kleinheit der Zeichen keine nähere Differenzierung erlaubt. Die Kreis- und Quadratpartikel, die jeweils für die Minderheit stehen, bedeuten, wenn sie nicht schwarz eingefärbt sind, *immer* eine katholische Minderheit (aus technischen Gründen sind sie dort, wo ein Zeichen in einer Flächenfärbung steht, nicht weiß ausgespart, sondern tragen die Farbe der umgebenden Fläche). Die Konfession der Obrigkeit ist in den Karten nicht eigens markiert. Sie entspricht normalerweise der der Mehrheit der Bevölkerung, mit folgenden Ausnahmen:

In *Böhmen und Mähren* ist die Obrigkeit katholisch (1609 wurde den Ständen Religionsfreiheit zugesichert, ab 1618 wurde der Katholizismus zwangsweise Staatsreligion). Das prozentuale Verhältnis zwischen Katholiken, Lutheranern, Calvinisten und Sonderkonfessionen (Alt- und Neuutraquisten, Brüder, Täufer) auch nur annähernd zu bestimmen erscheint kaum möglich. – In *Brandenburg* trat Kurfürst Johann Sigismund 1613 zum Calvinismus über. Die Bevölkerung blieb lutherisch, 1615 wurde den Städten die freie Ausübung des lutherischen Bekenntnisses zugesichert. – In *Anhalt* zeigte Johann Georg (1586–1606) calvinistische Neigungen. 1606 wurde Anhalt geteilt: Dessau, Zerbst und Plötzkau blieben lutherisch, in Bernburg führte Christian I. (1603–30) 1616 die pfälzische Kirchenordnung und den Heidelberger Katechismus ein. – In *Baden-Durlach* schloß sich Markgraf Ernst Friedrich 1599 dem calvinistischen Bekenntnis an. Die Bevölkerung blieb beim Luthertum. Ernst Friedrichs Tod machte den calvinistischen Plänen schon 1604 ein Ende. – In *Hessen-Kassel* versuchte Moritz (1592–1632) das calvinistische Bekenntnis einzuführen. Die Universität Marburg wurde reformiert, seit 1618 galt der Heidelberger Katechismus. *Hessen-Darmstadt* und das nördliche Oberhessen blieben beim Luthertum: in Gießen entstand eine lutherische Gegenuniversität gegen Marburg. – In *Ungarn* waren die Obrigkeit und ein großer Teil der Bevölkerung katholisch. Das Luthertum wurde durch die Deutschen und Slowaken in Nordungarn vertreten. Calvinistisch war die Mehrzahl des einheimischen Adels samt Hintersassen; die Unitarier und Antitrinitarier bildeten relativ kleine Minderheiten. – In *Irland* blieb die Bevölkerung trotz anglikanischer Obrigkeit und obwohl die Bischofsstühle mit Anglikanern besetzt wurden, fast geschlossen – ausgenommen den Nordosten der Insel – katholisch. – In der *Gft. Ortenburg* (Bayern) war die Obrigkeit um 1600 reformiert.

Zur konfessionellen Situation sowie zur Entwicklung der Bekenntnisse sollen hier noch zusätzlich folgende Erläuterungen gegeben werden:

In der Kurpfalz sowie in allen übrigen Graf- und Herrschaften des Reiches, die den Heidelberger Katechismus übernommen haben, bestanden um 1600 noch lutherische Reste, die aus Gründen der Übersichtlichkeit in der Karte nicht eigens gekennzeichnet sind.

Kur- und Oberpfalz waren seit 1563 reformiert, 1576–83 unter Ludwig IV. lutherisch; 1583 führte Johann Kasimir den Heidelberger Katechismus wieder ein. Diesen reformierten Katechismus übernahm 1588 auch *Pfalz-Zweibrücken* und 1598 *Pfalz-Simmern*. – Im *Kftm. Sachsen* neigte Christian I. (1586–91) zum Philippismus und hob deshalb die Verpflichtung auf die Konkordienformel auf. Ab 1591 wurde unter Christian II. alles wieder in den alten Stand versetzt, und seit 1602 nicht nur die Geistlichkeit, sondern auch die Beamtenschaft unter Eid auf die Konkordienformel verpflichtet. – *Braunschweig-Wolfenbüttel* unterschrieb zunächst das Konkordienbuch, wandte sich aber seit 1585 von ihm ab und führte statt dessen das *Corpus Julium* von 1576, eine ältere Vorstufe des Konkordienbuches, ein. Dasselbe Bekenntnis galt auch in Kalenberg, das 1584 an Braunschweig-Wolfenbüttel fiel. – In der *Gft. Solms* waren die Linien Solms-Laubach und Solms-Lich lutherisch ohne Konkordienbuch, während Solms-Braunfels seit 1579 den Heidelberger Katechismus eingeführt hatte. – Die jüngere und mittlere Linie der *Reußischen Herrschaften* trat 1596–1601 dem Konkordienbuch bei; daneben war eine flacianische Konfession von 1567 in Geltung. Die ältere Linie schloß sich erst nach 1616 dem Konkordienbuch an. – In der *Gft. Ostfriesland* galt seit 1576 neben dem Heidelberger Katechismus der sog. Emdener Katechismus.

Von den eingetragenen landsässigen Städten durften Braunschweig, Göttingen, Hameln, Hannover und Northeim beim Konkordienbuch bleiben, obwohl es von den Landesherren nicht angenommen wurde. – In Frankfurt und Soest traten die Prediger dem Konkordienbuch bei, der Rat blieb fern – entsprechend sind beide Städte doppelt unterstrichen. – In Ravensburg waren Lutheraner und Katholiken etwa gleich stark. – Als weitere landsässige Stadt, die seit 1562 reformiert war, wäre Hamm zu ergänzen.

In *Oberösterreich* erreichten die Stände durch die „Resolution" von 1578, in *Niederösterreich* durch die „Religionsassekuration" von 1571, in *Kärnten, Krain* und *Steiermark* (einschließlich Görz) durch das „Brukker Libell" von 1578 freie Ausübung der Confessio Augustana. – In *Ungarn* und *Siebenbürgen* wurde neben der Confessio Helvetica posterior auch der Heidelberger Katechismus anerkannt. – *Basel* übernahm erst 1642 die Confessio Helvetica Posterior; bis dahin war seit 1534 das von Oswald Myconius verfaßte 1. Basler Bekenntnis in Geltung; dazu war 1536 das 2. Basler (= 1. Helvetische) Bekenntnis gekommen. – In der Schweiz war die Bevölkerung der Städte Chur und S. Gallen katholisch/reformiert gemischt. – *Polen-Litauen* war bis 1600 zum größten Teil rekatholisiert. Seit der Synode von Litauisch-Brest (1595) hatte sich auch ein großer Teil der Griechisch-Orthodoxen mit Rom uniert – nur die Bischöfe von Lemberg und Przemysl und besonders die östlichen Grenzgebiete in der Ukraine, in Wolhynien und Podolien hielten sich von der Union fern. Die Lutheraner hielten sich vor allem in Livland und Kurland, eine Minderheit unter der deutschen Bevölkerung Großpolens (ganz besonders in den Städten an der Weichsel und in Westpreußen). Der Calvinismus, um 1560/70 vorherrschende Religion im Adel Kleinpolens und Litauens, war ab 1570/80 rapid zurückgegangen. Die Brüderunität hatte Anhänger im slawischen Adel Großpolens (geistiges Zentrum war Lissa an der polnisch-schlesischen Grenze). Sozinianer fanden sich in Kleinpolen und Wolhynien (geistiges Zentrum: Raków). – Der *Consensus Sandomirensis* von 1570 war ein Einigungsbekenntnis von Lutheranern, Calvinisten und Böhmischen Brüdern (die Synodenergebnisse 1570–95 laufen unter dem Titel *Consensus Poloniae*). Die Calvinisten erkannten seit 1566 die Confessio Helvetica posterior, daneben auch den Heidelberger Katechismus an. – In den *Niederlanden* hielt sich im Norden neben dem Calvinismus ein starkes Täufertum (Mennoniten).

Korrekturzusatz: Zu Württemberg gehört neben den eingetragenen Gft.en Mömpelgard und Horburg auch die Gft. Reichenweier.

Quellen: E. F. K. Müller, Die Bekenntnisschriften der reformierten Kirche (Leipzig 1903); K. Zeumer, Quellensammlung zur Geschichte der deutschen Reichsverfassung in Mittelalter und Neuzeit, 2. Tl. (Tübingen 1907) 225–259 (Reichsmatrikel von 1521); W. Niesel, Bekenntnisschriften der nach Gottes Wort reformierten Kirche (Zollikon–Zürich 1938); Die Bekenntnisschriften der evangelisch-lutherischen Kirche, hrsg. im Gedenkjahr der Augsburgischen Konfession 1930 (Göttingen ^{5}1963). – **Literatur:** Vgl. die zu Karte 73 genannten Titel von K. Bihlmeyer – H. Tüchle, E. Hassinger, H. Jedin, K. Müller und E. W. Zeeden. Besonders die KG K. Müllers lieferte einen großen Teil der Fakten. Ferner: K. R. Hagenbach, Kritische Geschichte der Entstehung und der Schicksale der ersten Baslerkonfession (Basel 1827); E. F. K. Müller, Helvetische Konfessionen: Realencyklopädie für protestantische Theologie und Kirche VII (Leipzig 1899) 641–647; M. M. Lauterburg, Katechismus, Heidelberger oder Pfälzer: ebd. X (Leipzig 1901) 164–173; K. Heussi, Kompendium der KG (Tübingen ^{12}1960); E. Wolf, Bekenntnisschriften: RGG^{3} I 1012–1017; W. Lohff, Bekenntnisschriften: LThK^{2} II 146–152; H. Graffmann, Heidelberger Katechismus: RGG^{3} III 127 bis 128; H. W. Surkau, Katechismus II. Geschichtlich: RGG^{3} III 1179–1186; B. Stasiewski, Reformation und Gegenreformation in Polen (Münster 1960); J. Hofinger, Katechismus: LThK^{2} VI 45–50; H. Tüchle, Geschichte der Kirche, III: Reformation und Gegenreformation (Einsiedeln–Zürich–Köln 1965). – Nachschlagwerke und Atlanten wie bei Karte 73.

P. Münch – E. W. Zeeden

77 A: Wichtige Sicherheitsplätze der Hugenotten in Frankreich um 1600

Autoren: P. Münch – E. W. Zeeden

Der Begriff „Sicherheitsplätze" ist in der Karte weit gefaßt: Die Hugenotten besaßen damals in Frankreich über 200 Plätze, die sich in folgende Kategorien aufgliederten: a) die königlichen Freistädte La Rochelle, Montauban, Sainte Foy, Nîmes und Uzès, die sich selbst regierten (ohne königliche Truppen); b) die eigentlichen Sicherheitsplätze *(places de sureté)*, insgesamt 48 Städte im Süden und Westen (mit königlichen Garnisonen, aber unter reformiertem Oberbefehl); c) die sogenannten *places de mariages* (kleine Plätze mit wenig Besatzung); d) eine Fülle von privaten Plätzen (Schlösser, Burgen und Städte des hugenottischen Adels); hierher gehören vor allem die Städte der Dauphiné: Grenoble, Dié, Nyon, Montélimar, Embrun.

Die Auswahl der Karte ist so getroffen, daß eine repräsentative Vorstellung von der Verbreitung der Hugenotten vermittelt wird.

Literatur: Vgl. den Kommentar zu den Karten 76 und 77 B.

P. Münch – E. W. Zeeden

78: Die Gründungen der Jesuiten in Europa bis 1615

Autor: L. Szilas

Die Karte stellt die Ausbreitung der Jesuiten in Europa bis 1615 in 3 Phasen dar: Die 1. Phase reicht bis zum Tod des Ignatius von Loyola, die 2. faßt die Generalate des D. Laínez († 1565), F. de Borja († 1572) und E. Mercurian († 1580) zusammen, die 3. schließlich stimmt mit dem Generalat des Cl. Acquaviva († 1615) überein, dessen Amtszeit „durch ein einmaliges Wachstum des Ordens . . . gekennzeichnet" ist (LThK^{2} I 114).

Was die Unterscheidungen der Häuser in der Karte betrifft, so sind unter den Residenzen die eigentlichen Niederlassungen für Seelsorge, die Profeßhäuser und Probationshäuser zu verstehen. Von den Stationen sind nur die angeführt, die längere Zeit – wenigstens einige Jahre – bestanden oder sich später zu Residenzen oder Kollegien entwickelten. Nicht alle Gründungen der 1. oder 2. Periode bestanden übrigens bis 1615. Einige wurden in der Zwischenzeit wieder ganz oder teilweise aufgelöst. Sie gehören aber zum Bild von den ersten Jahrzehnten der Gesellschaft Jesu, indem sie Entwicklungslinien und Wirkungsfeld zeigen.

Quellen und Literatur: Als Grundlage für die Zusammenstellung dieser Karte dienten die Werke über die Geschichte der Jesuiten in den einzelnen Ländern sowie Häuserkataloge. Vgl. allg. L. Polgár, Bibliographie zur Geschichte der Gesellschaft Jesu (Rom 1967), bes. II. Geschichte in den einzelnen Ländern, 1. Europa Nr. 118–231 sowie IV. Hilfsmittel, 5. Häuserverzeichnisse und Kartographie Nr. 930–949. – A. Hamy, Documents pour servir à l'histoire des domiciles de la Compagnie de Jésus dans le monde entier de 1540 à 1773 (Paris 1892); L. Carrez, Atlas geographicus Societatis Jesu (Parisiis 1900); Catalogus provinciarum Societatis Jesu et collegiorum ac domorum Sociorumque qui in unaquaque provincia sunt. 1579, 1586, 1600, 1608, 1616, dazu E. Lamalle, Les catalogues des provinces et des domiciles de la Compagnie de Jésus. Note de bibliographie et de statistique: Archivum Historicum S. I. 13 (1944) 77–101; L. Lukács, Status personarum in domiciliis S. I. ad annum 1556 commorantium. Tabelle in De origine collegiorum externorum deque controversiis circa eorum paupertatem obortis, Pars prior: 1539–1556: Archivum Historicum S. I. 29 (1960) 242–243.

L. Szilas

79: Die Ausbreitung der Kapuziner in Europa im 16.–18. Jahrhundert

Autor: Bonaventura a Mehr

Die Ausbreitung der um 1525 in der Mark Ancona einsetzenden, 1528 von Klemens VII. bestätigten Kapuzinerreform blieb infolge kirchlicher Einschränkung zunächst auf Italien begrenzt. Hier (einschließlich Sizilien und Korsika) bildeten sich in den ersten fünf Jahrzehnten des Ordens 17 Provinzen mit etwa 300 Klöstern und rund 3500 Mitgliedern.

Seit der Öffnung des übrigen Europas durch Gregor XIII. im Jahre 1574 breitete sich der Orden, einer der Hauptträger der katholischen Reform, auch weiterhin erstaunlich rasch aus. Ihren Höhepunkt erreichte diese Entwicklung im Jahre 1761, dem Stichjahr der Karte. Sie wird veranschaulicht durch Angabe der Provinzanfänge, der Provinzneubildungen infolge von Teilung, der Klöster- und Mitgliederzahlen der einzelnen Provinzen in den etwa gleich weit auseinanderliegenden Jahren 1596, 1678 (in der Legende) und 1761 (in der Karte selbst) sowie der geographischen Grenzen von 1761. Die nach 1761 im deutschsprachigen Raum unter dem Druck der Territorialherren noch zustande gekommenen kurzlebigen, innerlich und äußerlich zerrissenen Neubildungen gehören nicht mehr der Periode der Ausbreitung, sondern der Einengung und baldigen Unterdrückung an und sind auch übersichtshalber in der Karte nicht mehr berücksichtigt. Aufschlußreicher dagegen ist die Kennzeichnung der Gruppierungen, in denen sich die Provinzen nicht nur aus sprachlichen, sondern zumeist mehr noch aus politisch-nationalen Gründen zusammenfanden oder zusammenschließen mußten; sie traten vor allem auf den Generalkapiteln in Erscheinung. In der Karte ist ihre geographische Verteilung und in der zugehörigen Legende und den Kreisen ihr zahlenmäßiger Anteil am Ganzen für das Stichjahr 1761 angegeben.

Quellen: Bullarium Ordinis FF. Minorum S. P. Francisci Capucinorum I–V (Rom 1740–48); Chorographica descriptio Provinciarum et Conventuum FF. Minorum Capuccinorum (Rom 1643, 1646, Turin 1646, 1649, 1654, Mailand 1712); Callistus a Geispolsheim, De ortu et progressu singularum Provinciarum Ord. Min. Capuccinorum studium historico-geographicum: Collectanea Franciscana 6 (1936) 5–26 192–208. – *Für die Bestimmung der Provinzgrenzen:* die im Lexicon Capuccinum, Promptuarium historico-bibliographicum O. F. M. Cap. (Rom 1951) zu den einzelnen Provinzen verzeichnete histor. Literatur, dazu hsl. Material im Generalarchiv des Ordens in Rom. – *Für die statistischen Angaben:* die hsl. Acta Capitulorum Generalium im Generalarchiv ebd. – *Vorhandene Karten:* von den zeitbedingt unzulänglichen Karten der verschiedenen Ausgaben der Chorographica descriptio (s. o.) abgesehen, finden sich Karten bzw. Kartenskizzen zu einzelnen Provinzen oder Ländern in der im Lexicon Capuccinum (s. o.) verzeichneten einschlägigen histor. Literatur; für die deutschsprachigen Provinzen s. LThK[2] VII, nach Sp. 1208 (Karte) und V 1339 (histor. Lit.).

Bonaventura a Mehr

80 A und B: Die kirchliche Neugliederung der Niederlande 1559–1570

Autor: Die Karten beruhen auf den Forschungen und Karten von M. Dierickx, De oprichting der nieuwe bisdommen in de Nederlanden onder Filips II 1559–1570 (Antwerpen–Utrecht 1950)

Die kirchliche Neuordnung der Niederlande war die erste der großen Bistumsumorganisationen in der Neuzeit. Anders als bei den späteren Neuordnungen in Deutschland, Frankreich und Österreich-Ungarn (vgl. Karten 96–97) standen hier jedoch nicht politische Gesichtspunkte im Vordergrund und wurde auch keine Arrondierung in nationalem Sinn vorgenommen: das Bistum Lüttich (Liège) blieb im Verband der Kirchenprovinz Köln, die neuen Bistümer paßten sich auch mit wenigen Ausnahmen (Bistum Leeuwarden = Friesland, Bistum Groningen = Groningen und Drente) nicht der politischen Organisation des Landes an. Entscheidendes Motiv der Neuordnung war vielmehr die Aktivierung aller Kräfte gegen die Reformation. Dieses Ziel wurde im Norden nicht erreicht. Die Calvinisten eroberten diese Gebiete. Leeuwarden und Groningen gingen noch im 16. Jh. wieder unter, Deventer wurde protestantisiert, Middelburg wurde sogar schon 1574 wieder aufgehoben, in Haarlem kam es zu Auseinandersetzungen zwischen dem von Rom eingesetzten Generalvikar und dem Domkapitel, das bis 1853 die Bistumsleitung ausübte. – Südlich des Rheins hatte die Neugliederung besseren Erfolg, wenn es auch, vor allem in den Bistümern 's-Hertogenbosch und Roermond, zu einigen Unterbrechungen der Kontinuität kam. S. Omer, Ypres und Antwerpen wurden 1801 aufgehoben.

Quellen und Literatur: Vgl. oben unter Autor; ferner M. Dierickx, Documents inédits sur l'érection des nouveaux diocèses aux Pays-Bas 1521/70, 3 Bde (Bruxelles 1960–62).

J. Martin

80 C: Protestantische und katholische Universitätsgründungen vom Beginn der Reformation bis in die zweite Hälfte des 17. Jahrhunderts

Autor: E. W. Zeeden

Die Karte schließt chronologisch fast lückenlos an die Karte der Universitäten bis 1500 (S. 64) an – nur einige wenige Gründungen (Wittenberg [1502], Frankfurt/Oder [1506]) fallen in die Zeit zwischen 1500 und den Beginn der Reformation; sie reicht bis zur 2. Hälfte des 17. Jh., in der die primär konfessionell motivierte Gründung neuer Universitäten allmählich auslief. Von ihrem Thema her kann die Karte auf die Darstellung Südeuropas verzichten, weil hier die Gründung neuer Universitäten und Akademien nicht im Zusammenhang mit den konfessionellen Auseinandersetzungen stand.

In den von der Reformation erfaßten Gebieten wurden in diese Auseinandersetzung einmal – was auf der Karte nicht verzeichnet ist – die schon bestehenden Universitäten hineingezogen, indem sich deren Lehrerschaft jeweils auf ein bestimmtes Bekenntnis verpflichtete oder verpflichtet wurde. Zum anderen kam es – insbesondere in den mittleren und westlichen Teilen des Deutschen Reiches – zu einer Fülle von Neugründungen: da die starke staatliche Zersplitterung dieser Gebiete sich auf dem konfessionellen Sektor fortsetzte, waren viele Landesherren oder Städte bemüht, in ihrem jeweiligen Einflußbereich konfessionell zuverlässige Ausbildungsstätten für ihre Untertanen zu schaffen. Die Folge war eine Territorialisierung der Studentenschaft an den Hochschulen oder in den wenigen Fällen, in denen auch jetzt der Einzugsbereich der Universitäten „international" blieb (Wittenberg, Heidelberg), doch eine Konfessionalisierung: der Einzugsbereich von Heidelberg deckt sich fast genau mit der Verbreitung des Heidelberger Katechismus (vgl. Karte 76–77). Zum anderen stieg aus verständlichen Gründen die Bedeutung der theologischen Fakultäten: sie wurden zu Hütern des jeweils als orthodox angesehenen Bekenntnisses und erlangten auch zunehmende Wichtigkeit für die Ausbildung der Geistlichen. Auf katholischer Seite kam es – vor allem infolge des tridentinischen Seminardekrets – zur Gründung einer Reihe von Priesterseminaren, von denen einige (Dillingen, Olmütz, Würzburg, Paderborn, Bamberg, Innsbruck, kurze Zeit auch Osnabrück) gleichzeitig oder später Universitätsrang erreichten.

Literatur: Zusammenfassende Darstellungen, wie sie für die Universitäten des Mittelalters vorliegen, fehlen für den Darstellungszeitraum der Karte. Von den zu Nr. 64 genannten Werken geht nur d'Irsay über das Mittelalter hinaus. Daneben ist heranzuziehen: Das akademische Deutschland, hrsg. von M. Doeberl u. a., I (Berlin 1930) (mit Karten); L. Petry, Die Reformation als Epoche der deutschen Universitätsgeschichte: Festgabe Lortz, II: Glaube und Geschichte (Baden-Baden 1958) 317–353; H. Tüchle, Das Seminardekret des Tridentiner Konzils und die Formen seiner geschichtlichen Verwirklichung: Theologische Quartalschrift 144 (1964) 12–30. – Im übrigen ist man auf Monographien sowie Stadt- und Reformationsgeschichten angewiesen. Zu letzteren vgl. die Kommentare zu 73 76–77 92 und 93, zu den Universitäts- und Stadtmonographien neben den zu Karte 73 genannten noch folgende Nachschlagewerke: J. H. Zedler, Großes und vollständiges Universal-Lexicon aller Wissenschaften und Künste, 64 Bde und 4 Suppl.-Bde (Halle – Leipzig 1732–54); Allgemeine Encyclopädie der Wissenschaften und Künste, hrsg. von J. S. Ersch – J. G. Gruber, I. Sektion Bd 1–99, II. Sektion Bd 1–43, III Sektion Bd 1–25 (Leipzig 1818–89); Encyclopédie Française, publ. sous la dir. gén. de L. Febvre, 1–21 (Paris 1937–66); Enciclopedia Cattolica, 12 Bde (Città del Vaticano 1949–54); Annuario Pontificio, Publicazione officiale (Roma 1961) bes. 1073–95 1571–74; Encyclopaedia Britannica, 23 Bde, Index, Atlas, ed. in chief W. E. Preece (Chicago 1967)

E. W. Zeeden

81: Russisches Mönchtum 1400–1700

Autor: O. Schlolaut

Endgültig nach der Zerstörung durch die Mongolen im Jahre 1240 hatte Kiew seine Bedeutung als politisches Zentrum des russischen Staates verloren. Neben Galitsch und Nowgorod war das Fürstentum von Wladimir-Susdal das wichtigste Zentrum politischer Macht. Nach Wladimir an der Kljasma übersiedelte 1299 auch der Metropolit von Kiew. In dem waldreichen Land zwischen Wolga und Oka, das die Feldzüge der Mongolen meist nicht mehr erreichten, siedelten große Teile der aus dem verwüsteten Süden flüchtenden Bevölkerung. Mit starker Unterstützung der Kirche begannen Anfang des 14. Jh. die Großfürsten von Moskau mit der „Sammlung des russischen Landes". 1328 verlegte der Metropolit seine Residenz nach Moskau. 8. September 1380 besiegte Dimitrij („Donskoj") in der Schlacht bei Kulikowo, gefolgt von den meisten nordrussischen Fürsten, die Mongolen unter Mamai.

Im 14. Jh. kam es zu einer Neugestaltung des russischen Mönchtums, dessen hervorragendster Vertreter Sergij von Radonesch (1319–92) in dem von ihm mit den um seine Wald-Einsiedelei gesammelten Schülern gegründeten Kloster das Koinobion einführte. Dieses Kloster, das Swjato-Troice-Sergiew-Kloster (seit 1744 Lawra), wurde zum Ausgangspunkt zahlreicher weiterer Klostergründungen, hauptsächlich in immer weiter nach Norden fortschreitender Richtung. Bedeutendes Zentrum des Mönchtums ist seit Mitte des 13. Jh. das Gebiet um den Beloozero und Wologda. Die Klöster wurden vielfach Mittelpunkt der Kolonisation in den weiten Wäldern. Von ihnen aus begann auch die Mission unter den finnischen Völkern (Stefan von Perm, † 1396, bei den Zyrjanen).

Im Südwesten waren große Teile des ehemaligen Kiewer Reiches unter das Großfürstentum Litauen gekommen. Dadurch kam es 1448, endgültig 1458 zur Spaltung der russischen Metropole in eine von Kiew und eine von Moskau. Obwohl vom Metropoliten von Moskau, Isidor, mitunterzeichnet, wurde in Moskau die Union von Florenz von 1439 verworfen. Die Folge war die endgültige jurisdiktionelle Trennung der russischen von der griechischen Kirche. Höhepunkt dieser Entwicklung war 1589 die Errichtung des Patriarchats von Moskau.

Unter Iwan III. dem Großen (1462–1505), der den Moskauer Staat 1480 endgültig aus der Oberhoheit der Goldenen Horde lösen konnte, und Iwan IV. dem „Schrecklichen" (1533–84) vereinigte Moskau das gesamte großrussische Gebiet unter seiner Herrschaft. Im Inneren wurde die Autokratie gefestigt: 1547 Annahme des Zarentitels. Daraus entstanden innerkirchliche Streitigkeiten: Der Abt Josif von Wolokalamsk war der Wortführer derjenigen, die in dem autokratisch geführten Staat den Hüter der Rechtgläubigkeit des „Dritten Rom" sahen. Dagegen trat die Bewegung der „Uneigennützigen" auf, die ein hesychastisch geprägtes asketisches Ideal vertrat (Ablehnung nicht nur des persönlichen Besitzes der Mönche, sondern auch des Klosterbesitzes. Nil Sorskij, Wasian Kosoj).

1613 begann die Herrschaft des Hauses Romanow auf dem Zarenthron. Die Reform des Patriarchen Nikon (1652–66) führte zur Abspaltung der „Altgläubigen", deren bedeutendster Sprecher der Protopope Awwakum war.

Wichtig ist, daß orthodoxe russische Klöster, selbst nach der Union von Brest (1596), auch im Gebiet des Großfürstentums Litauen bzw. des vereinigten polnisch-litauischen Staates bestanden und allen Unionsbestrebungen widerstanden. Mönche aus diesen Klöstern kamen im 17. Jh. in großer Zahl nach Moskau und spielten dort als Vermittler westlicher Bildung und als Bischöfe eine bedeutende Rolle.

Literatur: I. A. Čistovič, Istorija pravoslavnoj cerkvi v Finlandii i Estlandii, prinadležaščich k Sanktpeterburgskoj eparchii (Sanktpeterburg 1856) (Geschichte der orthodoxen Kirche in Finnland und Estland, zugehörig der Eparchie Sanktpeterburg); Makarij (Bulgakov), Istorija russkoj cerkvi, 12 Bde (Sanktpeterburg 1857–83) (Geschichte der russischen Kirche); Nikolaj, Archim., Istoriko-statističeskoe opisanie Minskoj eparchii (Sanktpeterburg 1864) (Historisch-statistische Beschreibung der Eparchie Minsk); V. V. Antonovič, Očerk sostojanija pravoslavnoj Cerkvi v Jugo-Zapadnoj Rossii s poloviny XVII stoletija do konca XVIII stoletija: Monografii po istorii Zapadnoj i Jugo-Zapadnoj Rossii (Kiew 1885) (Darstellung des Zustandes der orthodoxen Kirche in Südwest-Rußland von Mitte des 17. Jh. bis Ende des 18. Jh.); V. Zverinskij, Materialy dlja istoriko-topografičeskogo issledovanija o pravoslavnych monastyrjach v Rossijskoj Imperii, 3 Bde (Sanktpeterburg 1890–97) (Materialien zur historisch-topographischen Forschung über orthodoxe Klöster im Russischen Reich); G. Bogoslovskij, Kratij istoričeskij očerk Kazanskoj eparchii (Kazan 1893) (Kurze historische Darstellung der Eparchie Kazan); N. Konoplev, Svjatye vologodskago kraja (Moskau 1895) (Die Heiligen Orte des Gebietes von Wologda); Smirgatskij, Istoriko-statističeskij sbornik svedenij o Pskovskoj eparchii (Ostrov 1895) (Historisch-statistischer Sammelband von Nachrichten über die Eparchie Pskow); J. M. Pokrovskij, Russkie eparchii v XVI-XIX vv., ich otkrytie, sostov i predely, I (Kazan 1897), II (1913) (Die russischen Eparchien im 16.–17. Jh.); G. S. Lytkin, Zyrjanski kraj pri episkopach permskich i Zyrjanski jazyk. Posobie pri izučenii zyrjanami russkogo jazyky (Sanktpeterburg 1889) (Das Gebiet der Zyrjanen unter den Bischöfen von Perm und die zyrjanische Sprache); A. Wirth, Geschichte Sibiriens und der Mandschurei (Bonn 1899); E. E. Golubinskij, Istorija russkoj cerkvi, Bd II (2 Tl.e) (Moskau 1900–16) (Geschichte der russischen Kirche); M. Rudnev, K istorii Kolomenskoj eparchii: Čtenija v Imperatorskom Obščestve istorii i drevnostei Rossijskich pri Moskovskom Universitete (Moskau 1903) (Zur Geschichte der Eparchie Koloma); J. Savvinskij, Istoričeskaja zapiska ob Astrachanskoj eparchii za 300 let ee suščestvovanija (Astrachan 1903) (Historischer Bericht über die Eparchie Astrachan während 300 Jahren ihres Bestehens); Istoriko-statičeskoe opisanie prichodov i monastyrej Orlovskoj eparchii, 2 Bde (Orel 1905) (Historisch-statistische Beschreibung der Eparchie Orel); L. J. Denisov, Pravoslavnye monastyri Rossijskoj imperii. Polnyj spisok (Moskau 1908) (Die orthodoxen Klöster des Russischen Reiches. Vollständiges Verzeichnis); Mogilevskaja eparchija. Istoriko-statičeskoe opisanie, Bd I (Mogilew 1910) (Die Eparchie Mogilew. Historisch-statistische Beschreibung); N. Redkov, Istoriko-statističeskoe opisanie cerkvej i prichodov Smolenskoj eparchii, Bd I (Smolensk 1915) (Historisch-statistische Beschreibung der Kirchen und Kirchengemeinden der Eparchie Smolensk); S. F. Platonov, Geschichte Rußlands vom Beginn bis zur Jetztzeit, hrsg. von F. Braun, Schlußkapitel von O. Hoetzsch (Leipzig 1927); I. Smolitsch, Leben und Lehre der Starzen (Wien 1936); J. Semjonow, Die Eroberung Sibiriens. Ein Epos menschlicher Leidenschaften. Der Roman eines Landes (Berlin 1937); E. Hanisch, Geschichte Rußlands, Bd I. Von den Anfängen bis zum Ausgang des 18. Jh. (Freiburg 1940, ²1943); A. J. Kopanev, Istorija zemlevladenija Belozerskogo kraja XV-XVI v. (Moskau–Leningrad 1951) (Geschichte des Grundbesitzes im Gebiet des Beloozero im 15.–16. Jh.); G. Stökl, Die politische Religiosität des Mittelalters und die Entstehung des Moskauer Staates: Saeculum 2 (1951) 393–415; I. Smolitsch, Russisches Mönchtum. Entstehung, Entwicklung und Wesen 988–1917: Das östliche Christentum, NF 10/11 (Würzburg 1953); S. V. Bachrušin, Naučnye trudy. Bd III. Izbrannye trudy po istorii Sibiri XVI–XVII vv., Tl. 1: Voprosy russkoj kolonizacii Sibiri v XVI–XVII vv., Tl. 2: Istorija narodov Sibiri v XVI–XVII vv. (Moskau 1955) (Wissenschaftliche Arbeiten, Bd III. Ausgewählte Arbeiten zur Geschichte Sibiriens des 16.–17. Jh., Tl. 1: Fragen der russischen Kolonisation Sibiriens im 16.–17. Jh., Tl. 2: Geschichte der Völker Sibiriens im 16.–17. Jh.); A. W. Bunin, Geschichte des russischen Städtebaues bis zum 19. Jh. (Berlin 1961); Sovetskaja istoriceskaja enciklopedija. Glavnyj redaktor E. M. Žukov (Moskau 1961 ff) (Sowjetische historische Enzyklopädie); G. Stökl, Russische Geschichte von den Anfängen bis zur Gegenwart (Stuttgart 1962); M. Klimenko, Ausbreitung des Christentums in Rußland seit Vladimir dem Heiligen bis zum 17. Jh. Versuch einer Übersicht nach russischen Quellen (Berlin–Hamburg 1969).

O. Schlolaut

82: Die geistlichen Staaten im Zeitalter der Reformation

83: Die geistlichen Staaten vom 17. Jh. bis zum Ende des Alten Reiches

Autoren: E. W. Zeeden – J. Burkhardt – H. J. Köhler

Der Eintragung der geistlichen Staaten liegen die Reichsmatrikeln (vgl. unten) zugrunde, die die Leistungen der Reichsstände für den Romzug, das Reichsregiment und das Reichskammergericht festlegten. Durch Reformationseinwirkungen wurden einige der geistlichen Staaten in ihrer Reichsstandschaft entscheidend gefährdet (protestantischer Bischof, Administrator oder Koadjutor, protestantisches Domkapitelregiment, protestantische Bevölkerung bei unentschiedenem Regiment). Diese Gefährdung ist in der Karte besonders markiert. Wenn die Administration praktisch schon der Eingliederung in ein säkulares Territorium gleichkommt oder – wie im Falle des Deutschordenslandes – der geistliche Reichsstand unter fremder Lehenshoheit steht, werden die entsprechenden Staaten zur Kategorie „mit eingeschränkter Reichsstandschaft" gerechnet.

Die geistlichen Staaten des Alten Reiches waren eingeordnet in die nuancenreiche hierarchische Abstufung des hohen Reichsadels. Politische Macht, staatsrechtliche Stellung und Adelsrang waren jedoch nicht eindeutig einander zugeordnet. Die in der Karte gezeigten Symbole – die im übrigen nicht nach einer bestimmten Rangfolge geordnet sind – bezeichnen den nominellen Adelsrang der geistlichen Staaten in den einzelnen Stichjahren.

Im einzelnen sind zu den Aussagen der Karten folgende Erläuterungen zu ergänzen:

a) Zu den fürstbischöflichen Herrschaften:

Das „kleine Stift" des Bistums Hildesheim blieb während des ganzen Darstellungszeitraumes geistlicher Staat, während das „große Stift" lange umkämpft war. – Lübeck wurde im 17. Jh. evangelisches geistliches Fürstentum. – Osnabrück wurde 1648 alternierend protestantisch/katholischer geistlicher Staat (capitulatio perpetua). – Worms war vorübergehend (1595–1604) von Frankreich besetzt.

b) Zu den übrigen geistlichen Herrschaften:

Berchtesgaden war seit 1559 Fürstpropstei. – Corvey war 1794–1803 Bistum. – Fulda wurde 1752 Bistum. – Gandersheim war seit 1589 protestantisch. – Gernrode war seit 1545 protestantisch und wurde 1610 aufgehoben. – Kempten wurde 1548 Reichsabtei. – Ochsenhausen wurde 1746 gefürstete Reichsabtei. – Prüm kam 1576 zu Kurtrier. – Reichenau kam 1540 endgültig an das Bistum Konstanz. – Die Reichsstandschaft der Abtei S. Blasien rührte vom Besitz der Gft. Bonndorf. 1746 wurde S. Blasien gefürstete Reichsabtei. – S. Gallen war seit 1451 zugewandter Ort der Schweiz. – S. Johann wurde 1530 bzw. 1555 als Propstei mit S. Gallen vereinigt. – S. Maximin stand seit 1669 unter Kurtrier. – Walkenried wurde 1546 protestantisch. – Zwiefalten wurde 1750 voll reichsfrei.

Quellen und frühe Forschung: *Zu 1521:* Anschlag für die Romzugshilfe in Truppen zu Fuß und zu Roß und für Unterhaltung des Regiments und des Kammergerichts in Geld (Reichsmatrikel), hrsg. in: Deutsche Reichstagsakten, jüngere Reihe, unter Kaiser Karl V., Bd II, ed. A. Wrede (Gotha 1896) 424–442 No. 56; ferner bei K. Zeumer, Quellensammlung zur Geschichte der deutschen Reichsverfassung in Mittelalter und Neuzeit: Quellensammlung zu Staats-, Verwaltungs- und Völkerrecht, Bd II (Tübingen ²1923) 255–259. – *Zu 1602:* Zacharias Geizkofler, Matrikulae Statuum Imperii (Basel 1726) (nach der 1. Aufl. von 1602). – *Zu 1748:* Johann Jakob Moser, (altes) Teutsches Staats=Recht, Tl. 36 und 37 (Leipzig u. a. 1748). – *Zu 1775:* ders., Von den Rechten und Pflichten des Cammergerichts in Ansehung der Cammergerichtlichen Matrikular=Anschläge (Frankfurt 1775). – *Zu 1788:* Anton Friedrich Büsching, Erdbeschreibung, Tl. II–X (Hamburg 1788–92). – *Zu 1796:* H. S. G. J. Gumpelzhaimer, Die Reichsmatrikel aller Kreise. Nebst den Usual=Matrikeln des Kaiserlichen und Reichs=Kammergerichts (Ulm 1796). – **Darstellungen:** J. Ficker, Vom Reichsfürstenstande, 2 Bde (Innsbruck 1861); A. Hauck, KG Deutschlands, Tl. V/1 (Leipzig 1911) (meist nach Ficker; stellt aber Listen auf). – **Lexika:** Wetzer und Welte, Kirchenlexikon, 12 Bde und Reg. (Freiburg ²1882–1901); LThK¹; H. Rössler – G. Franz, Sachwörterbuch zur deutschen Geschichte (München 1958) (besonders die staatsrechtl. Artikel; Reichskreise, Prälaturen).

E. W. Zeeden

84A: Die Missionen der Jesuiten in Baja California, Sonora, Chihuahua und Sierra Madre bis um 1720

Autor: J. Martin

Nachdem die Orden im südlichen und mittleren Mexiko festen Fuß gefaßt hatten (vgl. Karte B), begannen sie noch am Ende des 16. Jh. weiter nach Norden vorzudringen. Während die Schwerpunkte jesuitischer Mission – wie auf der Karte dargestellt – im Nordwesten lagen, konzentrierte sich die Tätigkeit der Mendikantenorden außer auf die zentral- und südmexikanischen Bereiche besonders auf den Nordosten. Im hier gelegenen Gebiet von Nueva Santander waren insbesondere die Franziskaner wirksam, die auch in Florida eine große Anzahl von Missionen gründeten und nach 1767, als die Jesuiten aus Mexico (und den übrigen spanischen Kolonialländern) vertrieben wurden, auch deren Missionen zum größten Teil übernahmen – die Nachfolge in den Missionen von Baja California, der kalifornischen Halbinsel, traten die Dominikaner 1772 an.

Grundlage für die Eintragungen in die Karte sind Berichte der einzelnen Missionsstationen aus dem Jahre 1716–20 – sie sind bei F. J. Alegre (s. u.) abgedruckt. Zusätzliche Informationen bieten die Berichte, die bei der Übergabe der Missionen an die Franziskaner angefertigt wurden – nach diesen Berichten sollen sich die meisten Missionen 1767 in einem recht desolaten Zustand befunden haben.

Mit den mir zur Verfügung stehenden kartographischen Mitteln war es nicht möglich, alle Missionen aufzufinden bzw. in einigen Fällen, in denen Missionsnamen mit heute häufiger vorkommenden Ortsnamen zusammenfallen, zu entscheiden, um welchen Ort es sich handelt. Im einzelnen sind deshalb folgende Missionen nicht in die Karte eingetragen: im Gebiet der Sierra Madre (etwa die Missionen nördlich des 29. Breitengrades) Onapa und Nuestra Señora del Popolo; in Sonora (etwa die Missionen zwischen dem 27. und 29. Breitengrad im Bereich der Flüsse Yaqui und Maya) Cuirimpo, Tessia, Tepahiu, Guirivis, Bethlén; im südlich daran anschließenden Cinaloa die Missionen Chicorato, Sivirijoa, Baimena, Vaca und Huites; schließlich in Chihuahua (etwa östlich des 108. Längengrades) die Missionen Nombre de Maria, S. Ignacio de Corachi, Tizonao und S. Catalina de Tepehuanes. Erwähnt sei schließlich noch, daß die Franziskaner nach der Übernahme der jesuitischen Missionen in der 2. Hälfte des 18. Jh. an der kalifornischen Küste entlang neue berühmte Missionen gründeten (u. a. S. Francisco), die auf Karte 87 mit dargestellt sind.

Quellen und Literatur: Kartographische Grundlagen waren neben den unten genannten Werken, die z. T. Karten enthalten (bes. die Arbeiten von Z. Engelhardt), die zu Karte 85 angeführten Werke. Mir nicht zugänglich waren C. Encinas, Mapas de Mexico (Mexico 1955); G. Eckhard, Map of Sonora, Mexico, and the Mission Churches of Sonora (Tucson 1960). – *Zu den Missionen:* Z. Engelhardt, The Franciscans in Arizona (Harbor Springs 1899); ders., The Missions and Missionaries of California, 4 Bde (San Francisco 1908–15); G. Decorme, La obra de los Jesuítas mexicanos durante la época colonial 1572–1767, 2 Bde (Mexico 1941); F. J. Alegre, Historia de la Provincia de la Compañía de Jesús de Nueva España, 4 Bde: Biblioth. Inst. Histor. S. J. IX XIII XVI XVII (Roma 1956–60), bes. Bd IV; H. Heising, Missionierung und Diözesanbildung in Kalifornien (Münster 1958) (mit weiterer Literatur zu Kalifornien).

J. Martin

84B: Die Niederlassungen der Mendikantenorden bis 1577

Autoren: B. A. L. van Luijk (für Augustiner) – J. Martin. Insbesondere für die Dominikaner, aber auch für die anderen Orden wurde das unten genannte Werk von R. Ricard herangezogen.

Die Karte liegt chronologisch vor Karte A: sie stellt die erste Phase der Kolonialisierung, aber auch der „geistlichen Eroberung" Mexicos dar, die ganz im Zeichen der Mendikantenorden stand. Die Jesuiten trafen erst 1572 in Mexiko ein und entwickelten seit den 80er Jahren und im 17. Jh. erstaunliche missionarische Initiativen.

1517 landeten die Spanier in Yucatán und eroberten 1519–21 das Land. 1519 wurde in Yucatán das erste Bistum gegründet, das 1525 nach Tlaxcala und 1539 nach Puebla verlegt wurde. Weitere in die Karte eingetragene Bistümer folgten, 1546 wurde Mexiko zusammen mit Lima (vgl. Karte 85) und Santo Domingo zur Metropole erhoben.

Der schnellen Entwicklung der Kirchenorganisation entsprach eine noch schnellere auf seiten der Orden: die Franziskaner kamen 1523, die Dominikaner 1526, die Augustiner-Eremiten 1534 ins Land. In der Karte verzeichnet sind deren Niederlassungen, nicht die von ihnen betreuten Pfarreien, deren Zahl am Ende des 16. Jh. 473 betrug. Außer auf religiösem leisteten die Orden Beträchtliches auf sozialem und kulturellem Gebiet durch die Errichtung von Hospitälern, Schulen und Kollegien. Nicht zu vergessen sind schließlich auch – gerade angesichts vieler berechtigter Anklagen gegen die Kirche im heutigen Lateinamerika – die Proteste der Orden gegen die Ausbeutung der Eingeborenen. Ein besonders wirksamer Schutz dagegen wurde im Reduktionen-System gefunden (vgl. dazu Karte 85 mit Kommentar), das auch in Mexico angewandt wurde und von hier aus auch die Missionierung auf den Philippinen (vgl. Karte 90) beeinflußte – wie überhaupt Mexico der „Umschlagplatz" für alle spanischen Unternehmungen im Fernen Osten war. Das drückt sich u. a. auch darin aus, daß das erste philippinische Bistum Manila bis zur Gründung einer eigenen philippinischen Kirchenprovinz der Metropole Mexico unterstellt war.

Die Erstellung einer genauen Konventsliste für die Mendikantenorden in Mexico bereitet einige Schwierigkeiten, denn die Angaben in der Literatur schwanken beträchtlich, und nur ein Teil der Quellen ist zugänglich. Ebenso gibt es Differenzen in den Lokalisierungen, die nicht sämtlich mit den mir zugänglichen Mitteln überprüft werden konnten, so daß die Karte einige Ungenauigkeiten enthalten kann. Für die Augustiner sind in der Karte noch südwestlich von Michoacán die beiden Konvente Chucándrio und Undameo und östlich von Huango Copándaro zu ergänzen.

Quellen und Literatur: Zu den kartographischen Grundlagen vgl. die Karten 84A und 85, ferner die unten angegebene Literatur. – *Allgemein:* M. Cuevas, Historia de la Iglesia en Mexico, 5 Bde (El Paso 1921–28, [2]1946–47); J. Bravo Ugarte, Diocesis y obispos de la Iglesia mexicana (1519–1939) (Mexico 1941); W. Promper, Priesternot in Lateinamerika (Löwen 1965). – *Zu den Orden:* vgl. die oben zur Karte 84A angegebene Literatur, ferner die zu Karte 70 angegebenen Werke von A. Lubin und B. A. L. van Luijk. Außerdem: D. Basalenque, Historia de la provincia de S. Nicolás de Tolentino de Michoacán (Méjico 1673, Neudr. 1886); M. de Escobar, Americana Thebaide (Neudr. Méjico 1924); R. Ricard, La „conquête spirituelle" du Mexique (1523–1572) (Paris 1933); G. Zulaica Gárate, Los Franciscanos y la imprenta en Mexico en el siglo XVI (Mexico 1939); I. F. de Espinosa, Crónica de la Provincia Franciscana de los Apostolos S. Pedro y S. Pablo de Michoacán (Mexico [2]1945); A. Ennis, Fray Alonso de la Vera Cruz O. S. A. (1507–1584) (Louvain 1957); E. Vasquez-Vasquez, Distribución geográfica de las Ordenes Religiosas en la Nueva España (siglo XVI) (Méjico 1965).

J. Martin

Zu den Augustinern Angaben von B. A. L. van Luijk

85: Die Entwicklung der Kirchenorganisation und Mission in Südamerika bis um 1750

Autor: J. Martin. Materialhinweise gab E. G. Jacob, Hinweise zur Kirchenorganisation W. Promper.

Die Karte reicht chronologisch von den Anfängen der kirchlichen Wirksamkeit in Südamerika bis zur Mitte des 18. Jh.: bald nach 1750 gab es einen entscheidenden Einschnitt in der südamerikanischen Kirchengeschichte, als 1759 die Jesuiten aus Brasilien und 1767 aus den spanischen Teilen des Kontinents vertrieben wurden.

Die Demarkationslinie Alexanders VI. von 1493 und der Vertrag von Tordesillas (1494) bedeuteten für Lateinamerika, daß Portugal im wesentlichen Brasilien, Spanien die übrigen Länder erhielt. Als Patronatsherren bestimmten die spanischen und portugiesischen Herrscher in Zukunft die kirchliche Entwicklung Lateinamerikas entscheidend mit. Das wirkte sich insbesondere auch auf die Genese der kirchlichen Organisation aus. Da die Herrscher alle neu zu errichtenden Sprengel auch dotieren mußten, verzögerte sich teilweise aus finanziellen Gründen die Errichtung von Bistümern. Brasilien erhielt erst 1557 eine eigene Diözese; in den spanischen Gebieten begann zwar die Gründung von Bistümern früher, doch hat auch hier die Opposition Ferdinands II. von Aragón die von Papst Julius II. intendierte frühe Gründung einer Metropole auf Haiti verhindert. Bis 1546, als die Kirchenprovinzen Mexiko, Santo Domingo und Lima geschaffen wurden, unterstanden alle Bistümer Spanisch-Südamerikas Sevilla. Der auf der Karte dargestellte Stand wurde erreicht, nachdem Bogotá 1564 und Charcas in Bolivien (= La Plata, heute Sucre) 1609 zu Metropolen erhoben worden waren. Caracas wurde erst 1803 Metropole, gehörte aber vorher zu keiner Kirchenprovinz. – Wie die Bistümer der spanischen Gebiete Sevilla, so unterstand das 1551 errichtete und bis 1676 einzige Bistum Brasiliens, São Salvador, der Metropole Lissabon. Obwohl São Salvador 1676 Metropole wurde (mit den Suffraganen Olinda-Recife und Rio de Janeiro), kam das 1677 gegründete São Luis de Maranhão wiederum unter Lissabon und erst 1827 zu São Salvador. – Die Grenzen der kirchlichen Provinzen lehnen sich sämtlich an die der politischen Aufteilung Südamerikas in jener Zeit an. Vgl. dazu die unten angeführten kartographischen Werke.

Die Orden waren – wie anderswo – auch hier die Hauptträger der

Mission. Franziskaner und Dominikaner kamen schon in der 1. Dekade des 16. Jh. auf die Inseln der Karibischen See (besonders nach Española = Haiti) und drangen von hier aus zunächst in die westlichen Länder Südamerikas vor. Ihre und die Niederlassungen der Jesuiten, die 1549 in São Salvador erstmals den neuen Kontinent betraten, konnten auf der Karte nur in Auswahl gegeben werden, da die Zahl der Niederlassungen – allein die Franziskaner Lateinamerikas sollen um 1700 über 500 Konvente gehabt haben – die Möglichkeit einer vollständigen kartographischen Darstellung innerhalb dieses Atlas übersteigt.

In bezug auf die Missionstätigkeit der Orden verzeichnet die Karte den Stand des 17. und 18. Jh., und auch für diese Zeit nur die größeren zusammenhängenden Missionsgebiete – im wesentlichen die, in denen Reduktionen (vgl. unten) gegründet wurden. Die Einzeldarstellung für das nur durch Farben markierte Gebiet Venezuelas findet sich auf S. 86. Dagegen konnten die Missionsstationen der Jesuiten in der vorliegenden Karte eingetragen werden, weil es sich jeweils um sehr großflächige, am Rande des europäischen Siedlungsbereichs liegende Gebiete handelt. Damit beim Leser aber kein falscher Eindruck entsteht, muß betont werden, daß die Mendikantenorden in den Gebieten des heutigen Kolumbien, Peru, Chile und Argentinien/Paraguay schon in der 1. Hälfte des 16. Jh. mit der Missionsarbeit begannen. Diese frühen Missionen waren im 17. Jh. schon zu großen Teilen in eine geregelte Pfarrorganisation übergeführt.

Die Missionsgebiete der Jesuiten, insbesondere das fälschlich als „Jesuitenstaat von Paraguay" bezeichnete um den Rio Paraná und Rio Uruguay, wurden dadurch berühmt, daß in ihnen das schon vorher von den Dominikanern und Franziskanern eingeführte Reduktionen-System zur Vollendung geführt wurde. Die Reduktionen waren „unter der Leitung von Missionaren stehende geschlossene Siedlungen bekehrter Indianer, die ‚ad ecclesiam et vitam civilem essent reducti'" (Kahle, s. u.); sie waren auch wirtschaftlich so organisiert, daß sie sich aus eigener Kraft erhalten konnten. Neben den berühmten 30 Guarani-Reduktionen (gegründet seit 1609) entstanden Reduktionen der Jesuiten in Guayrá (= das kleine grüne Gebiet nordöstlich der Guarani-Reduktionen; seit 1610; mußten 1630 geräumt werden), bei den Mojos und Chiquitos (die Mojos saßen nördl. von S. Cruz [de la Sierra] um den Rio Mamoré [heutiges nordöstl. Bolivien], die Chiquitos schlossen sich südöstl. an; beide Gebiete sind in der Karte zusammengefaßt; die erste Reduktionsgründung war Loreto, 1684), schließlich bei den Maynas (um den Rio Napo und Rio Maraño, im heutigen östlichen Ekuador; erste Gründung 1638). Zu den Reduktionen der Kapuziner vgl. Karte 86.

In Brasilien begannen die Jesuiten, wie schon erwähnt, 1549 mit der Missionsarbeit und gründeten noch in den 50er Jahren Niederlassungen, u. a. in São Salvador, Rio de Janeiro und Santos. Bis zu ihrer Vertreibung 1759 gelang es ihnen, am Amazonas und seinen Nebenflüssen entlang immer weiter ins Landesinnere vorzudringen und fast eine Landverbindung zum Westen zu schaffen.

Nicht dargestellt ist auf der Karte die Tätigkeit der Orden auf dem Bildungssektor, insbesondere die Gründung von Universitäten. Es ist keineswegs selbstverständlich, daß diese Institutionen europäischer Bildung sofort auch in die neuen Gebiete verpflanzt wurden. 1538 entstand als erste Universität in Lateinamerika die dominikanische Universität von Santo Domingo, darnach wurden im 16. und 17. Jh. in allen südamerikanischen Ländern Ordens-Universitäten gegründet.

Quellen und Literatur: *Kartographische Grundlagen:* Ministero de Industria y Obras Públicas, Cartografía Hispano Colonial de Chile (Santiago de Chile 1924); J. F. Guillén y Tato, Monumenta Cartographica Indiana (Madrid 1942); A. Curtis Wilgus, Latin America in Maps (New York 1943); F. Vindel, Mapas de América en los Libros Españoles de los siglos XVI al XVIII (1503–1798), 2 Bde (Madrid 1955–59); Bolivia, Paraguay. Cartera de Mapas (o. O. u. J.). Zahlreiche Karten finden sich außerdem in der unten angegebenen Literatur, besonders bei Faßbinder, Garsch, Hernández, Quelle. – *Kirchenorganisation:* Einen kurzen instruktiven Überblick bietet W. Promper, Priesternot in Lateinamerika (Löwen 1965) 69–77 (mit weiterer Literatur). Vgl. auch die Bistumsartikel im LThK[2]. – *Orden und Missionen: Dominikaner:* A. Walz, Compendium Historiae Ordinis Praedicatorum (Roma [2]1948) (mit weiterer Literatur). – *Franziskaner:* P. Otero, La Orden Franciscana en el Uruguay (Buenos Aires 1908); G. A. Robledo, La Orden Franciscana en la América Meridional (Roma 1948); A. Tibesar, Franciscan Beginnings in Colonial Peru: Publications of the Academy of American Franciscan History 1 (Washington D. C. 1953); S. Prein u. a., Província Franciscana de Santo Antônio do Brasil (Recife-Pernambuco o. J. [1957]); B. Röwer, Páginas de História Franciscana no Brasil (Rio de Janeiro u. a. 1957). – *Jesuiten:* Pastells y Mateos, Historia de la Compañia de Jesús en la Provincia del Paraguay, 8 Bde (Madrid 1912–49); P. Hernández, Organización social de las doctrinas Guaraníes de la Compañía de Jesús, 2 Bde (Barcelona 1913); M. Faßbinder, Der Jesuitenstaat in Paraguay (Halle/Saale 1926); O. Quelle, Das Problem des Jesuitenstaates Paraguay: Ibero-Amerikanisches Archiv 8 (Berlin 1934–35) 260–282; S. Leite, Historia de Companhia de Jesus no Brasil (Lisboa – Rio de Janeiro 1938–55); ders., Artes y ofícios dos Jesuítas no Brasil (1549–1760) (Lisboa – Rio de Janeiro 1953); J. Hansl, Die „sieben Reduktionen" am Rio Grande do Sul: Südamerika 8 (1958) 216–220; G. Furlong, Misiones y sus Pueblos de Guaranıes (Buenos Aires 1962).

J. Martin

86: Missionen in Venezuela und Kolumbien bis 1817

Autor: B. A. L. van Luijk (für die Augustiner) – J. Martin.

Die Karte stellt zwei sauber zu scheidende Abschnitte der Mission dar: die der Augustiner im heutigen Kolumbien und West-Venezuela und die der anderen Orden im übrigen Venezuela. Die Missionen der Augustiner gehören in den Zusammenhang der frühen Missionen der Mendikantenorden im Westen des Kontinents, vor allem in Peru, wo die Augustiner 1551 eintrafen. Von dort aus drangen sie nach Norden und Westen vor und gelangten so auch in die auf der Karte dargestellten Gebiete. 1597 wurde die Provincia Novi Regni Granatensis mit Bogotá als Hauptzentrum errichtet.

Die Erschließung Venezuelas geschah dagegen, wie auch die Karte deutlich zeigt, von Norden her und setzte erst viel später ein. Zwar hatten schon in der 2. Dekade des 16. Jh. Dominikaner und Franziskaner versucht, Missionen und Niederlassungen zu gründen, doch hatten die Indianer innerhalb weniger Jahre alles zerstört. Selbst mit militärischen Mitteln konnten die Spanier bis zur Mitte des 17. Jh. in Venezuela nicht Fuß fassen – sie gründeten nur einige wenige befestigte Städte, deren Lage aber prekär blieb. In dieser Situation verzichtete Philipp IV. von Spanien 1652 auf weitere militärische Unternehmungen: das Land wurde unter verschiedene Orden aufgeteilt, die es mit friedlichen Mitteln gewinnen sollten. Die Franziskaner erhielten die Provinz Cumaná (auf der Karte westlich des 64. Längengrades), die Kapuziner 1657 das sich östlich daran anschließende Nueva Andalucía und 1658 die Provinz Caracas, in deren Südwestteilen auch Dominikaner und Augustiner missionierten. Das Land südlich des Orinoco konnte dauerhaft erst im 18. Jh. missioniert werden: 1736 wurde es unter Kapuziner, Franziskaner und Jesuiten aufgeteilt.

Die Karte beruht – außer für die Augustiner – ausschließlich auf den Forschungen von B. de Lodares (s. u.), dessen Werk auch eine große Karte der Missionen enthält, die allerdings weder nach Orden noch chronologisch differenziert sind. Die vorliegende Karte will einen repräsentativen Eindruck von den missionierenden Orden und der zeitlichen Ausbreitung der Mission vermitteln; sie kann aus folgenden Gründen kein vollständiges Bild der venezuelischen Missionen bieten: a) die Missionen waren – durch dauernde Zerstörungen z. B. – einer starken Fluktuation ausgesetzt; viele von ihnen lassen sich deshalb nur schwer erfassen; b) für eine Reihe weiterer Missionen ist das Gründungsdatum nicht bekannt oder wird es zumindest von Lodares nicht genannt; trotz großer Bemühungen war es mir nicht möglich, weitere vorhandene Arbeiten (s. u.) zur Kontrolle oder Ergänzung von Lodares einzusehen; um das Kartenbild nicht zu verfälschen, habe ich die nichtdatierten Missionen herausgelassen: c) eine weitere Gruppe von Missionen konnte ich mit den mir zugänglichen Mitteln nicht lokalisieren; d) schließlich scheint, wie sich aus Andeutungen von M. Watters (s. u.) ergibt, in spanischen Archiven noch viel unaufgearbeitetes Material zu den Missionen Venezuelas zu liegen.

Trotz aller dieser Unzulänglichkeiten schien mir die Karte doch genügend Aussagekraft zu besitzen, um in den Atlas aufgenommen werden zu können. Die heutigen Grenzen Venezuelas sind zur Orientierung eingetragen.

Quellen und Literatur: Zu den kartographischen Grundlagen vgl. neben dem unten gen. Werk von Lodares die zu Karte 85 angegebenen Werke, ferner J. Strickland, Documents and Maps on the Boundary Question between Venezuela and British Guayana from the Capuchin Archives in Rome (Rome 1896) (mir nicht zugänglich). – Zu den Augustinern: A. Villarejo, Los Agustinos en el Perú y Bolivia (Lima 1965), ferner die zu Karte 70 angegebenen Werke von A. Lubin und B. A. L. van Luijk. – Zu den übrigen Missionen: Froylán M. de Rionegro, Relaciones de las Misiones de los PP. Capuchinos en las antiguas provincias españoles hoy Republica de Venezuela (1650–1817) (Sevilla 1918) (mir nicht zugänglich); ders., Misiones de los PP. Capuchinos . . . (1646–1817) (Pontevedra 1927) (mir nicht zugänglich); M. Watters, The Colonial Missions in Venezuela: The Catholic Historical Review 23 (1937) 129–152. Weitere Literatur im Lexicon Capuccinum Promptuarium Historico-Bibliographicum (1525–1950) (Roma 1951) 1797–1798. – Allgemein zu Venezuela: M. Watters, A History of the Church in Venezuela (Chapel Hill 1933).

J. Martin. Angaben zu den
Augustinern van B. A. L. van Luijk

87: Die Indianermissionen im Gebiet der heutigen USA (1567–1861)

Autor: Die Grundkarte stammt aus O. Paullin, Atlas of the Historical Geography of the United States, hrsg. v. Carnegie Institute of Washington und der American Geographical Society (New York 1932). Die Grenzen der Siedlungsgebiete wurden eingetragen nach W. S. Shephard, Historical Atlas (Barnes & Noble, Inc., New York 1964) 190–191.

Für die Missionsphase bis um 1775 spiegelt die Konfession der Missionsträger genau die Nationen der verschiedenen Siedlungsgebiete wider. Nach der Bildung der USA vermischten sich die Konfessionen in den verschiedenen Gebieten und läuft die Missionsbewegung der allgemeinen Westbewegung parallel.

Ich kann nur vermuten, nach welchen Quellen die Karte gearbeitet ist. Die katholischen Missionen waren durchweg Missionen von Orden, deren Mitglieder in mehr oder weniger regelmäßigen Abständen Berichte über den Stand der Mission an die Ordensleitung zu geben hatten. Ähnliche Berichte gab es auch im protestantischen Bereich, vor allem nachdem an den Wenden vom 18. zum 19. Jh. verschiedene große Missionsgesellschaften gegründet worden waren. Seit der Mitte des 19. Jh. fanden protestantische Missionskonferenzen, 1910 in Edinburgh die erste Weltmissionskonferenz, statt, für die Übersichten über den Stand der Mission zusammengestellt wurden. Die zunehmenden Informationen und das wachsende Interesse an der Mission zeigen sich auch in den ersten großen Missionsatlanten, die seit dem Ende des 19. Jh. erschienen (vgl. Kommentar zu den Karten 103–105). Auf katholischer Seite entsprachen ihnen die ersten Auflagen des Atlas Hierarchicus von C. Streit (vgl. Kommentar zu den Karten 98–99).

Obwohl die Karte aus dem Jahre 1932 stammt, ist sie, soweit ich sehe, auch heute nicht überholt. Ergänzungen wären für Florida nötig; vgl. P. G. J. Keegan – L. Tormo Sanz, Experiencia Misionaria en la Florida: Missionalia Hispanica Ser. B. Vol. VII (Madrid 1957) (leider bin ich erst nach Redaktionsschluß der Karte auf dieses Werk gestoßen).

J. Martin

88 A und B: Die kirchliche Situation im Osten Nordamerikas 1650; C bis E: Die kirchliche Situation im Osten Nordamerikas

Autor: Die Karten basieren auf dem Historical Atlas of Religion in America von *E. Scott Gaustad* (Harper & Row, New York – Evanston 1962) Fig. 2 8 10 12 14 16 18 19 20 22. Die Kirchen 1650 sind bei Scott Gaustad (Fig. 2) nur als Punkte ohne Namen markiert, doch werden im Appendix A (S. 167) die Namen gegeben.

Die Karte zum Stand von 1650 spiegelt die ersten Einwanderungswellen wider: die starke Verbreitung der Kongregationalisten in Massachusetts und Connecticut geht auf die Landung der Pilgrim Fathers (1620) zurück, die später starken Zuzug, auch von anderen religiösen Gruppen, erhielten. Die Massierung der Anglikaner im Gebiet der Chesapeake Bay ist eine Folge der nationalen englischen Kolonisation, die sich zunächst auf dieses Gebiet richtete. In New York, das ja ursprünglich New Amsterdam hieß, siedelten niederländische Reformierte.

100 Jahre später hat sich die Situation entscheidend verändert: Die Baptisten nahmen einen starken Aufschwung, besonders in den Nord- und Mittelkolonien; eine starke deutsche Einwanderung in der 1. Hälfte des 18. Jh. vervielfachte – bes. in den Mittelkolonien – die Gemeinden des amerikanischen Luthertums, das im 17. Jh. von Schweden her bestimmt gewesen war; die um die Mitte des 17. Jh. entstandene Bewegung der Quäker breitete sich, teils gegen starke Widerstände, in den meisten Kolonien aus, bes. in Pennsylvania und New Jersey (wegen mangelnder Unterlagen konnten die einzelnen Kirchen in diesen beiden Gebieten nicht eingetragen werden). Die Anglikaner gründeten ebenfalls Gemeinden in fast allen Kolonien – dennoch ist ihr alter Schwerpunkt im Süden noch ebenso erkennbar wie der der Kongregationalisten im Norden.

In Karte A konnten verschiedene Kirchen nicht genau lokalisiert werden. Sie sind dadurch kenntlich gemacht, daß die entsprechenden Zeichen *ohne Beschriftung* in das Gebiet des jeweiligen *county* gesetzt wurden. Im einzelnen handelt es sich um folgende Kirchen (in Klammern die *counties*):

Anglikaner: Virginia: Harrop (James City) 1614–15; Elizabeth City 1624; Mulberry Island (Warwick) 1635; Hungar's (Northampton) 1635; Newport (Isle of Wight) 1642; Wallingford (Charles City) 1642; Jordan (Charles City) 1642; West (Nansemond) 1643; Elizabeth River (Norfolk) 1643; Southwark (Surrey) 1647; Fairfield (Northumberland) 1648. – *Maryland:* Christ Church (Queen Anne's) 1629; King and Queen (S. Mary's) 1650; William and Mary (S. Mary's) 1650.

Katholiken: Patuxent (Prince George) 1642.

In Karte B fehlen – und sind auch nicht durch Zeichen markiert – die kongregationalistischen Gemeinden Wenham, 1644, und Wakefield, 1645 (beide Mass.), ferner die Presbyterianer-Kirche Newton (New York), 1642.

Quellen: Vgl. oben unter Autor. Die Nachweise für seine Karten hat E. Scott Gaustad auf S. 165 zusammengestellt.

J. Martin

89 A: Die Verbreitung des Christentums in Japan 1549–1650

Autoren: Die Niederlassungen der Jesuiten wurden nach *J. F. Schütte,* Introductio ad historiam Societatis Jesu in Japonia 1549–1650 (Romae 1968) (mit Karte) eingetragen. Die Markierung der Gebiete mit christlicher Bevölkerung beruht auf C. R. Boxer, The Christian Century in Japan 1549–1650 (University of California Press, Berkeley and Los Angeles – Cambridge University Press, London 1957) (mit Karte).

Mit der Ankunft Franz Xavers in Kagoshima (1549) beginnt die Geschichte des Christentums in Japan, das hier einen ungewöhnlich steilen Aufstieg nahm: 1582 zählte man 200 Kirchen mit 150 000 Christen, deren Zahl sich bis zum 1. Jahrzehnt des 17. Jh. auf 500 000 vermehrte. Träger der Mission waren vor allem die Jesuiten, die seit dem Ende des 16. Jh. auch von Augustinern, Dominikanern und Franziskanern unterstützt wurden. – Schon in den 80er Jahren des 16. Jh. setzte gebietsweise eine Reaktion gegen das Christentum ein, die sich am Beginn des 17. Jh. zu scharfen Verfolgungen steigerte: Missionare wurden ausgewiesen oder hingerichtet, mit ihnen viele Hunderte von Christen. Bald nach 1650 waren die Missionen praktisch ausgelöscht, und es dauerte bis zum 19. Jh., ehe ein Neubeginn einsetzte.

Die Grundlage für die Eintragung der Jesuiten-Niederlassungen bilden Kataloge, über die ausführlich Schütte (s. o.) handelt. Die Verbreitungsgebiete der Christen kennen wir vor allem aus zahlreichen Berichten und Notizen der Verfolgungszeit, die bei Anesaki (s. u.) zusammengestellt sind.

Quellen und Literatur: Vgl. oben unter Autoren, ferner: M. Anesaki, A Concordance to the History of Kirishitan Missions: Proceedings of the Imperial Academy, Suppl. to Vol. VI (Tokyo 1930); J. Jennes, History of the Catholic Church in Japan (1549–1873) (Tokyo 1959); Diego de Aduarte, Historia de la Provincia del Santo Rosario de la Orden de Predicadores en Filipinas, Japón y China (Madrid 1962); A. Hartmann, The Augustinians in Seventeenth Century in Japan (Marylake, King City 1965); R. Lee, Stranger in the Land, A Study of the Church in Japan (London 1967).

J. Martin

89 B–C: Die Mission und die kirchliche Einteilung in Indien und China bis um 1700

Autor: J. Martin. Die Niederlassungen der Jesuiten wurden von *L. Szilas* zusammengestellt.

Mit den ersten Portugiesen kamen auch die ersten Missionare nach Indien. Im Laufe des 16. Jh. wurden zunächst entlang der Küste Missionen gegründet, doch gelang Anfang des 17. Jh. durch neue Missionsmethoden der Jesuiten (unter denen Franz Xaver in Indien wirkte) auch der Vorstoß ins Landesinnere (Madurai-Missionen). Die Eroberung Südindiens durch die Holländer (seit 1657) brachte vielen Missionen den Niedergang. – Der Zugang nach China gestaltete sich für die kath. Missionare äußerst schwierig. Erst kurz vor Ende des 16. Jh. war es den Jesuiten – auch hier durch große Anpassungsfähigkeit an die chinesischen Sitten und Gebräuche – möglich, Stützpunkte im Landesinneren zu gewinnen. Im 17. Jh. durch Dominikaner und Franziskaner verstärkt, hatten die Missionare gute Erfolge, bis Ende des 17. Jh. mit dem Ritenstreit der Rückschlag einsetzte. – Neben den kirchlichen Sprengeln (vgl. dazu auch Karten 106–107), dort mit Errichtungsdaten) wurden in den Karten die Ordensniederlassungen als Zentren der Mission eingetragen. Für die Jesuiten sind zu ergänzen Kollegien in Ambalakta und Bengal sowie Residenzen in Palluruthi, Arthunkal und Palliport, ferner in China eine Residenz in Kiating-hsien (Provinz Kiangsu). Die Franziskaner hatten weitere indische Niederlassungen in Mount Poinsur, auf Manar, den Ilhas und in Daugim. J. de Moidrey (s. u.) spricht davon, daß die Franziskaner im 17. Jh. in Fukien, Shantung, Kwangtung, Kiangsi und auf der Insel Hainan missionierten, doch war nicht zu eruieren, ob in diesen Gebieten auch Konvente gegründet wurden. Die Dominikaner haben wahrscheinlich in Indien außer in Goa noch weitere Niederlassungen gehabt, doch habe ich auch darüber nichts Genaues gefunden (auch A. Walz, Compendium Historiae Ordinis Praedicatorum [Romae [2]1948] streift S. 375 die Konvente in Indien und China nur mit einem Satz).

Quellen und Literatur: Für die Dominikaner: B. Biermann, Die Anfänge der neueren Dominikanermission in China: Missionswiss. Abhh. und Texte 10 (Münster 1927) (S. 113 Anm. 116 werden die Residenzen für das Jahr 1667 genannt). – Für Franziskaner: O. Maas, Die Wiedereröffnung der Franziskanermission in China in der Neuzeit: ebd. 9 (Münster 1926); A. Meersmann, The Friars Minor or Franciscans in India 1291–1941 (Karachi 1943). – Für Jesuiten: Catalogus Missionis Sinensis ad annum 1701: Archivum Romanum Societatis Jesu, Jap. Sin. 134, ff. 392[a]r – 392[c]v (es wurden nur die Orte eingetragen, in denen mindestens ein Pater residierte); Catalogus rerum Provinciae Goanae confectus mens. Junio an. 1699: ebd. Goa 25, ff. 371r – 372v; Provincia Malabarica in India orientali anno 1655: ebd. Goa 29, ff. 93r – 95r (der Katalog gibt den Stand der Provinz Malabar vor ihrer Eroberung und [teilweisen] Zerstörung durch die Holländer 1660 wieder). – Allgemein und zur Kirchenorganisation (vgl. auch Literatur zu den Karten 106–107): J. de Moidrey, La Hierarchie catholique en Chine, en Corée et au Japon (1307–1914): Variétés Sinologiques 38 (Zi-Ka-Wei bei Changhai 1914); K. S. Latourette, A History of Christian Missions in China (London 1929); C. Cary-Elwes, China and the Cross (New York 1956).

J. Martin

90: Die katholische Kirche auf den Philippinen bis 1655

Autor: Die Karte wurde zusammengestellt nach Einzelkarten, die sich im Buch von *J. L. Phelan*, The Hispanization of the Philippines: Spanish Aims and Filipino Responses, 1565–1700 (Madison: The University of Wisconsin Press; Copyright 1959 by the Regents of the University of Wisconsin) S. 172–176, befinden.

Die Kolonisierung und Missionierung der durch die Demarkationslinie Alexanders VI. (1493) und den Vertrag von Tordesillas (1494) an Spanien gefallenen Philippinen begann im Jahre 1565. Aus zwei Gründen gestaltete sich die Mission äußerst schwierig: einmal hatten die spanischen Missionare einen äußerst langen Anreiseweg – sie kamen fast ausnahmslos über Mexico; zum anderen widersetzten sich das in 7107 Einzelinseln aufgesplitterte Land wie auch seine Bewohner dem Bemühen, Zentren zu schaffen.

Die Karte stellt den Stand der katholischen Kirche nach dem ersten Jahrhundert missionarischer Arbeit – der eigentlichen Christianisierungsphase auf den Philippinen – dar. J. L. Phelan teilt diese Epoche in drei Teile: bis 1578 gab es nur wenige Missionare auf den Inseln – die Zeit ist gekennzeichnet durch vorbereitende Maßnahmen; die Jahre zwischen 1578 und 1609 sind das Goldene Zeitalter philippinischer Mission; in der Phase nach 1609 schließlich begann sich der spanisch-holländische Krieg auch auf die Philippinen auszuwirken; die Disziplin und der Enthusiasmus unter den missionierenden Orden nahmen ab.

Die in der Karte eingetragenen „Pfarreien" sind sog. *caberca*-Kirchen, d. h. Hauptkirchen, an denen jeweils 1–2 Geistliche residierten. Zu jeder dieser Kirchen gehörte eine Anzahl von *visita*-Kapellen, die nur periodisch besucht wurden. Nach der Intention der Missionare und der politischen Instanzen sollten die *caberca*-Kirchen im Sinne der lateinamerikanischen Reduktionen, die hier als Vorbild dienten, zu Kristallisationspunkten städtischer Siedlung werden, doch wurde dieses Ziel wegen der obenerwähnten Schwierigkeiten im 16. und 17. Jh. nur selten erreicht. Erst später entwickelten sich aus den *caberca*-Kirchen größere Siedlungen, die heute auf jeder größeren Philippinen-Karte zu finden sind.

Die Philippinen erhielten 1579 mit Manila ein eigenes Bistum (unter der Metropole Mexico), das 1595 zur Metropole erhoben wurde; gleichzeitig wurden als Suffragane die Bistümer Nueva Segovia, Cáceres und Santísimo Nombre de Jesús errichtet (vgl. Karten 106–107). Bedeutsam wurden die Philippinen auch als Ausgangspunkt für Missionsunternehmungen in China und Japan (vgl. Karte 89).

Die Karte benutzt ältere historische Namen und Namensschreibweisen, doch sind die modernen Formen in Klammern dazugesetzt.

Quellen und Literatur: Eine knappe instruktive Übersicht über die Quellen gibt J. L. Phelan in seinem oben zitierten Buch S. 199–206; vgl. außerdem: J. J. Delgado, Historia general sacro-profana, política y natural de las islas del poniente llamadas Filipinas: Bibl. Historica Filipina I–III (Manila 1892); F. X. Clark, The Philippine Missions (New York 1945); H. de la Costa, The Jesuits in the Philippines (Cambridge/Mass. 1961).

J. Martin (unter Benutzung des zitierten Buches von J. L. Phelan)

91: Das Restitutionsedikt von 1629

Autor: G. Tietz

Schon 1620 hatte Papst Paul V. den Plan einer Rückgabeforderung aufgegriffen, doch erst am 6. März 1629 erließ Kaiser Ferdinand II. auf Drängen des Nuntius Carlo Carafa und des Beichtvaters des Kaisers, Lamormaini, nach langen Bedenken das Restitutionsedikt. Im einzelnen bestimmte es: 1. Alle reichsunmittelbaren Stifter sind in katholischen Besitz zurückzuführen; desgleichen 2. alle mittelbaren Klöster und sonstigen geistlichen Güter, die nach 1552 den Katholiken entrissen worden sind; 3. die *declaratio Ferdinandea* wird für unverbindlich und nichtig erklärt; 4. der Augsburger Religionsfriede findet keine Anwendung auf die reformierten Reichsstände. – Kaiserliche Kommissare wurden mit der Durchführung beauftragt und das Reichskammergericht zur Rechtsprechung nach diesen Grundsätzen angewiesen.

Betroffen waren mehr als 12 Erzbistümer und Bistümer und über 500 Abteien, Stifte, Klöster, Pfarreien und Kirchen. Die größten Verluste erlitten die Herzöge von Württemberg und Braunschweig-Wolfenbüttel. Bis zum Herbst 1631 waren zwei Erzbistümer, fünf Bistümer, zwei Reichsabteien und rund 150 Klöster und Kirchen wieder in katholischer Hand. Die Restitution wurde beeinträchtigt durch den Streit der Orden untereinander und durch die Auseinandersetzungen zwischen den monastischen Orden und den Jesuiten, ebenso durch eine fehlende Koordinierung der Pläne von Papst und Kaiser.

Von den vollzogenen und geplanten Restitutionen sind – wegen Lokalisierungsschwierigkeiten – nicht in die Karte eingetragen:

A *Vollzogene Restitutionen:* die Klöster Fürstenfelde und Vorheim im Htm. Braunschweig-Wolfenbüttel; die Klöster Draubisch, Frankenburg, S. Johann (b. Goslar), Vorstadt (b. Hildesheim) im Hochstift Hildesheim; das Amt Warheim (Gft. Nassau) und die Orte Bruchbreschendorf, Defersbach, Altrechenberg, Rogersheim in der Mgft. Brandenburg-Ansbach und Bayreuth.

B *Geplante Restitutionen:* Die Klöster Barstein, Fredelsheim, Garten, Münchenlaer, Neudorf, Passenhausen, Walzhausen, Weinau, Widdenborn (alle Htm. Braunschweig-Wolfenbüttel mit Kalenberg), S. Sebald und Moritz (Gft. Isenburg); ferner die Orte Landeck (Lgft. Hessen), Bechenzimmern (Gft. Öttingen), Crainburg (Htm. Sachsen-Weimar), Beuer, Gertmarzweiler, Unter-Hölsfeld, Mertesheim (b. Uffenheim), Münchsonntheim, Kaltbruchreuth und Unterbruchreuth (beide b. Geyern), Werdenbroischen, Willandsheim, Oberzeun (Mgft. Brandenburg-Ansbach und Bayreuth).

Quellen und Literatur: Fr. W. Hoffmann, Geschichte der Stadt Magdeburg, Bd II (Magdeburg 1885); M. Ritter, Deutsche Geschichte im Zeitalter der Gegenreformation und des Dreißigjährigen Krieges 1555–1648, Bd I – III (Stuttgart 1889–1908, Neudr. in Vorb.); J. H. Gebauer, Kurbrandenburg und das Restitutionsedikt von 1629: Hallesche Abhh. zur neueren Geschichte 38 (1899); H. Günter, Das Restitutionsedikt von 1629 und die katholische Restauration Altwirtembergs (Stuttgart 1901); W. Dersch, Das Restitutionsedikt in Hessen: Zschr. für Hessische Geschichte 40 (Kassel 1906–07); ders., Hessisches Klosterbuch: Veröff. der Histor. Komm. für Hessen und Waldeck XII (Marburg 1915); V. Stork, Die Ausführung des Restitutionsedikts von 1629 im Erzbistum Bremen: Zschr. des histor. Vereins für Niedersachsen (Hannover 1906–07); Fr. Israel, Adam Adami und seine Arcana pacis Westphalicae: Histor. Studien, hrsg. von E. Ebering, H. 69 (Berlin 1909); A. Bertram, Geschichte des Bistums Hildesheim, Bd III (Hildesheim-Leipzig 1925); W. Platzhoff, Geschichte des europäischen Staatensystems von 1559–1660 (München – Berlin 1928, Neudr. 1967); L. v. Pastor, Geschichte der Päpste seit dem Ausgang des Mittelalters, Bd XII (Freiburg 1928–29); J. Meyer, KG Niedersachsens (1939); M. Simon, Evangelische KG Bayerns, Bd II (München 1942); P. Volk, Die kirchlichen Fragen auf dem Westfälischen Frieden: Pax optima rerum, hrsg. von E. Hövel (Regensburg – Münster 1948); L. Stamer, KG der Pfalz, Bd III/1. Das Zeitalter der Reform (1556–1685) (Speyer 1955); A. Brennecke – A. Brauch, Die calenbergischen Klöster unter Wolfenbüttler Herrschaft 1584–1634 (Göttingen 1956); F. Dickmann, Der Westfälische Friede (Münster 1959).

G. Tietz

92 A: Katholiken in Norddeutschland nach 1648
92 B: Protestanten in Süddeutschland nach 1648

Autoren: P. Münch – H. J. Köhler – E. W. Zeeden

Die Karten schließen an die Reformationskarten Nr. 73 und 76–77 an. Zwischen dem letzten Drittel des 16. Jh. und dem Westfälischen Frieden verschob sich die konfessionelle Situation vor allem durch die Gegenreformation und durch den Dreißigjährigen Krieg. Der Westfälische Friede brachte auf politischer und staatsrechtlicher Basis die konfessionelle Bewegung – von einigen Ausnahmen abgesehen (Schlesien z. B.) – zum Abschluß. Er fixierte den erreichten Zustand auf der Grundlage des sog. Normaljahres 1624 und schützte die Bevölkerung vor künftigen Konfessionswechseln ihres Landesherrn, indem er ihren konfessionellen Status verbindlich legitimierte und dadurch von einem obrigkeitlichen Bekenntniswechsel unabhängig machte.

Die Karten stellen Deutschland im engeren Sinn (also nicht das Reich) dar. Der besseren Übersichtlichkeit wegen erscheinen *nur* die *konfessionellen Minderheiten* eingefärbt – d. h. die Katholiken in Nord-

und die Protestanten in Süddeutschland. Die weißen Flächen zeigen *innerhalb Deutschlands* die konfessionellen Mehrheiten – in Norddeutschland die Protestanten, in Süddeutschland die Katholiken – an. Für die Gebiete außerhalb Deutschlands besagen die weißen Flächen nichts. Farben für die Protestanten in Norddeutschland bzw. die Katholiken in Süddeutschland wurden nur dann verwendet, wenn es sich um konfessionell gemischte Gebiete oder, wie bei den Nassauischen Fürstentümern, um verschiedene konfessionelle Linien innerhalb eines Herrscherhauses handelt.

Durch die Einfärbung der Territorien – bei Städten durch schematische Zeichen – wird der Konfessionsstand der Bevölkerung, durch Unterstreichungen die Konfession der Obrigkeit angezeigt. Doppelunterstreichungen bezeichnen nicht nur, wie in der Legende ausgewiesen, Parität, sondern auch Kondominate mit verschiedenkonfessionellen Gemeinsherren (Sponheim).

Zu den Karteneintragungen sind noch folgende Erläuterungen und Ergänzungen zu machen:

a) *Zur Karte A:* Innerhalb der Nassauischen Fürstentümer hatte Nassau-Hadamar katholische Obrigkeit und Bevölkerung, Nassau-Siegen reformierte Obrigkeit und Bevölkerung mit katholischer Minderheit. In Nassau-Dillenburg (Hauptlinie), Nassau-Diez und Nassau-Oranien waren Obrigkeit und Bevölkerung reformiert, in Nassau-Saarbrücken, Nassau-Weilburg, Nassau-Wiesbaden/Idstein und Nassau-Usingen Obrigkeit und Bevölkerung lutherisch. – Mark, Kleve, Ravensberg, Halberstadt und Minden gehörten zu Brandenburg und haben deshalb schwarze Unterstreichung (die Obrigkeit im Kftm. Brandenburg war reformiert). – Osnabrück hat Doppelunterstreichung, weil evangelische und katholische Fürstbischöfe alternierend amtierten. – Katholische Minderheiten (jeweils bei lutherischer Mehrheit) gab es auch in den Landstädten Höxter, Hildesheim und Altona, ferner in der außerhalb des Kartenausschnitts liegenden Reichsstadt Lübeck. In den ebenfalls nicht innerhalb des Kartenausschnitts liegenden Landstädten Friedrichsstadt und Glückstadt sowie auf der Insel Nordstrand gab es neben einer lutherischen Mehrheit und katholischen und reformierten Minderheiten auch Remonstranten, Mennoniten, Sozianer und andere Nonkonformisten.

b) *Zur Karte B:* Die Gft. Sponheim bestand 1648 aus zwei getrennten Kondominaten: die Vordere Gft. Sponheim gehörte zu Pfalz-Simmern und Baden-Baden, die Hintere Gft. Sponheim, in der auf der Karte eine katholische Minderheit zu ergänzen ist, zu Pfalz-Birkenfeld und Baden-Baden. – Die Gft. Lützelstein im Elsaß gehörte zu Pfalz-Veldenz, die Gft. Horburg zu Württemberg, ebenso die zu ergänzende Gft. Reichenweier (Bevölkerung lutherisch). – Außer in den in die Karte eingetragenen Gebieten und Städten gab es noch Lutheraner in der Landstadt Gernsbach (lutherische Mehrheit, katholische Minderheit), die zum baden-badisch-ebersteinischen Kondominat Gft. Eberstein gehörte; in der zu Baden-Baden gehörenden Hft. Mahlberg (lutherische Mehrheit, starke katholische Minderheit); in der Hft. Lahr (zu Nassau-Saarbrücken; ganz lutherisch); in der Gft. Hohengeroldseck (Obrigkeit katholisch, Bevölkerung katholisch mit lutherischer Minderheit) und in dem zu Baden-Durlach und Fürstenberg gehörenden Prechtal (Katholiken und Lutheraner etwa gleich stark). – Frankfurt hatte neben einer katholischen auch eine reformierte Minderheit.

Quellen und Literatur: Zu den Atlanten und Nachschlagewerken vgl. den Kommentar zu Karte 73, außerdem noch M. Wilberg, Regenten-Tabellen (Graz 1962); Hdb. der historischen Stätten Deutschlands, Bd I: Schleswig-Holstein und Hamburg, hrsg. von O. Klose (Stuttgart 1958), Bd II: Niedersachsen und Bremen, hrsg. von K. Brüning (ebd. 1958), Bd. III: Nordrhein-Westfalen, hrsg. von Zimmermann-Borger-v. Klocke-Bauermann (ebd. 1963), Bd. V: Rheinland-Pfalz und Saarland, hrsg. von L. Petry (ebd. 1959, Bd. VI: Baden-Württemberg, hrsg. von M. Miller (ebd. 1965), Bd. VII. Bayern, hrsg. von K. Bosl (ebd. 1961). – *Darstellungen:* Vgl. die zu Karte 73 angegebenen Titel von K. E. Demandt, E. dresbach, H. jedin, J. Meyer, K. Müller, M. Simon und E. W. Zeeden; ferner: H. Kampschulte, Geschichte der Einführung des Protestantismus im Bereiche der jetzigen Provinz Westfalen (Paderborn 1866); P. Grünberg, Die Reformation und das Elsaß (Straßburg 1917); Adolf Kardinal Bertram, Geschichte des Bistums Hildesheim, Bd. III (Hildesheim – Leipzig 1925); F. X. Remling, Das Reformationswerk in der Pfalz (Speyer 1929); K. Heussi, Kompendium der KG (Tübingen [12]1960); F. Merkel, Geschichte des Evangelischen Bekenntnisses in Baden von der Reformation bis zur Union (Karlsruhe 1960); W. Göbell, Die evangelisch-lutherische Kirche in der Gft. Mark, Bd. I (Bethel bei Bielefeld 1961); H. Nottarp, Das katholische Kirchenwesen der Gft. Ravensberg im 17. und 18. Jh. (Paderborn 1961); W. Brandmüller, Das Wiedererstehen katholischer Gemeinden in den Fürstentümern Ansbach und Bayreuth (München 1963); Rudolf Lehmann, Geschichte der Niederlausitz (Berlin 1963).

E. W. Zeeden – H. J. Köhler

93: Die konfessionelle Gliederung Europas um 1680

Autoren: E. W. Zeeden – J. Burkhardt

Die Karte stellt den Konfessionsstand in Europa am Ende des Zeitalters der Glaubenskämpfe dar. Die konfessionelle Situation hatte sich jetzt konsolidiert; die am Ende des 17. Jh. bestehenden Verhältnisse haben sich in vielen Fällen bis ins 20. Jh. im Kernbestand gehalten.

Die Angaben der Karte folgen streng der politischen Geographie der Zeit: Kartenthema ist die konfessionelle Gliederung der europäischen *Staaten* um 1680. Dabei wird jeweils nach Obrigkeit (Staatsreligion oder persönliches Bekenntnis des Landesherrn und Bevölkerung geschieden. Um die Karte übersichtlich zu halten, werden die Minderheiten nach einem durchgängigen Stufenschema dargestellt. Prozentuale Genauigkeit läßt sich mangels statistischer Unterlagen nicht erreichen. Die Karte muß deshalb mit Wahrscheinlichkeitsangaben arbeiten.

Während außerhalb des Reiches alle staatlichen Einheiten kartographiert werden können, ist das für das Reichsgebiet aus Gründen der Maßstabsgröße nicht möglich. Hier wird deshalb nur eine nach praktischen Gesichtspunkten getroffene Auswahl geboten. Die weißen Flecken innerhalb des Reiches bezeichnen eine Vielzahl kleiner und kleinster Reichsterritorien mit lutherischer, katholischer und reformierter Landesreligion.

Einige der Eintragungen bedürfen der Erläuterung und Begründung:

Für *Graubünden* gab der Sekretär der Propagandakongregation 1677 eine exakte geographische Aufschlüsselung der konfessionellen Verhältnisse:
Grauer Bund: 29 ref., 32 kath., 3 gemischte Gemeinden;
Gotteshausbund: 30 ref., 7 kath., 19 gemischte Gemeinden;
Zehntgerichtsbund: 24 ref., keine kath., 4 gemischte Gemeinden.

Ob es im Stichjahr 1680 noch eine nennenswerte katholische Minderheit in *England* gegeben hat, ist fraglich. Der zeitgenössische Cerri-Bericht spricht von „beaucoup de Catholiques“, doch sei ihre Zahl, verglichen mit den Andersgläubigen, nicht beachtlich. Es kann davon ausgegangen werden, daß sich die Zahl der Katholiken im 17. Jh. durch Verfolgungen, Bürgerkrieg und Repressalien fortwährend vermindert hat (Bihlmeyer-Tüchle, S. 184). Um die Mitte des Jh. können es noch etwa 150 000 Katholiken gewesen sein (Jedin Bd. IV S. 668), eine für die damaligen Bevölkerungsverhältnisse sicher noch beachtenswerte Minderheitspotenz. Dementsprechend geben auch die einschlägigen Konfessionskarten für 1650 noch durchweg Minderheitsbalkungen. In der folgenden Periode der Bürgerkriege wird jedoch mit der Dezimierung des Adels auch eine Stütze des Katholizismus getroffen (1/3 des gefallenen Adels war katholisch; Trevelyan [s. u.], S. 67, vgl. 71 und 306), die Regierung Cromwells wird ein übriges getan haben. Die Testakte von 1672 führte auf lange Sicht dazu, daß der katholische Anteil vorübergehend (um 1780) auf den Tiefstand von1% der Bevölkerung absank; inwieweit schon eine einschneidende Auswirkung unmittelbar für das Stichjahr 1680 anzusetzen ist, bleibt fraglich. Nach der zeitgenössischen Zählung des anglikanischen Bischofs Sheldon von 1676 wäre das Verhältnis von Anglikanern und Katholiken 176:1 gewesen; die Zählung gilt jedoch als tendenziös und unhaltbar (Clark [s. u.], S. 26). Daß nach Sheldons Angaben den protestantischen Dissenters eine – ebenfalls viel zu geringe – Quote von 22:1 zugestanden werden müßte (Clark ebd.), kann hier immerhin als ein Indiz dafür gelten, eine welch untergeordnete Rolle der englische Restkatholizismus, verglichen mit protestantischen Minderheiten, um 1680 spielte. Allerdings muß wohl eine gewisse Resonanz für die nach anderen Schätzungen noch etwa 100 katholischen Geistlichen (Clark ebd.) vorhanden gewesen sein. Am besten trifft die Verhältnisse wohl ein Mittelwert aus dem Stand des frühen 17. Jh. von ca. 10% und dem Tiefstand des 18. Jh. von 1%: ca. 5%.

In *Türkisch-Ungarn* entwickelte sich unter osmanischer Hoheit der Calvinismus zum herrschenden Bekenntnis. Der Katholizismus kann vor 1683 allenfalls eine Minderheit von 16–30% gewesen sein, wahrscheinlich lag er eher unter 15%; nach den zeitgenössischen Angaben der Propaganda residierten die meisten Bischöfe nicht mehr; die nach diesen Angaben sogar nur 50 000 Katholiken wurden meist vom Bistum Belgrad aus geistlich mitbetreut (Cerri, S. 59). Über die Stärke eventueller lutherischer, orthodoxer und unitarischer Minderheiten ist wenig bekannt; sie sind in der Karte vermutungsweise je auf der Stufe 5–15% gegeben worden, die orthodoxe Minderheit im Südwesten und Südosten ist nicht auf der Karte verzeichnet.

In Siebenbürgen, das als Vasallenstaat zum Osmanischen Reich gehörte, gab es vier „rezipierte“, d. h. im Fürstentum anerkannte Bekenntnisse: Katholizismus, Calvinismus, Luthertum und Unitarismus. Außerdem existierte noch in den südlichen Landesteilen eine Minderheit, die zur als Landeskonfession nicht anerkannten orthodoxen Kirche gehörte. Über die Stärkeverhältnisse ist wenig bekannt, der Katholizismus gewann erst nach 1683 wieder das Übergewicht; die Zahl der

Unitarier blieb sich etwa gleich (sehr im Gegensatz zu anderen Ländern). Infolge dieser staatsrechtlichen Situation erscheint das Gebiet des Fürstentums mit den Farben der 4 anerkannten Konfessionen eingefärbt; die orthodoxe Minderheit wird nicht verzeichnet.

Die übrigen europäisch-türkischen Gebiete hatten insgesamt eine griech.-orthodoxe Bevölkerungsmehrheit und eine mohammedanische Minderheit, die im ganzen zwischen 5 und 30% gelegen haben muß, sich aber sehr ungleichmäßig über das Staatsgebiet verteilte.

In den Fürstentümern Walachei und Moldau lebten kaum Mohammedaner. Dagegen war „der größte Teil der Albanier islamisch" (Stadtmüller [s. u.]). Die ehemaligen katholischen und unierten Kirchen der Balkanhalbinsel verfielen unter der Türkenherrschaft, die katholischen Bistümer führten ein reines Titulardasein oder stützten sich auf einen Rest von einigen tausend Gläubigen. Sie erreichten nirgendwo die Stufe 5–15% (vgl. den Cerri-Bericht, z. B. Dalmatien und Kroatien 8000 Katholiken, Serbien 1260). Nur im Ftm. Moldau hat sich der Katholizismus vermutlich einigermaßen stabil gehalten.

Die konfessionellen Verhältnisse in Litauen, der Ukraine und im südöstlichen Polen lassen sich schwer mit einiger Sicherheit abschätzen. Es gibt 1680 in diesen Landesteilen das röm.-kath., griech.-kath. (die unierte, später ruthenische Kirche) und griech.-orthodoxe Bekenntnis. Der Bekenntnisstand der Bevölkerungsteile ist oft unklar, das Stärkeverhältnis desgleichen. Durch die polnischen Teilungen gerieten die einzelnen Regionen des ehemaligen Königreichs in den Sog sehr verschiedener kirchenpolitischer Richtungen (von Preußen wurden die restlichen Teile protestantisch, von Österreich die galizischen Teile katholisch, von Rußland alles übrige orthodox beeinflußt und unterwandert). Deshalb spiegeln sich die Verhältnisse in neueren Statistiken so gebrochen wider, daß daraus keine sicheren Rückschlüsse auf die Situation im Stichjahr gezogen werden dürfen. Dennoch hat der Katholizismus, mindestens seit 1600, in Litauen, in Klein- und in Großpolen immer dominiert, während das Übergewicht der Unierten stets im Osten lag.

In der Union von Brest von 1598, der „zahlenmäßig größten aller Unionen" (LThK², Bd X, Sp. 503), wurde ein „großer Teil der Bevölkerung (Bihlmeyer-Tüchle, S. 209) griechisch-katholisch. Auf dem Höhepunkt ihrer Entwicklung im 18. Jh. umfaßte sie rund 12 Millionen Menschen (Likowski [s. u.], S. 8), eine ungeheure Zahl für die damaligen Bevölkerungsverhältnisse. Für das 17. Jh. ist das Bild jedoch noch völlig anders: Zunächst blieben zwei Diözesen völlig orthodox (Lemberg und Przemysl), dann blieb aber auch in den unierten Diözesen ein starker „disunierter" Rest, „der an einzelnen Orten gar nicht die Minderheit der Bevölkerung ausmachte" (Völker [s. u.], S. 273). Die Entwicklung wurde zeitweise sogar wieder rückläufig. Seit der Mitte des 17. Jh. gab es in den einzelnen Bistümern bis zu drei Hierarchien nebeneinander: die lateinische, die unierte und die orthodoxe. Der polonisierte Adel Litauens gehörte meist der kath. Kirche an (LThK², Bd VI, Sp. 1078; Manthey, S. 124), von der litauischen Bevölkerung gehörte ein gleichmäßig starker Teil dem unierten und dem orthodoxen Bekenntnis an (Manthey: etwa je 2 Mill.), ein beträchtlicher Teil war römisch-katholisch.

Durch das Vordringen Rußlands (Friede von Moskau 1686), welches Polen den größten Teil der Ukraine wegnahm, klärten sich allmählich auch die konfessionellen Fronten: die Orthodoxie setzte sich in der Ukraine östlich des Dnjepr und im rechtsufrigen Kiew völlig durch, während in den bei Polen verbliebenen Landschaften zwischen Dnjepr und Bug die Unierten überwogen.

In dem zu kartographierenden Stichjahr befand sich alles noch im Übergang: Disunierte Diözesen waren Luck, Przemysl und Lemberg; in Luck war die Bevölkerung orthodox; es gab eine unierte Minderheit ohne eigene Hierarchie: in Przemysl bestand neben der orthodoxen Bevölkerung eine unierte Minderheit von „nicht unbedeutender Anzahl" mit eigenem Bischof, während es in Lemberg keine Unierten gab. Die übrigen Diözesen hatten zwar fast alle noch orthodoxe Minderheiten, bes. (auch über 1700 hinaus) in Weißrußland, in der Gegend von Stuck (Litauen), in den ukrainischen Grenzstrichen, sie fielen jedoch nicht mehr ins Gewicht. – In der Karte werden, um die Übergangssituation zu kennzeichnen und da eine differenzierte Darstellung kaum möglich ist, für die in Frage kommenden Gebiete die drei genannten Konfessionen jeweils zu gleichen Teilen eingetragen.

Im *Piémont* (Täler Luserna, S. Martino, Perosa) gab es als evangelische Bevölkerungselemente die Waldenser. Diese numerisch sicher geringe und deshalb nicht eingetragene Minderheit ist als einziges protestantisches Element in romanischen Ländern außerhalb Frankreichs interessant und wird durch die Auswanderungen um 1680/90 historisch bedeutsam.

Das westliche *Ungarn* wurde im Laufe des 17. Jh. fast geschlossen wieder katholisch (vgl. Zeeden [s. u.], S. 175). Bes. in der sog. „Trauerdekade des ungarischen Protestantismus" (1671–81) nahm die Zahl der Protestanten beider Bekenntnisse ständig ab (nach jesuitischen Schätzungen z. B. 1674 etwa 50000 Konversionen; Bucsay [s. u.], S. 92). Jedoch erreichte die Gegenreformation ihr Ziel nicht ganz: die späteren Konzessionen für Kirchenräume und die Toleranzpatente zeigten, daß sich trotz der Verfolgungen beachtliche protestantische Potenzen erhalten hatten. Das Stärkeverhältnis der protestantischen Bekenntnisse zueinander ist schlecht abzuschätzen. Nach den Berichten über die Dezimierung der Prediger zu urteilen, befanden sich die Lutheraner in großer Überzahl, jedoch war das in *Ungarn* gewöhnlich mit dem Luthertum verbundene *deutsche* Element dem Zugriff der österreichischen Gegenreformation besonders stark ausgesetzt. Die Unitarier gingen im 17. Jh. allmählich unter und spielten 1680 keine Rolle mehr.

Im Gebiet des Reiches werden die zwischenterritorialen Grenzen teilweise ausgelassen. Eine Darstellung der konfessionellen Gliederung wäre bei dem kleinen Maßstab sonst überhaupt nicht möglich. Das gilt insbesondere für *West-* und *Südwestdeutschland,* hier z. B. für die *Kurpfalz* und die in sie eingesprengten und an sie angelehnten Klein- und Nebenterritorien. Von den hessischen Linien ließ sich *Hessen-Darmstadt,* das luther. Obrigkeit und überwiegend luther. Bevölkerung hatte, nicht unterbringen. In *Schlesien* lag das Konfessionsbestimmungsrecht praktisch bei den Regionalfürstentümern und Standesherrschaften. Da diese territorial jedoch für eine Kartierung im Maßstab der Karte zu klein sind, beschränkt sich die gewählte Darstellungsform darauf, hervorzuheben, daß der Katholizismus in Oberschlesien, das Luthertum in Niederschlesien ihr Zentrum hatten.

Anhaltspunkte für die Auswahl der eingetragenen *Reichsstädte* bilden die Einwohnerzahl (über 10000, z. T. geschätzt nach Nachrichten über wirtschaftliche Potenz, Steueraufkommen, Häuser- und Kirchenzahl) und die Größe des Landgebietes.

Korrekturzusatz: Die Dichte der Sonderkonfessionen ist in England bei 30–40%, in den Niederlanden bei 25% anzusetzen. In Mähren ist die Balkung für Sonderkonfessionen zu streichen.

Quellen: A. F. Büsching, Erdbeschreibung, 14 Tle. (Hamburg 1787–94); U. Cerri, État présent de l'église Romaine dans toutes les parties du monde écrit pour l'usage du Pape Innocent XI. (hsl. 1667), Avec une épitre dédicatoire du Chevalier Richard Steele au Pape Clément XI contenant l'état de la Religion dans la Grande Bretagne; & autres particularitez sur la conjoncture présente. (Aus dem Englischen übersetzt von P. Humbert) (Amsterdam 1716), dazu O. Mejer, Die Propaganda, ihre Provinzen und ihr Recht, 2 Bde (Göttingen 1852) (mit den aufgearbeiteten statistischen Angaben von Ciampi u. a.). – *Zur überregionalen Literatur* vgl. Karte 73, außerdem L. v. Pastor, Geschichte der Päpste, bes. Bd XVI/1 und 2: Im Zeitalter des fürstlichen Absolutismus (Freiburg i. Br. 1929–30). – *Regionale Literatur:* G. M. Trevelyan, England under the Stuarts: A History of England in Eight Volumes, Bd V (Neudruck der 21. Aufl. London 1957); J. Peslesz, Geschichte der Union der ruthenischen Kirche mit Rom, 2 Bde (Wien 1878/80); E. Likowski, Geschichte des allmähligen Verfalls der unirten ruthenischen Kirche im XVIII. und XIX. Jh. Ins Deutsche übertragen von Appollinarius Tloczynski, 2 Bde (Posen 1887); A. O. Meyer, England und die katholische Kirche unter Elisabeth (Rom 1911); K. Völker, KG Polens (Berlin 1932); B. Krupnyckyj, Geschichte der Ukraine (Leipzig ²1943); E. Tomek, KG Österreichs, 2. Tl.: Humanismus, Reformation und Gegenreformation (Innsbruck – Wien 1949); G. N. Clark, The Later Stuarts 1660–1714 (Oxford ⁵1949); A. M. Amman, Abriß der ostslawischen KG (Wien 1950); G. Stadtmüller, Geschichte Südosteuropas (München 1950); O. Halecki, Grenzraum des Abendlandes. Eine Geschichte Ostmitteleuropas (Salzburg 1957); ders., Geschichte Polens (Frankfurt a. M. 1963); G. Rhode, Die Reformation in Osteuropa (Forschungsbericht): Zschr. für Ostforschung 7 (1958) 481–500; ders., Kleine Geschichte Polens (Darmstadt 1965); M. Bucsay, Geschichte der Protestanten in Ungarn (Stuttgart 1959); W. Markert (Hrsg.), Osteuropa-Handbuch. Polen (Köln 1959); B. Stasiewski, Reformation und Gegenreformation in Polen. Neue Forschungsergebnisse: Katholisches Leben und Kämpfen im Zeitalter der Glaubensspaltung 18 (Münster 1960); E. Winter, Rußland und das Papsttum, Tl. I ([Ost-] Berlin 1960); F. Manthey, Polnische KG (Hildesheim 1965). – Zu den *Nachschlagewerken* und *Konfessionskarten* vgl. Karte 73, außerdem E. W. Zeeden, Katholische Bevölkerung in Mitteleuropa um 1650: LThK², Bd VIII (1963) nach Sp. 1080.

E. W. Zeeden

94: Die Mauriner

Autor: J. Martin

In seinem Dekret zur Reform der Orden hatte das Konzil von Trient u. a. bestimmt, daß sich die exemten Klöster einer Provinz oder, falls in einer Provinz zu wenige Klöster vorhanden sein sollten, auch die Klöster mehrerer Provinzen zu Kapiteln zusammenschließen sollten. Diese Bestimmung betraf insbesondere den Benediktinerorden; zwar hatten die Benediktiner im Spätmittelalter vor allem in Italien und Deutschland bedeutende Kongregationen gebildet (vgl. Karte 67), doch waren, abgesehen davon, daß einige Kongregationen inzwischen in Verfall geraten waren, bei weitem nicht alle Benediktinerklöster von der Kongregationsbildung erfaßt worden.

Die aufgrund des Trienter Dekrets im 16. und 17. Jh. gegründeten Kongregationen waren sehr unterschiedlicher Natur: neben rein formalen Zusammenschlüssen gab es Kongregationen, bei deren Bildung von vornherein der Reformgedanke eine wichtige Rolle spielte. Exemplarisch für diese letzteren wird auf der vorliegenden Karte die Kongregation von S. Maur dargestellt. Sie entstand unter dem Einfluß der 1595 gegründeten lothringischen Reformkongregation von S. Vanne, der auch französische Klöster beitraten. Diese bildeten – wobei auch staatliche Wünsche mitspielten – 1618 eine eigene französische Kongregation, der sich in kürzester Zeit viele Einzelklöster, aber auch ganze (früher gegründete) Kongregationen anschlossen. Die Blütezeit der Mauriner fällt mit dem 17. Jh. zusammen. Danach trat aus verschiedenen Gründen ein Verfall ein, bis in der Französischen Revolution alle Klöster aufgehoben wurden.

Die Bedeutung der Kongregation, die in ihrer Verfassung den zentralen Instanzen (Generalkapitel, Generaloberer) eine besonders starke Stellung einräumte, lag neben den reformerischen Ansätzen besonders auf wissenschaftlichem Gebiet: durch kritische Editionen (Augustinus), Forschungen zur Ordensgeschichte, grundlegende Arbeiten zur Diplomatik (J. Mabillon) u. a. machten die oft namenlos gebliebenen Mönche den Namen der Mauriner bis heute zu einem Begriff in der wissenschaftlichen Welt.

Neben der Darstellung einer bedeutenden Kongregation vermittelt die Karte einen Eindruck von der Kontinuität französischer Klöster, wenn man sie etwa mit Karte 37 vergleicht.

Quellen und Literatur: Die neueste, mir bekanntgewordene Konventsliste der Mauriner findet sich bei Y. Chaussy, Matricula monachorum professorum Congregationis S. Mauri in Gallia ordinis S. Patris Benedicti (Paris 1959). Die chronologische Gliederung wurde vorgenommen nach E. Martène, Histoire de la Congrégation de St-Maur, 9 Bde, hrsg. von G. Charvin (Ligugé – Paris 1926–30). Vgl. auch P. Lindner, Gallia Benedictina (Köln 1909).

J. Martin

95: Das Wachstum der evangelischen Kirche in Österreich von 1800 bis 1970

Autoren: Die Angaben zum Stand der Gemeinden am 1. Juli 1970 wurden vom Evangelischen Oberkirchenrat A. u. H. B., Wien, zur Verfügung gestellt. Die Gemeinden im Jahre 1800 wurden nach den Angaben von *G. May,* Die evangelische Kirche in Österreich (Vandenhoeck & Ruprecht, Göttingen – Zürich – Wien 1962) S. 78 eingetragen. Die beiden Graphiken zum Stand von 1900 und 1938 stammen aus dem gleichen Buch S. 22.

Nachdem Österreich im Zuge der Reformation zu einem großen Teil lutherisch geworden war, wurde es durch die Gegenreformation fast vollständig wieder rekatholisiert. Ein neues Wachstum für die evangelische Kirche begann, als Kaiser Joseph II. 1781 ein Toleranzpatent erließ und 1861 die Angehörigen der evangelischen mit denen der katholischen Kirche gleichgestellt wurden. Seitdem haben – laut Lutherischem Hdb., Tl. 1 (Berlin 1963) 94 – vor allem 3 Faktoren zum Wachstum der österreichischen evangelischen Kirche beigetragen: „Die ‚Los-von-Rom-Bewegung' um die Jahrhundertwende, aufgrund der viele römische Katholiken in die lutherische Kirche eintraten, die Volksabstimmung im Jahre 1921, durch die das ungarische Burgenland mit seinen 40000 Lutheranern zu Österreich kam, und der Flüchtlingsstrom seit dem 2. Weltkrieg."

In die Karten sind nur selbständige Pfarrgemeinden eingetragen, Tochtergemeinden blieben unberücksichtigt. Die Kirchenleitung (Evangelischer Oberkirchenrat A. u. H. B.) befindet sich in Wien.

Quellen und Literatur: Vgl. oben unter Autor und im Text.

J. Martin

96 A: Die Zurückdrängung des Osmanischen Reiches und die Hierarchie in Südosteuropa.

Autor: J. Martin. Wichtige Hinweise gab F. Dörrer.
Zum Aufstieg des Osmanischen Reiches vgl. Karte 72

Um die Zurückdrängung des Osmanischen Reiches bis zu den Balkankriegen 1912/13 – dem Enddatum der Karte – kartographisch einigermaßen anschaulich und übersichtlich zu machen, wurden verschiedene Gebiete zu Farbkomplexen zusammengezogen, die in erster Linie die zeitliche Abfolge der Verluste des Osmanischen Reichs markieren (vgl. unten). Zusätzlich wurde versucht, durch Abschattierungen und Schraffuren politische Zusammenhänge deutlich zu machen. Zwischenstadien auf dem Weg zur endgültigen Selbständigkeit von Staaten (wie z. B. die Tributpflichtigkeit) wurden nicht berücksichtigt. Dagegen sind Okkupationen, die fast immer schon dem endgültigen Verlust eines Gebietes für das Osmanische Reich gleichkamen, eingetragen.

Im einzelnen sind zur Darstellung der Karte und zu den Farben folgende Erläuterungen zu geben:

a) Durch die braune Farbe werden die Gebiete zusammengefaßt, die das Osmanische Reich bis 1700 – hauptsächlich im Frieden von Karlowitz 1699 – an Österreich, Ungarn, Polen, Rußland und Venedig abtreten mußte.

b) Das Banat (rotbraun) kam im Frieden von Passarowitz (1718) an Österreich.

c) Die gelbe Farbe bezeichnet die Gebiete (vor allem im Schwarzmeerbereich), die die Türkei zwischen 1774 und 1812 an Rußland bzw. (die Bukowina) an Österreich verlor. Südbessarabien wurde mit in diese Farbgruppe einbezogen, obwohl die endgültige staatliche Neuordnung hier erst 1878 erfolgte und 1856–78 ein Streifen nochmals an das Osmanische Reich kam.

d) Die dunkelviolette Farbe bezeichnet das griechische Gebiet, das 1830 unabhängig wurde, die hellviolette Farbe Thessalien und einen Teil von Epirus, die 1878 Griechenland zugesagt, aber erst 1881 abgetreten wurden.

e) Die dunkelgrün eingefärbten Länder Rumänien, Serbien und Montenegro wurden nach Beendigung des russisch-türkischen Krieges 1878 (Berliner Kongreß) unabhängig.

f) Die hellgrün eingefärbten Gebiete Bosnien und Herzegowina wurden 1878, Sandschak Novipazar 1879 von Österreich-Ungarn besetzt. Formell gehörten alle 3 Gebiete noch bis 1908 zum Osmanischen Reich; Bosnien und Herzegowina wurden 1908 von Österreich-Ungarn annektiert, während Sandschak Novipazar, wo im Gegensatz zu Bosnien und Herzegowina auch während der Besatzung die türkische Zivilverwaltung bestehenblieb, 1909–12 noch einmal türkisch wurde. 1912 besetzte Serbien das Gebiet, 1913 kam es auch völkerrechtlich zum serbischen Königreich. – Das ebenfalls hellgrün eingefärbte Zypern wurde 1878 von England okkupiert, blieb aber zunächst (bis 1914) unter türkischer Hoheit.

g) Der Berliner Kongreß verhinderte 1878 die Bildung eines großbulgarischen Reiches unter russischem Einfluß. Statt dessen wurde ein der Türkei tributpflichtiges Fürstentum Bulgarien und eine selbständige Provinz Ostrumelien gebildet, die jedoch 1885 mit Bulgarien vereinigt wurde. 1908 erklärte sich Bulgarien für unabhängig.

h) Die Farbschraffuren bezeichnen außer Kreta, das 1908 endgültig an Griechenland kam, Gebiete, die die Türkei infolge der Balkankriege 1912/13 verlor. Die Schraffuren sind jeweils in den Farben der Länder gegeben, die die Gebiete erhielten. Albanien wurde 1913 als selbständiger Staat errichtet. Sandschak Novipazar kam, wie oben erwähnt, 1912 an Serbien.

i) Das Gebiet der Resttürkei 1913 ist grau eingefärbt.

k) Ohne Einfärbung blieben Rhodos und seine Nachbarinseln, die 1911 von Italien besetzt und 1923 formell an Italien abgetreten wurden.

Bei der kirchlichen Hierarchie – es handelt sich hier um die lateinische und unierte Kirchenorganisation – wurden nicht nur die Sprengel im ehemals von den Türken besetzten Gebiet berücksichtigt, sondern darüber hinaus auch die Bistümer und Erzbistümer, die von den mit der Aufhebung des Patriarchats Aquileia 1751 beginnenden Neuordnungen im österreichisch-ungarischen, italienischen, nordserbischen und galizischen Raum betroffen waren.

Zu den Neuordnungen vgl. den Kommentar zu Karte 96 B. Um die vorliegende Karte zu entlasten, wurde für Österreich, das unten auf Karte 96 B im einzelnen behandelt ist, eine vereinfachte Darstellung gegeben. Kurz dauernde Änderungen des auf der Karte eingetragenen Status (z. B. Ljubljana-Laibach vorübergehend Erzbistum, Gorizia-Görz vorübergehend nur einfaches Bistum) konnten nicht berücksichtigt werden. Ebenso blieben Neuumschreibungen von Diözesangebieten (z. B. Djakovo) außer Betracht, auch wenn sie mit kurzfristiger Unterbrechung der Kontinuität eines Bistums (z. B. Triest) verbunden waren. Die unierten Vikariate Oradea-Großwardein (hier seit Anfang des 18. Jh. ein Apostolischer Vikar), Košice-Kaschau und Mukačevo sind wie die Vikariate der römischen Kirche dargestellt. Das 1828 mit Parenzo vereinigte Pola und das im selben Jahr mit Split vereinigte

Makarska sind ebensowenig aufgenommen wie das 1828 untergegangene Trogir (Trau).

Das Illyricum gehörte in der Antike zum Patriarchat Rom (vgl. Karte 20), kam aber im 8. Jh. zur byzantinischen Kirche (vgl. Karte 30), während Dalmatien im Einflußbereich der lateinischen Kirche verblieb. Die kirchliche Organisation in diesem Gebiet geht zum Teil schon auf die Antike zurück – im Mittelalter kamen weitere Bistümer hinzu (vgl. die Karten 32 und 71). In der Kreuzfahrerzeit erhielten Griechenland mit Epirus und Mazedonien sowie Thrakien eine lateinische Kirchenorganisation (vgl. Karte 61), 1204–35 waren auch die bulgarischen Kirchen mit Rom uniert. Die lateinischen Bistümer Thrakiens hatten nur eine kurze Lebensdauer, die Bistümer auf dem griechischen Festland gingen sämtlich infolge der türkischen Eroberungen unter – nur auf den Inseln konnten sie zum Teil ihre Kontinuität bewahren. Die Bistümer im heutigen Albanien und in Montenegro erlebten zwar während der Türkenherrschaft mehrfach Unterbrechungen ihrer Bischofsreihen, gingen aber nicht völlig unter. Skoplje bestand seit 1676 wieder (mit wechselnden Residenzen) und ist deshalb in der Karte schwarz gegeben. Belgrad (Beograd) wurde zwar 1723 – mit Semendria vereinigt – wiedererrichtet, bestand jedoch bis 1897 nur als Titularbistum. 1914 wurde die Kirchenprovinz Belgrad errichtet.

Für die neugegründeten Sprengel südlich der Save-Donau-Linie sowie in Rumänien geht der Zusammenhang mit der Zurückdrängung des Osmanischen Reiches aus den Daten meist unmittelbar hervor. Nur das Apostolische Vikariat Sofija-Plovdiv konnte schon vor der Befreiung von der Türkenherrschaft errichtet werden. – Das Apostolische Patriarchalvikariat Konstantinopel geht auf das 1204 errichtete lateinische Patriarchat zurück; seit seiner Vertreibung 1261 residierte der Patriarch in verschiedenen Städten.

Korrekturzusatz: 1881 (nach anderen Angaben 1883) wurden für die Bulgaren, die 1859–60 mit Rom uniert worden waren, die Apostolischen Vikariate Thrakien (Sitz Konstantinopel) und Makedonien (Sitz Thessalonike) errichtet. Nach M. Lacko (LThK^2, Bd IX, Sp. 847) residierte schon seit 1861 ein Bischof für die Bulgaren in Konstantinopel, nach O. Werner (s. u.) wurde 1883 mit den beiden genannten Vikariaten auch ein Apostolisches Vikariat Konstantinopel für die Bulgaren errichtet.

Literatur: Vgl. die Bistums- und Länderberichte im LThK^2 und die dort angegebene Literatur, ferner O. Werner, Orbis terrarum catholicus (Freiburg 1890).

J. Martin

Unter Benutzung von Mitteilungen von F. Dörrer

96 B: Die Neuordnung der österreichischen Bistümer 1782–1859 (Kirchenprovinzen Salzburg und Wien)

Autor: F. Dörrer

Seit der Jahrtausendwende hatte sich die meist sogar ins 8. Jh. zurückreichende Bistümereinteilung des ostalpinen Raumes und seiner Nachbargebiete (siehe Karte 46) – abgesehen von der Entstehung einiger winziger Diözesen und Quasidiözesen und minimalen Grenzkorrekturen – nicht verändert. Gewandelte Seelsorgeaufgaben und die Realität der seither entstandenen, längst als beständig erwiesenen Länder und Staaten, die z. T. schon seit dem 13. Jh. eigene Bistümer anstrebten, waren jedoch auf die Dauer nicht zu ignorieren. Das 18. Jh brachte völligen Wandel. 1722 wurde die vorerst freilich noch kleine Kirchenprovinz Wien geschaffen. Als Entschädigung erhielt Passau 1729 die längst erstrebte Exemtion, seit 1001 die größte Einbuße der Kirchenprovinz Salzburg. Der alten österreichischen Forderung nach Entmachtung der ganz unter Einfluß Venedigs geratenen Patriarchen von Aquileia entsprach Papst Benedikt XIV., indem er 1751 das Patriarchat aufhob und 1752 die Metropolen Udine (für den venezianischen) und Görz (für den österreichischen Teil) errichtete. Die Angleichung der kirchlichen an die politischen Grenzen, bald darauf ein Hauptpostulat des Josephinismus und anderer Staatskirchensysteme der Aufklärung, war damit erstmals seit einem Jahrtausend hier kirchlicherseits als Prinzip anerkannt worden. Maria Theresia betrieb vorerst die Reorganisierung im Osten und Norden ihres Großstaates, der nach Zurückdrängung der Türken und Glaubenskriegen ihrer besonders bedurfte (vgl. Karte 96 A). Im besonders mitgenommenen äußersten Südosten war schon 1717 das lateinische Bistum Alba Julia wiedererrichtet und das unierte nach Făgăras verlegt worden. 1771–77 wurden 9 neue Bistümer gegründet (6 lateinische 1776/77: Neusohl, Zips, Rosenau, Stuhlweißenburg, Steinamanger, Brünn; 3 unierte: 1771 Mukačevo, 1777 Kreutz und Großwardein), die mährische Kirchenprovinz geschaffen (Olmütz 1777 Erzbistum), die meisten alten Diözesen Ungarns einschließlich der Slowakei, Siebenbürgens und Slawoniens neu begrenzt, manche tiefgreifend umgestaltet (z. B. 1773 Djakovo). Die Befreiung Ostungarns, Siebenbürgens und südslawischer Gebiete 1699 bzw. 1718 vom osmanischen Joch und die Erwerbung Galiziens 1772 und der Bukowina 1775 erhöhte die Zahl der Orthodoxen und Unierten in Österreich beträchtlich und bewog zu deren beider Neubewertung. Vielfach auf staatliches Betreiben, selbst gegen Widerstände der lateinischen Kirche, wurde die schon bestehende unierte (griechisch- und armenisch-katholische) Hierarchie gestärkt und durch Bistumsneugründungen (s. o.!) vermehrt, so daß 1780 ein armenisch-katholisches Erzbistum und 6 griechisch-katholische Bistümer, bis 1914 schließlich 3 unierte Erzbistümer (4 Kirchenprovinzen, da für die Unierten Ungarns das lateinische Erzbistum Gran als Metropole fungierte) und 9 unierte Bistümer in Österreich-Ungarn bestanden. – Bekannter als die Änderungen im Osten ist jedoch die im engsten Sinne „josephinische" Bistümerregulierung im heutigen Österreich, Böhmen und Nordjugoslawien. Sie begann 1782 mit Vergrößerung der (drei Jahre später aufgelassenen) Zwergdiözese Wiener Neustadt und wurde, als der Kaiser 1783 anläßlich der Ausschaltung Passaus und unter dem Eindruck der argen Zersplitterung der Diözese Laibach generelle Direktiven erließ, zu einer allumfassenden Staatsaktion, die schließlich die Bistümereinteilung aller österreichischen Alpenländer, Böhmens, Galiziens, Sloweniens und der Küstenlande an der Nordadria umgestaltete und auf die noch heute die Kirchenorganisation dieser Gebiete großenteils zurückgeht. Grundsätze waren die Ausschaltung aller ausländischen Bischöfe, die Schaffung ungefähr gleich großer, abgerundeter inländischer Diözesen und deren Umschreibung nach politischen (Staats-, Länder-, Kreis-)Grenzen. In der ersten und bedeutsamsten Phase 1782–88 wurden diese Ziele in Ober- und Niederösterreich, Steiermark, Kärnten, Krain, Küstenland (Görz, Gradisca, Triest, Istrien), Böhmen und Galizien verwirklicht, dabei 1785/86 die Bistümer Linz, S. Pölten, Leoben und Tarnów neu gegründet, Wien, Seckau, Lavant, Gurk, Laibach, Leitmeritz und Königgrätz bedeutend vergrößert, die Residenzen von Gurk und Seckau in die Landeshauptstädte, von Görz nach Gradisca, die Metropole von Görz nach Laibach verlegt, die Zwergbistümer Wiener Neustadt, Triest, Pedena und alle Quasidiözesen unterdrückt. Die Kirchenprovinz Wien weitete sich fast auf ihren jetzigen Umfang. Seit damals gilt die Abgrenzung zwischen den Metropolen Wien und Salzburg, deren jener die österreichischen Donau-, dieser die Alpenländer unterstehen. Hingegen gelang in Tirol und Vorarlberg (außer Bereinigungen entlang der südlichen Landesgrenze) die Bistümerregulierung erst in der zweiten Phase: 1818, in welchem Jahre auch die Diözesen Bayerns und damit indirekt auch Salzburg neu begrenzt wurden. Trient, einst Suffragan Aquileias, dann immediat, wurde 1825 der Metropole Salzburg unterstellt. Die dritte Phase 1858/59 brachte nochmals Korrekturen in Südösterreich: Das Bistum Lavant schied aus Kärnten aus, erhielt in Marburg seinen neuen Sitz und die slowenische Südsteiermark als Sprengel. Leoben, schon seit 1808 unter provisorischer Leitung des Grazer Bischofs, wurde völlig der Diözese Seckau/Graz integriert, die sich seither fast genau mit dem heutigen österreichischen Bundesland Steiermark, die Diözese Gurk/Klagenfurt mit Kärnten deckt. Die 1782–1859 festgelegten, durchwegs vom Staat der Kirche abgenötigten Kirchenprovinz- und Bistümergrenzen sind innerhalb Österreichs bis zur Gegenwart unverändert geblieben, obzwar die 1918 gezogenen Staatsgrenzen auch für die Kirche nicht ohne Folgen blieben (1920/24 Abtrennung der Diözesen Trient, Brixen und Lavant von der Kirchenprovinz Salzburg; 1922/25 Schaffung immediater Apostolischer Administraturen für die von ihren historischen Bischofssitzen getrennten Bundesländer Burgenland, Tirol und Vorarlberg; 1960 Errichtung der Diözese Eisenstadt, 1964 Innsbruck, 1968 Feldkirch, deren erste der Kirchenprovinz Wien zuwuchs; 1922–1964 kleinere Korrekturen entlang der Staatsgrenze). Die hier skizzierte kirchenpolitische Agilität des österreichischen Staates im 18. Jh. wirkte außerdem in Oberitalien (österreichische Lombardei) und im heutigen Belgien und Luxemburg (österreichische Niederlande). So erfuhren weite Teile Europas schon vor der Französischen Revolution und der Säkularisation eine Neuordnung der katholischen Kirchenorganisation.

Literatur: wie bei Karte Nr. 46 angegeben, dazu speziell über die josephinischen Bistümerregulierung: J. R. Kušej, Joseph II. und die äußere Kirchenverfassung Innerösterreichs: Kirchenrechtl. Abh. 49–50 (Stuttgart 1908); H. Ferihumer, Die kirchliche Gliederung des Landes ob der Enns im Zeitalter Kaiser Josefs II.; Forsch z. Gesch. Oberösterreichs 2 (Linz 1952); F. Dörrer, Der Wandel der Diözesaneinteilung Tirols und Vorarlbergs: Tiroler Heimat 17

(1953); ders., Bistumsfragen Tirols nach 1918: Schlern-Schr. 140 (1955); ders., Der Tiroler Anteil des Erzbistums Salzburg (Innsbruck 1969); ders., Westösterr. Bistumsfragen u. Entwicklung der Kirchengebiete Österr.-Ungarns: Tiroler Heimat 33 (1969); E. Karlinger – C. Holböck, Die Vorarlberger Bistumsfrage (Graz 1963). – Fast alle diese Literatur enthält auch Karten.

F. Dörrer

97 A und B: Die Umorganisation der katholischen Kirche in Frankreich 1789–1802/22

Zur Geschichte der französischen Kirchenorganisation bis 1500 vgl. die Karten 2, 4, 8, 22, 32 und 71. Seit 1500 wurden als neue Kirchenprovinzen eingerichtet Albi (1678) und Paris (1622) – im Rahmen der kirchlichen Neuordnung der Niederlande (vgl. Karten 80 A und B) wurde Cambrai Metropole. Nicht mehr berücksichtigt sind auf der Karte A (Stand vor 1789) das 1779 gegründete Chambéry und die 1788 gebildete Diözese Moulins. Im Norden reichte die Kirchenprovinz Cambrai, wie durch die Abschnitte dünner Grenzen angedeutet, über das französische Gebiet hinaus (vgl. Karte 80 B), während umgekehrt die Kirchenprovinz Trier, zu der Verdun, Metz, Toul, Nancy und S. Dié gehörten, in französisches Gebiet hineinreichte (vgl. Karte 97 C). Für die Bistümer der alten Kirchenprovinz Toulouse habe ich keine genauen Grenzunterlagen bekommen können – die Grenzen sind deshalb nicht eingetragen.

Eine grundlegende organisatorische Umgestaltung erfuhr die französische Kirche infolge der Revolution von 1789: Karte B stellt diese Umgestaltung vereinfacht dar, indem sie nur den Stand nach der Konsolidierung 1822 kennzeichnet (außerdem sind noch einige Veränderungen berücksichtigt, die kurz nach 1822 vorgenommen wurden [vgl. dazu unten]). In Wirklichkeit handelt es sich um einen komplizierten Prozeß, dessen Hauptstadien folgende waren: a) die Zivilkonstitution von 1790 bestimmte, daß es künftig nur noch 83 den Departements entsprechende Bistümer geben sollte. Das hier ausgesprochene Prinzip der Angleichung der kirchlichen Organisation an die politische blieb auch in den folgenden Stadien wirksam, so daß die Karte der Bistumseinteilung Frankreichs nach 1802/22 fast genau einer Karte der Departementeinteilung entspricht. Besonders betroffen waren von dieser Regelung die vielen südfranzösischen Bistümer, von denen jetzt der größte Teil unterging; b) die durch die Zivilkonstitution geschaffene konstitutionelle Kirche wurde vom Papst nicht anerkannt, die heftigen Auseinandersetzungen darüber führten schließlich zu neuen Verhandlungen und einem Konkordat zwischen Napoleon und Pius VII., das 1801 abgeschlossen und 1802 verkündet wurde. Durch dieses Konkordat wurde die Zahl der französischen Bistümer auf 60 reduziert; c) in der auf den Wiener Kongreß folgenden Restaurationsepoche konnte – insbesondere zwischen 1817 und 1822 – ein großer Teil der 1801/02 aufgehobenen Bistümer wiederhergestellt werden (vgl. unten), doch blieb auch jetzt, wie schon oben erwähnt, die Anpassung an die Departementgrenzen gewahrt.

In der Karte konnte nur der 1822 erreichte Endzustand dargestellt werden. Folgende Bistümer waren zwischen 1801/02 und 1817/22 aufgehoben: Aire, Auch, Belley, Beauvais, Chartres, Le Puy, Luçon, Moulins (schon 1790 aufgehoben), Nevers, Nîmes, Pamiers, Périgueux, Perpignan, Rodez, S. Dié, Sens (schon 1791 aufgehoben), Tarbes, Tulle, Verdun und Viviers. Die Bistümer Annecy, Chambéry, Moutiers-Tarantaise und S. Jean de Maurienne waren 1792–1802 zur Diözese Mont-Blanc, 1802–17 zur Diözese Chambéry zusammengefaßt. Was die Kirchenprovinzen betrifft, so gehörte das Gebiet der Kirchenprovinz Auch 1801–22 zur Metropole Bordeaux, das Gebiet von Avignon war für den gleichen Zeitraum unter die Kirchenprovinzen Toulouse und Lyon aufgeteilt. Die Bistümer der Kirchenprovinz Sens gehörten bis auf die zu Autun geschlagene Diözese Nevers zu Paris; das gleiche gilt für die Bistümer Soissons und Amiens (mit Beauvais), während Cambrai und Arras sogar bis 1841 bei Paris blieben – hier geht die Karte also über das Schnittdatum 1822 hinaus, ebenso noch in einem anderen Fall: entsprechend den 1815 geschaffenen politischen Grenzen gehörte Nice (Nizza) zwischen 1815 und 1862 zur Kirchenprovinz Genua. – Zur heutigen Kirchenorganisation vgl. die Karten 141 A und C.

Quellen und Literatur: Die wichtigsten geographischen Unterlagen waren neben den Karten im LThK², Bd IV nach Sp. 264 und den Bistumskarten des DHGE A. Longnon, Atlas historique de la France depuis Jules César jusqu'à 1317 (1885–89); C. Streit, Atlas Hierarchicus (Freiburg 1913); ferner ein Atlas des anciens diocèses de France – das mir zugängliche Exemplar enthielt weder Verfasser- noch sonstige Angaben und stellte nur einen Teil der französischen Diözesen dar. – *Darstellungen*: L. Bourgain, L'église et l'état au XIXe siècle (1802–1900), 2 Bde (Paris 1901); G. Constant, L'église de France sous le Consulat et l'empire (1800–14) (Paris 1928); E. Sol, Église constitutionnelle et Église réfractaire (Paris 1930); H. R. Walsh, The Concordat of 1801 (New York 1933); H. Leclercq, L'Église constitutionnelle (Paris 1934); H. Lacouture, La politique religieuse de la Révolution (Paris 1940). – Weiteres bei den Bistumsartikeln des LThK² und DHGE.

J. Martin

97 C und D: Die Umorganisation der katholischen Kirche in Deutschland 1802–1821/24

Autor: J. Martin

Zur Geschichte der Kirchenorganisation bis 1500 vgl. die Karten 22–23 25 C und D, 32 und 71. – Infolge von Reformationsauswirkungen gingen die nord- und mitteldeutschen Bistümer und Erzbistümer Brandenburg, Bremen, Halberstadt, Havelberg, Kammin, Lebus, Lübeck, Magdeburg, Meißen (ein Teil des Bistums wurde schon 1581 Apostolische Präfektur Lausitz), Merseburg, Minden, Naumburg-Zeitz, Ratzeburg, Schwerin und Verden im Laufe des 16. Jh. unter (vgl. dazu die Karten 73, 76–77, 82–83), andere Bistümer, wie z. B. Hildesheim, wurden in ihren Wirkmöglichkeiten stark eingeschränkt. Als sich im 17. Jh wieder bescheidene Möglichkeiten für die katholische Mission eröffneten, „entstand nach und nach das Apostolische Vikariat des Nordens" (Holzapfel: LThK², Bd VII, Sp. 1033). 1709 in zwei Vikariate aufgeteilt, wurde es 1780 wieder vereinigt und bestand so bis zum Stichdatum der Karte C – nur Schweden erhielt schon 1783 ein eigenes Vikariat. Im Kft. Sachsen wurde 1743 das Apostolische Vikariat Sachsen errichtet. Das Gebiet des erst 1794 gegründeten und schon 1803 wieder aufgehobenen Bistums Corvey wurde wegen seiner Kleinheit nicht eingetragen – es stimmte fast genau mit dem der Fürstabtei (vgl. Karten 82–83) überein. – Da bis 1802 entweder deutsche Kirchenprovinzen in außerdeutsche Gebiete hineinreichten (zu Köln gehörte Lüttich [Liège] – vgl. Karte 80 B; Trier hatte alle seine Suffragane auf französischem Gebiet – vgl. Karte 97 A; das unter Mainz stehende Konstanz hatte große Gebietsteile in der Eidgenossenschaft) bzw. die bayrischen Bistümer Regensburg, Passau und Freising zur Kirchenprovinz Salzburg gehörten (zu den auf bayrischem Gebiet liegenden Teilen der Erzdiözese Salzburg und der in sie „eingesprenkelten" Diözese Chiemsee und Quasidiözese Berchtesgaden vgl. Karte 96 B), war die Geschichte der deutschen Kirchenorganisation eng mit der der umliegenden Gebiete verflochten.

Wie in Frankreich waren es auch hier die Auswirkungen der Französischen Revolution, die zunächst die Kirchenorganisation in Bewegung brachten; und ebenso wie bei Frankreich konnte auch hier auf Karte D nur der durch die päpstlichen Cirkumskriptionsbullen De salute animarum (1821), Provida sollersque (1821) und Impensa Romanorum Pontificis (1824) geschaffene Endzustand dargestellt werden. Die linksrheinischen Teile deutscher Bistümer und Kirchenprovinzen wurden sämtlich schon vom französischen Konkordat von 1801/02 (vgl. dazu oben zu den Karten 97 A und B) berührt, da Frankreich die entsprechenden Gebiete besetzt hielt und beanspruchte. Die Kirchenprovinz Köln verlor ihren Suffragan Lüttich an Mechelen; die linksrheinischen Teile des Erzbistums wurden dem neuerrichteten Bistum Aachen unterstellt, das ebenso zum Metropolitanverband von Mechelen kam wie das seiner Suffragane beraubte Trier und das aus linksrheinischen Gebieten (u. a. der Diözesen Speyer und Worms) neugebildete Bistum Mainz. – In Osnabrück marschierte 1802 Hannover ein und erklärte das Bistum für aufgehoben. Auch im Süden deuteten sich schon früh Umwälzungen an: in bezug auf das Bistum Konstanz trafen sich „Bestrebungen der Eidgenossenschaft und Josephs II., eigene Bistümer für den schweizerischen Anteil bzw. für Vorderösterreich und Vorarlberg zu gründen" (H. Tüchle: LThK², Bd VI, Sp. 499). Ebenso wurden die südostbayrischen Bistümer von der Kirchenpolitik Josephs II. (vgl. Karte 96 B) tangiert. – Einen schweren Einschnitt bedeutete dann für alle deutschen Bistümer der Reichsdeputationshauptschluß von 1803 mit der Säkularisation aller geistlichen Gebiete (vgl. Karten 82–83). Trotz aller Bemühungen gelang es in den Jahren danach nicht, durch Konkordatsabschluß eine Neuregelung der kirchlichen Verhältnisse zu erreichen. Erst nach dem Ende der napoleonischen Herrschaft kam durch die oben genannten Bullen sowie durch ein Konkordat mit Bayern (1817) die auf der Karte D dargestellte Regelung zustande. Die Neuordnung folgte fast vollständig der durch den Wiener Kongreß geschaffenen politischen Geographie: die Außengrenzen der bayrischen Bistümer stimmten jetzt genau mit der bayrischen Staatsgrenze überein; das Bistum Rottenburg umfaßte das Kgr. Württemberg, Freiburg das Groß-Htm. Baden, Speyer die Pfalz, Mainz Hessen-Darmstadt, Fulda

Hessen-Kassel, Limburg Hessen-Nassau; die Bistümer der Kirchenprovinz Köln entsprachen den West- und Mittelteilen des Kgr. Preußen (Münster schloß außerdem das Groß-Htm. Oldenburg ein); die östlichen Teile des Kgr. kamen unter Breslau: Schlesien und Teile der Lausitz direkt, Pommern und Brandenburg als Delegaturbezirk; Osnabrück und Hildesheim schließlich lagen auf dem Gebiet des Kgr. Hannover; das das Kgr. Hannover durchschneidende Gebiet des Htm. Braunschweig wurde zunächst zum Apost. Vikariat des Nordens geschlagen, kam aber 1834 an Hildesheim, während Mecklenburg, Lauenburg, Holstein und die Hansestädte im Apostolischen Vikariat zusammengefaßt blieben; das Htm. Anhalt wurde Apostolisches Vikariat, während für das Kgr. Sachsen die Aufteilung in das Apostolische Vikariat Sachsen und die Apostolische Präfektur Lausitz beibehalten wurde. Kompliziert war die Situation in den thüringischen Staaten; hier konsolidierte sich die Situation erst in der 2. Hälfte des 19. Jh. Außer den Teilen, die 1821 an Fulda kamen bzw. seitdem von Fulda verwaltet wurden (beide sind in der Karte nicht unterschieden; von Fulda verwaltet wurden zunächst Weimar und Weida), ging Sachsen-Meiningen an Würzburg, Reuß Jüngere Linie am 15. 3. 1822 an Prag (!), während Schwarzburg zunächst ohne Bistumszugehörigkeit blieb. Sachsen-Altenburg wurde seit den 20er Jahren von Sachsen aus mitverwaltet (diese Mitteilungen verdanke ich dem Bistumsarchivar von Paderborn, Herrn Dr. A. Cohausz). – Aus technischen Gründen sind auf den Karten die östlichen Teile des exemten Bistums Breslau (die entscheidenden Veränderungen fanden im Westteil statt, vgl. oben) und das Erzbistum Gnesen-Posen mit seinem Suffragan Kulm nicht dargestellt.

Quellen und Literatur: Kartographische Grundlagen waren die Bistumskarten des LThK² sowie C. Streit, Atlas Hierarchicus (Paderborn – Freiburg 1913). – Eine zusammenfassende Darstellung der Umorganisation der katholischen Kirche in Deutschland ist mir nicht bekannt. Vgl. die Bistumsartikel im LThK² und die dort angegebene Literatur.

J. Martin

98 und 99: Der Stand der katholischen Missionen in Afrika, Asien und Ozeanien vor dem 1. Weltkrieg

Autor: Die Karten wurden nach C. Streit, Atlas Hierarchicus (Paderborn – Freiburg 1913) von K. Janssen zusammengestellt.

Zur Missionsgeschichte der frühen Neuzeit in den lateinamerikanischen Ländern, auf den Philippinen, in Indien, China und Japan vgl. die Karten 84–86 und 89–90, zur Indianermission im Gebiet der heutigen USA die Karte 87.

In den vorliegenden Karten sind die lateinamerikanischen Länder und die Philippinen nicht mehr berücksichtigt. Zwar gab es auch im 19. und 20. Jh. noch in beiden Gebieten Missionen, doch waren hier die entscheidenden Schritte zur Christianisierung bereits vor dem 19. Jh. getan; beide Gebiete besaßen auch um 1800 schon eine eigenständige Kirchenorganisation.

Dagegen hatten die im 16. und 17. Jh. in Indien, China und Japan begonnenen Missionen noch im Laufe des 17. Jh. entscheidende Rückschläge erlitten: die japanischen Christenverfolgungen löschten das Christentum in Japan fast völlig aus; die holländischen Eroberungen bewirkten für viele Missionen, bes. in Indien und Indonesien, den Untergang; in China hemmte der Ritenstreit den Fortgang der Mission entscheidend und war schließlich auch die Ursache für das Verbot des Christentums in China. – In allen drei genannten Gebieten konnte erst um 1850 wieder eine kontinuierliche Missionsarbeit aufgenommen werden, die jetzt allerdings schnelle Fortschritte machte. Das schlägt sich besonders in der Entwicklung der kirchlichen Organisation nieder, die auf den Karten 106–107 dargestellt ist.

Im klein- und vorderasiatischen Bereich hatte die lateinische Kirche infolge der Kreuzzüge (vgl. Karten 60–61) und der spätmittelalterlichen Missionen der Bettelorden (vgl. Karte 63) eine Organisation errichten können; während die Bistümer der Kreuzfahrerzeit mit dem Ende der lateinischen Staaten fast ausnahmslos untergingen, hielt sich in den Missionen eine gewisse Kontinuität, wenn auch nie die Möglichkeit zu größerer missionarischer Aktivität bestand.

In Nordafrika hatte der Islam im 7. Jh. Hunderte von Bistümern zerstört (vgl. Karte 24 mit 43). Der Neuzugang zu diesen Gebieten ist dem Christentum, wie die Karten deutlich machen, bis heute weitgehend verwehrt geblieben. – Im übrigen Afrika wurden im 16. Jh. im Gefolge der Entdeckungen Missionen aufgebaut, die sich jedoch nicht entfalten konnten. Auch hier war im 19. Jh. praktisch ein völliger Neubeginn nötig, und auch hier zeigen die Karten zur Kirchenorganisation (106–107) neben den eingetragenen Missionen das schnelle Vordringen der Missionare.

Der in den Karten dargestellte Zeitraum endet kurz vor dem 1. Weltkrieg, der durch seine Auswirkungen ebenso für die protestantischen wie für die katholischen Missionen einen tiefen Einschnitt bedeutete.

Die in den Karten differenziert gekennzeichneten Missionsträger (Orden und Säkularinstitute) sind ausgewählt nach der Zahl der Gebiete, die jeweils von ihnen betreut wurden. Da normalerweise ganze Gebiete geschlossen einem Orden oder Institut anvertraut waren, läßt sich bei den vorliegenden Karten eine differenzierte Darstellung besser durchführen als in den Karten zu den protestantischen Missionen (103–105).

Literatur: R. Streit, Bibliotheca Missionum (Münster – Aachen – Freiburg 1916ff). – J. Schmidlin, Katholische Missionsgeschichte im Grundriß (Steyl 1925); Histoire universelle des Missions catholiques, ed. S. Delacroix, 4 Bde (Paris 1957–59) (mit Karten); A. Mulders, Missionsgeschichte (Regensburg 1960); Th. Ohm, Wichtige Daten der Missionsgeschichte (Münster ²1961).

J. Martin

100 bis 102: Die kirchliche Situation in den USA 1850

Autoren: Die schematischen Darstellungen der einzelnen Kirchen sind mit Erlaubnis des Verlages Harper & Row entnommen dem Historical Atlas of Religion in America von *E. Scott Gaustad* (Copyright Harper & Row, New York–Evanston 1962) Fig. 45 50 55 59 65 75 81 86 91 (die Karten wurden für den vorliegenden Atlas formal modifiziert). – Die Genealogie der größeren christlichen Kirchen in den USA ist mit Erlaubnis der Bruce Publishing Company abgedruckt aus Separated Brethren von *W. J. Whalen* (Copyright Bruce 1966). – Die Namen der Diözesen der Episkopalkirche 1850 wurden vom Sekretär des Executive Council der Episcopal Church, *Ch. M. Guilbert,* mitgeteilt, die Diözesen der katholischen Kirche sind nach *O. Werner,* Orbis terrarum catholicus (Freiburg 1890), eingetragen.

Im Zeitraum, der zwischen der auf Karte 88 dargestellten Situation von 1750 und der von 1850 liegt, wurden die USA gebildet und fand eine starke Westwanderung statt. Die Westgrenze des 1850 organisierten Gebietes der USA spiegelt sich deutlich in den Karten zu den größeren Kirchen (Baptisten, Methodisten, Presbyterianer) wider: sie fiel zusammen mit der Westgrenze der Staaten Iowa, Missouri, Arkansas und Texas – das letztere wurde erst kurz vor 1850 organisiert und hat deshalb auch erst verhältnismäßig wenige Kirchen. Weitere Faktoren, die das Bild seit 1750 entscheidend verändert haben, sind das Aufkommen der Methodisten sowie die starke irische Einwanderung seit 1830, die für den Katholizismus einen erheblichen Zuwachs brachte (1850 waren 42,8% der Fremdgeborenen in den USA Iren). Unberücksichtigt sind in den Karten die Disciples of Christ, da sie im Zensus von 1850 nicht von den übrigen Kirchen Christi unterschieden wurden.

Grundlage der Einfärbung der Karten ist die Anzahl der Kirchen (= Gotteshäuser) in einem Bezirk (county). Wegen des Maßstabes der Karten war es nicht möglich, die county-Grenzen generell einzutragen. Teilweise spiegeln sich diese Grenzen in den Farbflächen der Karten wider, nämlich dann, wenn der Zahlenindex für die einzutragenden Kirchen zwischen benachbarten *counties* wechselt. Wenn mehrere benachbarte *counties* den gleichen Zahlenindex haben, entsteht eine größere zusammenhängende Farbfläche, in der die einzelnen counties nicht mehr erkennbar sind. Insgesamt lassen sich deshalb aus den Karten nicht die absoluten Zahlen der Kirchen, sondern nur deren Dichte in den verschiedenen Gebieten ablesen.

Die Diözesen der Anglikanischen Kirche stimmten 1850 mit den gleichnamigen Staaten überein, mit Ausnahme von Western New York, das 1938 von New York abgespalten wurde. Feste Bischofssitze gab es nicht, die meisten Bischöfe waren Leiter von Pfarreien.

Quellen: Vgl. oben unter Autoren. Die statistischen und geographischen Grundlagen für die Karten sind im genannten Atlas von E. Scott Gaustad, S. 165f, ausführlich dargestellt. Dort S. 166 auch allgemeine Literatur zur KG der USA; vgl. dazu auch die Angaben in LThK² X 692.

J. Martin

103–105: Die protestantischen Missionen bis zum Anfang des 20. Jahrhunderts

Autor: Die Darstellung beruht auf R. Grundemann, Neuer Missions-Atlas (Calw–Stuttgart ²1903)

Hier können nur einige kurze Erläuterungen zu den Karten gegeben werden, nicht aber ein Überblick über die protestantische Missionsgeschichte im dargestellten Zeitraum. Einige Hinweise zu den Hauptausbreitungsrichtungen der Mission finden sich jeweils bei den Darstellungen der einzelnen Kirchen. Zu den Indianermissionen vgl. die Karte 87.

Das 19. Jh. wurde für die protestantischen Kirchen ein „Missionsjahrhundert". Zwar bewirkten auch schon vorher sowohl theologische Besinnungen (z. B. bei der Brüdergemeine) als auch die werdenden Kolonialreiche (Missionen der Holländer seit dem 17. Jh.; 1701 Gründung der anglikanischen Society for the Propagation of the Gospel zur Mission in den englischen Kolonien) die Aufnahme von Missionen, doch kam erst an der Wende vom 18. zum 19. Jh. der Missionsgedanke überall zum Durchbruch und manifestierte sich in der Gründung großer Missionsgesellschaften: 1795 entstand die zunächst überkonfessionelle, dann kongregationalistisch ausgerichtete London Missionary Society, von der sich 1799 die Anglikaner zurückzogen und die Church Missionary Society gründeten; aus der 1800 von Pastor J. Jänicke gegründeten Berliner Missionsanstalt ging 1824 die lutherische Berliner Missionsgesellschaft hervor, die ebenfalls lutherische Hermannsburger Mission entstand 1849; die Vorläufer der undenominationalen, 1828 gebildeten Rheinischen Missionsgesellschaft reichen bis 1799 zurück; die Methodist Episcopal Church begann 1815, die anglikanische Protestant Episcopal Church 1820 mit der Mission. Das Bild würde noch deutlicher, wenn man noch weitere, auf der Karte nicht verzeichnete Missionsgesellschaften hinzunähme: Als Beispiel für diese sei nur noch die wichtige Basler Missionsgesellschaft genannt, die 1815 entstand.

Bis auf wenige Ausnahmen wurden die Missionen in konfessionellem Rahmen unternommen. In der Karte konnte die Differenzierung aus Gründen der Übersichtlichkeit und des Maßstabs nur teilweise vorgenommen werden. In Ballungsräumen der Mission, wo Sammelzeichen für 5 Stationen verwendet werden mußten, sind in diese Zeichen teilweise auch die sonst in den Karten differenziert dargestellten Missionsgesellschaften eingegangen. Das bedeutet, daß die Verbreitungsgebiete dieser Missionsgesellschaften in den Karten nicht ganz vollständig zum Ausdruck kommen, wenn auch alle ihre Missionsstationen berücksichtigt sind.

Mit dem 20. Jh. begann eine neue Phase der Missionsgeschichte. Gerade als man auf der 1910 erstmals abgehaltenen Weltmissionskonferenz die bis dahin weitgehend zersplitterten Kräfte zu koordinieren begonnen hatte, setzte der 1. Weltkrieg mit seinen Folgeerscheinungen (beginnender Zerfall der Kolonialreiche, Ausbreitung der kommunistischen Herrschaft) auch für die Missionen einen bedeutsamen Einschnitt.

Die Karten reichen wegen der Anlehnung an den Atlas von Grundemann nicht ganz an das Schnittdatum 1914 heran, wollen aber einen möglichst umfassenden Überblick über die Missionen bis 1903 vermitteln.

Literatur: Als weitere Missionsatlanten seien hier erwähnt: H. P. Beach, A Geography and Atlas of Protestant Missions, 2 Bde (New York 1903); S. J. Dennis – H. P. Beach – Ch. H. Fahs, World Atlas of Christian Missions (New York 1911); H. P. Beach – Ch. H. Fahs, World Missionary Atlas (New York 1925). – Reiches kartographisches Material und Literatur zu den Missionen bietet eine in den 20er und 30er Jahren bei der World Dominion Press, London, erschienene Serie von Monographien zur Missionsgeschichte der meisten afrikanischen, asiatischen und südamerikanischen Länder. Daneben sind in jüngster Zeit insbesondere zur afrikanischen Missionsgeschichte Arbeiten (sämtlich mit Karten erschienen), von denen hier nur einige Beispiele zitiert werden können: R. Oliver, The Missionary Impact in East Africa (London 1952); H. W. Debrunner, A History of Christianity in Ghana (Accra 1967); H. Binder Johnson, The Location of Christian Missions in Africa: Geographical Review 57 (1967) 168–202. – Hingewiesen werden kann ferner nur auf die zahlreichen Publikationen einzelner Missionsgesellschaften. – Als Missionsgeschichte sei hier zitiert: K. S. Latourette, A History of the Expansion of Christianity, 7 Bde (New York – London 1937–45).

J. Martin

106 und 107: Die Entwicklung der Kirchenorganisation in Afrika, Asien und Ozeanien bis 1913

Autor: J. Martin

Die Gestaltung der Karten beruht auf folgenden Prinzipien: Der Stand der kirchlichen Organisation im Jahre 1913 ist durchwegs durch Flächeneinfärbung wiedergegeben. Die Namen der eingefärbten Gebiete stehen grundsätzlich in der Legende. Da der Charakter der kirchlichen Sprengel (Erzdiözesen und Diözesen, Apostolische Vikariate, Apostolische Präfekturen) zum Stichdatum 1913 aus der Art der Einfärbung hervorgeht, ist er in der Legende nicht mehr mitgenannt. Die Jahreszahlen in der Legende nennen die Jahre der Errichtung der kirchlichen Sprengel, die Zahlen in Klammern bedeuten Rangerhöhungen. – *Alle* in die Karte selbst eingetragenen Namen beziehen sich auf die Organisation vor 1850 bzw. 1800, die durch gerissene bzw. durchgezogene rote Grenzen markiert wird. Einige wenige Sprengel, die kurz vor 1850 gegründet wurden, sind nicht eigens durch gerissene rote Grenzen hervorgehoben, da in diesen Fällen wegen des Maßstabs der Karte die Aussagen undeutlich geworden wären. Es handelt sich um Süd-, Mittel- und Ost-Tonkin, Nord-Kiangsi, Ost-Hupeh und Nord-Shansi. Ferner sind einige Datenangaben in der Legende unverständlich, wenn man sich nicht bewußt macht, daß verschiedene kleine Sprengel die Tradition früher gegründeter großer Sprengel fortsetzen. So wurde Mittel-Shansi in seiner auf der Karte dargestellten Umschreibung nicht 1696 gegründet, sondern entstand in dieser Form durch die Abspaltung von Süd-Shansi 1887 und Nord-Shansi 1911; es führt aber als Gründungsdatum das Datum des 1696 gegründeten Apostolischen Vikariats Shansi weiter. Entsprechendes gilt für West-Tonkin (1659 = Tonkin), Nordwest-Szechwan (1696 = Szechwan), Süd-Mandschurei (1838 = Mandschurei), Seoul (1831 = Korea) und verschiedene philippinische Gebiete sowie in Afrika für Moçambique, Unter-Kongo (1640 = Angola und Kongo) und Khartum (1846 = Zentralafrika). Yunnan und Kweichow führen, obwohl sie zu den 1696 gegründeten Sprengeln gehören, die Gründungsdaten 1840 bzw. 1846, weil sie im 18. Jh. mit anderen Gebieten uniert waren.

In China bestand schon vor 1696 – dem Stichdatum für die erste Darstellung der Karte – eine Kirchenorganisation. 1557 wurde zunächst die Diözese Malacca für den gesamten Fernen Osten von Goa abgetrennt, 1576 von Malacca die Diözese Macao für China und Japan. In diese unter dem portugiesischen Patronat stehenden Gebiete griff Rom 1659 durch die Entsendung Apostolischer Vikare für Tonkin, Cochinchina und Nanking ein. – Nachdem 1680 China unter die 3 Bistümer Macao, Nanking und Peking aufgeteilt wurde, kam es 1696 zu der auf der Karte dargestellten Regelung, bei der die Einflußsphären des portugiesischen Patronats (Bistümer Macao, Nanking und Peking) und der Propaganda Fide geographisch voneinander abgegrenzt wurden.

Ein ähnliches Nebeneinander von unter dem portugiesischen Patronat und unter der Propaganda stehenden Gebieten gab es in Indien, wobei hier keine so klaren geographischen Abgrenzungen getroffen worden zu sein scheinen (Apostol. Vikariat Malabar im Gebiet der Diözese Cochin; Apostol. Vikariat Bijapur im Gebiet der Erzdiözese Goa).

Die Angaben zu den Daten der Errichtung kirchlicher Sprengel sind in der Literatur nicht immer einheitlich. Das liegt vor allem daran, daß teils die Daten der päpstlichen Errichtungsbullen, teils die Daten der tatsächlichen Errichtung eines Sprengels (also etwa Ernennung des 1. Apostol. Vikars etc.) zugrunde gelegt werden. Für die vorliegenden Karten wurde, wenn möglich, die 1. Alternative gewählt, doch war aus der Literatur nicht immer ersichtlich, um was für ein Datum es sich handelt, so daß die Einheitlichkeit der Datenangaben nicht voll garantiert werden kann.

Nicht im Ausschnitt der Karten sind die Kanarischen Inseln, die ein jeweils kurzlebiges Bistum schon 1369 (Teldé) und 1404 (Rubicón) erhielten; 1483 wurde der Bischofssitz in Las Palmas eingerichtet, 1819 kam S. Cristóbal de La Laguna (Sitz Teneriffa) hinzu.

Zur frühen Kirchenorganisation in Südamerika vgl. Karte 85, zu Apostolischen Vikariaten in Europa Karte 97, zur Situation in der Gegenwart die Karten 143–147.

Quellen und Literatur: Hauptquelle für die Entwicklung der Kirchenorganisation sind die päpstlichen Bullen zur Errichtung kirchlicher Sprengel, doch wurden – mangels einer zusammenfassenden Edition – die Karten nicht direkt aus diesen Quellen, sondern aus der Sekundärliteratur gearbeitet. Der Stand von 1913 wurde aus C. Streit, Atlas Hierarchicus übernommen. Für die Organisation vor 1850 waren besonders hilfeich die Tabellen und historischen Ausführungen bei O. Werner, Orbis terrarum catholicus (Freiburg 1890); ferner J. de Moidrey, La Hiérarchie catholique en Chine, en Corée et au Japon (1307–1914): Variétés Sinologiques 38 (Zi-Ka-Wei bei Changhai 1914) (mit Karten); A. Jann, Die katholischen Missionen in Indien, China und Japan. Ihre Organisation und das portugiesische Patronat vom 15. bis ins 18. Jh. (Paderborn 1915); Histoire universelle des Missions catholiques, ed. S. Delacroix, 4 Bde (Paris 1957–59) (mit Karten); Lexikonartikel (zu Ländern und einzelnen Kirchensprengeln) im DHGE und LThK².

J. Martin

108: Die Kurie vom 12. bis zum 16. Jahrhundert

Autor: J. Martin

Das Schema versucht, die Entwicklung der wichtigsten Institutionen der Kurie vom 12. bis zum 16. Jh. in zeitlicher Gliederung darzustellen. Berücksichtigt wurden alle Institutionen, die für die Leitung der Kirche und des Kirchenstaates von Bedeutung waren; dagegen mußte auf die Eintragung etwa der Palastämter oder der Vatikanischen Bibliothek verzichtet werden. Desgleichen war es nicht möglich, die Binnengliederung der kurialen Ämter darzustellen.

Das Schema setzt in dem Jahrhundert ein, in dem sich eine eigentliche Kirchen- und Kirchenstaatsverwaltung von einer bloßen Hof- oder Palastverwaltung zu differenzieren beginnt. Der Terminus *Curia Romana* bezeichnet zunächst (im 11. Jh.) den päpstlichen Hof und ist erst später auf die Gesamtheit der päpstlichen Verwaltungs- und Leitungseinrichtungen übertragen worden.

Die 3 schon für das 12. Jh. als ständig eingetragenen Institutionen – die Apostolische Kammer, die Päpstliche Kanzlei und das Konsistorium – hatten zwar alle schon Vorläufer in früherer Zeit, haben sich aber in ihrer für die nächsten Jhh. wirksamen Form seit dem Ende des 11. und im 12. Jh. gebildet. Daneben traten infolge wachsender Aufgaben neue Institutionen, deren Entstehung sich in auch sonst für die Behördenbildung typischen Bahnen vollzog und die drei Hauptformen aufweist. Eine erste Form war die zunächst zeitlich begrenzte Betreuung von Personen oder Personenkreisen mit besonderen Aufgaben. Da diese Aufgaben bestehenblieben, lag es in der Natur der Sache, daß sich aus den speziell beauftragten Personenkreisen feste Behörden entwickelten und die zunächst jeweils für den einzelnen Fall erteilten Aufträge zu „Daueraufträgen" wurden. Auf diese Weise bildeten sich die päpstlichen Gerichtshöfe der Pönitentiarie, der Rota und der Signatur, aber auch das Sekretariat für die lateinischen Briefe. Der Kardinalnepot brachte es wegen der Konkurrenz des *secretarius secretus* (vgl. unten) und der seit dem 16. Jh. wachsenden Opposition gegen den Nepotismus nicht zu einer Dauerstellung: sein Amt wurde 1692 abgeschafft.

Eine zweite, mit der genannten verwandte Form der Entstehung von Behörden ist die Abspaltung von Aufgabenbereichen aus schon bestehenden Institutionen. Auch hier läßt sich normalerweise, wie die Fälle der Datarie und des *secretarius secretus* zeigen, vor der endgültigen Ausbildung einer Behörde das Zwischenstadium eines mehr persönlich bestimmten Auftrags unterscheiden. Im *secretarius secretus,* der im 15. Jh. aus dem Kollegium der päpstlichen Sekretäre für die eigentliche Geheimkorrespondenz des Papstes ausgesondert wurde, liegt der Ursprung des heute wohl wichtigsten kurialen Amtes, des Kardinalstaatssekretärs (vgl. Karte 109), doch konnte der *secretarius secretus* seine beherrschende Position erst erlangen, als 1692 das Amt des Kardinalnepoten aufgehoben wurde (vgl. oben).

Eine letzte Form schließlich, mit den wachsenden Aufgaben fertig zu werden, wurde mit den Kardinalskommissionen gefunden, die Geschäfte für das überlastete Konsistorium vorbereiteten. Diese Kommissionen gelten heute allgemein als die Vorstufe der Kardinalskongregationen, die – seit 1542 eingerichtet und von Sixtus V. systematisch ausgebaut – das Konsistorium in seiner Funktion als Leitungsorgan der Kirche völlig verdrängten und selbst an seine Stelle traten.

Die Darstellung des Schemas soll nicht darüber hinwegtäuschen, daß zur Geschichte der Kurie noch eine Reihe von Fragen offen ist. Diese betreffen sowohl verschiedene Zeitansätze als auch Einzelheiten des Übergangs von einer Organisationsform zur anderen – so ist z. B. die Herausbildung des Büros des *secretarius secretus* noch weitgehend unerforscht.

Das Schema endet zeitlich mit Sixtus V., der 1588 mit der Errichtung von 15 ständigen Kongregationen die Kurie entscheidend umgestaltet hat. In den folgenden Jhh. wurden zwar immer wieder Veränderungen vorgenommen – etwa in der Zahl der Kongregationen oder, wie schon erwähnt, in bezug auf die Stellung des *secretarius secretus* (Staatssekretärs) –, doch blieb das durch Sixtus V. geschaffene Grundschema bis zum Anfang des 20. Jh. erhalten. Zum heutigen Aufbau der Kurie vgl. Karte 109.

Literatur: Besonders hilfreich waren die einschlägigen Artikel des Dictionnaire de Droit canonique, veröffentlicht unter der Leitung von P. Naz, 7 Bde (Paris 1935–65) und des LThK². – Außerdem: H. Breßlau, Hdb. der Urkundenlehre I (Berlin ³1958); W. v. Hofmann, Forschungen zur Geschichte der kurialen Behörden vom Schisma bis zur Reformation, 2 Bde (Rom 1914); N. de Re, La Curia Romana (Roma 1952); H. E. Feine, Kirchliche Rechtsgeschichte I: Die katholische Kirche (Weimar ³1955); P. Herde, Beiträge zum päpstlichen Kanzlei- und Urkundenwesen im 13. Jh. (München ²1967).

J. Martin

109: Die Ordnung der Kurie nach der Apostolischen Konstitution Regimini Ecclesiae Universae vom 15. 8. 1967

Autor: J. Martin

Nach der Kurienreform durch Pius X. (1908), die zwar den Bestand an kurialen Institutionen nicht wesentlich veränderte, aber durch neue Aufgaben- und Kompetenzverteilungen, Neuordnung der Geschäftsgänge usw. die kirchliche Verwaltung straffte und modernisierte, wurde eine Reform der Kurie vor allem wieder durch das II. Vaticanum akut. Johannes XXIII. und Paul VI. haben seit etwa 1960 durch eine Reihe von Einzelmaßnahmen eine umfassende Reform vorbereitet, die dann mit der obengenannten Konstitution Regimini Ecclesiae Universae verwirklicht wurde.

Die Konstitution ist folgendermaßen gegliedert: Nach einer Einleitung, die kurze historische Rückblicke gibt, die Notwendigkeit der Kurie betont und die wichtigsten Neuerungen der Konstitution zusammenfaßt, folgen als Abschnitt I Allgemeine Bestimmungen (Normae generales). Danach werden die Institutionen der Kurie behandelt, und zwar in folgender Reihenfolge: das Staats- oder Päpstliche Sekretariat und der Rat für die öffentlichen Angelegenheiten der Kirche (Abschnitt II), die Kongregationen (Abschnitt III), die Sekretariate (Abschnitt IV), der Laienrat und die päpstliche Studienkommission Justitia et Pax (Abschnitt V), die Gerichtshöfe (Abschnitt VI) und schließlich die Ämter (Abschnitt VII). Ein kurzer Anhang bestimmt, daß die in der letzten Reihe des Schemas aufgeführten Institutionen ihren alten Status behalten, und legt das Datum des Inkrafttretens (1. Januar 1968, später auf 1. März 1968 verschoben) fest. Eine zur Neuordnung der Kurie gehörende Geschäftsordnung wurde am 22. Februar 1968 vom Papst gebilligt.

Die genannte Gliederung der Konstitution wurde dem vorliegenden Schema zugrunde gelegt. Es handelt sich dabei nicht um eine eigentliche Rangordnung – von Über- oder Unterordnung ist in der ganzen Konstitution kaum die Rede –; die Kurie ist nicht pyramidenförmig mit dem Papst an der Spitze aufgebaut, sondern die meisten Institutionen sind direkt vom Papst abhängig, ihre Mitglieder werden von ihm in freier Auswahl ernannt. Nur dem Kardinalstaatssekretär kommen gewisse Koordinierungsfunktionen zu. Um diese Situation zu verdeutlichen, sind in das Schema die drei vom Papst ausgehenden Farbpfeile eingetragen, die sämtliche Institutionen betreffen. Aber auch wenn die Gliederung der Konstitution keine Rangordnung im strengen Sinn beinhaltet, so ist sie doch vielleicht kennzeichnend für die Bedeutung, die den einzelnen Institutionen-Gruppen zugemessen wird.

Aus dem Schema werden, da es zeitlich eindimensional angelegt ist, die Neuerungen nicht deutlich. Diese lassen sich in 2 Gruppen einteilen: a) die Neu- bzw. Abschaffung von Institutionen, b) die neuen Grundsätze, die entweder direkt formuliert oder im System erkennbar sind.

Zu a): Der Rat für die öffentlichen Angelegenheiten der Kirche, der engstens mit dem Staatssekretariat zusammenarbeiten und z. B. Verhandlungen mit den Staatsregierungen führen soll, löst die alte Kongregation für außerordentliche kirchliche Angelegenheiten ab. – Die ständigen Sekretariate erscheinen erstmals als Kurienorgane. Sie unterschieden sich wohl dadurch von den Kongregationen, daß sie „nicht so sehr, wenn überhaupt, oberste Verwaltungsbehörden sind, sondern Organe des Kontakts, des Dialogs und des Studiums und ihrem Aufgabengebiet entsprechend eine andere Arbeitsweise haben" (H. Schmitz [s. u.]). – Schwer einzuordnen sind die ebenfalls neu unter die Kurienorgane aufgenommenen Räte, der Laienrat und die päpstliche Studienkommission Justitia et Pax, denen in der Konstitution ja auch ein eigener Abschnitt gewidmet ist. – Von den alten Ämtern sind weggefallen die Datarie sowie die Sekretariate für die Breven und für die lateinischen Briefe (vgl. dazu Karte 108). Neu errichtet wurden die Präfektur für die Wirtschaftsangelegenheiten des Hl. Stuhles, die Präfektur des Apostol. Palastes – sie übernimmt die Aufgaben der abgeschafften Zeremonienkongregation – und das General-Rationarium, das u. a. die Aufgabe eines statistischen Amtes hat.

Zu b): Hier sollen nur einige Punkte hervorgehoben werden: Nach der neuen Ordnung sollen auch Diözesanbischöfe zu den in ihrem Mitgliederkreis bisher auf Kardinäle beschränkten Kongregationen hinzugezogen werden. Damit wird nicht nur bewirkt, daß künftig die pastorale Erfahrung eine wichtige Rolle in der zentralen Leitung der Kirche spielen kann, sondern es wird auch ein weiteres Ziel der Kurienreform entscheidend unterstützt: die Internationalisierung der Kurie, auf die – nach der Konstitution – auch bei der Auswahl der Beamten und der Hinzuziehung von Konsultoren geachtet werden soll. Schließlich ist das Bemühen zu erwähnen, Verwaltung und Rechtsprechung klar zu trennen.

Quellen und Literatur: Akten Papst Paul VI.: Apostolische Konstitution über die Römische Kurie, Motuproprio über die Hinzuziehung von Diözesanbischöfen zu den Kongregationen der Römischen Kurie, Allgemeine Geschäftsordnung der Römischen Kurie, Motuproprio über die Reform des Päpstlichen Hauses, kommentiert und eingeleitet von H. Schmitz: Nachkonziliare Dokumentation, Bd X (Trier 1968).

J. Martin

110: Die russische Kirchenverwaltung bis 1945

Autor: I. Smolitsch

A. Der Aufbau zur Zeit der Patriarchen (1589–1700)

In der Periode des ersten Patriarchats war es allgemein üblich, daß die Kandidaten für den vakanten Patriarchenstuhl vom Zaren vorgeschlagen wurden; die Landessynode wählte dann den Vorgeschlagenen zum Patriarchen. Oft wurden auch die vakanten Bischofsstühle nach dem Vorschlag des Zaren besetzt. Trotz dieser Bevormundung durch die Staatsgewalt hatten die Patriarchen und Bischöfe in der inneren Kirchenverwaltung ziemlich freie Hand. – Das Klosteramt entstand aufgrund des Gesetzbuches vom 29. 1. 1649 (des sog. Uloženie). Diese Institution war nichts Neues, weil schon seit dem 16. Jh. ein Amt existierte, das sog. Schloßamt, das fast die gleichen Funktionen hatte wie das Klosteramt. Das Klosteramt hatte zwei Aufgaben: 1) die Kontrolle der Fiskusfragen, die kirchlichen Ländereien betreffend, die zu bestimmten Steuerabgaben verpflichtet waren, soweit sie aufgrund der zarischen Immunitätsbriefe nicht von solchen Abgaben befreit waren (z. B. einige Klöster). Es betraf hauptsächlich die mit Bauern besiedelten Ländereien. Die Ländereien des Patriarchenstuhls waren aber von dieser Kontrolle befreit; 2) wichtiger waren die gerichtlichen Befugnisse des Klosteramtes, die den Umfang der kirchlichen Gerichtsbarkeit jetzt beschränkt hatten. Den Bischöfen in ihren Eparchien wurde nur die Gerichtsbarkeit hinsichtlich der rein geistlichen Sachen belassen – alle Zivilsachen wurden dem Gericht des Klosteramtes übertragen (Das Gesetzbuch, Kap. XII XIII u. XVII).

B. Der Aufbau der Kirchenverwaltung im 18. Jahrhundert

Nach dem Tode des Patriarchen Adrian (1700) hatte Peter d. Gr. keine Landessynode zur Wahl des neuen Patriarchen einberufen und ließ die Kirche durch einen Verweser verwalten. Gleichzeitig wurde 1701 das 1677 geschlossene Klosteramt wieder gegründet, existierte bis 1724 und wurde durch viele Ukase Peters mit größeren Rechten (z. B. Begrenzung der Gerichtsbarkeit der Bischöfe in Ehescheidungssachen u. a.) ausgestattet. – Das später gegründete Ökonomiekollegium (1726–37, 1738–44, 1757, 1762–86) hatte wiederum die Geschäfte und Rechte des früheren Klosteramtes übernommen (aber ohne die gerichtlichen Rechte, die wiederum durch viele Ukase reguliert wurden). Der Heilige Synod wurde als eine kollegiale Bischofsinstitution am 14. 2. 1721 eröffnet und verwaltete die Kirche bis Ende des Jahres 1917. Um eine Einsicht in die Tätigkeit des Heiligen Synod zu haben, setzte Peter d. Gr. (am 11. 5. 1722) einen Oberprokuror des Synods „als Unser Auge und Anwalt“ ein. Zu großer Machtentfaltung gelangten die Oberprokuroren erst im 19. Jahrhundert.

C. Der Aufbau der Kirchenverwaltung zwischen 1824 bzw. 1836 und 1917

Vgl. dazu, bes. zu den sich vergrößernden Befugnissen der Oberprokuroren im 19. Jh. bis 1917, I. Smolitsch, Geschichte . . . (s. u.), Kap. 7 und 9 (mit Quellen und Literatur).

D. Die Verwaltungsstruktur der Russisch-Orthodoxen Kirche 1917–45

Das Schema veranschaulicht die Verwaltungsstruktur der Russisch-Orthodoxen Kirche nach dem 25. Oktober 1917, d. h. nach der kommunistischen Machtergreifung. Alle Verwaltungsfragen werden geregelt durch die Beschlüsse des Landeskonzils (vgl. unten). Wieweit diese Beschlüsse bis 1945 *tatsächlich* wirksam waren, ist nicht festzustellen.

Das Landeskonzil vertritt die oberste Gewalt der Kirche. Es soll „periodisch“, etwa alle 3 Jahre, einberufen werden und besteht aus Bischöfen, Klerikern und Laien. Gleichzeitig wird die Wiederherstellung der Patriarchenwürde beschlossen und der Patriarch gewählt. Er ist dem Konzil verantwortlich und verwaltet die Kirche gemeinsam mit dem Heiligen Synod und dem Obersten Kirchenrat. Der Heilige Synod (unter dem Vorsitz des Patriarchen) soll aus 12 Mitgliedern (alle im Bischofsrang) bestehen: 6 Mitglieder werden vom Landeskonzil für 3 Jahre (also für die Zeit zwischen zwei Konzilien) gewählt; das siebente Mitglied ist der Metropolit von Kiew; die restlichen 5 Bischöfe sollen vom Heiligen Synod für 1 Jahr abwechselnd aus den Eparchien berufen werden. Der Oberste Kirchenrat (verchovnyj cerkovnyj sovet) besteht aus dem Patriarchen als dem Vorsitzenden und 15 Mitgliedern (3 Bischöfen aus dem Heiligen Synod, einem Mönch, 5 Klerikern und 6 Laien), die vom Konzil für 3 Jahre gewählt werden. Der Heilige Synod ist für Fragen hinsichtlich der Lehre, der Lehrtätigkeit (Predigt!), des Gottesdienstes, des kanonischen Rechts und der kirchlichen Disziplin verantwortlich, der Oberste Kirchenrat verwaltet die administrativen und wirtschaftlichen Angelegenheiten und teilweise die geistlichen Lehranstalten (finanzielle Fragen). Ihm obliegt auch die Revision und Kontrolle aller finanziellen Fragen der Zentrale sowie der Eparchien. Gemeinsame Tagungen des Heiligen Synods und des Rates sollen von Zeit zu Zeit, wenn es jeweils notwendig ist, einberufen werden. Zum Aufgabenbereich dieser Tagungen gehört auch die Beratung sämtlicher Fragen, die „für den Schutz der Rechte und der Privilegien (!) der orthodoxen russischen Kirche“ gegenüber der Staatsregierung notwendig wären. Aus dem Text ist ersichtlich, daß diese Tagungen in gewissem Sinne solche Fragen behandeln, die in die Kompetenz der Beratungen oder der Beschlüsse des Landeskonzils fallen.

Das Wahlprinzip, das die 1917/18 geschaffene Struktur der russischen Kirche beherrscht, wird besonders deutlich in der Verwaltung der Eparchien. Die Beschlüsse des Landeskonzils hatten sich für eine Eparchialverwaltung ausgesprochen. Der Eparchialbischof, der seine Eparchie mit Beihilfe (sodejstvie) des Klerus und der Laien verwaltet, soll von der Eparchialtagung (Vertreter des Klerus und der Laien) gewählt und dann zur Bestätigung der „Obersten Kirchengewalt“, d. h. dem Heiligen Synod unter dem Vorsitz des Patriarchen, für den Eparchiestuhl nominiert werden. Er erhält seinen Stuhl lebenslänglich; eine Ausnahme ist nur möglich, wenn er wegen Nichtbeachtung der kanonischen Regeln von der obersten Kirchenverwaltung oder dem Kirchengericht (oder sogar vom Landeskonzil) vom Eparchialstuhl entbunden wird. Die Rechte und Pflichten des Eparchialbischofs stützen sich auf das kanonische Recht der Ostkirche. Das oberste Organ, mit dessen Hilfe der Bischof seine Eparchie verwaltet, sind die Eparchialtagungen. Sie bestehen aus Vertretern des Klerus und der Laien, die in den Propsteien gewählt werden, und behandeln alle Verwaltungs- und Finanzfragen der Eparchie. Da sie nur periodisch (etwa alle 3 Jahre) tagen, hat der Eparchialbischof ein Verwaltungsorgan – den Eparchialausschuß, der nach dem Wahlprinzip ebenfalls aus Klerus und Laien bestehen soll; er ersetzt das frühere Konsistorium. Dieses Gremium ist von besonderer Bedeutung in der Praxis der Eparchialverwaltung.

Jede Eparchie soll in Propsteien (blagočinija) eingeteilt werden. Die Zahl der Propsteien hängt von der Zahl der Pfarreien und der Größe der Eparchie ab. Ein administratives Organ der Propstei ist der Propsteiausschuß (blagočinničeskoe sobranie), der nach dem Eparchialausschuß die nächste Stufe in der Verwaltung der Eparchie bildet. Er gliedert sich in zwei Arten von Tagungen: eine für Pflichten und Aufgaben der Pfarrer, eine zweite für die Behandlung wirtschaftlicher Fragen. An der ersten Tagung müssen alle Priester der Propstei teilnehmen, an der zweiten „allgemeinen“ Tagung, entsprechend der Wahl in den Pfarreiräten (prichodskie sovety), außer den Priestern Diakone, Psalmisten und Laien (die Mitglieder der Pfarrei). Die Beschlüsse dieses Ausschusses verwirklicht der Propsteirat als administratives Organ. Ihm gehören der Propst, 2 aus dem Propsteiausschuß gewählte Kleriker und 2 Laien an. Die Wahl des Propstes auf 5 Jahre wird durch die „allgemeinen“ Tagungen vollzogen.

Der Organisation und dem inneren Leben der Pfarreien galt ein sehr detailliertes „Pfarrstatut“ (prichodskij ustav), das das Konzil am 7./20. 4. 1918 (!) bestätigt hatte (vgl. dazu Prichodjko [s. u.]).

Die Klöster jeder Eparchie sind in Klösterpropsteien eingeteilt. Das Wahlprinzip ist auch hier die Grundlage des Klosterlebens. Der Klostervorsteher soll von der Bruderschaft gewählt und dann vom Heiligen Synod bestätigt werden. Die anderen Verwaltungspersonen werden vom Eparchialbischof nach dem Vorschlag des Klostervorstehers ernannt. Die Verwaltung des Klosters obliegt dem Vorsteher, dem bei der Beratung von Wirtschaftsfragen der Klosterrat (monastyrskij sovet) hilft. Als bestmögliche Lebensform des Mönchtums wird die Koinobia empfohlen. Die Klöster sollen auch der Mission und der Wohltätigkeit unter der Bevölkerung dienen. Für die Beratung zur Verbesserung des Klosterlebens sind 2 Organe vorgesehen: 1. der Eparchialklosterausschuß (eparchial'noe monašeskoe sobranie); 2. der Allrussische Mönchsausschuß (vserossijskoe monašeskoe sobranie). Sie sollen periodisch einberufen werden. Für die Mönche mit Seminar- oder Akademieausbildung, das sog. „gelehrte Mönchtum“, ist die Organisation einer allrussischen Mönchsbruderschaft vorgesehen, die sich der religiös-sittlichen Tätigkeit unter den Gläubigen durch Predigt oder Schriften widmen oder als Lehrer in geistlichen Lehranstalten tätig sein soll. Die Abteilung für die Angelegenheiten religiöser Kulte wurde *vor* dem 24. 8. 1918 errichtet, da an diesem Tage von ihr eine erste Instruktion über Aufsicht und Kontrolle religiöser Fragen erlassen wurde (vgl. Kischkowsky 29ff; Kolarz 55 [s. u.]). Weil die örtlichen Sowjetbehörden (nicht nur die „Kommissionen", sondern auch andere, wie z. B. Stadt- oder Dorfräte) nach Gutdünken auf die Kirche und religiöse Gemeinschaften Druck ausübten, wurde ergänzend im Dezember 1918 ein Zirkular des Volkskommissariats für Justiz an die örtlichen Behörden zur Beachtung des Dekrets vom 23. 1. 1918 „Über die Trennung der Kirche vom Staat und der Schule von der Kirche" gerichtet (Kirche und Staat [s. u.] 7–11). Besonders wichtig ist der „Beschluß des Allrussischen Zentralexekutivkomitees und des Rates der Volkskommissare" vom 8. 4. 1929 (ebd. 13–28) und der „Beschluß des Zentralkomitees der Kommunistischen Partei der Sowjetunion" vom 10. 11. 1954 (ebd. 29–34). Diese Beschlüsse bleiben bis heute Zeichen der religiösen Politik der Sowjetregierung.

Quellen und Literatur: Die Beschlüsse des Landeskonzils: Das Heilige Konzil der orthodoxen russischen Kirche. Sammlung der Verordnungen und Beschlüsse, Lieferung 1–4 (Moskau 1918) (russisch). – Kirche und Staat in der Sowjetunion. Gesetze und Verordnungen, hrsg. von R. Stupperich (Witten 1962) (Übersetzung der wichtigsten Gesetze). – Die umfangreiche Literatur bis zur russischen Kirche seit 1917 bringt leider wenig Material darüber, wie die Verwaltungsstrukturen im Leben der Kirche tatsächlich funktionieren können. Im folgenden wird nur die Literatur ausgewählt, die zumindest teilweise für die Klärung der kirchlichen Verwaltung wertvoll ist. – A. Dobroklonskij, Hdb. der Geschichte der russischen Kirche, Bd III (Moskau 1889) (russisch); P. Methodius Prichodjko, Die Pfarrei in der neuesten Gesetzgebung der Russischen Kirche (Brixen 1947); J. S. Curtiss, The Russian Church and the Soviet State 1917–1950 (Boston 1953), deutsch: Die Kirche in der Sowjetunion 1917–1956 (München 1957); I. Smolitsch, Russisches Mönchtum. Entstehung, Entwicklung und Wesen (Würzburg 1953); A. Kischkowsky, Die sowjetische Religionspolitik und die Russische Orthodoxe Kirche: Institut zur Erforschung der UdSSR, Ser. I Nr. 37 (München 1957); Die Russische Orthodoxe Kirche. Ihre Einrichtungen, ihre Stellung, ihre Tätigkeit (Verlag des Moskauer Patriarchats, Moskau 1958) (offizielle Darstellung); W. Kolarz, Religion in the Soviet Union (London 1961), deutsch: Die Religionen in der Sowjetunion. Überleben in Anpassung und Widerstand (Freiburg – Basel – Wien 1963) (ausgezeichnete Arbeit; wichtig wegen zahlreicher Quellen- und Literaturangaben); I. Smolitsch, Geschichte der russischen Kirche 1700–1917, Bd I (Leiden 1964); ders., Die russische Kirche in der Revolutionszeit von März bis Oktober 1917 und das Landeskonzil 1917 bis 1918: Ostkirchliche Studien 14 (1965) (Quellen und Literatur); J. Chrysostomus, KG Rußlands der neuesten Zeit, 3 Bde (München 1965–68); K. Appel, Die Auseinandersetzung um die kirchliche Gerichtsbarkeit im Moskauer Rußland 1649–1701 (Diss. phil. Berlin 1966); K. Omasch, Grundzüge der russischen KG (Göttingen 1967). – Das offizielle Organ der Moskauer Patriarchie „Zschr. der Moskauer Patriarchie" (Zurnal Moskovskoj Patriarchii) bringt leider wenig zuverlässiges Material. Das gilt bes. für alle Probleme, die die Funktion der kirchlichen Verwaltung und das Leben der Kirche betreffen.

I. Smolitsch

111 A–C: Die Alt-Katholischen Kirchen

Autor: J. Martin

Die Opposition gegen die Beschlüsse des I. Vaticanums über den päpstlichen Primat und die Unfehlbarkeit führte dazu, daß sich noch in den 70er Jahren des 19. Jh. in Deutschland, Österreich, der Schweiz und der Tschechoslowakei alt-katholische Gemeinden bildeten. Der erste alt-katholische Bischof, J. H. Reinkens, wurde 1873 durch den Bischof der seit Anfang des 18. Jh. von Rom getrennten Kirche von Utrecht geweiht. 1889 schlossen sich die inzwischen gebildeten alt-katholischen Kirchen mit der Kirche von Utrecht zu einer Alt-Katholischen Kirchengemeinschaft – der Utrechter Union – zusammen. Diese ist eine Vereinigung selbständiger katholischer Nationalkirchen, die als legitime Erben und Fortsetzung der Alten Katholischen Kirche westlicher Tradition sich zu den altkirchlichen Grundsätzen der *Utrechter Deklaration* von 1889 bekennen und auf der Grundlage der *Utrechter Konvention* (Neufassung 1952) mit dem Erzbischöflichen Stuhl von Utrecht und miteinander in voller kirchlicher Gemeinschaft stehen. Oberste Vertretung ist die *Internationale Alt-Katholische Bischofskonferenz,* deren Präsident ex officio der Erzbischof von Utrecht ist, dem somit innerhalb der *Utrechter Union* der Ehrenprimat zukommt.

Der Utrechter Union gehören gegenwärtig 8 autonome Alt-Katholische Nationalkirchen in Europa und Amerika sowie Missionen in Frankreich, Italien, Skandinavien und Brasilien an, die rund 400000 Gläubige, 15 Bistümer, 616 Gemeinden, 19 alt-katholische Bischöfe und 431 Priester zählen. Ihre apostolische Sukzession haben sie alle durch Utrecht.

Die Alt-Katholische Kirchengemeinschaft steht mit der Anglikanischen Kirchengemeinschaft offiziell in Union und ist mit der Orthodoxen Kirchengemeinschaft in Glaubenseinheit brüderlich verbunden.

Neben den Gliedkirchen der Utrechter Union gibt es andere unabhängige alt-katholische Nationalkirchen ähnlichen Ursprungs, die in Glaubenslehre, Liturgie und Kirchenordnung mit der Utrechter Union im wesentlichen übereinstimmen.

Die Philippinische Unabhängige Katholische Kirche steht seit 1965 mit den Kirchen der Utrechter Union in voller kirchlicher Gemeinschaft. Die Kirchen in Polen, Serbien und Slowenien haben ihre apostolische Sukzession von der Alt-Katholischen Kirche. Die Kirchen in Serbien und Slowenien sind mit der kroatischen Kirche der Utrechter Union in einem „Bund Alt-Katholischer Kirchen in Jugoslawien" zusammengeschlossen.

Quellen und Literatur: Der Darstellung und dem Kommentar lag eine Übersicht über die Alt-Katholischen Kirchen im Alt-Katholischen Jahrbuch 85 (Bonn 1986), 100–104, zugrunde. – C. B. Moss, The Old Catholic Movement, its Origins and History (London 1964); V. Conzemius, Katholizismus ohne Rom – Die Alt-Katholische Kirchengemeinschaft (Zürich – Köln 1969); U. Küry, Die Alt-Katholische Kirche – ihre Geschichte, ihre Lehre, ihr Anliegen (Stuttgart [2]1978).

J. Martin

111 D bis 113: Die Anglikanische Kirche

Autor: J. Martin

Die Kriterien für die Zugehörigkeit zur Anglikanischen Kirche hat die Lambeth Conference von 1930 folgendermaßen festgelegt: „Die Anglikanische Gemeinschaft ist innerhalb der einen Heiligen Katholischen und Apostolischen Kirche eine Gemeinschaft der Diözesen, Provinzen und Regionalkirchen, die rechtmäßig errichtet sind, in Gemeinschaft mit dem Sitz von Canterbury stehen und folgende gemeinsame Merkmale aufweisen:

a) sie bewahren und verbreiten den katholischen und apostolischen Glauben und die katholische und apostolische Ordnung, wie sie allgemein in dem in ihren verschiedenen Kirchen autorisierten Book of Common Prayer dargelegt sind;

b) sie sind Partikular- und Nationalkirchen und fördern als solche in ihrem jeweiligen Territorium eine nationale Gestaltung des christlichen Glaubens, Lebens und Gottesdienstes;

c) sie sind zusammengeschlossen nicht durch eine zentrale legislative und exekutive Autorität, sondern durch gegenseitige Loyalität, die gestützt wird durch den gemeinsamen Rat der Bischöfe auf der Konferenz."

Obwohl es heute kein gemeinsames Book of Common Prayer mehr gibt, gelten die genannten Kriterien im wesentlichen auch jetzt noch. Der erste organisatorische Zusammenschluß der Anglikanischen Kirchen erfolgte 1867 auf der 1. Lambeth Conference, die als Versammlung aller anglikanischen Bischöfe seitdem regelmäßig in etwa 10jährigem Abstand stattfindet. 1968 wurde das Anglican Consultative Council geschaffen, das Vertreter des Klerus und der Laien umfaßt und seit 1971 alle zwei bis drei Jahre zusammentritt. Seit 1979 finden außerdem alle zwei Jahre Treffen der Primasse der einzelnen Mitgliedskirchen statt.

In den letzten beiden Jahrzehnten ist, besonders in den Ländern der Dritten Welt, der Prozeß der Dezentralisierung weiter vorangeschritten: Kirchen, die vorher unter der Missionsjurisdiktion des Erzbischofs von Canterbury oder der Episkopalkirche in den USA standen, sind zunehmend selbständig geworden. Vielfach wurden neue Bistümer errichtet. Unionskirchen, an denen Anglikaner beteiligt sind, wurden nicht in die Karte aufgenommen. Es handelt sich um die Kirche von Nord-Indien (24 Bistümer), die Kirche von Pakistan (8 Bistümer), die Kirche von Sri Lanka (2 Bistümer), die Kirche von Bangladesch (1 Bistum) und die Kirche von Süd-Indien (21 Bistümer). Die Portugiesische Episkopalkirche und die Spanische Reformierte Episkopalkirche sind seit 1979 volle Mitglieder der Anglikanischen Gemeinschaft.

Nach dem Church of England Year Book 1986 ist die Anglikanische Gemeinschaft in 164 Ländern mit fast 70 Mio. Mitgliedern vertreten. In 27 selbständigen Kirchen gibt es ca. 430 Diözesen, 30000 Pfarreien und 64000 Einzelkongregationen.

Zu den Mitgliederzahlen in den einzelnen Kontinenten vgl. Karte 150–151.

Costa Rica, Puerto Rico und Venezuela sind extra-provinziale, der Provinz IX der Protestantischen Episkopalkirche in den USA zugeordnete Diözesen, Haiti und die Virgin-Islands sind Missionsdiözesen der Provinz II der gleichen Kirche. Kuba steht in Fragen von „Faith and Order" unter einem aus Primassen verschiedener Kirchen gebildeten Metropolitan Council.

Quellen: The Church of England Year Book 1968 und 1986 (London).

J. Martin

114: Aufbau und Arbeitsweise der Anglikanischen Kirche

Autor: Die Schemata sind mit Erlaubnis der Society for Promoting Christian Knowledge dem Buch von P. A. Welsby, How the Church of England Works (S. P. C. K., London 1960) entnommen. Die seit 1970 gültigen Bestimmungen der Synodical Government Measure sind berücksichtigt – sie wurden vom Church Information Office mitgeteilt.

Die Intentionen, die die Kirche von England mit ihrer neuen Synodical Government Measure verfolgt, sind denen vergleichbar, die auf katholischer Seite nach dem Konzil überall Bemühungen um eine Neuordnung der kirchlichen Verhältnisse in Gang gesetzt haben (vgl. Karten 136–137). Die Hauptziele der neuen Measure sind, die Laienschaft auf allen Ebenen und in allen Belangen – also auch in Fragen der Lehre und des Gottesdienstes – stärker das kirchliche Leben mitbestimmen zu lassen, eine bessere Verbindung zwischen den einzelnen Ebenen der Kirche von England zu schaffen (und damit insbesondere den unteren Ebenen der Pfarrei und des Dekanats mehr Gewicht zu geben) sowie schließlich die Arbeit der einzelnen Gremien effektiver zu gestalten.

Vergleicht man im einzelnen die alten mit den neuen Strukturen, so hat sich an der Gliederung des Klerus nichts geändert. Auch im Rahmen der Pfarrei sind die Institutionen weitgehend die gleichen geblieben, doch gibt es vor allem zwei wichtige Änderungen in den inhaltlichen Bestimmungen: einmal können sich jetzt auch Mitglieder „anderer Kirchen der Anglikanischen Gemeinschaft oder überseeischer Kirchen, die in Gemeinschaft mit der Kirche von England stehen", in die „Wahlliste" (electoral roll) eintragen lassen – diese bildet die Grundlage für die Teilnahme an den verschiedenen Versammlungen und für die Wählbarkeit für Institutionen der Pfarrei; zum anderen wurden die Funktionen des Pfarrkirchenrates in dem Sinne neu definiert, daß dem Rat „eine Verantwortung für die geistliche Mission der Kirche" übertragen und er auch durch seine Aufgabenstellung fest mit den überpfarrlichen Gremien der Kirche verbunden wird.

Deutlicher sichtbar sind die Veränderungen im Aufbau der gesetzgebenden Gremien der Kirche. Sie beginnen bei der Terminologie: statt wie vorher von Diözesankonferenzen bzw. von der Nationalversammlung der Kirche ist jetzt von Diözesan-Synoden und der Allgemeinen Synode die Rede. Der Intention, die verschiedenen Ebenen der Kirche besser zu verklammern, dient die Bestimmung, daß in jedem Dekanat Dekanatssynoden eingerichtet werden müssen – vorher konnten auf freiwilliger Basis Dekanatskonferenzen abgehalten werden. Die Dekanatssynoden, in denen fast der gesamte Klerus eines Dekanats Mitglied ist, bekommen dadurch ein besonderes Gewicht, daß die Wahlen für die Laienversammlung innerhalb der Generalsynode auf Dekanatsebene stattfinden sollen.

Die neue Generalsynode übernimmt alle Funktionen der alten nationalen Kirchenversammlung sowie Funktionen der Provinzialversammlungen (Convocations) von Canterbury und York, die allerdings weiter bestehenbleiben. Das ist insofern bedeutsam, als in diesen Provinzialversammlungen die Laien nicht vertreten waren. Mit der Übernahme von Funktionen der Convocations auf die Generalsynode wird somit der Bereich der Mitbestimmung der Laien wesentlich erweitert.

Literatur: Zur Synodical Government Measure sind mehrere Schriften in Vorbereitung. Für die Abfassung des Kommentars wurde benutzt Introduction to Synodical Government, hrsg. vom Church Information Office (London o. J. [1969]).

J. Martin

115: Die evangelische Kirche in Hessen und Nassau als Beispiel einer synodal geleiteten Kirche

Autor: D. Stoodt

Die evangelische Kirche in Hessen und Nassau entstand nach dem Zweiten Weltkrieg aus dem Zusammenschluß dreier Landeskirchen: der Hessischen, der Frankfurter und der Nassauischen. Während die erste sich zu einem milden Luthertum bekannte, aber auf ihrem Gebiet viele reformierte Gemeinden besaß, war Frankfurt ursprünglich lutherisch, besaß seit der Mitte des 16. Jh. zwei heute noch blühende reformierte Flüchtlingsgemeinden und hatte durch territoriale Veränderungen reformierte und später unierte Teile hinzugewonnen. Nassau war bei seinem Entstehen aus fast drei Dutzend kleinerer Territorien nach den sog. Befreiungskriegen zu einer Union der reformierten und der lutherischen Gemeinden geradezu gezwungen gewesen. Die Neugründung nach 1945 verstand sich denn auch von Anfang an als „fortschreitende Union", d. h., bei gegenseitigem Respekt der überkommenen Bekenntnisse wird doch weniger der Versuch gemacht, diese in Reinheit zu erhalten, als vielmehr, sie in einer gemeinsamen Richtung weiterzuentwickeln. Das kommt gerade auch in der Ordnung zum Ausdruck: an ihrer Spitze steht ein Präsident, kein Bischof; er hat zwar viele leitende Funktionen, aber in der Synode, in der Kirchenleitung, in dem Leitenden Geistlichen Amt und in der Verwaltung sind doch so viele synodale, in den Gemeinden so viele presbyterale Elemente verankert, daß man die EKHN als eine kirchliche Gestaltung ansehen darf, die für demokratisierende Tendenzen besonders weit offen ist.

Die Kirchenordnung aus dem Jahre 1949 wurde 1966 beträchtlich renoviert (Amtsblatt der EKHN [Darmstadt 1966] 89ff), weitere Reformen sind im Gang. Als Einführung in den Geist dieser Ordnung und in ihre Problematik sei genannt: K. Wähler, Die Ordnung der Evangelischen Kirche in Hessen und Nassau. Kirchenbegriff und Struktur einer neuen Kirchenverfassung (Ev. Presseverband für Hessen und Nassau, Frankfurt 1963).

Zusätzlich zu den im Schema gebotenen Informationen sollen noch folgende Erläuterungen gegeben werden:

Die Kirchengemeinde als Körperschaft öffentlichen Rechts besteht aus den Gemeindemitgliedern einer Stadt oder eines Stadtteils oder einer Ortschaft oder mehrerer Ortschaften. Mehrere Gemeinden können pfarramtlich miteinander verbunden sein. In einer Gemeinde können mehrere Pfarrer, regional und (oder) funktional arbeitsteilig, tätig sein. – Das Rentamt ist eine noch nicht überall eingeführte Institution zur Entlastung der ländlichen Pfarrer und Kirchenvorstände von den Haushalts- und anderen finanziellen Abwicklungen. Es hat eine eigene Satzung, der Beitritt ist freiwillig. – Das Katechetische Amt ist besetzt mit einem hauptamtlichen Theologen oder Pädagogen. Es arbeitet mit dem Religionspädagogischen Studienzentrum und den Schulreferenten (s. u.) zusammen. – Das Sozialpfarramt ist besetzt mit einem hauptamtlichen Theologen und einem Sozialsekretär. Es arbeitet mit dem Amt für Sozialarbeit und dem Seminar für Urbanization and Industrial Mission (s. u.) zusammen. – Das Amt für Mission ist ein im Aufbau begriffenes Amt zur Beschleunigung der Integration von Kirche und Mission auf Gemeindeebene. – Zu den 15 Referaten der Kirchenverwaltung gehören mehrere Schul- und Finanzreferate sowie je ein Personal-, Ausbildungs-, Öffentlichkeits- und Strukturreferat. – Die Ämter der Kirchenverwaltung umfassen außer der Gesamtkirchenkasse, der Bauabteilung, dem Rechnungsprüfungsamt, dem Verwaltungs- und Verfassungsgericht sowie dem Disziplinargericht beratende Kammern und Kommissionen mit weitreichendem und wachsendem Einfluß. Außerdem sind zu nennen die beiden Theologischen Seminare für die Praktische Ausbildung der Pfarramtskandidaten, das Religionspädagogische Studienzentrum, das Seminar für Urbanization and Industrial Mission sowie das Amt für Sozialarbeit.

D. Stoodt

Vorbemerkung zu den Karten 116–117, 120, 122–123, 126–129

Da die auf den genannten Karten dargestellten Kirchen kein einheitliches Organisationsprinzip haben bzw. aus den Organisationsformen wenig über die Verbreitung der Kirchen hervorgeht, mußte für sie ein anderer Darstellungsmodus angewandt werden als für die Anglikanischen, die Alt-Katholischen, Katholischen und Orientalischen Kirchen. Dieser Darstellungsmodus beinhaltet jeweils durch ein System von abgestuften Flächeneinfärbungen Angaben zum prozentualen Anteil der verschiedenen Kirchen an der Gesamtbevölkerung einzelner Länder, ferner durch graphische Zeichen Aussagen zur Zahl der regelmäßig bedienten Gottesdienstplätze je Kirche (ebenfalls in den einzelnen Ländern).

Es ist nun kein Geheimnis, daß die Konfessionsstatistik insgesamt sehr im argen liegt. Nur in wenigen Ländern wird die Konfessionszugehörigkeit bei den Volkszählungen mitgezählt. So ist man im wesentlichen auf die Angaben der Kirchen selbst angewiesen. Während einige Kirchen – wie z. B. die Lutheraner – die Mitgliederzahlen ihrer Kirchen regelmäßig fortzählen und jährlich Übersichten veröffentlichen, werden bei anderen Kirchen die Zahlen nur in größeren Abständen grob geschätzt. So ist es auch zu erklären, daß oft mehrere Angaben zu ein und derselben Kirche ganz erheblich voneinander abweichen.

Es wurde deshalb darauf verzichtet, die Karten durch genaue Zahlenangaben zu ergänzen; das gewählte Stufenschema der Prozentanteile ermöglicht es, eine Reihe unterschiedlicher Angaben „aufzufangen" und mit Mittelwerten zu arbeiten. Ebenso sind die graphischen Zeichen, die jeweils für eine bestimmte Anzahl von Gottesdienstplätzen stehen, nicht dazu gedacht, ausgezählt zu werden. Auch hier wurden teilweise Mittelwerte benutzt oder mußte zwischen stark differierenden Angaben meistens ohne genügende Möglichkeiten der Kontrolle ausgewählt werden.

Zusammenfassend muß also betont werden, daß die Karten nicht einen genauen Überblick über Zahlenverhältnisse vermitteln können; dagegen können sie sehr wohl etwas über die Verbreitung der einzelnen Kirchen, über die Intensität ihrer Arbeit in den verschiedenen Ländern sowie – mit Einschränkungen – über Stärkerelationen aussagen.

Die absoluten Zahlen für die Gesamtbevölkerung fast aller Länder sind im Kommentar zu den Karten 140–147 genannt.

J. Martin

116 und 117: Die reformierten (presbyterianischen) Kirchen

Autor: J. Martin

Die reformierten Kirchen, die sich im 16. Jh. in Europa mit den Schwerpunkten in Deutschland, England/Schottland, Frankreich, den Niederlanden und der Schweiz ausbreiteten (vgl. Karten 73 76 77 92 93), faßten schon im 17. Jh. – bes. infolge des Handels, der Kolonisation und der Auswanderung der Niederländer – auch in verschiedenen überseeischen Gebieten Fuß (z. B. Südafrika, Indonesien, USA [vgl. Karte 88]). In den übrigen Gebieten begann die Mission fast durchweg im 19. Jh. (vgl. Karten 103–105). 1875 fand die Gründungsversammlung des Reformierten Weltbundes in London, 1877 die erste Generalversammlung in Edinburgh statt. Eines der wichtigsten Ziele des Weltbundes war von Anfang an die Koordination und Intensivierung der missionarischen Tätigkeit. Im August 1970 schlossen sich der Reformierte Weltbund und der Internationale Rat der Kongregationalisten (vgl. Karte 120) zusammen. Im Januar 1986 hatte der Reformierte Weltbund 159 Mitgliedskirchen (38 in Afrika, 20 in Lateinamerika, 11 in Kanada, 47 in Asien, 6 in Australien und Ozeanien, 37 in Europa).

Auf der Karte sind nur die Mitgliedskirchen des Reformierten Weltbundes berücksichtigt, nicht sonstige reformierte Kirchen. Da die Reformierten bisher von allen protestantischen Kirchen die meisten Kirchenunionen eingegangen sind (vgl. Karte 149), es aber nicht möglich ist, die reformierten Mitglieder solcher Unionskirchen gesondert festzustellen, wurden Unionskirchen, sofern sie Mitglieder des Reformierten Weltbundes sind, voll mitgezählt, die Zeichen für Gottesdienstplätze in diesen Fällen aber eingeklammert. Auf den Philippinen, in China und Hongkong beziehen sich sämtliche eingetragenen Werte auf Kirchenunionen. Sonstige berücksichtigte Werte bei Kirchenunionen: United Church of Sambia: ca. 25000 Mitgl., 650 Gottesdienstplätze; Church of North India: 1063000 Mitgl., 3400 Kongregationen; United Church of Canada: 903300 Mitgl., 4265 Predigtplätze; Uniting Church in Australia: 1500000 Mitgl., 3200 Kongregationen. – Die unierten Kirchen der Bundesrepublik und der Deutschen Demokratischen Republik sind nicht Mitglieder des Reformierten Weltbundes, wurden also auch nicht berücksichtigt (vgl. Karte 121).

Die Zahlenangaben sowohl zu den Kirchenmitgliedern als auch zu den Gottesdienstplätzen sind teilweise äußerst schwankend (vgl. die Vorbemerkung S. 74f*), doch bewegen sich die Schwankungen, was die Mitgliederzahlen betrifft, in der Regel innerhalb des angegebenen Anteils an der jeweiligen Gesamtbevölkerung. Einen besonders hohen Anteil erreichen die Reformierten in der Schweiz (ca. 45%) und in den Niederlanden (ca. 25%). In Malawi und Südafrika sind die Zahlenangaben so unterschiedlich, daß der Anteil zwischen 3 (bzw. 6,6) und über 10% schwankt. – Für Äquatorial-Guinea (Iglesia Reformada) fehlen Zahlenangaben ganz.

Nicht in die Karte eingetragen sind Mauritius (ca. 1000 Mitgl., 7 Gottesdienstplätze) und Luxemburg (2015 Mitgl., 5 Gottesdienstplätze). Malaysia und Singapore sind zusammengefaßt. Für die Niederlande werden 2674 Kongregationen angegeben; die alte Eintragung wurde hier belassen, da bei den neueren Angaben Predigtplätze nicht mitberücksichtigt sind.

Quellen: Sofern Kirchen Mitglieder des Ökumenischen Rates sind, wurde in der Regel auf die Zahlenangaben im HMC zurückgegriffen. An zweiter Stelle wurden die Angaben im Handbook of Member Churches 1982 (hrsg. von der World Alliance of Reformed Churches, Genf) benutzt, in wenigen Fällen Angaben der WCE. Den letzten Stand der Mitgliedskirchen gibt eine Liste des Reformierten Weltbundes vom Januar 1986 wieder.

J. Martin

118 und 119: Kirchenverfassungen der Evangelisch-Lutherischen Kirchen Deutschlands

Autor: Ch. Link

Die lutherische Reformation war mit der klar artikulierten Lehre auf den Plan getreten, daß der Kirche zwar einzelne Verfassungselemente göttlich eingestiftet seien (so etwa das Amt als *ministerium verbi divini* und das Priestertum aller Gläubigen), daß aber keine äußere Ordnung des Kirchenwesens für sich in Anspruch nehmen könne, als solche göttliches Recht zu sein (Conf. Aug. Art. XXVIII). Daraus folgt an sich keine Gleichgültigkeit gegenüber der Rechtsgestalt der Kirche. Der kirchlichen Verfassungsordnung sollte vielmehr nur eine dienende Funktion gegenüber dem Auftrag der Kirche in der Welt zukommen, nicht aber eine selbständige heilsnotwendige und heilsvermittelnde Bedeutung. Diese Funktionalisierung im Sinne einer „guten Ordnung", die die Christen „um der Liebe willen" zu beachten gehalten sein sollten, brachte es nun mit sich, daß von Anfang an die Rechtsbildung in den lutherischen Kirchen durch Zweckmäßigkeitserwägungen und durch unterschiedliche historische Einflüsse bestimmt wurde, die ihr äußeres Erscheinungsbild auch in Deutschland vielgestaltig werden ließen. Das schloß nicht aus, daß sich nach der reichsrechtlich sanktionierten Übernahme der äußeren Kirchengewalt durch den Landesherrn wegen der weithin parallel gestalteten Herrschaftsordnung in den Territorien des Reiches auch ein im wesentlichen ähnlicher Typus lutherischer Konsistorialverfassung herausbildete (vgl. Karte 74).

Mit dem Ende der Monarchie fiel 1918 auch das landesherrliche Kirchenregiment. Die evangelischen Kirchen sahen sich gezwungen, diese Lücke in ihrer Verfassungsspitze zu schließen und sich zugleich als eigenständige Körperschaften des öffentlichen Rechts (Art. 137 Abs. 5 Weim. Verf.) zu konstituieren. Die in allen Landeskirchen erlassenen Kirchenverfassungen dieser Zeit sind einerseits durch die starke Stellung der Konsistorien gekennzeichnet, die sich als Träger der Kontinuität erwiesen, zum anderen durch die Übernahme demokratisch-parlamentarischen Gedankenguts auf der Synodalebene. Zwar ging die Kirchengewalt meist auf kollegial organisierte Kirchenleitungen aus synodalen und konsistorialen Vertretern über, praktisch überwog jedoch der Einfluß der im Konsistorium zentralisierten Verwaltung. Vornehmlich im lutherischen Raum erfuhr jedoch aus dem Bedürfnis nach einem persönlichen Repräsentanten der Verfassungsspitze das alte Amt des Generalsuperintendenten eine Aufwertung, für das sich bald der Name „Landesbischof" einbürgerte. Eine alte Verfassung dieser Art ist noch in Württemberg in Geltung. Württemberg (s. Tafel 3) hat hier insofern eine idealtypische Bedeutung, als die Stellung des Landesbischofs besonders herausgehoben ist.

Unter dem Eindruck des Kirchenkampfes der NS-Zeit sind dagegen die nach 1945 entstandenen Verfassungen bestrebt, die Erkenntnis der Barmer Bekenntnissynode (1934) zu konkretisieren, daß, ungeachtet des eingangs skizzierten reformatorischen Ordnungsverständnisses, die Rechtsgestalt der Kirche von ihrem Wesen nicht zu trennen ist. So ruht hier das Organisatorische stärker als früher auf den Fundamenten theologischer Grundpositionen, vor allem dem *ius divinum* des Amtes und seiner Zuordnung zur Gemeinde. Kirchenvorstand (Kirchengemeinderat), Kreis-(Dekanats-)Synode und Landessynode, wie überhaupt alle Ämter der Kirche, sind nicht mehr so sehr vom Gedanken der Repräsentation, der Selbstverwaltung, der Gewaltenteilung (mithin von Prinzipien der säkularen Staatsorganisation) bestimmt als vielmehr von der Erkenntnis der gemeinsamen Verantwortung für den Dienst der Kirche in der Welt. Besonders im Gemeinderecht wurde das Verbandsdenken von einem erneuerten Verständnis der Gemeinde Christi als *congregatio sanctorum* durchdrungen. Auch auf der Mittelstufe des Kirchenkreises (Propstei, Dekanat, Ephorie, Kirchenbezirk) wird neben dem alten Schema der säkularen Landkreisordnungen (einerseits Träger von Selbstverwaltungsrechten, andererseits Auftragsverwaltung auf der Ebene eines regional begrenzten Verwaltungsbezirks) die „Pflicht christlicher Gemeinden gegeneinander in Erinnerung gebracht" *(R. Smend)*.

Die landeskirchliche Organisation hält in der Regel an der Vierteilung der Leitungsorgane fest. Träger der Kirchengewalt ist meist ein Kollegium, das aus Bischof, Synodalen, leitenden Verwaltungsbeamten und Superintendenten (Pröpsten, Kreispfarrern) besteht (typisch: Hannover, s. Tafel 1). In ihm verkörpert sich die funktionale Einheit von leitendem geistlichem Amt, Synode und Kirchenverwaltung (in Oldenburg ist dieses Kollegium mit der obersten Verwaltungsbehörde verschmolzen). Die zentrale Stellung des Bischofs kommt darin zum Ausdruck, daß er einmal das „Hirten- und Wächteramt", d.h. die geistliche Leitung in der Kirche ausübt, zum anderen Vorsitzer der Kirchenleitung (des Kirchensenats) und der kirchlichen Verwaltungsbehörde ist und z.T. auch kraft Amtes der Synode angehört (in einigen Kirchenverfassungen wird dies letztere jedoch – in Nachwirkung gewaltenteilenden Denkens – ausdrücklich ausgeschlossen). Ihm kommt deshalb auch und gerade eine wesentliche koordinierende Funktion in der Landeskirche zu. Bei den Synoden, regelmäßig aus – durch ein Filtersystem – gewählten und berufenen Vertretern bestehend (meist ⅓ Theologen, ⅔ Nichttheologen), ist das repräsentativ-parlamentarische Verständnis zurückgetreten zugunsten der Einsicht, daß sich die Kirche auf den Gemeinden aufbaut und diese deshalb ihren Dienst auch für das Ganze der Landeskirche zu leisten bestimmt sind. Im allgemeinen stehen die Leitungsorgane in einem ausgewogenen Verhältnis der Gleichrangigkeit – allerdings mit Prädominanz der eigentlichen Kirchenleitung (Kirchensenat etc.). In Oldenburg (s. Tafel 2) ist dagegen – ähnlich wie in unierten und reformierten Verfassungen – die Synode ausdrücklich als „oberstes Organ der Kirche" statuiert. Die übrigen Verfassungen ähneln meist überwiegend dem Hannoverschen Typus – mit einer gewissen Variationsbreite hin zu einer stärkeren Betonung des leitenden geistlichen Amtes (bayerischer Typus) oder der Synode. Die Nordelbische Kirche kennt noch als gesondertes Gremium den „Theologischen Beirat", der vornehmlich zu bekenntnisrelevanten und agendarischen Fragen gutachtlich zu hören ist.

Im ganzen läßt sich sagen, daß trotz der verfassungsrechtlichen Vielfalt doch in der Praxis die Unterschiede auch und gerade in der Formtypik der Kirchenleitung nicht mehr von entscheidendem Gewicht sind – wie sich etwa auch in zahlreichen unierten Kirchen gleichartige Rechtsbildungen entwickelt haben (vgl. Karte 115). Die Kirchen der DDR weisen insofern eine Besonderheit auf, als – bedingt durch die erzwungene kircheneigene Steuereinziehung – die Verwaltungsorgane auch auf Kreis- und Gemeindeebene stärker ausgebaut werden mußten. – Zur Gliederung der Evangelisch-lutherischen Kirche Deutschlands vgl. Karte 121.

Quellen: *Hannover:* Verf. d. Ev.-luth. Landeskirche Hannovers v. 1. 7. 1971, ABl. d. EKD 1971, S. 546ff. Zuletzt geändert durch Kirchengesetz v. 4.7.1985, ABl. d. EKD 1985, S. 363.
Oldenburg: Kirchenordnung der Ev.-luth. Kirche in Oldenburg vom 20.2.1950, ABl. d. EKD 1953, S. 65. Zuletzt geändert durch KG v. 28.11.85, ABl. d. EKD 1986, S. 110.
Württemberg: Verfassung der ev. Landeskirche in Württemberg v. 24.6.1920, (ABl. Bd. 44, S. 410). Zuletzt geändert durch KG v. 26.5.82, ABl. d. EKD 1982, S. 411.
Literatur: Zum älteren Rechtszustand: insbes. P. Schoen, Das Verfassungsrecht der evangelischen Landeskirchen in Preußen (Berlin 1929); H. Liermann, Deutsches Evangelisches Kirchenrecht (Stuttgart 1933); A. Erler/Chr. Link, Art. Kirchenrecht, ev. und Staatskirchenrecht, in: Handwörterbuch zur Deutschen Rechtsgeschichte, Bd. 2 (Berlin 1978), Sp. 775ff., 783ff.; Chr. Link, Staat und Kirchen, in: K.G.A. Jeserich – H. Pohl, G. Chr. v. Unruh (Hg.), Deutsche Verwaltungsgeschichte, Bd. 3 (Stuttgart 1984), S. 528ff. (ca. 1850–1918); Bd. 4 (1985), S. 450ff. (1919–1933); S. 1002ff. (1933–1945); Bd. 5 (1987), S. 995ff. (seit 1945). – Nach 1945: O. Friedrich, Einführung in das Kirchenrecht (Göttingen [2]1978); H. Frost, Strukturprobleme evangelischer Kirchenverfassungen, Göttingen 1972; E. Wolf, Ordnung der Kirche (Frankfurt/M. 1961); H. Brunotte, Grundsatzfragen zu einer ev.-luth. Kirchenverfassung, in: Zschr. für ev. Kirchenrecht 8 (1961/62) 137ff.; R. Smend, Kirchenverfassung VII: RGG[3] III Sp. 1584ff. – S. Grundmann, Kirchenverfassung I C, Luth. Kirche, in: Ev. Staatslexikon, hrsg. von H. Kunst – S. Grundmann – W. Schneemelcher – R. Herzog (Berlin [2]1975) Sp. 1248ff.; ders., Verfassungsrecht in der Kirche des Evangeliums, in: Abh. zum Kirchenrecht, hrsg. von R. Zippelius u.a. (Köln 1969) 68ff.; Adalbert Erler, Kirchenrecht, München [5]1983; Albert Stein, Evangelisches Kirchenrecht, Neuwied – Darmstadt [2]1985. – Die Verfassungen bzw. deren Änderungen sind abgedruckt in den jeweiligen Gesetzessammlungen, dem Amtsblatt der EKD oder den Amtsblättern der jeweiligen Landeskirchen.

Ch. Link

120: Die Mitgliedskirchen des Internationalen Rates der Kongregationalisten (bis 1970)

Autor: J. Martin
Vgl. die Vorbemerkung vor den Karten 116 und 117

Die um 1600 in England entstandene kongregationalistische Bewegung breitete sich besonders schnell in Nordamerika (vgl. Karten 88 und 100) und – über die Mitwirkung an verschiedenen protestantischen Missionsvereinen – auch in anderen Gebieten aus. Dem 1891 gegründeten Internationalen Rat der Kongregationalisten gehörten 1970 19 Kirchen an. In der Karte sind allein diese Mitgliedskirchen berücksichtigt, dazu noch die Missionen des Svenska Missionsførbundet im Kongo und in Indien. Dagegen wurden die Missionen der Kirchenunionen, an denen Kongregationalisten beteiligt sind (United Church of Christ in den USA, United Church of Canada) nicht eingetragen. In den USA und in Kanada sind neben den genannten Kirchenunionen keine anderen Kirchen Mitglieder des Internationalen Rates, der sich 1970 mit dem Reformierten Weltbund (vgl. Karten 116 und 117) vereinigte. Die Karte ist also heute ein historisches Dokument.

Quellen: WCH; Reformierter Weltbund (presbyterianisch und kongregationalistisch). Mitgliedskirchen, hrsg. zum Anlaß des Zusammenschlusses des Reformierten Weltbundes und des Internationalen Kongregationalistischen Rates (Genf 1970) (mit kurzen historischen Informationen zu den einzelnen Kirchen, aber ohne Zahlenmaterial).

J. Martin

121: Die evangelischen Kirchen in der Bundesrepublik Deutschland und in der Deutschen Demokratischen Republik

Zusammenstellung: J. Martin

Die Karte stellt die lutherischen, reformierten und unierten Kirchen Deutschlands dar. Bis 1969 waren die sämtlich dem Lutherischen Weltbund angehörenden lutherischen Kirchen – mit Ausnahme von Oldenburg und Württemberg – in der Vereinigten Evangelisch-Lutherischen Kirche Deutschlands (VELKD) zusammengeschlossen, die seit 1969 in eine östliche (DDR) und eine westliche (BRD) Teilorganisation gespalten ist. Auf die Vereinigte Kirche wurden wesentliche Teile bisheriger landeskirchlicher Kompetenz übertragen (vor allem im Bereich der Gesetzgebung und der kirchlichen Gerichtsbarkeit). Große Teile des deutschen Luthertums in den ehemals preußischen Territorien sind mit den reformierten Gemeinden zu einer Verwaltungsunion zusammengeschlossen (Unierte Kirchen). Alle in der Karte dargestellten Kirchen sind Mitglieder der Evangelischen Kirche in Deutschland (EKD), von der sich ebenfalls 1969 der „Bund evangelischer Kirchen in der DDR" abgespalten hat.

Während die VELKD sich stets als Kirche auch im rechtstheologischen Sinn verstanden hat (wenn auch ihre einheitsschaffende Wirkung hinter den Erwartungen ihrer Gründer zurückgeblieben ist), war dies bei der EKD lange zweifelhaft. Vor allem seit der Synode von 1970 sind aber starke Tendenzen erkennbar, auch hier den Charakter als eine die landeskirchlichen Organisationen aller evangelischen Bekenntnisse übergreifende *Kirche* stärker zu betonen.

Die Einfärbung der Bevölkerungsanteile in der Karte wurde für die BRD auf der Ebene der Bundesländer vorgenommen, da für die einzelnen Kirchen keine Fortschreibung der Statistik existiert. Für die DDR waren nur geschätzte Zahlen zum Anteil an der Bevölkerung des Gesamtgebietes zu erhalten. Nach den letzten Angaben (vgl. unten) betrüge der Anteil ca. 40%. Die alte Einfärbung (51–53%) wurde aber beibehalten, da die Angaben äußerst unsicher sind.

Quellen: Für die Darstellung der Gebiete vgl. die Wandkarte „Die Gliedkirchen der EKD" nach dem Stand vom 1. 1. 1977, hrsg. vom Kirchenamt der EKD, Hannover. – Die statistischen Angaben für die Bundesrepublik sind Tabellen des Kirchenamtes der EKD entnommen; sie geben für die Zahlen der selbständigen Kirchengemeinden den Stand vom 1. Januar 1985, für die Anzahl der Kirchenmitglieder den vom 31. Dezember 1984, für den Anteil der Evangelischen an der Bevölkerung der Bundesländer den vom 31. Dezember 1982 (teilweise 31. 12. 1981) wieder. – Die (geschätzten) Mitgliederzahlen für die Kirchen der Deutschen Demokratischen Republik beruhen auf der vom Lutherischen Weltbund herausgegebenen „Lutherischen Jahresstatistik 1985". Die Zahlen zu den Kirchengemeinden stammen aus dem HMC.

Angaben zur Struktur der EKD und VELKD von Ch. Link.

J. Martin

122 und 123: Die lutherischen Kirchen

Autor: J. Martin

Während sich das Luthertum in Europa, bes. in Nordeuropa, im 16. Jh. ausbreitete (vgl. Karten 76 77 93), setzte die eigentliche Missionsarbeit der lutherischen Kirchen in Übersee fast durchweg erst im 19. und 20. Jh. ein (vgl. Karten 103–105). Im Osten der heutigen USA gab es – infolge der Einwanderung – vereinzelte lutherische Kirchen schon im 17. Jh., die sich bis zur Mitte des 18. Jh. bereits stark ausbreiteten (vgl. Karte 88). Auch in einzelnen Ländern Südamerikas, Südafrikas und in Indien war das Luthertum schon im 18. Jh. vertreten.

Das heutige Luthertum wird vor allem durch die im Lutherischen Weltbund (gegründet 1947) zusammengeschlossenen Kirchen repräsentiert. Er basiert auf der *Confessio Augustana invariata;* ihm gehörten 1985 104 Kirchen mit einer Mitgliederzahl von 54,43 Mio. an. Die Gesamtzahl der Lutheraner in der Welt betrug 1985 68,44 Mio. In den Traditionsgebieten der Lutheraner (Europa, Nordamerika) hatte der Mitgliederstand in den letzten Jahren fallende Tendenz.

In die Karte wurden die Kirchen aufgenommen, die im „Lutherischen Handbuch 1986" (hrsg. vom Lutherischen Weltbund, Genf) verzeichnet sind. Aus ihm und der „Lutherischen Jahresstatistik 1985" (ebenfalls vom

Weltbund herausgegeben) wurden auch die Mitgliederzahlen entnommen, die der Einfärbung der einzelnen Gebiete zugrunde gelegt worden sind. Beide Werke enthalten aber keine Angaben zu den Gemeinden, für die auf das HMC und die WCE zurückgegriffen werden mußte. Abgesehen von beträchtlichen Differenzen in den Angaben, bestehen aber auch unterschiedliche Zählweisen: Während für Europa in der Regel rechtlich selbständige Gemeinden gezählt werden, gehen in die Zahlen für alle übrigen Gebiete meistens auch Gottesdienstplätze ein, ohne daß genau differenziert würde. So kommt es, daß für Deutschland und die skandinavischen Länder ca. 2230 (Dänemark) bis 2920 (Schweden) Mitglieder auf eine Gemeinde kommen, während in den USA ca. 440, in Kanada ca. 280, in manchen Ländern der Dritten Welt sogar noch weniger Gläubige durch einen Gottesdienstplatz repräsentiert werden. Die Karte ermöglicht deshalb zwar einen Einblick in die Intensität und Streuung der kirchlichen Arbeit, nicht aber einen genauen Vergleich im Hinblick auf die Organisationsstrukturen.

Was die Mitgliederstatistik angeht, so werden die Zahlen der Lutheraner in Estland, Livland, Litauen mit 520000 angegeben, dazu werden 250 registrierte deutschsprechende Gemeinden im Gebiet der UdSSR genannt. Auf das Gesamtgebiet der UdSSR bezogen, ergäbe das zwischen 0,1 und 0,2% Lutheraner; die genauen Bevölkerungszahlen für das Baltikum sind nicht bekannt. – Für Kanada und die USA, die in der Karte zusammen behandelt sind, beträgt der Anteil der Lutheraner 1,2 bzw. 3,6%, die Zahl der Gemeinden ca. 1100 bzw. 19350.

Zu Deutschland vgl. Karte 121.

Quellen und Literatur: Außer dem im Text Genannten vgl. die Artikel und Literatur im LCK, LThK², RGG³ und WKL.

J. Martin

124 A: Die Gliederung der Baptist Union von Großbritannien und Irland. B: Die Gliederung einer lokalen englischen Baptistenkirche

Autor: E. A. Payne

Da die Baptisten eine zentral regierte kirchliche Gemeinschaft ablehnen und der Organisation nur sekundäre Bedeutung beimessen, gibt es innerhalb des Baptismus mannigfache Formen des kirchlichen Aufbaus. So hat die 1845 gebildete *Southern Baptist Convention* in den USA, die 34000 lokale Kirchen in 1200 Bezirksvereinigungen und 30 Bünden auf staatlicher Ebene umfaßt und 11000000 Mitglieder zählt, ein Exekutiv-Komitee, arbeitet aber über 4 Ausschüsse (*Boards:* Foreign Missions, Home Missions, Sunday School, Annuity) und eine Anzahl von Kommissionen (z. B. für Geschichte, Verwaltung, Radio und Fernsehen, Erziehung). Die in ihrer gegenwärtigen Form 1907 gebildete *American Baptist Convention* hat eine Generalversammlung und verschiedene ständige Komitees, ist aber wesentlich eine Vereinigung von 4 Gesellschaften (Foreign Mission, Home Mission, Historical und Publication). Auch in ihrem Territorium gibt es Bünde auf staatlicher Ebene (P. M. Harrison [vgl. unten] S. IX bietet eine vereinfachte Graphik).

Typisch an den Schemata, die die Verhältnisse für die englische *Baptist Union* darstellen, ist der Aufbau von der Ortsgemeinde über Bezirksvereinigungen zu Bünden auf nationaler oder staatlicher Ebene, ferner die interne Gliederung einer lokalen Kirche. In allem anderen kommt den Schemata nur beispielhafte Bedeutung zu.

Literatur: E. A. Payne, The Fellowship of Believers. Baptist Thought and Practice Yesterday and Today (London, verm. Aufl. 1952); ders., The Baptist Union. A Short History (London ²1964); H. Cook, What Baptists Stand For (London ³1958); P. M. Harrison, Authority and Power in the Free Church Tradition. A Social Case Study of the American Baptist Convention (Princeton 1959); R. Donat, Entstehung und Ausbreitung der deutschen Baptistengemeinden, 2 Bde (Kassel 1960); N. H. Maring – W. S. Hudson, A Manual of Baptist Polity and Practice (Valley Forge 1963). *Zur Baptist World Alliance:* F. T. Lord, Baptist World Fellowship (London 1955). – Die meisten Baptistenvereinigungen geben jährliche Berichte heraus, z. B. The Baptist Handbook, issued by the Baptist Union of Great Britain and Ireland (London); Southern Baptist Convention Minutes and Annual Reports (Nashville, USA).

E. A. Payne

125 A: Der Aufbau der Koptischen Kirche

Autor: M. Lacko

Quelle: Regolamento per l'elezione del Patriarco Copto Ortodosso: La voce del Nilo (1959) 72–79.

125 B: Der Aufbau der Armenischen Kirche (Katholikat von Cilicien)

Autor: M. Lacko

126 und 127: Die methodistischen Kirchen

Autor: J. Martin

Der im 18. Jh. in England entstandene Methodismus breitete sich noch im selben Jh. in den USA und Kanada, im 19. Jh. in der ganzen Welt aus (vgl. Karten 103–105). 1871 kamen die methodistischen Kirchen erstmals in London zu einer Weltkonferenz zusammen; seitdem besteht eine Zusammenarbeit auf Weltebene, die 1951 unter dem Namen *World Methodist Council* besser organisiert und vor allem durch ständige Institutionen gestützt wurde. Das *World Methodist Council* vereinigt Kirchen methodistischer Tradition, ohne die Autonomie seiner Mitglieder durch Gesetzgebung oder Glaubensaussagen einzuschränken.

In den Karten sind neben den Mitgliedern des *World Methodist Council* auch die übrigen Kirchen methodistischer Tradition berücksichtigt. Als Grundlage für die Eintragungen dienten neben dem *WCH* das *Handbook of Information 1966–1971* und *1982–1986* des *World Methodist Council,* die *General Minutes of the Annual Conference of the Methodist Church in the United States and Overseas (1967)* sowie das HMC. Da die Zahlenangaben in den Werken zum Teil beträchtlich differierten, mußte in einer Reihe von Fällen auf Mittelwerte zurückgegriffen werden. Vielfach fehlten Angaben zur Zahl der Gottesdienstplätze; methodistische Gemeinschaften gibt es aber in allen Ländern, deren Namen in die Karte eingetragen sind. Da neuere Angaben zur Zahl der Gottesdienstplätze durchgehend nur für die Unionskirchen zur Verfügung standen, an denen Methodisten beteiligt sind, wurden die Angaben der Ausgabe von 1970 nur für diese Kirchen korrigiert (Grundlage: HMC). – Bei der Berechnung des Anteils der Methodisten an der jeweiligen Gesamtbevölkerung eines Landes wurden die Unionskirchen voll mitgerechnet. Läßt man sie aus der Berechnung heraus, ergeben sich folgende Anteile:

Belgien:	–
Indien:	0,1 %
Japan:	0,01%
Kanada:	0,2 %
Pakistan:	0,02%
Papua-Neuguinea, Salomon-Inseln:	0,2 %
Philippinen:	0,8 %
Sambia:	1,3 %

Den höchsten Anteil an der Gesamtbevölkerung haben die Methodisten auf den Tonga-Inseln (40–50%) und auf den Fidschi-Inseln (37%). Die meisten Methodisten leben in den USA: 31940000. Die Gesamtzahl der Vollmitglieder der methodistischen Gemeinschaft werden vom Handbook of Information für 1986 mit 23696476, die der Gesamtgemeinschaft mit 51736569 angegeben.

Quellen und Literatur: Vgl. oben im Text; ferner LCK, LThK², RGG³ und WKL, jeweils mit Literatur. Die Encyclopedia of World Methodism, 2 Bde (Nashville/Ten. 1974), war mir nicht zugänglich.

J. Martin

128 und 129: Die baptistischen Kirchen

Autor: J. Martin

Die nach 1600 unter dem Einfluß wiedertäuferischer und arminianischer Ideen in England gegründeten Baptistengemeinden fanden über Auswanderer schnell Verbreitung in Nordamerika (vgl. Karten 88 und 100) und – vor allem nach der Gründung baptistischer Missionsgesellschaften um die Wende vom 18. zum 19. Jh. – auch in fast allen übrigen Teilen der Welt. Dem 1905 in London gegründeten Baptistischen Weltbund gehörten im Mai 1969 84 Kirchen (Afrika 10, Nordamerika 11, Lateinamerika 19, Asien 19, Australien und Ozeanien 2, Europa einschl. USSR 23) mit ca. 26228000 Vollmitgliedern an, davon allein ca. 23460000 in den USA. Die Baptisten sind die einzige protestantische Kirche, die auch eine nennenswerte Mitgliederzahl in der Sowjetunion aufzuweisen hat (die Schätzungen belaufen sich auf ca. 550000).

In die Darstellung sind nur Mitgliedskirchen der Baptist World Alliance aufgenommen worden. Die Mitgliederzahlen und die Zahlen der Kirchen wurden einer Liste entnommen, die im Juni 1986 von der Baptist World Alliance veröffentlicht wurde.

Zahlen für Kirchen wurden von 90 auf 100 aufgerundet, ebenso ab 925 auf 1000. Für die USA beträgt die genaue Zahl der Kirchen 88488.

Zur Verfassung der baptistischen Kirche vgl. Karte 124.

Quellen und Literatur: Vgl. oben im Text. Weiteres im Kommentar zu Karte 124.

J. Martin

130: Die nicht-chalkedonischen orientalischen Kirchen

Autor: M. Lacko, überarbeitet von J. Martin

Nach dem Konzil von Chalkedon (451) spalteten sich verschiedene Nationalkirchen von der orthodoxen Kirche ab: die Koptische Kirche noch in der 2. Hälfte des 5. Jh. (vgl. Karte 10B), die Nestorianer (persische Kirche) seit dem Ende des 5. Jh. (vgl. Karte 10 A), die Armenier zwischen 500 und 555 (vgl. Karte 9A), die Jakobiten (Westsyrische Kirche) schließlich seit dem Beginn des 6. Jh. (vgl. Karte 9B; sie wurden Ende des 6. Jh. organisiert). Außer den Nestorianern bekannten sich alle genannten Kirchen zum Monophysitismus. Die Thomas-Kirche in Indien wurde noch im 5. Jh. dem nestorianischen Patriarchat von Seleucia-Ctesiphon unterstellt (vgl. Karte 132). Während die Koptische Kirche seit der arabischen Eroberung im 7. Jh. dauernd im Rückgang begriffen war, erlebten die Jakobitische, Nestorianische und Armenische Kirche erst im Mittelalter die Höhepunkte ihrer Ausbreitung (vgl. Karten 26–27, 55), doch konnte nur die Armenische Kirche ihre Position einigermaßen bis in die Neuzeit hinein behaupten; die Jakobiten und Nestorianer haben seit dem 12. Jahrhundert starke Verluste erlitten. –

Bis auf die Nestorianer und die protestantisierende Syrische Mar-Thoma-Kirche, die sich 1875 in Indien bildete, sind alle dargestellten Kirchen monophysitisch. Außer in ihren „Stammgebieten" sind sie heute vor allem auch in den USA verbreitet (vgl. Karte 131). In die Karte wurden in der Regel die Residenzen der Bischöfe, nicht die namengebenden Städte der Bistümer eingetragen; bei den Patriarchaten bzw. Katholikaten sind zusätzlich auch die Titularsitze genannt. Bei der Äthiopischen Kirche haben mehrere Bischöfe ihren Sitz in Addis Abeba; in diesen Fällen wurden die titelgebenden Städte oder Provinzen (Shoa) eingetragen. Zu ergänzen ist das Bistum Illubabor (Sitz Metou). – Die Nestorianische Kirche ist seit den 70er Jahren gespalten: Ein Katholikos residiert in Chicago (Titel: Teheran), ein zweiter in Bagdad. Die Bistümer Trichur (Indien) und Kerkuk (Titel: Ninive) sind jeweils doppelt besetzt. Unter der Jurisdiktion des Katholikos in Chicago stehen auch Bischöfe für die westlichen USA und für Australien; für beide wird aber kein Sitz angegeben.

Die Stärke der nicht-chalkedonischen Kirchen wird für 1966 folgendermaßen geschätzt:

Armenier	
Katholikat von Etschmiadzin	1000000
Katholikat von Cilicien	150000
Patriarchat Jerusalem	10000
Patriarchat Istanbul	100000
Westsyrische Kirche (Jakobiten)	100000
Orthodoxe syrische Kirche von Malabar	850000
Syrische Mar-Thoma-Kirche	200000
Unabhängige Syrische Kirche	50000
Koptische Kirche	3300000
Äthiopische Kirche	12000000
Heilige Apostolische und Katholische Kirche des Ostens (Nestorianer)	75000

Quellen und Literatur: Die Überarbeitung beruht auf: Orthodoxia 1986–1987, hrsg. vom Ostkirchlichen Institut (Regensburg 1986). Vgl. außerdem: D. Attwater, The Christian Churches of the East, 2 Bde (Milwaukee 1947–48); R. Janin, Les églises orientales et les rites orientaux (Paris [4]1955); P. Rondot, Les Chrétiens d'Orient: Cahiers de l'Afrique et d'Asie IV (Paris 1955); O. Meinardus, Atlas of Christian Sites in Egypt (Le Caire 1962); B. Spuler, Die Morgenländischen Kirchen: Hdb. der Orientalistik, 1. Abt. Bd. VIII/2 (Leiden – Köln 1964); A. S. Atiya, A History of Eastern Christianity (London 1968); Kerala Christian Directory 1969 (Ernakulam 1969); TAVO Karte A VIII 8. – Die Zahlen sind einem von M. Lacko zur Verfügung gestellten Conspectus statisticus ecclesiarum orientalium a. 1966 entnommen.

J. Martin

131: Die Auslandsjurisdiktionen der orthodoxen und nicht-chalkedonischen Ostkirchen

Autor: M. Lacko, überarbeitet von J. Martin; Hinweise gab G. Limouris

Die erste griechisch-orthodoxe Kirche in Amerika wurde 1864 durch griechische Kaufleute in New Orleans gegründet. Um die Jahrhundertwende stieg infolge der griechischen Einwanderung die Zahl der Kirchen beträchtlich an, so daß 1921 das Griechisch-Orthodoxe Erzbistum von Nord- und Südamerika errichtet werden konnte. Die Mitgliederzahl beträgt heute über 2 Millionen.

Die in der Karte nicht differenzierten, unter der Jurisdiktion von Konstantinopel stehenden Kirchen sind die Albanian Orthodox Diocese of America (Boston), die Carpatho-Russian Orthodox Greek Catholic Church (Johnstown; Diözese seit 1938), ein ukrainisches Bistum (Jamaica Plain) sowie die griechischen Bistümer in West- und Nordeuropa. Dazu kommt das nicht auf der Karte dargestellte Erzbistum für Australien in Sydney (Assistenzbischöfe in Melbourne und Glenelg) sowie das Bistum für Neuseeland, Indien, Korea, Japan, die Philippinen, Singapur, Indonesien und Hongkong in Wellington (Neuseeland).

Die orthodoxen syrischen Christen in den USA waren bis 1934 der Russischen Kirche (vgl. unten) angeschlossen. 1934 wurde eine eigene Metropolie des Patriarchats von Antiochien gegründet. Die Bischöfe in Mexiko, Paris, Rio de Janeiro sind Vikare des Patriarchen, der von Toledo ist Assistenzbischof. Dazu gibt es einen Exarchen für Australien und Neuseeland in Sydney (nicht eingetragen).

Unter dem serbischen Patriarchen stehen die Diözesen Himmelsthür (Bundesrepublik), Edgeworth, Libertyville und Alhambra in den USA, Toronto in Kanada sowie (nicht eingetragen) Elaine in Australien. Zur Bulgarischen Kirche gehören Bistümer in New York und Akron (USA), zur Rumänischen solche in Detroit (USA) und Paris.

Die Russisch-Orthodoxe Kirche hat neben ihren Exarchaten in Mittel- und Westeuropa Assistenzbischöfe in Edmonton (Kanada), Tokyo und Damaskus.

Die Russisch-Orthodoxe Griechisch-Katholische Kirche von Amerika geht auf eine Mission der russischen Kirche in Alaska (seit 1792) zurück. 1840 wurde Sitka Bistum, das 1872 unter Erhebung zum Erzbistum nach San Francisco, 1905 nach New York verlegt wurde. 1934 machte sich die Kirche vom Moskauer Patriarchat unabhängig.

Die Russisch-Orthodoxe Auslandskirche (Karlowitzer Synodalkirche) hat ihren Ursprung in den Wirren während der russischen Revolution und in den ersten Jahren danach. Sie konstituierte sich 1921 und erklärte sich 1923 für autonom. Zu ihr gehört auch ein Bistum für Australien und Neuseeland in Croydon (Australien; nicht eingetragen). Der Bischof für Österreich hat ebenso seinen Sitz in München wie der für Deutschland.

Die Ukrainischen Kirchen gehen sämtlich auf die Bestrebungen ukrainischer Gruppen nach dem 1. Weltkrieg zurück, sich vom Moskauer Patriarchat unabhängig zu machen. Die verschiedenen Kirchen haben nur teilweise Verbindung miteinander.

Für die nicht-chalkedonischen Kirchen sind neben den Sprengeln der Armenier (nicht dargestellt eine Diözese für Australien und Neuseeland in Sydney) eingetragen ein Bistum der Westsyrischen (Jakobitischen) Kirche in Lodi und das Patriarchat der Nestorianer (Heilige Apostolische und Katholische Kirche des Ostens) in Chicago (Morton Gorve).

Quellen und Literatur: Vgl. zu den Karten 130 und 134–135, außerdem: Orthodox and Other Eastern Churches in Australia (o. O. u. J. [1965?]); Parishes and Clergy of the Orthodox and Other Eastern Churches in North and South America, together with the Parishes and Clergy of the Polish National Catholic Church (Buffalo, Ausgabe 1967–68); Greek Orthodox Archdiocese of North and South America, Yearbook 1969; Russian Orthodox Greek Catholic Church of America, 1969 Year Book and Church Directory (San Francisco 1968). – Für die Überarbeitung wurde herangezogen: Orthodoxia 1986–1987, hrsg. v. Ostkirchlichen Institut (Regensburg 1986).

M. Lacko – J. Martin

132A: Die Thomaschristen von Malabar

Autor: M. Lacko

Die Geschichte der Thomaschristen seit dem 16. Jh. spiegelt in besonderer Weise die unglückliche Haltung, die bis zum 19. Jh. hin bei verschiedenen Gelegenheiten von der römischen Kirche gegenüber östlichen Kirchen eingenommen wurde. – Die Ursprünge der Thomaschristen, die sich selbst auf den Apostel Thomas zurückführen, liegen im Dunkel. Sichere Nachrichten besitzen wir erst für das 4. Jh. Organisatorisch gehörten die Thomaschristen seitdem zum Patriarchat Seleucia-Ctesiphon, das im 5. Jh. nestorianisch wurde, doch scheint der Nestorianismus keinen besonderen Einfluß auf die Kirche Südindiens ausgeübt zu haben. Als die Portugiesen im 16. Jh. in Indien ankamen, entwickelten sich zunächst gute Beziehungen zu den Thomaschristen;

infolge von Latinisierungsbestrebungen, die ihren Höhepunkt auf der Synode von Diamper hatten, kam es jedoch zu Auseinandersetzungen und im 17. Jh. zur Abspaltung einer größeren Gruppe der Thomaschristen; auf diese Gruppe, die sich der jakobitischen Kirche anschloß, geht der größte Teil der heute in Südindien bestehenden Kirchen zurück. – Eine zweite Schwierigkeit ergab sich für die Kirche Indiens aus der im ganzen mittel- und ostasiatischen Raum herrschenden Konkurrenz zwischen dem portugiesischen Patronat und der Kongregation für die Glaubensverbreitung (Propaganda; vgl. auch Karte 89): fast zwei Jahrhunderte lang gab es zwei verschiedene Jurisdiktionsbereiche in Indien.

Die heute in Südindien bestehenden östlichen und mit Rom verbundenen Kirchen sind in ihrer geographischen Verteilung auf den Karten 130C und 138D dargestellt.

Literatur: E. Tisserant, Eastern Christianity in India (London – New York – Toronto 1957); G. M. Moraes, A History of Christianity in India (Bombay 1964); P. J. Podipara, Die Thomas-Christen (Würzburg 1966).

J. Martin

132B: Die Entstehung der katholischen Ostkirchen und die wichtigsten Unionsversuche

Autor: J. Martin

Das Schema ist als historische Illustration zu den Karten 138–139 gedacht und bedarf als solche keiner näheren Erläuterungen. Auf die Problematik der Unionen einzugehen ist hier nicht der Ort.

Literatur: D. Attwater, The Christian Churches of the East, 2 Bde (Milwaukee 1947–48); R. Janien, Les églises orientales et les rites orientaux (Paris [4]1955); W. de Vries, Die orientalischen Kirchen (Würzburg 1960); Sacra congregazione per la chiesa orientale, Oriente Cattolico (Città del Vaticano 1962); A. Brunello, Le chiese orientali e l'unione (Milano 1966).

J. Martin

133A: Die Verwaltungsstruktur der Russisch-Orthodoxen Kirche in der USSR seit dem 31. 1. 1945

Autor: I. Smolitsch
Vgl. zur Entwicklung bis 1945 Karte 110

Die dargestellte Verwaltungsstruktur wurde vom „Landeskonzil", dem als Mitglieder Bischöfe, Kleriker und Laien angehörten – man schätzt die Gesamtzahl auf etwa 204 –, am 31. 1. 1945 bestätigt. Das Konzil wurde mit Erlaubnis der Sowjetregierung einberufen, um einen neuen Patriarchen anstelle des verstorbenen Sergij Stragorodskij (8. 9. 1943 – 15. 5. 1944) zu wählen. Das von ihm beschlossene „Statut über die Verwaltung der Russisch-Orthodoxen Kirche" enthält viele Unklarheiten.

Bereits zur Zeit des Patriarchen Sergij wurde am 8. 10. 1943 im Innenministerium der Rat für die Angelegenheiten der Russisch-Orthodoxen Kirche eingerichtet. Dieses Organ ist einerseits für Kontrolle und Aufsicht über die Tätigkeit der Kirche zuständig; andererseits bildet es eine Verbindungsstelle zwischen Kirche und Sowjetregierung.

Die Wahl des Patriarchen soll auf dem Landeskonzil stattfinden. Der Patriarch darf „zur Entscheidung" wichtiger Fragen „mit Genehmigung der Regierung" die „Bischofssynode" einberufen. Über die Zusammensetzung und Befugnisse des Heiligen Synods in Verwaltungsfragen ist vieles unklar. Für die Verwaltung des Patriarchats „können beim Heiligen Synod" besondere Abteilungen eingerichtet werden. Im Jahre 1958 gehörten die im Schema angegebenen Organe zur Patriarchatsverwaltung.

Die Verwaltung der Eparchien unterscheidet sich bedeutend von den Bestimmungen des Landeskonzils von 1917–18, weil das Wahlprinzip von oben nach unten abgeschafft wurde. Im Patriarchat existierten 1958 73 Eparchien (vgl. Karte 135). Nach den Angaben der „Zschr. der Moskauer Patriarchie" wurde oft einem Bischof „vorübergehend" eine zweite Eparchie unterstellt. Der Eparchialbischof wird „vom Patriarchen gemeinsam mit dem Heiligen Synod" ernannt. Wo es „erforderlich" ist, kann ihm ein Vikarbischof zugeteilt werden, dessen Aufgaben und Pflichten vom Eparchialbischof bestimmt werden. Der Eparchialbischof darf „je nach den örtlichen Verhältnissen" (also nicht obligatorisch!) „einen Eparchialrat" (eparchial'nyj sovet) ernennen. Dieser „Rat" besteht „aus drei oder fünf Personen von Priesterrang" sowie dem Eparchialbischof. Außerdem hat der Eparchialbischof eine Kanzlei. Für die Verwaltung der Eparchie, die in Propsteien eingeteilt ist, „ernennt der Bischof die Pröpste". Die Eparchialbischöfe können, wenn „die Möglichkeit dazu besteht" . . . „mit Zustimmung der zuständigen staatlichen Behörden pastoral-theologische Lehrgänge einrichten". In den Eparchien dürfen „mit Zustimmung der örtlichen Behörden" Kerzenfabriken und andere Fabriken zur Herstellung des für den Gottesdienst notwendigen Zubehörs (Ornate u. a.) eingerichtet werden. Für die Gemeinden (prichodskie obščiny), die zu Propsteien zusammengefaßt und der Aufsicht der Pröpste unterstellt sind, werden die Priester und Diakone „durch den Eparchialbischof bestellt". Der Abschnitt IV des Statuts von 1945 über die Gemeinden (§§ 35–40) wurde nach dem Beschluß der Bischofssynode vom 18. 7. 1961 abgeändert und ergänzt. Die Bischofssynode unterstreicht, daß die Abänderungen in „Übereinstimmung" mit dem alten Gesetz „Über religiöse Vereinigungen" vom 8. 4. 1929 vorgenommen wurden. Trotz der unklaren Formulierungen der „Abänderungen" von 1961 ist zu bemerken, daß die Kontrolle „der staatlichen Behörden" bedeutend intensiviert worden ist.

Die Klöster in den Eparchien sind den Eparchialbischöfen unterstellt; für 1958 werden 69 (?) Klöster angegeben.

Das „Außenamt" (otdel vnešnich snošenij) der Patriarchie spielt eine sehr wichtige Rolle durch seine Beziehungen zu anderen orthodoxen Kirchen, anderen christlichen Konfessionen, zur sog. „Friedenskampagne" und in den letzten Jahren zur „Ökumenischen Bewegung" und zum „Weltkirchenrat", dessen Tagungen öfters von Vertretern der Patriarchie besucht werden. – Dem Vorsteher des Außenamtes sind auch die Exarchate des Patriarchats außerhalb der USSR (vgl. Karte 131) sowie Auslandsvertretungen unterstellt (vgl. dazu die schon erwähnte offizielle Ausgabe der „Zschr. der Moskauer Patriarchie" von 1958).

Es ist schwer festzustellen, ob das Statut von 1945 tatsächlich im Leben und in der Verwaltung der Kirche funktionieren konnte. Wenn der Inhalt der „Zschr. der Moskauer Patriarchie" sorgfältig geprüft wird, kommt man zu dem Schluß, daß das Statut für die Verwaltungsstruktur nur teilweise die Grundlage des kirchlichen Lebens bildete.

Quellen: Statut über die Verwaltung der Russisch-Orthodoxen Kirche (Položenie ob upravlenii Russkoj Pravoslavnoj Cerkvi) (Moskau 1945), deutsch: Kirche und Staat in der Sowjetunion. Gesetze und Verordnungen, hrsg. von R. Stupperich (Witten 1962) 35–41. – Der Beschluß der Bischofssynode vom 18. 7. 1961: Zschr. der Moskauer Patriarchie (1961) Nr. 8 S. 15–17, deutsch: Kirche und Staat . . . (s. o.) 41–45 (ebd. 13–28 Text des Gesetzes vom 8. 4. 1929). – **Literatur**: Vgl. den Kommentar zu Karte 110.

I. Smolitsch

133B: Die Verfassung der Kirche von Griechenland (1969)

Autor: M. Lacko

Quelle: The Constitution of the Church of Greece, Law 126 / 1969 (Athens 1969).

134 und 135: Die orthodoxen Kirchen

Autoren: M. Lacko – J. Martin; Hinweise für die Überarbeitung gab G. Limouris

Zur Geschichte der orthodoxen Kirchen vgl. die Karten 2 5 6 8 20–21 27 29 30–31 44 55, ferner die Schemata 132 und 148; zur Verfassung vgl. die Schemata 36 und 133; zu den Auslandsjurisdiktionen Karte 131. Schon in der Antike war im Osten das Prinzip wirksam, die kirchliche Einteilung der staatlichen anzugleichen. Dieses Prinzip hat bis in die Neuzeit weitergewirkt und dazu geführt, daß im 16. Jh. zunächst die russische Kirche ihre Unabhängigkeit gegenüber Konstantinopel erklärte und dann im Gefolge der Zurückdrängung des Osmanischen Reiches aus dem Balkan im 19. Jh. die selbständigen balkanischen Kirchen entstanden. Heute besitzt der Patriarch von Konstantinopel nur mehr einen Ehrenvorrang innerhalb der orthodoxen Kirchen, seiner Jurisdiktion sind nur noch wenige Bistümer unterstellt.

Die Bistümer der russischen Kirche sind nach einer offiziellen Liste des Moskauer Patriarchats von 1958 eingetragen. Es gibt in der russischen Kirche keine Einteilung in Metropolen und Bistümer – der Titel Metropolit und Erzbischof ist personal. Da aber Kiew und Leningrad fast immer Metropoliten als Bischöfe haben, sind diese Städte als Metropolen gekennzeichnet.

Die übrigen orthodoxen Kirchen sind nach dem *Himerologion tes Ekkle-*

sias tes Hellados (1986) eingetragen, das die gesamte Orthodoxie berücksichtigt. In der griechischen Kirche führen alle Bischöfe den Titel Metropolit, ohne jedoch Suffragane zu haben. Die kirchlichen Sprengel wurden deshalb mit Ausnahme von Athen, dessen Erzbischof das Oberhaupt der griechischen Kirche ist, als einfache Bistümer gekennzeichnet. Das gleiche gilt für die Dodekanes, für Bulgarien und Syrien-Libanon.

Die Orthodoxe Kirche von Japan (Erzbistum Tokyo, Diözese Sendai) ist nicht in die Karte eingetragen. Ferner sind zu ergänzen für die Orthodoxe Kirche von Griechenland vier im Stadtgebiet von Athen liegende Diözesen (Kaisariane, Nea Ionia, Nea Krini, Nea Smyrna) sowie zwei im Stadtgebiet von Thessalonike liegende Diözesen (Kalamaria und Neapolis). Bei der orthodoxen Kirche von Georgien sind zu ergänzen die Diözesen Tshkondide (Sitz Tškaja Mendji) und Tsilka (Sitz Nikortsminda).

Die zahlenmäßige Stärke der orthodoxen Kirchen auch nur annähernd festzulegen ist heute kaum möglich, da man im kommunistischen Machtbereich mit einem dauernden Rückgang zu rechnen hat und kaum Anhaltspunkte für die zahlenmäßige Bestimmung dieses Rückgangs besitzt. Die Schätzungen, mit denen man heute (u. a. bei der Festsetzung der Zahl der Delegierten für den Weltkirchenrat) arbeitet, sind folgende (es werden jeweils die höchsten und niedrigsten Schätzungen genannt, die mir bekannt geworden sind [vgl. unten]):

Ökumenisches Patriarchat von Konstantinopel	350000
Orthodoxe Kirche von Finnland	72000
Griechisch-Orthodoxes Patriarchat von Alexandrien	50000 – 70000
Griechisch-Orthodoxes Patriarchat von Antiochien	300000 – 500000
Griechisch-Orthodoxes Patriarchat von Jerusalem	15000 – 75000
Orthodoxe Kirche von Griechenland	7500000 – 8000000
Russisch-Orthodoxes Patriarchat von Moskau	30000000–50000000
Orthodoxe Kirche von Georgien	1000000 – 2500000
Orthodoxe Kirche in Polen	400000
Orthodoxes Patriarchat von Serbien (einschl. Mazedonien)	8000000 – 9000000
Orthodoxes Patriarchat von Rumänien	13000000–14000000
Orthodoxe Kirche von Albanien	215000
Orthodoxes Patriarchat von Bulgarien	6000000 – 7000000
Orthodoxe Kirche von Zypern	400000 – 480000
Orthodoxe Kirche von Japan	30000

Quellen und Literatur: Neben dem im Text Genannten ist heranzuziehen: D. Attwater, The Christian Churches of the East (Milwaukee 1947–48); R. Janin, Les églises orientales et les rites orientaux (Paris [4]1955); P. Rondot, Les Chrétiens d'Orient: Cahiers de l'Afrique et l'Asie IV Paris 1955). – Für die statistischen Angaben wurden benutzt: Conspectus statisticus ecclesiarum orientalium a. 1966 (= Zahlen der Kongregation für die Ostkirchen); WCH; H. Schaeder, „Renaissance und Aggiornamento" der Orthodoxie: Ökumenische Rundschau 17/2 (1968) 123 ff (enthält die Schätzungen für den Weltkirchenrat); Altkatholisches Jahrbuch 37 (1968). – Für die Überarbeitung wurde herangezogen: Orthodoxia 1986–1987, hrsg. vom Ostkirchlichen Institut (Regensburg 1986). Hier sind für das Griechisch-orthodoxe Patriarchat von Antiochien noch derzeit unbesetzte Titularsitze für Tarsus, Erzerum und Diarbakir aufgeführt.

J. Martin

136 und 137: Organisationsschema einer katholischen Diözese

Autor: W. Böckenförde

Rechtsgrundlage für die Leitungsstruktur auf der Ebene der Diözese ist das Statut für das Bischöfliche Ordinariat vom 21. Januar 1972[1] mit den derzeit praktizierten Änderungen, für die Synodalstruktur die Synodalordnung für das Bistum Limburg vom 23. November 1977[2] in der Fassung der Änderung vom 15. Februar 1984[3]. Die Synodalordnung versteht sich als Anwendung der von der Gemeinsamen Synode beschlossenen und vom Apostolischen Stuhl gebilligten „Rahmenordnung für Strukturen der Mitverantwortung in der Diözese"[4]. Die Bestimmungen der Synodalordnung über den Pfarrgemeinderat werden auf Anordnung des Diözesanbischofs weiter angewendet, bis über deren Verhältnis zu can. 536 C.I.C. verbindlich entschieden ist. Der Weitergeltung des Gesetzes über die Verwaltung und Vertretung des Kirchenvermögens im Bistum Limburg vom 23. November 1977[5] in der Fassung der Änderungen vom 23. Juni und 29. November 1986[6] stehen auf Grund eines Indults des Papstes vom Januar 1984[7] cann. 537 und 532 C.I.C. nicht entgegen.

Quellen: [1] Amtsblatt des Bistums Limburg 1972, S. 1–4; vgl. dazu die von der Gemeinsamen Synode beschlossene Rahmenordnung für die pastoralen Strukturen und für die Leitung und Verwaltung der Bistümer in der Bundesrepublik Deutschland 3.1: ebd. 1974, S. 303–306. – [2] Ebd. 1977, S. 538–559. – [3] Ebd. 1984, S. 8–10. – [4] Ebd. 1976, S. 272–277. – [5] Ebd. 1977, S. 559–564. – [6] Ebd. 1986, S. 133 u. 166. – [7] Ebd. 1984, S. 1.

W. Böckenförde

138 und 139: Die mit Rom verbundenen Ostkirchen

Autor: J. Martin. M. Lacko hat die Karten mitkorrigiert.

Zur Geschichte der mit Rom verbundenen Ostkirchen vgl. Karte 132. Zur Geschichte der Ostkirchen vor der Union vgl. die Karten 2 4–5 9–10 20–21 26–27 30–31. Zu den nicht mit Rom verbundenen Ostkirchen in der Gegenwart vgl. die Karten 130–131 und 134–135.

Die mit Rom verbundenen Ostkirchen, deren Bischöfe der Kongregation für die Ostkirchen (vgl. Karte 109) unterstehen, haben ihre Schwerpunktgebiete im Nahen Osten, in Indien und auf dem Balkan. Sie unterscheiden sich durch verschiedene Riten, die ihrerseits wieder auf die Ursprungskirchen der mit Rom verbundenen Kirchen zurückgehen.

Wie in den Karten zur Katholischen Kirche (140–147) ist auch in diese Karten jeweils der Sitz eines Prälaten, nicht die für einen kirchlichen Sprengel namengebende Stadt eingetragen (mit Ausnahme der Patriarchate, für die beides angegeben ist; das chaldäische Patriarchat von Bagdad führt noch den Titel von Babylon). Grundlage für die Eintragung war das Annuario Pontificio von 1986. Unberücksichtigt blieben die nur noch nominell bestehenden Bistümer Seert (Chaldäer) und Mardin (Chaldäer und Syrer). Außerhalb der Kartenausschnitte bestehen noch folgende, in den Karten nicht genannte Sprengel: Ordinariate für alle Katholiken des orientalischen Ritus in Buenos Aires und Rio de Janeiro; Eparchien der Ukrainer (in den Karten unter den Katholiken des Byzantinischen Ritus) in Melbourne, Curitiba und Buenos Aires, ein Apostol. Exarchat der Ukrainer in London, die Apostol. Exarchate Rußland und Harbin in der UdSSR (beide unbesetzt, kein Sitz angegeben), Eparchien der Maroniten in São Paulo und Sydney sowie eine der Melchiten in São Paulo, ein Apostol. Exarchat der Armenier in Buenos Aires, schließlich weitere Eparchien der Malabaren in Indien: Bijnor, Chanda, Gorakhpur, Jagdalpur, Raijkat, Sagar, Satna, Ujjain. – Für das Apostol. Exarchat der Ukrainer in Polen, Lemkowszczyzna, ist kein Sitz angegeben (in der Karte nicht berücksichtigt). Die Apostol. Administratur Südalbanien sowie das Erzbistum Fagaras und Alba Iulia und die Eparchie Maramures (Rumänien) sind derzeit unbesetzt; hier wurden die alten Sitze (Tirana, Blaj, Baia Mare) in der Karte belassen.

Verschiedene in die Karte eingetragene Metropolen der Melchiten, Maroniten und Syrer sind nur Titularmetropolen ohne Suffragane.

Die Mitgliederzahlen für die mit Rom verbundenen Ostkirchen werden für das Jahr 1966 wie folgt angegeben:

Alexandrinischer Ritus:	
Kopten	92000
Äthiopier	74763
Antiochenischer Ritus:	
Syrer	76935
Malankaren	158844
Maroniten	878565
Byzantinischer Ritus:	
Albaner	400
Alboruthenen	2500
Bulgaren	7000
Finnen	?
Georgier	?
Griechen	2562
Ungarn	250000
Italo-Albaner	70400
Japaner	?
Jugoslawen	60000
Melchiten	400000
Romenen	1572000
Russen	?
Ruthenen	776000
Slowaken	305000
Ukrainer	4386000
Chaldäischer Ritus:	
Chaldäer	223673
Malabaren	1728712
Armenischer Ritus:	
Armenier	98000

Die Gesamtzahl der katholischen Orientalen wird auf ca. 10000000 geschätzt.

Quellen: Vgl. oben im Text. Heranzuziehen ist M. Lacko, Atlas Hierarchicus Ecclesiae Catholicae Orientalis (Roma 1962); die mit Rom verbundenen Ostkirchen sind auch dargestellt im Atlas Hierarchicus, hrsg. von H. Emmerisch (Mödling 1968).
Literatur: Vgl. die in den Artikeln zu den einzelnen Kirchen im LCH, LThK[2], RGG[3] und WKL angegebene Literatur, ferner Sacra congregazione per la chiesa orientale, Oriente Cattolico (Città del Vaticano 1962); A. Brunello, Le chiese orientali e l'unione (Milano 1966).

J. Martin

140 bis 147: Die Römisch-Katholische Kirche

Autor: Die Karten wurden nach den Angaben des Annuario Pontificio von 1986 zusammengestellt. Die Grenzen der Kirchenprovinzen sind mit Erlaubnis des St.-Gabriel-Verlages dem Atlas Hierarchicus, hrsg. von H. Emmerich (St.-Gabriel-Verlag, Mödling 1976) entnommen.

Die Fortschritte, die die Organisation der katholischen Kirche seit dem 19. und dem Beginn des 20. Jh. gemacht hat, werden sichtbar, wenn man mit den vorliegenden Karten die Karten 85 96 97 und vor allem 106–107 vergleicht. Insbesondere in Afrika, Asien und in Südamerika sind im 19. und 20. Jh. viele neue Kirchensprengel gegründet und Apostolische Vikariate in selbständige Bistümer umgewandelt worden. Seit der Mitte des 20. Jh. ging diese Entwicklung zusammen mit einer immer stärkeren Beteiligung der einheimischen Bevölkerungen am Priester- und Bischofsamt.

In die Karten sind grundsätzlich die Sitze der kirchlichen Sprengel, nicht die namengebenden Orte eingetragen. Von diesem Prinzip wurde nur dann abgewichen, wenn ein Verwaltungssitz außerhalb seines Sprengels liegt – in diesen Fällen ist der Name eines Sprengels in dessen Gebiet eingetragen.

Kirchenprovinzgrenzen und Grenzen exemter Gebiete wurden nicht unterschieden, doch konnten – bes. in Italien – aufgrund des kleinen Maßstabs der Karten nicht alle Grenzen exemter Gebiete markiert werden.

Im folgenden werden, um die Informationen der Karten zu ergänzen und einen Vergleich mit den anderen, in diesem Atlas dargestellten Kirchen zu ermöglichen, die Katholikenzahlen für die einzelnen Länder nach dem Stand von 1984 mitgeteilt. Die Zahlen sind dem Annuarium Statisticum Ecclesiae 1984, hrsg. von Secretaria Status, Rationarium Generale Ecclesiae (Vatikan 1986) entnommen. Da die Konfessionsstatistik noch sehr im argen liegt und offizielle Zählungen der Konfessionszugehörigkeit nur in wenigen Ländern vorgenommen werden, müssen die Zahlen mit der nötigen Vorsicht benutzt werden.

Land	Bevölkerungszahl	Anteil der Katholiken	
		Zahl	Prozent
Afrika			
Ägypten	45660000	176000	0,4
Algerien	21270000	63000	0,3
Angola	8540000	4448000	52
Äquatorial-Guinea	380000	327000	86
Äthiopien	35420000	258000	0,7
Benin	3830000	611000	16
Botswana	1050000	42000	4
Burkina-Faso	6580000	593000	9
Burundi	4540000	2588000	57
Dschibuti	350000	11000	3
Elfenbeinküste	9470000	995000	11
Gabun	1150000	581000	51
Gambia	630000	14000	2,2
Ghana	13040000	1575000	12
Guinea	5300000	51000	1
Guinea-Bissau	880000	44000	5
Kamerun	9470000	2597000	27
Kapverden	320000	301000	94
Kenia	19540000	3986000	20
Komoren	440000	2000	0,5
Kongo	1700000	799000	47
Lesotho	1470000	636000	43
Liberia	2110000	49000	2,3
Libyen	3620000	48000	1,3
Madagaskar	9730000	2224000	23
Malawi	6840000	1444000	21
Mali	7720000	67000	0,9
Marokko	22850000	58000	0,3
Mauretanien	1830000	4000	0,2
Mauritius	980000	326000	33
Moçambique	13690000	1806000	13
Namibia	1510000	196000	13
Niger	5940000	15000	0,3
Nigeria	92040000	6587000	7
Réunion	560000	465000	83
Ruanda	5900000	2516000	43
Sambia	6450000	1831000	28
São Tomé	90000	83000	92
Senegal	6350000	285000	4,5
Seychellen	60000	59000	98
Sierra Leone	3540000	44000	1,2
Simbabwe	7980000	695000	9
Somalia	5420000	2000	0,04
Südafrikanische Republik	31590000	2489000	8
Sudan	20950000	1309000	6
Swaziland	650000	37000	6
Tansania	21060000	4292000	20
Togo	2840000	625000	22
Tschad	4900000	281000	6
Tunesien	7040000	18000	0,3
Uganda	15150000	6124000	40
Westliche Sahara	150000	200	0,1
Zaire	32080000	14002000	44
Zentralafrikanische Republik	2510000	425000	17
Amerika			
Argentinien	30100000	28089000	93
Bahamas	226000	45000	20
Barbados	250000	11000	4,4
Belize	160000	100000	63
Bermudas	60000	9000	15
Bolivien	6250000	5912000	95
Brasilien	132580000	118506000	89
Chile	11880000	10099000	85
Costa Rica	2530000	2295000	91
Dominica	80000	65000	81
Dominikanische Republik	6100000	5675000	93
Ecuador	9110000	8758000	96
El Salvador	5390000	4944000	92
Falklandinseln	2000	200	10
Französisch-Guayana	80000	62000	78
Grenada	110000	76000	69
Grönland	50000	?	
Guadeloupe	330000	260000	79
Guatemala	7740000	6856000	89
Guayana	940000	94000	10
Haiti	5180000	4636000	89
Honduras	4230000	4064000	96
Jamaica	2290000	223000	10
Jungferninseln	120000	25400	21
Kanada	25130000	11280000	45
Kolumbien	28220000	26738000	95
Kuba	9990000	4098000	41
Martinique	330000	290000	88
Mexiko	76790000	73835000	96
Nicaragua	3160000	2759000	87
Niederländische Antillen	260000	200000	77
Panama	2130000	1877000	88
Paraguay	3280000	3002000	92
Peru	19200000	17730000	92
Puerto Rico	3400000	2753000	81
Surinam	352000	78000	22
Trinidad und Tobago	1110000	380000	34
Uruguay	2990000	2358000	79
Venezuela	16850000	15304000	91
Vereinigte Staaten von Amerika	236680000	52464000	22
Asien			
Afghanistan	17670000	–	
Bahrain	400000	10000	2,5
Bangladesch	94730000	174000	0,2
Bhutan	1390000	500	0,04
Burma	37610000	407000	1
China	1032532000	?	
Hongkong	5360000	269000	5
Japan	120020000	423000	0,4
Jemen	2230000	2000	0,1
Indien	746740000	12800000	2
Indonesien	159890000	3928000	2,5
Irak	15160000	380000	2,5
Iran	43410000	18000	0,04
Jordanien	3380000	51000	1,5
Israel	4190000	81000	2
Kambodscha	7150000	?	
Kuwait	1790000	48000	2,7
Laos	4320000	?	
Libanon	2640000	1435000	54
Macao	340000	21000	6
Malaysia	15200000	447000	3
Mongolische Volksrepublik	1820000	?	
Nepal	16110000	1000	0,006
Nordkorea	19630000	?	
Oman	1180000	7000	0,6
Pakistan	93290000	519000	0,6
Philippinen	53350000	44885000	84
Saudi-Arabien	10820000	420000	4
Singapur	2520000	105000	4
Sowjetunion (asiat. Teil)	72384000	?	
Sri Lanka	15610000	1093000	7
Südkorea	40580000	1803000	4
Syrien	9930000	257000	2,6
Taiwan	19018000	290000	1,5
Thailand	50400000	211000	0,4
Timor	640000	471000	74
Türkei	48270000	16000	0,03

Land	Bevölkerungszahl	Anteil der Katholiken	
		Zahl	Prozent
Vereinigte Arabische Emirate	1260000	60000	5
Vietnam	58310000	?	
Volksrepublik Jemen	6390000	3000	0,05
Zypern	660000	7000	1
Ozeanien			
Australien	15540000	4229000	27
Cook-Inseln	20000	2000	10
Fidschi-Inseln	672000	58000	9
Karolinen und Marshall-Inseln	124000	56000	45
Neukaledonien	145000	94000	65
Neuseeland	3230000	509000	16
Papua-Neuguinea	3600000	1135000	32
Salomon-Inseln	270000	50000	19
Samoa	160000	31000	19
Tonga-Inseln	97000	13000	13
Tuvalu	9000	100	1
Vanuatu	128000	18000	14
Europa			
Albanien	2900000	?	
Andorra	40000	38000	95
Belgien	9880000	8913000	90
Bulgarien	8960000	?	
Dänemark	5110000	27000	0,5
Deutschland:			
Bundesrepublik mit Berlin (West)	61180000	28375000	46
DDR mit Berlin (Ost)	16670000	1334000	8
Finnland	4880000	4000	0,08
Frankreich	54950000	46630000	85
Gibraltar	30000	20000	67
Griechenland	9900000	50000	0,5
Großbritannien	55018000	5097000	9
Irland	5212000	3916000	75
Island	240000	2000	0,8
Italien	56980000	55840000	98
Jugoslawien	22960000	7293000	32
Liechtenstein	30000	22000	73
Luxemburg	365000	347000	95
Malta	380000	373000	98
Monaco	27000	25000	93
Niederlande	14420000	5623000	39
Norwegen	4140000	18000	0,4
Österreich	7568000	6584000	87
Polen	36910000	34810000	94
Portugal	10160000	9594000	94
Rumänien	22900000	1493000	6,5
San Marino	22000	22000	100
Schweden	8340000	116000	1,4
Schweiz	6440000	3063000	48
Spanien	38720000	37900000	98
Tschechoslowakei	15460000	10661000	69
UdSSR (einschl. asiat. Teil)	276066000 [1]	?	

[1] Aus: The World Population Situation in 1983 (United Nations, New York 1984).

148: Kirchenspaltungen und Einigungsbewegungen

Autor: J. Martin

Es ist selten möglich, für die Entstehung der größeren Kirchen ein genaues Datum anzugeben. Abgesehen davon, daß in einigen Fällen – wie z. B. bei der armenischen Kirche – der Beginn der Selbständigkeit umstritten ist, ist in jedem Fall die Konstituierung einer neuen Kirche das Ergebnis eines längeren oder kürzeren Prozesses. Es wurde deshalb darauf verzichtet, im Schema genaue Daten zu nennen – das Zeitgerüst des Schemas gibt die entsprechenden Annäherungswerte. – Eine neugegründete Kirche ist durch eine ausgezogene Linie an die Kirche angebunden, der ihr Gründer angehörte. Strichellinien deuten Einflüsse verschiedener Art an. – Unter den reformierten Kirchen sind im Schema presbyterianische und kongregationalistische Kirchen zusammengefaßt.

Die beiden Schemata zum Methodismus stehen exemplarisch auch für andere Kirchengruppen. Sie zeigen deutlich einen Wandlungsprozeß, der um die Mitte des 19. Jh. einsetzt: Ist für die Zeit vorher die Bildung von Sonderkirchen häufig zu beobachten, so macht sich seitdem die Tendenz zur Einigung stark bemerkbar (vgl. auch Komm. zu 149). Die Daten für die Kirchentrennungen variieren übrigens in der Literatur teilweise beträchtlich. In den Schemata wurden die Daten der festen Konstituierung der Sonderkirchen gewählt. Die Namen dieser Kirchen, von denen nur die wichtigsten in Großbritannien und den USA herausgegriffen wurden, haben teilweise mehrfach gewechselt – es wurden die jeweils letzten Bezeichnungen gewählt. Kleine Gruppen der einzelnen Kirchen, die sich Unionen nicht anschlossen, blieben unberücksichtigt. Inzwischen wurden in den USA auch Einigungsgespräche zwischen der African Methodist Episcopal Church, der African Methodist Episcopal Zion Church und der Christian Methodist Episcopal Church aufgenommen, ferner zwischen diesen drei genannten Kirchen, der United Methodist Church und anderen Kirchen.

Quellen und Literatur: Vgl. die Artikel zu den einzelnen Kirchen in LCK, LThK², RGG³ und WKL; zu den Methodisten außerdem World Methodist Council, Handbook of Information 1966–1971 (o. O. u. J.).

J. Martin

149: Interkirchliche Unionen seit 1925

Autor: J. Martin

Um die Mitte des 19. Jh. begann eine goße Einigungsbewegung innerhalb der einzelnen konfessionellen Gruppen, die u. a. in der Bildung der großen Weltbünde ihren Niederschlag fand. Diese Einigungsbewegung hat sich bis zur Gegenwart fortgesetzt, und man wird den damit verbundenen Konsolidierungs- und Klärungsprozeß als Voraussetzung für die seit den 20er Jahren dieses Jh. einsetzenden interkonfessionellen Unionen begreifen müssen. Wie aus dem Schema über die geschlossenen Unionen hervorgeht, hatte die Unionsbewegung in den Jahren 1965–72 ihren Höhepunkt. 1970 kam es sogar zum Zusammenschluß zweier Weltbünde, des Reformierten Weltbundes und des Internationalen Rates der Kongregationalisten. Seitdem ist die Einigungsbewegung abgeebbt, seit 1981 wurden keine neuen Unionen mehr eingegengen. Um einen Eindruck von den Unionsbemühungen zu vermitteln, wurden die Unionsverhandlungen der Jahre 1967–85, soweit sie noch nicht zur Union geführt haben, in einem eigenen Schema dargestellt.

Die Gründe dafür, daß seit 1972 weniger Unionen geschlossen wurden, sind unterschiedlich. In Sri Lanka z. B. sind es rechtliche Fragen und jahrelang sich hinziehende Prozesse, die den Vollzug der geplanten Union verhindern. In Ghana sollte die geplante Unionskirche schon im Januar 1981 inauguriert werden, aer der Termin mußte aufgeschoben werden, weil Proteste aus dem Kirchenvolk kamen. Man beschloß, daß zunächst weitere „Erziehungsarbeit" nötig sei. „Der Wunsch, an einer besonderen Identität oder einem besonderen Erbe festzuhalten" (Ecumenical Review 32, 1980, S. 3), scheint stärker zu werden, und dieser Wunsch hat auch zu neuen Formen der Zusammenarbeit geführt. In Italien haben Waldenser und Methodisten 1975 ein Abkommen geschlossen, das auf eine Föderation, nicht eine Union hinauslief. Es basiert „auf dem Prinzip der kirchlichen Autonomie der Denominationen und der Union der kirchlichen Gemeinschaften" (ebd. S. 17). In ähnlicher Form haben die Kirchen von Nord- und Südindien sowie die Mar-Thoma-Kirche ein „Joint Council" gebildet.

Nicht dargestellt sind auf den Schemata die intrakonfessionellen Einigungsbemühungen, die unvermindert anhalten und schon zu einer Reihe von Zusammenschlüssen verschiedener Kirchen ein und derselben Denomination geführt haben.

Quellen und Literatur: Über Unionen und Unionspläne berichtet laufend „The Ecumenical Review". Der letzte hier benutzte Bericht stammt vom Oktober 1986.

J. Martin

150/151: Die Mitgliedskirchen des Ökumenischen Rates der Kirchen

Autor: J. Martin

Die Mitgliedschaft im Ökumenischen Rat ist dargestellt nach dem Stand, den das HMC von 1985 wiedergibt. Die in der Karte als „Sonstige" bezeichneten Kirchen sind (neben den hier nicht mehr aufgeführten Unionen, vgl. Schemata 149):

Afrika
Angola: Evangelische Pfingstkirche von Angola
Vereinigte Evangelische Kirche von Angola
Gabun: Evangelische Kirche von Gabun
Kenia: Afrikanische Kirche des Hl. Geistes
Afrikanische Israel Niniveh Kirche
Kongo: Evangelische Kirche des Kongo
Nigeria: Brüder-Kirche von Nigeria
Kirche des Herrn
Togo: Evangelische Kirche von Togo

Zaire: Kirche Christi – Gemeinschaft des Lichts
Kirche Christi – Evangelische Gemeinschaft
Kirche Christi – Mennonitische Gemeinschaft
Kirche Christi auf Erden durch den Propheten Simon Kimbangu

Asien

Bangladesch: Kirche von Bangladesch
Hongkong: Rat der Kirche Christi in China, Hongkong
Indonesien: Protestantische Kirche in Sabah
Sri Lanka: Kirche von Sri Lanka

Europa

Bundesrepublik Deutschland: Die Landeskirchen von Bremen, Baden, Berlin-Brandenburg, Hessen-Nassau, Rheinland, Kurhessen-Waldeck, Pfalz, Westfalen
Vereinigte Deutsche Mennonitische Kongregationen
Deutsche Demokratische Republik: Evangelische Kirchen von Berlin-Brandenburg, Anhalt, Sachsen, Görlitz
Großbritannien: Union Walisischer Unabhängiger
Niederlande: Allgemeine Mennonitische Gemeinschaft
Spanien: Spanische Evangelische Kirche
Tschechoslowakei: Tschechoslowakische Hussitische Kirche

Lateinamerika

Argentinien: Kirche Gottes
Evangelische Kirche des Rio de la Plata
Brasilien: Evangelische Pfingstkirche – Brasilien für Christus
Chile: Pfingstkirche von Chile
Pfingstkirchliche Mission
Niederländische Antillen: Vereinigte Protestantische Kirche

Nordamerika

Kanada: Jahreskonferenz der Gesellschaft der Freunde (Quäker)
USA: Allgemeine Konferenz der Freunde (Quäker)
Vereinigte Konferenz der Freunde (Quäker)
Internationaler Rat der Gemeinschafts-Kirchen
Internationale Evangelische Kirche

Ozeanien

Cook-Inseln: Christliche Kirche der Cook-Inseln
Neu-Kaledonien: Evangelische Kirche in Neu-Kaledonien und den Loyalitätsinseln

Die Einfärbung der Länder sagt nur etwas zum Verhältnis der christlichen Konfessionen untereinander aus, nichts aber zur religiösen Gesamtsituation der einzelnen Länder. In einer Reihe von Ländern, besonders in Afrika und Asien, ist das Christentum äußerst schwach und macht nur einen geringen Bruchteil der Gesamtbevölkerung aus. Ebenso ist in verschiedenen Ländern – besonders in Afrika – der Zahlenunterschied zwischen Katholiken und Nichtkatholiken äußerst gering. Der Einfärbung, die gegenüber der Auflage von 1970 nicht verändert wurde, lagen die Angaben in folgenden beiden Werken zugrunde: Bilan du monde 1964, hrsg. vom Centre „Eglise Vivante" und von der FERES, 2 Bde. (Löwen 1964); WCH. – Für genauere Aussagen zur Verteilung der Kirchen auf die verschiedenen Länder vgl. die Karten zu den einzelnen Kirchen. Zum Ökumenischen Rat vgl. ferner Karte 152.

Die Statistik beruht weitgehend auf Schätzungen, da in den meisten Ländern bei Volkszählungen die Religionszugehörigkeit nicht berücksichtigt wird. Folgende Unterlagen wurden herangezogen:

Altkatholiken: Kirchliches Jahrbuch für die Altkatholiken in Deutschland, Jg. 85 (Bonn 1986) S. 101–104
Anglikaner: WCE
Baptisten: The World Family of Baptists, Faltblatt 1986
Lutheraner: Lutherische Jahresstatistik 1985, hrsg. vom Lutherischen Weltbund
Methodisten: World Methodist Council, Handbook of Information 1982–86
Reformierte: Informationsheft „Der Reformierte Weltbund" (Genf 1964) S. 11–12. Die dortigen Zahlen wurden durch Angaben des Sekretariats des Reformierten Weltbundes in Genf nach dem Stand von 1967 korrigiert. Neben den Mitgliedskirchen des Reformierten Weltbundes sind auch andere Kirchen reformierter Tradition berücksichtigt. – Die Zahlen sind gegenüber der Auflage von 1970 nicht verändert, da die Angaben im „Handbook of Member Churches 1982" sehr lückenhaft sind.
Orthodoxe und Orientalische Kirchen: Für einen großen Teil dieser Kirchen sind die statistischen Angaben mit äußerster Vorsicht zu benutzen, da selbst Schätzungen sehr schwierig sind (z. B. in Rußland). Auch hier wurden die Zahlen der Auflage von 1970 beibehalten, für die folgende Unterlagen benutzt wurden: Kirchliches Jahrbuch für die Altkatholiken in Deutschland, Jg. 67 (1968) S. 84–89; H. Schaeder, Renaissance und Aggiornamento der Orthodoxie: Ökumenische Rundschau 17 (1968) 124 f.; Conspectus statisticus ecclesiarum orientalium a. 1966 (Manuskript); A. Brunello, Le chiese orientali e l'unione (Milano 1966). – Die WCE gibt für die orthodoxen und nicht-chalkedonischen Kirchen zusammen für 1985 folgende (hochgerechnete) Zahlen: Afrika: 21 967 000; Asien: 3 268 790; Europa: 98 823 240; Lateinamerika: 425 000; Nordamerika: 5 838 000; Ozeanien: 516 000.
Katholiken: WCE
Die Angaben zur Weltbevölkerung beruhen auf: The World Population Situation in 1983, United Nations 1984.

J. Martin

152: Die Genese, Gliederung und die Aktivitäten des Ökumenischen Rates der Kirchen

Zusammenstellung: J. Martin

Die beiden Schemata zur Genese und zur Gliederung des Ökumenischen Rates wurden von der Kommunikationsabteilung des Ökumenischen Rates zur Verfügung gestellt. Das Schema zur Genese zeigt die Entwicklung der organisierten ökumenischen Arbeit, der in der 2. Hälfte des 19. Jh. eine Phase des Zusammenschlusses innerhalb der einzelnen Konfessionen vorausgegangen war (vgl. dazu die Karten und Kommentare zu den einzelnen Kirchengruppen und Karte 148).

Das Schema zur Gliederung zeigt nur im Teil über die Volksversammlung, den Zentralausschuß und den Exekutivausschuß eine Abstufung von Verantwortungen, während es sonst nur die Gliederung der Arbeit darstellt – ein klares System von Über- und Unterordnungen gibt es hier nicht. – Die Graphiken zur Verteilung der Mitgliedskirchen des Ökumenischen Rates nach Kontinenten und nach Konfessionen wurden nach dem HMC zusammengestellt; zu den sonstigen Kirchen vgl. den Kommentar zu Karte 150/151. Die Zahlenverteilung nach Mitgliedskirchen ist übrigens nicht kongruent mit einer Verteilung nach den von den einzelnen Kirchen repräsentierten Mitgliedern. Eine zuverlässige Statistik dazu existiert zwar nicht – deshalb fehlt eine entsprechende schematische Darstellung –, doch läßt sich in jedem Fall sagen, daß die nach Mitgliedern stärkste Gruppe die der Orthodoxen ist.

Quellen und Literatur: Zur Entwicklung des Ökumenischen Rates sowie zur Verfassung und zu den Satzungen sind die Berichte und Arbeitsbücher der verschiedenen Versammlungen heranzuziehen; sie sind übersichtlich zusammengestellt im Katalog der Veröffentlichungen des Ökumenischen Rates (auf Anforderung in Genf erhältlich).

J. Martin

Palästina zur Zeit Jesu

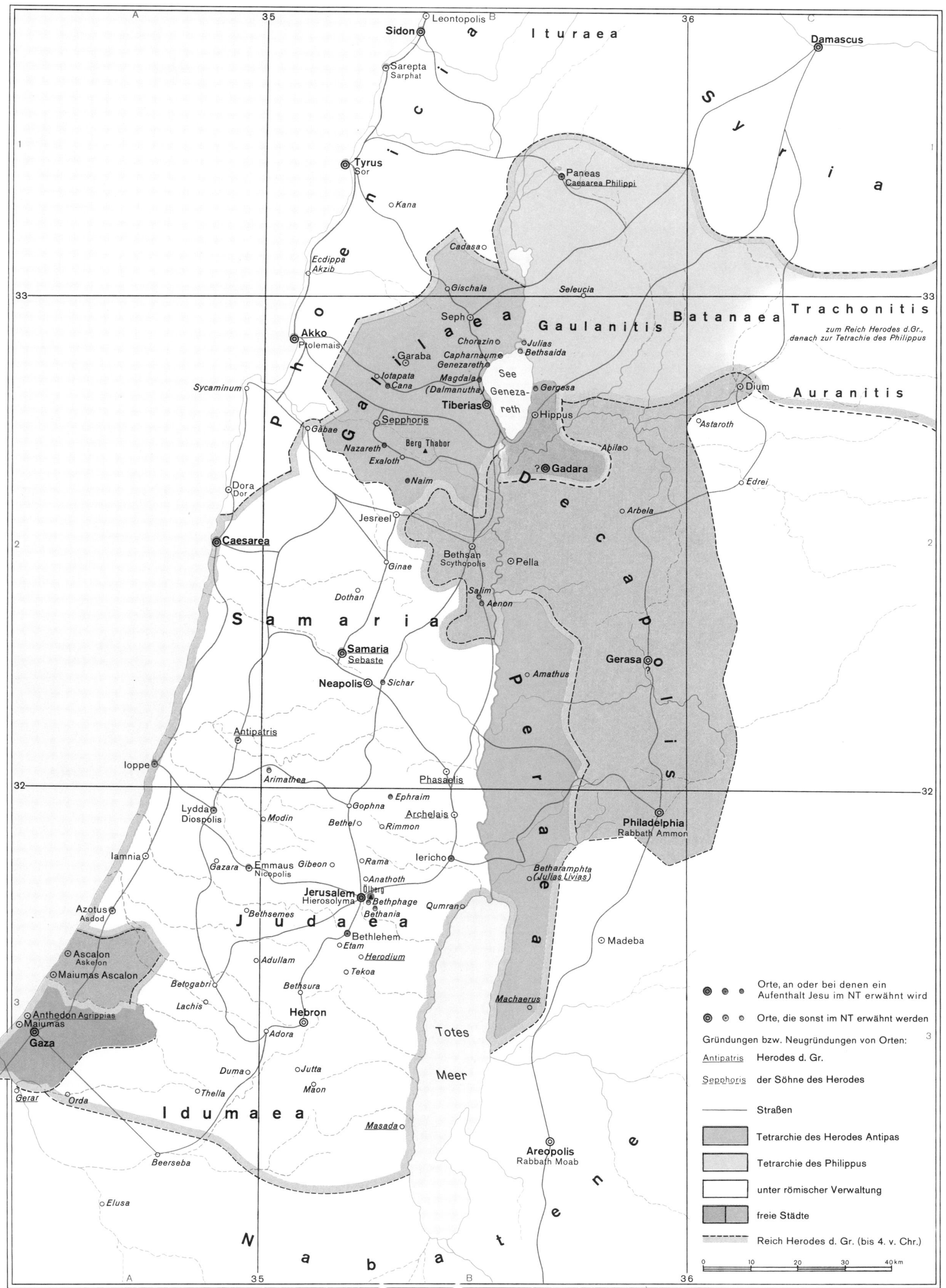

Die christlichen Gemeinden des 1. und 2. Jahrhunderts

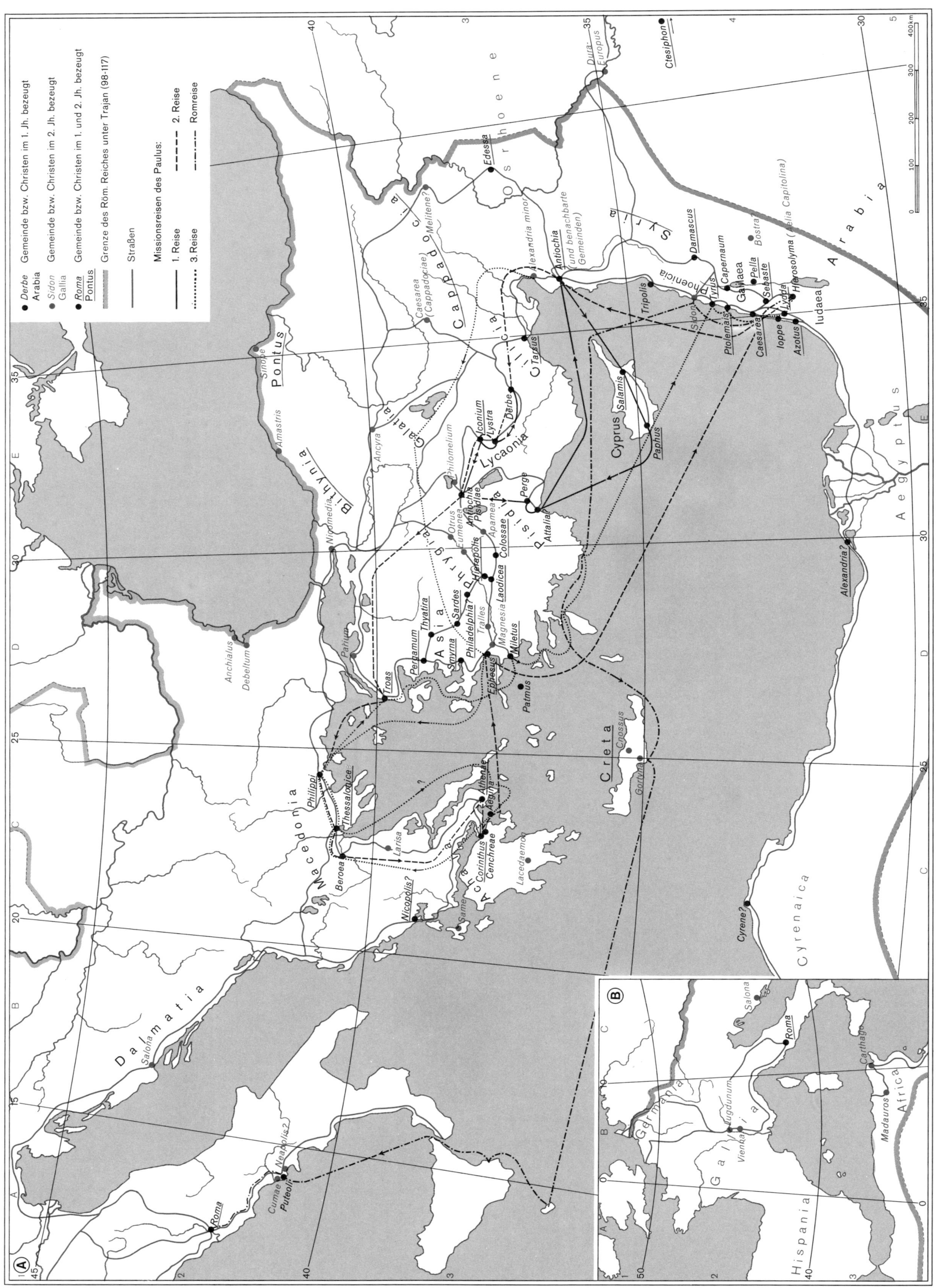

Frühchristliche Gemeindeordnungen

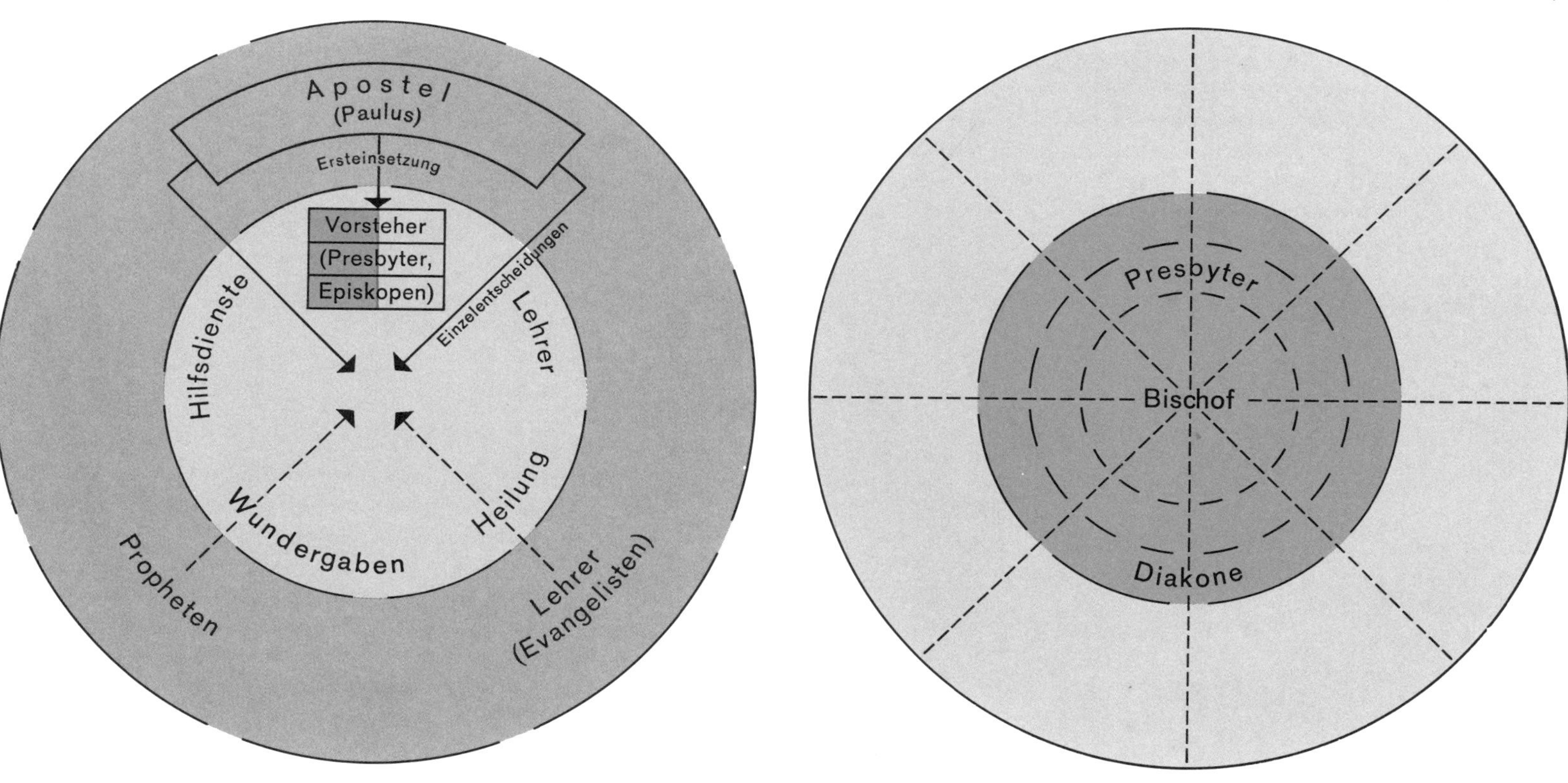

Es ist zu unterscheiden zwischen Gemeinde- und allgemeinen kirchlichen Diensten. Innerhalb der Gemeinde gibt es noch keine Hierarchie, die verschiedenen Dienste stehen nebeneinander, wenn sich auch die Leitung zu institutionalisieren und in den Vordergrund zu schieben beginnt. Paulus hat als Apostel nach dem Bericht der Apg. in den von ihm gegründeten Gemeinden die ersten Presbyter (besser: Episkopen) eingesetzt. Sein Verhältnis zu seinen Gemeinden ist juristisch nicht fixierbar: Er fordert sowohl Respekt für seine Entscheidungen, wie er auch selbst die Freiheit der Gemeinde respektiert.

Bei Ignatius erhält Kirche erstmals einen „konfessionellen" Sinn: sie wird unterschieden von christlichen Gruppen, die sich nicht dem Bischof unterstellen. Deshalb ist die Gemeinde als geschlossene Gemeinde dargestellt. Einziger Garant der Kirchlichkeit aller kirchlichen Handlungen ist der Bischof, in dem alle Aktionen der Gemeinde ihr Zentrum haben. Das kirchliche Amt ist klar gegliedert: Der Bischof steht an der Spitze, wenn auch bei Ignatius die Formulierungen überwiegen, die die Gemeinsamkeit zwischen Bischof, Presbytern und Diakonen hervorheben.

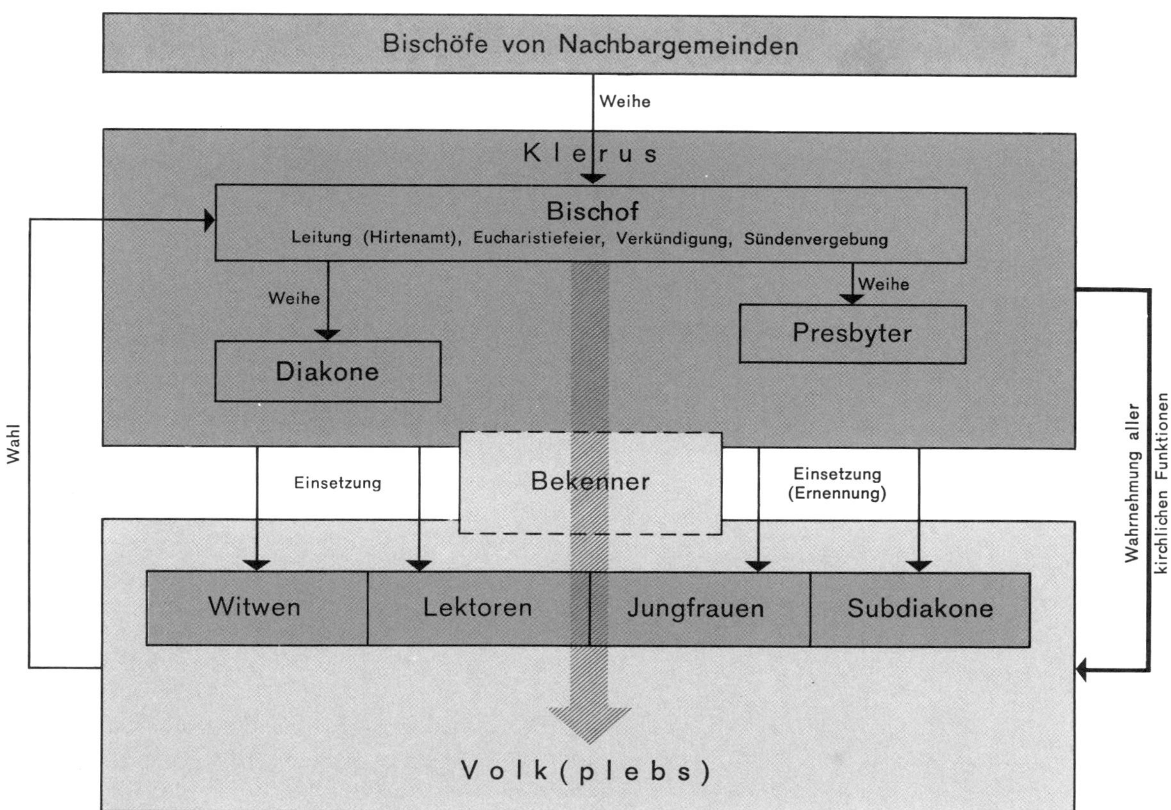

Bei Hippolyt ist schon deutlich die Struktur der Gemeinde angelegt, die sich in der römischen Kirche endgültig durchgesetzt hat. Klerus und Volk sind klar voneinander unterschieden. Ein Bindeglied zwischen beiden bilden die Bekenner, die bei der Berufung zu Diakonen oder Presbytern nicht geweiht zu werden brauchen, weil sie die durch die Weihe vermittelte Gnade durch ihr Bekenntnis schon besitzen.

Die christlichen Gemeinden bis 325

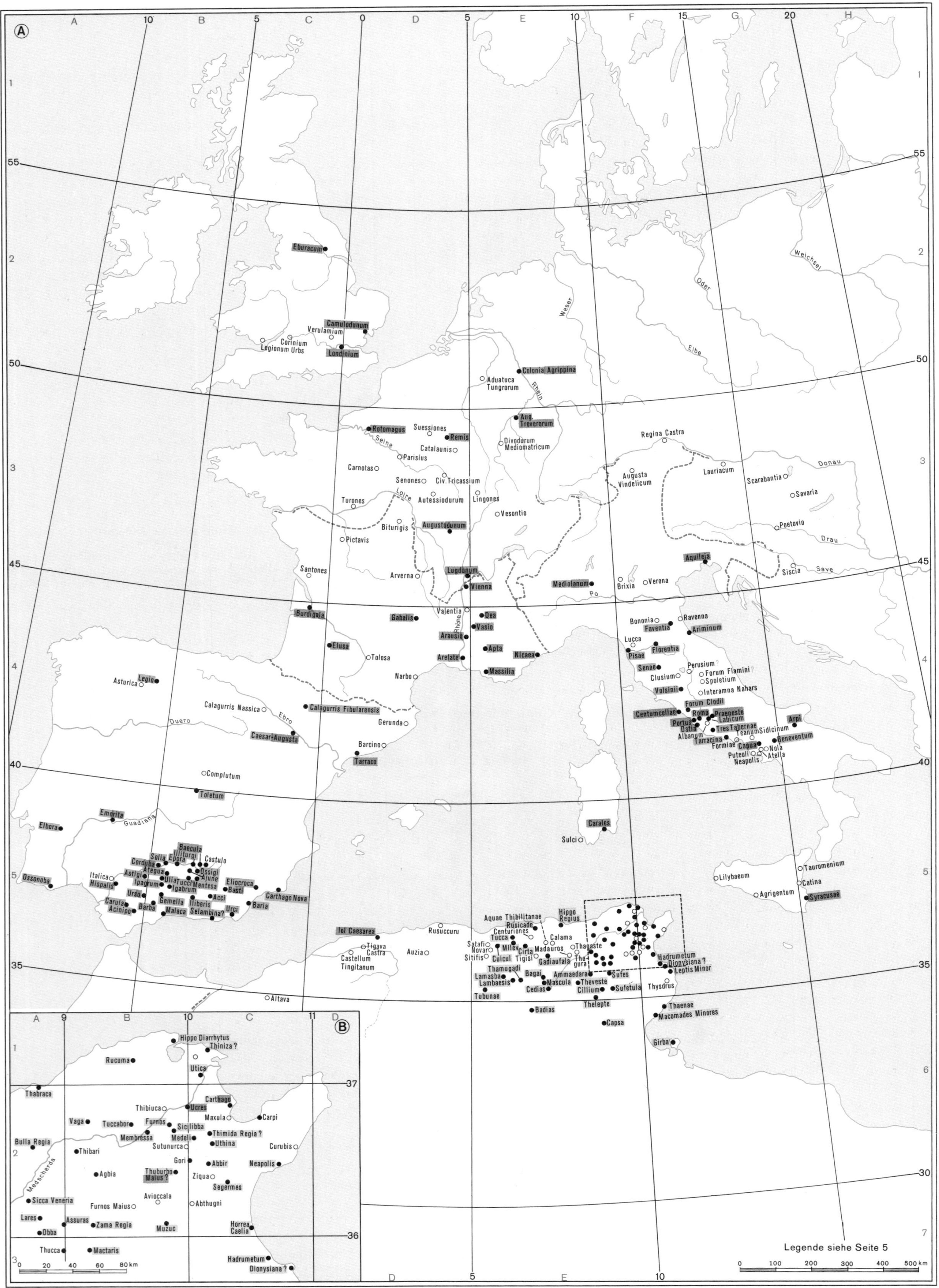

Die christlichen Gemeinden bis 325

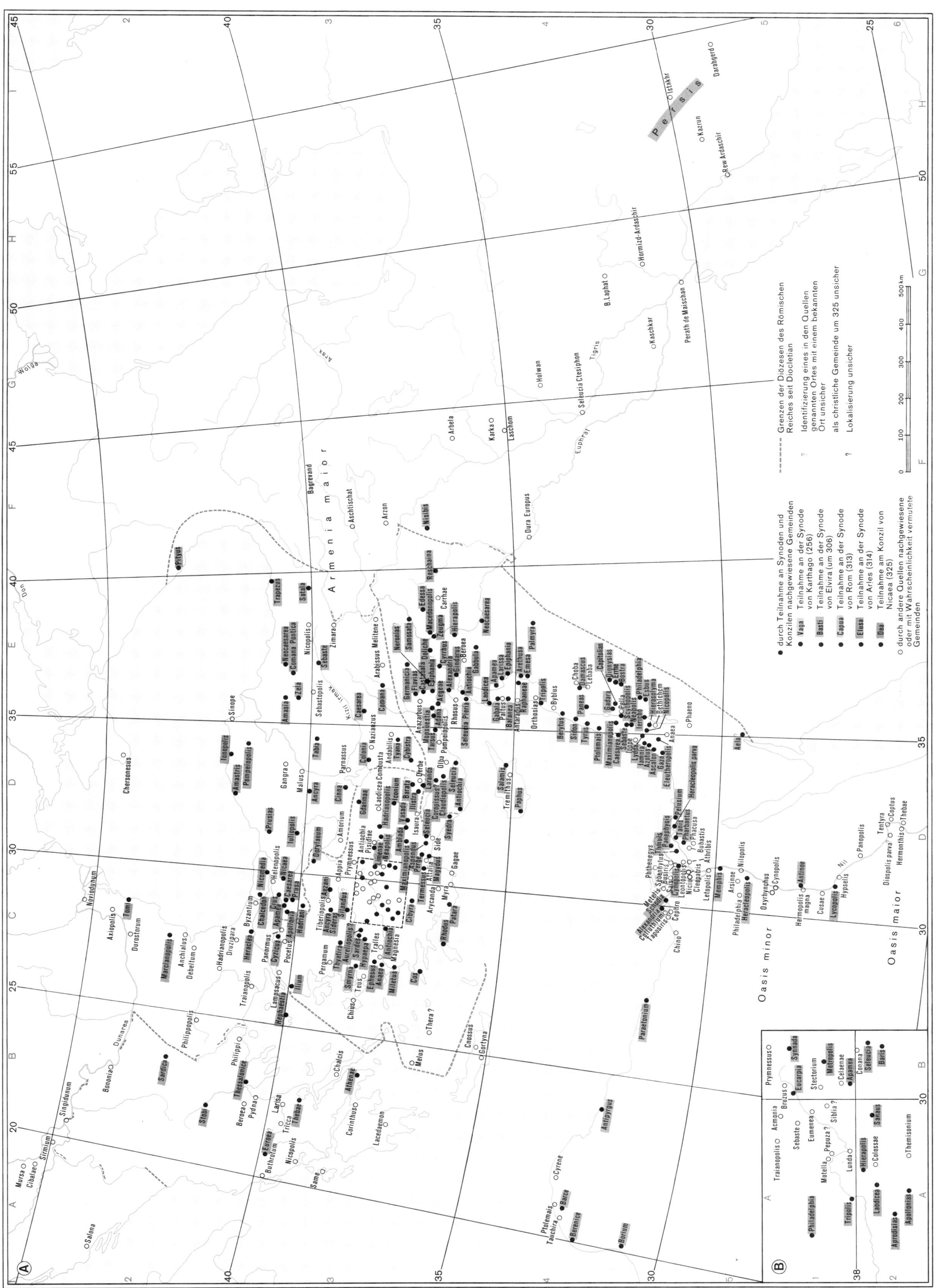

A
● Bistümer, deren Inhaber in Sardica (342/343) zur Gruppe der Orientalen gehörten
Tripolis Bistümer, deren Inhaber in Seleucia (359) zur Gruppe um Acacius v. Caesarea gehörten
Cyzicus Bistümer, deren Inhaber um 360 zur Gruppe der Homöusianer gehörten
○ Bistümer, deren Inhaber sonst als Arianer hervorgetreten sind
✚ Orte von Konzilien und Synoden, die mit dem Arianismus-Streit in Zusammenhang standen (Jahreszahlen beziehen sich darauf)
0 100 200 300 km
Im Westen:
○ Centumcellae
○ Olisipo
○✚ Arelate, 353
○✚ Mediolanum, 355
✚ Roma, 340
✚ Beterrae, 356
✚ Ariminum, 359
✚ Parisius, 360/61
Sirmium 351/52 357 358
Singidunum
Mursa
Sava
Drina
Morava
Dunav
Olt
Struma
Maritsa
Vardar
Aliakmon
Sardica 342/43
Philippopolis 342/43
Beroea
Anchialus
Ulfilas, Bisch. der Westgoten
Amantia
Heraclea
Constantinopolis 335 338 360 381
Chalcedon
Nicomedia 366
Nicaea 325
Cius
Cyzicus
Lampsacus 364
Ilium
Troas
Mytilene
Pergamum
Magnesia
Smyrna um 365
Clazomenae?
Ephesus
Miletus?
Sardes
Philadelphia
Tripolis
Laodicea
Antiochia 378
Ceretapa
Themisonium?
Ancyra
Susurlu
Menderes
Caunus
Pinara
Cos
Carpathus
Sakarya
Dorylaeum
Docimium
Augustopolis?
Hierapolis
Lysinia?
Attalia?
Perge
Juliopolis
Cratea
Ancyra 358 375
Gangra um350
Aspona
Parnassus
Pompeiopolis
Sinope
Zela um 362
Neocaesarea
Sebaste
Satala
Caesarea
Kizil Irmak
Tyana 367
Seleucia 359
Tarsus
Adana ?
Mopsuestia
Castabala
Irenopolis
Germanicia
Rhosus
Alexandria Cabiosa
Cyrrhus
Zeugma
Doliche
Gabbula
Antiochia 330 339 341 344 358 um 362 363 379
Seleucia Pieria
Laodicea
Larissa
Epiphania
Arethusa
Emesa
Raphaneae
Orontes
Berytus
Tyrus 335
Hippus
Scythopolis
Adraa
Bostra
Gerasa
Sebaste
Jericho
Jerusalem 335 346
Eleutheropolis
Caesarea
Azotus
Diocletianopolis
Gaza
Petra
Ostracine
Pelusium
Tanis
Thmuis
Antinoe
Letopolis
Oxyrhynchus
Alexandria 320/21 328 338 362 363
Paraetonium
Antipyrgus
Sozusa
Ptolemais
Murat
Euphrat
Tigris
Van-See
B
Die von Meletius v. Lycopolis eingesetzten Bischöfe
0 50 100 150 km
Metelis
Sais
Sebennytus
Busiris
Cynopolis inferior
Leontopolis
Tanis
Pelusium
Bubastis
Phacusa
Heliopolis?
Cleopatris
Niciu
Athribis
Letopolis
Memphis
Nil
Nilopolis
Arsinoe
Oxyrhynchus
Cynopolis
Antinoe
Hermopolis magna
Cusae
Lycopolis
Hypselis
Ptolemais
Diospolis parva
Tentyra
Maximianopolis
Coptus
Hermonthis
Latopolis

Donatistische und katholische Bischofssitze in Nordafrika im Jahre 411

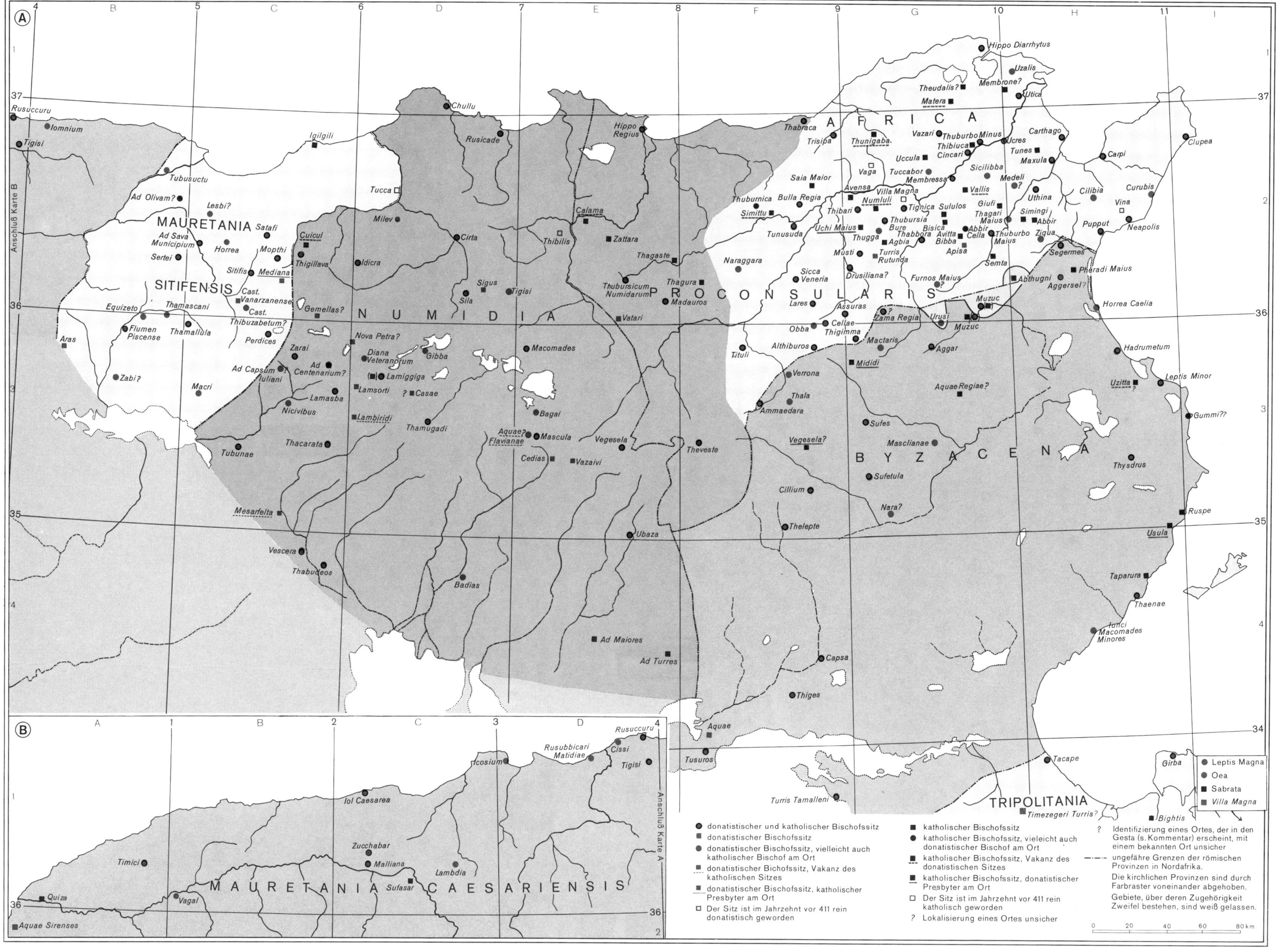

Kirchliche Organisation und antiorthodoxe Bewegungen in der Kirche bis zur Mitte des 5. Jh.

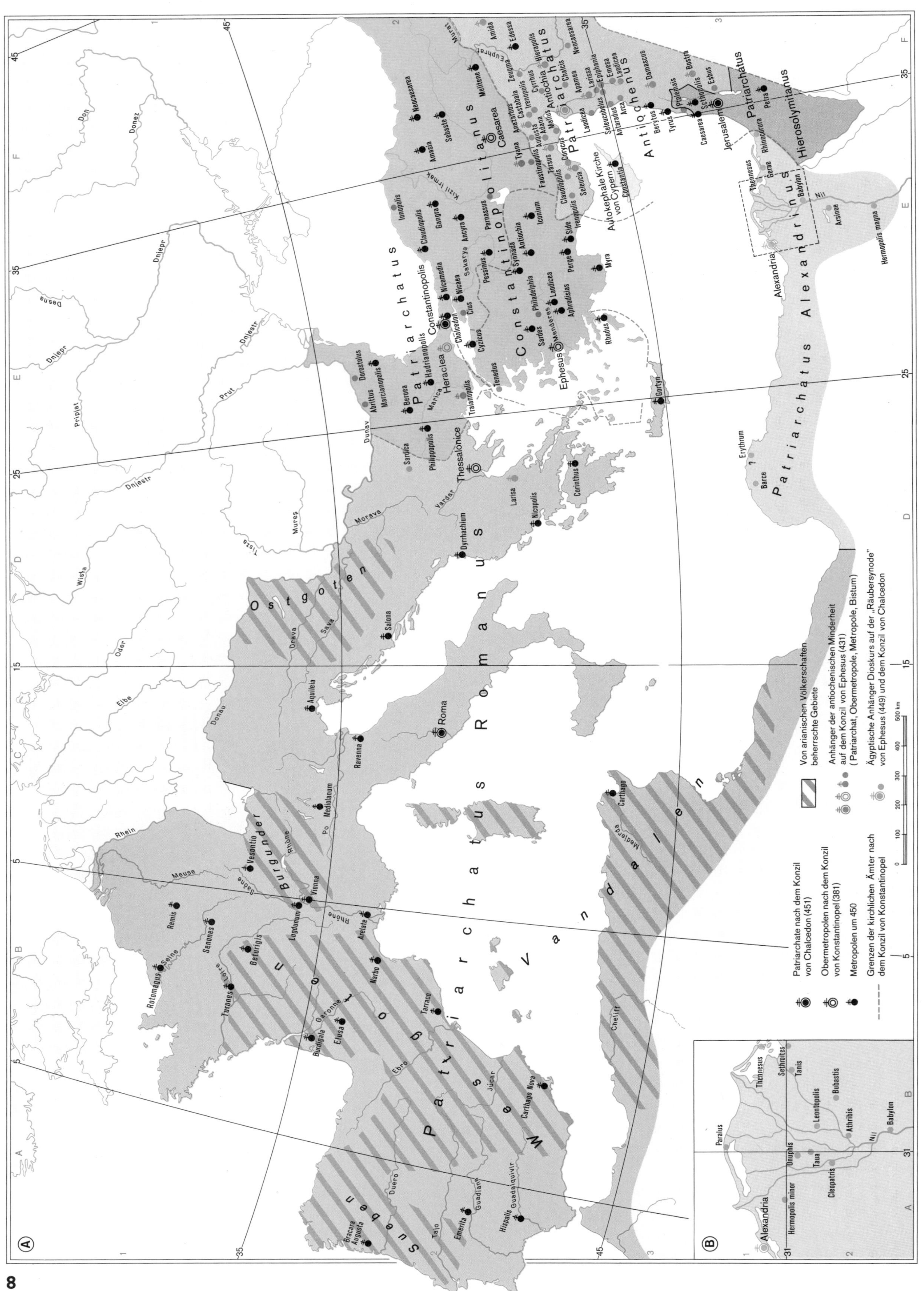

Die armenische Kirche bis 607

A
Taik
Vanand
Basen
Arscharunik
Valarschapat
Dvin
Siunik
Bagrevand
Amatunik
Palunik
Mardali
Turuberan
Arschamunik
Apaunik
Hark
Manazkert
Chorchorunik
Mehnunik
Mardpetakan
Goltn
Taron
Bznunik
Palunik
Arcrunik
Van-See
Mardastan
Arnay
Zarchavan
Rschtunik
Mokk
Buzunik
Andzevatschik
Gnunik
Ake
Ayli
Urmia-See
Tmorik
Sewan-See
Kura
Coruh
Euphrat (Firat)
Murat
Tigris
Euphrat
Araxes
Sabal-Ala
Patriarchatssitz
Diözesen:
Taron — Für die Zeit der 2. Synode von Dvin (um 554) bezeugt
Amatunik — vor und nach 554 bezeugt
Tmorik — nur vor 554 bezeugt
Arnay — 604/607 erstmals bezeugt
0 50 100 150 200 km

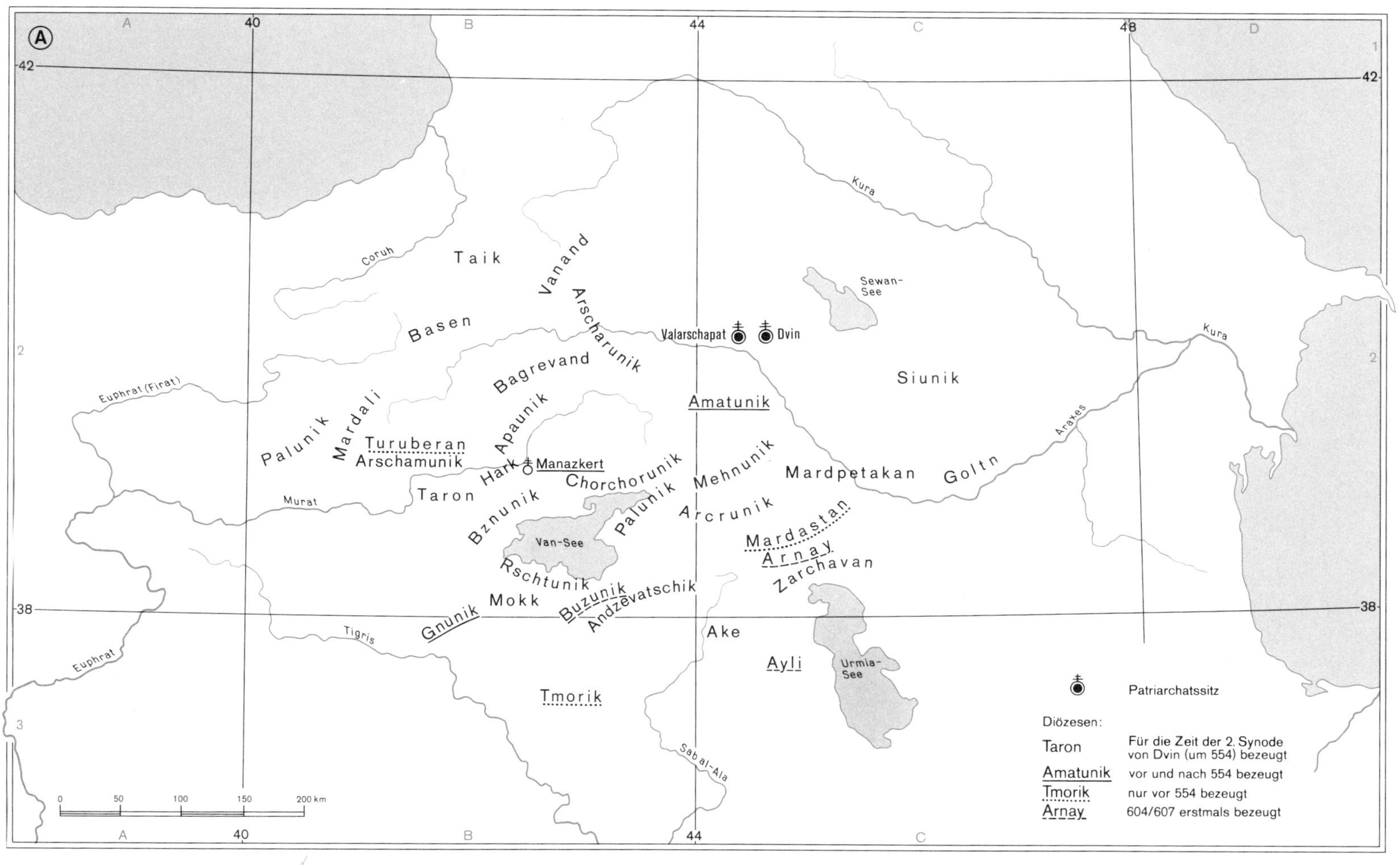

Die Verbreitung des Monophysitismus im Orient um 512 bis 518

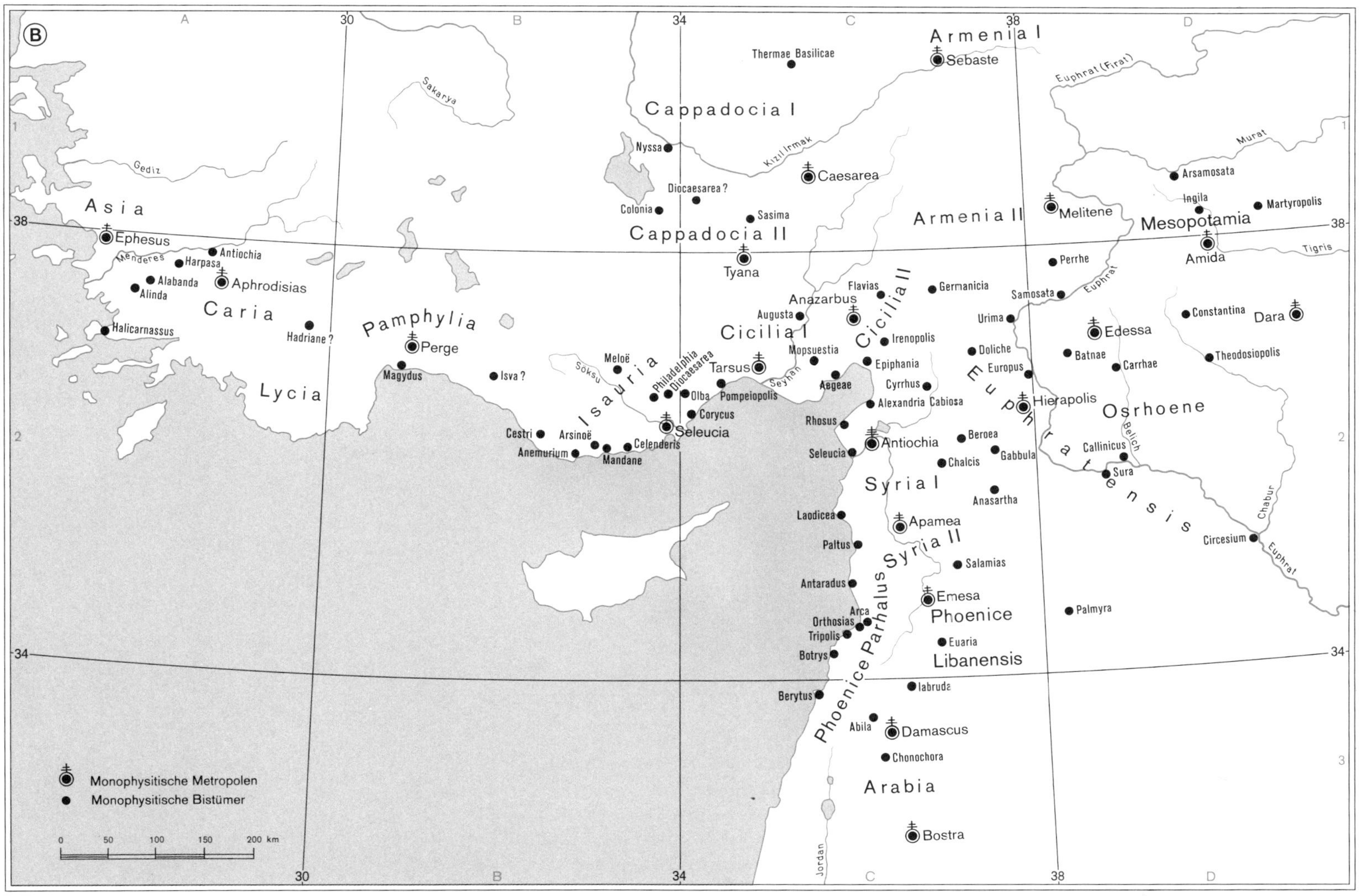

B
Armenia I
Sebaste
Thermae Basilicae
Cappadocia I
Nyssa
Caesarea
Diocaesarea ?
Colonia
Sasima
Cappadocia II
Tyana
Armenia II
Melitene
Arsamosata
Ingila
Martyropolis
Mesopotamia
Amida
Perrhe
Asia
Ephesus
Harpasa
Antiochia
Alabanda
Alinda
Aphrodisias
Caria
Halicarnassus
Hadriane ?
Pamphylia
Perge
Magydus
Lycia
Isva ?
Isauria
Meloë
Philadelphia
Diocaesarea
Olba
Pompeiopolis
Corycus
Seleucia
Cestri
Arsinoë
Celenderis
Anemurium
Mandane
Tarsus
Anazarbus
Augusta
Flavias
Cilicia I
Cilicia II
Mopsuestia
Aegeae
Irenopolis
Epiphania
Germanicia
Samosata
Urima
Doliche
Europus
Hierapolis
Cyrrhus
Alexandria Cabiosa
Rhosus
Antiochia
Seleucia
Beroea
Chalcis
Gabbula
Syria I
Anasartha
Euphratensis
Edessa
Batnae
Carrhae
Constantina
Dara
Theodosiopolis
Osrhoene
Callinicus
Sura
Circesium
Laodicea
Apamea
Paltus
Syria II
Salamias
Antaradus
Arca
Orthosias
Tripolis
Botrys
Emesa
Phoenice
Euaria
Libanensis
Palmyra
Phoenice Parhalus
Berytus
Iabruda
Abila
Damascus
Chonochora
Arabia
Bostra
Sakarya
Gediz
Menderes
Kizilirmak
Seyhan
Soksu
Euphrat (Firat)
Murat
Tigris
Euphrat
Belich
Chabur
Jordan
Monophysitische Metropolen
Monophysitische Bistümer
0 50 100 150 200 km

Die persische Kirche im Jahre 497

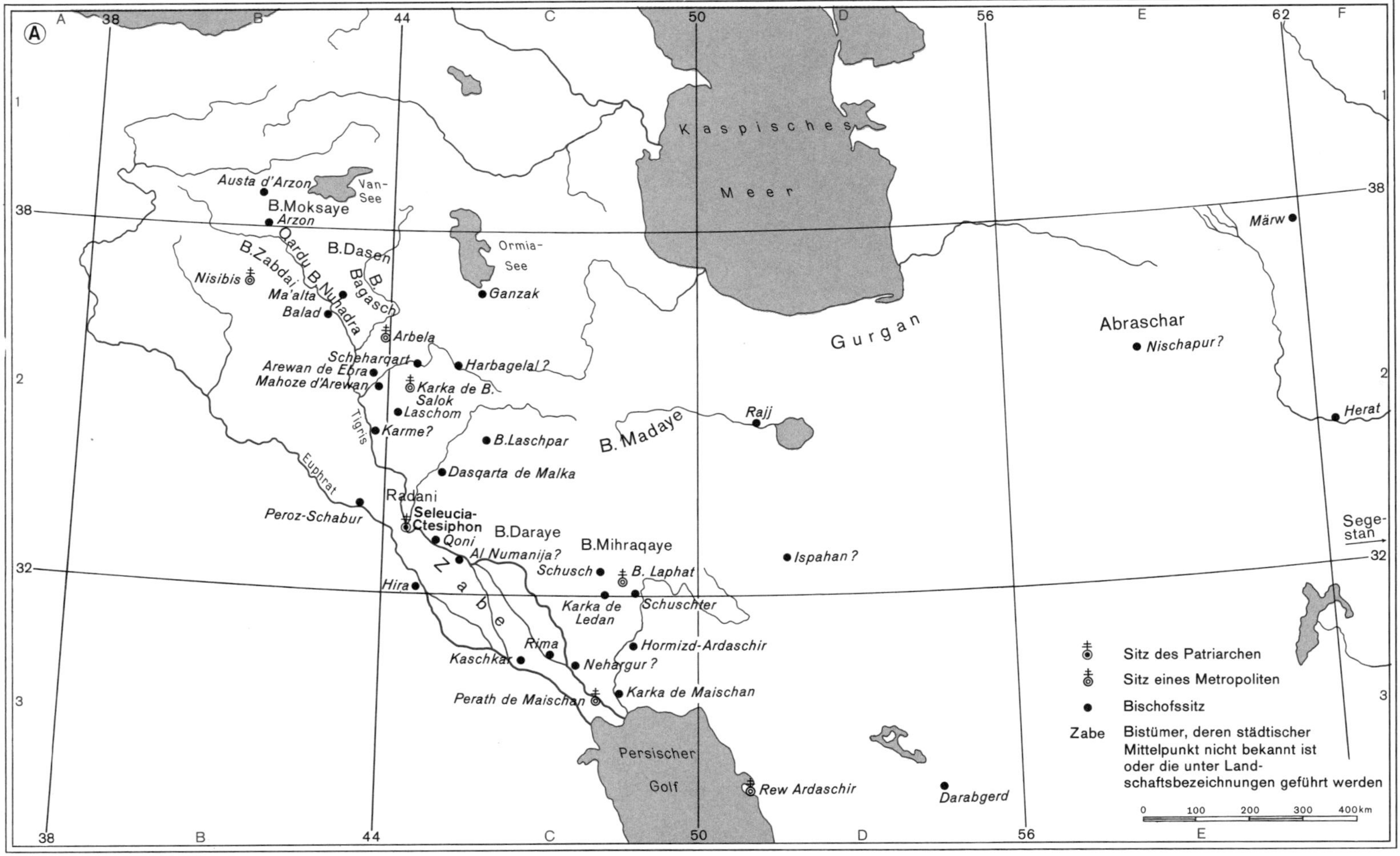

Das Patriarchat von Alexandria (Die koptische Kirche)

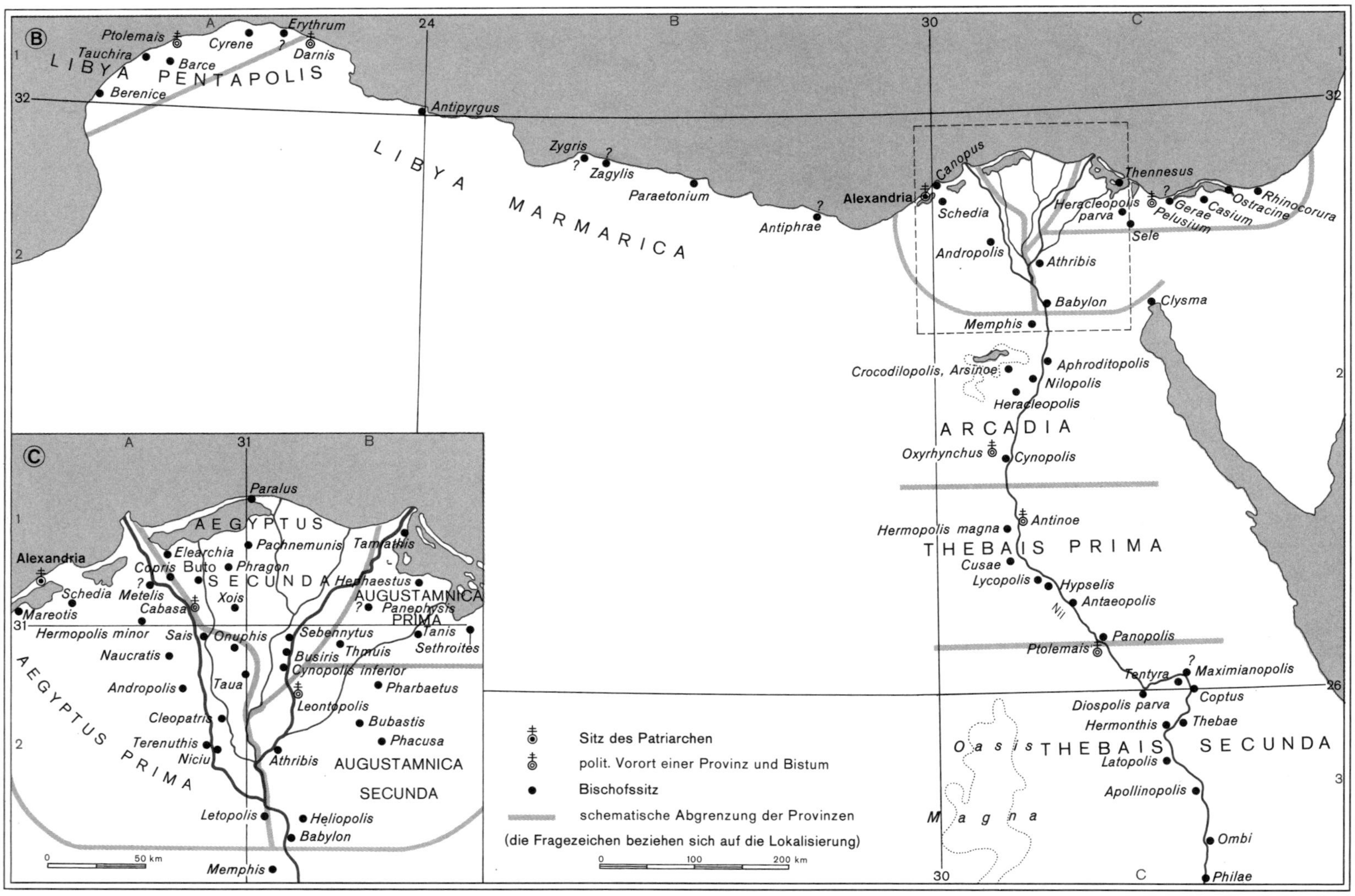

B

Ptolemais, Cyrene, Erythrum, Darnis, Tauchira, Barce, LIBYA PENTAPOLIS, Berenice, Antipyrgus, LIBYA MARMARICA, Zygris, Zagylis, Paraetonium, Antiphrae, Alexandria, Canopus, Schedia, Andropolis, Heracleopolis parva, Thennesus, Gerae, Pelusium, Sele, Casium, Ostracine, Rhinocorura, Athribis, Babylon, Clysma, Memphis, Crocodilopolis, Arsinoe, Aphroditopolis, Nilopolis, Heracleopolis, ARCADIA, Oxyrhynchus, Cynopolis, Hermopolis magna, Antinoe, THEBAIS PRIMA, Cusae, Lycopolis, Hypselis, Antaeopolis, Nil, Panopolis, Ptolemais, Tentyra, Maximianopolis, Diospolis parva, Coptus, Hermonthis, Thebae, Oasis Magna, THEBAIS SECUNDA, Latopolis, Apollinopolis, Ombi, Philae

C

Paralus, AEGYPTUS SECUNDA, Alexandria, Elearchia, Pachnemunis, Tamiathis, Copris, Buto, Phragon, Metelis, Cabasa, Xois, Hephaestus, AUGUSTAMNICA PRIMA, Schedia, Mareotis, Panephysis, Tanis, Hermopolis minor, Sais, Onuphis, Sebennytus, Sethroites, Naucratis, Thmuis, Busiris, Cynopolis inferior, Pharbaetus, Andropolis, Taua, Leontopolis, Cleopatris, Bubastis, Phacusa, Terenuthis, Niciu, Athribis, AUGUSTAMNICA SECUNDA, AEGYPTUS PRIMA, Letopolis, Heliopolis, Babylon, Memphis

0 50 km

Sitz des Patriarchen

polit. Vorort einer Provinz und Bistum

Bischofssitz

schematische Abgrenzung der Provinzen

(die Fragezeichen beziehen sich auf die Lokalisierung)

0 100 200 km

Das ägyptische Mönchtum vom 4. bis zum 9. Jh.

● Kloster
● <u>Phbow</u> Gründungen des Pachomius
● D. Abu Lif (gestrichelt unterstrichen) Gründungen des Pisentius
D. Deir

Corrigenda: statt ch (Scheich, Michail usw.) lies kh (Scheikh, Mikhail usw.)

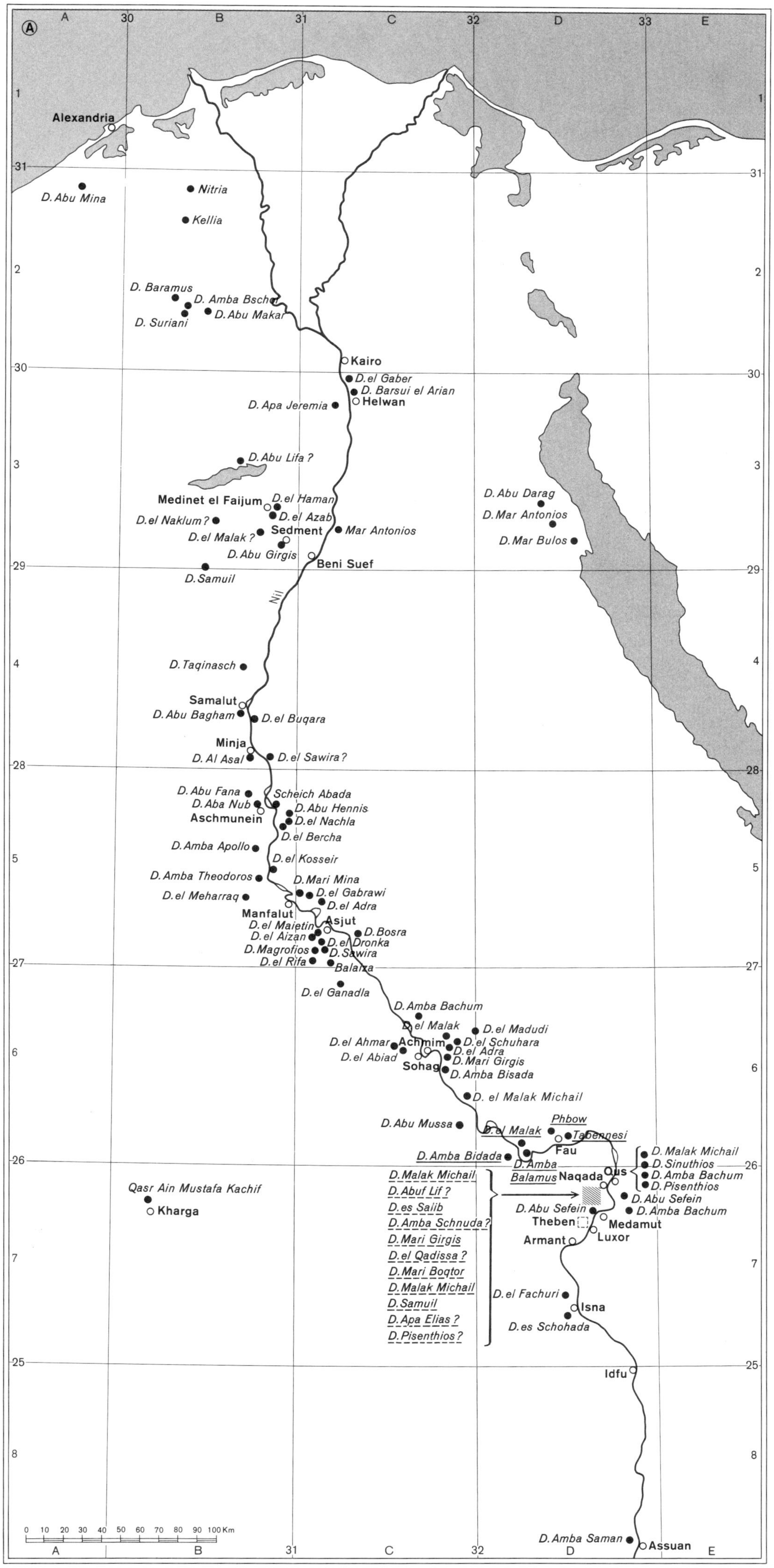

Ⓐ A 30 B 31 C 32 D 33 E

Alexandria
D. Abu Mina
Nitria
Kellia
D. Baramus
D. Amba Bschoi
D. Suriani
D. Abu Makar
Kairo
D. el Gaber
D. Barsui el Arian
Helwan
D. Apa Jeremia
D. Abu Lifa ?
Medinet el Faijum
D. el Haman
D. el Azab
D. el Naklum ?
D. el Malak ?
Sedment
Mar Antonios
D. Abu Girgis
Beni Suef
D. Samuil
D. Abu Darag
D. Mar Antonios
D. Mar Bulos
Nil
D. Taqinasch
Samalut
D. Abu Bagham
D. el Buqara
Minja
D. Al Asal
D. el Sawira ?
D. Abu Fana
D. Aba Nub
Scheich Abada
D. Abu Hennis
Aschmunein
D. el Nachla
D. el Bercha
D. Amba Apollo
D. el Kosseir
D. Amba Theodoros
D. Mari Mina
D. el Meharraq
D. el Gabrawi
D. el Adra
Manfalut
Asjut
D. el Maietin
D. Bosra
D. el Aizan
D. el Dronka
D. Magrofios
D. Sawira
D. el Rifa
Balaiza
D. el Ganadla
D. Amba Bachum
D. el Malak
D. el Madudi
D. el Ahmar
Achmim
D. el Schuhara
D. el Abiad
D. el Adra
Sohag
D. Mari Girgis
D. Amba Bisada
D. el Malak Michail
D. Abu Mussa
Phbow
D. el Malak
Tabennesi
Fau
D. Amba Bidada
D. Amba Balamus
Naqada
Qus
D. Malak Michail
D. Sinuthios
D. Amba Bachum
D. Pisenthios
D. Abu Sefein
D. Amba Bachum
Qasr Ain Mustafa Kachif
Kharga
D. Malak Michail
D. Abuf Lif ?
D. es Saiib
D. Amba Schnuda ?
D. Mari Girgis
D. el Qadissa ?
D. Mari Boqtor
D. Malak Michail
D. Samuil
D. Apa Elias ?
D. Pisenthios ?
D. Abu Sefein
Theben
Medamut
Armant
Luxor
D. el Fachuri
Isna
D. es Schohada
Idfu
D. Amba Saman
Assuan

0 10 20 30 40 50 60 70 80 90 100 Km

Klöster im Gebiet von Theben

Nordsyrische Klöster bis zum Ausgang der Antike

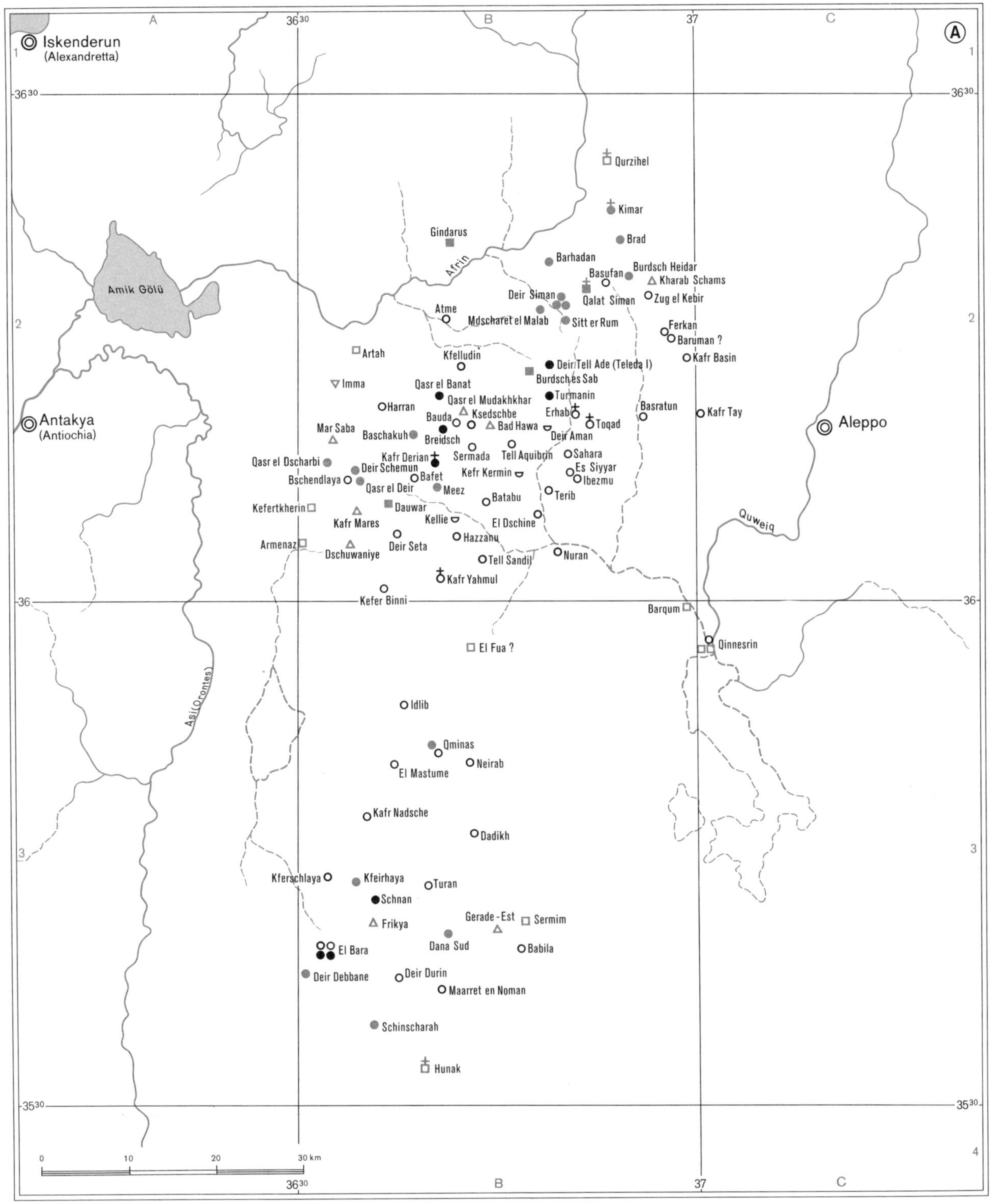

Ⓐ
Iskenderun (Alexandretta)
Antakya (Antiochia)
Aleppo
Amik Gölü
Asi (Orontes)
Afrin
Quweiq
Qurzihel
Kimar
Brad
Gindarus
Barhadan
Basufan
Burdsch Heidar
Kharab Schams
Deir Siman
Qalat Siman
Zug el Kebir
Atme
Mdscharet el Malab
Sitt er Rum
Ferkan
Baruman ?
Kafr Basin
Artah
Kfelludin
Deir Tell Ade (Teleda I)
Burdsch es Sab
Imma
Qasr el Banat
Qasr el Mudakhkhar
Turmanin
Harran
Bauda
Ksedschbe
Erhab
Toqad
Basratun
Kafr Tay
Mar Saba
Baschakuh
Breidsch
Bad Hawa
Deir Aman
Kafr Derian
Sermada
Tell Aquibrin
Sahara
Es Siyyar
Ibezmu
Qasr el Dscharbi
Deir Schemun
Bafet
Kefr Kermin
Bschendlaya
Qasr el Deir
Meez
Batabu
Terib
Kefertkherin
Dauwar
Kafr Mares
Kellie
El Dschine
Hazzanu
Armenaz
Dschuwaniye
Deir Seta
Tell Sandil
Nuran
Kafr Yahmul
Kefer Binni
Barqum
Qinnesrin
El Fua ?
Idlib
Ominas
El Mastume
Neirab
Kafr Nadsche
Dadikh
Kferschlaya
Kfeirhaya
Turan
Schnan
Frikya
Gerade-Est
Sermim
El Bara
Dana Sud
Babila
Deir Debbane
Deir Durin
Maarret en Noman
Schinscharah
Hunak
0 10 20 30 km

Die von Theodoretus von Cyrrhus (444) genannten Klöster

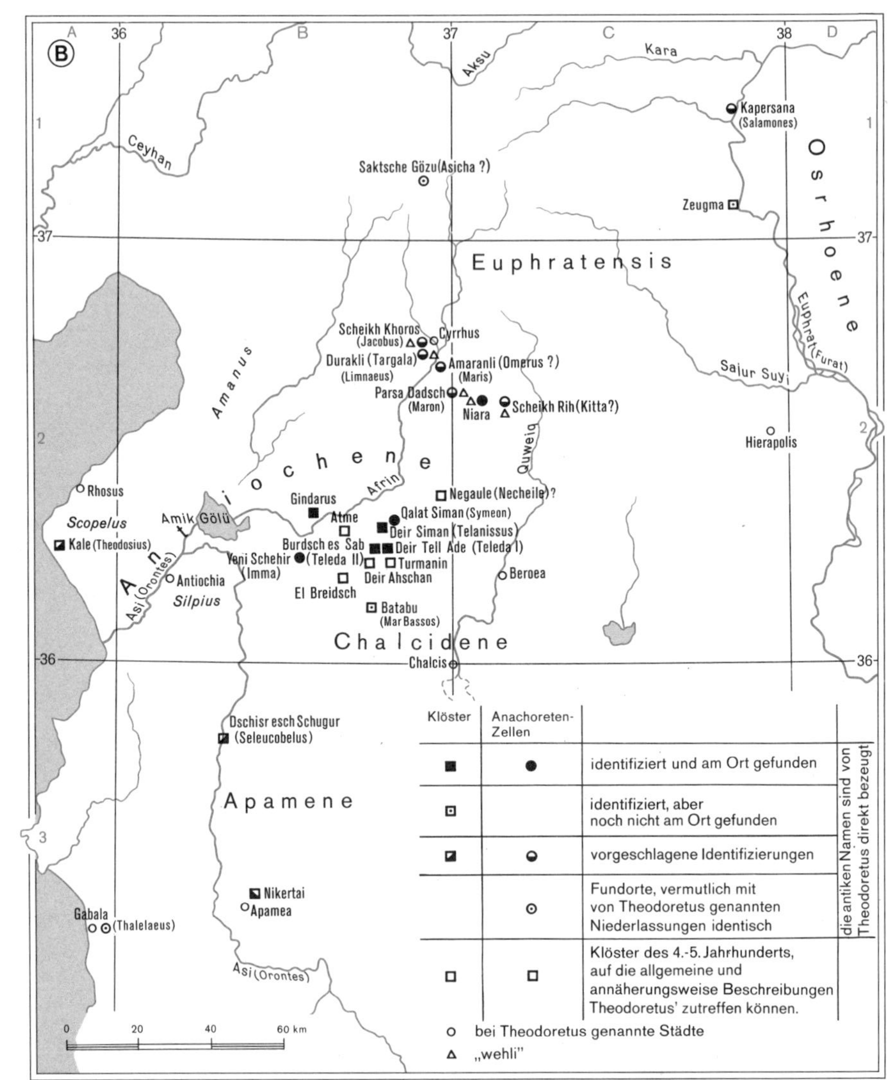

Klöster	Anachoreten-Zellen		
■	●	identifiziert und am Ort gefunden	die antiken Namen sind von Theodoretus direkt bezeugt
⊡		identifiziert, aber noch nicht am Ort gefunden	
◪	◓	vorgeschlagene Identifizierungen	
	⊙	Fundorte, vermutlich mit von Theodoretus genannten Niederlassungen identisch	
□	□	Klöster des 4.-5. Jahrhunderts, auf die allgemeine und annäherungsweise Beschreibungen Theodoretus' zutreffen können.	

○ bei Theodoretus genannte Städte
△ „wehli"

Legende zu Karte A

Klöster	Styliten-Klöster	Anachoreten-Zellen oder Reklusen	
●	●+		durch die 4 Monophysiten-Briefe identifiziert und am Ort gefunden
○	○+	▽	durch die 4 Monophysiten-Briefe identifiziert, aber noch nicht am Ort gefunden
■	■+		durch andere Texte identifiziert und am Ort gefunden
□	□+	△	durch andere Texte identifiziert, aber noch nicht am Ort gefunden
●	●+		am Ort gefunden, aber noch nicht identifiziert
△			Ruinen, die wahrscheinlich auf ein Kloster zurückgehen

Die Konzilien und Synoden der alten Kirche

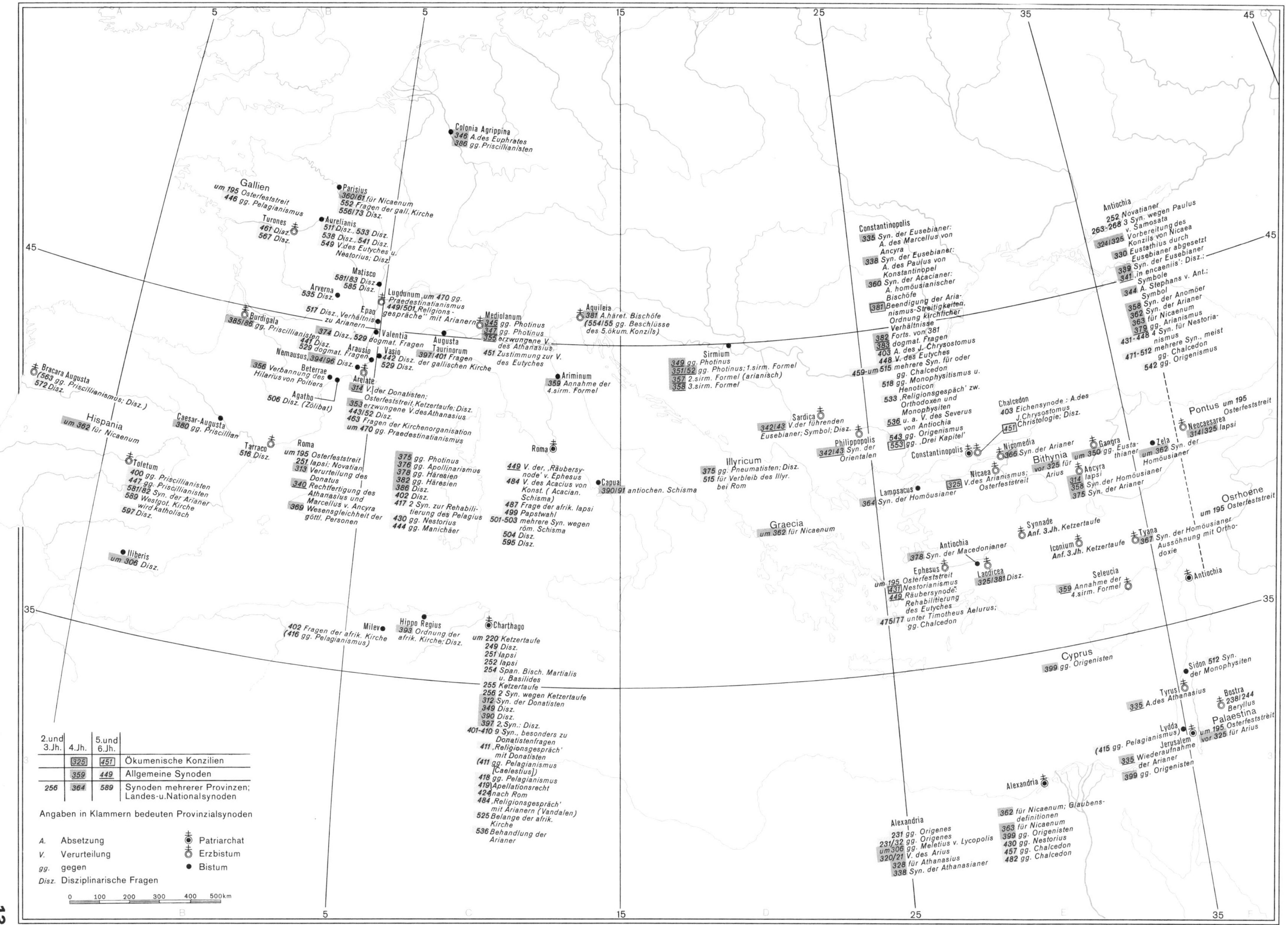

2.und 3.Jh.	4.Jh.	5.und 6.Jh.	
	325	451	Ökumenische Konzilien
	359	449	Allgemeine Synoden
256	364	589	Synoden mehrerer Provinzen; Landes-u.Nationalsynoden

Angaben in Klammern bedeuten Provinzialsynoden

A. Absetzung
V. Verurteilung
gg. gegen
Disz. Disziplinarische Fragen

Patriarchat
Erzbistum
Bistum

0 100 200 300 400 500km

Das westliche Mönchtum der Antike

Martin von Tours: Die Verbreitung seines Kultes im spätantiken Gallien und im Frankenreich von ca.370 bis ca.740

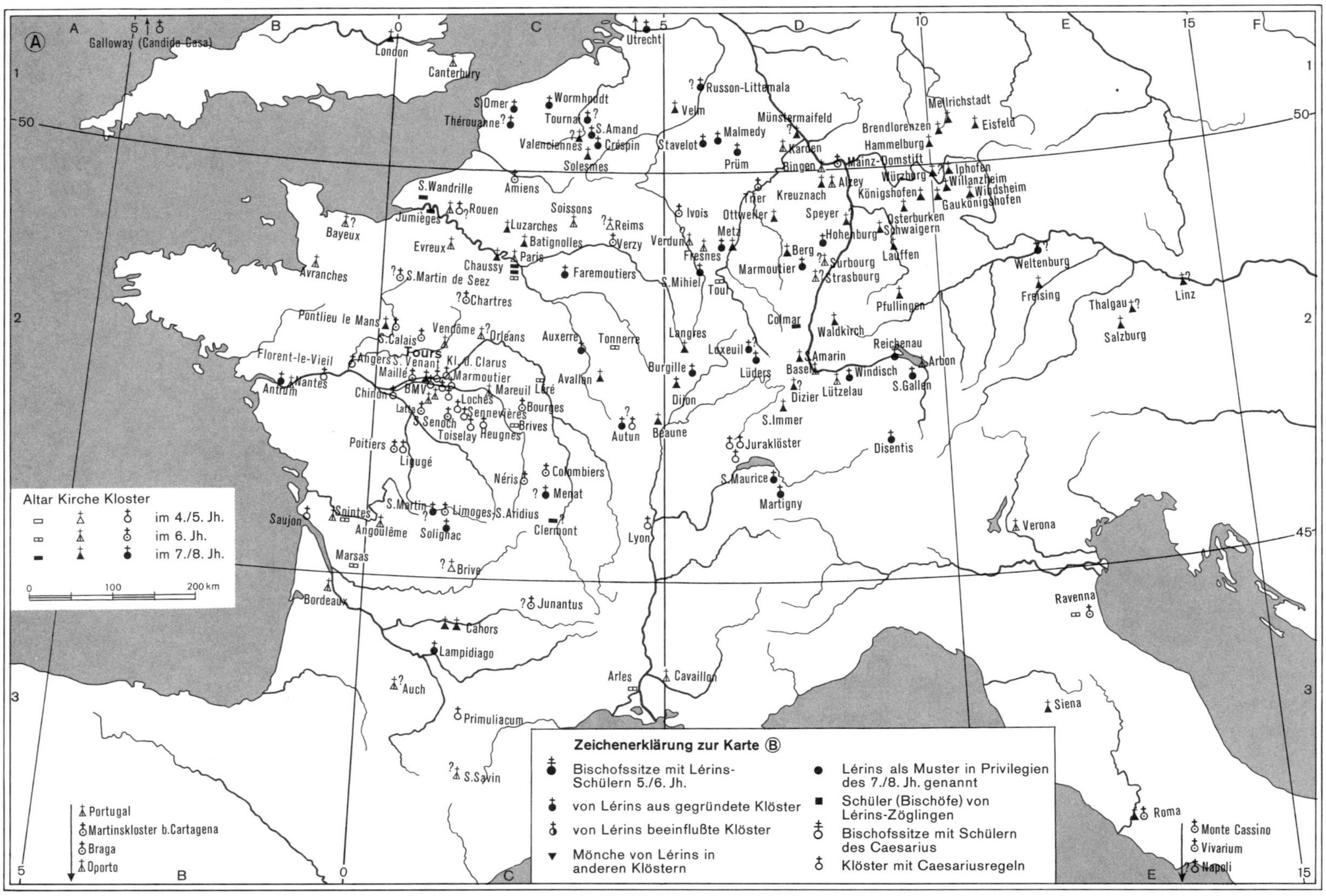

Ⓐ

Altar Kirche Kloster

Altar	Kirche	Kloster	
▭	♁	♁	im 4./5. Jh.
▭	♁	♁	im 6. Jh.
▬	♁	●	im 7./8. Jh.

0 100 200 km

Zeichenerklärung zur Karte Ⓑ

- Bischofssitze mit Lérins-Schülern 5./6. Jh.
- von Lérins aus gegründete Klöster
- von Lérins beeinflußte Klöster
- ▼ Mönche von Lérins in anderen Klöstern
- ● Lérins als Muster in Privilegien des 7./8. Jh. genannt
- ■ Schüler (Bischöfe) von Lérins-Zöglingen
- Bischofssitze mit Schülern des Caesarius
- Klöster mit Caesariusregeln

Lérins:
Sein Einfluß in Gallien und im Frankenreich (410–740)

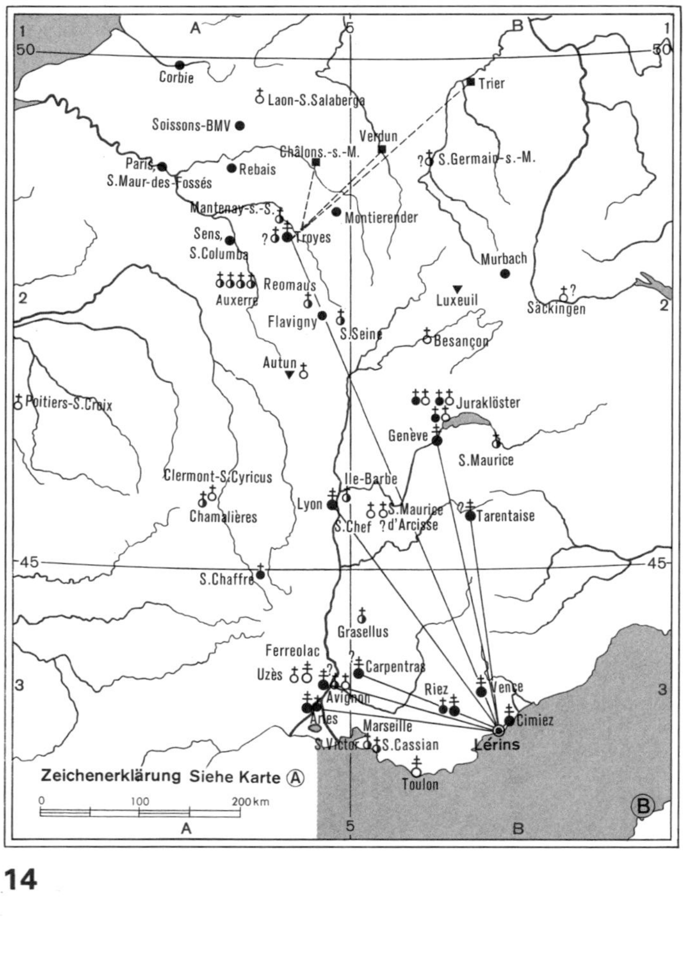

Zeichenerklärung Siehe Karte Ⓐ

0 100 200 km

Ⓑ

Saint Maurice im Wallis:
Seine Wirkung in Gallien und im Frankenreich (5.Jh.–754)

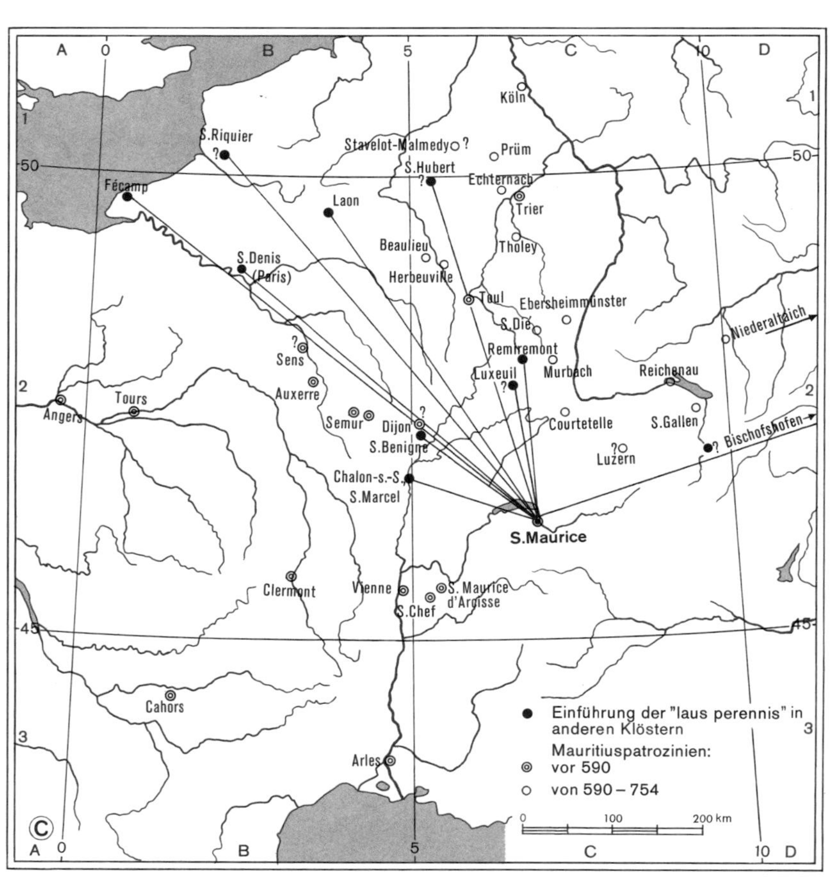

Das Christentum in antiken Städten

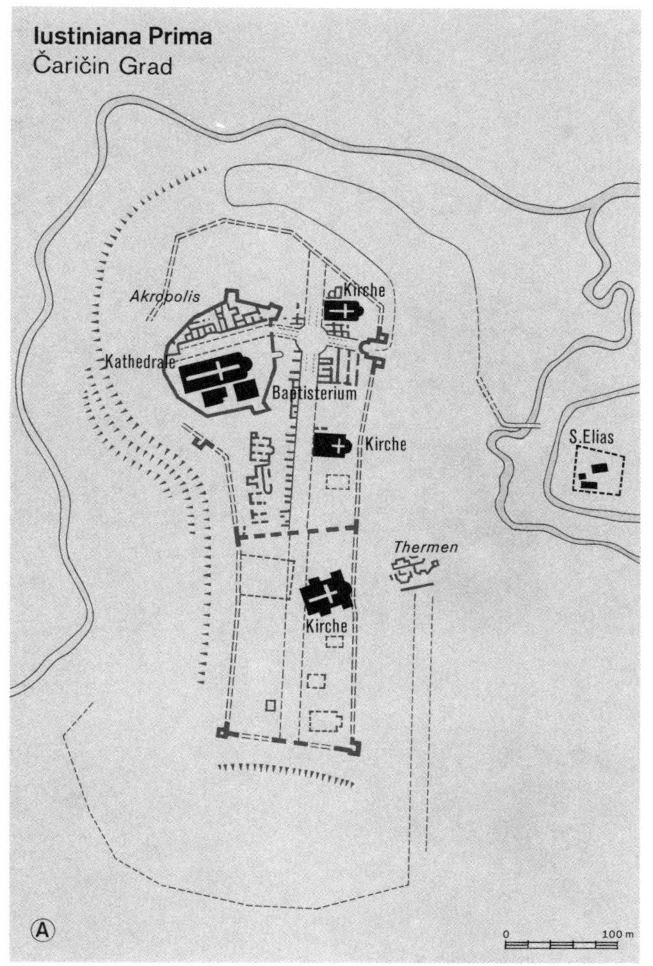

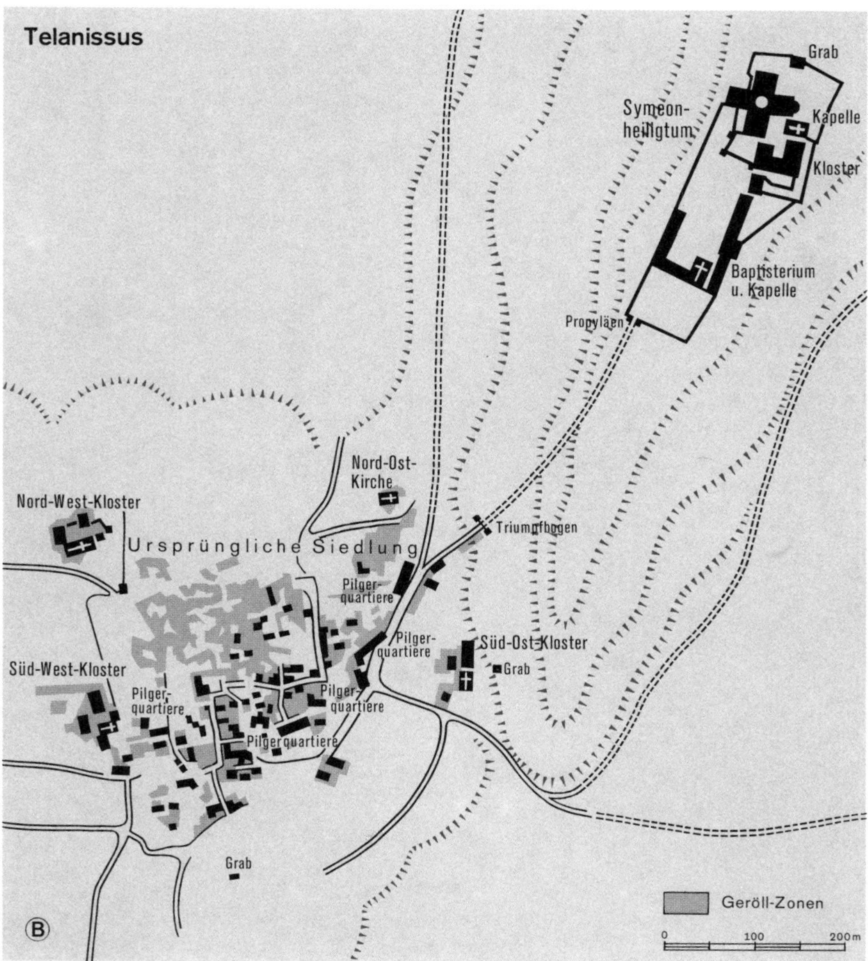

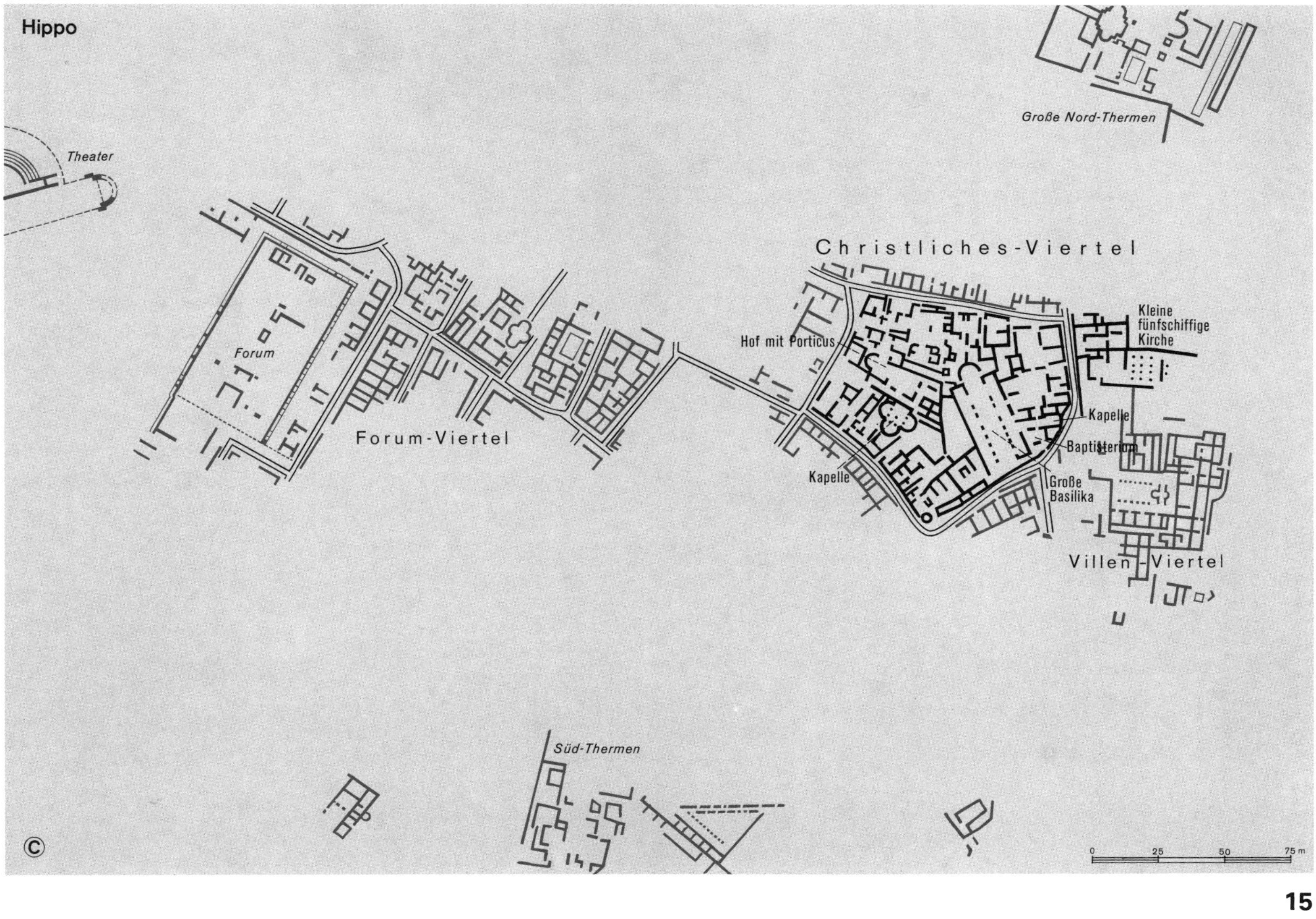

Hippo

Große Nord-Thermen

Theater

Christliches-Viertel

Forum

Hof mit Porticus

Kleine fünfschiffige Kirche

Forum-Viertel

Kapelle

Baptisterium

Kapelle

Große Basilika

Villen-Viertel

Süd-Thermen

Ⓒ

0 25 50 75 m

Das christliche Rom der Antike

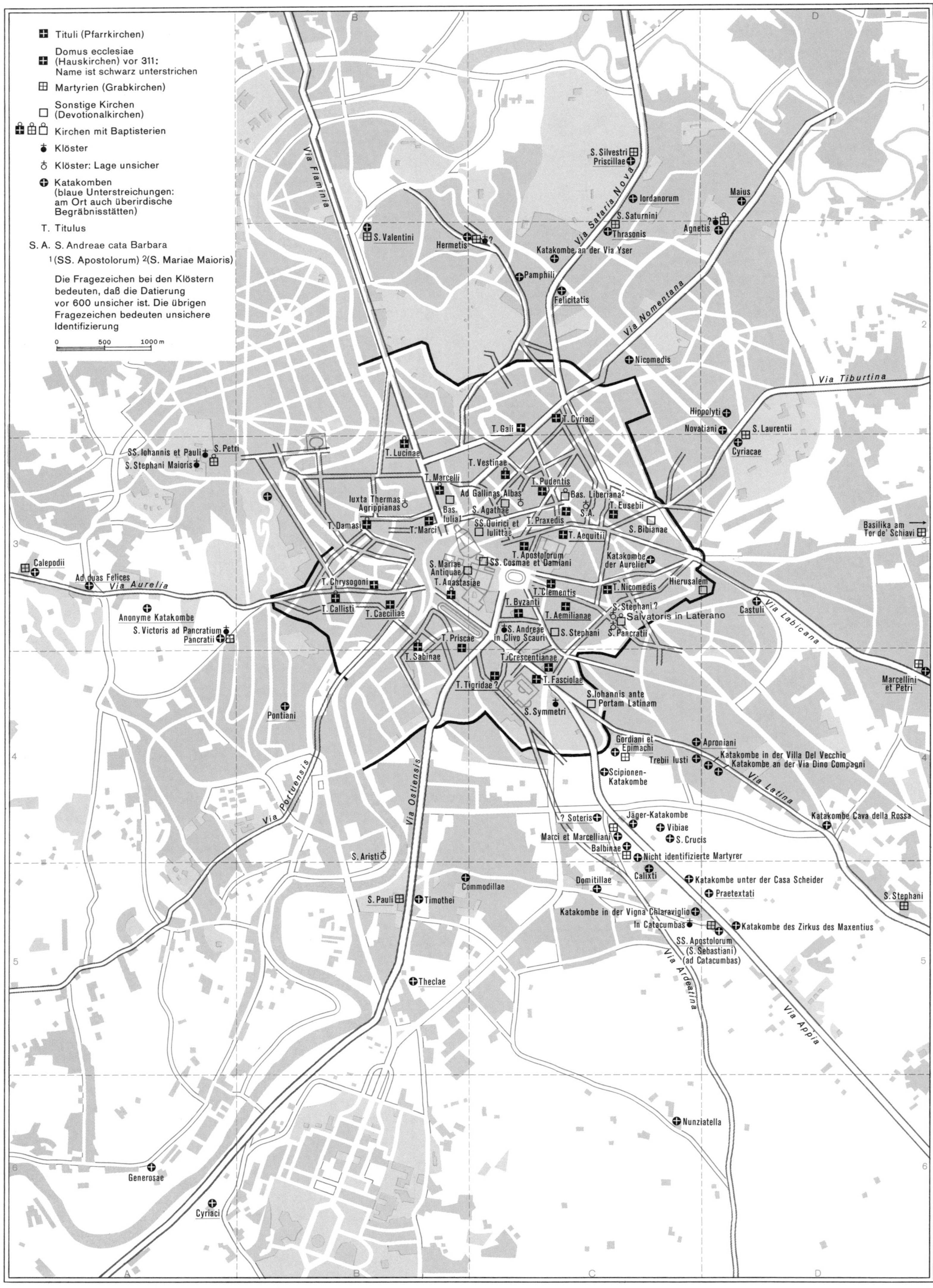

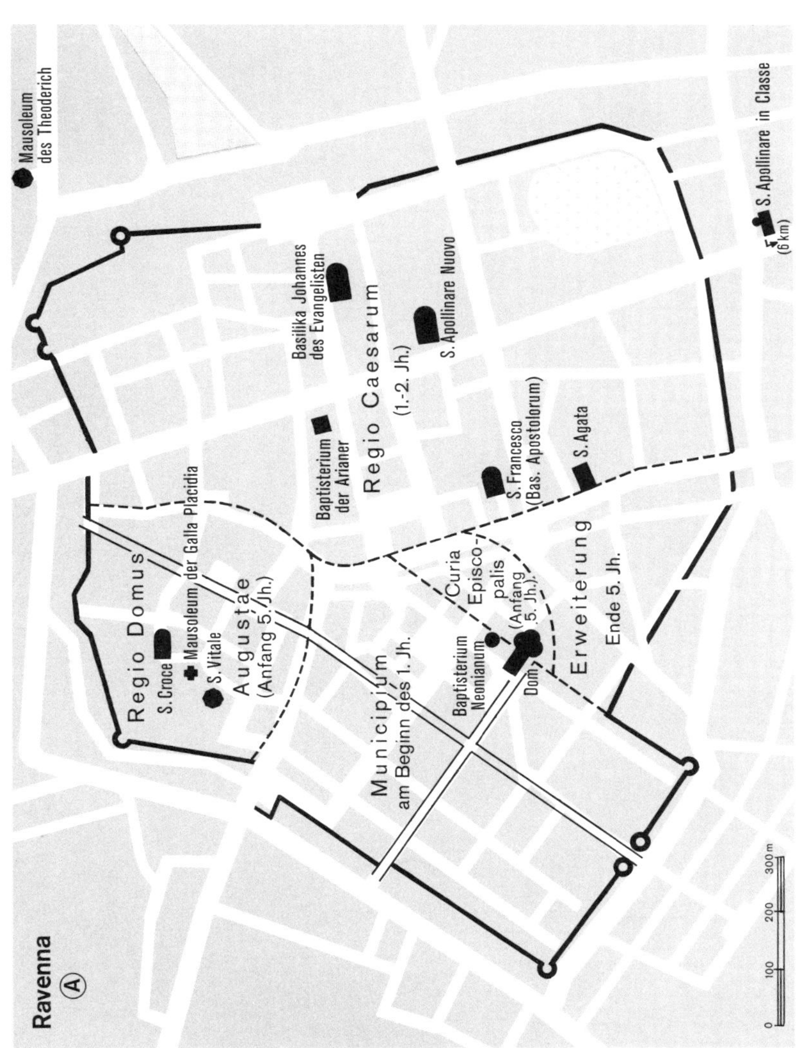
Ravenna
A
Mausoleum des Theoderich
Regio Domus
S. Croce
Mausoleum der Galla Placidia
S. Vitale
Augustae (Anfang 5. Jh.)
Municipium am Beginn des 1. Jh.
Baptisterium Neonianum
Dom
Curia Episcopalis (Anfang 5. Jh.)
Erweiterung Ende 5. Jh.
Baptisterium der Arianer
Regio Caesarum (1.-2. Jh.)
S. Francesco (Bas. Apostolorum)
S. Agata
Basilika Johannes des Evangelisten
S. Apollinare Nuovo
S. Apollinare in Classe
(6 km)
0 100 200 300 m

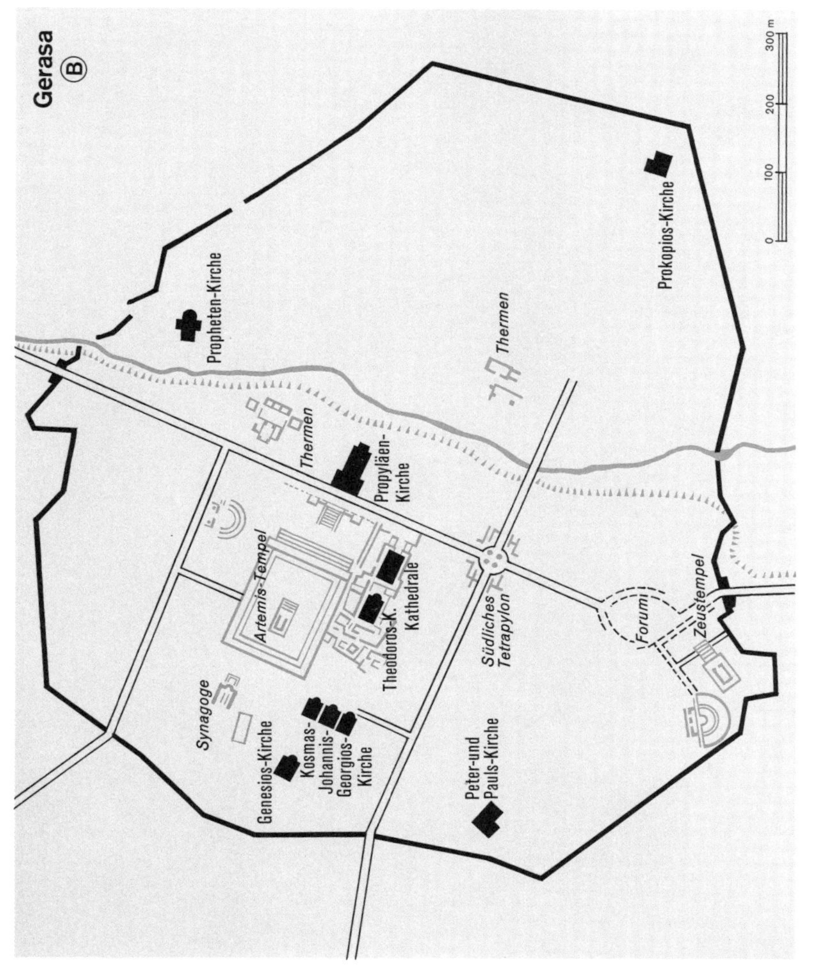
Gerasa
B
Propheten-Kirche
Prokopios-Kirche
Thermen
Thermen
Propyläen-Kirche
Artemis-Tempel
Kathedrale
Theodoros-K.
Synagoge
Genesios-Kirche
Kosmas-Johannis-Georgios-Kirche
Südliches Tetrapylon
Forum
Zeustempel
Peter-und Pauls-Kirche
0 100 200 300 m

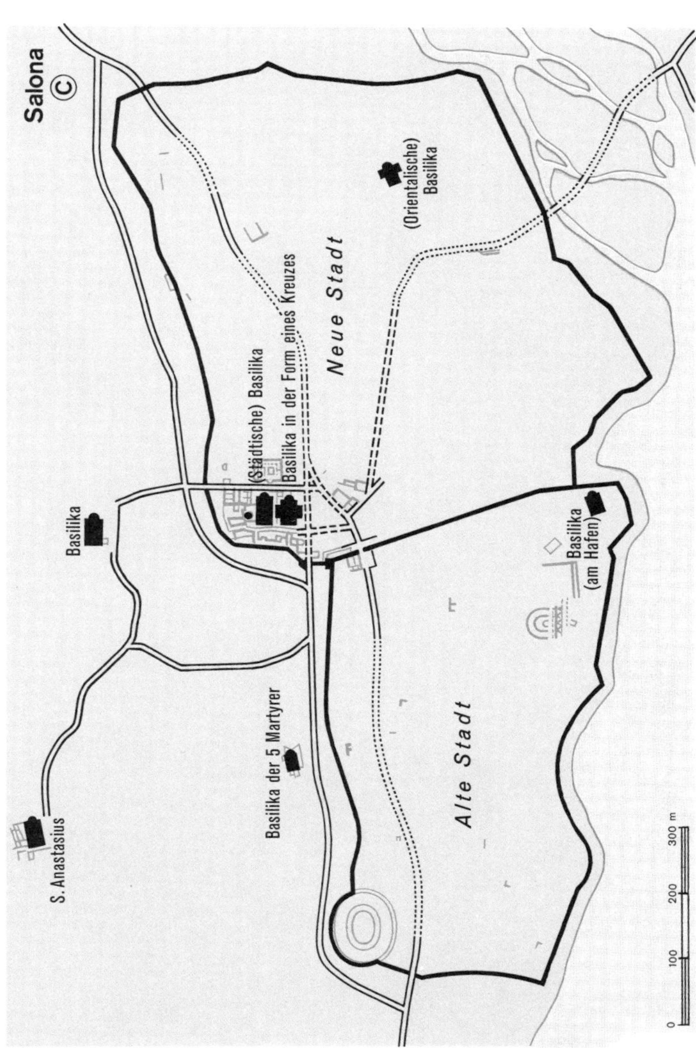
Salona
C
S. Anastasius
Basilika
Basilika der 5 Martyrer
(Städtische) Basilika
Basilika in der Form eines Kreuzes
Neue Stadt
Alte Stadt
(Orientalische) Basilika
Basilika (am Hafen)
0 100 200 300 m

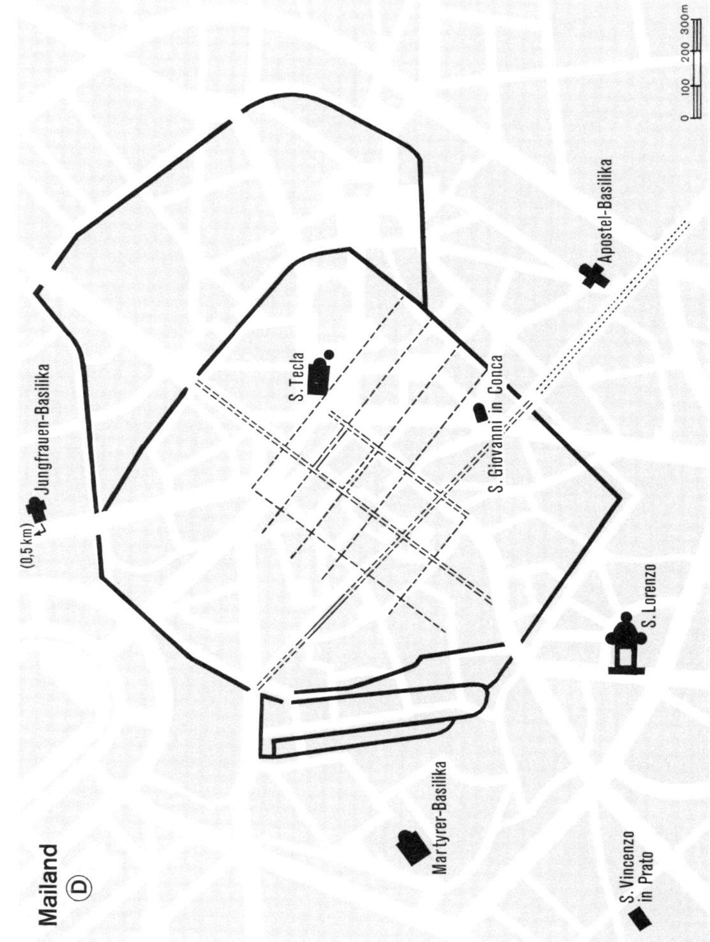
Mailand
D
(0,5 km)
Jungfrauen-Basilika
S. Tecla
S. Giovanni in Conca
Apostel-Basilika
S. Lorenzo
Martyrer-Basilika
S. Vincenzo in Prato
0 100 200 300 m

Die Wallfahrtsorte der Antike und des Mittelalters

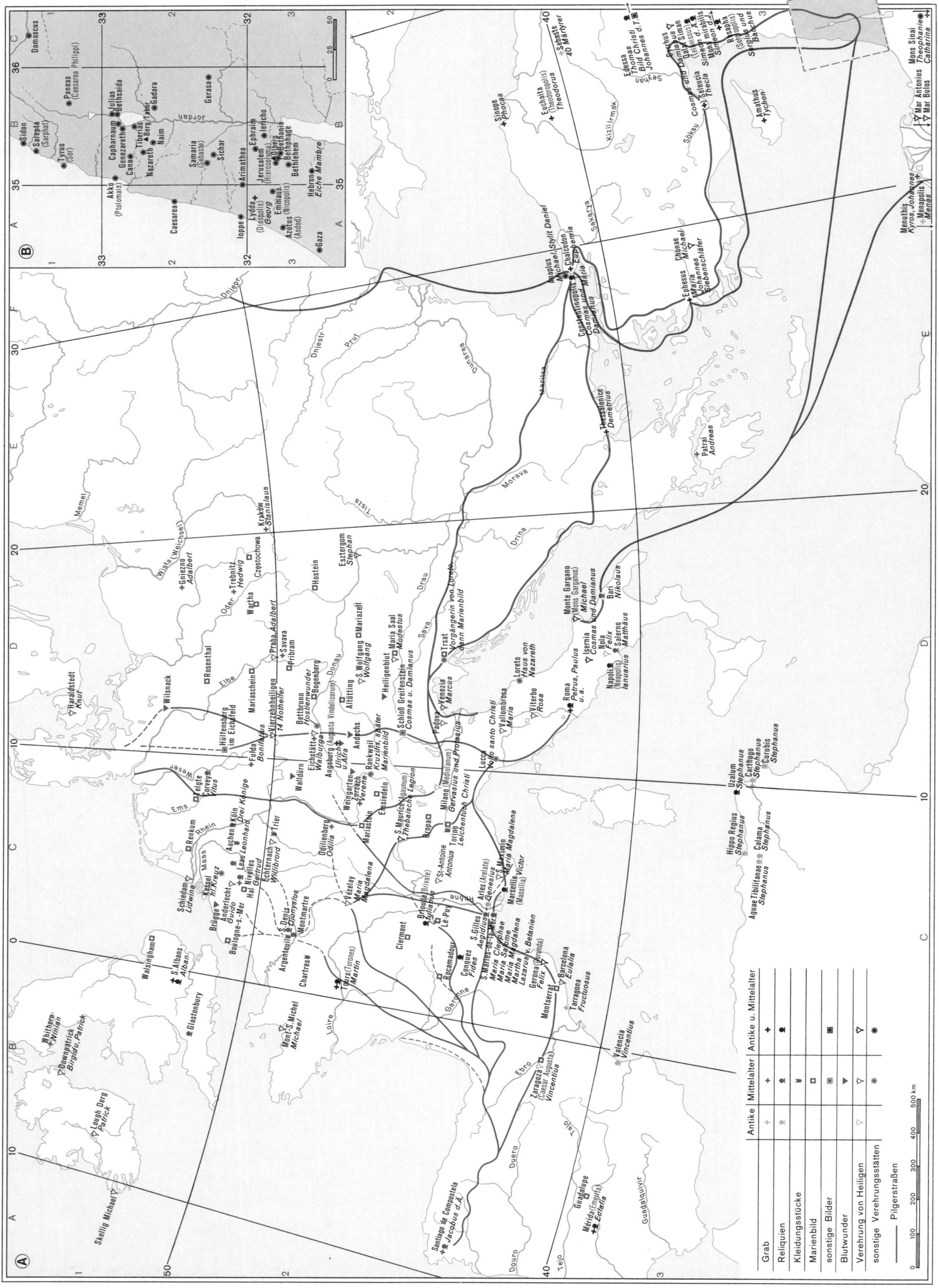

	Antike	Mittelalter	Antike u. Mittelalter
Grab			
Reliquien			
Kleidungsstücke			
Marienbild			
sonstige Bilder			
Blutwunder			
Verehrung von Heiligen			
sonstige Verehrungsstätten			

Pilgerstraßen

0 100 200 300 400 500 km

Das Christentum auf den Britischen Inseln bis zum 9. Jh.

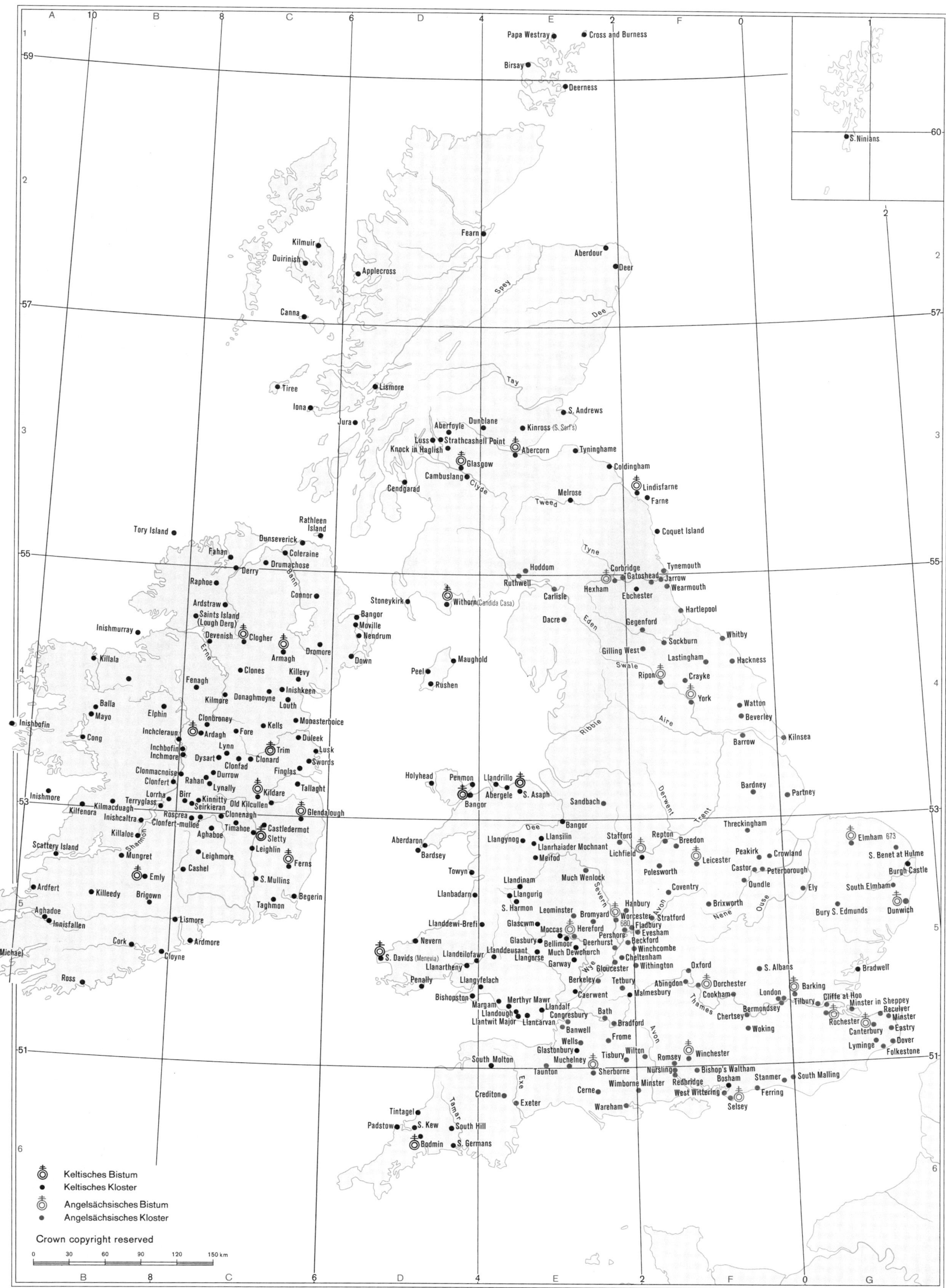

Die östliche Kirche bis um 600

Die östliche Kirche bis um 600

Die westliche Kirche bis um 600

Die westliche Kirche bis um 600

Die afrikanische Kirche bis um 600

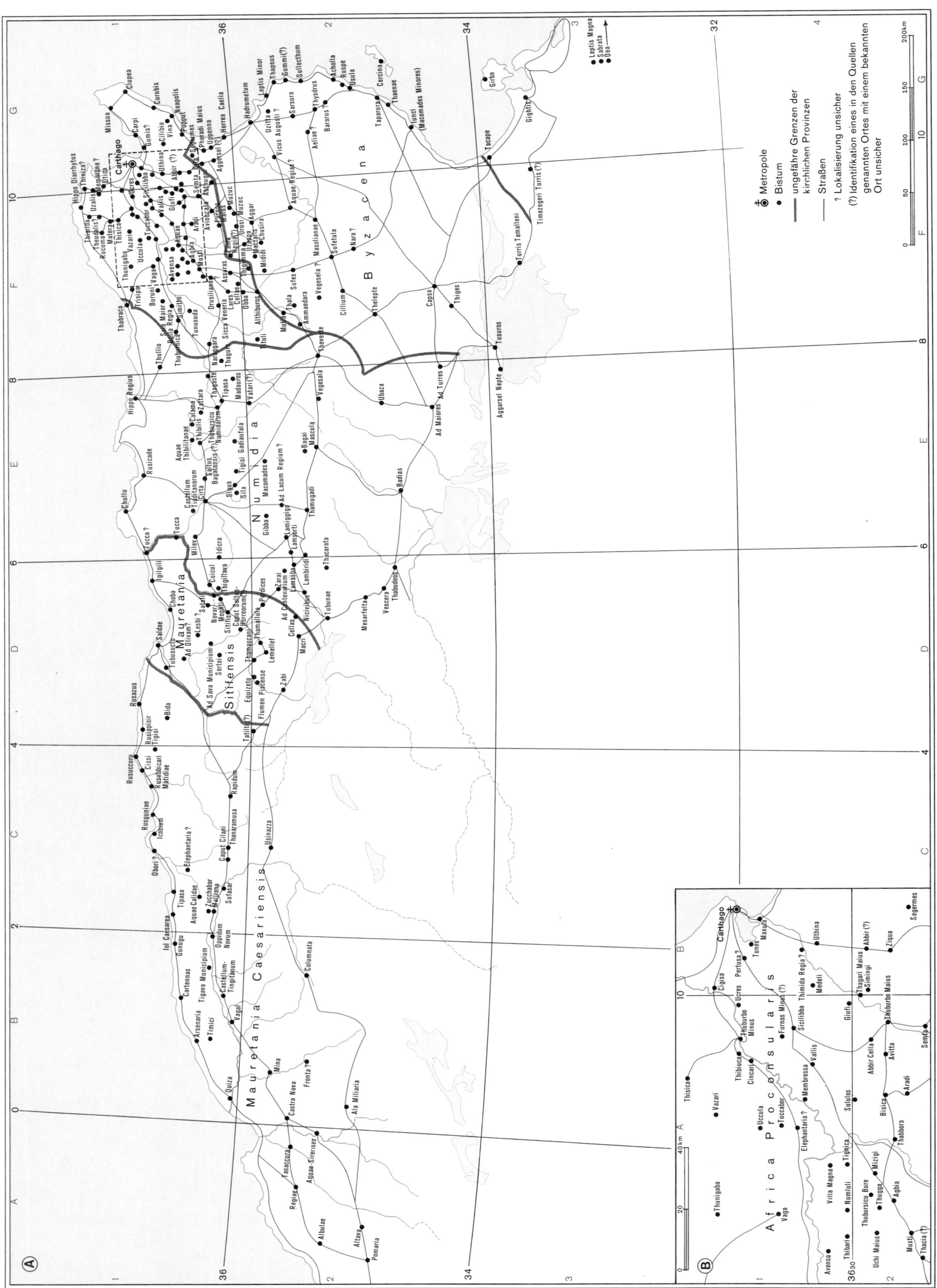

Die iroschottische, angelsächsische und fränkische Mission

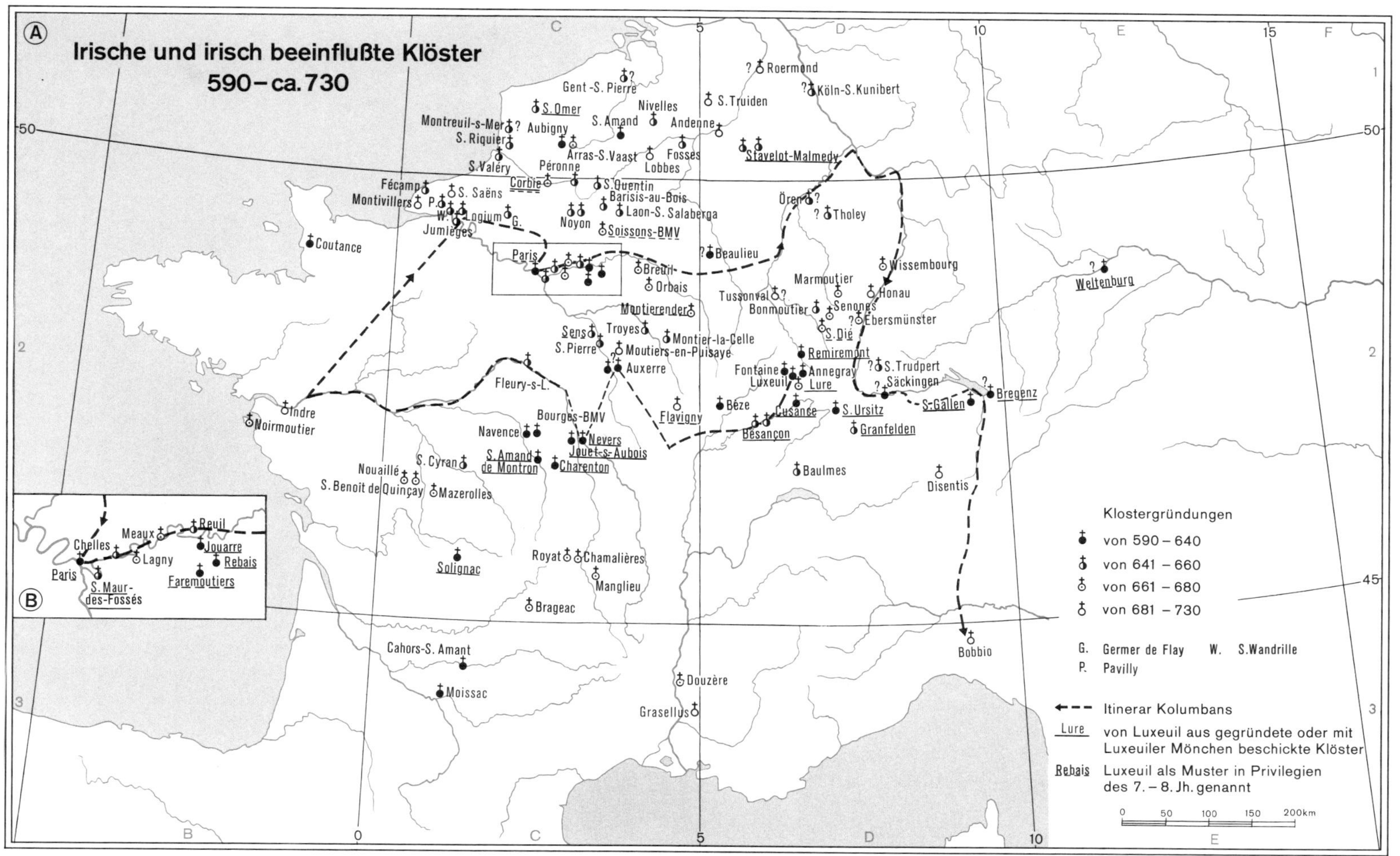

Das missionarische Werk Willibrords, Winfrid-Bonifatius' und Pirmins

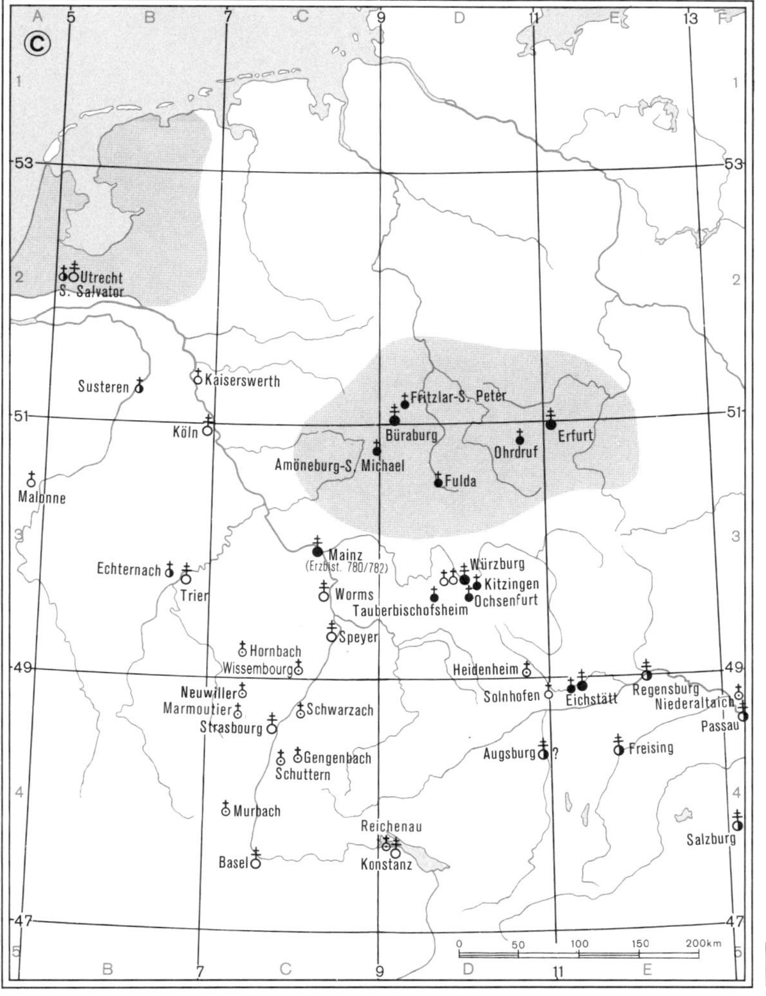

Missionsgebiete Willibrords und Bonifatius'	von Pirmin gegründete oder reformierte Klöster
Klostergründungen des Bonifatius	von Bonifatius neu errichtete Bistümer
Klostergründungen Willibrords	von Bonifatius reorganisierte Bistümer
Klostergründungen anderer Angelsachsen	Bistümer mit Anhängern des Bonifatius

Die Missionsgebiete der Liudgeriden und die Errichtung der sächsischen Missionsbistümer

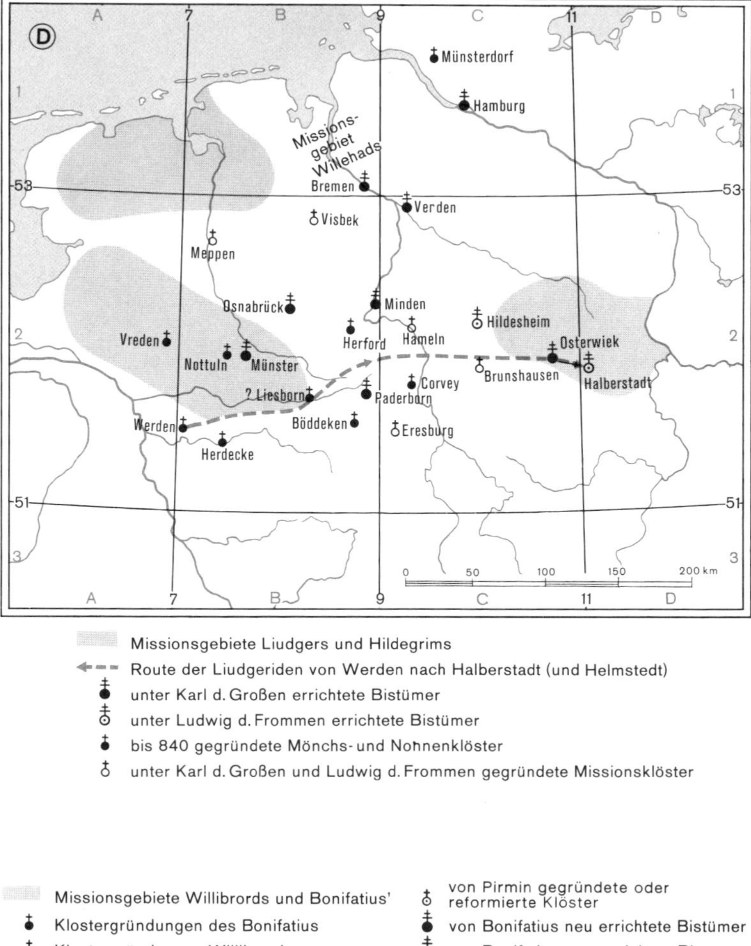

- Missionsgebiete Liudgers und Hildegrims
- Route der Liudgeriden von Werden nach Halberstadt (und Helmstedt)
- unter Karl d. Großen errichtete Bistümer
- unter Ludwig d. Frommen errichtete Bistümer
- bis 840 gegründete Mönchs- und Nonnenklöster
- unter Karl d. Großen und Ludwig d. Frommen gegründete Missionsklöster

Nestorianer und Jakobiten in Vorderasien vom 9. bis zum 12. Jahrhundert

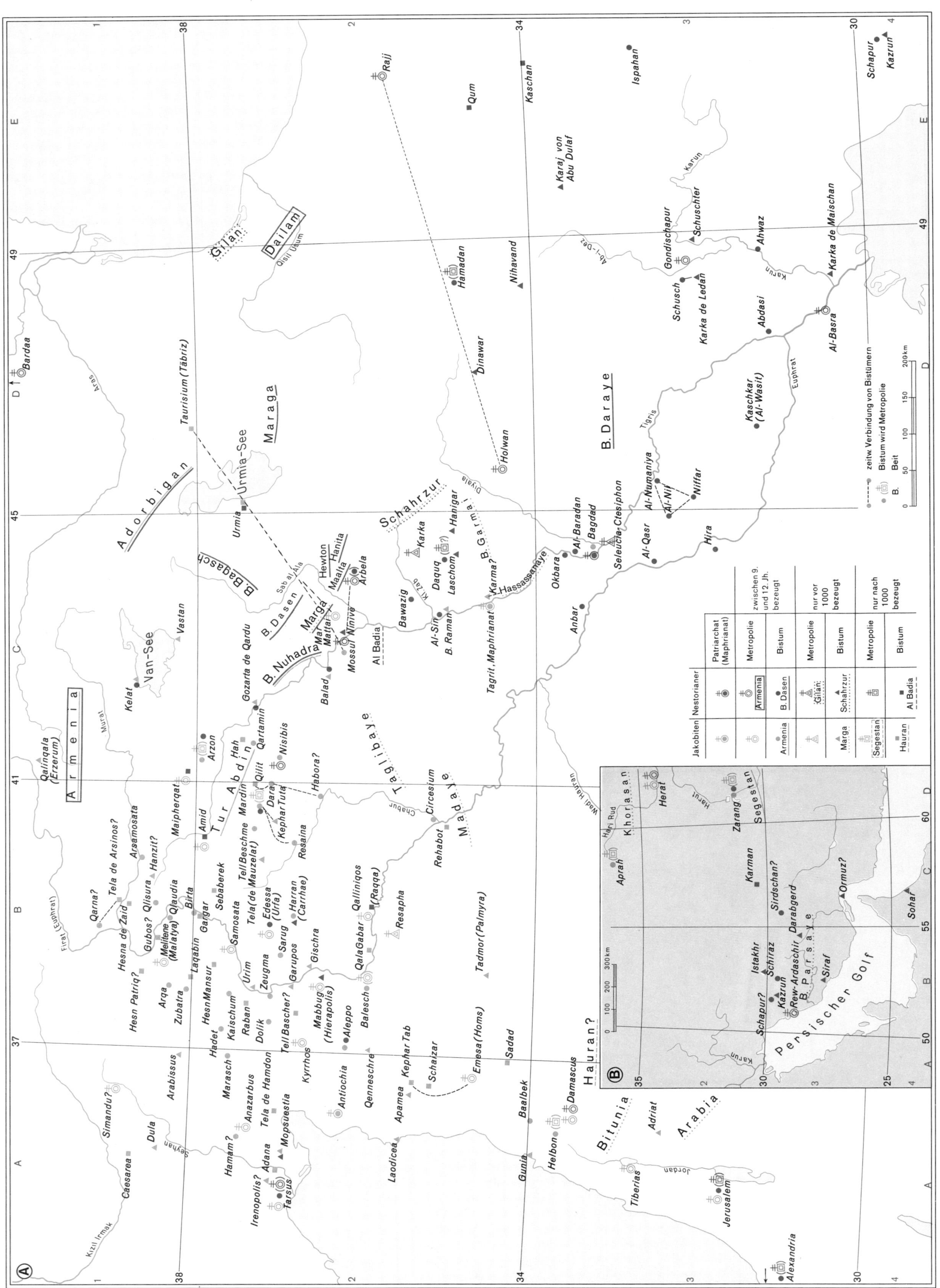

Das orientalische Christentum in Asien bis zum 14. Jh.

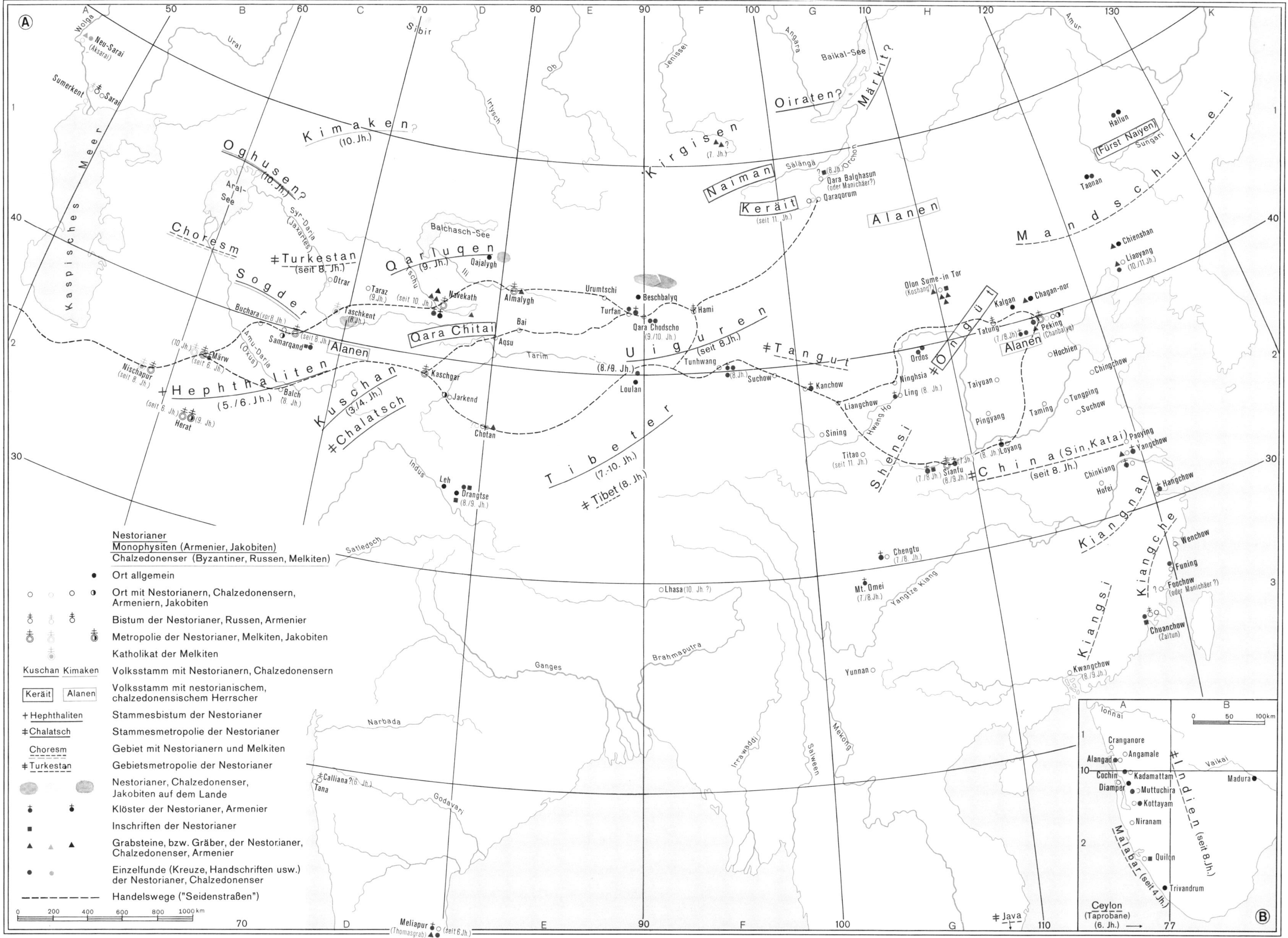

Reliquientranslationen zwischen 600 und 1200

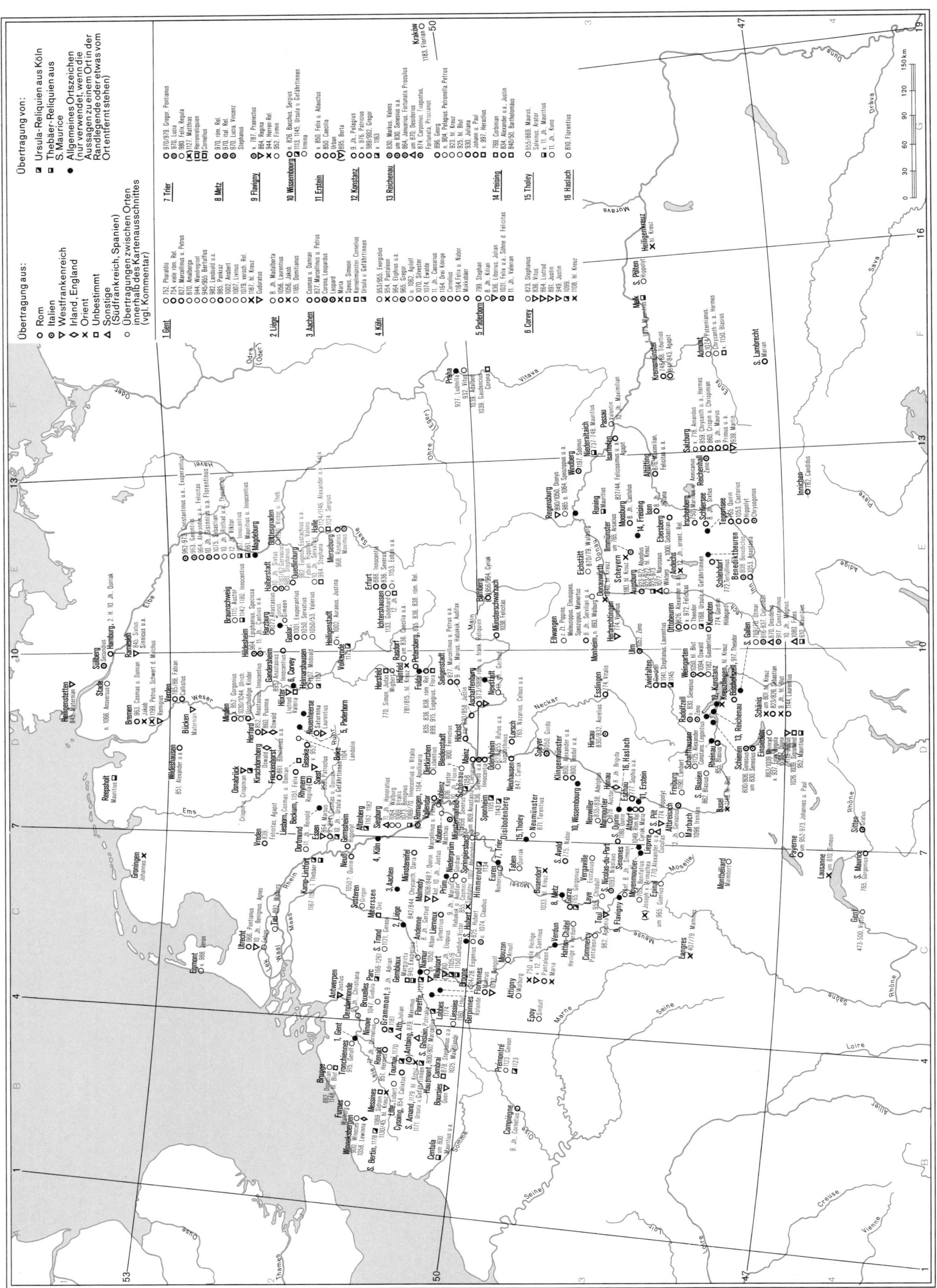

Die nubische Kirche im Mittelalter

Die frühe Slawenmission

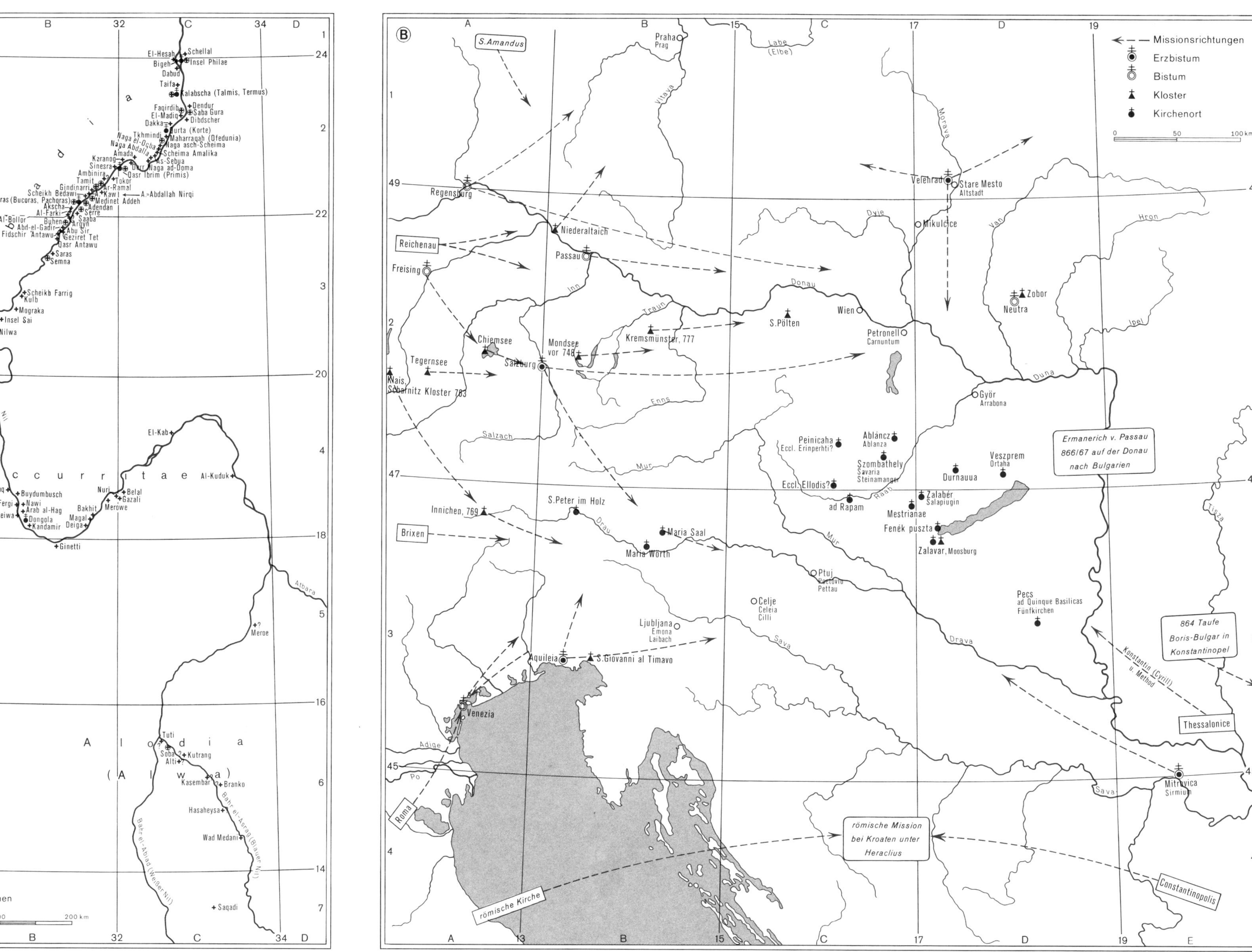

Die byzantinische Kirche um 1025

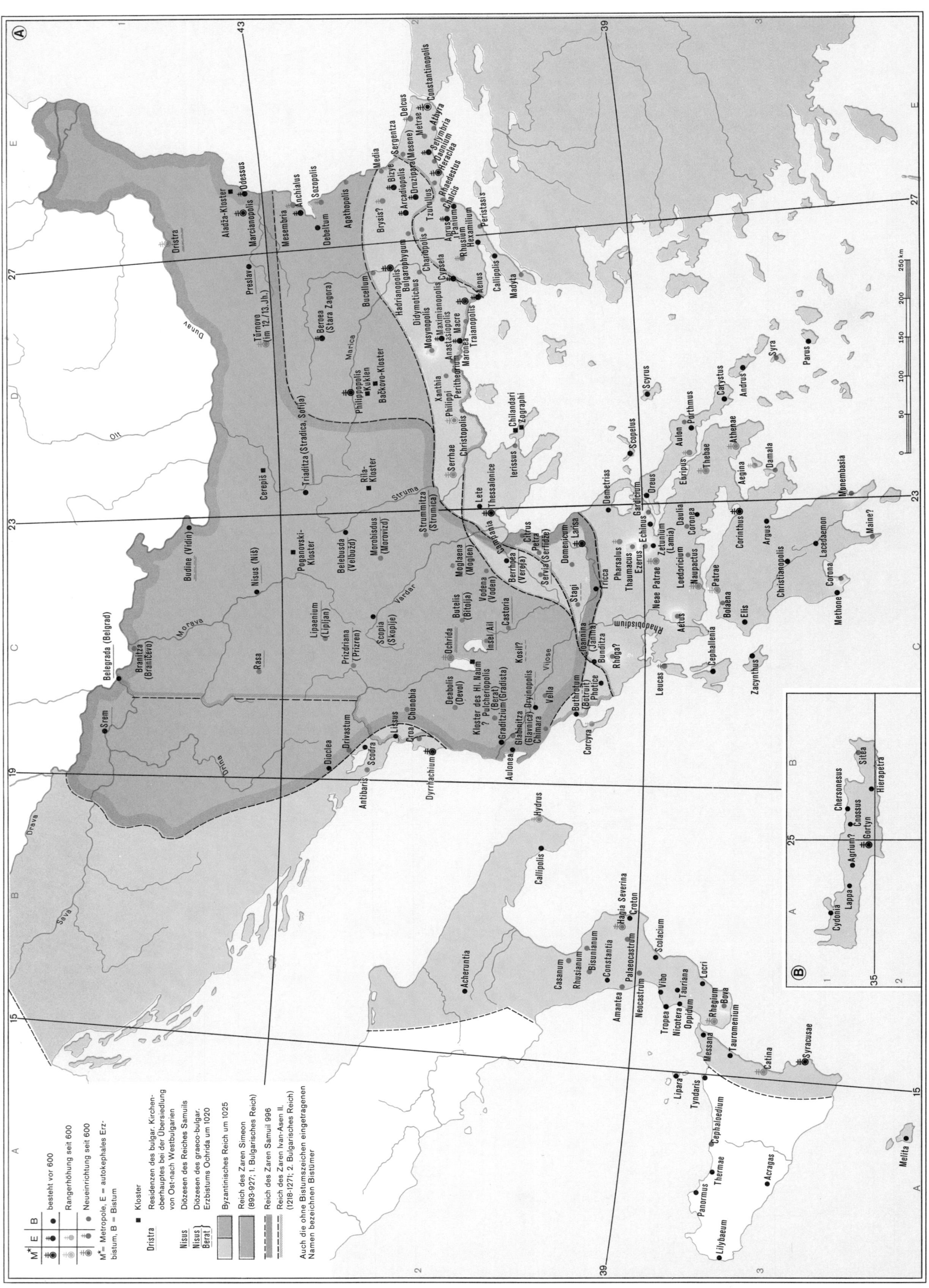

Die byzantinische Kirche um 1025–1050

M	E	B	
			besteht vor 600
			Rangerhöhung seit 600
		•	Neueinrichtung seit 600

M • Metropole, E • autokephales Erzbistum, B • Bistum

Eingeklammerte Zeichen bedeuten, daß es sich nicht um einen Bischofssitz, sondern um ein Bistumsgebiet handelt

das Byzantinische Reich um 1025

Die Bistümer der westlichen Kirche um 1000

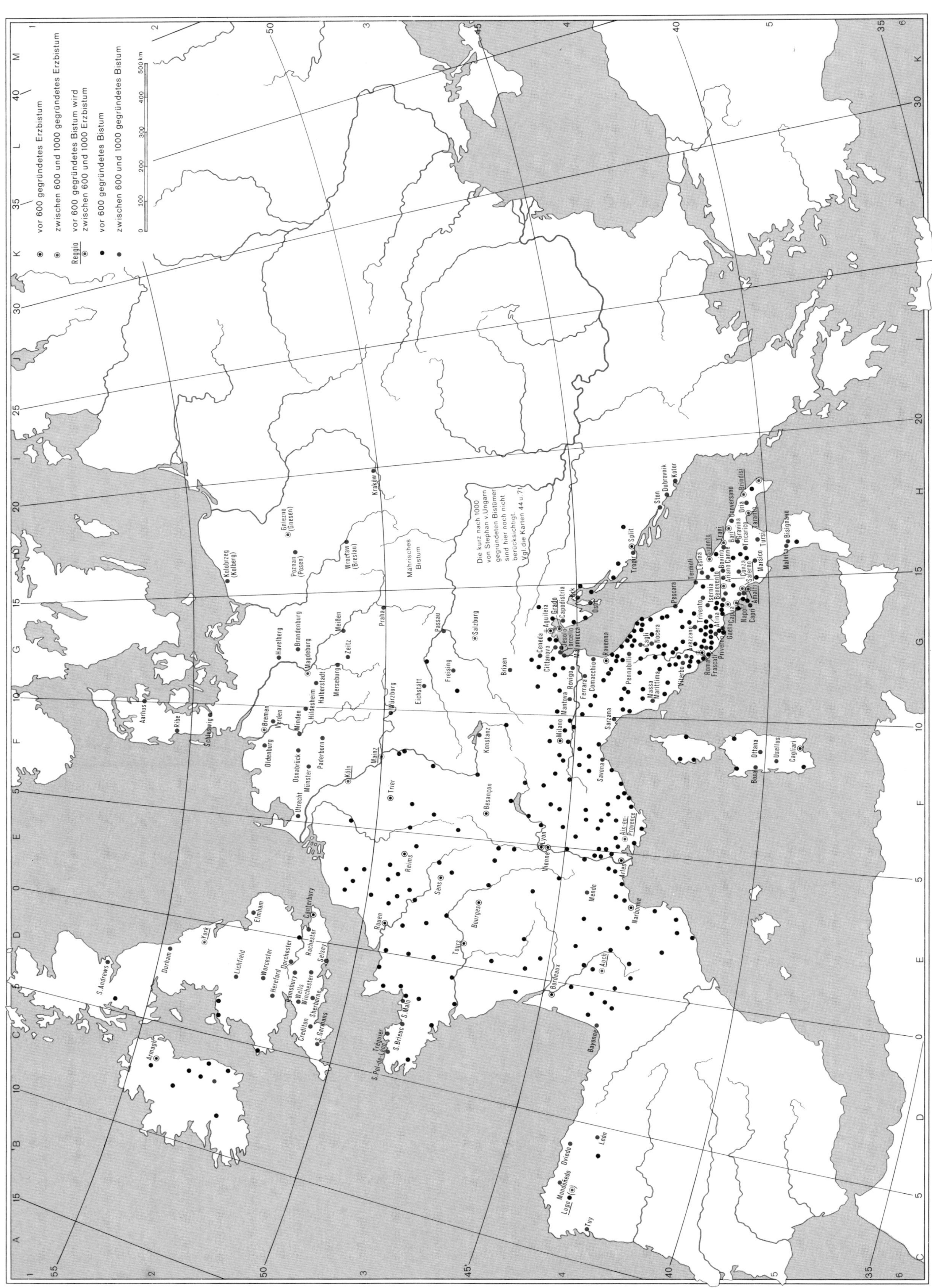

Der Kirchenstaat

Die Anfänge des Kirchenstaates

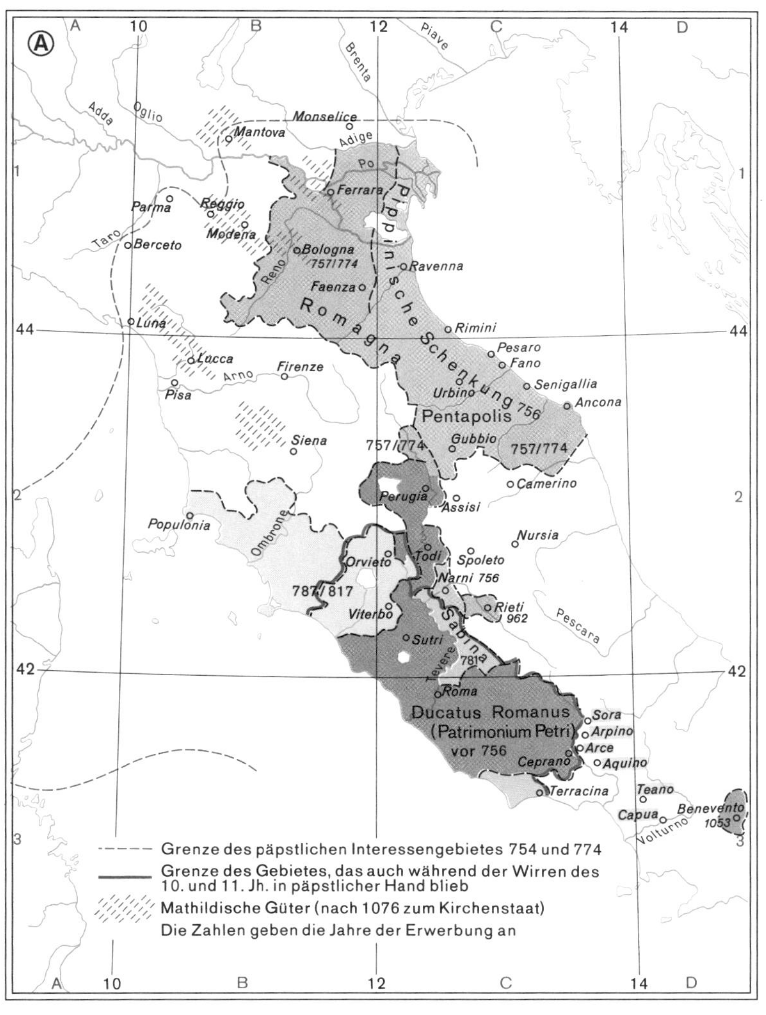

Der Kirchenstaat nach den Rekuperationen Innozenz' III.

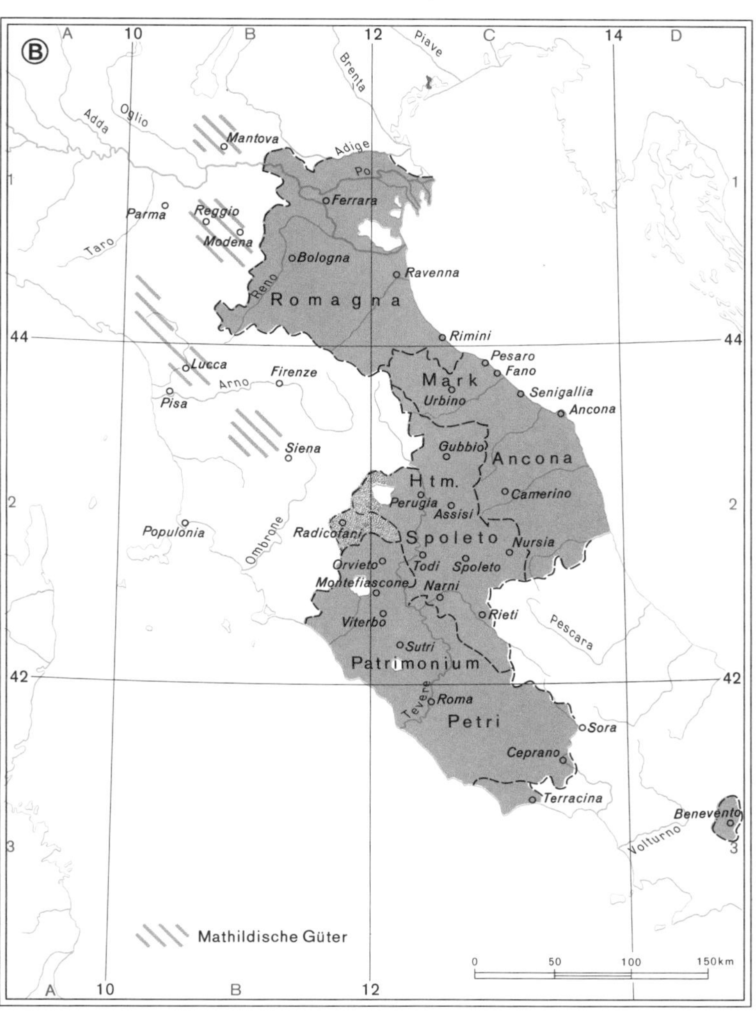

Der Kirchenstaat im 16. Jahrhundert

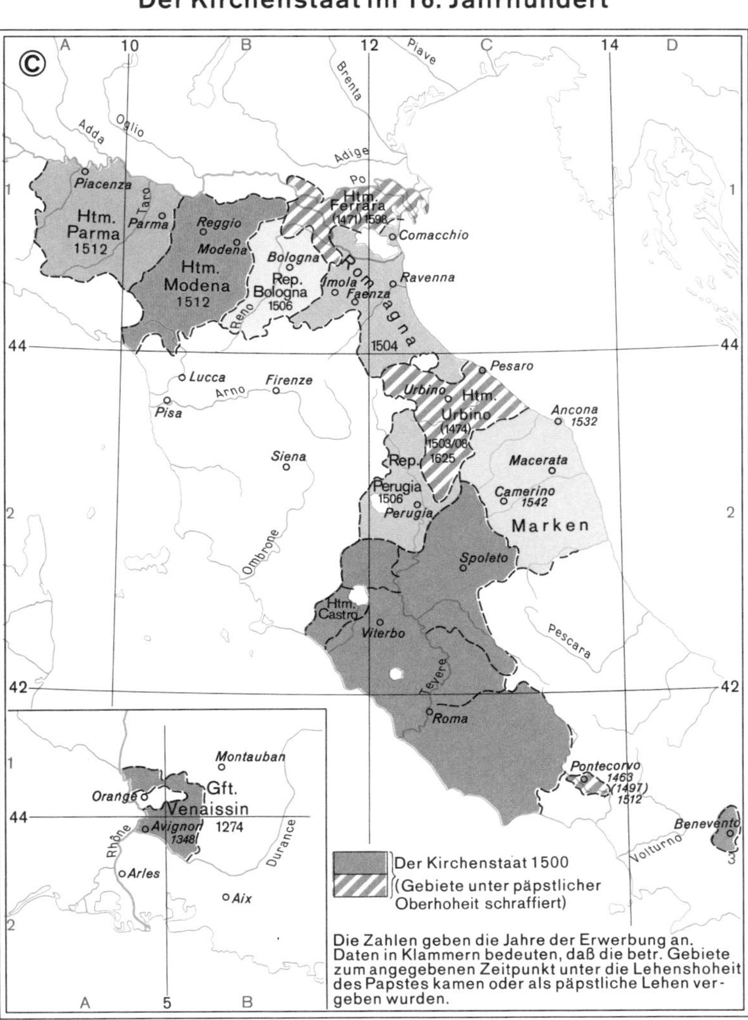

Der Kirchenstaat im 19. Jahrhundert

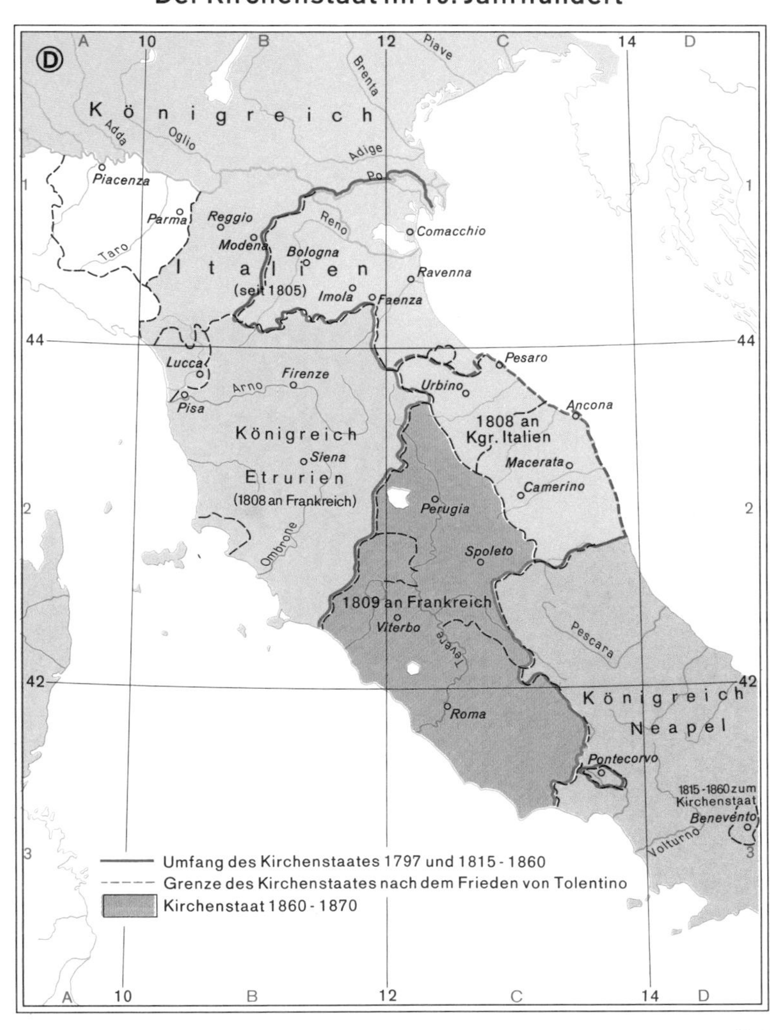

Der Gebetsbund von Attigny (760–762)

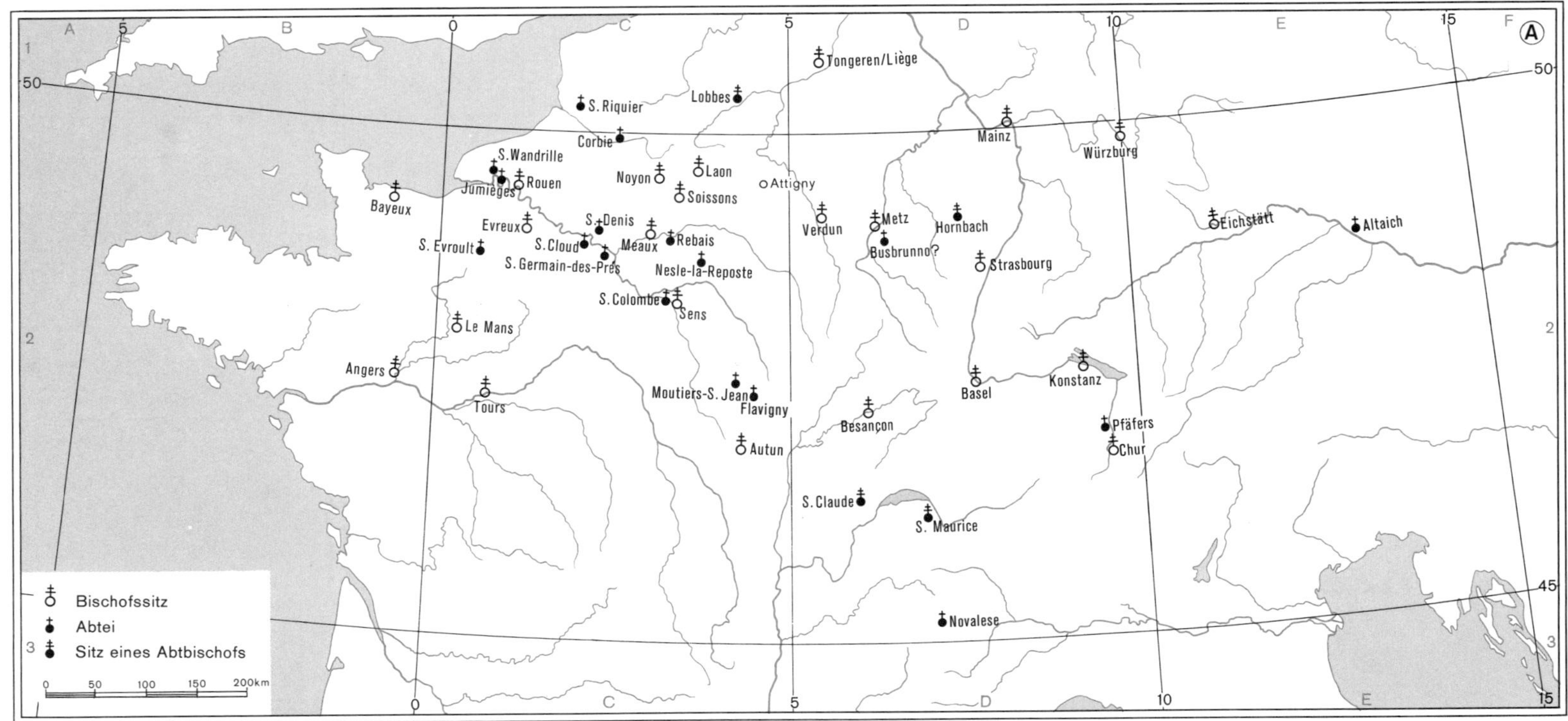

Reichenauer Gebetsverbrüderung mit geistlichen Gemeinschaften

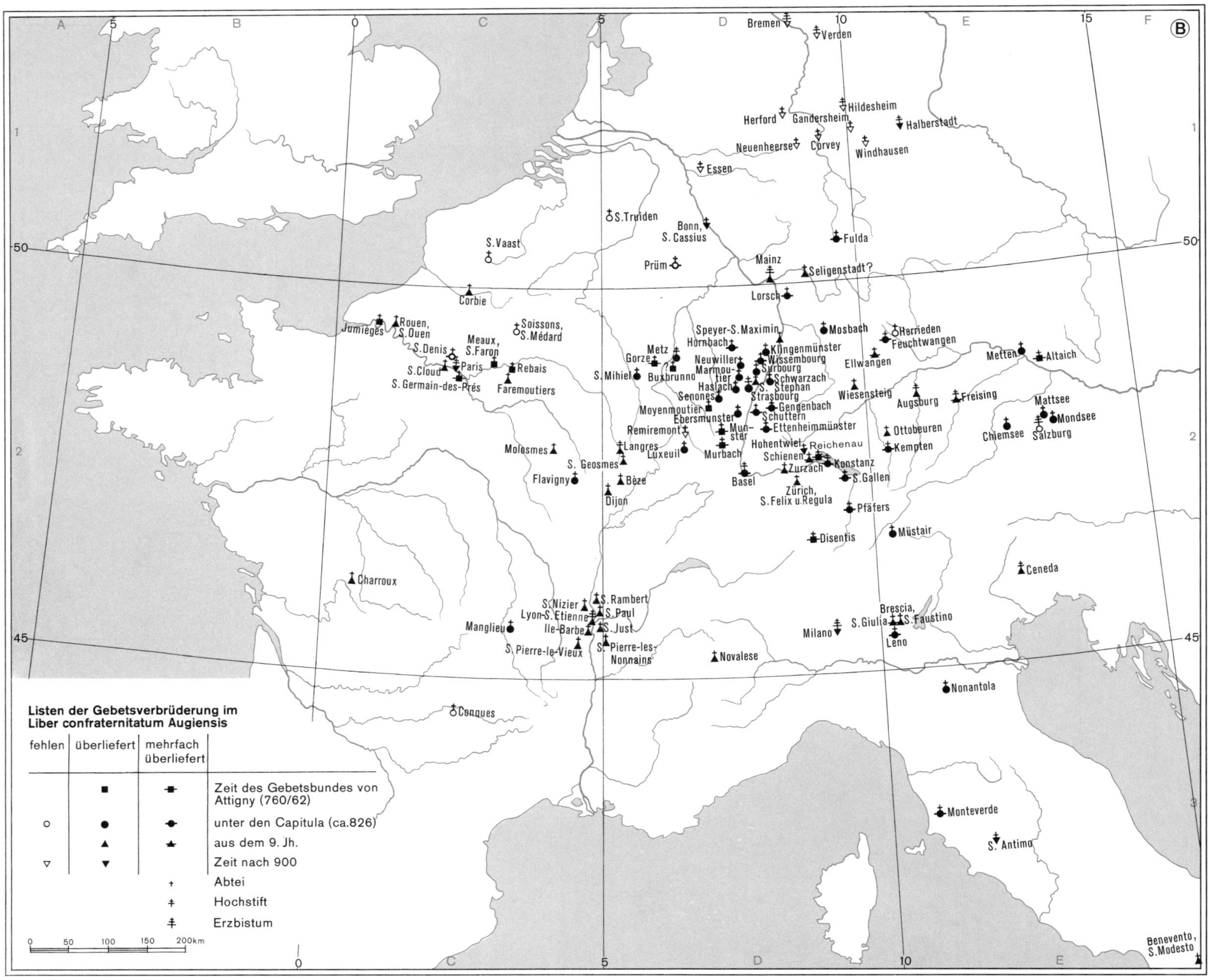

B

Bremen, Verden, Hildesheim, Herford, Gandersheim, Halberstadt, Neuenheerse, Corvey, Windhausen, Essen, S. Truiden, Bonn, S. Cassius, Fulda, S. Vaast, Prüm, Mainz, Seligenstadt?, Corbie, Lorsch, Jumièges, Rouen, S. Ouen, Soissons, S. Médard, Meaux, S. Faron, S. Denis, Paris, Rebais, S. Cloud, S. Germain-des-Prés, Faremoutiers, Speyer-S. Maximin, Hornbach, Mosbach, Herrieden, Feuchtwangen, Metz, Gorze, Klingenmünster, Wissembourg, Ellwangen, Metten, Altaich, S. Mihiel, Buxbrunno, Neuwiller, Marmoutier, Surbourg, Schwarzach, Haslach, S. Stephan, Senones, Strasbourg, Wiesensteig, Augsburg, Freising, Mattsee, Mondsee, Moyenmoutier, Gengenbach, Ebersmünster, Schuttern, Remiremont, Münster, Ettenheimmünster, Ottobeuren, Chiemsee, Salzburg, Molesmes, Langres, Luxeuil, Murbach, Hohentwiel, Reichenau, Kempten, S. Geosmes, Schienen, Zurzach, Konstanz, Flavigny, Bèze, Basel, S. Gallen, Dijon, Zürich, S. Felix u. Regula, Pfäfers, Disentis, Müstair, Ceneda, Charroux, S. Nizier, S. Rambert, Lyon-S. Etienne, S. Paul, Manglieu, Ile-Barbe, S. Just, Brescia, S. Giulia, S. Faustino, Milano, Leno, S. Pierre-le-Vieux, S. Pierre-les-Nonnains, Novalese, Nonantola, Conques, Monteverde, S. Antimo, Benevento, S. Modesto

Listen der Gebetsverbrüderung im Liber confraternitatum Augiensis

fehlen	überliefert	mehrfach überliefert	
	■	■	Zeit des Gebetsbundes von Attigny (760/62)
○	●	●	unter den Capitula (ca.826)
	▲	▲	aus dem 9. Jh.
▽	▼		Zeit nach 900
		†	Abtei
		‡	Hochstift
		‡	Erzbistum

0 50 100 150 200km

Schenkungen und Privilegien Karls des Großen (768–814)

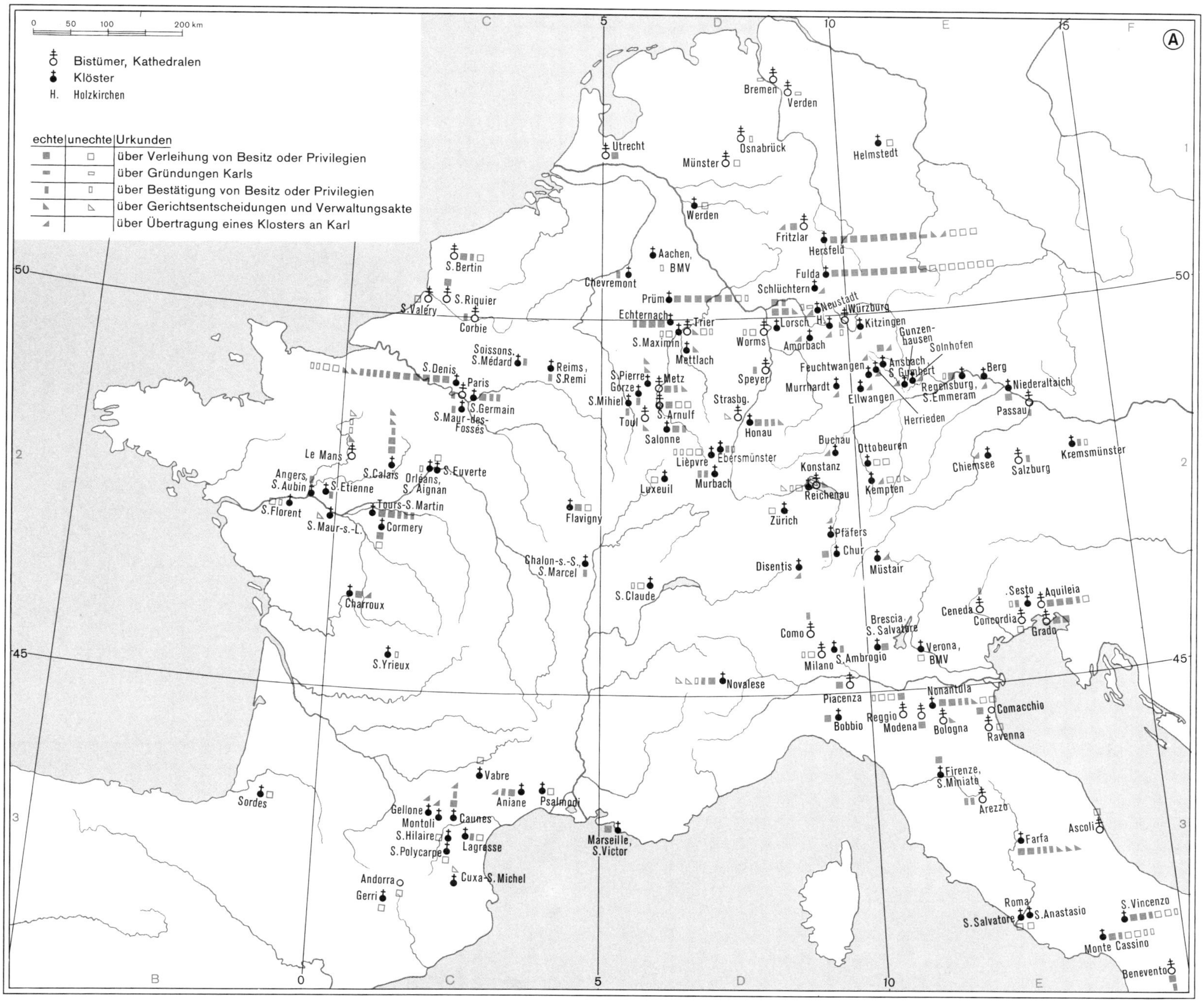

0 50 100 200 km

Bistümer, Kathedralen
Klöster
H. Holzkirchen

echte	unechte	Urkunden
■	□	über Verleihung von Besitz oder Privilegien
▬	▭	über Gründungen Karls
▮	▯	über Bestätigung von Besitz oder Privilegien
◣	◺	über Gerichtsentscheidungen und Verwaltungsakte
◢		über Übertragung eines Klosters an Karl

A

Bremen
Verden
Osnabrück
Utrecht
Münster
Helmstedt
Werden
Fritzlar
Hersfeld
Aachen, BMV
Fulda
S. Bertin
Chèvremont
Schlüchtern
S. Riquier
S. Valéry
Corbie
Prüm
Echternach
Trier
Neustadt
Würzburg
Lorsch
Kitzingen
S. Maximin
Worms
Amorbach
Gunzenhausen
Solnhofen
Soissons, S. Médard
Reims, S. Remi
Mettlach
Feuchtwangen
Ansbach
S. Gumbert
Berg
S. Denis
Paris
S. Pierre
Gorze
Metz
Speyer
Murrhardt
Regensburg, S. Emmeram
Niederaltaich
S. Germain
S. Maur-des-Fossés
S. Mihiel
Toul
S. Arnulf
Strasbg.
Ellwangen
Passau
Honau
Herrieden
Salonne
Buchau
Le Mans
Lièpvre
Ebersmünster
Ottobeuren
Kremsmünster
S. Calais
Orléans, S. Aignan
S. Euverte
Konstanz
Chiemsee
Salzburg
Angers, S. Aubin
S. Etienne
Luxeuil
Murbach
Reichenau
Kempten
S. Florent
Tours-S. Martin
Flavigny
Zürich
S. Maur-s.-L.
Cormery
Pfäfers
Chur
Chalon-s.-S., S. Marcel
Disentis
Müstair
S. Claude
Charroux
Sesto
Aquileia
Ceneda
Concordia
Grado
Brescia, S. Salvatore
Como
Verona, BMV
Milano
S. Ambrogio
S. Yrieux
Novalese
Nonantula
Piacenza
Comacchio
Reggio
Modena
Bologna
Bobbio
Ravenna
Vabre
Firenze, S. Miniato
Aniane
Psalmodi
Sordes
Arezzo
Gellone
Montoli
Caunes
S. Hilaire
S. Polycarpe
Lagrasse
Marseille, S. Victor
Ascoli
Farfa
Andorra
Gerri
Cuxa-S. Michel
Roma
S. Anastasio
S. Salvatore
S. Vincenzo
Monte Cassino
Benevento

Der karolingische Klosterplan in der Stiftsbibliothek St. Gallen

Die wichtigsten Gebäulichkeiten des Klosterplanes

1 Kirche mit Ost- und Westapsis
2 Schreibstube, darüber Bibliothek
3 Sakristeien
4 Zubereitungsraum für Hostien u. Öl
5 Klausur mit Kreuzgang
6 Wärmestube, darüber Schlafsaal
7 Bad und Waschraum
8 Latrinen
9 Speisesaal, darüber Kleiderkammer
10 Küche für die Mönche
11 Keller, darüber Vorratskammern
12 Sprechzimmer für Besucher
13 Stube des Armenverwalters
14 Herberge für Pilger und Arme
15 Brauerei u. Bäckerei der Herberge
16 Wohnung des Pförtners
17 Wohnung des Schulvorstehers
18 Wohnung für fremde Ordensbrüder
19 Küchenhaus mit Bäckerei u. Brauerei
20 Haus für vornehme Gäste
21 Äußere Schule
22 Residenz des Abtes mit Diensthaus
23 Haus für Aderlaß
24 Ärztehaus mit Apotheke
25 Kräutergärtlein
26 Hospital mit Kreuzgang
27 Küche und Bad des Hospitals
28 Doppelkapelle für Hospital und Noviziat
29 Noviziat mit Kreuzgang
30 Küche und Bad des Noviziates
31 Obstgarten und Friedhof
32 Gemüsegarten
33 Wohnhaus des Gärtners
34 Gänsestall
35 Wohnhaus der Wärter
36 Hühnerhof
37 Kornspeicher mit Dreschtenne
38 Werkstätten und Haus des Kämmerers
39 Brauerei und Bäckerei für die Mönche
40 Mühle
41 Stampfe
42 Darre
43 Getreidescheune, Drechslerei und Küferei
44 Stier- und Pferdestall mit Heustöcken
45 Schafstall
46 Ziegenstall
47 Kuhstall
48 Stuterei
49 Schweinestall
50 Unterkunftshaus für Diener

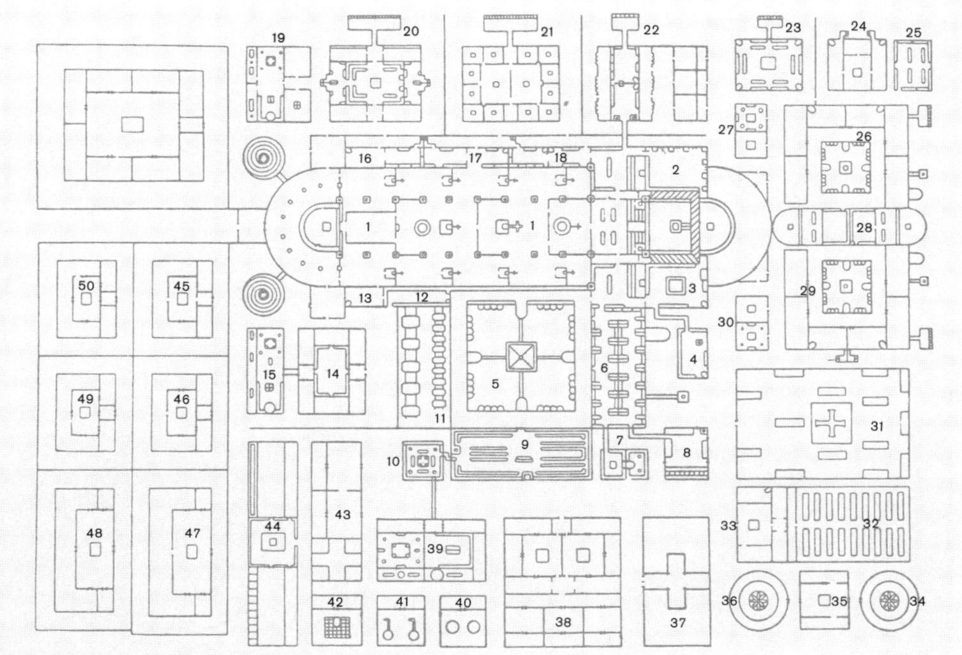

Die Verfassung der byzantinischen Kirche im 10. Jahrhundert

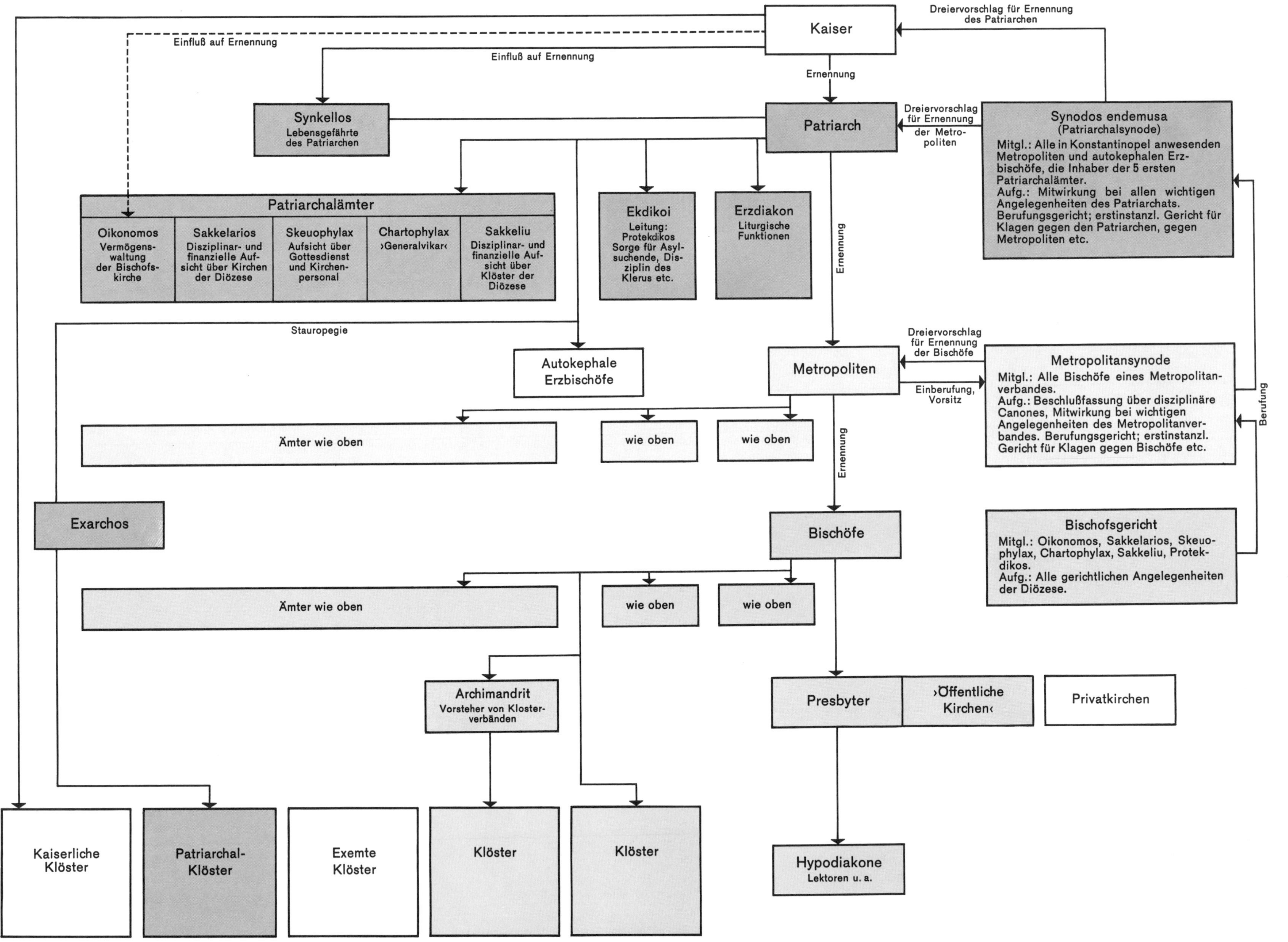

Das Mönchtum im Frankenreich, in Bayern und in Oberitalien bis 768 (788)

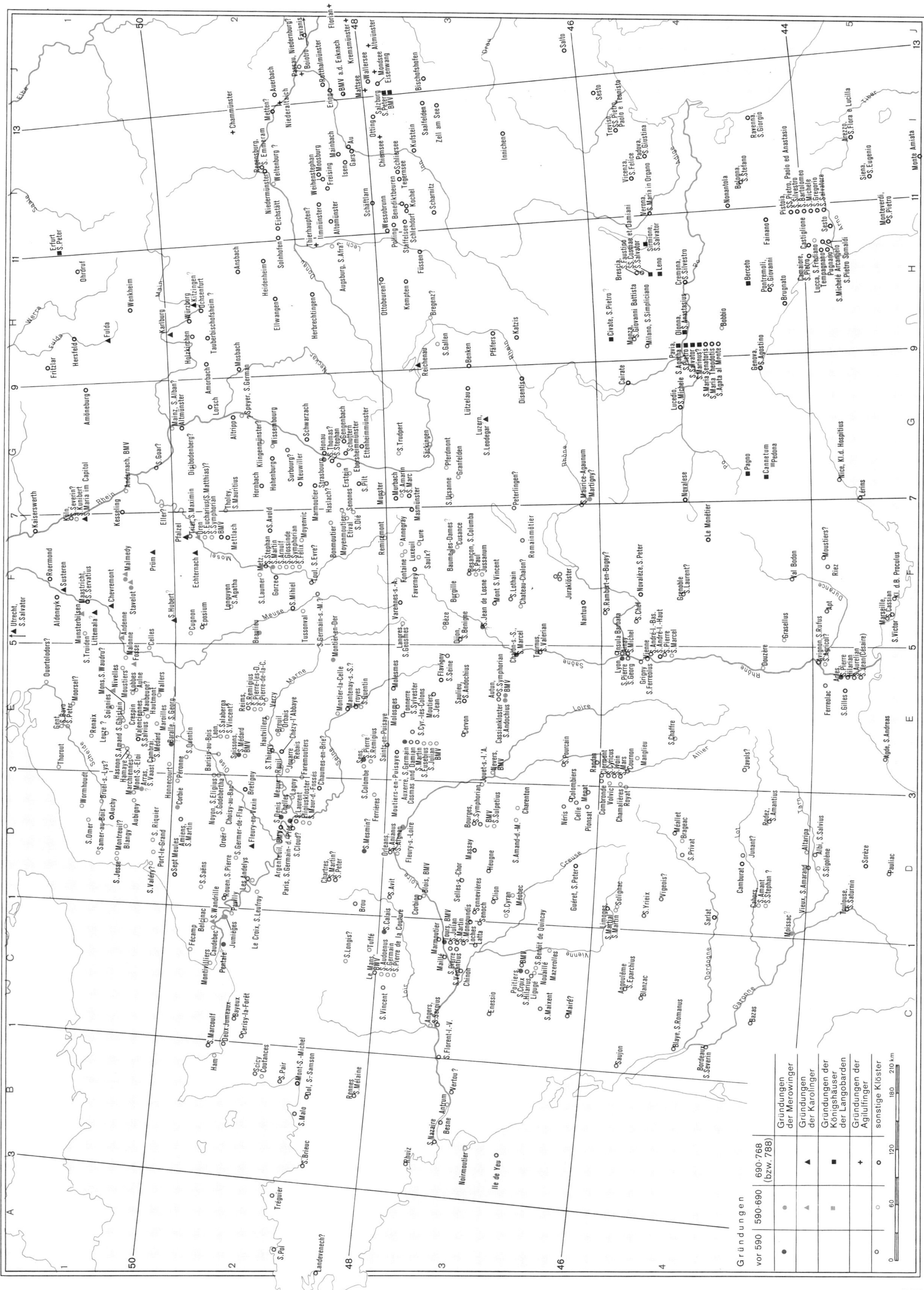

Das jakobitische Mönchtum des Mittelalters

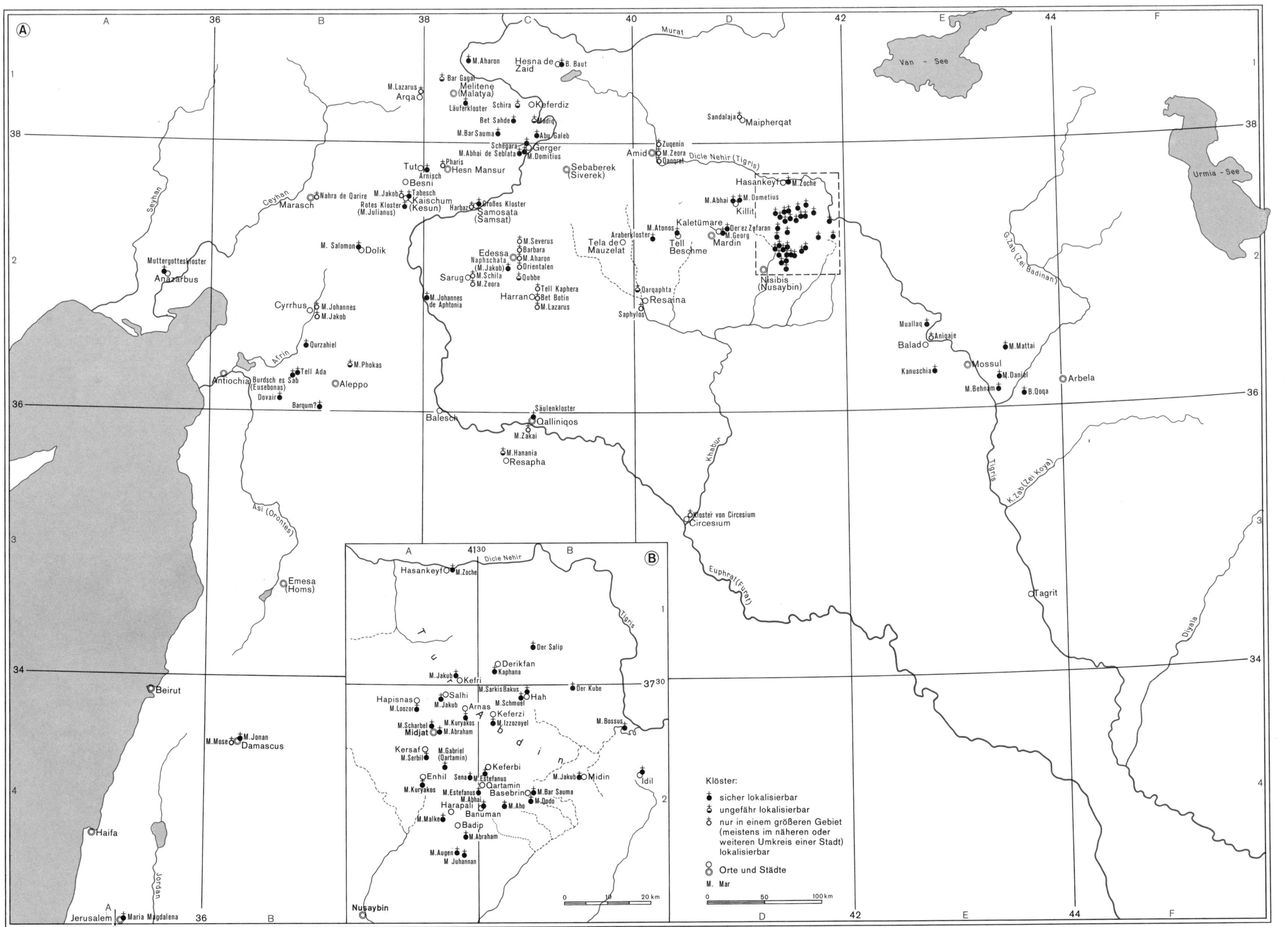

Klöster im byzantinischen Reich

Lembos Klöster mit engen Beziehungen zu Kaisern oder deren Familien
wichtige Klöster
Latmus Häufung von Klöstern auf engem Raum ("Klosterberge")
ungefährer Verlauf der Reichsgrenze in der Mitte des 12. Jh.
Nordgrenze des Reiches von Nikaia (1230)
Türkische Westgrenze um 1430
M. Monasterion, Mone

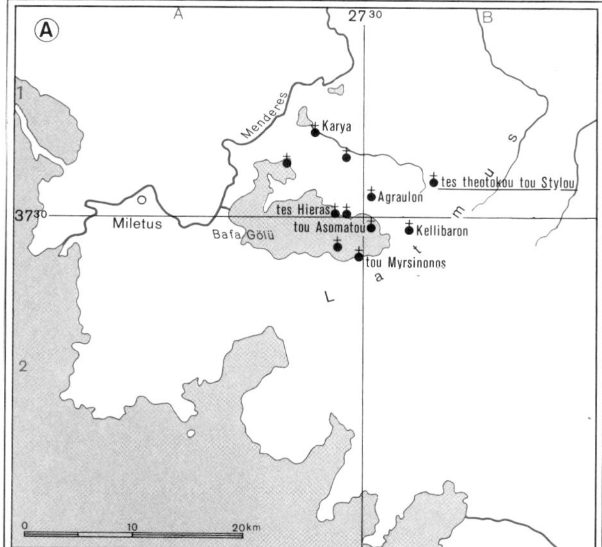

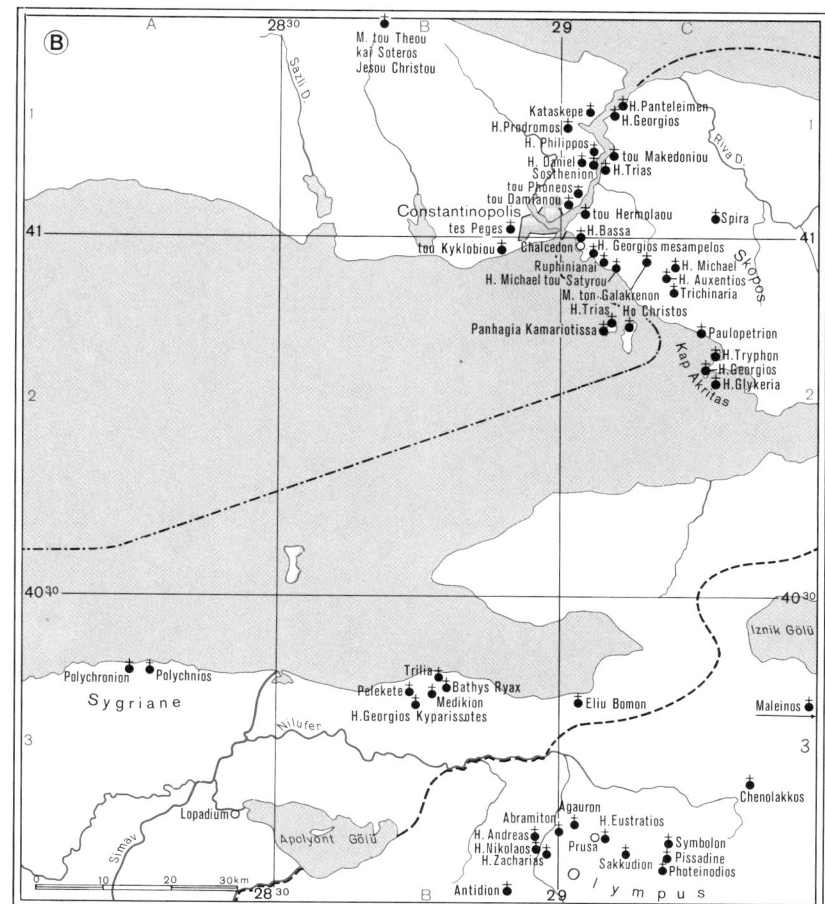

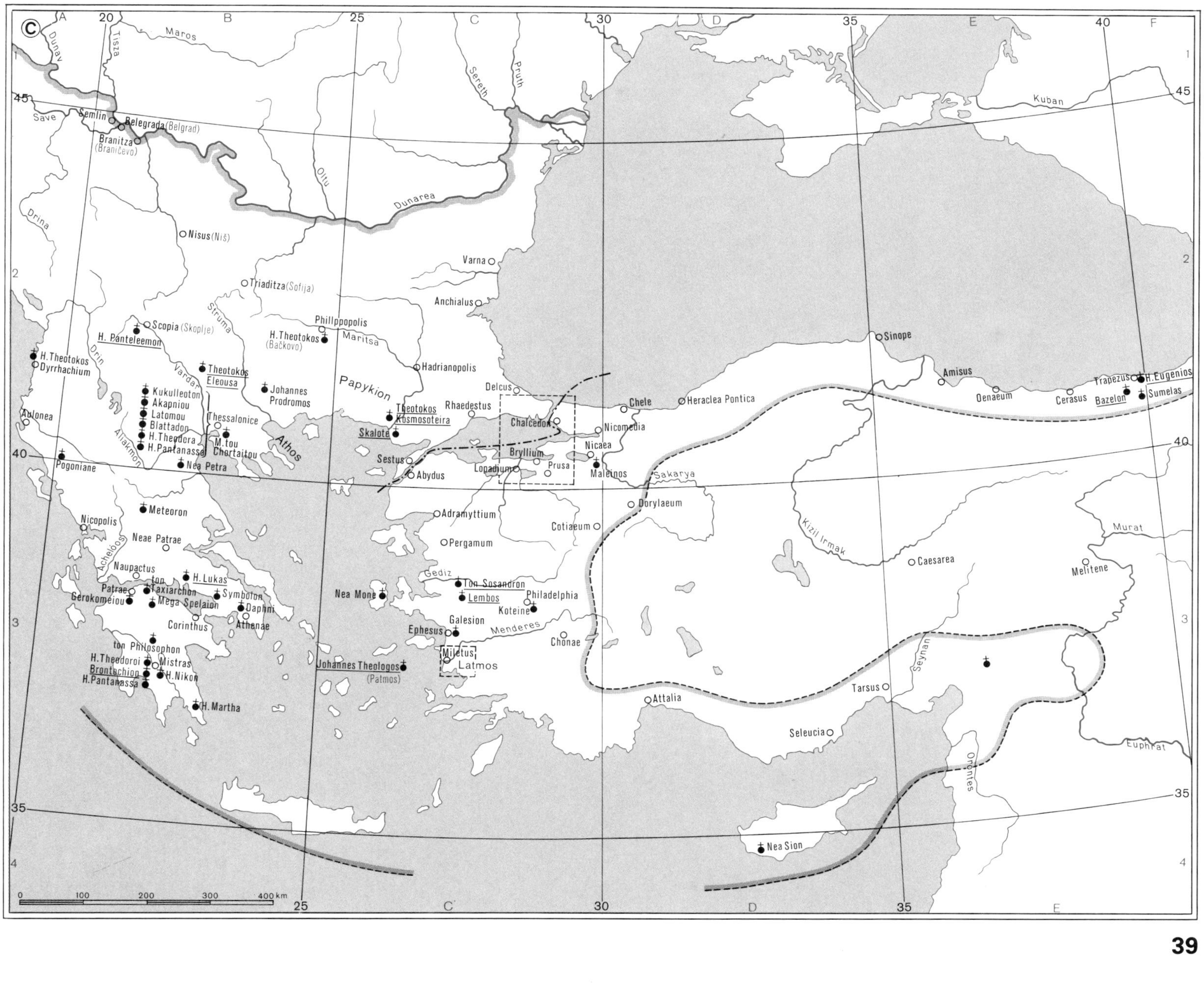

C
A 20 B 25 C 30 D 35 E 40 F
Maros
Tisza
Dunav
Save
Semlin
Belegrada (Belgrad)
Branitza (Braničevo)
Sereth
Pruth
Kuban
Olt
Dunarea
Drina
Nisus (Niš)
Varna
Triaditza (Sofija)
Anchialus
Struma
Scopia (Skoplje)
H. Panteleemon
Drin
H.Theotokos (Bačkovo)
Phillppopolis
Maritsa
Hadrianopolis
H.Theotokos
Dyrrhachium
Vardar
Theotokos Eleousa
Johannes Prodromos
Papykion
Delcus
Kukulleoton
Akapniou
Latomou
Blattadon
H.Theodora
H.Pantanassa
Thessalonice
M.tou Chortaitou
Nea Petra
Athos
Theotokos Kosmosoteira
Skalote
Rhaedestus
Chalcedon
Chele
Heraclea Pontica
Sinope
Amisus
Trapezus
H.Eugenios
Oenaeum
Cerasus
Bazelon
Sumelas
Aulonea
Aliakmon
Pogoniane
Sestus
Abydus
Bryllium
Lopadium
Prusa
Nicomedia
Nicaea
Maleinos
Sakarya
Dorylaeum
Meteoron
Nicopolis
Acheloos
Neae Patrae
Adramyttium
Pergamum
Cotiaeum
Kizil Irmak
Caesarea
Murat
Melitene
Naupactus
H. Lukas
ton Taxiarchon
Patrae
Gerokomeiou
Symbolon
Mega Spelaion
Daphni
Athenae
Corinthus
Nea Mone
Gediz
ton Sosandron
Lembos
Philadelphia
Koteine
Galesion
Ephesus
Menderes
Chonae
Miletus
Latmos
ton Philosophon
H.Theodoroi
Mistras
Brontochion
H.Pantanassa
H.Nikon
H.Martha
Johannes Theologos (Patmos)
Attalia
Seyhan
Tarsus
Seleucia
Orontes
Euphrat
Nea Sion
45
40
35
1
2
3
4
0 100 200 300 400 km

Rom bis um 1000

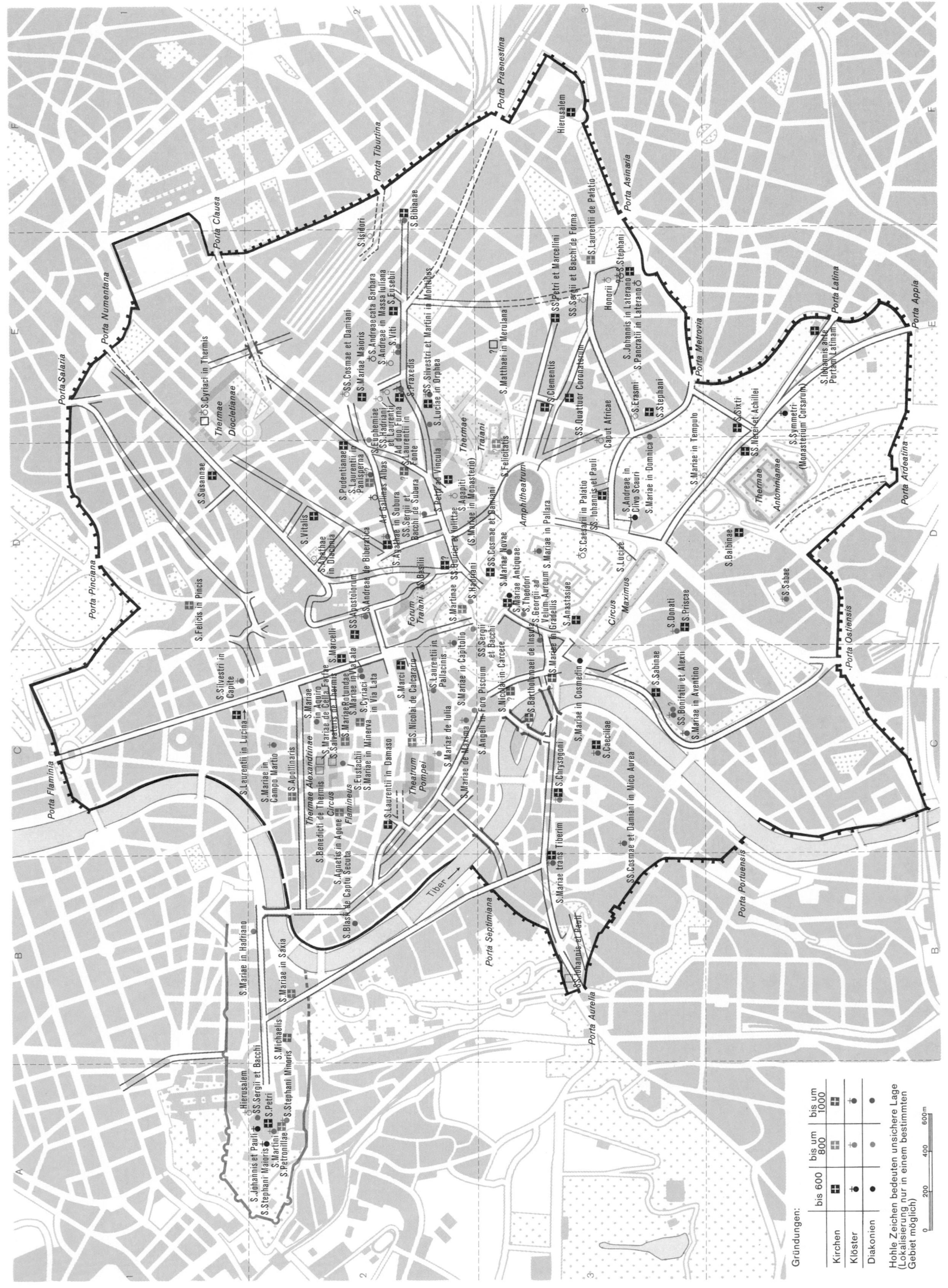

Das Christentum in mittelalterlichen Städten

Köln

Kirchen und Klöster der Stadt im Mittelalter

- Stiftskirchen
- Pfarrkirchen
- Männerklöster
- Frauenklöster

A Augustinerinnen
Can Aug Augustiner-Chorherren
D Dominikanerinnen
F Franziskanerinnen
OCarm Karmelitinnen
OFM Franziskaner
OSB Benediktiner(innen)
OSCl Klarissen
SOCist Zisterzienserinnen
Z Zellitinnen

0 100 200 300 400 500 m

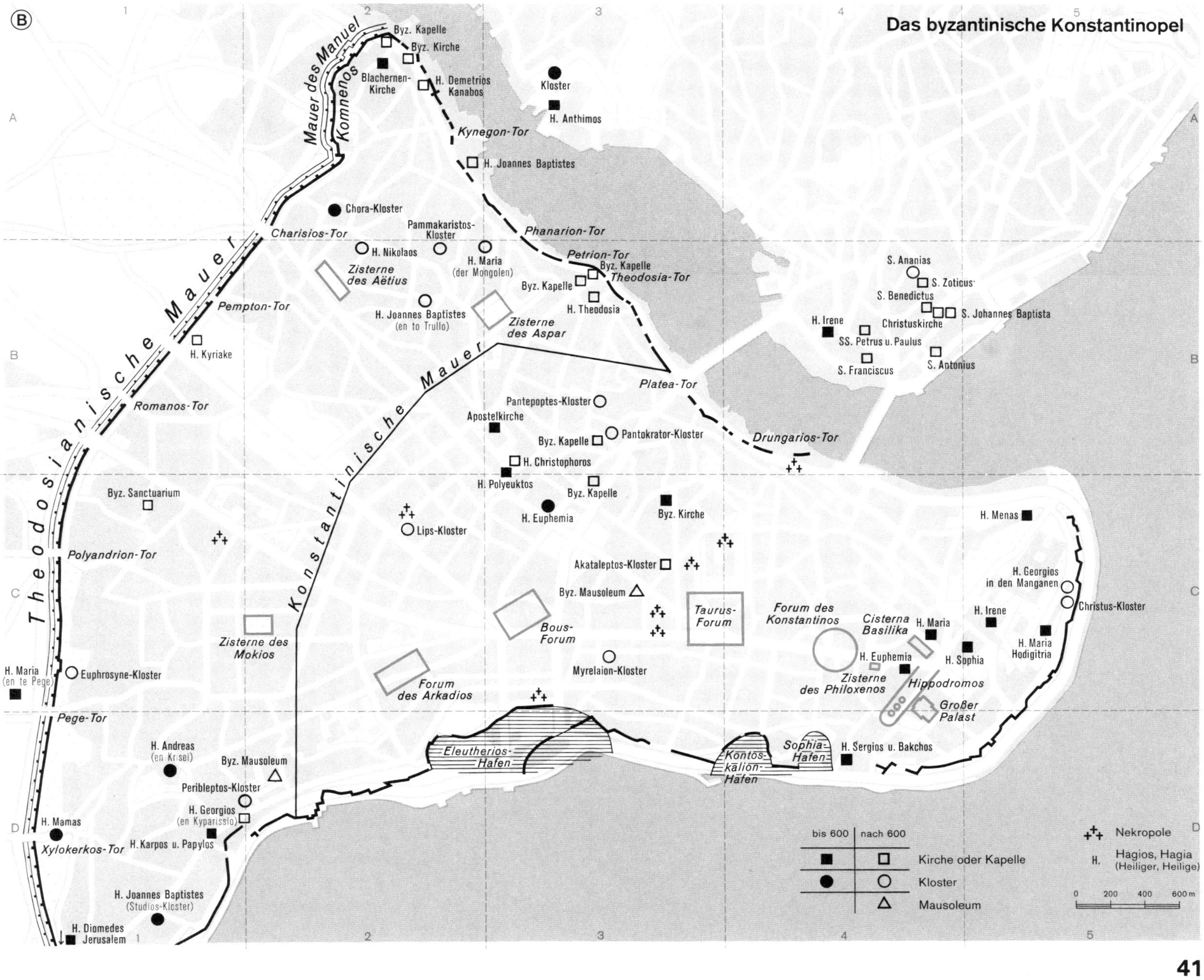

Ⓐ

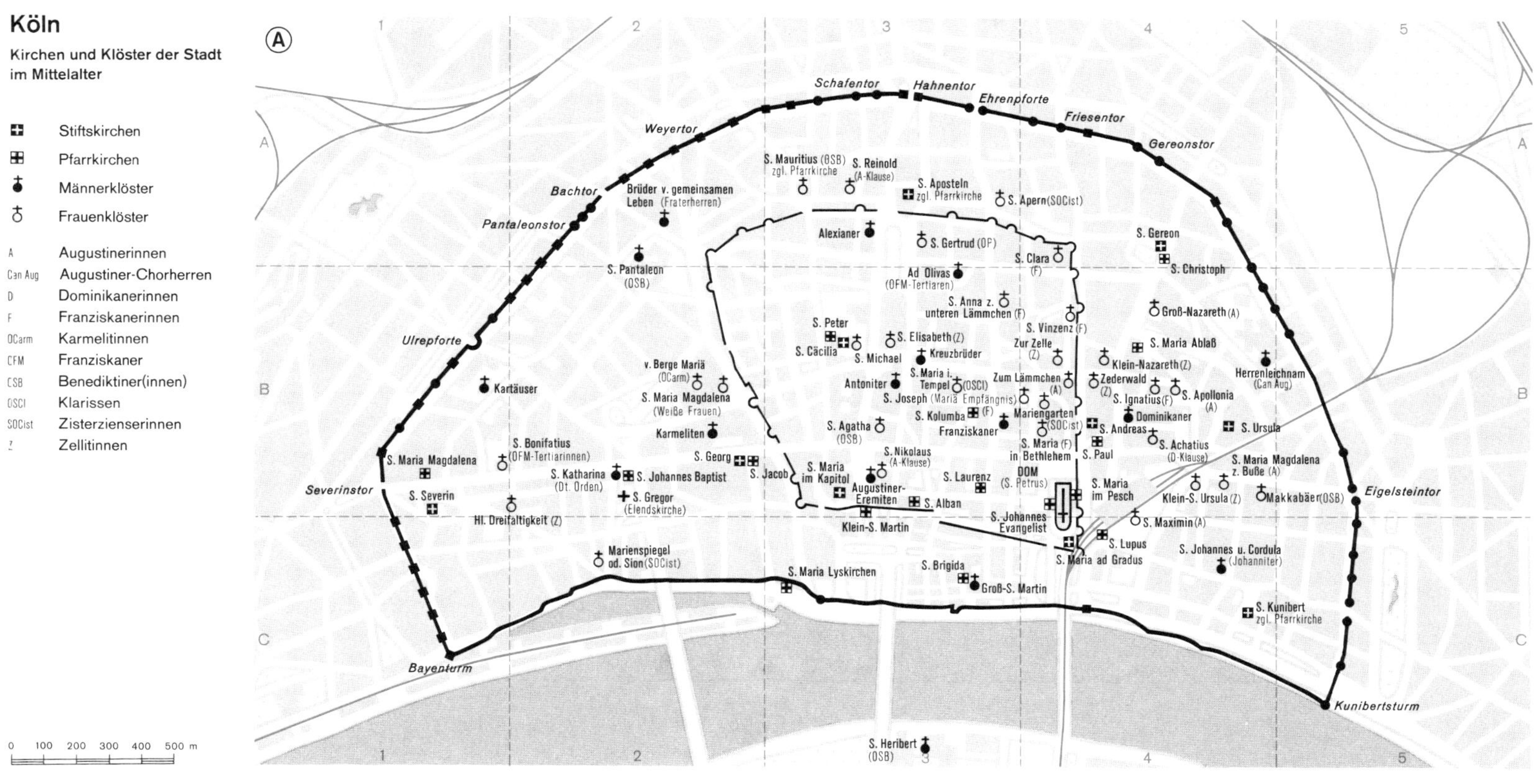

Ⓑ

Das byzantinische Konstantinopel

Mauer des Manuel Komnenos
Byz. Kapelle
Byz. Kirche
Blachernen-Kirche
H. Demetrios Kanabos
Kloster
H. Anthimos
Kynegon-Tor
H. Joannes Baptistes
Chora-Kloster
Charisios-Tor
Pammakaristos-Kloster
Phanarion-Tor
H. Nikolaos
H. Maria (der Mongolen)
Petrion-Tor
Byz. Kapelle
Theodosia-Tor
Zisterne des Aëtius
Byz. Kapelle
H. Theodosia
Pempton-Tor
H. Joannes Baptistes (en to Trullo)
Zisterne des Aspar
H. Kyriake
Theodosianische Mauer
Konstantinische Mauer
Platea-Tor
Romanos-Tor
Pantepoptes-Kloster
Apostelkirche
Pantokrator-Kloster
Byz. Kapelle
Drungarios-Tor
H. Christophoros
H. Polyeuktos
Byz. Kapelle
Byz. Sanctuarium
H. Euphemia
Byz. Kirche
Lips-Kloster
Polyandrion-Tor
Akataleptos-Kloster
Byz. Mausoleum
Taurus-Forum
Forum des Konstantinos
Cisterna Basilika
Zisterne des Mokios
Bous-Forum
H. Euphemia
H. Maria
H. Sophia
Myrelaion-Kloster
H. Maria (en te Pege)
Euphrosyne-Kloster
Forum des Arkadios
Zisterne des Philoxenos
Hippodromos
Großer Palast
Pege-Tor
H. Andreas (en Krisei)
Byz. Mausoleum
Eleutherios-Hafen
Kontoskalion-Hafen
Sophia-Hafen
H. Sergios u. Bakchos
Peribleptos-Kloster
H. Georgios (en Kyparissio)
H. Mamas
Xylokerkos-Tor
H. Karpos u. Papylos
H. Joannes Baptistes (Studios-Kloster)
H. Diomedes
Jerusalem
S. Ananias
S. Zoticus
S. Benedictus
Christuskirche
S. Johannes Baptista
H. Irene
SS. Petrus u. Paulus
S. Franciscus
S. Antonius
H. Menas
H. Georgios in den Manganen
Christus-Kloster
H. Irene
H. Maria Hodigitria

bis 600	nach 600	
■	□	Kirche oder Kapelle
●	○	Kloster
	△	Mausoleum

Nekropole
H. Hagios, Hagia (Heiliger, Heilige)

0 200 400 600 m

Das Christentum in mittelalterlichen Städten

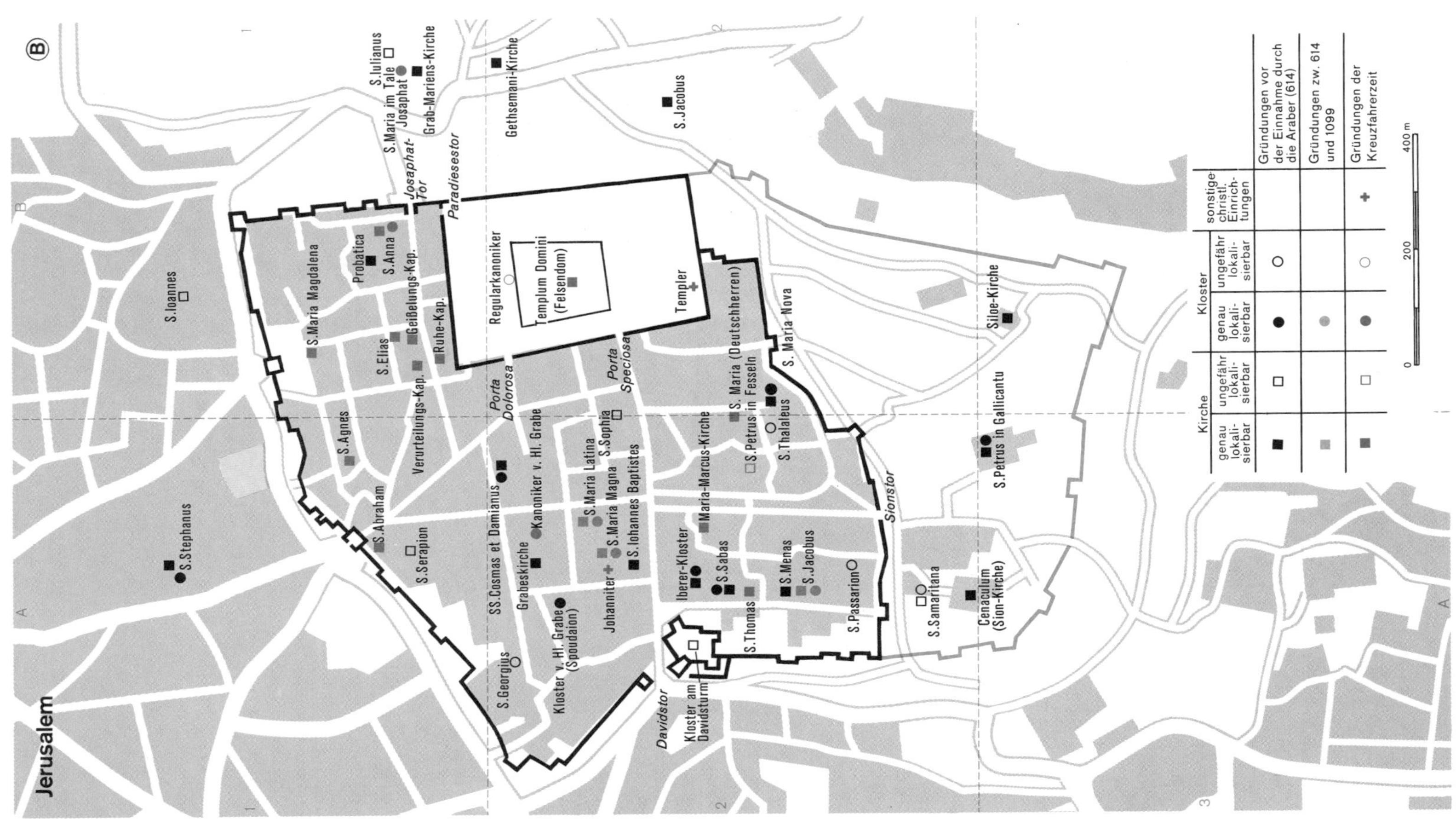

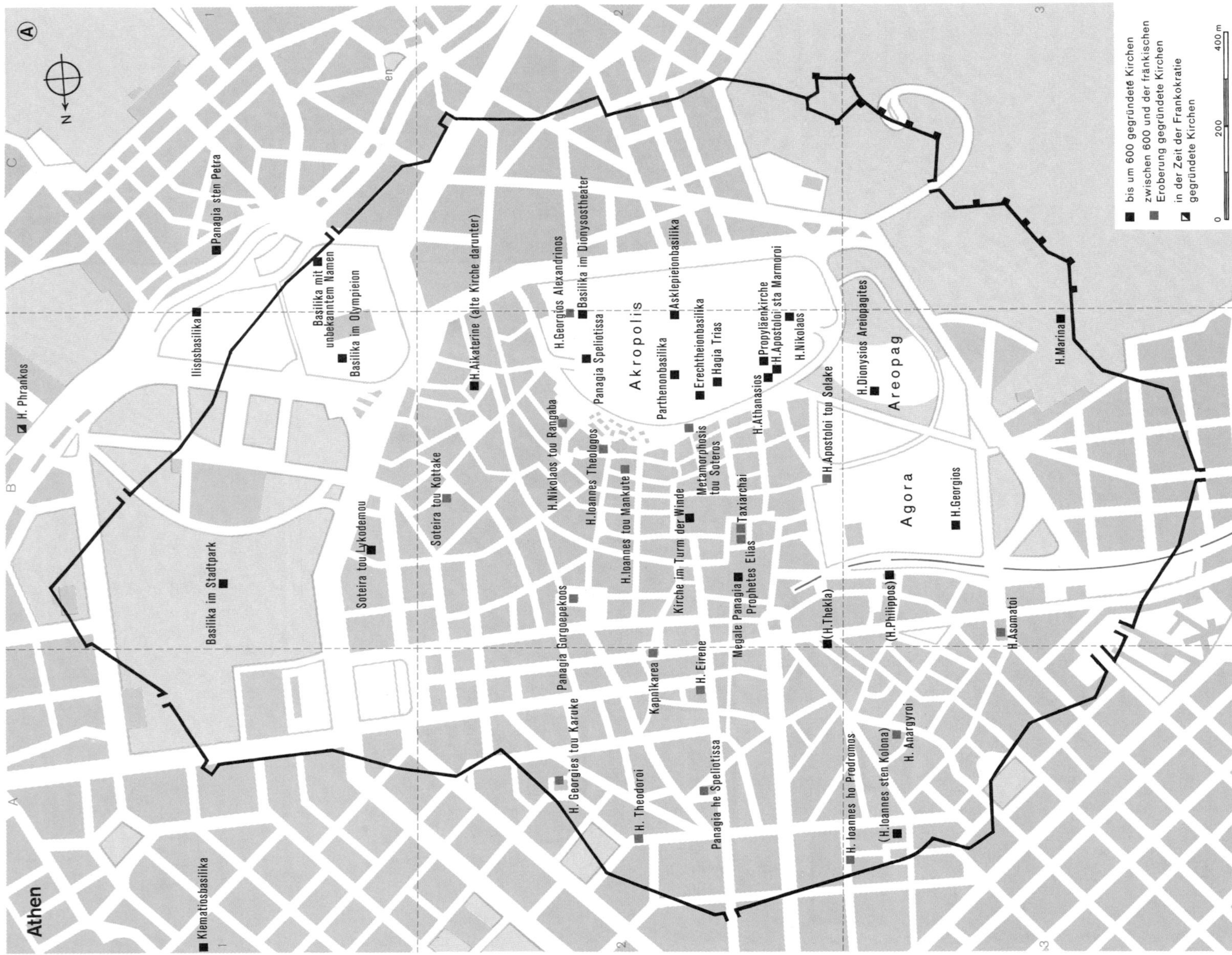

Der Islam bis zum Beginn der Kreuzzüge

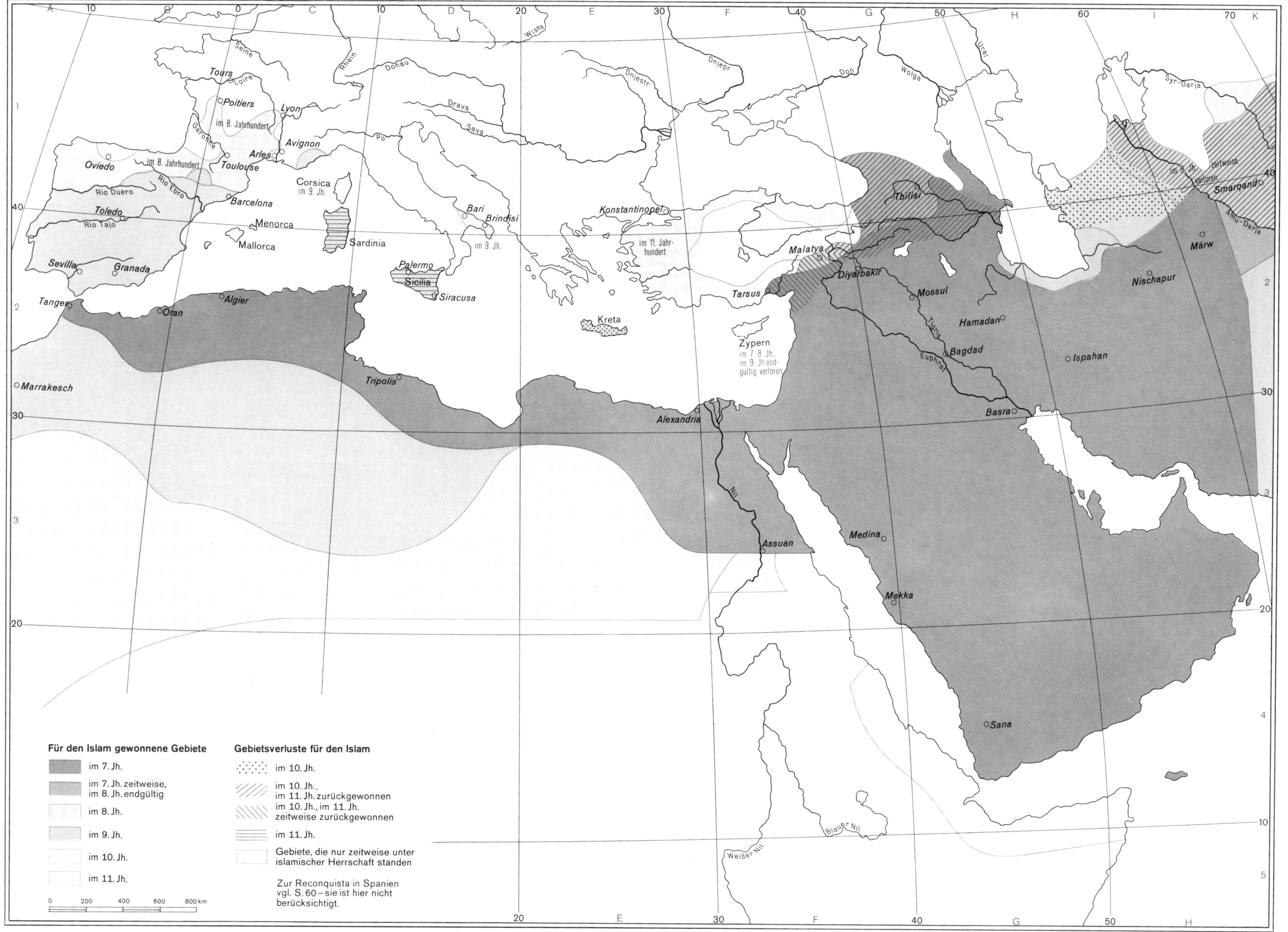

Die mittelalterliche Kirche in Böhmen und Ungarn

Erzbistum
Bistum
▼ Königliche Stifter unter Gran
0 100 200 300 km

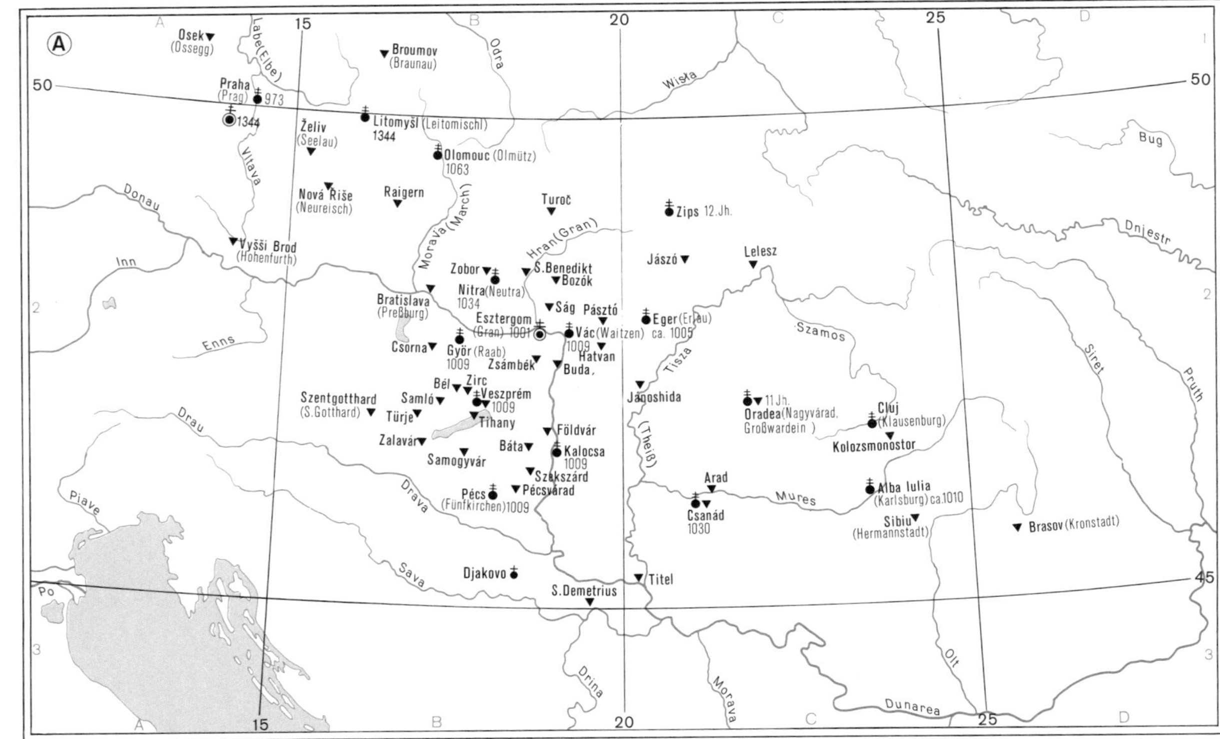

Die Kirche im Kiewer Rußland

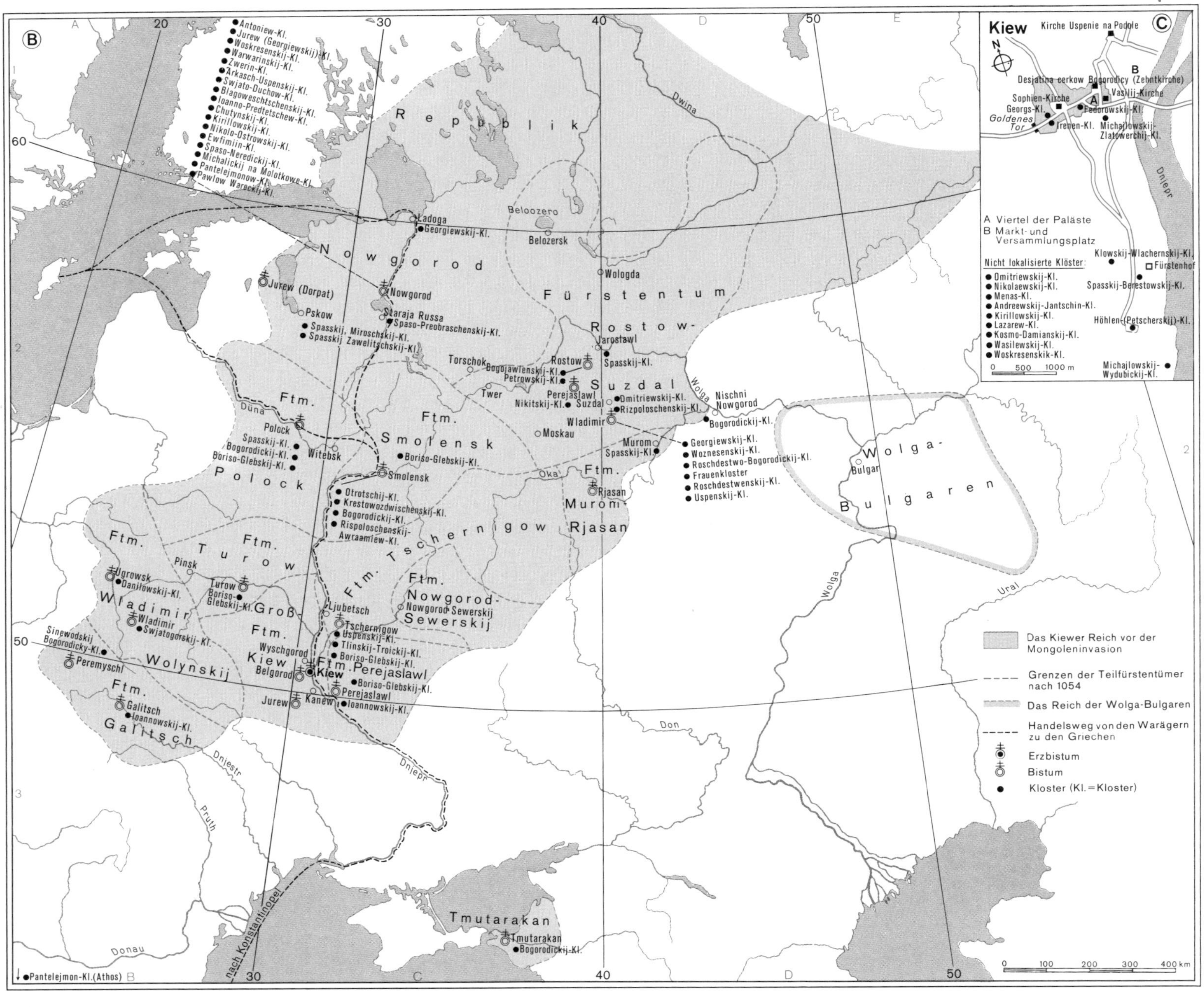

Ⓑ

Antoniew-Kl., Jurew (Georgiewskij)-Kl., Woskresenskij-Kl., Warwarinskij-Kl., Zwerin-Kl., Arkasch-Uspenskij-Kl., Swjato-Duchow-Kl., Blagoweschtschenskij-Kl., Ioanno-Predtetschew-Kl., Chutynskij-Kl., Kirillowskij-Kl., Nikolo-Ostrowskij-Kl., Ewfimiin-Kl., Spaso-Neredickij-Kl., Michalickij na Molotkowe-Kl., Pantelejmonow-Kl., Pawlow Wareckij-Kl.

Republik Nowgorod
Ladoga
Georgiewskij-Kl.
Beloozero
Belozersk
Jurew (Dorpat)
Nowgorod
Pskow
Staraja Russa
Spaso-Preobraschenskij-Kl.
Spasskij, Miroschskij-Kl.
Spasskij Zawelitschskij-Kl.
Wologda
Fürstentum Rostow-Suzdal
Jaroslawl
Rostow
Spasskij-Kl.
Torschok
Bogojawlenskij-Kl.
Petrowskij-Kl.
Twer
Perejaslawl
Nikitskij-Kl.
Suzdal
Dmitriewskij-Kl.
Rizpoloschenskij-Kl.
Nischni Nowgorod
Bogorodickij-Kl.
Wladimir
Moskau
Dwina
Wolga
Düna
Ftm. Polock
Polock
Spasskij-Kl.
Bogorodickij-Kl.
Boriso-Glebskij-Kl.
Witebsk
Ftm. Smolensk
Boriso-Glebskij-Kl.
Smolensk
Murom
Spasskij-Kl.
Georgiewskij-Kl.
Woznesenskij-Kl.
Roschdestwo-Bogorodickij-Kl.
Frauenkloster
Roschdestwenskij-Kl.
Uspenskij-Kl.
Oka
Rjasan
Ftm. Murom-Rjasan
Wolga-Bulgaren
Bulgar
Otrotschij-Kl.
Krestowozdwischenskij-Kl.
Bogorodickij-Kl.
Rispoloschenskij-Awraamiew-Kl.
Ftm. Tschernigow
Ftm. Turow
Pinsk
Turow
Boriso-Glebskij-Kl.
Ugrowsk
Danilowskij-Kl.
Ftm. Wladimir
Wladimir
Swjatogorskij-Kl.
Groß
Ljubetsch
Tschernigow
Uspenskij-Kl.
Tlinskij-Troickij-Kl.
Boriso-Glebskij-Kl.
Ftm. Nowgorod-Sewerskij
Nowgorod Sewerskij
Sinewodskij
Bogorodickij-Kl.
Peremyschl
Wolynskij
Ftm. Kiew
Wyschgorod
Belgorod
Kiew
Ftm. Perejaslawl
Perejaslawl
Boriso-Glebskij-Kl.
Ioannowskij-Kl.
Jurew
Kanew
Ftm. Galitsch
Galitsch
Ioannowskij-Kl.
Don
Ural
Dnjestr
Dnjepr
Pruth
Donau
nach Konstantinopel
Tmutarakan
Tmutarakan
Bogorodickij-Kl.
Pantelejmon-Kl. (Athos)
20 30 40 50
60 50

Kiew Ⓒ
Kirche Uspenie na Podole
Desjatina cerkow Bogorodicy (Zehntkirche)
Sophien-Kirche
Vasilij-Kirche
Georgs-Kl.
Fedorowskij-Kl.
Goldenes Tor
Irenen-Kl.
Michajlowskij-Zlatowerchij-Kl.
Dnjepr
A Viertel der Paläste
B Markt- und Versammlungsplatz
Klowskij-Wlachernskij-Kl.
Fürstenhof
Nicht lokalisierte Klöster:
Dmitriewskij-Kl.
Nikolaewskij-Kl.
Menas-Kl.
Andreewskij-Jantschin-Kl.
Kirillowskij-Kl.
Lazarew-Kl.
Kosmo-Damianskij-Kl.
Wasilewskij-Kl.
Woskresenskik-Kl.
Spasskij-Berestowskij-Kl.
Höhlen-(Petscherskij)-Kl.
Michajlowskij-Wydubickij-Kl.
0 500 1000 m

Das Kiewer Reich vor der Mongoleninvasion
Grenzen der Teilfürstentümer nach 1054
Das Reich der Wolga-Bulgaren
Handelsweg von den Warägern zu den Griechen
Erzbistum
Bistum
Klosters (Kl. = Kloster)

0 100 200 300 400 km

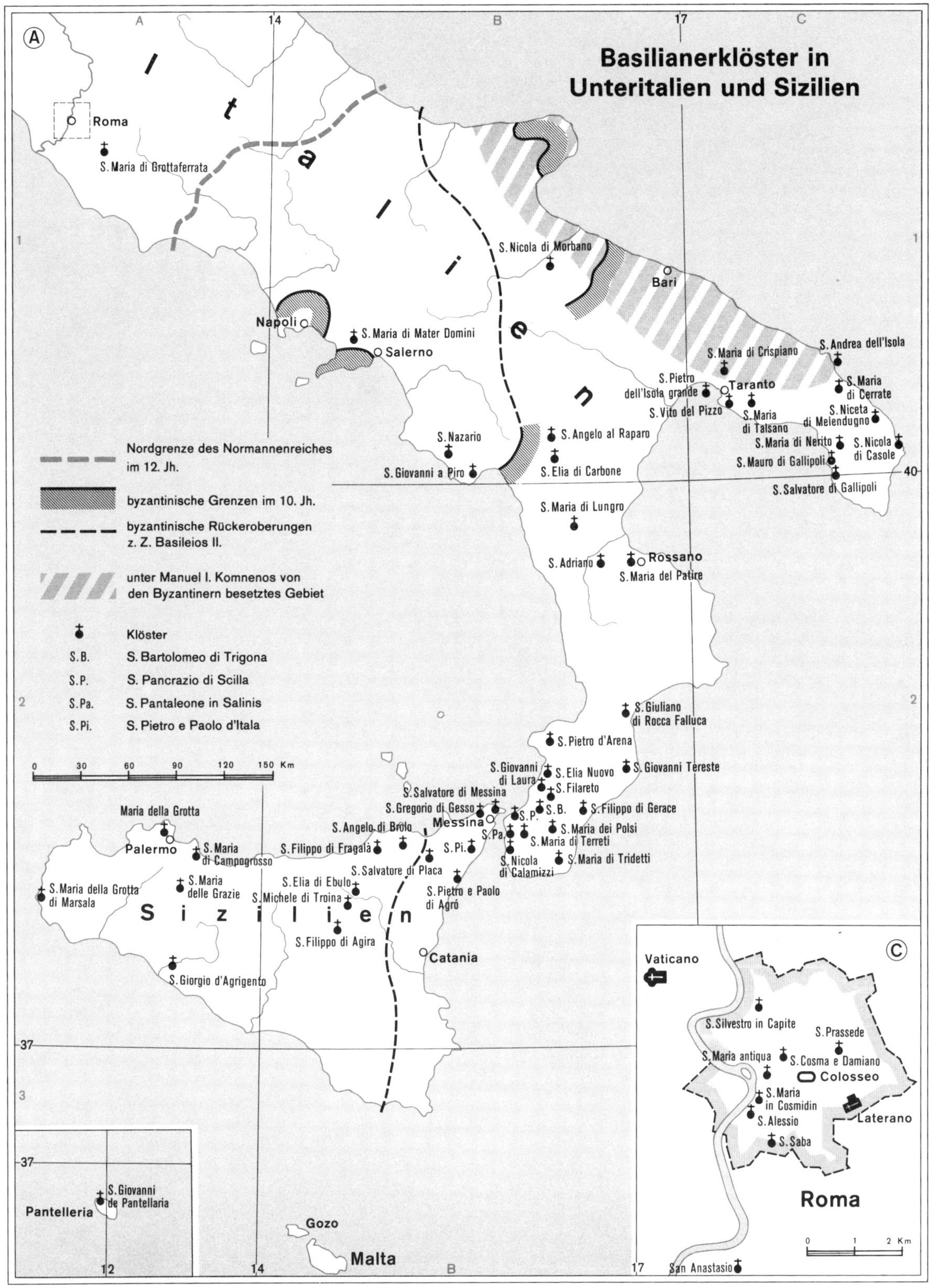

A
Basilianerklöster in
Unteritalien und Sizilien
Italien
Sizilien
Roma
S. Maria di Grottaferrata
Napoli
Salerno
S. Maria di Mater Domini
S. Nicola di Morbano
Bari
S. Maria di Crispiano
S. Andrea dell'Isola
S. Pietro dell'Isola grande
Taranto
S. Vito del Pizzo
S. Maria di Talsano
S. Maria di Cerrate
S. Niceta di Melendugno
S. Maria di Nerito
S. Nicola di Casole
S. Mauro di Gallipoli
S. Salvatore di Gallipoli
S. Nazario
S. Giovanni a Piro
S. Angelo al Raparo
S. Elia di Carbone
S. Maria di Lungro
S. Adriano
Rossano
S. Maria del Patire
S. Giuliano di Rocca Falluca
S. Pietro d'Arena
S. Giovanni di Laura
S. Elia Nuovo
S. Filareto
S. Giovanni Tereste
S. Salvatore di Messina
S. Gregorio di Gesso
S. Angelo di Brolo
Messina
S. B.
S. P.
S. Filippo di Gerace
S. Maria dei Polsi
S. Pa.
S. Maria di Terreti
S. Nicola di Calamizzi
S. Maria di Tridetti
S. Pi.
S. Salvatore di Placa
S. Pietro e Paolo di Agró
S. Filippo di Fragalá
Maria della Grotta
Palermo
S. Maria di Campogrosso
S. Maria delle Grazie
S. Elia di Ebulo
S. Michele di Troina
S. Filippo di Agira
S. Maria della Grotta di Marsala
S. Giorgio d'Agrigento
Catania
Pantelleria
S. Giovanni de Pantellaria
Gozo
Malta
Nordgrenze des Normannenreiches im 12. Jh.
byzantinische Grenzen im 10. Jh.
byzantinische Rückeroberungen z. Z. Basileios II.
unter Manuel I. Komnenos von den Byzantinern besetztes Gebiet
Klöster
S.B. S. Bartolomeo di Trigona
S.P. S. Pancrazio di Scilla
S.Pa. S. Pantaleone in Salinis
S.Pi. S. Pietro e Paolo d'Itala
0 30 60 90 120 150 Km
C
Roma
Vaticano
S. Silvestro in Capite
S. Prassede
S. Maria antiqua
S. Cosma e Damiano
Colosseo
S. Maria in Cosmidin
S. Alessio
S. Saba
Laterano
San Anastasio
0 1 2 Km

B
C. Arapis
Chalkidike
Athos
Longos
Kassandra
0 25 50 Km
Athos
Frankokastro
Chromitsa
Kamena
Thivais
Monoxylitis
Proto Nero
Ag. Philippou
Chilandari
Esphigmenou
Zographou
To Kheri
Igoumenos
Konstamonitou
Vatopedi
Athonias
Ag. Dimitriou
Docheiariou
Xenophontos
Bogoroditsa
Proph. Iliou
Pantokratoros
Ag. Andreou
Ag. Panteleimonos
Karyes
Stavronikita
Koutloumousiou
Xeropotamou
Iviron
Daphni
Philotheou
Mylopotamou
Karakaliou
Simonos Petras
Grigoriou
Lakkou
Morphonou
Dionysiou
Ag. Paulou
Megisti Lavra
C. Chelona
Nea Skiti
Ag. Anna
Kerasia
Stavros
Koukouzeri
Ag. Georgios
Prodromou
Mikra Ag. Anna
Katounakia
Karayostasi
Ag. Vasileios
Ag. Neilos
Karoulia
Kapsokalyvia
C. Akrothóon
C. Pinna
Die Athosklöster
Klöster
Nebenklöster
andere Orte
Pfade
0 5 10 15 Km

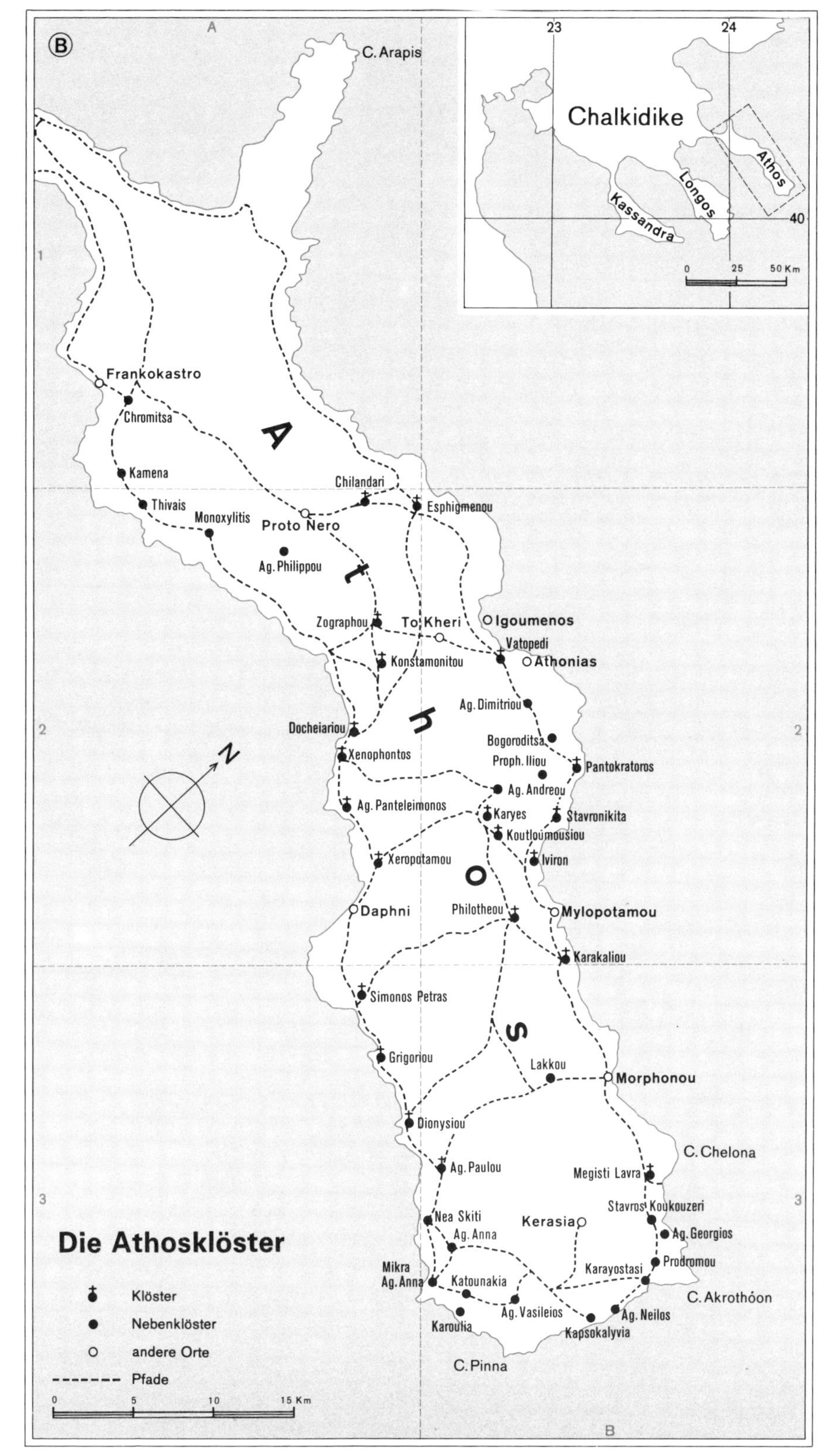

Die Kirchenprovinz Salzburg im Mittelalter

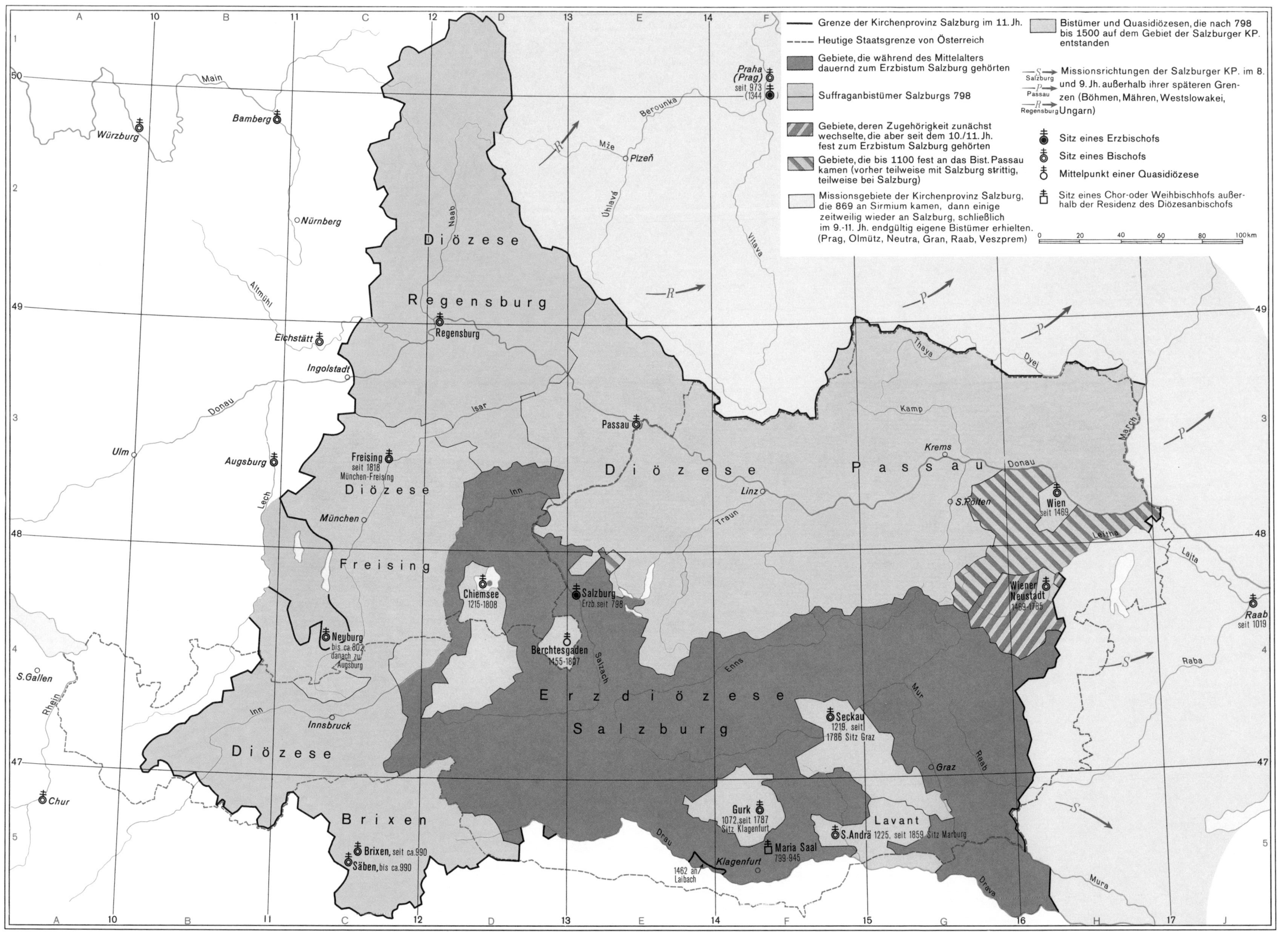

Die Klosterreform von Cluny

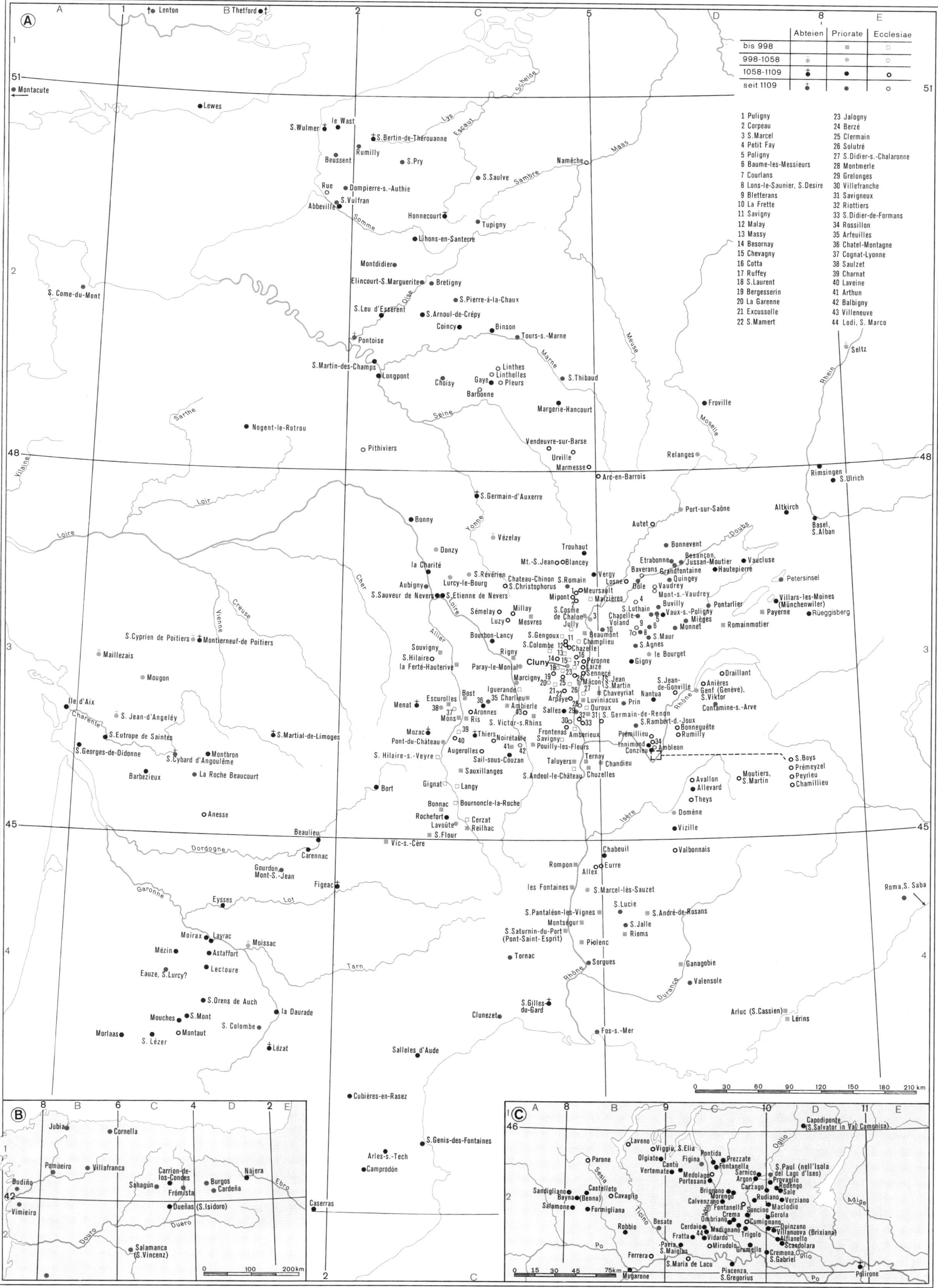

Die Jungcluniazenser in Deutschland

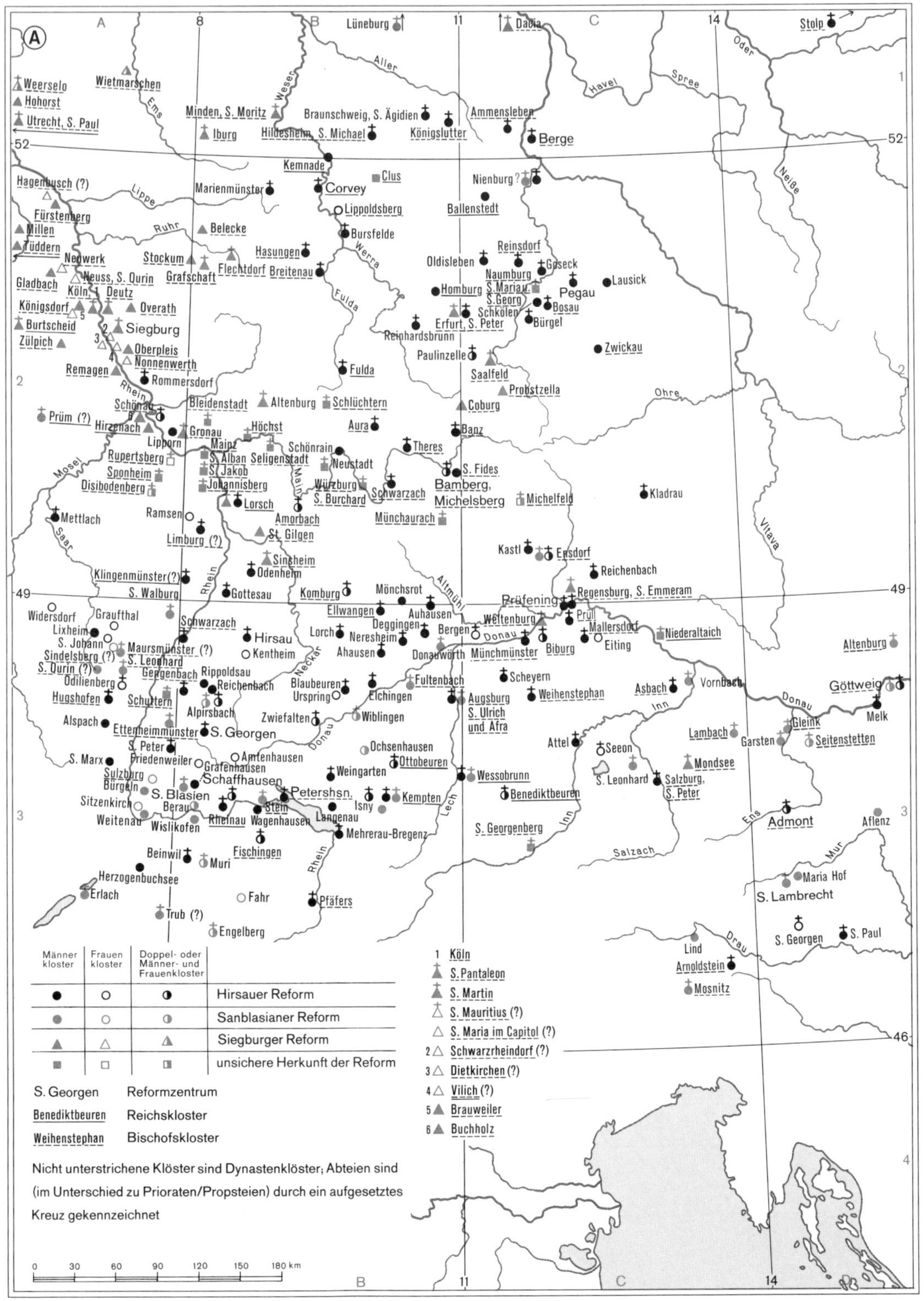

Ⓐ

Männer kloster	Frauen kloster	Doppel- oder Männer- und Frauenkloster	
●	○	◑	Hirsauer Reform
●	○	◑	Sanblasianer Reform
▲	△	◭	Siegburger Reform
■	□	◧	unsichere Herkunft der Reform

S. Georgen — Reformzentrum
Benediktbeuren — Reichskloster
Weihenstephan — Bischofskloster

Nicht unterstrichene Klöster sind Dynastenklöster; Abteien sind (im Unterschied zu Prioraten/Propsteien) durch ein aufgesetztes Kreuz gekennzeichnet

1 Köln
S. Pantaleon
S. Martin
S. Mauritius (?)
S. Maria im Capitol (?)
2 Schwarzrheindorf (?)
3 Dietkirchen (?)
4 Vilich (?)
5 Brauweiler
6 Buchholz

0 30 60 90 120 150 180 km

Die Klosterreform von S. Bénigne (Dijon)

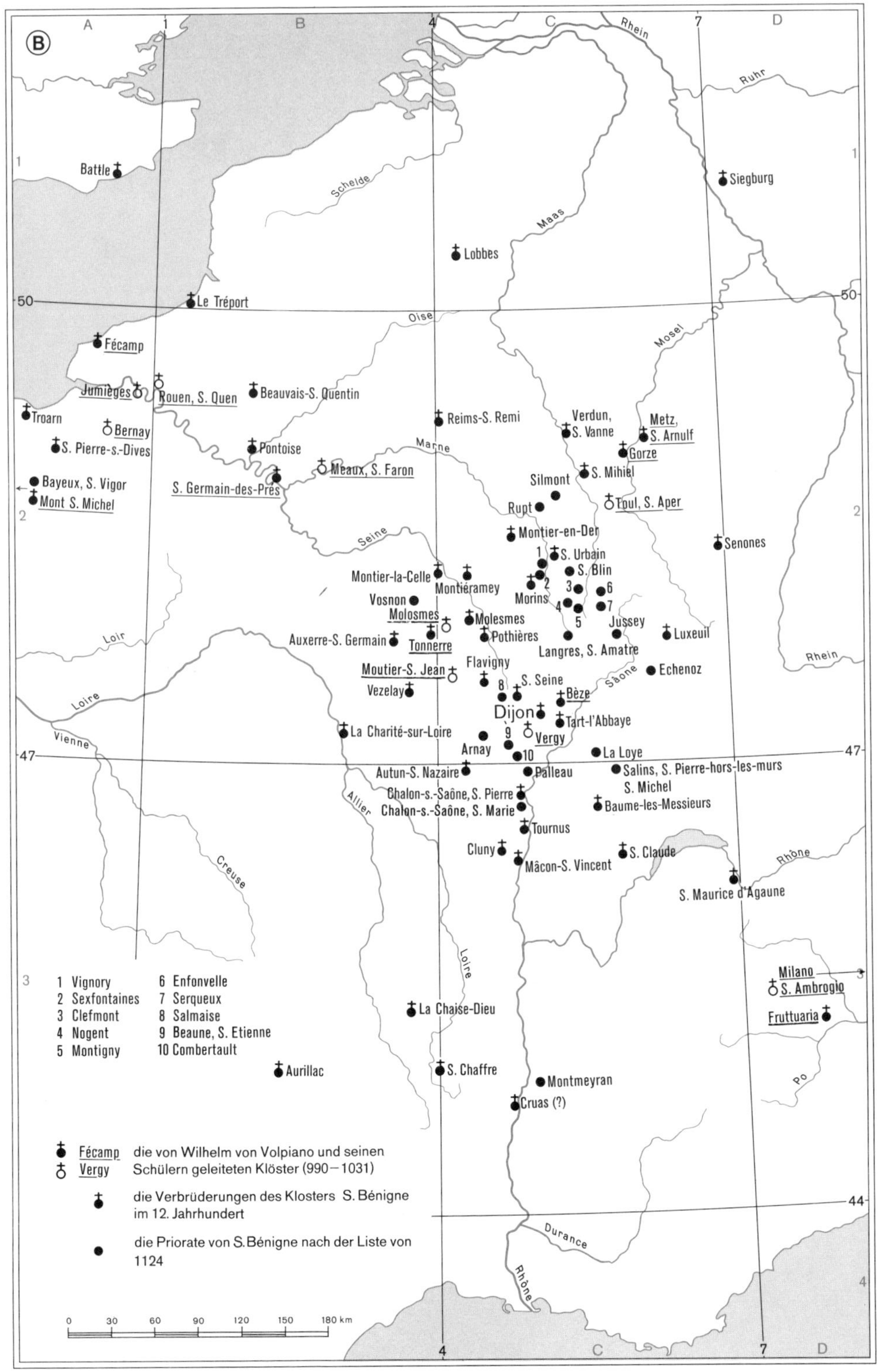

Ⓑ

1 Vignory
2 Sexfontaines
3 Clefmont
4 Nogent
5 Montigny
6 Enfonvelle
7 Serqueux
8 Salmaise
9 Beaune, S. Etienne
10 Combertault

Fécamp, Vergy — die von Wilhelm von Volpiano und seinen Schülern geleiteten Klöster (990–1031)

die Verbrüderungen des Klosters S. Bénigne im 12. Jahrhundert

die Priorate von S. Bénigne nach der Liste von 1124

0 30 60 90 120 150 180 km

Camaldoli und seine Klöster

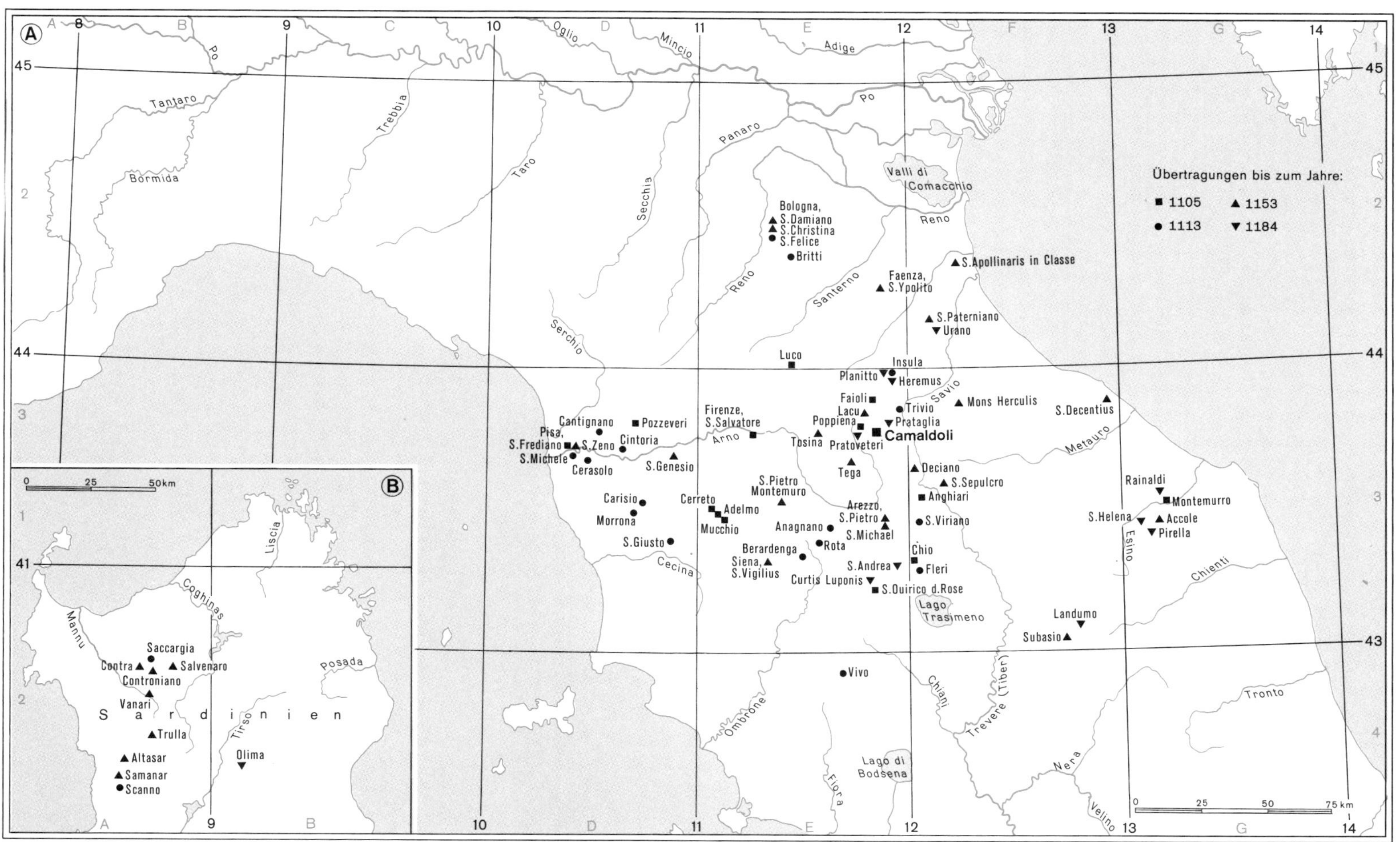

Vallombrosa und seine Klöster

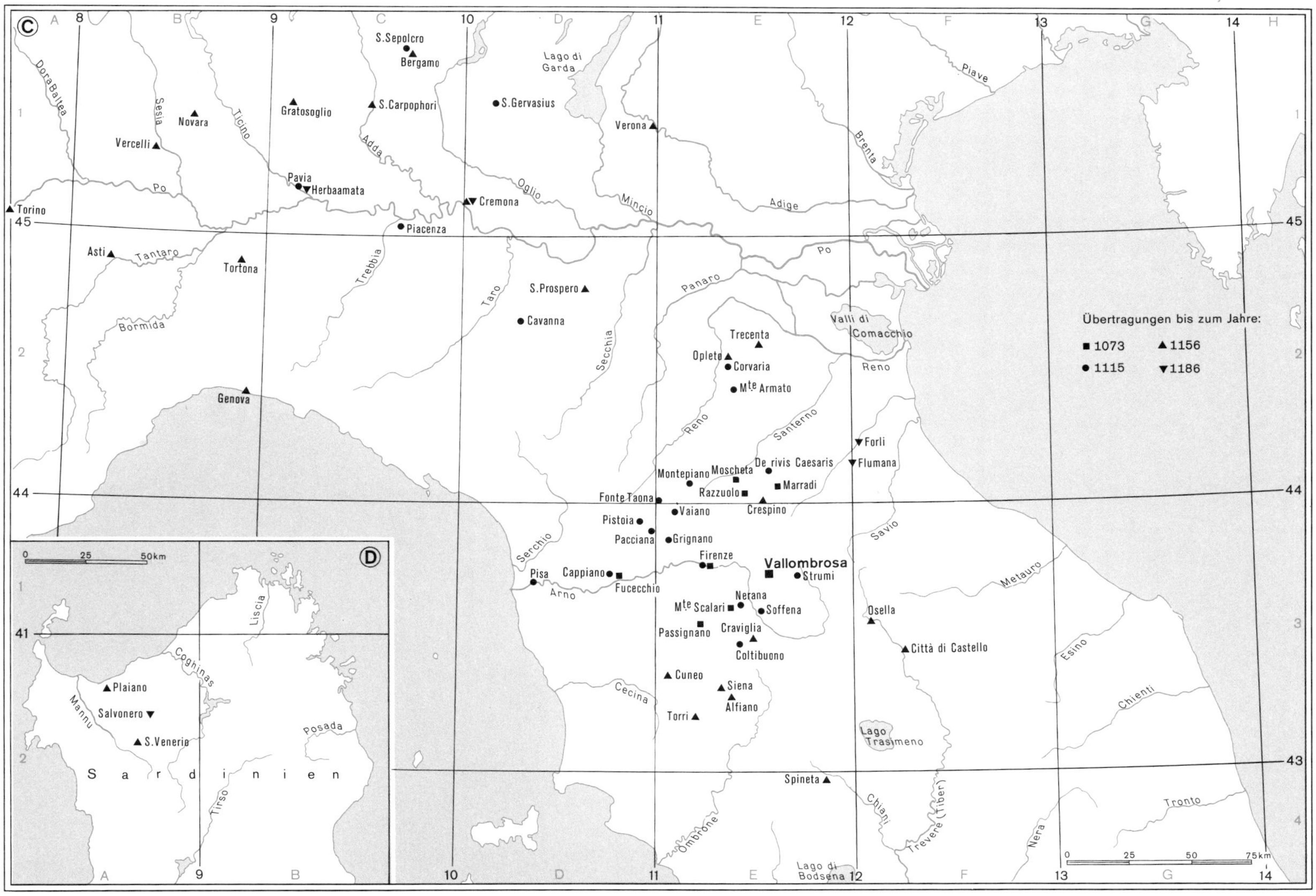

Übertragungen bis zum Jahre:
■ 1073 ▲ 1156
● 1115 ▼ 1186

Vallombrosa
S.Sepolcro
Bergamo
S.Carpophori
S.Gervasius
Novara
Gratosoglio
Vercelli
Verona
Pavia
Herbaamata
Cremona
Torino
Piacenza
Asti
Tortona
S.Prospero
Cavanna
Genova
Trecenta
Opleto
Corvaria
Mte Armato
Forli
Flumana
De rivis Caesaris
Montepiano
Moscheta
Marradi
Razzuolo
Crespino
Fonte Taona
Vaiano
Pistoia
Pacciana
Grignano
Firenze
Strumi
Pisa
Cappiano
Fucecchio
Nerana
Mte Scalari
Soffena
Passignano
Craviglia
Coltibuono
Osella
Città di Castello
Cuneo
Siena
Alfiano
Torri
Spineta
Plaiano
Salvonero
S.Veneria
Sardinien

Die Regulierten Chorherren bis 1250

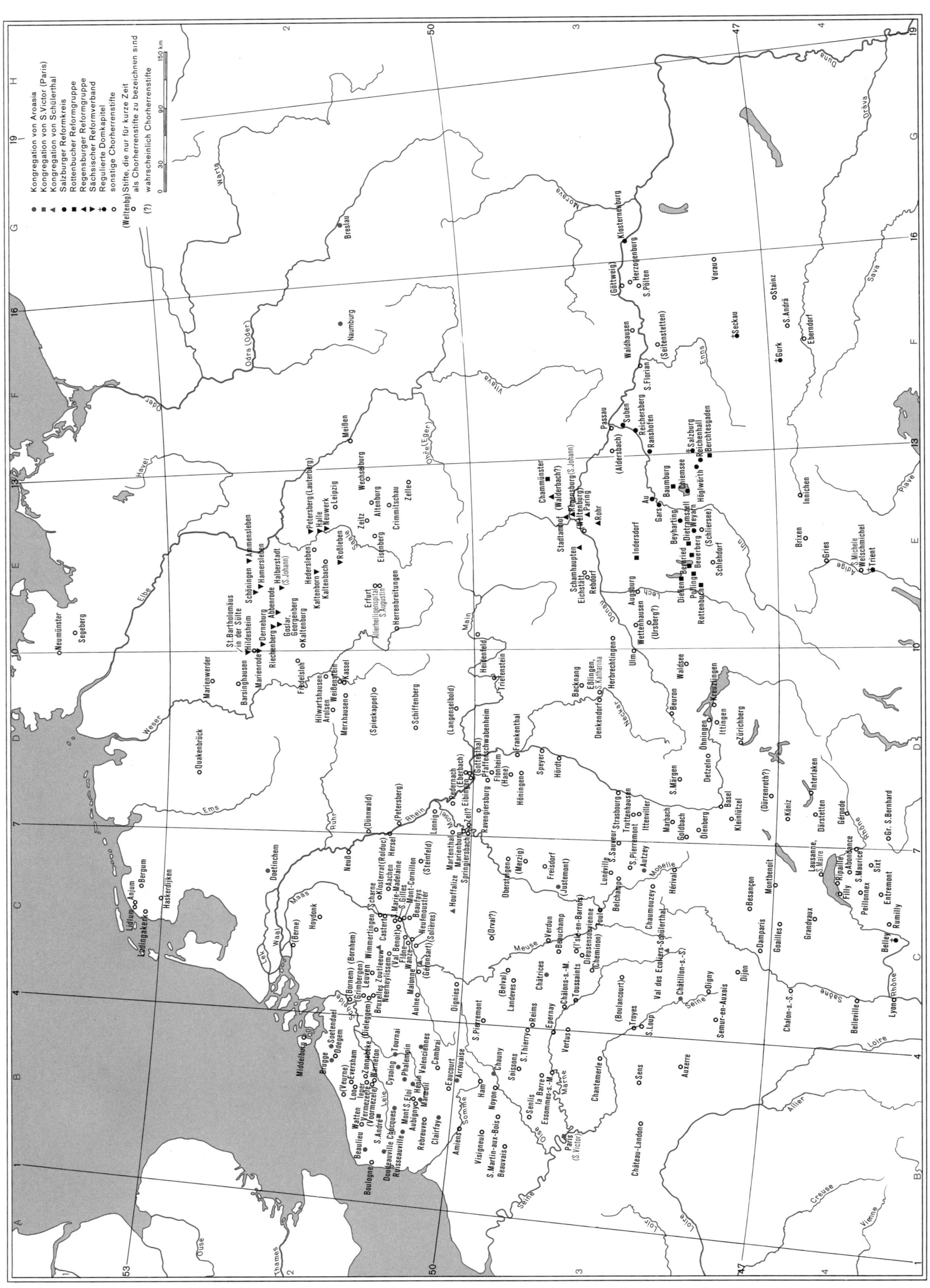

Die Ausbreitung der Kartäuser bis 1500

Klostergründungen

- + 1084–1150
- ▲ 1151–1200
- ■ 1201–1300
- ● 1301–1400
- ◒ 1401–1500

Bei Gründungen, die vor 1500 von den Kartäusern aufgegeben wurden oder an einen anderen Orden übergingen, steht die Signatur in Klammern. Pfeile deuten die Verlegung eines Konvents an. Bei Häusern, von denen nicht sicher überliefert ist, ob sie dem Kartäuserorden angehörten, steht ein Fragezeichen.

1 Arvières 2 Pomiers 3 Sylve Bénite

-------- Provinzgrenzen.

Provinzbezeichnungen

- A Provincia Gebennensis
- B Provincia Provinciae
- C Provincia Burgundiae
- D Provincia Picardiae
- E Provincia Teutoniae

0 100 200 300 400 km

Die Klostergründungen der Zisterzienser

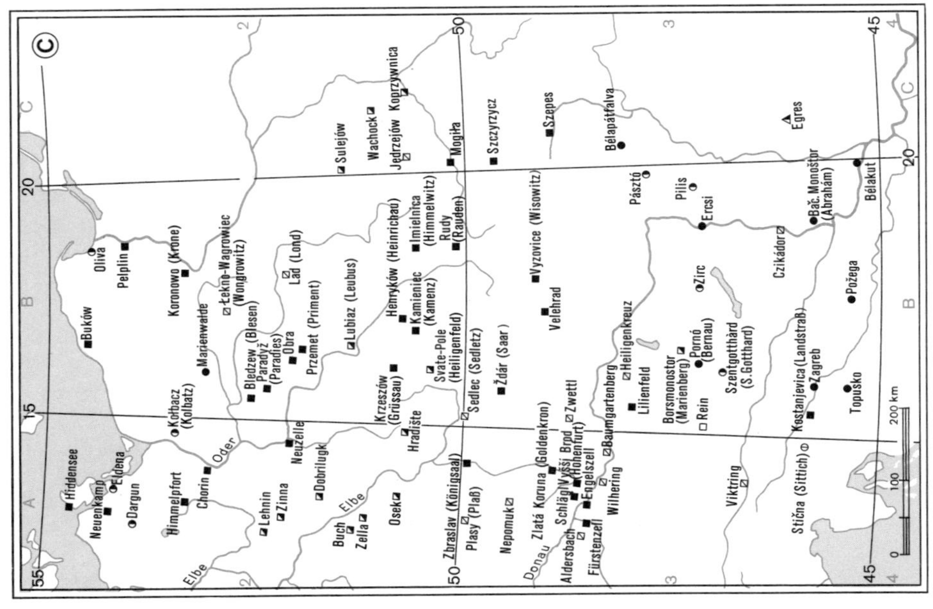

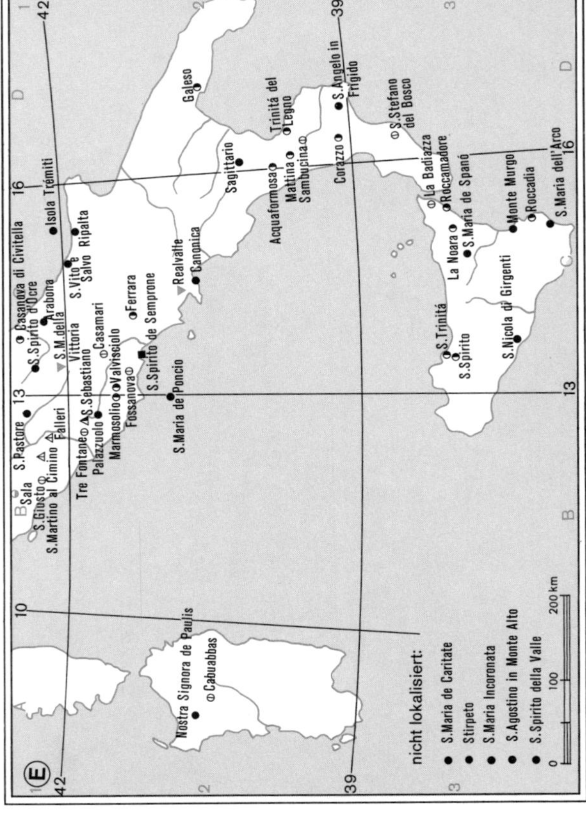

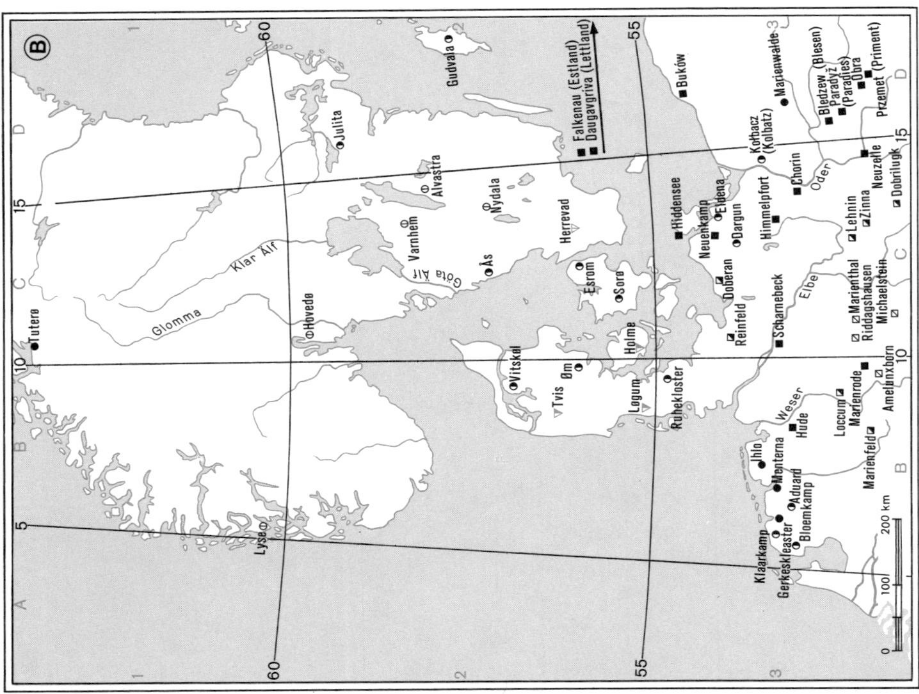

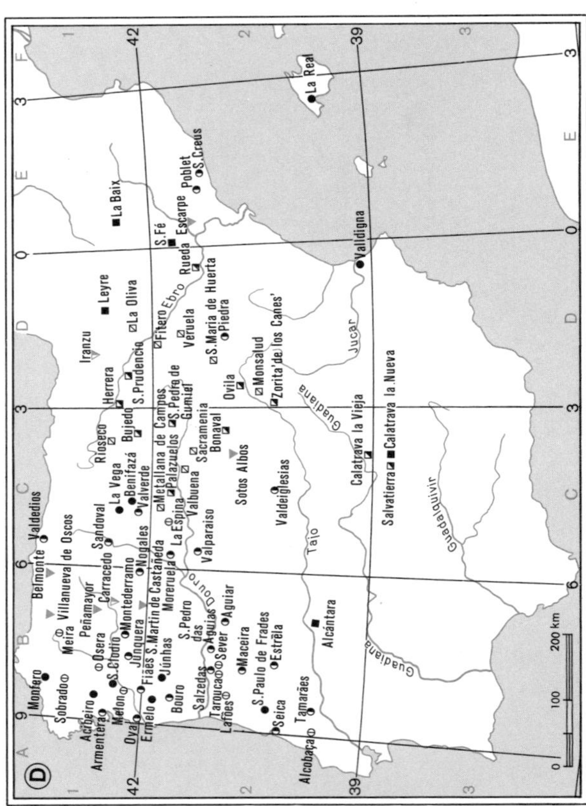

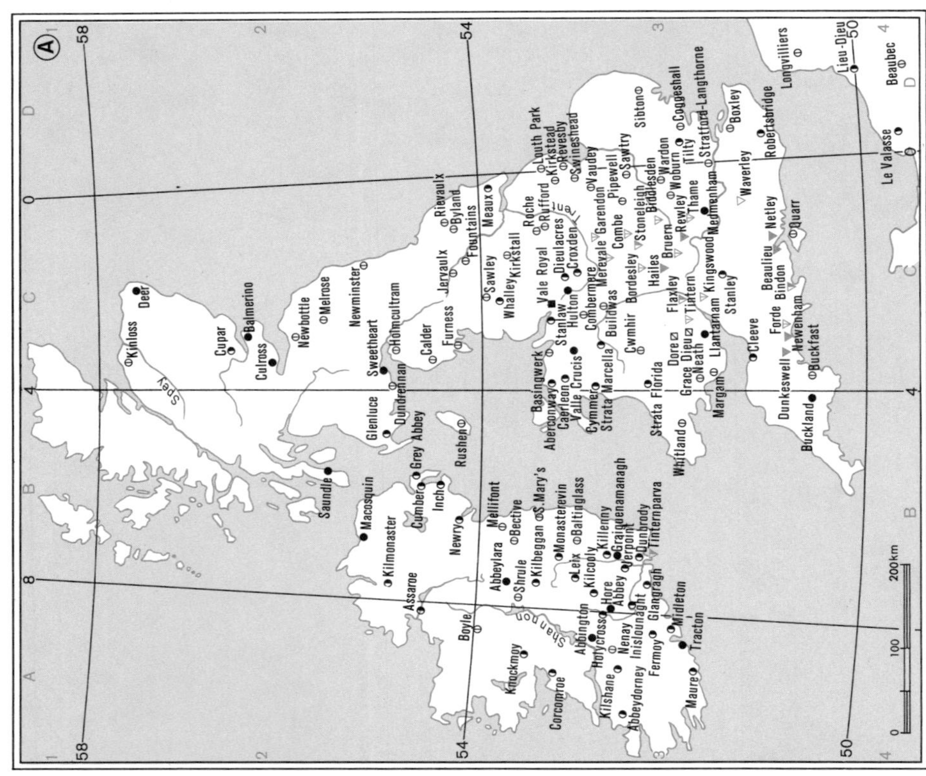

Filiationen	bis 1130	1131–1150	1151–1200	1201–1300
Cîteaux	▽	▽	▼	▼
La Ferté	○	⊖	◐	●
Pontigny	△	◬	◭	▲
Clairvaux	○	⦶	◐	●
Morimond	□	⊠	◪	■

Die Klostergründungen der Zisterzienser

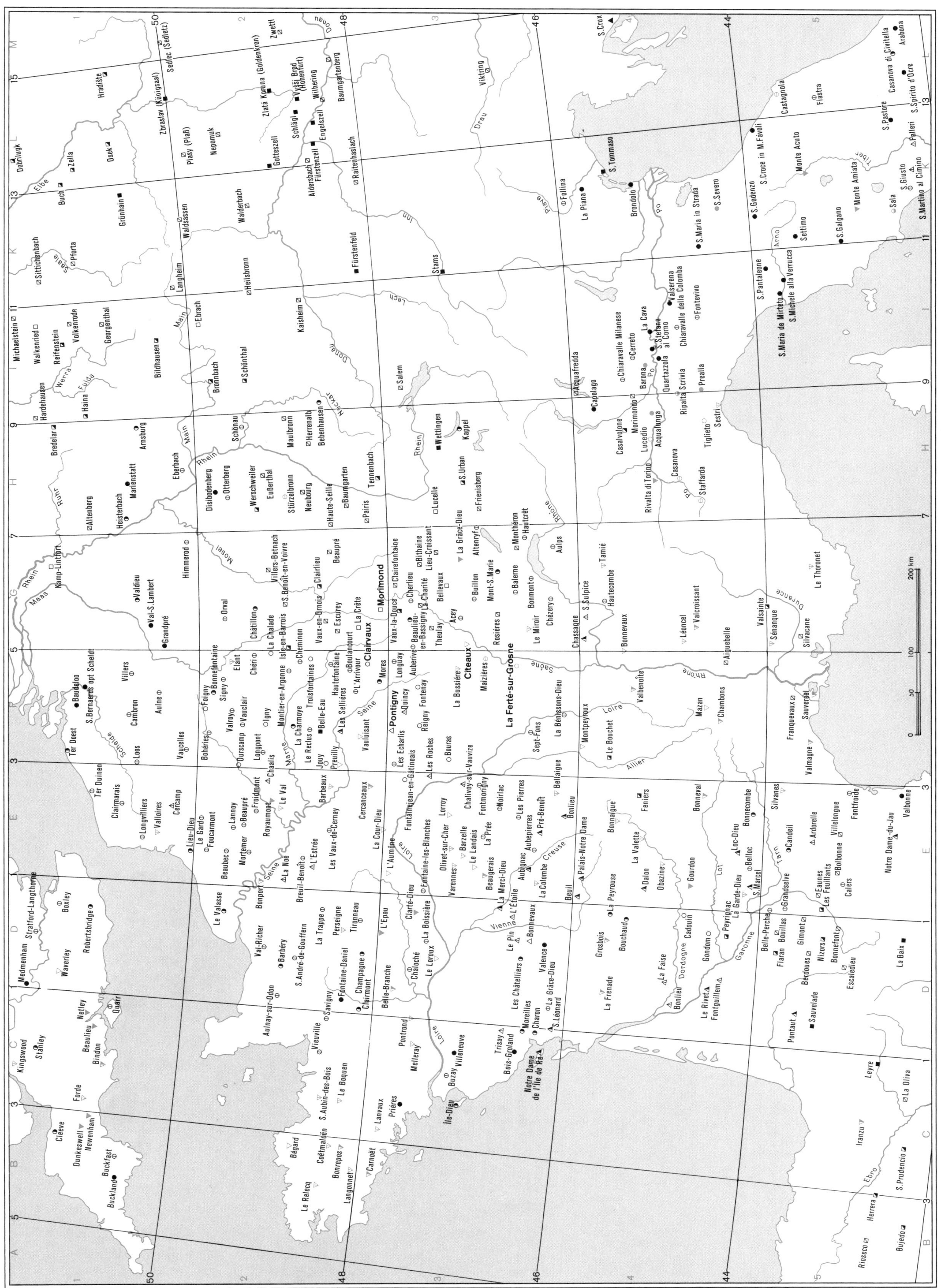

Die Ausbreitung der Prämonstratenser bis 1300

Klostergründungen

- ✚ bis 1130
- ▲ 1131-1150
- ■ 1151-1200
- ● 1201-1300

A Circaria Brabantiae
B Circaria Flandriae
C Circaria Ponthivi
D Circaria Normanniae Australis
E Circaria Floreffiae
F Circaria Franciae
G Circaria Averniae
H Circaria Lotharingiae
J Circaria Vadegotiae
K Circaria Ilfeldiae
(C=Circaria)

Abkürzungen von Klosternamen in den Ordensprovinzen

Circaria Brabantiae
D. Dieleggem
G. Grimbergen
P. Park

Circaria Ponthivi
A. Amiens-S. Jean
M. Marcheroux
S. J. S. Just-au-Chaussee

Circaria Floreffiae
B. Beaurepart
Bo. Bonne-Espérance
C. Chaumont
S. F. S. Feuillien
H. Heylissem
T. Thenailles

Circaria Franciae
A. Avigny
B. Braine
C. Chapelle-aux-Planches
L. Lieu-Restaure
La. Laon-S. Martin
V. Valsery

Circaria Frisiae
L. Langen
W. Wittewierum

Circaria Lotharingiae
F. Freistroff
J. Justemont
L. L' Etanche
S. M. S. Marie-au-Bois
S. P. S. Pierremont
R. Rengéval

Circaria Hungariae
N. Nagykökényes
Ny. Nyulakszigete

Circaria Saxoniae
Qu. Quedlinburg – S. Wipert

Nicht lokalisiert: ● Themenitz

0 100 200 300 400 km

Das serbische Patriarchat Peć

das serbische Reich 1228 (Abdankung Stefans des Erstgekrönten)

Grenze des serbischen Reiches 1355 (Tod Stefan Dusans)

Grenze des Jurisdiktionsbereiches des Patriarchats Peć 1557 (nach der Erneuerung des Patriarchats durch Mehmed Sokolović)

Zeta vom hl. Sava gegründete Bistümer

Residenz der 1557 gegründeten Bistümer

Kloster

Die armenische Kirche zur Zeit des Konzils von Rom-Gla (1179)

Sitz des armenischen Katholikats

beim Konzil von Rom-Gla vertretene Bistümer und Klöster (bei Bistümern, deren städtischer Mittelpunkt unbekannt ist, ist das Bistumszeichen eingeklammert)

beim Konzil von Rom-Gla nicht vertretene Bistümer und Klöster

bedeutende Armeniergemeinden

politische Grenzen

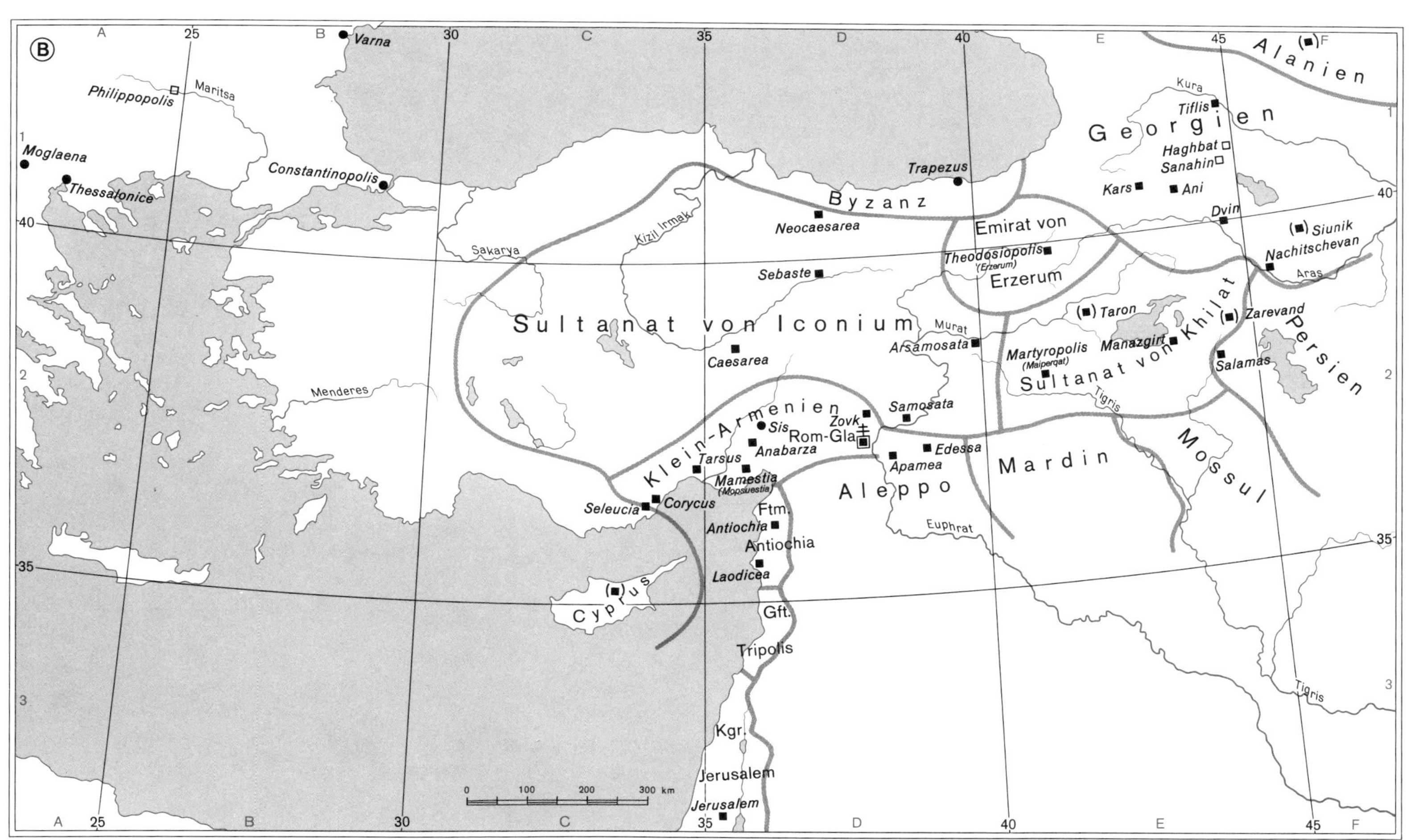

Der Sackbrüderorden

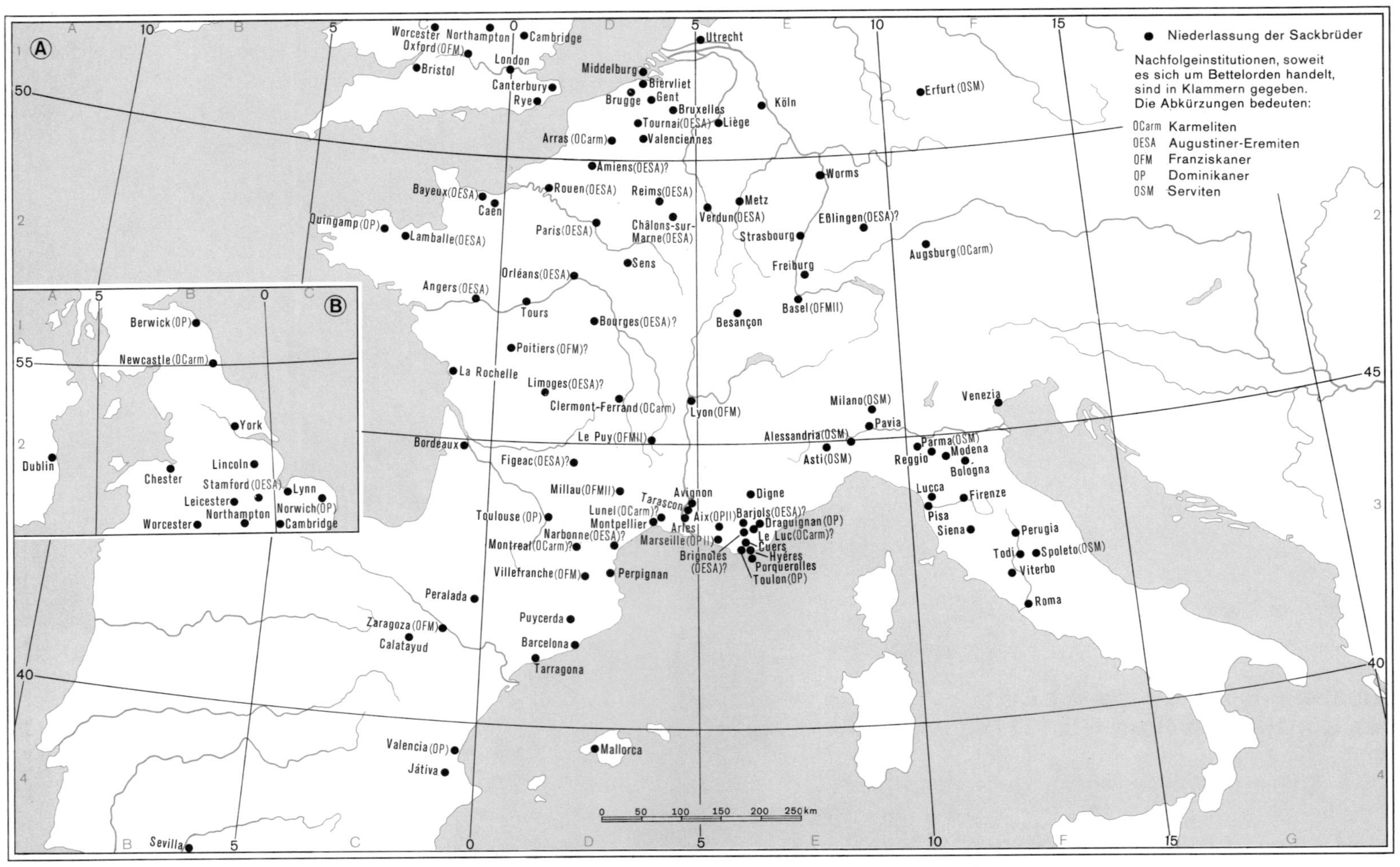

Die Waldenser (1177–1277)

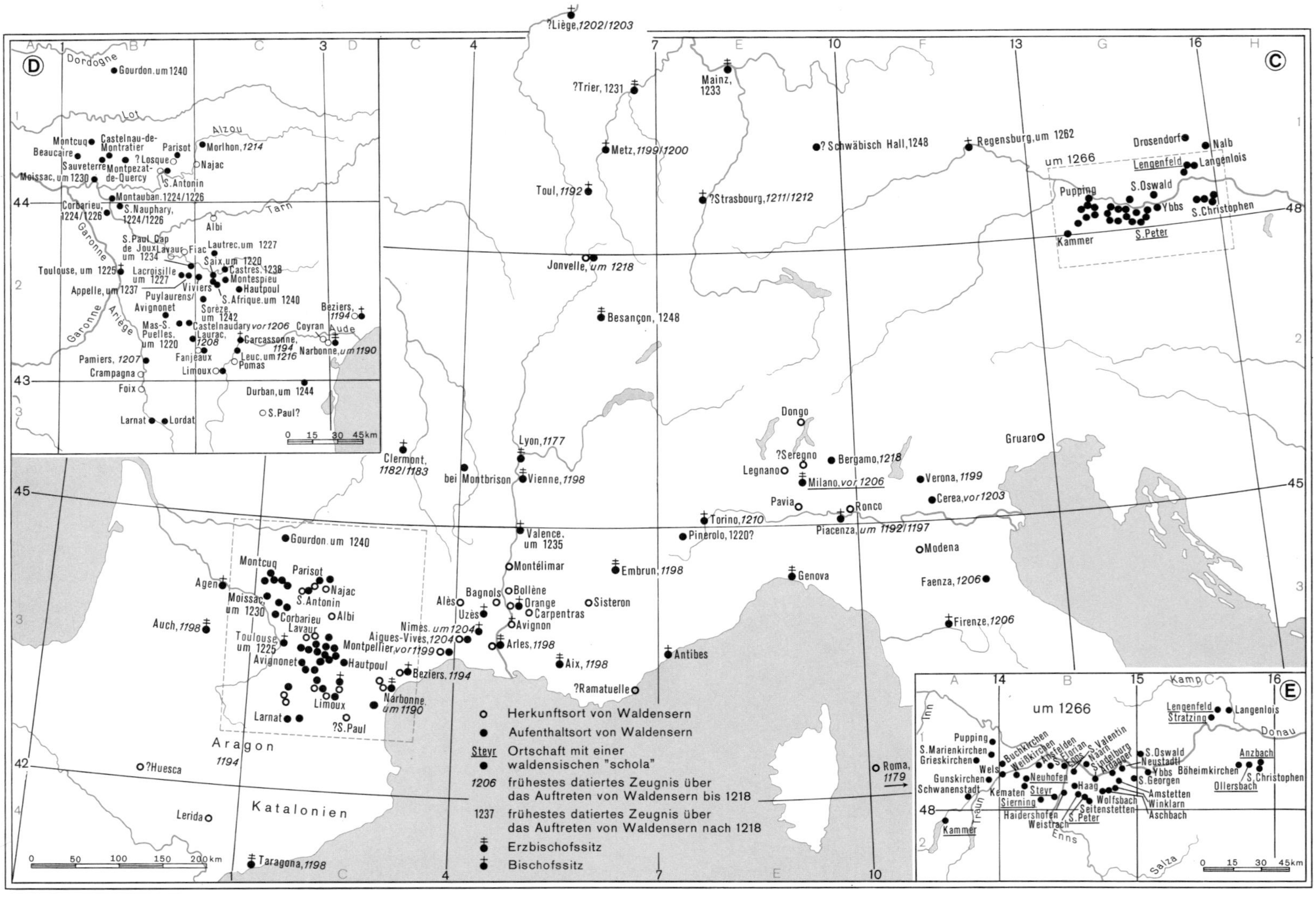

○ Herkunftsort von Waldensern
● Aufenthaltsort von Waldensern
Steyr ● Ortschaft mit einer waldensischen "schola"
1206 frühestes datiertes Zeugnis über das Auftreten von Waldensern bis 1218
1237 frühestes datiertes Zeugnis über das Auftreten von Waldensern nach 1218
Erzbischofssitz
Bischofssitz

?Liège, *1202/1203*
?Trier, 1231
Mainz, 1233
Metz, *1199/1200*
? Schwäbisch Hall, 1248
Regensburg, um 1262
Drosendorf
Nalb
um 1266
Lengenfeld
Langenlois
Toul, *1192*
?Strasbourg, *1211/1212*
Pupping
S. Oswald
Ybbs
S. Christophen
Kammer
S. Peter
Jonvelle, *um 1218*
Besançon, 1248
Dongo
Gruaro
Lyon, *1177*
Clermont, *1182/1183*
?Seregno
Bergamo, *1218*
Legnano
Milano, *vor 1206*
Verona, *1199*
bei Montbrison
Vienne, *1198*
Pavia
Ronco
Cerea, *vor 1203*
Torino, *1210*
Piacenza, *um 1192/1197*
Valence, um 1235
Pinerolo, 1220?
Modena
Gourdon, um 1240
Montélimar
Embrun, *1198*
Genova
Faenza, *1206*
Montcuq
Parisot
Agen
Najac
Moissac, um 1230
S. Antonin
Bagnols
Bollène
Orange
Sisteron
Alès
Uzès
Carpentras
Auch, *1198*
Corbarieu
Albi
Lavaur
Avignon
Firenze, *1206*
Toulouse, um 1225
Nîmes, *um 1204*
Aigues-Vives, *1204*
Montpellier, *vor 1199*
Arles, *1198*
Avignonet
Hautpoul
Aix, *1198*
Antibes
?Ramatuelle
Béziers, *1194*
Limoux
Narbonne, *um 1190*
Larnat
?S. Paul
Aragon *1194*
?Huesca
Roma, *1179*
Katalonien
Lerida
Taragona, *1198*
0 50 100 150 200 km

Gourdon, um 1240
Montcuq
Castelnau-de-Montratier
Parisot
Morlhon, *1214*
Beaucaire
Sauveterre
?Losque
Najac
Montpezat-de-Quercy
Moissac, um 1230
S. Antonin
Montauban, 1224/1226
Corbarieu, 1224/1226
S. Nauphary, 1224/1226
Albi
S. Paul, Cap de Joux, um 1234
Fiac
Lautrec, um 1227
Saix, um 1220
Toulouse, um 1225
Lacroisille, um 1227
Castres, 1238
Montespieu
Viviers
Hautpoul
Appelle, um 1237
Puylaurens
S. Afrique, um 1240
Avignonet
Soreze, um 1242
Béziers, *1194*
Mas-S. Puelles, um 1220
Castelnaudary *vor 1206*
Coyran
Laurac, *1208*
Carcassonne, *1194*
Narbonne, *um 1190*
Pamiers, *1207*
Fanjeaux
Leuc, *um 1216*
Crampagna
Limoux
Pomas
Foix
Durban, um 1244
?S. Paul?
Larnat
Lordat
0 15 30 45 km

um 1266
Lengenfeld
Langenlois
Stratzing
Pupping
S. Marienkirchen
Grieskirchen
Gunskirchen
Schwanenstadt
Wels
Kematen
Steyr
Neuhofen
Sierning
Haag
S. Oswald
Neustadt
Ybbs
Böheimkirchen
S. Georgen
Anzbach
S. Christophen
Ollersbach
Amstetten
Winklarn
Aschbach
Wolfsbach
Seitenstetten
Haidershofen
Weistrach
S. Peter
Kammer
0 15 30 45 km

Häretische Bewegungen im Hochmittelalter

Bogumilen, Paulikianer und westliche Häresien ca 970–1100

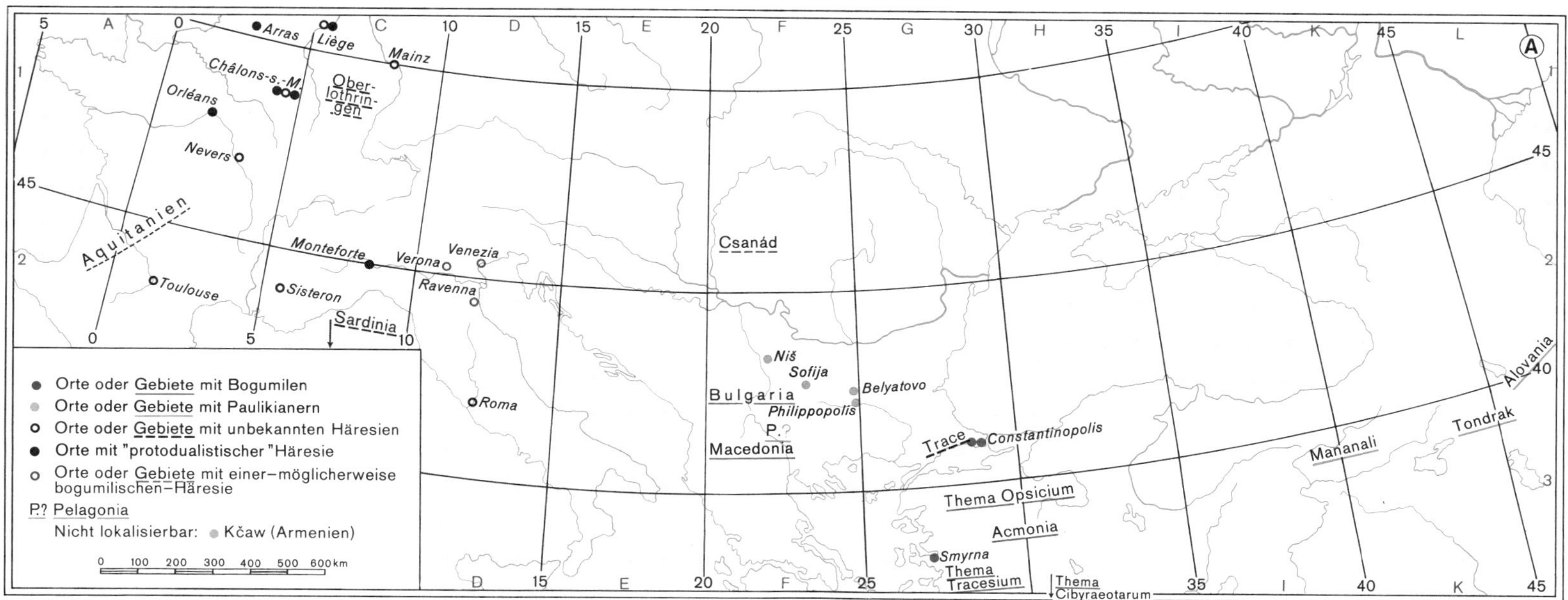

Die katharischen Bistümer und die Verbreitung des „Schismas" vom Osten nach Westen

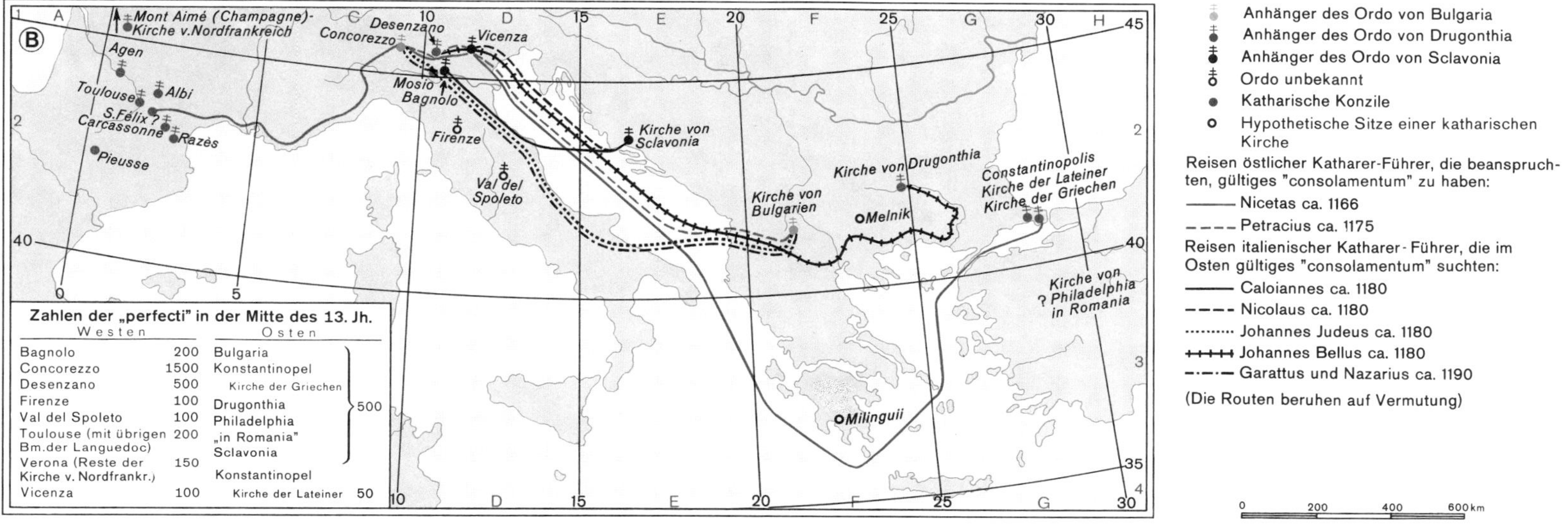

Zahlen der „perfecti" in der Mitte des 13. Jh.

Westen		Osten	
Bagnolo	200	Bulgaria	500
Concorezzo	1500	Konstantinopel Kirche der Griechen	
Desenzano	500	Drugonthia	
Firenze	100	Philadelphia „in Romania"	
Val del Spoleto	100	Sclavonia	
Toulouse (mit übrigen Bm. der Languedoc)	200		
Verona (Reste der Kirche v. Nordfrankr.)	150		
Vicenza	100	Konstantinopel Kirche der Lateiner	50

Das Kernland der Katharer in Südfrankreich

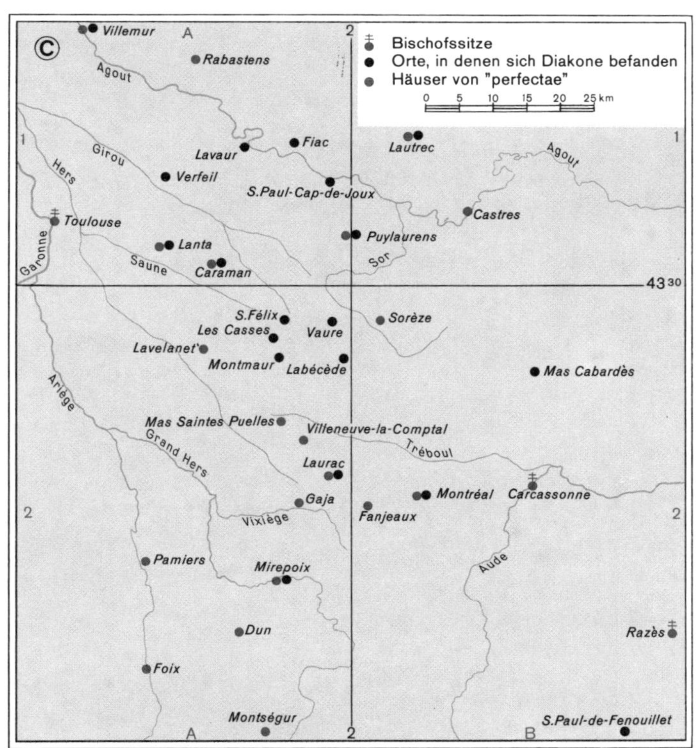

Die Katharer in Nord- und Mittelitalien im 13. Jahrhundert

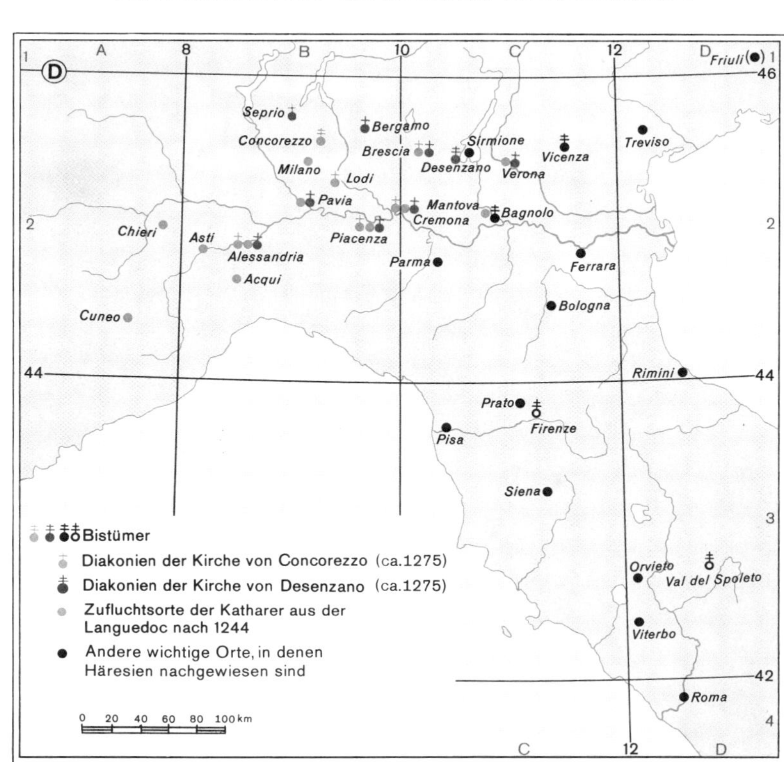

Die Ausbreitung der Franziskaner bis 1300

Provinzen 1300

1 P. Santiago
2 P. Castilla
3 P. Aragon
4 P. Aquitania
5 P. Provence
6 P. France
7 P. Touraine
8 P. Bourgogne
9 P. Milano
10 P. Marca Trevigiana
11 P. Genova
12 P. Bologna
13 P. Toscana
14 P. San Francesco
15 P. Marche
16 P. Roma
17 P. Penna
18 P. S.Angelo
19 P. Terra di Lavoro
20 P. Puglia
21 P. Calabria
22 P. Sicilia
23 Vic. Corse
24 Vic. Sardegna
25 P. Straßburg
26 P. Köln
27 P. Saxonia
28 P. Österreich
29 P. Böhmen
30 Vic. Rußland
31 P. Ungarn
32 P. Sclavonia
33 Vic. Bosnia
34 P. Dacia
35 P. England
36 P. Irland

Folgende Niederlassungen liegen außerhalb des Kartenausschnittes

P. Dacia
Arboga
Bergen
Enköping
Jönköping
Konghelle
Linköping
Maarstrand
Nyköping
Oslo
Skara
Söderköping
Stockholm
Tönsberg
Uppsala
Visby

P. Saxonia
Riga

Vic. Rußland
Bialy Gród

P. = Provinz
Vic. = Vikariat

0 100 200 300 400 km

Die Ausbreitung der Dominikaner bis 1500

Gründungen

- ✚ bis 1250
- ▲ 1251-1300
- ■ 1301-1400
- ● 1401-1500

Abkürzungen von Klosternamen in den Ordensprovinzen

Provinz Hibernia
R. Roscommon

Provinz Hispania
V. Valencia de S.Juan

Provinz Lombardia Inferior
Cam. Camerino
Ci. Cingoli
Fo. Forlì
Fa. Fabriano
L. Lugo
M. Montova
Me. Meldola
Mo. Modigliana
Mon. Monselice
Se. S.Severino Marche

Provinz Lombardia Superior
A. Alessandria
Ch. Chieri
C.M. Casale Monferrato
Cr. Crema
Cre. Cremona
P. Pavia
Sav. Savigliano
Tr. Trino
V. Valenza
Vi. Vigevano

Provinz Regnum
Ac. Acquaviva delle Fonti
Aq. Aquila
B. Bagnoli Irpino
Benev. Benevento
Cast. Castellaneta
G. San Pietro in Galatina
S. Sulmona

Provinz Romana
C. Città di Castello
Ca. Cagli nell' Umbria
Cort. Cortona
F. Fojano
Fi. Fiesole
Fir. Firenze
Per. Perugia

Provinz Scotia
C. Cupar Fife
K. Kinghorn

Provinz Tolosana
F. Fanjeaux
P. Prouille

Nicht in der Karte aufgeführte Klöster

Provinz Dacia
✚ Bergen
■ Hamar
✚ Oslo
✚ Reval
✚ Sigtua
■ Stockholm
▲ Strängnäs
✚ Trondheim
✚ Turku
✚ Västerås
● Viborg (Finnland)

Provinz Dalmatia
▲ Marca

Provinz Hungaria
■ Bistrata
■ Brasow
● Coborszentmihály
● Labatlan
▲ Sighisoara
■ Székelyvásárhely

Provinz Polonia
● Czerwonogrod
● Kamieniec-Podolsk
● Kolomyja
■ Łuck
■ Podkamien
■ Siret
■ Smotrič
■ Trembowta

Provinz Saxonia
▲ Dorpat

Provinz Trinacria
● Notabile (=Rabat, Malta)

0 100 200 300 400 km

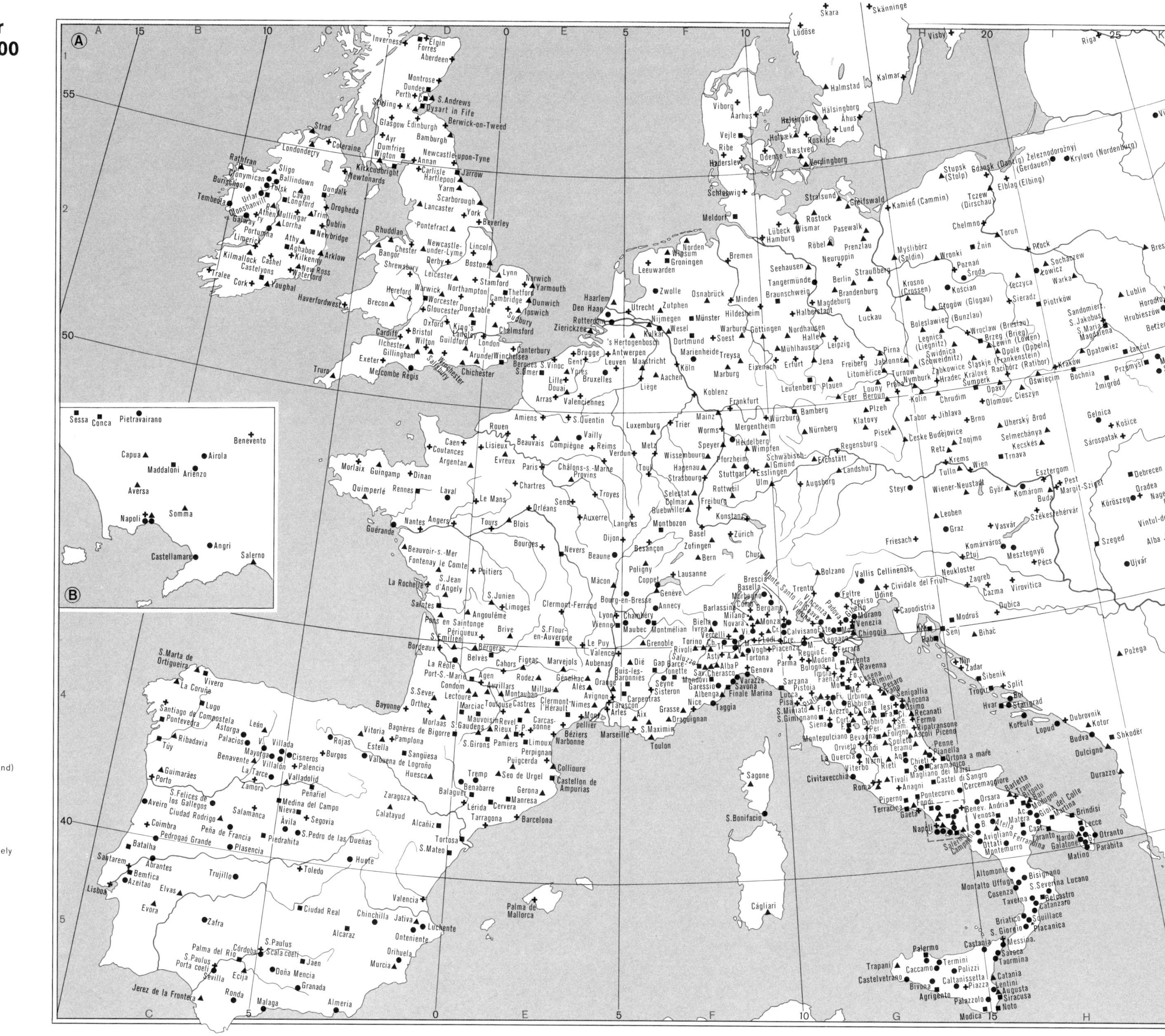

Die Wege der Kreuzfahrer und die lateinischen Staaten

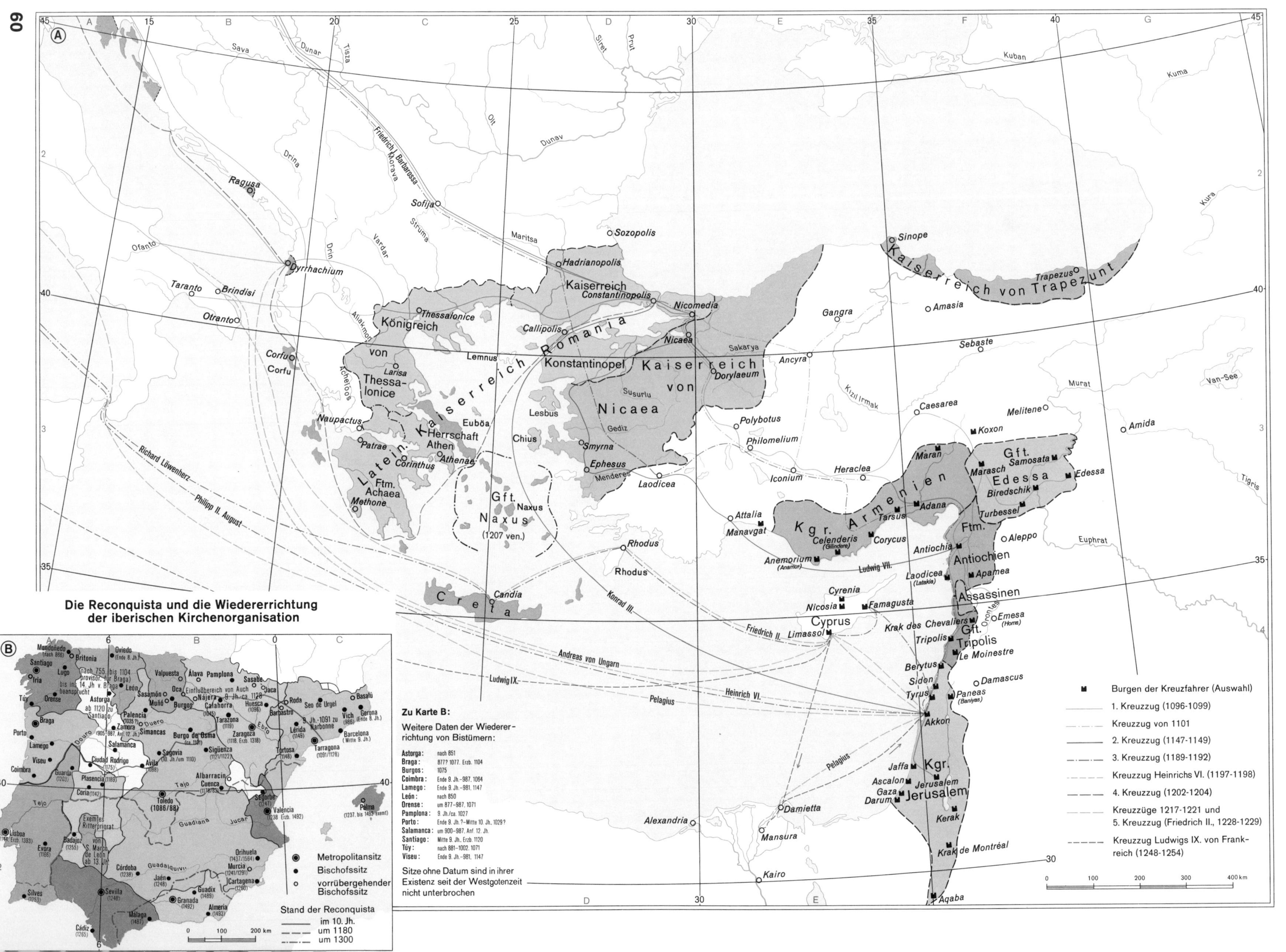

Die lateinische Kirche des Ostens 1100–1400

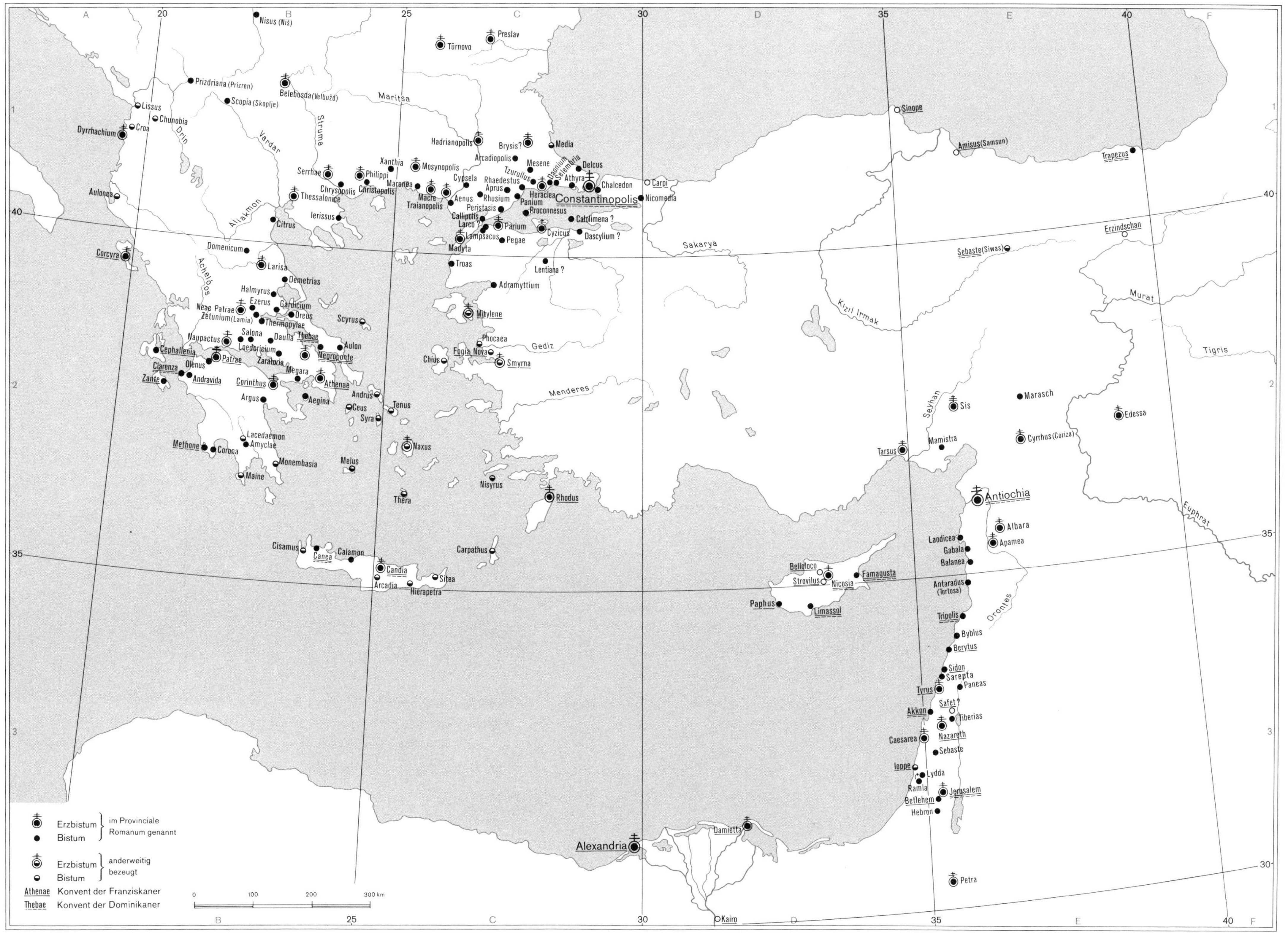

Das Erzstift Riga und das Ordensland bis 1466

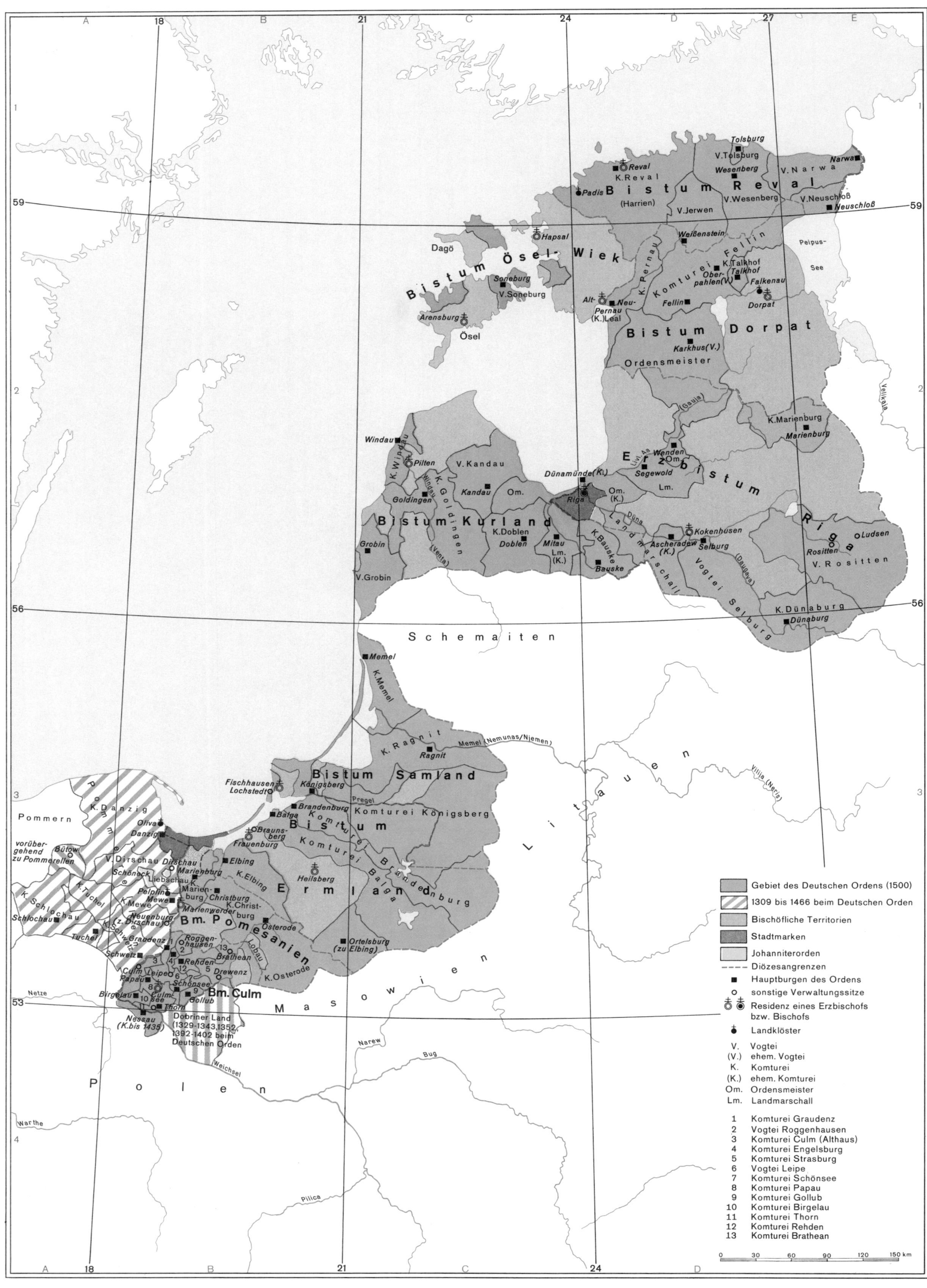

Das römisch-katholische Christentum im Machtbereich der Mongolen (13.–14. Jh.)

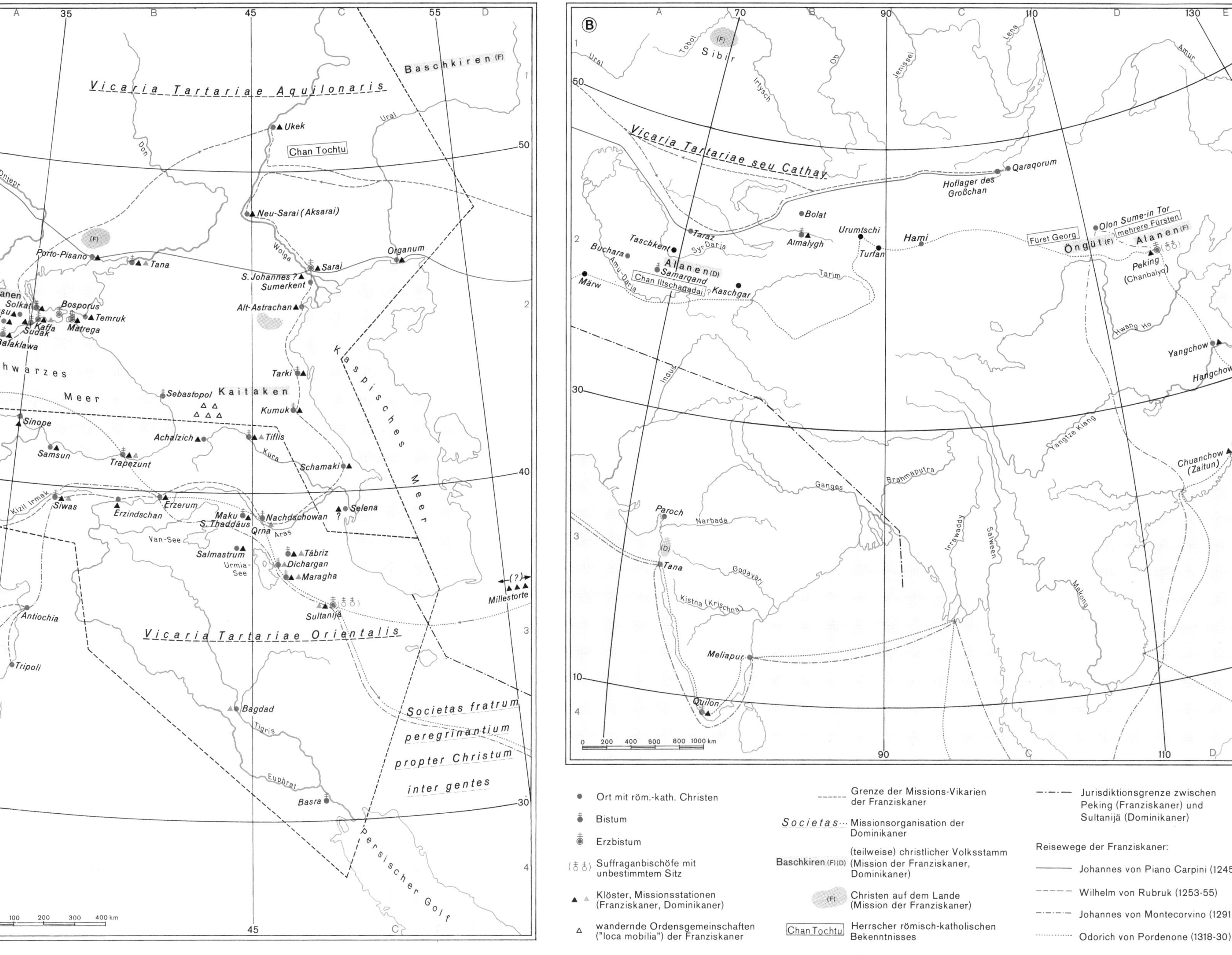

Die Universitäten bis 1500

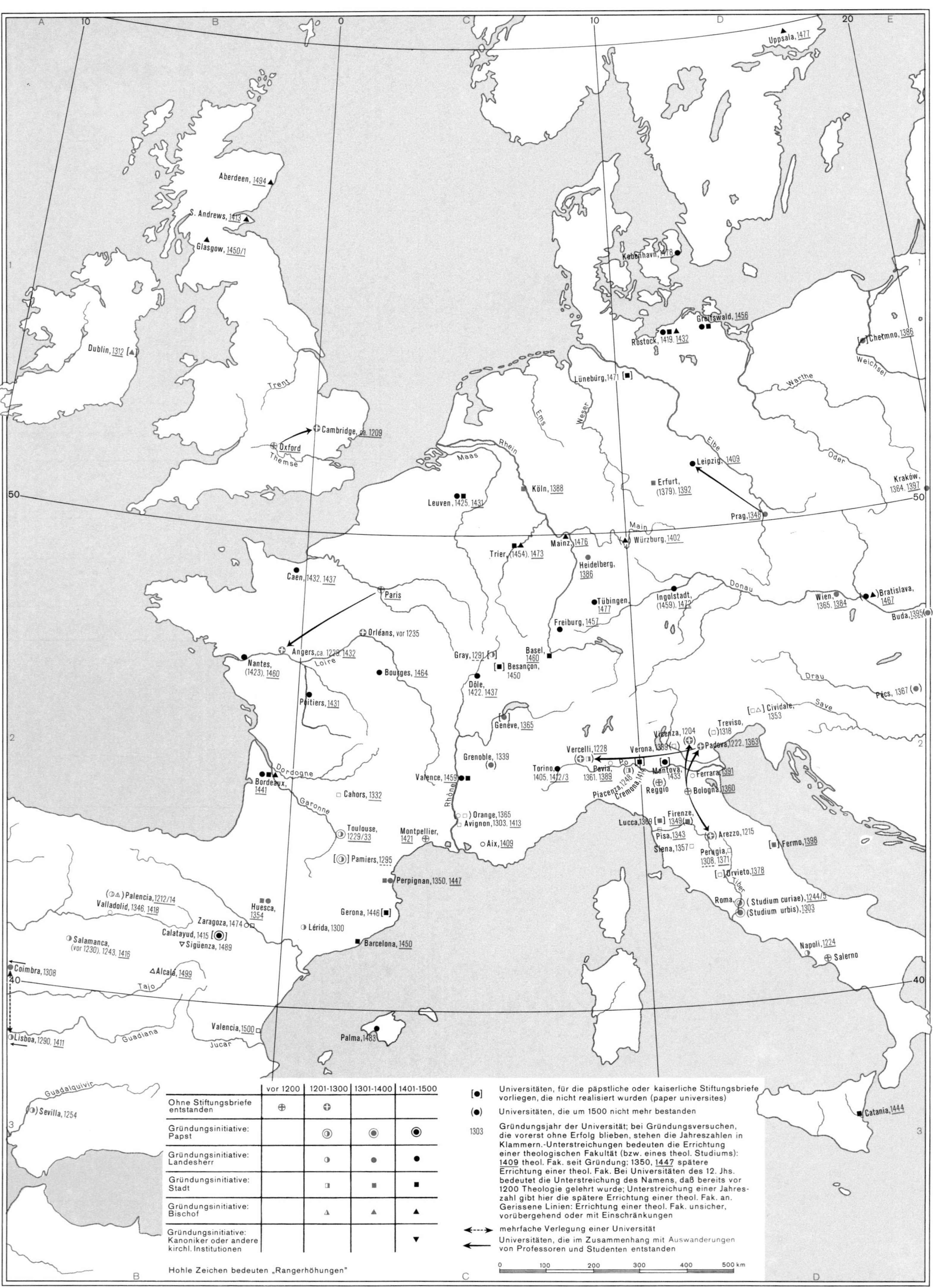

Die Geißlerbewegung 1348–1349

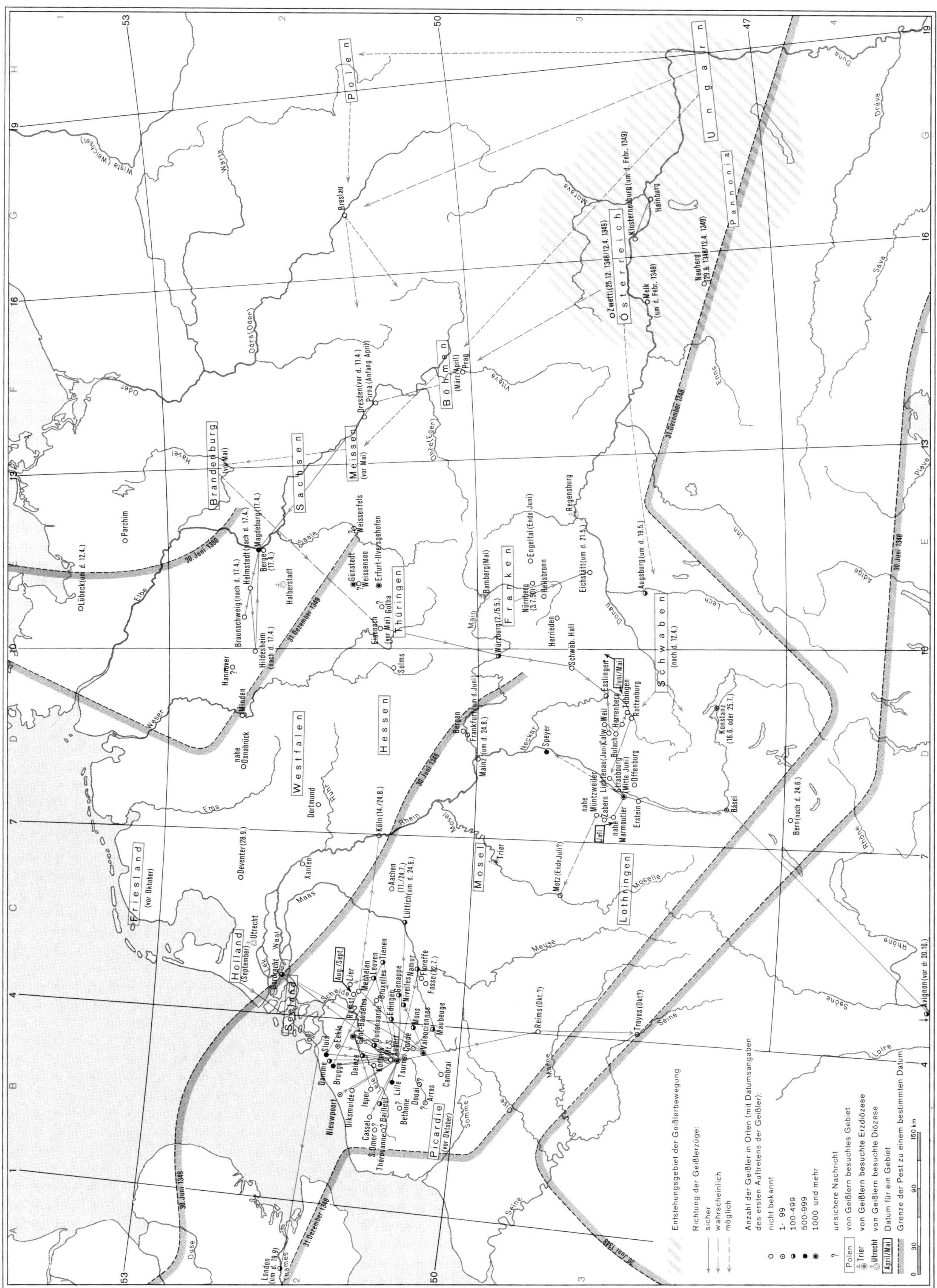

Die Obedienzen des Abendländischen Schismas

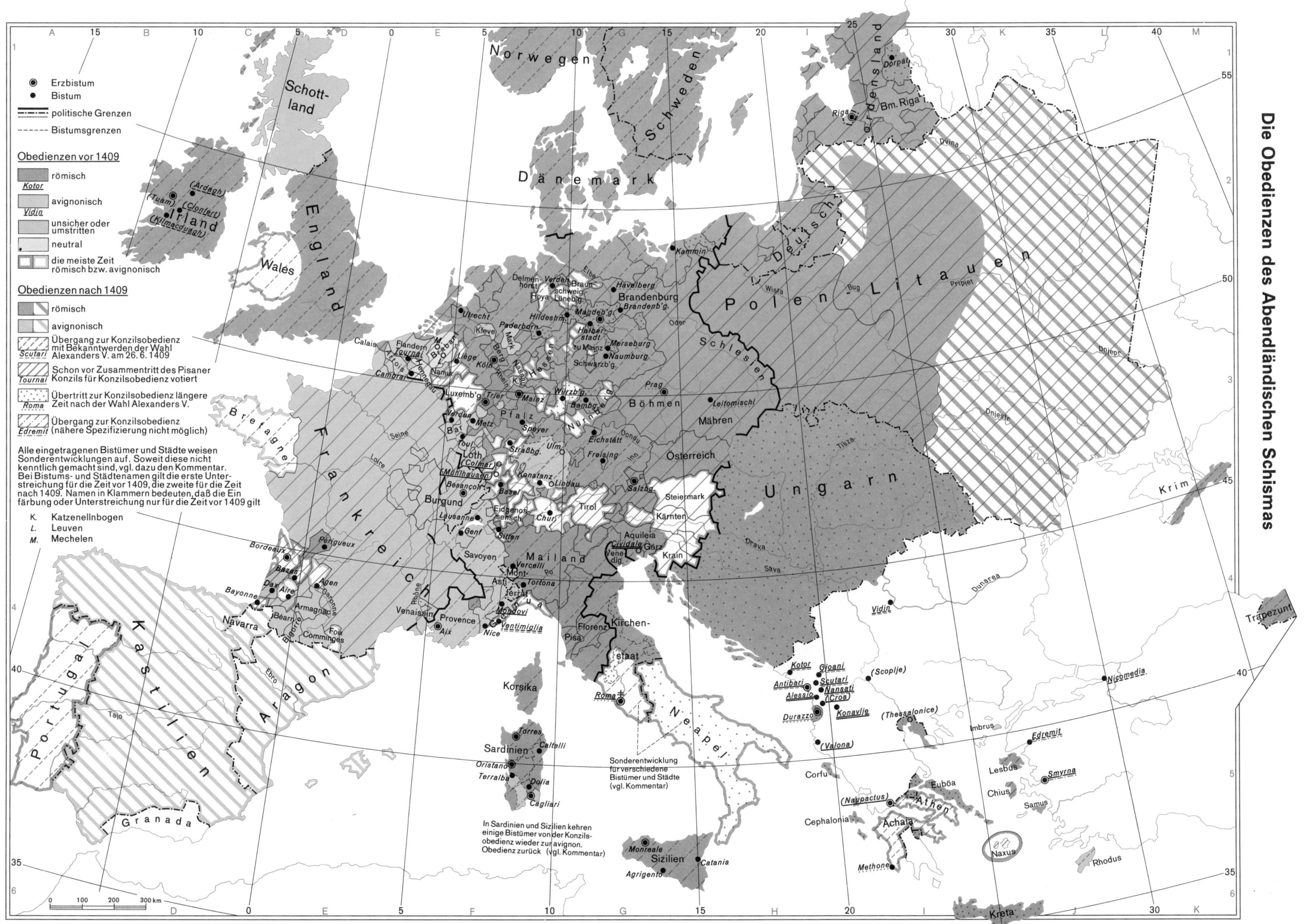

Die Reformen von Bursfelde, Kastl und Melk

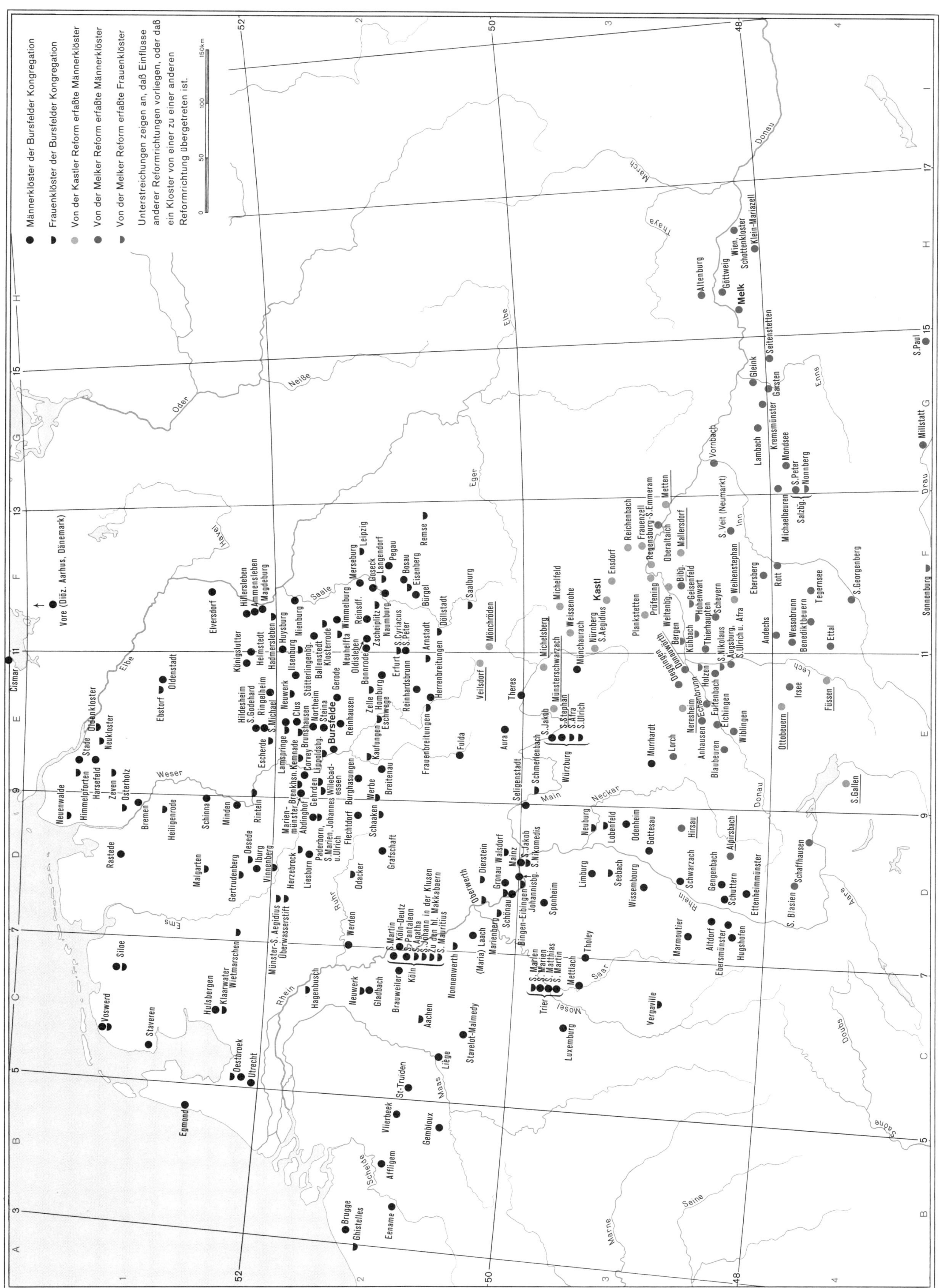

Die Klöster des Kapitels von Windesheim

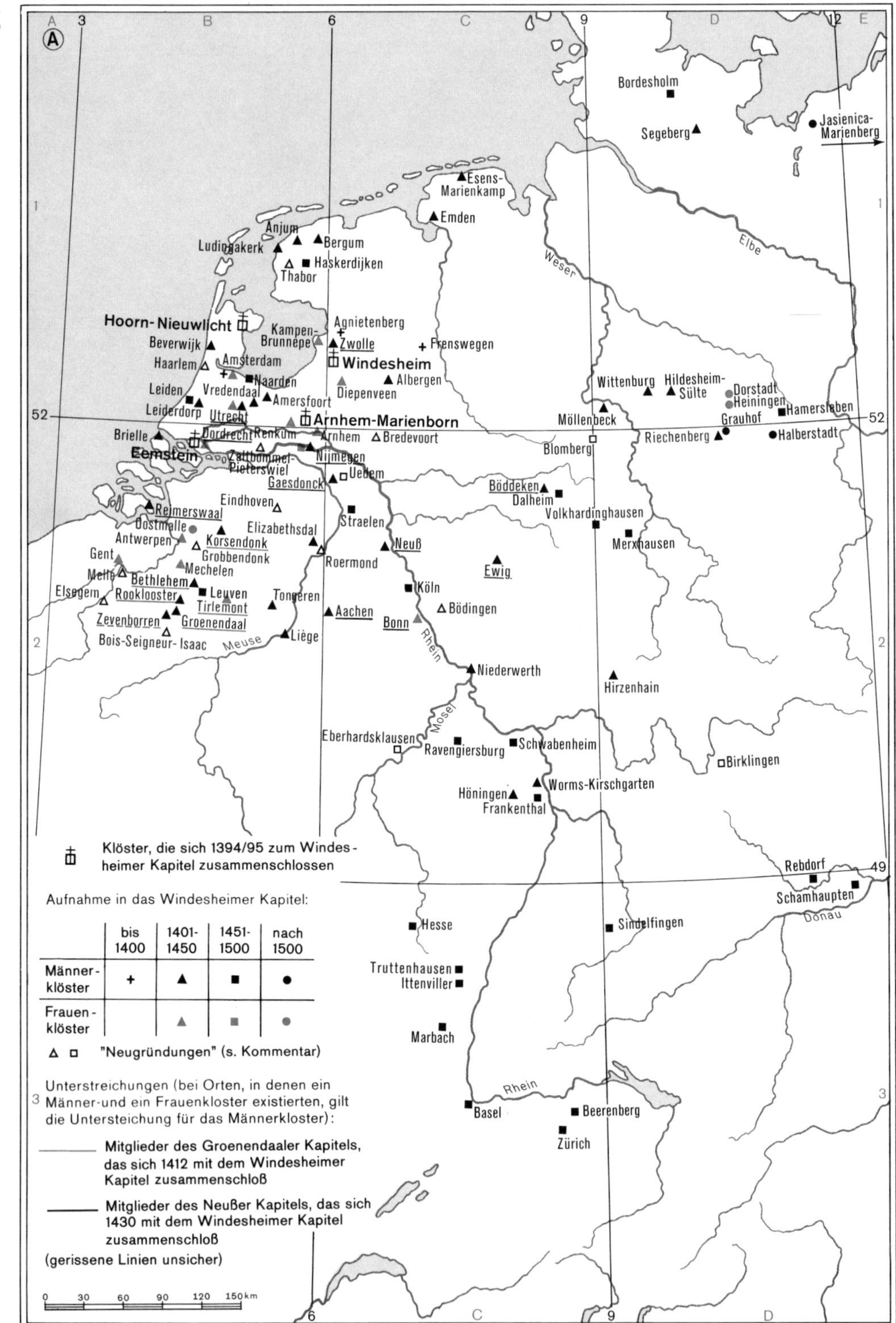

Die Brüder vom gemeinsamen Leben

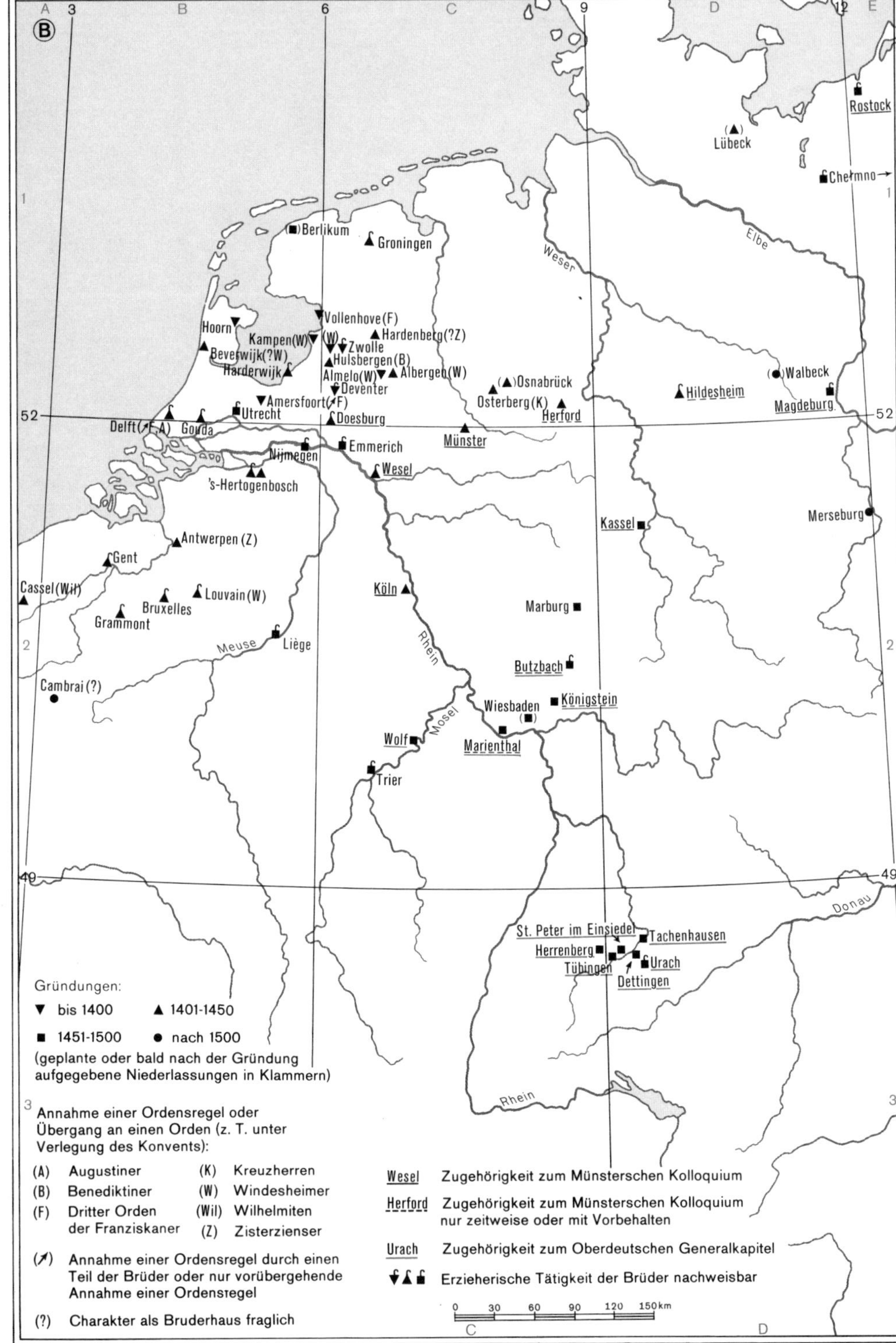

Die hussitischen Städtebünde 1421 und 1427

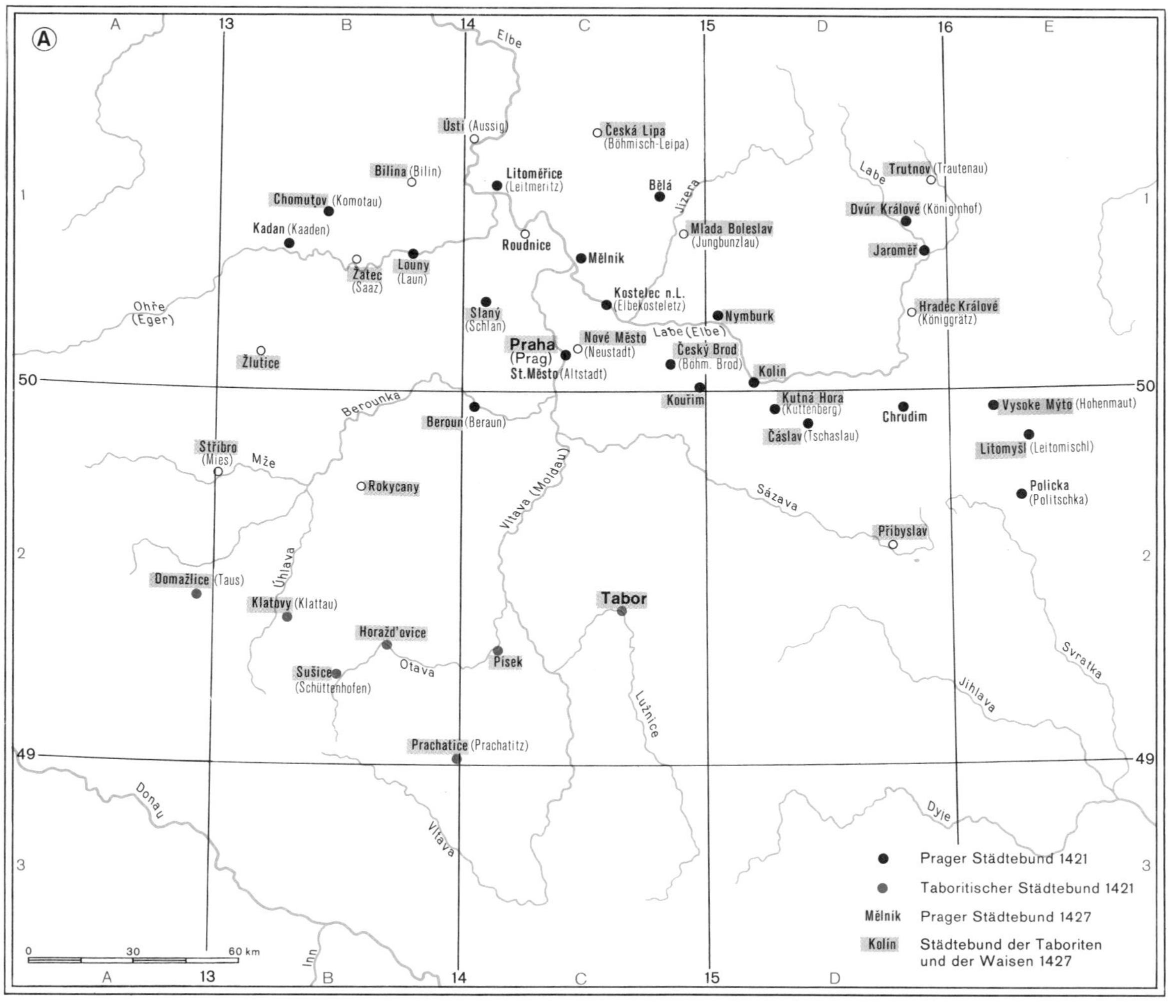

(A)

● Prager Städtebund 1421

● Taboritischer Städtebund 1421

Mělnik Prager Städtebund 1427

Kolín Städtebund der Taboriten und der Waisen 1427

0 30 60 km

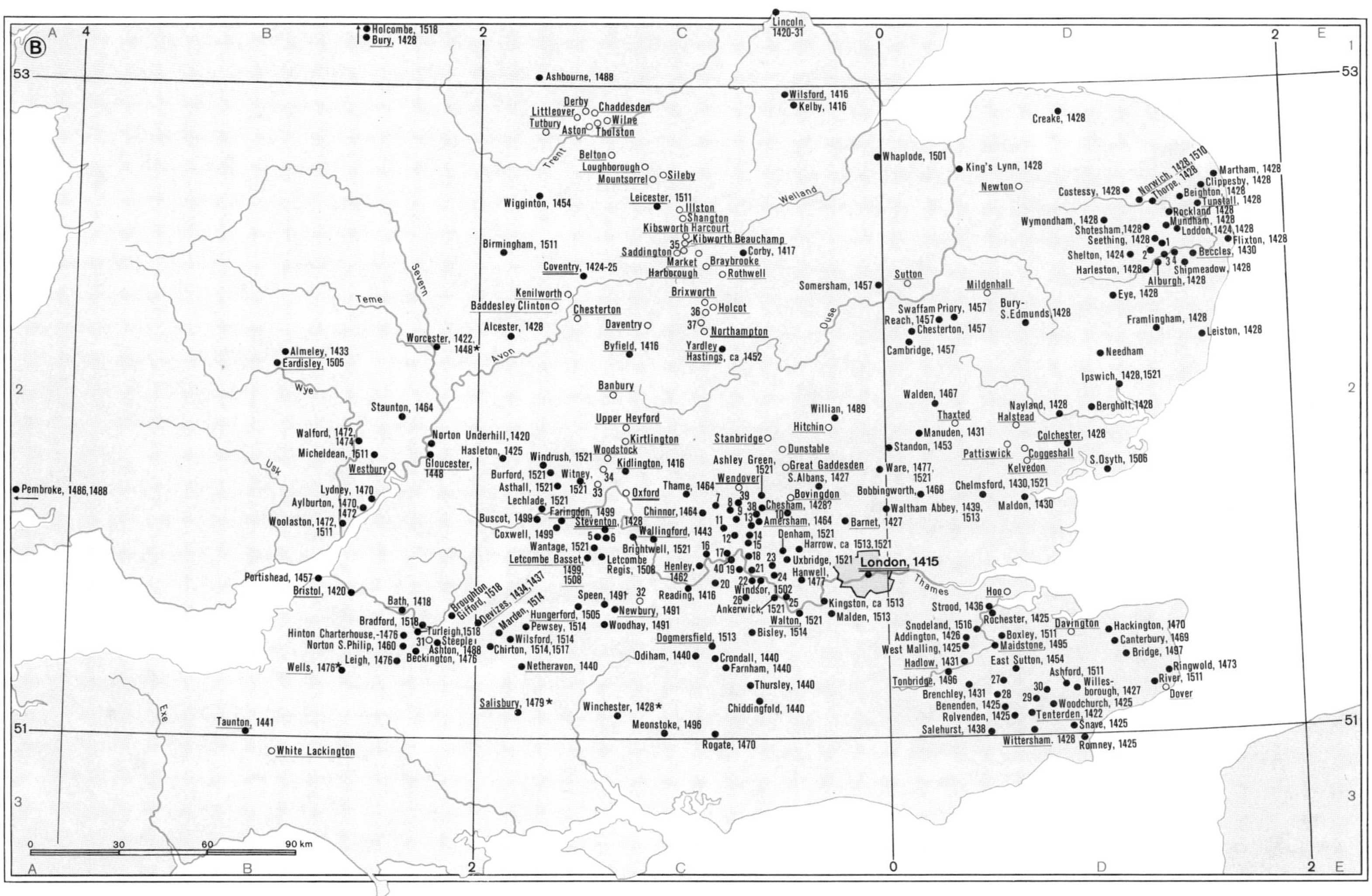

Legende zu Karte B:

● Orte, an denen Häretiker entdeckt und verfolgt wurden, mit entsprechenden Jahreszahlen (1497*: Zahl bezieht sich auf die Diözese)

Barnet, Anklagen wegen Besitzes verdächtiger englischer Bücher

Derby Herkunftsorte der Teilnehmer am Aufstand von 1414 (einschließl. Nichtlollarden)

Salisbury Herkunftsorte der Teilnehmer am Aufstand von 1431 (angeblich lollardisch)

1 Ditchingham, 1424,1428
2 Bedingham, 1428
3 Earsham, 1424,1431
4 Bungay, 1428,1511
5 West Hendred, 1499,1521
6 East Hendred, 1491,1521
7 Princes Risborough, 1464
8 Missenden, 1521
9 Little Missenden, 1511,1521
10 Kings Langley, 1521
11 West Wycombe, 1464,1521
12 Wycombe, 1464, ca 1502
13 Hughenden, 1464,1521
14 Penn, 1521
15 Beaconsfield, 1521
16 Hambledon, 1464,1521
17 Great Marlow, 1464
18 Cookham, 1443,1521
19 Maidenhead, 1508
20 Hinton, 1476,1481
21 Bray, 1507
22 Dorney, 1521
23 Iver, 1521
24 Chalvey, 1521
25 Staines, 1521
26 Fifield, 1504
27 Staplehurst, 1425,1512
28 Cranbrook, 1425,1511
29 Halden 1425
30 Great Chart, 1511
31 Frome
32 Thatcham
33 Handborough
34 Bladon
35 Smeeton Westerby
36 Pitsford
37 Kingsthorpe
38 Chesham Bois, 1464
39 Drayton Beauchamp
40 Bisham, 1433, 1502

Die Lollarden

(B)

0 30 60 90 km

Observanten-Kongregationen der Augustiner und Dominikaner am Beginn des 16. Jh.

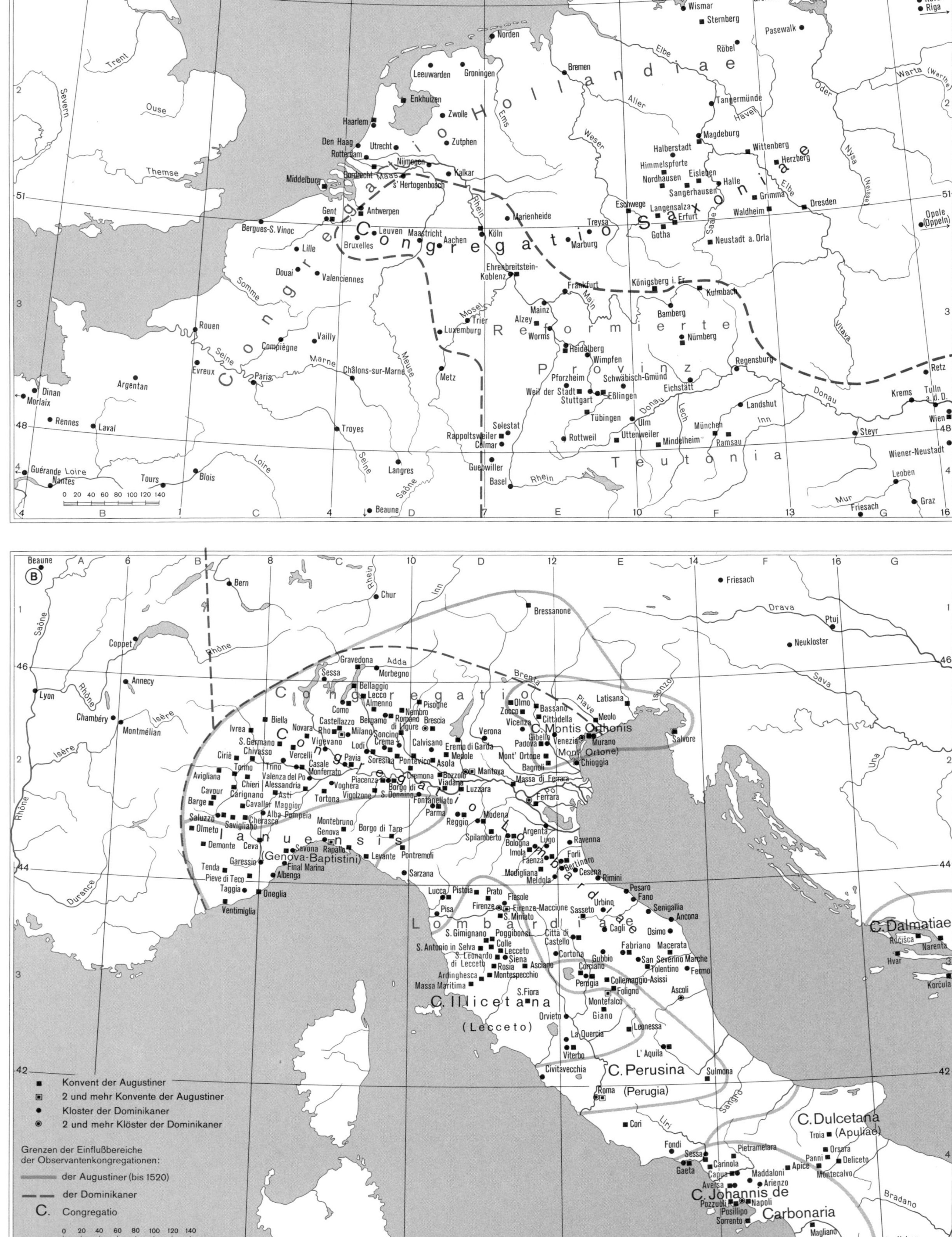

Die römisch-katholische Kirche um 1500

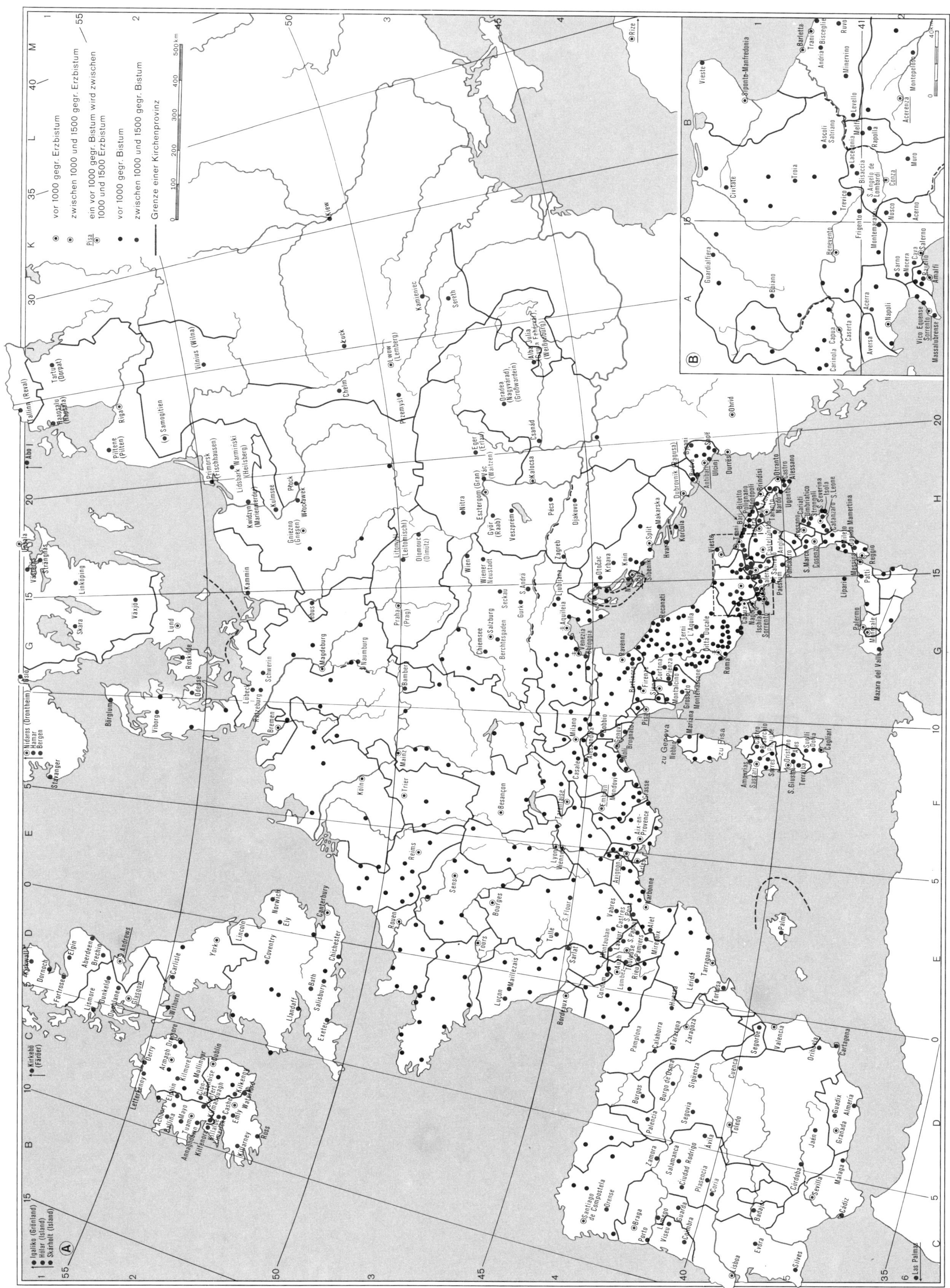

Der Islam (das Osmanische Reich) vom 13. bis zum 17. Jahrhundert

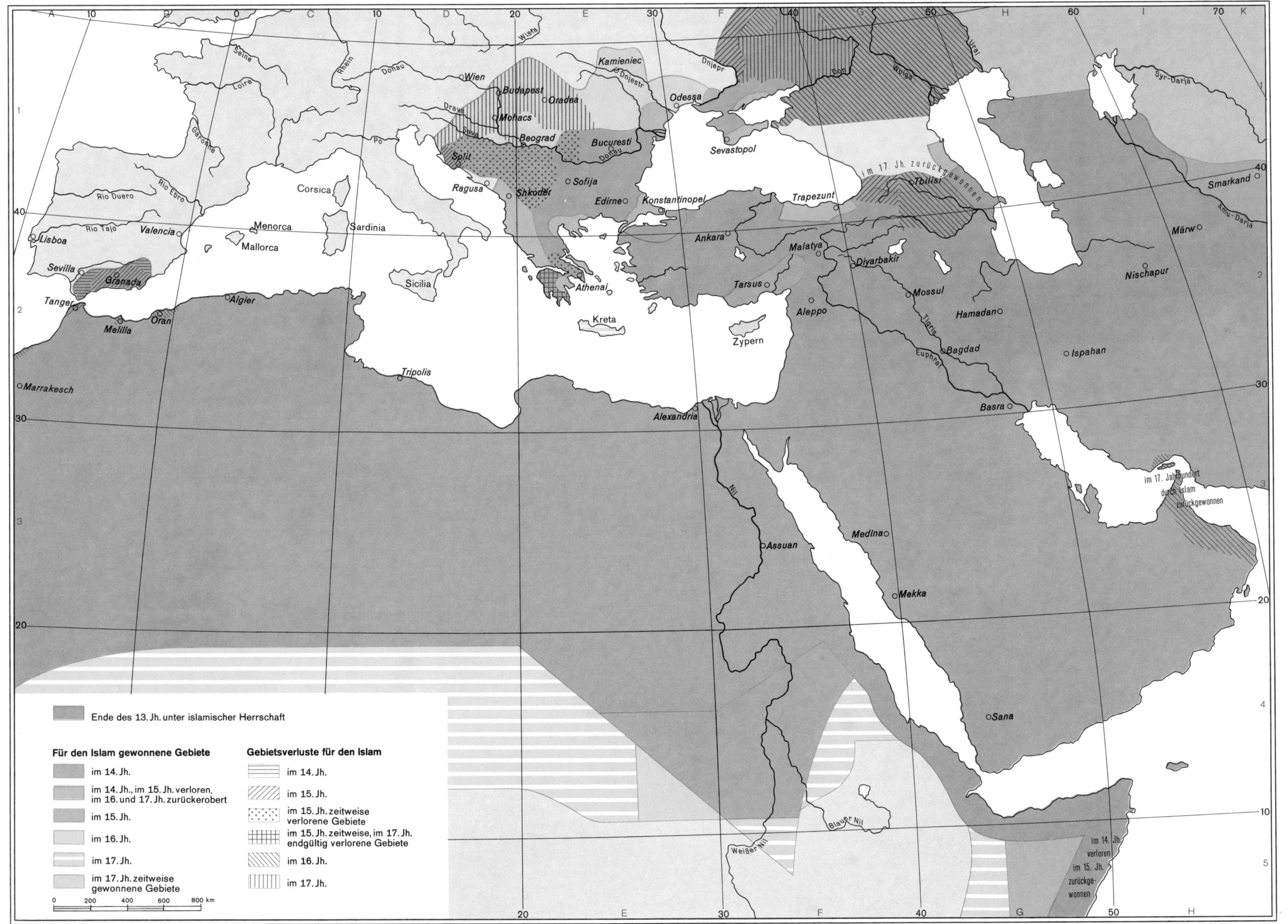

Die obrigkeitliche Einführung der Reformation in Deutschland bis 1570

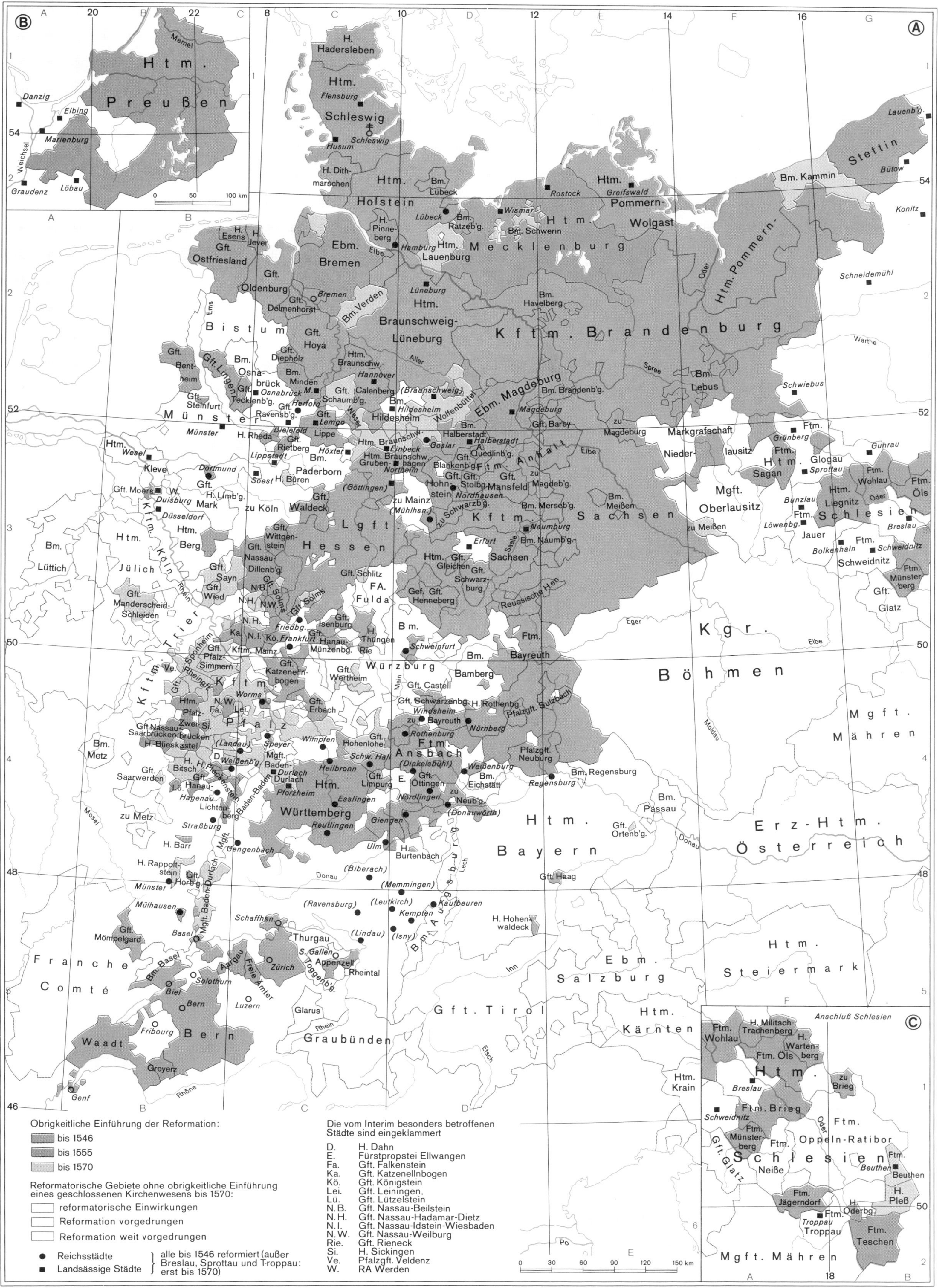

Protestantische Kirchenverfassungen (Ordnungen)

Erläuterungen:

Mit der weitgehenden Absage an die altkirchliche Verfassungshierarchie bildete sich seit dem Speyrer Reichstag von 1526 in den lutherischen Territorien – zuerst in Kursachsen – ein neuer Verfassungstyp, der dem Eingriff der weltlichen Obrigkeiten weiten Raum gewährte. In den periodischen Visitationen, den vom Landesherrn ernannten Superintendenten und in den aus Theologen und Juristen paritätisch besetzten Konsistorien, die anfangs nur die Zucht- und Ehegerichtsbarkeit ausübten, entstanden die Organe des landesherrlichen Kirchenregiments. Allmählich wurden die Konsistorien nach dem Vorbild des württembergischen Kirchenrates, der auch in die Verfassungen anderer Territorien (z.B. Baden-Durlach, Kurpfalz) übernommen wurde, zu den von der Obrigkeit kontrollierten Zentralstellen für alle laufenden kirchlichen Angelegenheiten. Einem eigenständigen synodalen Kirchenwesen, wie es z.B. lange in Hessen bestanden hatte, wurde damit ein Ende gemacht (vgl. die lutherische Kirchenverfassung Kursachsens 1580).

Im Gegensatz zu Luther und Zwingli, die das Kirchenwesen obrigkeitlich organisiert hatten, stellte Calvin die Gemeinde in den Mittelpunkt seiner Verfassungsbemühungen. Mit den vier apostolischen Ämtern der Pastoren (Predigt, Sakramente), Lehrer (Reinhaltung der Lehre), Ältesten (Kirchenzucht) und Diakone (Armenfürsorge) und der wöchentlich tagenden Pastorenkonferenz (Vénérable compagnie) sowie dem Consistoire (Pastoren und Älteste) schuf er die Gremien der gemeindlichen Selbstverwaltung. 1559 übernahmen die reformierten Gemeinden Frankreichs modifiziert die calvinischen Einrichtungen, wobei sie nach dem Vorbild der gemeindlichen Selbstverwaltungsinstitutionen die gesamte Kirche ihres Landes synodal organisierten (vgl. die reformierte Kirchenverfassung Frankreichs 1559). Im Laufe der Zeit wurde die Einfügung eines synodalen Zwischengliedes auf regionaler Ebene – „Colloque" genannt – notwendig, das sich zwischen „Consistoire" und „Synode provincial" einschob. Dieser Verfassungstyp wurde Paradigma für die reformierten Kirchen der Niederlande und die reformierten Flüchtlingsgemeinden in Deutschland, die in ständiger Verfolgung („Kirchen unter dem Kreuz") ihre Kirchen ohne jede Mitwirkung der weltlichen Obrigkeit aufbauten. Das „Consistoire" nannte man „Konsistorium" oder „Presbyterium", die Institution des „Colloque" bezeichnete man als „Klasse" oder „Quartier".

Wo in Deutschland die reformierte Lehre in einer „zweiten Reformation" mit Hilfe der Obrigkeit eingeführt wurde, entstand auf der Basis der lutherischen Verfassungseinrichtungen ein Mischtyp, der die obrigkeitliche Struktur des Kirchenwesens mit der presbyterialen Gemeindeorganisation so verband, daß von dem in Frankreich realisierten Aufbau von unten nach oben nur noch wenig übrig blieb (vgl. die reformierte Kirchenverfassung der Kurpfalz um 1600).

Lutherische Kirchenverfassung Kursachsens 1580

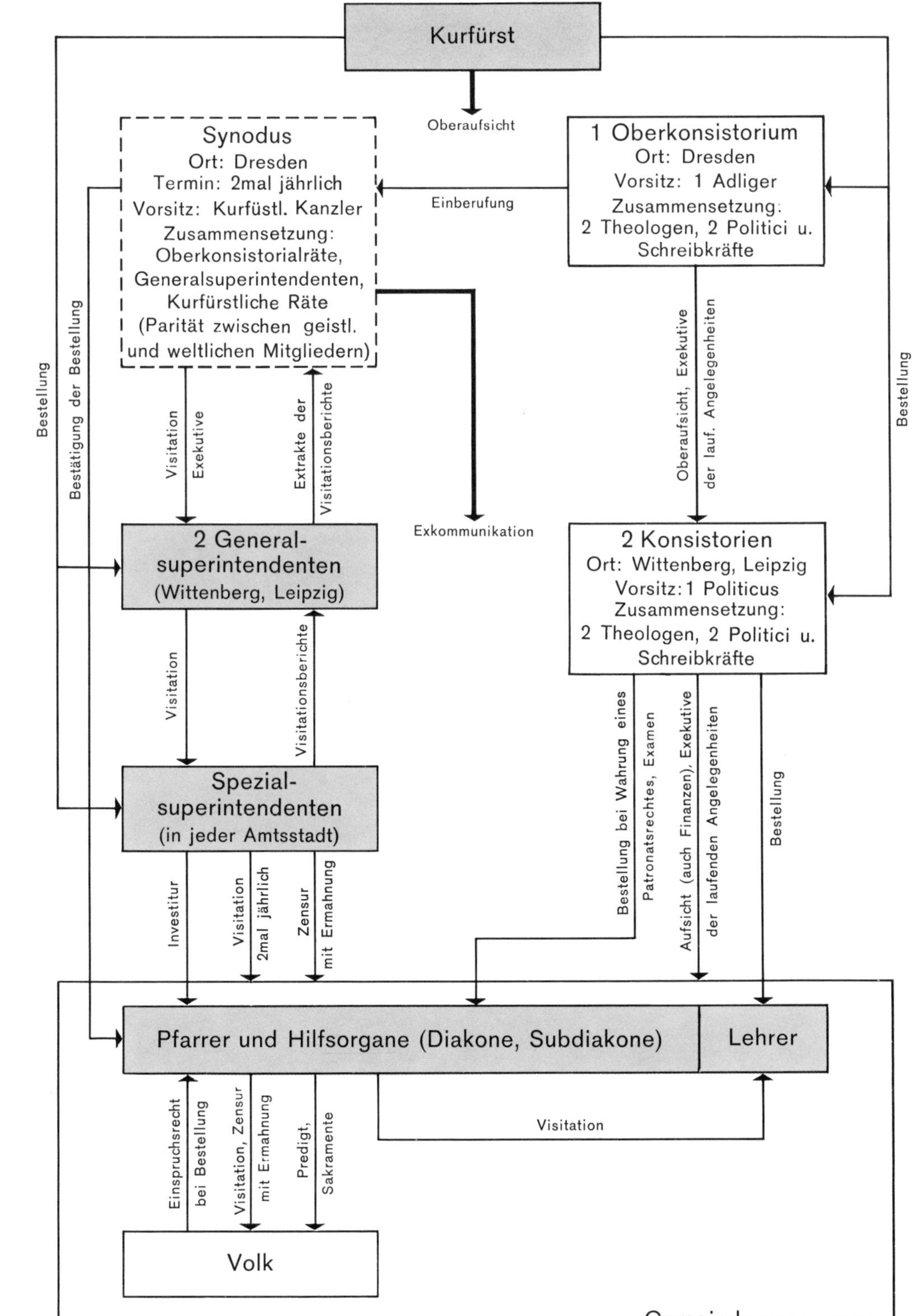

Reformierte Kirchenverfassung Frankreichs 1559
(vereinfacht)

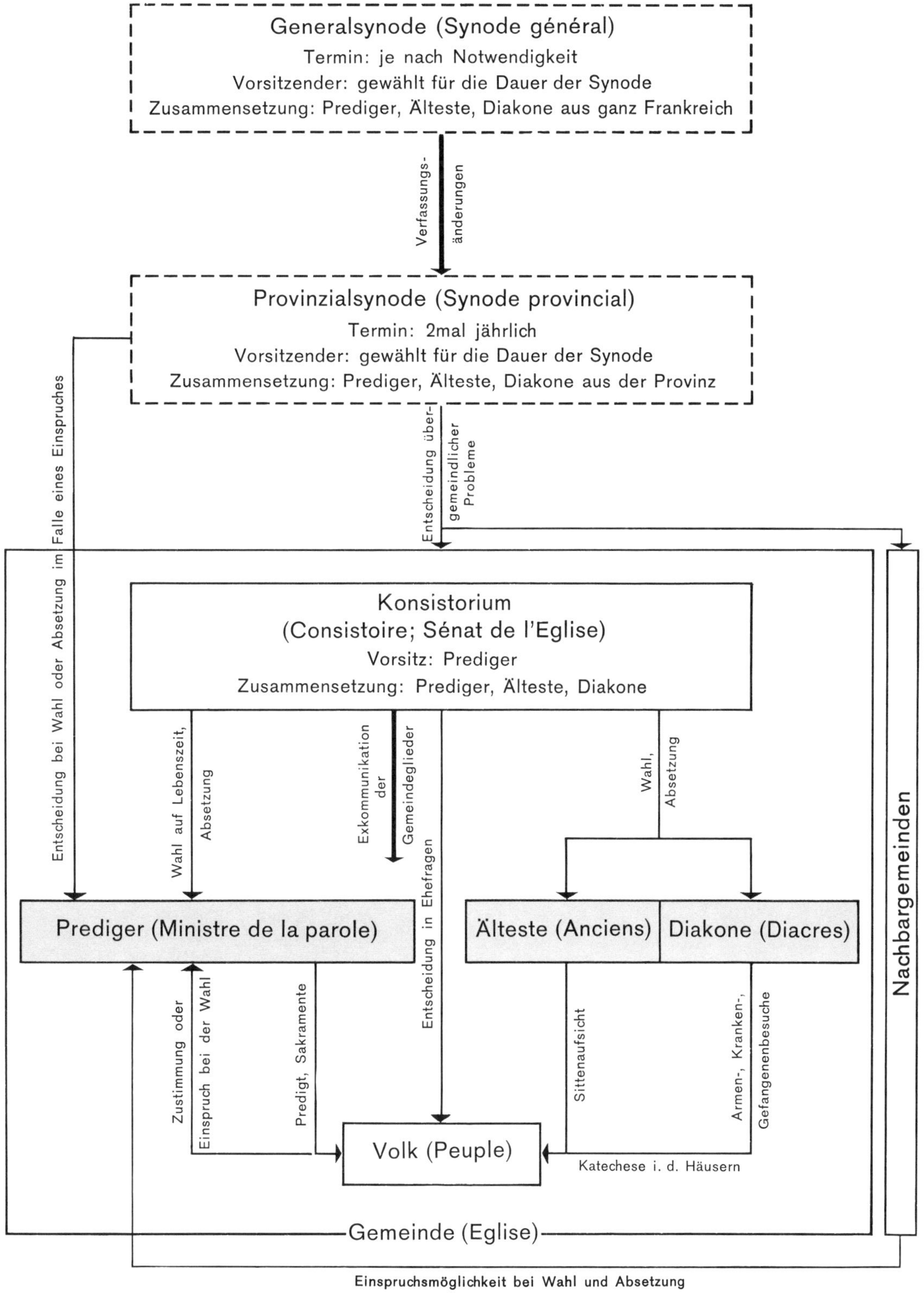

Generalsynode (Synode général)
Termin: je nach Notwendigkeit
Vorsitzender: gewählt für die Dauer der Synode
Zusammensetzung: Prediger, Älteste, Diakone aus ganz Frankreich

Verfassungs-änderungen

Provinzialsynode (Synode provincial)
Termin: 2mal jährlich
Vorsitzender: gewählt für die Dauer der Synode
Zusammensetzung: Prediger, Älteste, Diakone aus der Provinz

Entscheidung über-gemeindlicher Probleme

Entscheidung bei Wahl oder Absetzung im Falle eines Einspruches

Konsistorium
(Consistoire; Sénat de l'Eglise)
Vorsitz: Prediger
Zusammensetzung: Prediger, Älteste, Diakone

Wahl auf Lebenszeit, Absetzung

Exkommunikation der Gemeindeglieder

Entscheidung in Ehefragen

Wahl, Absetzung

Prediger (Ministre de la parole)

Älteste (Anciens)

Diakone (Diacres)

Zustimmung oder Einspruch bei der Wahl

Predigt, Sakramente

Sittenaufsicht

Armen-, Kranken-, Gefangenenbesuche

Katechese i. d. Häusern

Volk (Peuple)

Nachbargemeinden

Gemeinde (Eglise)

Einspruchsmöglichkeit bei Wahl und Absetzung

Reformierte Kirchenverfassung der Kurpfalz um 1600
(vereinfacht)

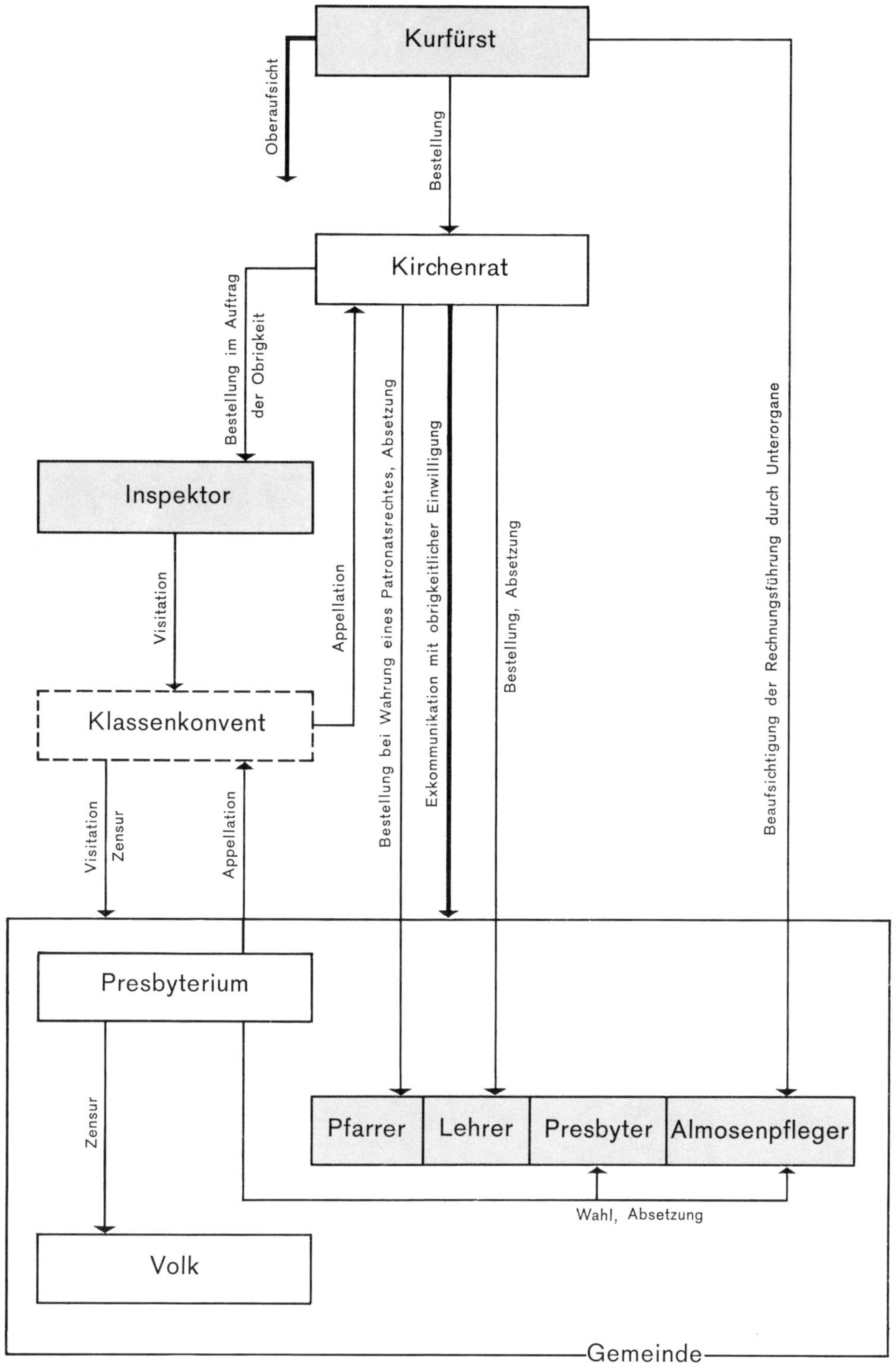

Kurfürst

Oberaufsicht

Bestellung

Kirchenrat

Bestellung im Auftrag der Obrigkeit

Inspektor

Visitation

Klassenkonvent

Appellation

Bestellung bei Wahrung eines Patronatsrechtes, Absetzung

Exkommunikation mit obrigkeitlicher Einwilligung

Bestellung, Absetzung

Beaufsichtigung der Rechnungsführung durch Unterorgane

Visitation

Zensur

Appellation

Presbyterium

Zensur

Pfarrer

Lehrer

Presbyter

Almosenpfleger

Wahl, Absetzung

Volk

Gemeinde

Protestantische Bekenntnisse und Bekenntnisschriften in Mitteleuropa um 1600

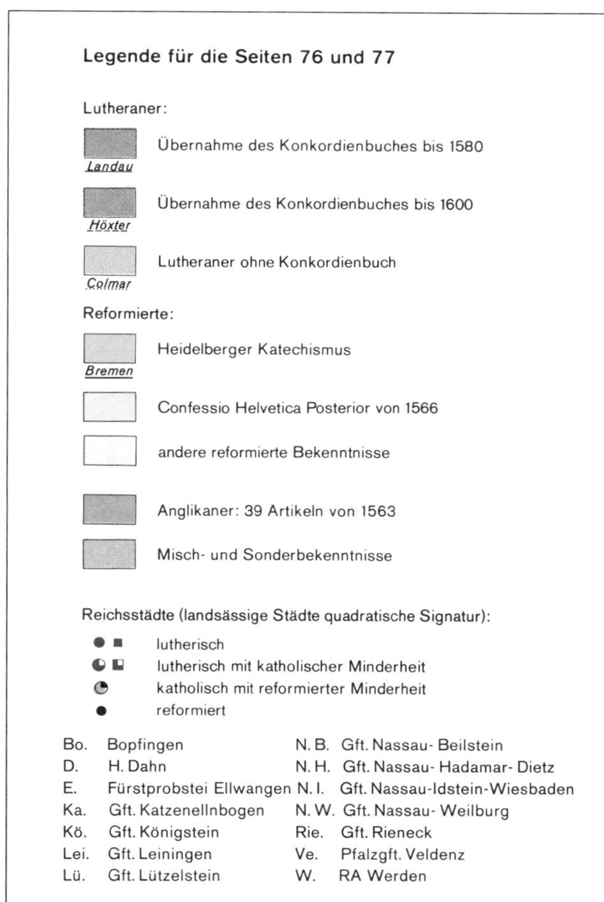

Wichtigste Sicherheitsplätze der Hugenotten in Frankreich um 1600

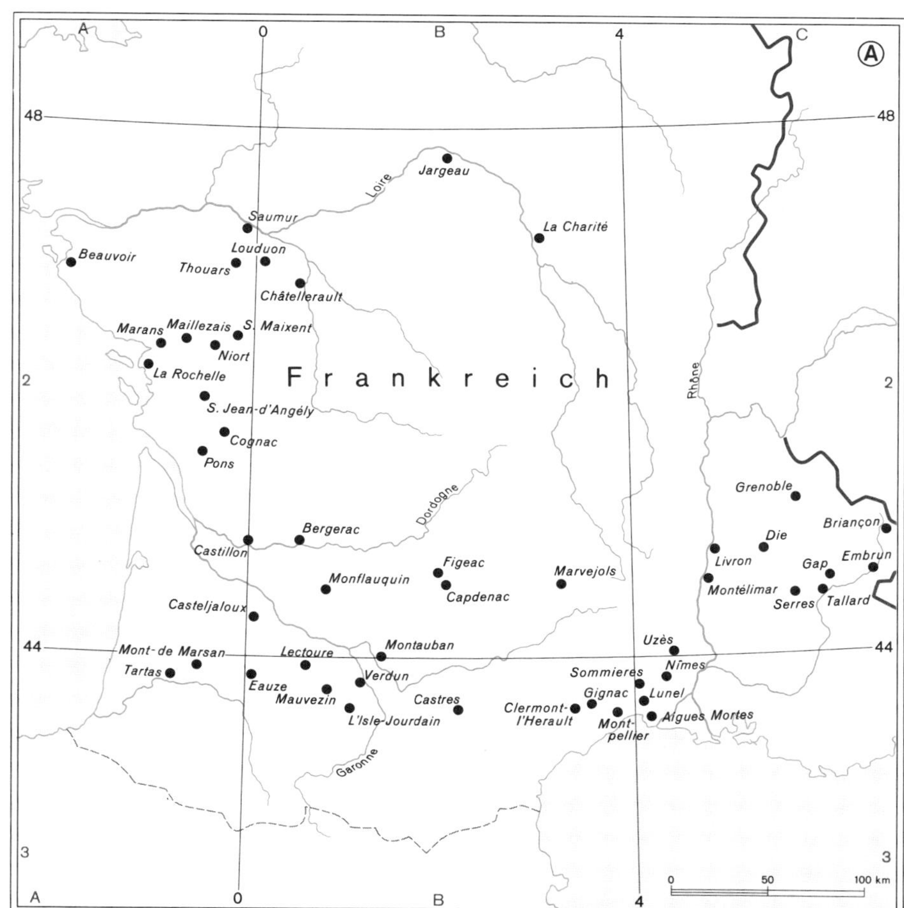

Protestantische Bekenntnisse und Bekenntnisschriften in Mitteleuropa um 1600

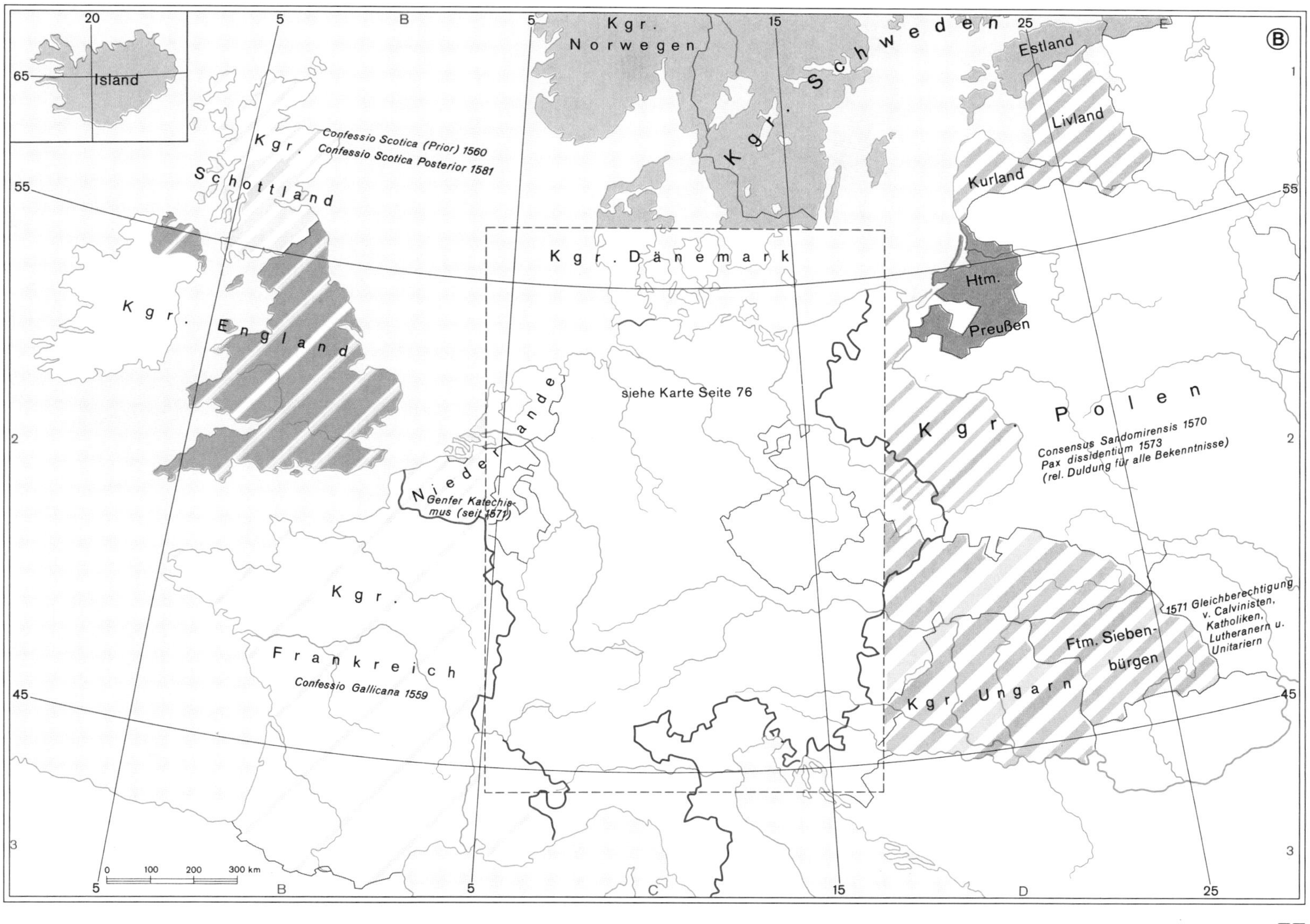

Ⓑ
Island
Kgr. Norwegen
Kgr. Schweden
Estland
Livland
Kurland
Kgr. Schottland
Confessio Scotica (Prior) 1560
Confessio Scotica Posterior 1581
Kgr. Dänemark
Htm. Preußen
Kgr. England
Niederlande
siehe Karte Seite 76
Kgr. Polen
Consensus Sandomirensis 1570
Pax dissidentium 1573
(rel. Duldung für alle Bekenntnisse)
Genfer Katechismus (seit 1571)
Kgr. Frankreich
Confessio Gallicana 1559
Ftm. Siebenbürgen
1571 Gleichberechtigung v. Calvinisten, Katholiken, Lutheranern u. Unitariern
Kgr. Ungarn
0 100 200 300 km

Die Gründungen der Jesuiten in Europa bis 1615

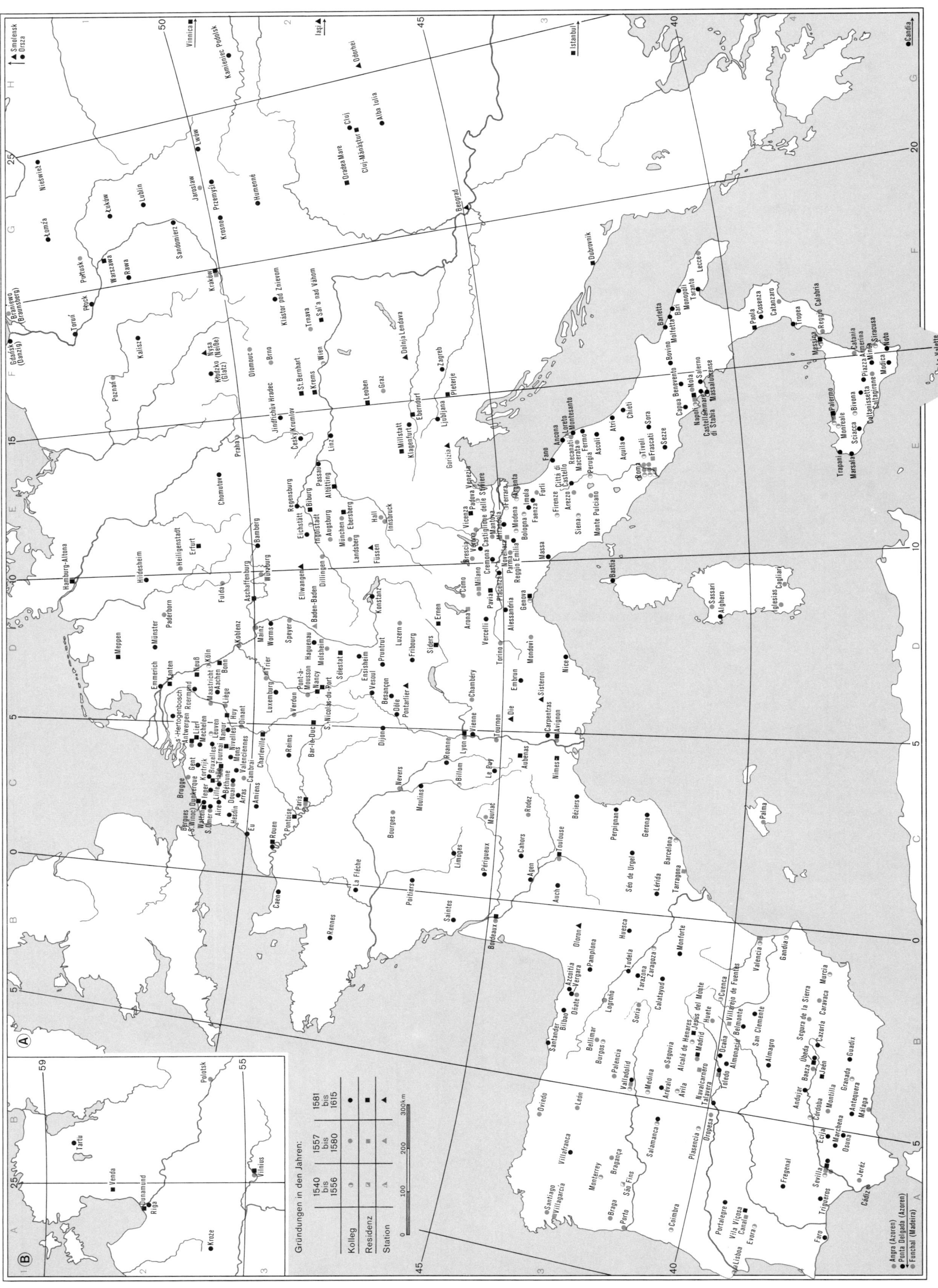

Die Ausbreitung der Kapuziner in Europa im 16.–18. Jahrhundert

C Custodia · L Liége · M Mantova
N Namur · P Provincia · T Trento

1609 Provinzanfänge · ⟷ Provinzteilung · ● Hauptsitz

$\frac{20}{490}$ $\frac{\text{Klöster}}{\text{Mitglieder}}$ zahl 1761

Die Nummern 1-65 in der Karte verweisen auf die Provinzserie in der Randlegende

Zahl der Klöster: Mitglieder	1596	1678
1 Romana P	39:410	41:670
2 Umbra (S.Francisci) P	39:427	41:459
3 Marca (Picena) P	50:486	52:685
4 Bononiensis P	36:430	48:785
5 Lombardiae (Insubriae) P		
6 Veneta (S.Antonii) P	29:414	45:810
7 Mediolanensis P	29:366	53:932
8 Brixiensis P	21:284	33:657
9 Genuensis P	36:367	37:605
10 Pedemontana P		40:657
11 Tusciae P	27:287	38:545
12 Corsicae P	5: 41	16:220
13 Neapolitana P	34:429	38:553
14 Basilicatae (Lucaniae) P	26:235	41:346
15 Rheginensis P	26:236	35:382
16 Consentina (S.Danielis) P	21:162	36:341
17 Fodiensis (S.Angeli) P	17:141	28:340
18 Barensis P	20:182	29:338
19 Hydruntina (Lyciensis) P	25:230	32:409
20 Panormitana P	25:360	33:486
21 Messanensis P	29:389	36:485
22 Syracusana P	25:329	31:382
23 Aprutina (S.Bernardini) P	23:207	30:336
24 Sardiniae Calaritana P	4: 38	20:440
25 Turritana P		
26 Parisiensis P	13:111	42:905
27 Turonensis P		34:675
28 Normandiae P		25:524
29 Britanniae P		27:654
30 Lugdunensis (S.Bonaventurae)	8:100	46:940
31 Sabaudiae P		20:286
32 Burgundiae (S.Andreae) P		21:304
33 Provinciae (S.Ludov.)/Massil. P	7: 86	35:516
34 Avenionensis (S.Ludovici) P		
35 Lotharingiae P		23:280
36 Campaniae P		11:222
37 Tolosana P	7: 59	34:509
38 Aquitaniae P		30:533
39 Catalauniae P	20:226	24:610
40 Valentina P		15:326
41 Aragoniae P		18:430
42 Helvetica P	9: 66	33:501
43 Austriae Anterioris P		25:350
44 Alsatiae P		
45 Flandrica P	10:132	27:700
46 Wallonica P		22:710
47 Leodiensis P		
48 Insulensis P		6:192
49 Tirolis P		17:311
50 Bavariae P		26:470
51 Franconiae P		
52 Austro-Bohema P		20:448
53 Austro-Viennensis (Hungarica)		18:419
54 Styriae P		26:482
55 Castellae P		14:450
56 Baetica (Andalusiae) P		20:453
57 Navarrae P		8:212
58 Rheni/Coloniensis P		25:458
59 Rhenana P		19:306
60 Hiberniae P		2: 64
61 Mantuana-Tridentina P		
62 Alexandrina (S.Josephi) P		
63 Poloniae P		
64 Silesiae C		
65 Melitensis C		

Gesamtüberblick

Jahr	Provinzen	Klöster	Mitglieder	Bereich
1578	21	325	3746	Italien
1596	30	660	7230	Europa
1678	54	1546	26083	Europa
1761	65	1745	34076	Europa
1888	52	670	7628	Welt
1961	69	1251	15849	Welt
1969	73	1328	14395	Welt

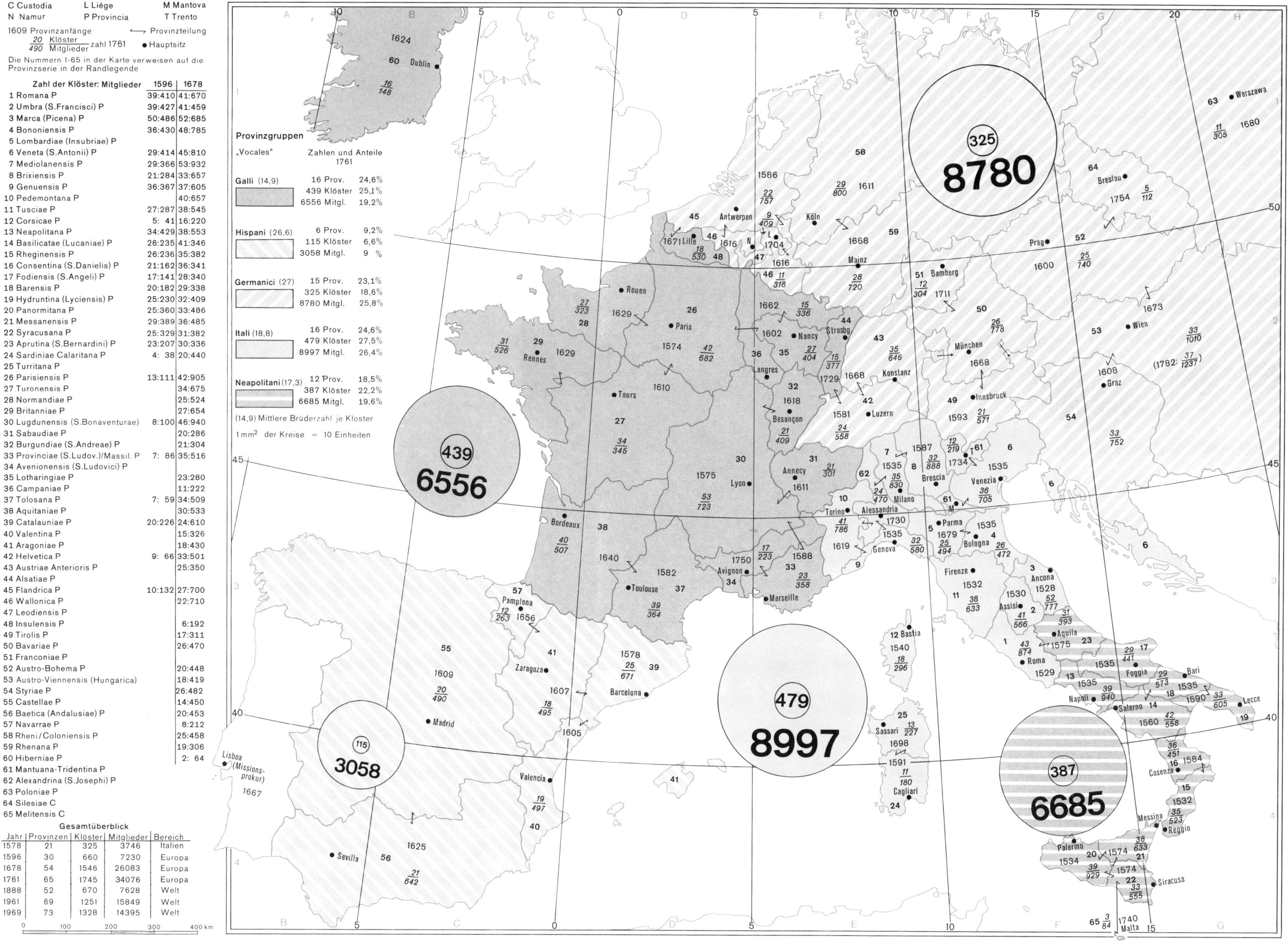

Die kirchliche Neugliederung der Niederlande 1559–1570

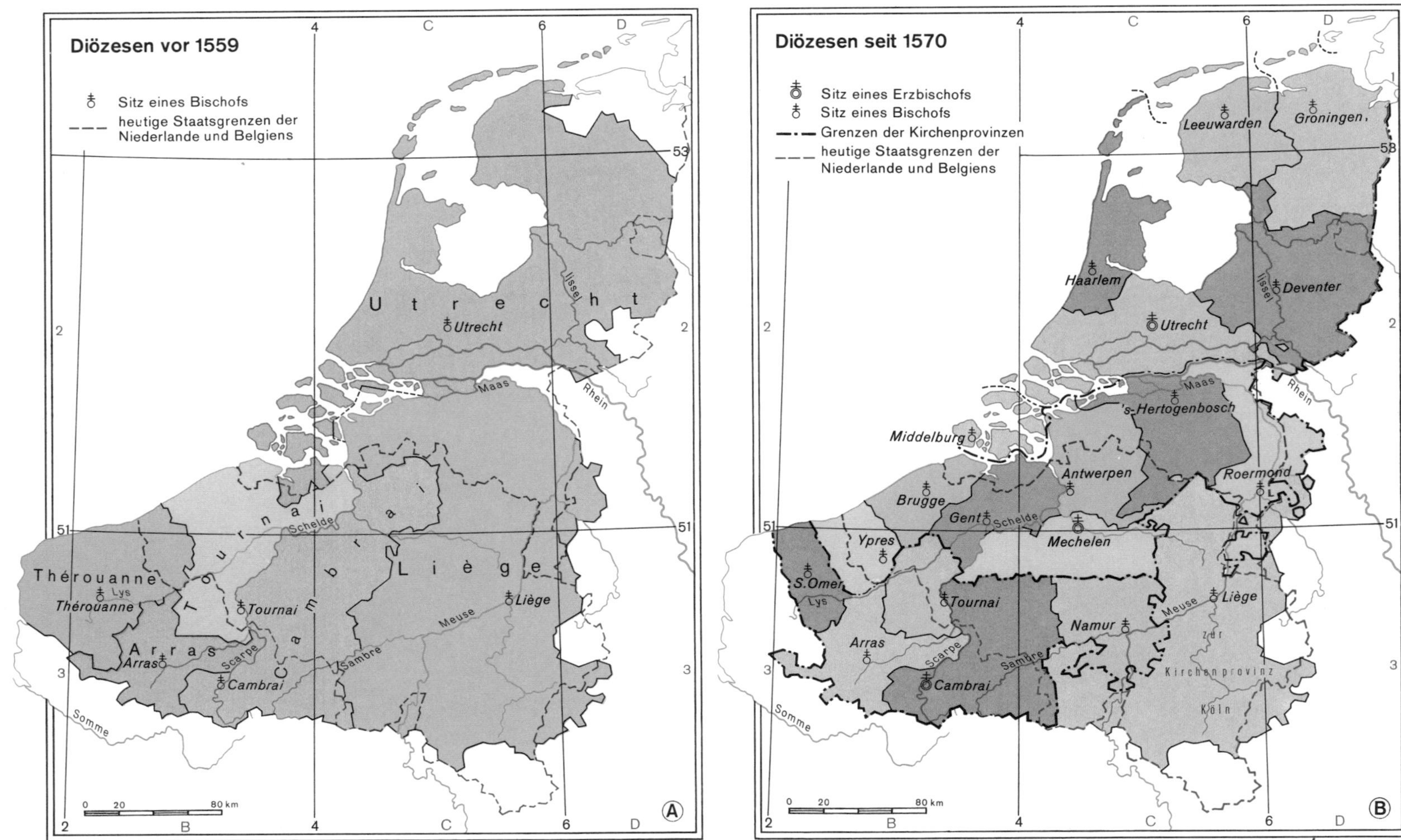

Protestantische und katholische Universitätsgründungen vom Beginn der Reformation bis in die zweite Hälfte des 17. Jahrhunderts

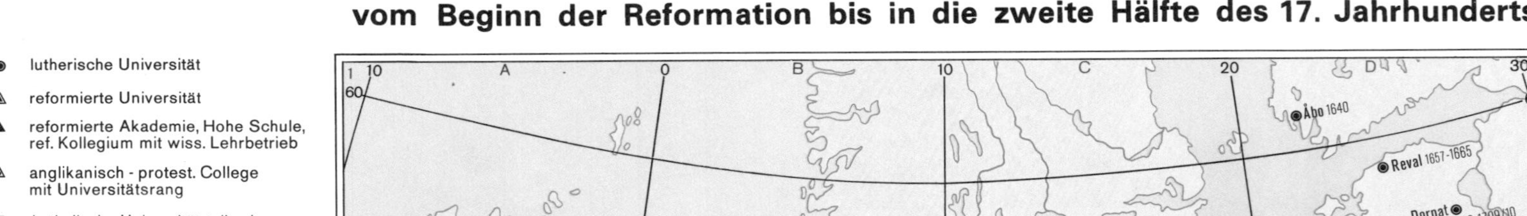

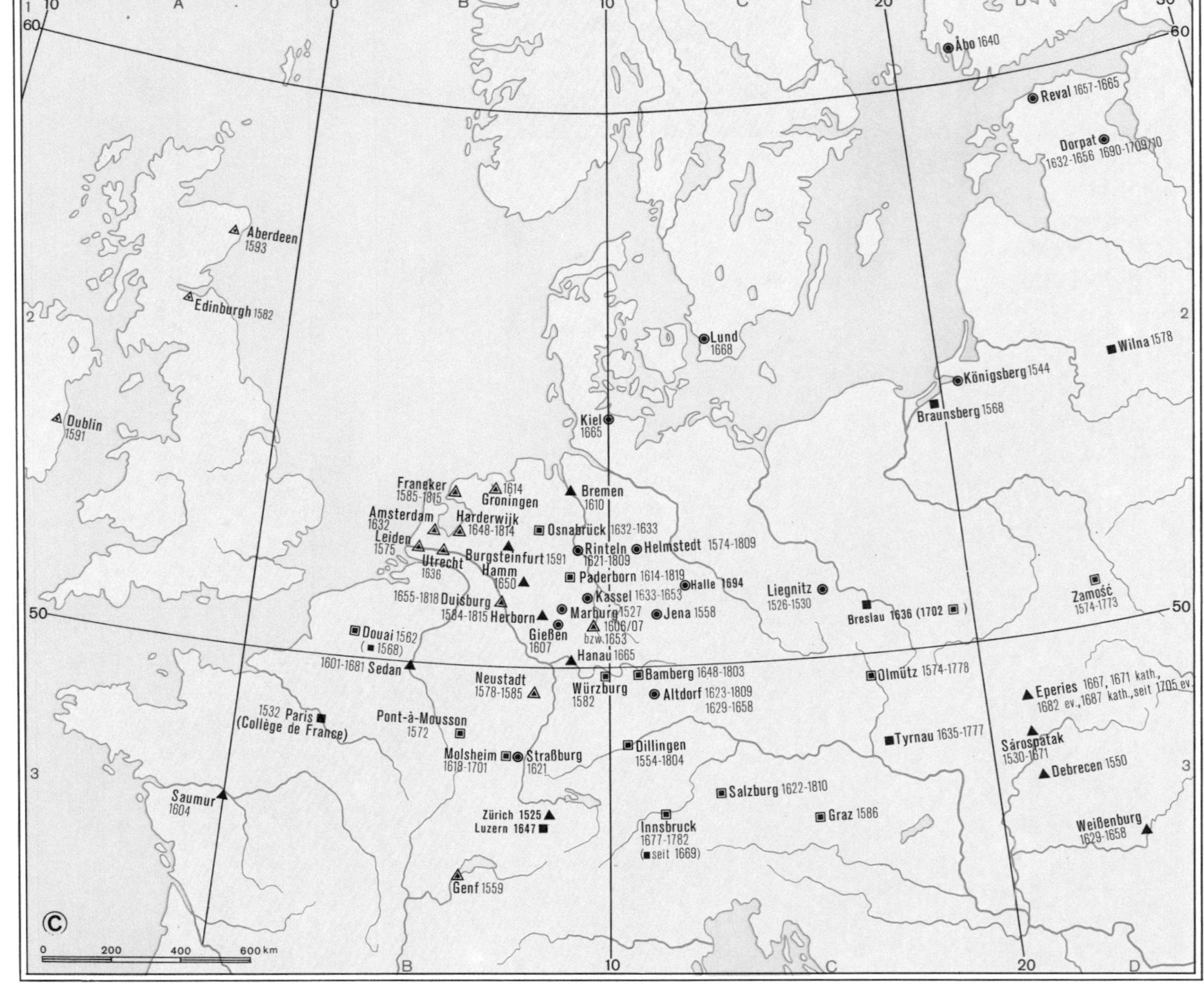

Russisches Mönchtum 1400–1700

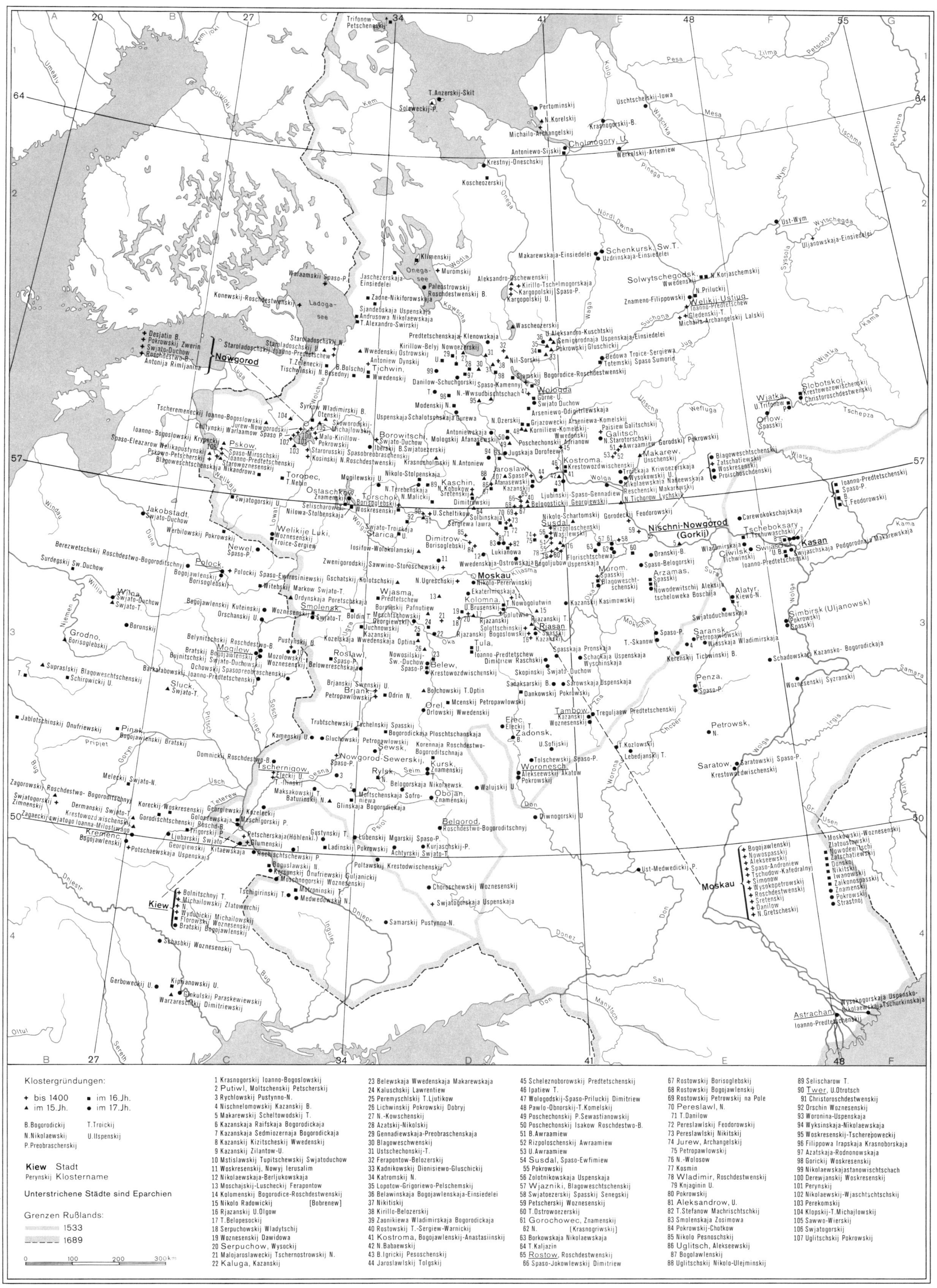

Die geistlichen Staaten im Zeitalter der Reformation

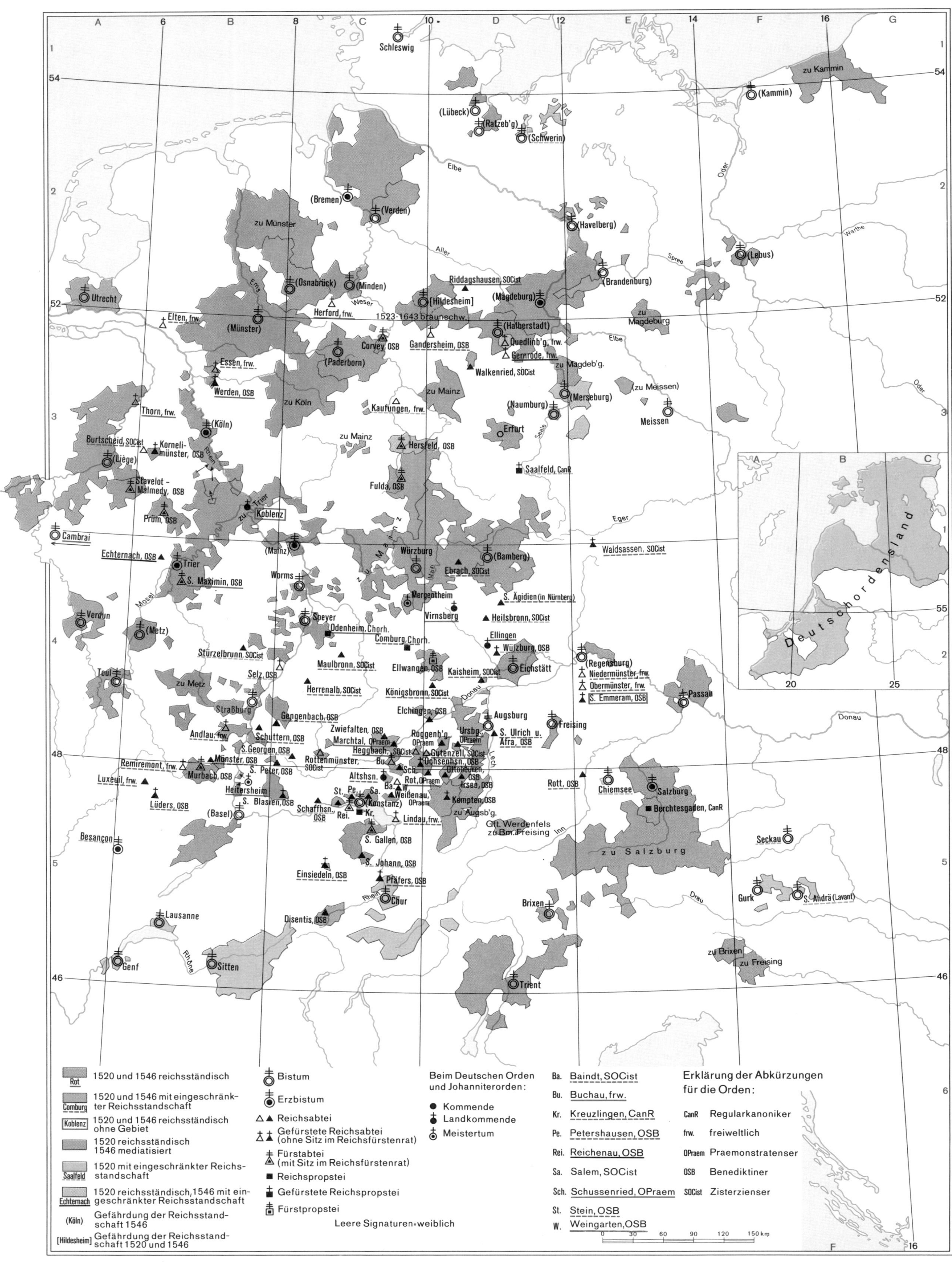

Die geistlichen Staaten vom 17. Jh. bis zum Ende des Alten Reiches

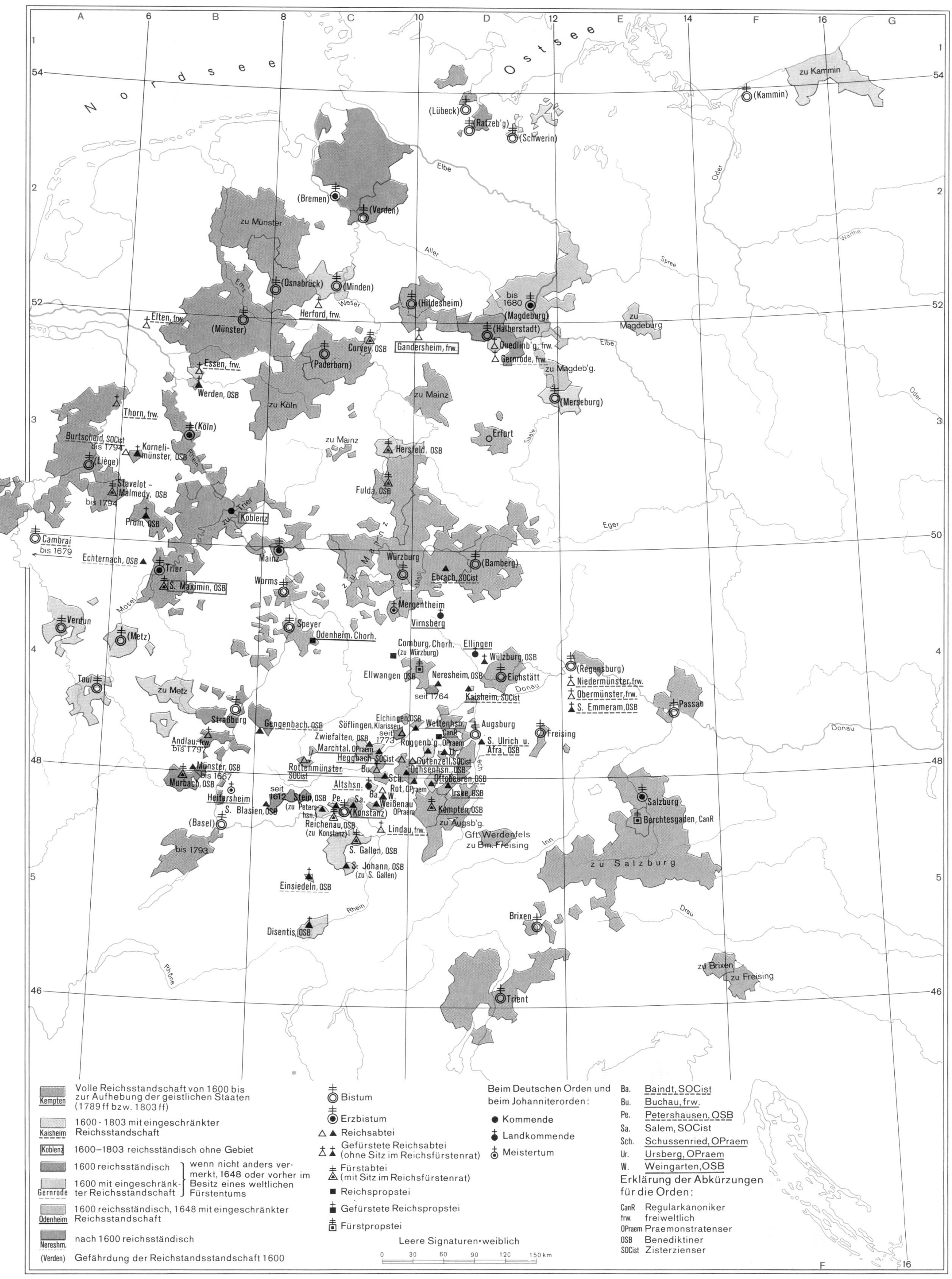

Die Missionen der Jesuiten in Baja California, Sonora, Chilhuahua und Sierra Madre bis um 1720

Niederlassungen:

- ■ der Augustiner
- ▲ der Dominikaner
- ● der Franziskaner

Missionen:

- ▼ der Jesuiten

- ♁ Erzbistum
- ♁ Bistum

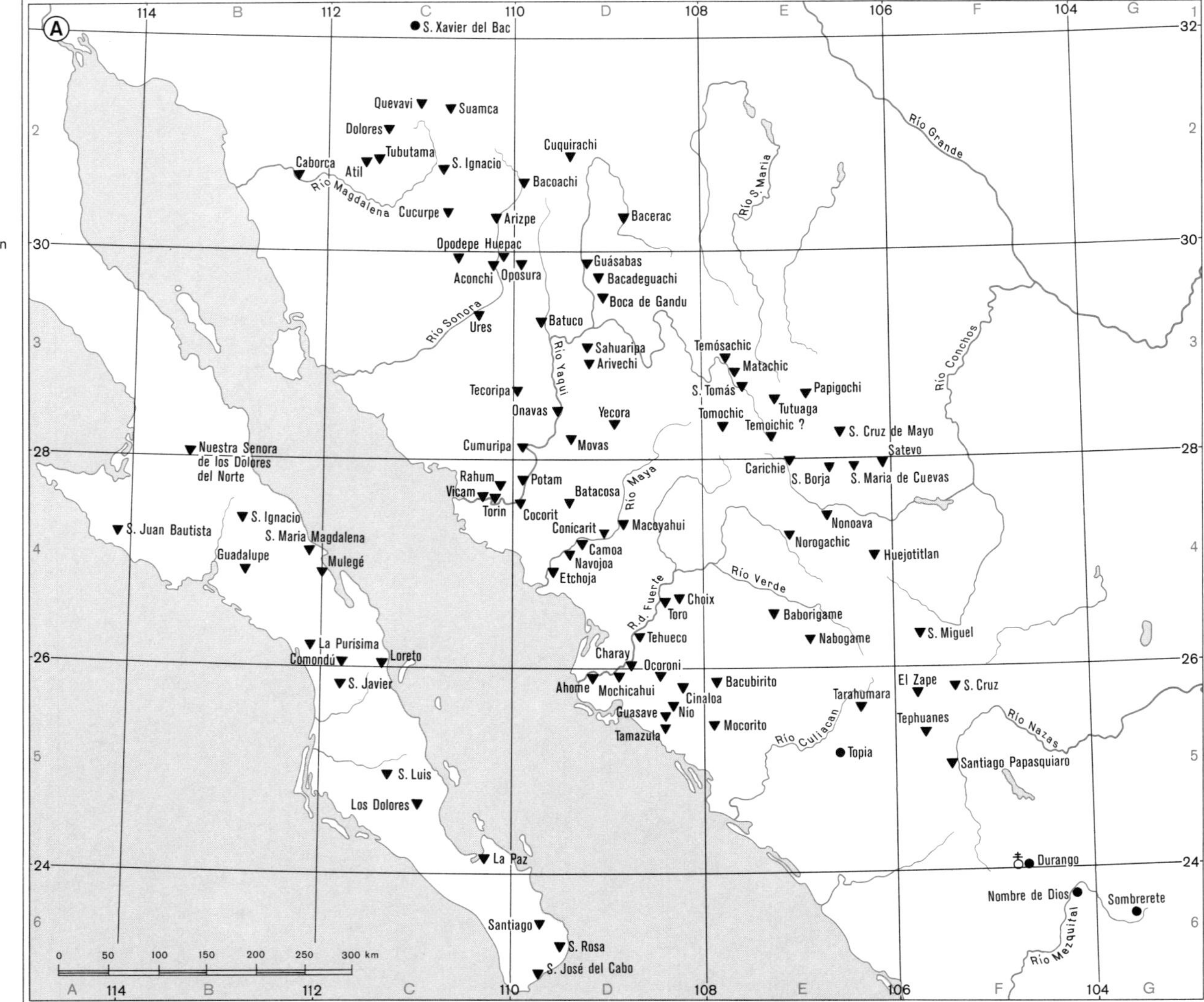

Die Niederlassungen der Mendikantenorden bis 1577

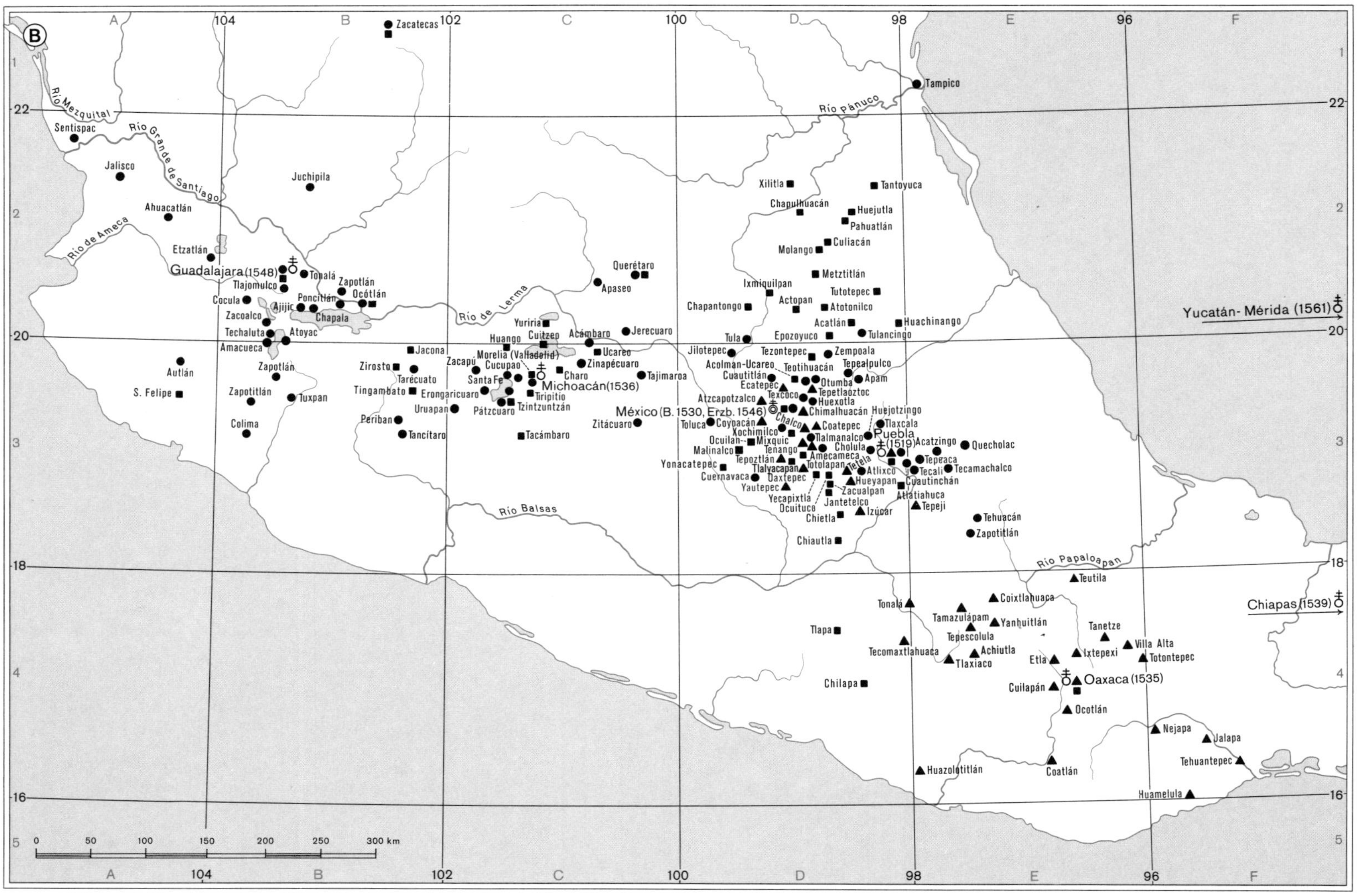

Die Entwicklung der Kirchenorganisation und Mission in Südamerika bis um 1750

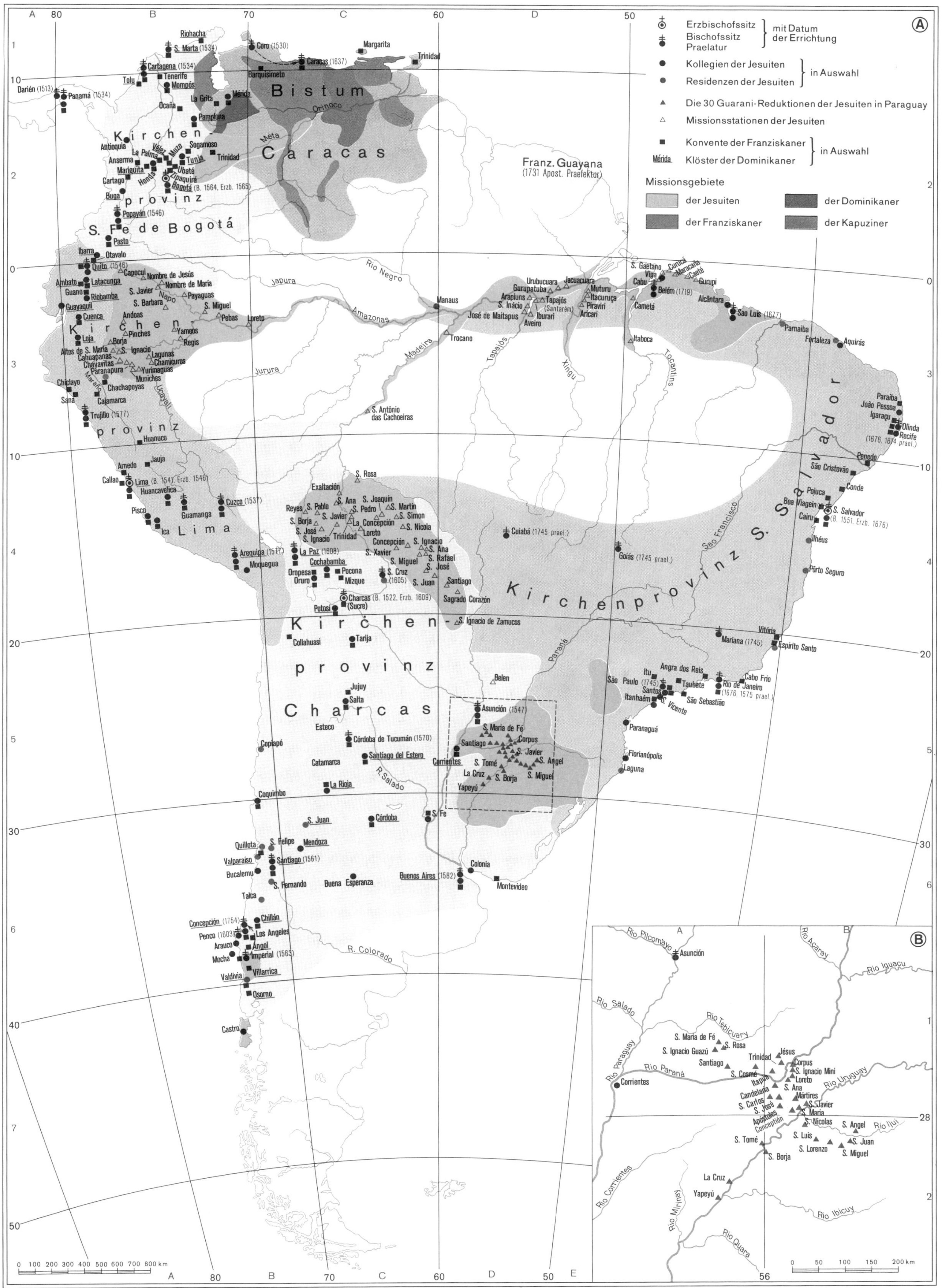

Missionen in Venezuela und Kolumbien bis 1817

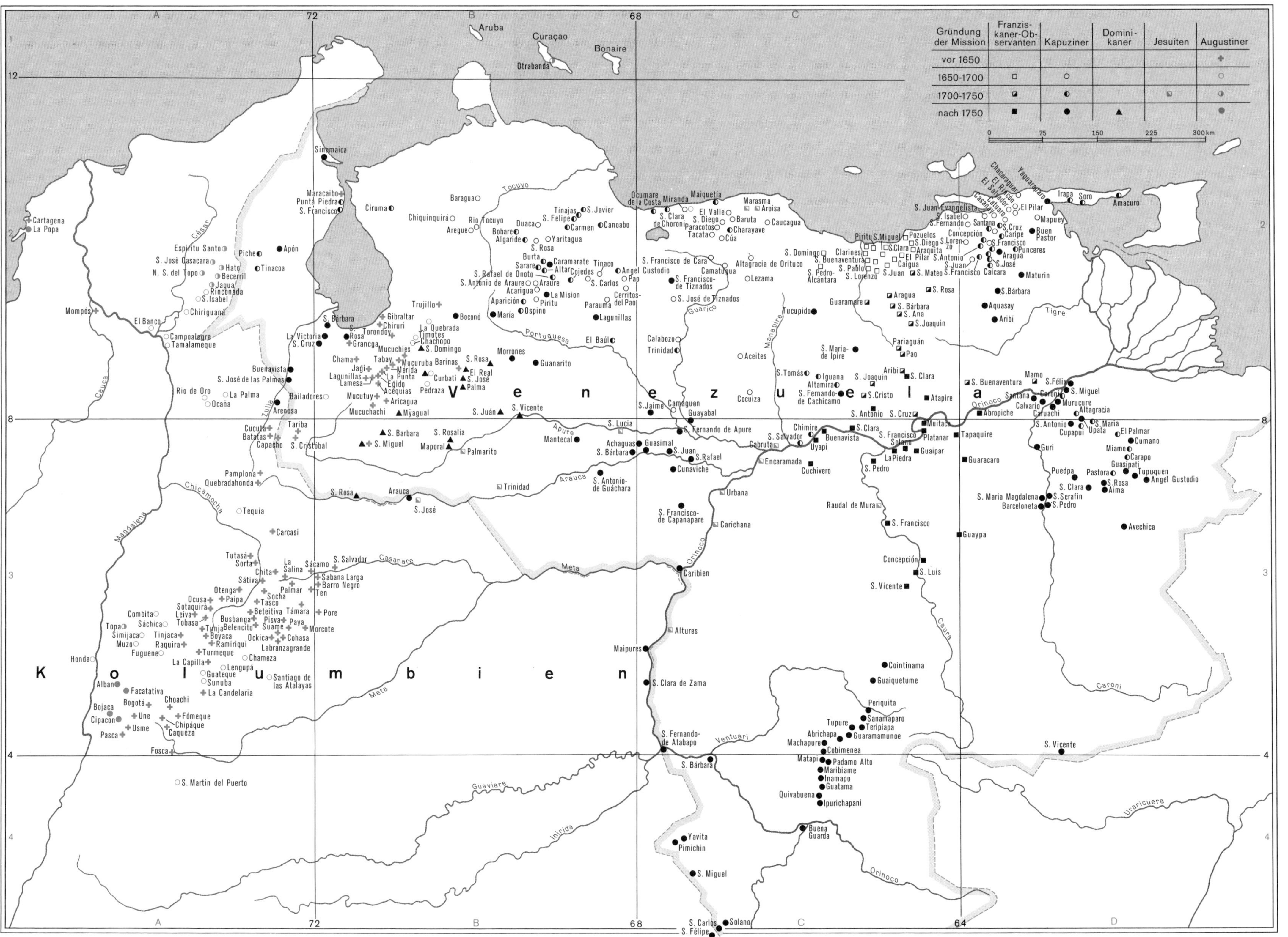

Die Indianermissionen im Gebiet der heutigen USA (1567–1861)

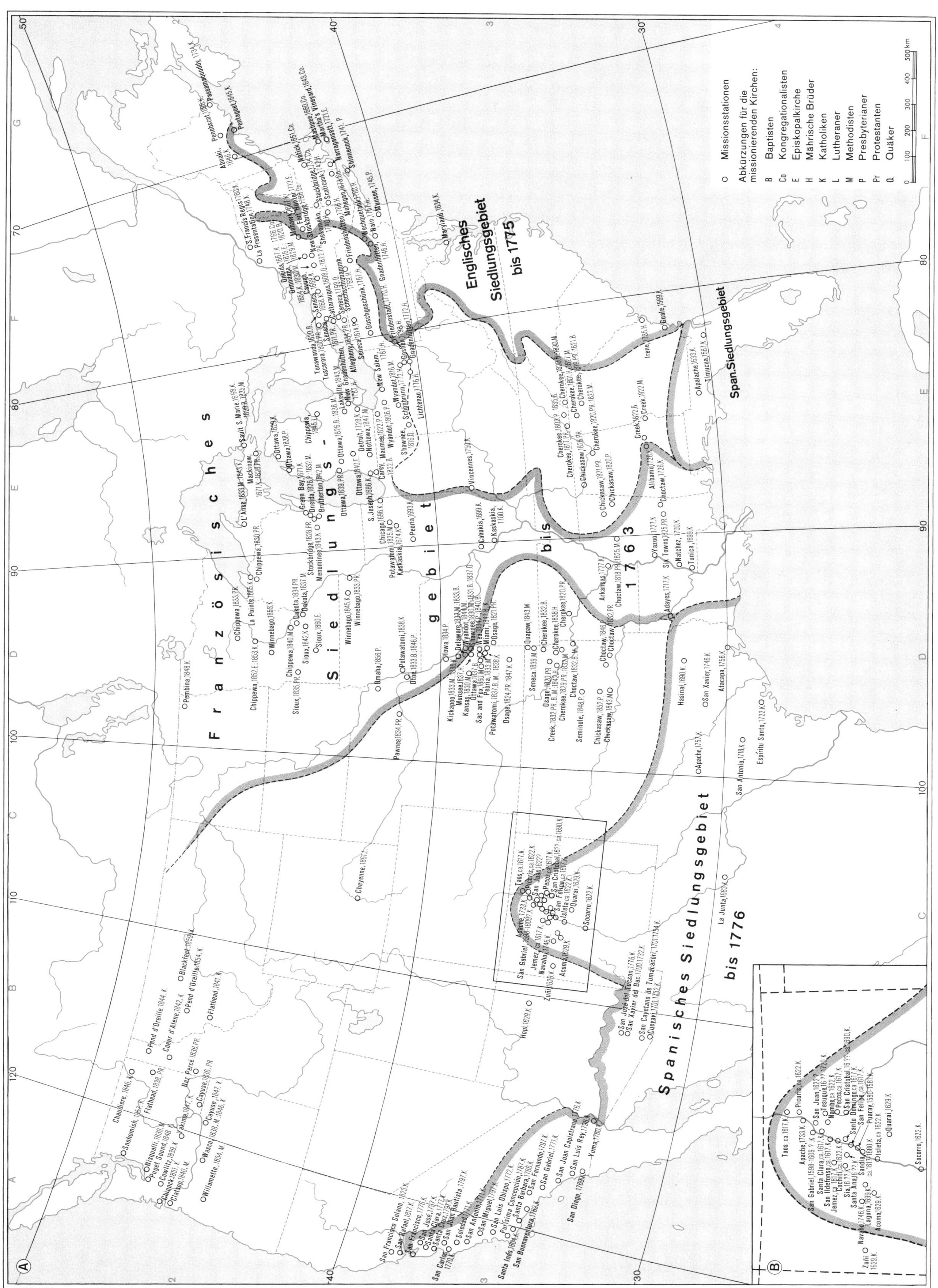

Die kirchliche Situation im Osten Nordamerikas 1650

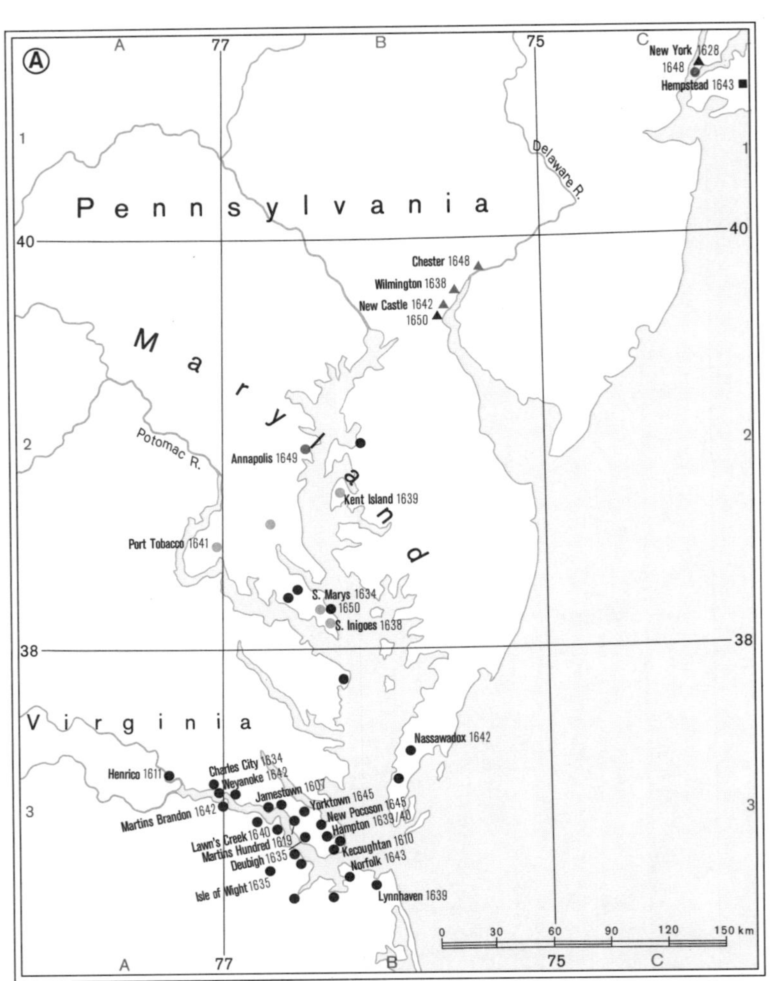

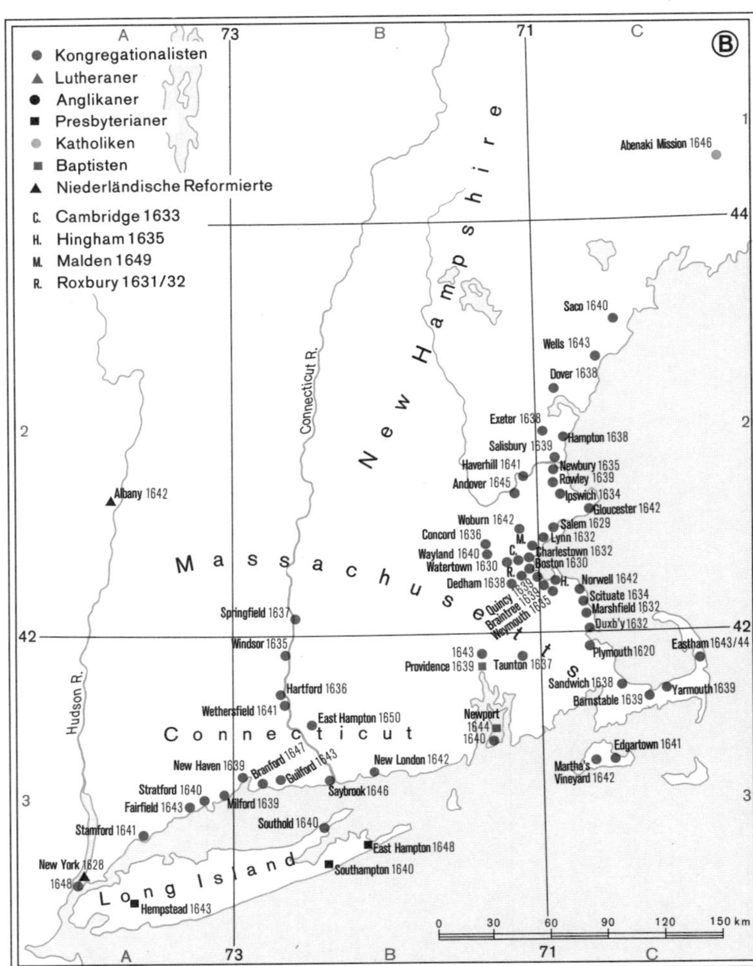

Die kirchliche Situation im Osten Nordamerikas 1750

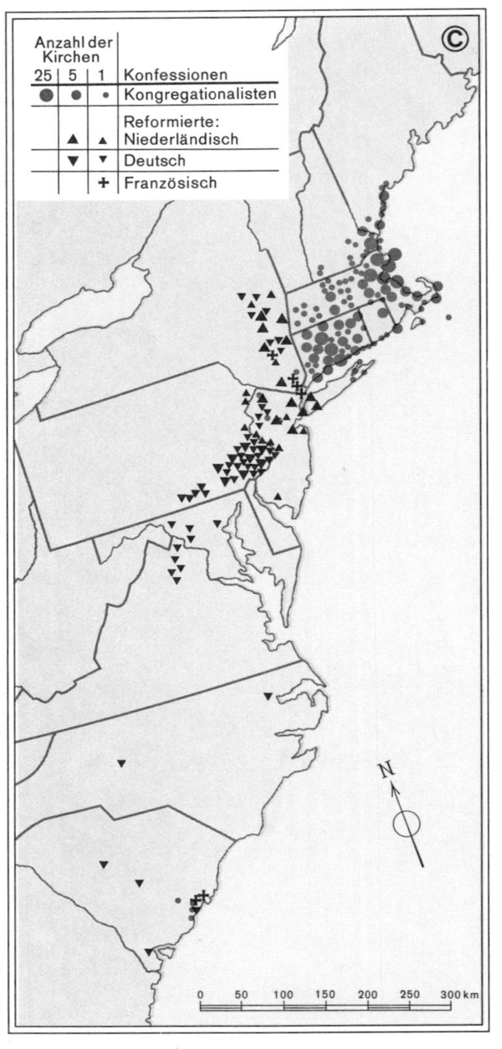

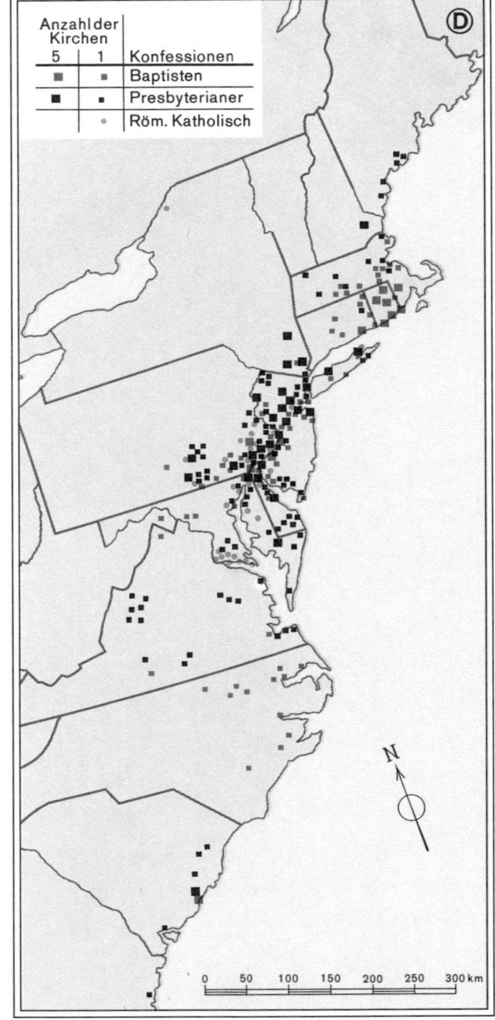

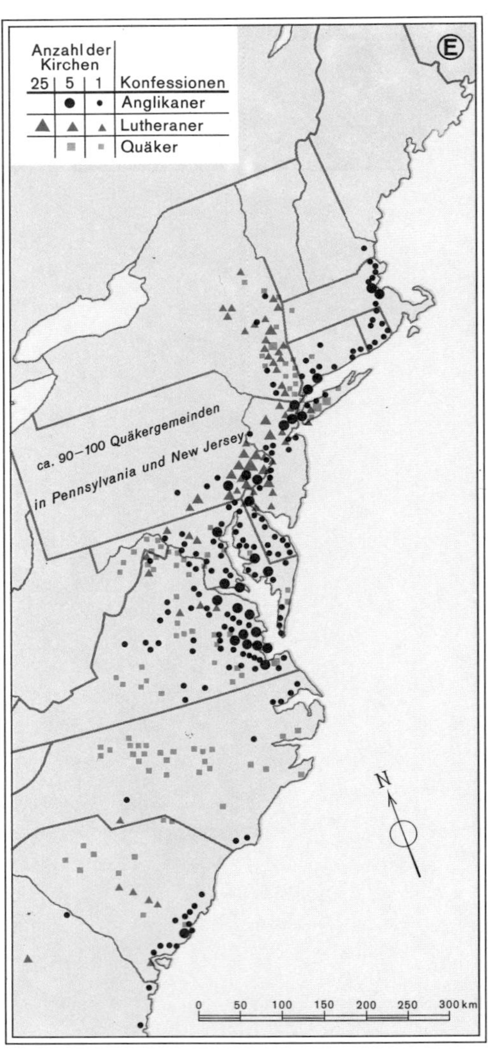

Die Verbreitung des Christentums in Japan 1550–1650

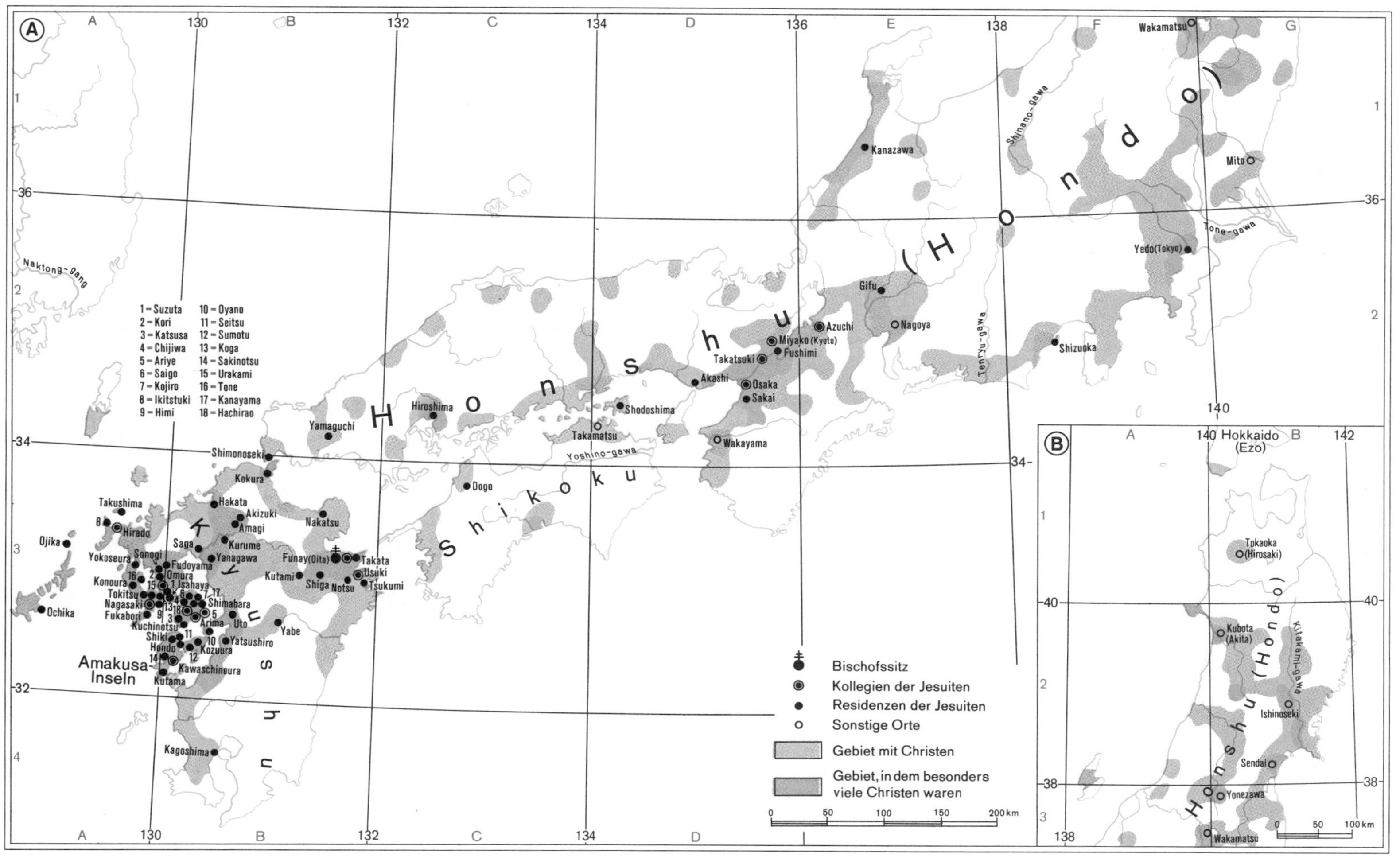

Die Mission und kirchliche Einteilung in Indien und China bis um 1700

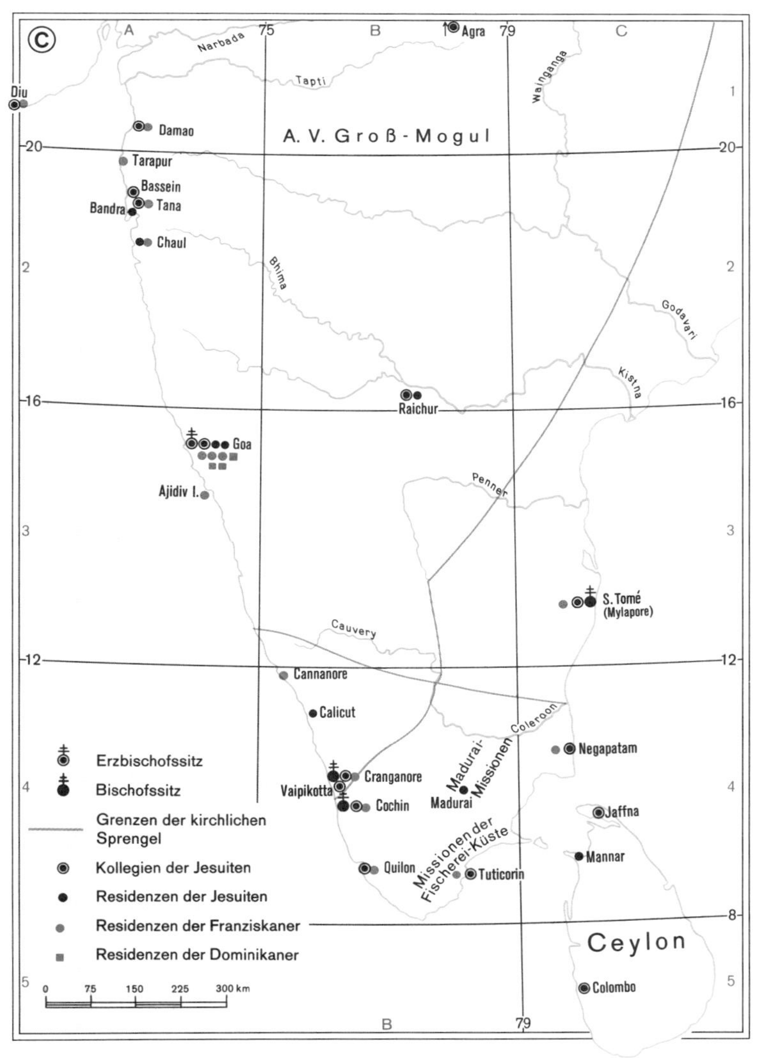

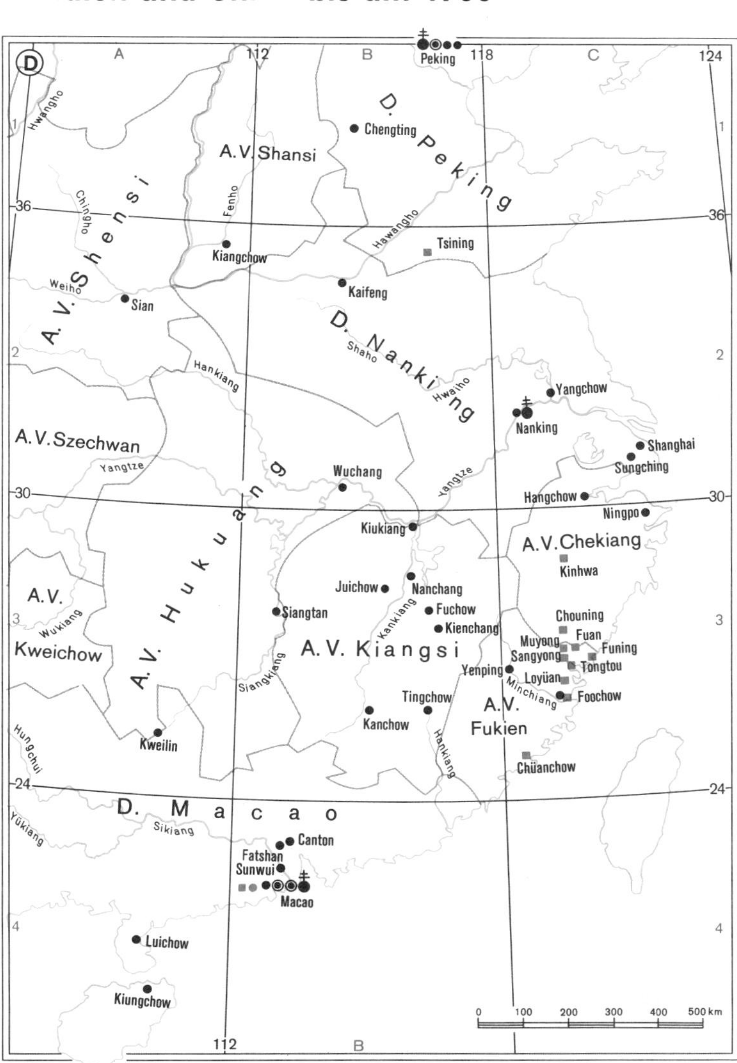

Die katholische Kirche auf den Philippinen bis 1655

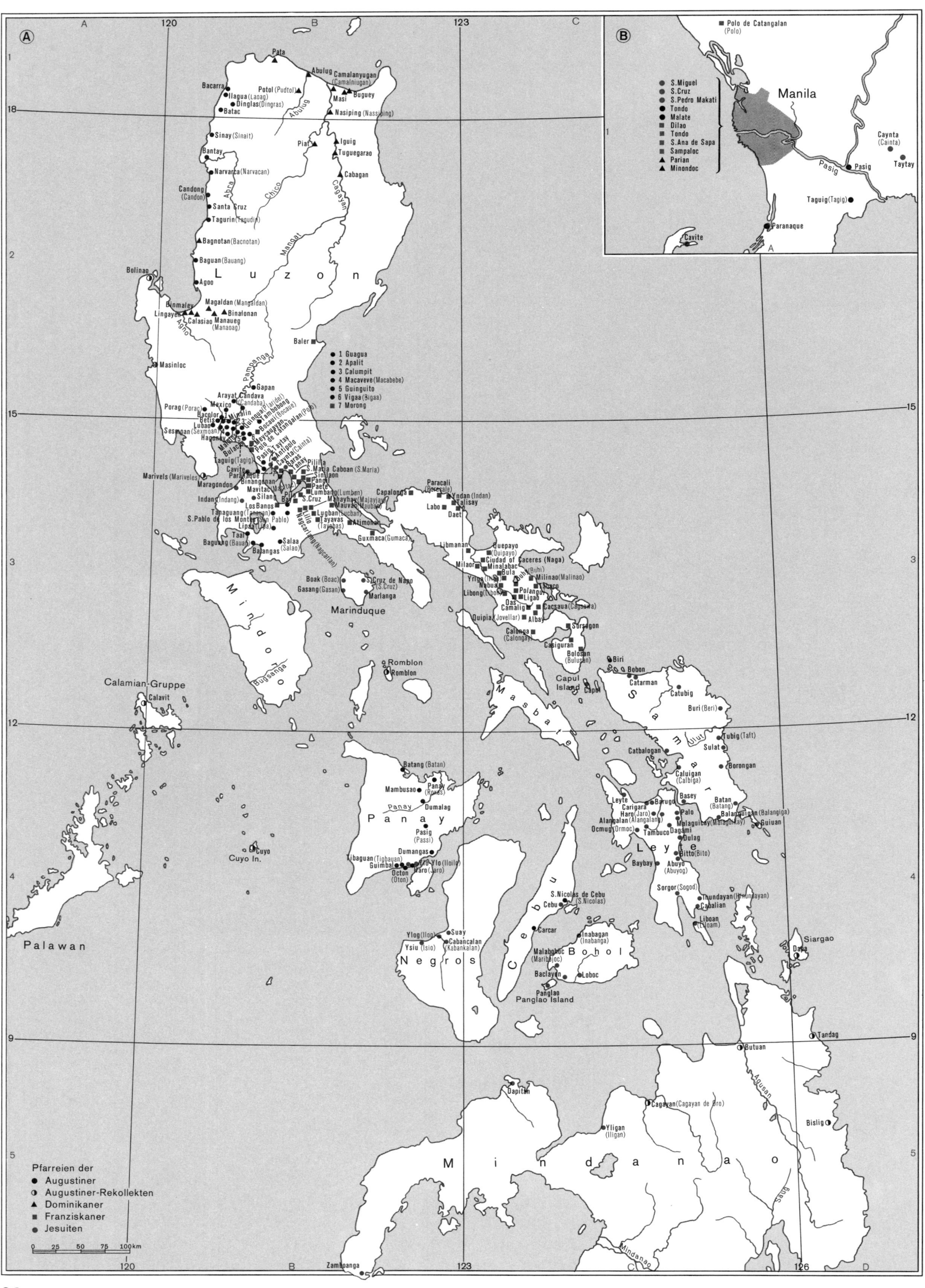

Das Restitutionsedikt von 1629

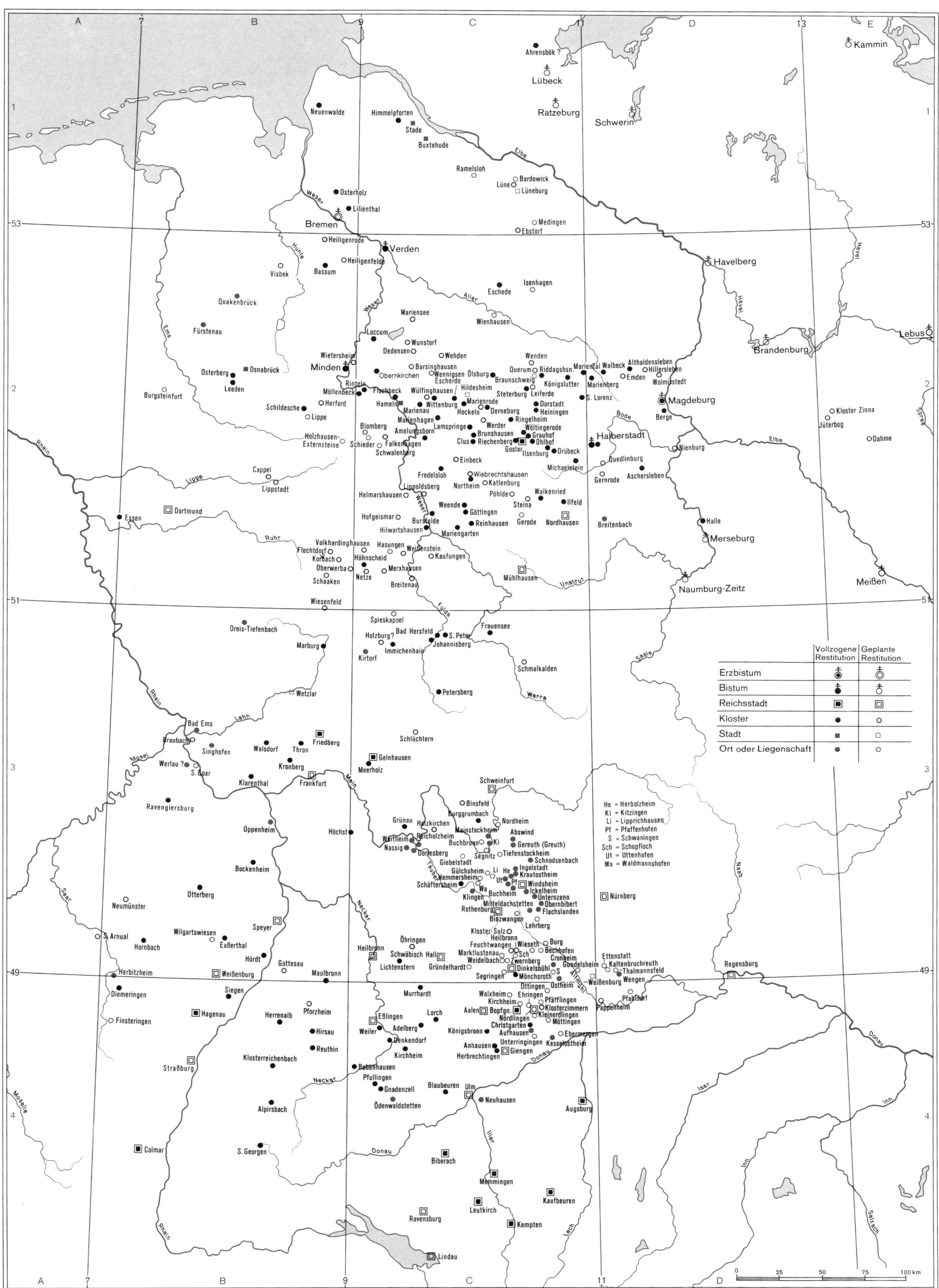

Katholiken in Norddeutschland nach 1648

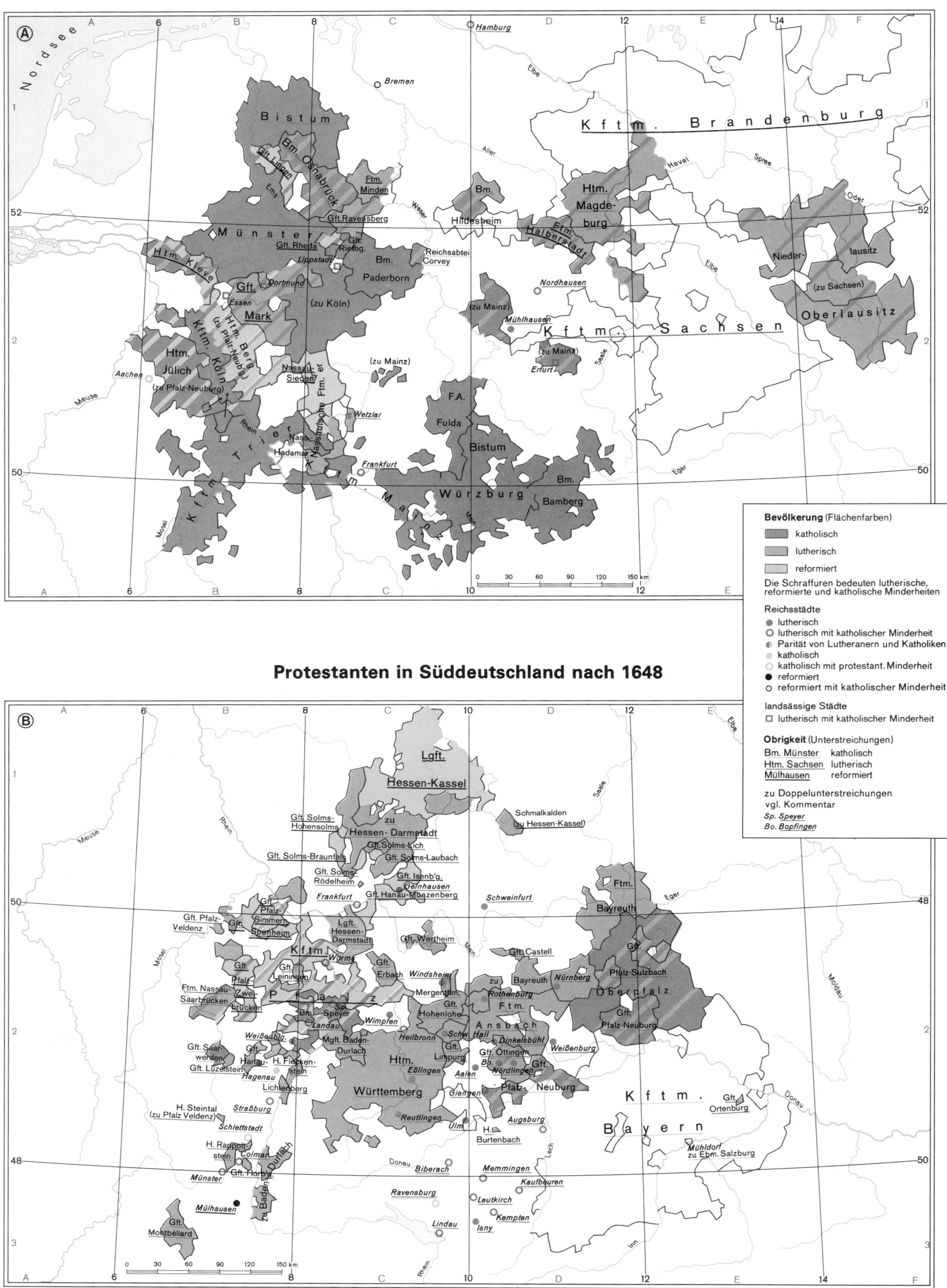

Die konfessionelle Gliederung Europas um 1680

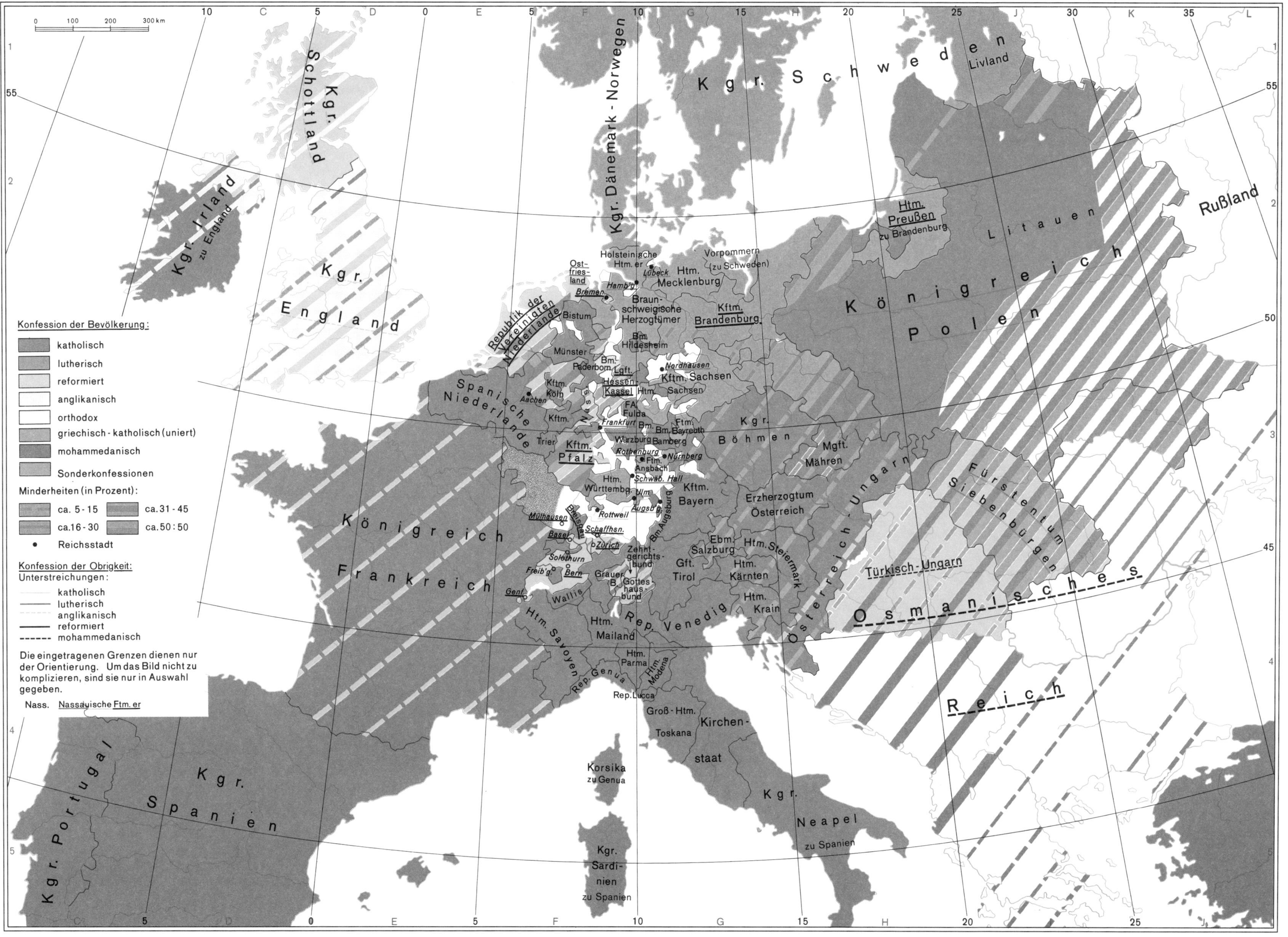

Die Mauriner

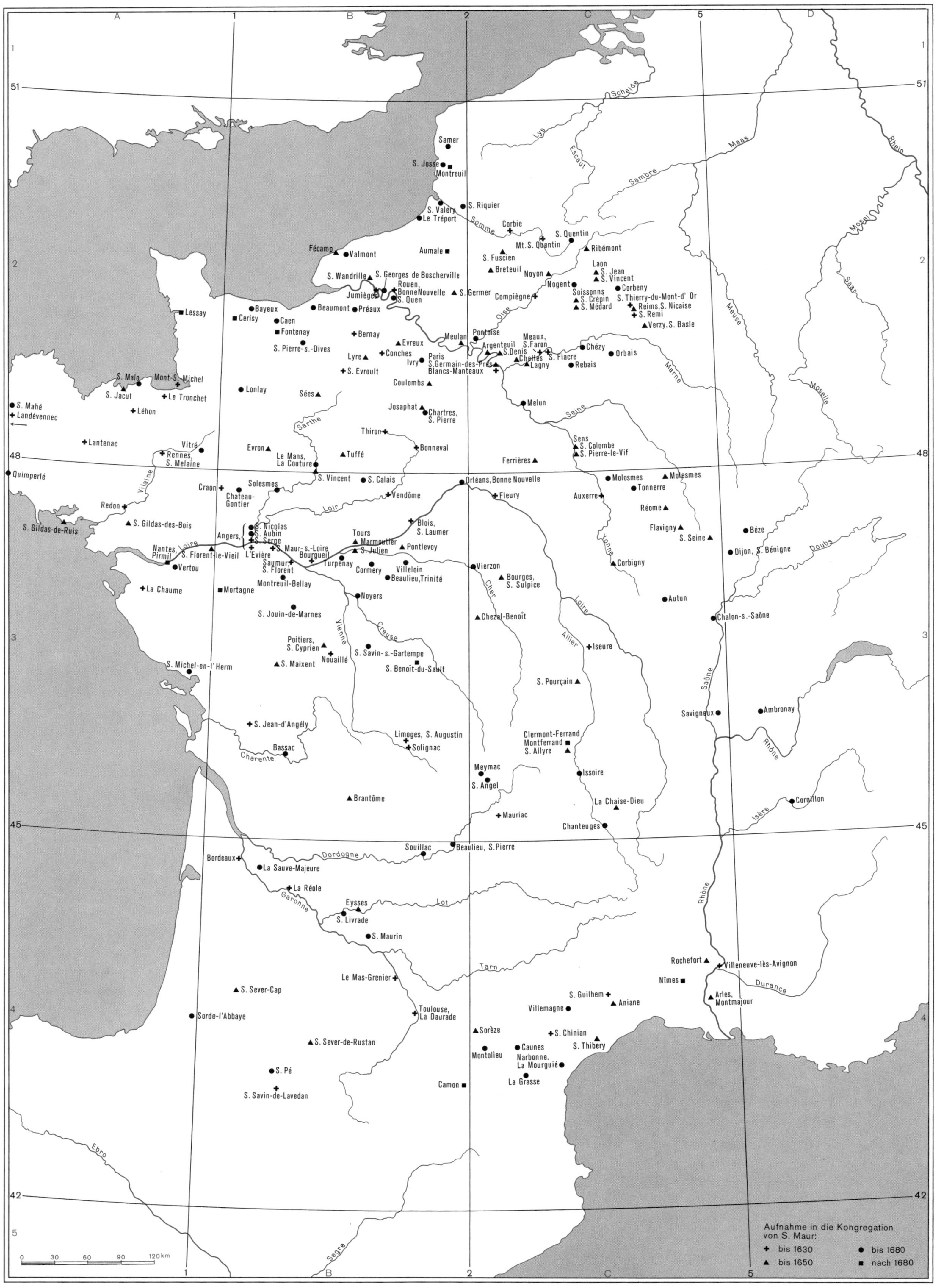

Das Wachstum der evangelischen Kirche in Österreich von 1800 bis 1970

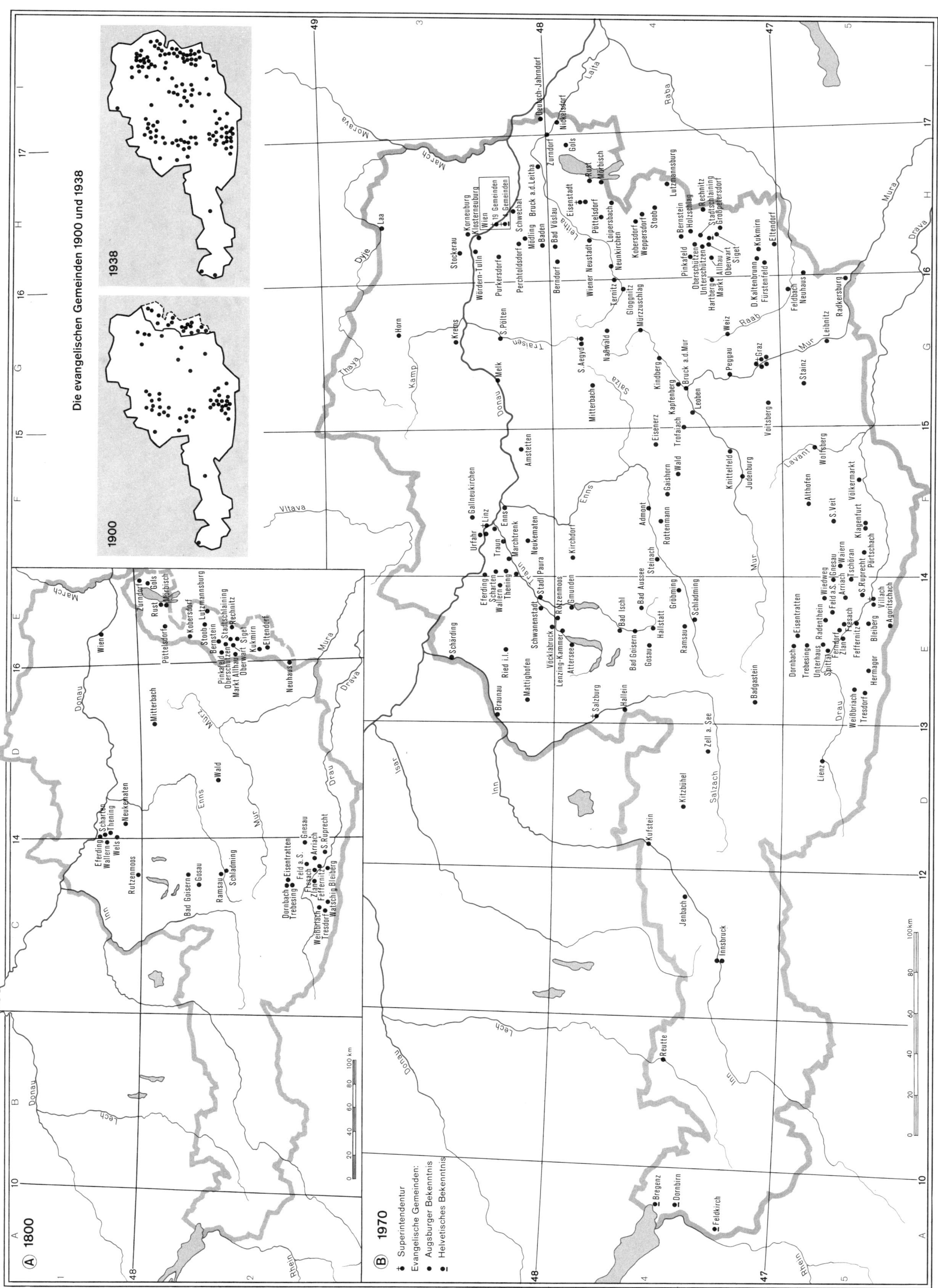

Die Zurückdrängung des Osmanischen Reiches und die Hierarchie in Südosteuropa

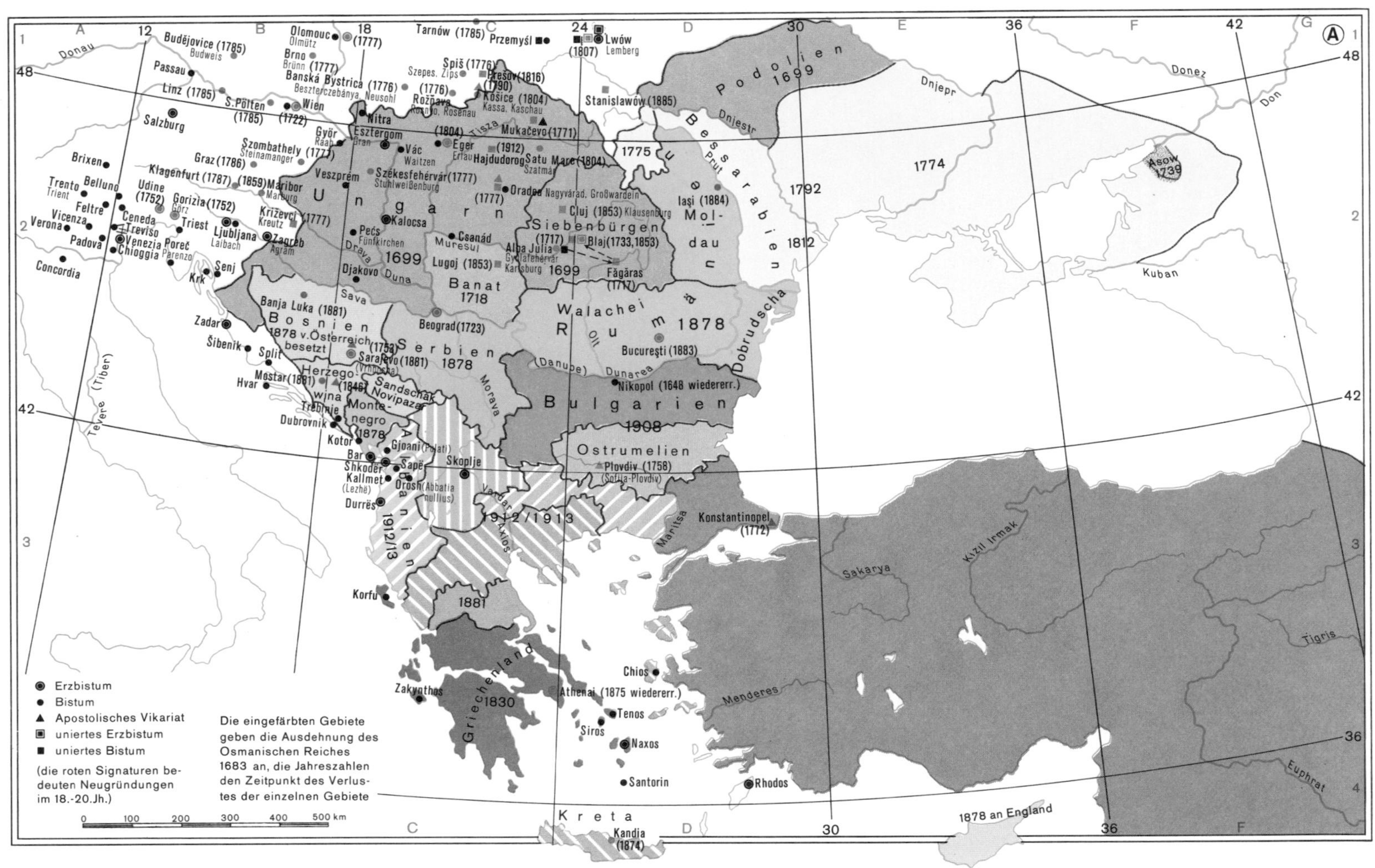

Die Neuordnung der österreichischen Bistümer 1782–1859

(Kirchenprovinzen Salzburg und Wien)

Residenzen:

- Sitz eines Erzbischofs
- Sitz eines Bischofs
- Sitz eines Weihbischofs außerhalb der Residenz des Diözesanbischofs
- zwischen 1782 und 1859 untergegangener oder verlegter Bischofssitz
- Mittelpunkt einer zwischen 1782 und 1859 untergegangenen Quasidiözese

Kirchliche Einteilung nach der Neuordnung: 1782/1859

- neue Kirchenprovinzgrenze
- endgültige neue Diözesangrenze (spätestens seit 1859)
- vorübergehende neue Diözesangrenze (längstens bis 1859)
- Brixen — Namen der Diözesen 1859

0 15 30 45 60 75 90 km

Passau · Linz, seit 1785 · Wien, seit 1469, Erzb. seit 1722 · S. Pölten, seit 1785 · Wiener Neustadt 1469–1785 · Salzburg Erzb. seit 798 · Chiemsee, 1215–1808 · Berchtesgaden 1455–1807 · Leoben, 1786–1808 (1859) · Seckau 1219–1786 · S. Lambrecht 1662–1782 · Graz, seit 1786 · Gurk, 1072–1787 · Klagenfurt seit 1787 · S. Andrä, 1225–1859 · Maribor, seit 1859 Marburg · Brixen, seit ca 990 (vorher Säben) · Trient · Ljubljana Laibach · Feldkirch seit 1820 · Chur

bis 1818 Freising · bis 1818 (1819) Konstanz · bis 1818 (1816) Augsburg · bis 1829 (1859) (München-) Freising · bis 1808 (1816) Chur · seit 1827 an Brixen delegiert · bis 1785 Feltre · bis 1785 Padua · bis 1785 Verona · 1785 zu Brescia · 1790 zu Salzburg · seit 1808 (1818) (München-) Freising

Linz · S. Pölten · Wien · Salzburg · Seckau · Brixen · Gurk · Trient · Lavant

Donau · Inn · Isar · Salzach · Traun · Enns · Kamp · Mur · Drau · Etsch · Save

D. Seckau	D. Raab (Györ)
Quasidiözese S. Lambrecht	ED. Görz (Gorizia) (bis 1751 P. Aquileia)
D. Lavant (Sitz S. Andrä)	D. Laibach (Ljubljana)
ED. Wien	D. Trient (Trento)
D. Wiener Neustadt	D. Feltre
D. Padua (Padova)	D. Chur
D. Verona	D. Konstanz
D. Augsburg	

ED. Erzdiözese
D. Diözese
P. Patriarchat

Kirchliche Einteilung 1781 (vor der Neuordnung):

- Diözesen, welche nie in den Raum der 1782–1825 abgegrenzten Kirchenprovinzen Salzburg und Wien reichten
- ED. Salzburg
- D. Brixen
- D. Freising
- D. Passau
- D. Chiemsee (Sitz Salzburg)
- D. Gurk

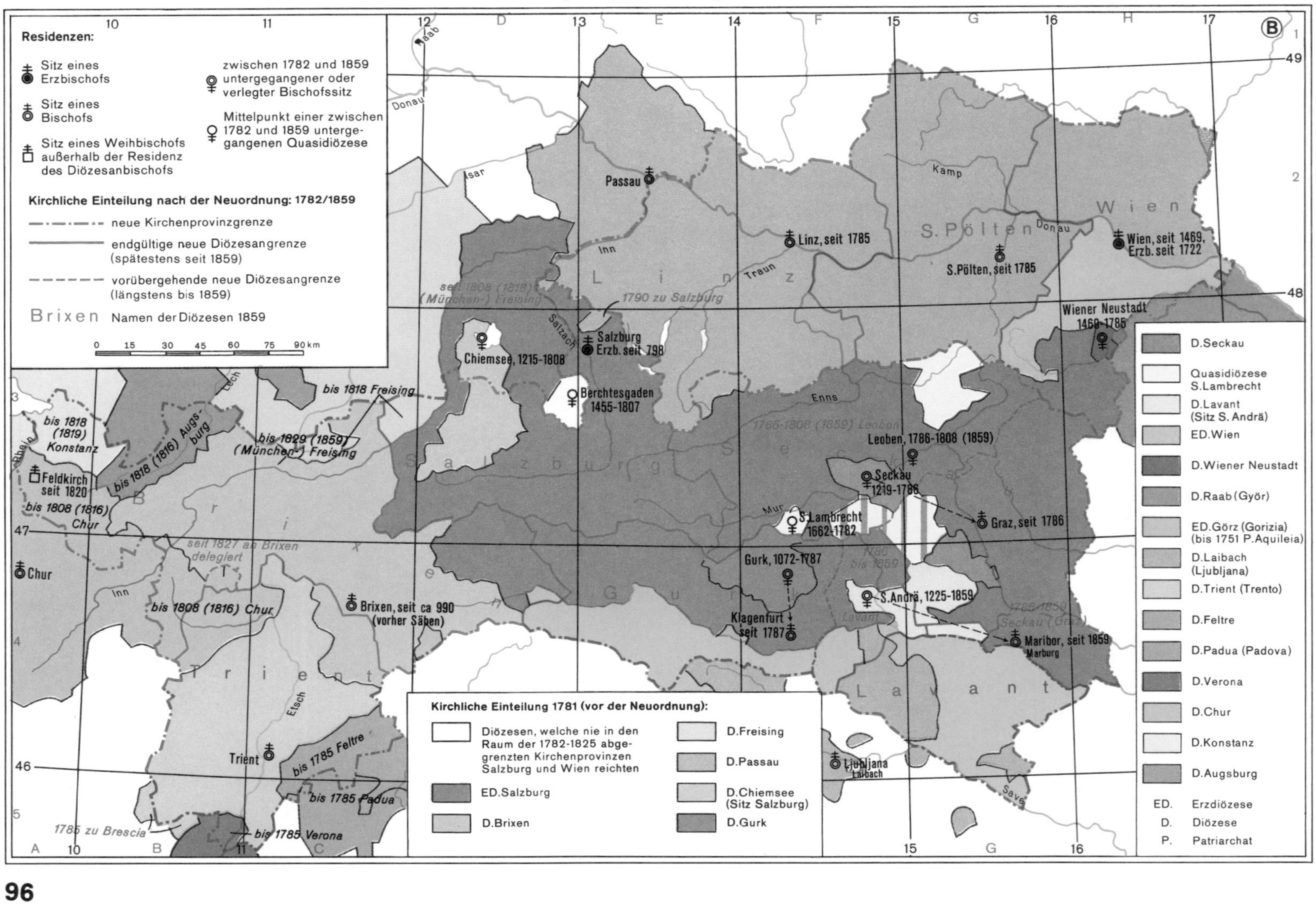

Die Umorganisation der katholischen Kirche in Frankreich 1789–1802/22

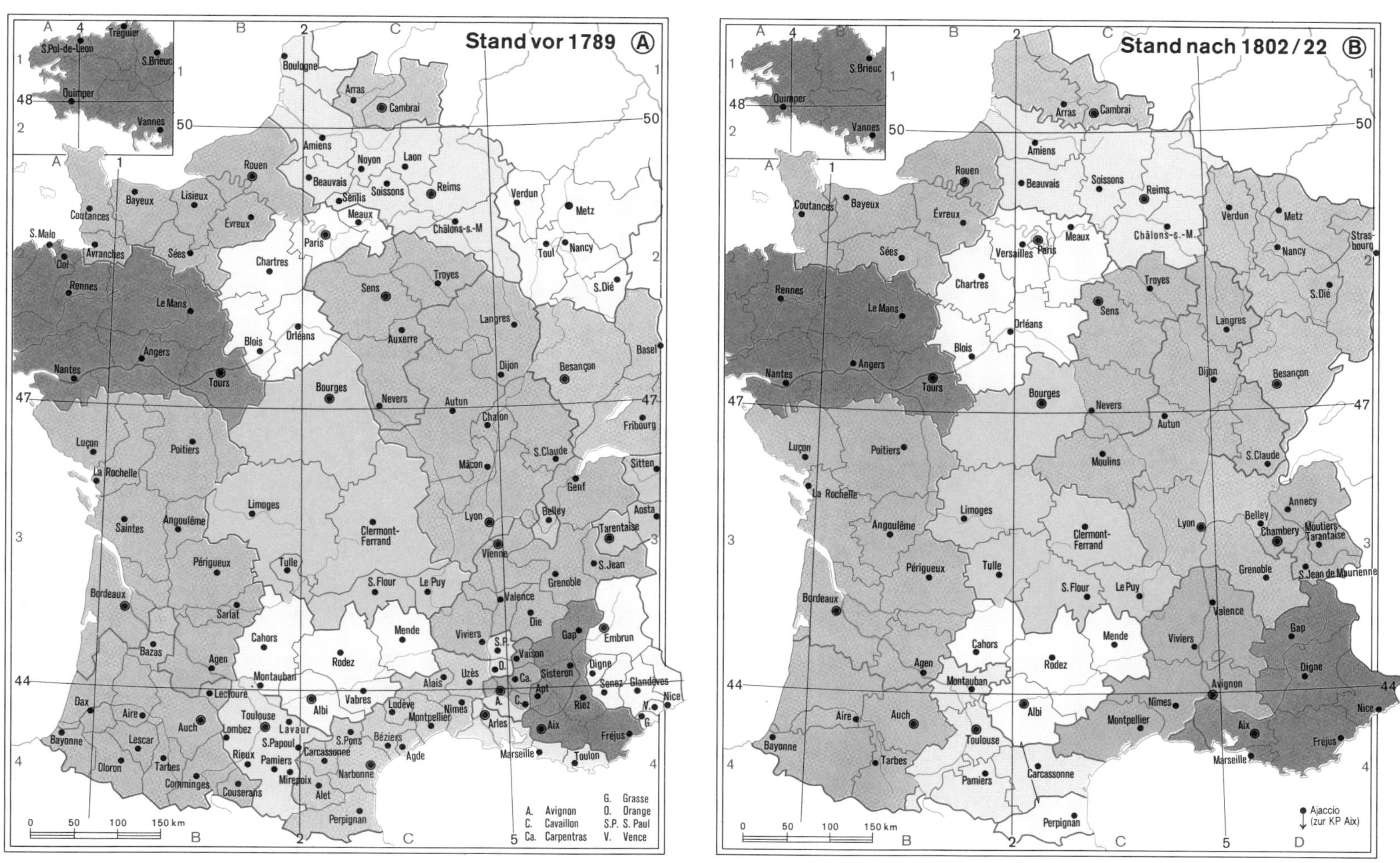

Die Umorganisation der katholischen Kirche in Deutschland 1802–1821/24

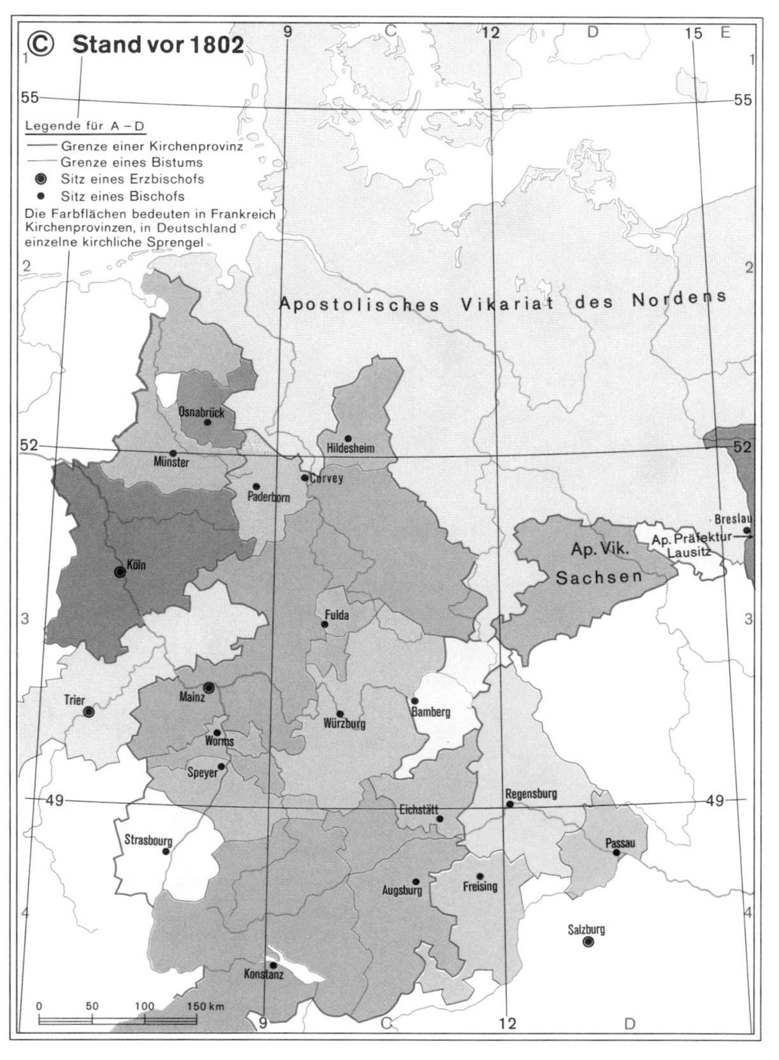

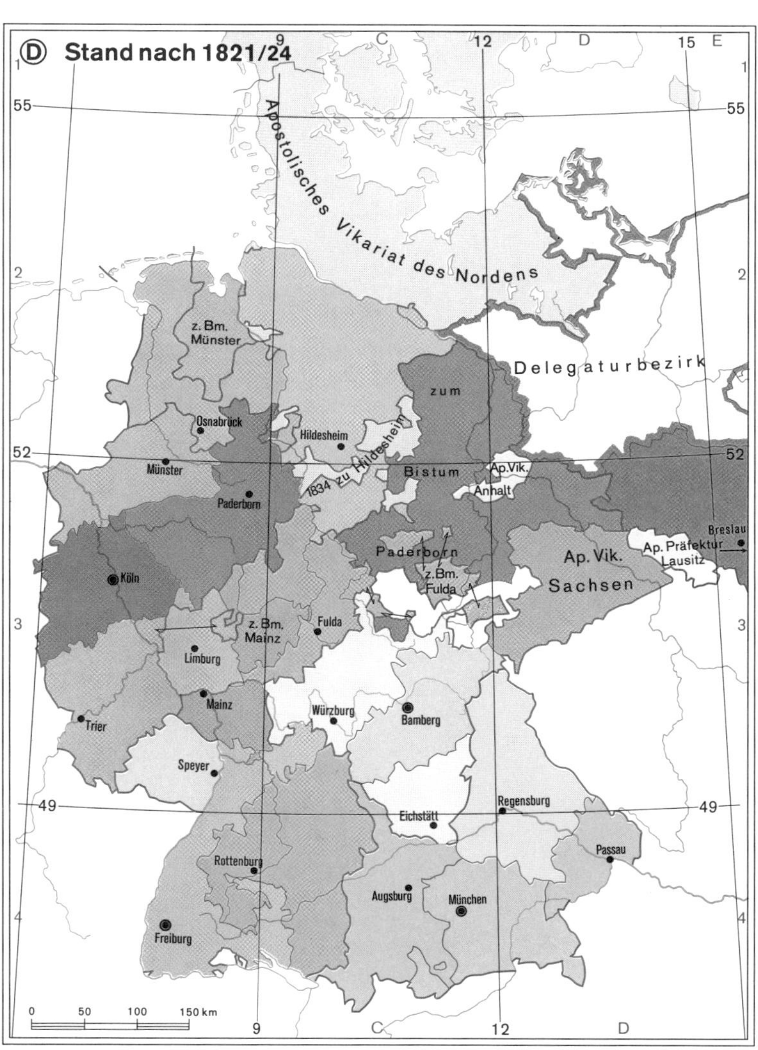

Der Stand der katholischen Missionen in Afrika, Asien und Ozeanien vor dem 1. Weltkrieg

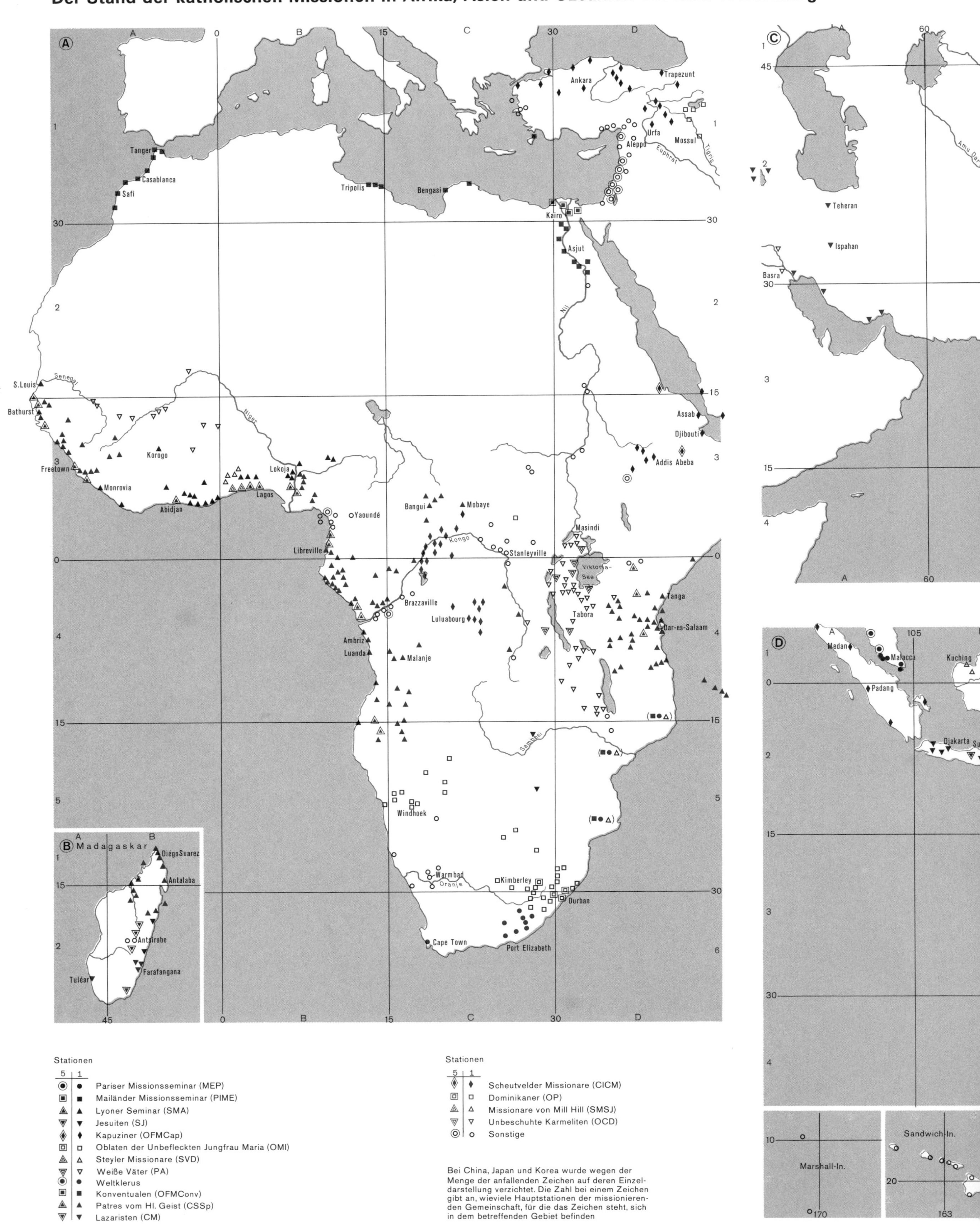

Bei China, Japan und Korea wurde wegen der Menge der anfallenden Zeichen auf deren Einzeldarstellung verzichtet. Die Zahl bei einem Zeichen gibt an, wieviele Hauptstationen der missionierenden Gemeinschaft, für die das Zeichen steht, sich in dem betreffenden Gebiet befinden

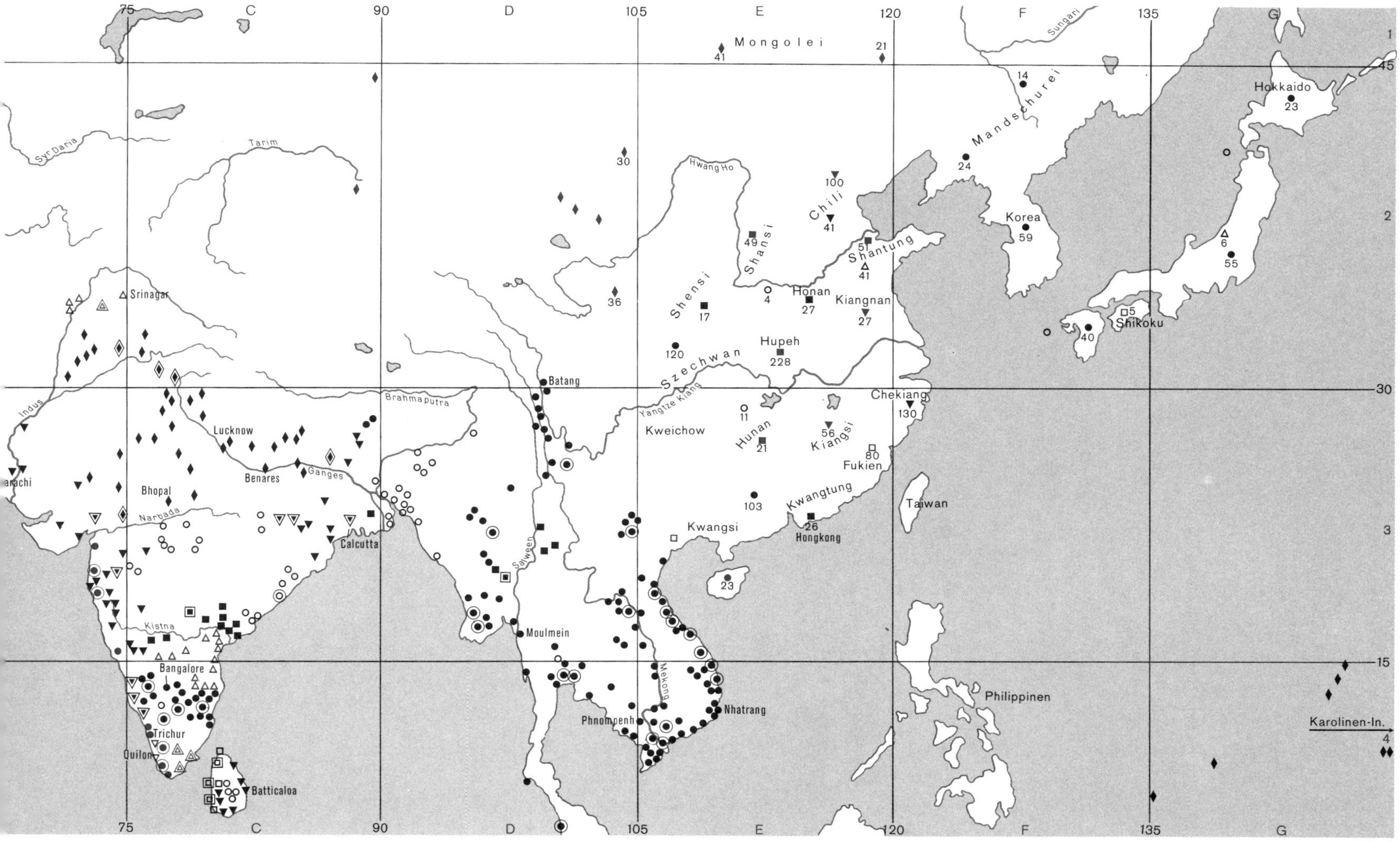

Mongolei
Mandschurei
Hokkaido
Korea
Shansi
Shensi
Chili
Shantung
Honan
Kiangnan
Hupeh
Szechwan
Kweichow
Hunan
Kiangsi
Chekiang
Fukien
Kwangtung
Kwangsi
Hongkong
Taiwan
Shikoku
Philippinen
Karolinen-In.
Srinagar
Lucknow
Benares
Bhopal
Calcutta
Bangalore
Trichur
Quilon
Batticaloa
Batang
Moulmein
Phnompenh
Nhatrang
Makassar
Larantuka
Neuguinea
Salomon-In.
Gilbert-In.
Samoa-In.
Neue Hebriden
Fidschi-In.
Neu-Kaledonien
Tonga-In.
Mangareva
Australien
Neu-Seeland
Marquises-In.
Gesellschafts-In.

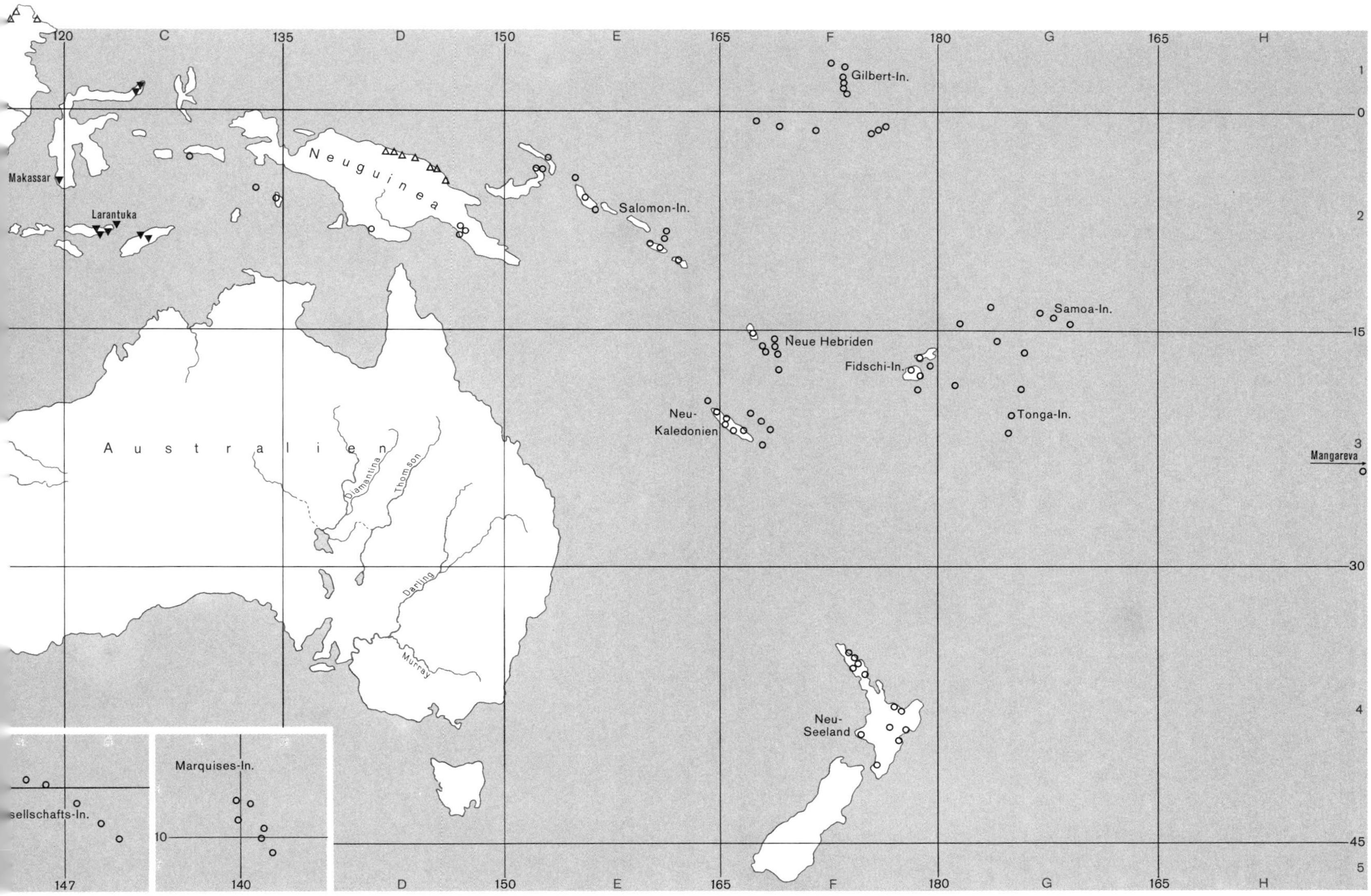

Die kirchliche Situation in den USA 1850

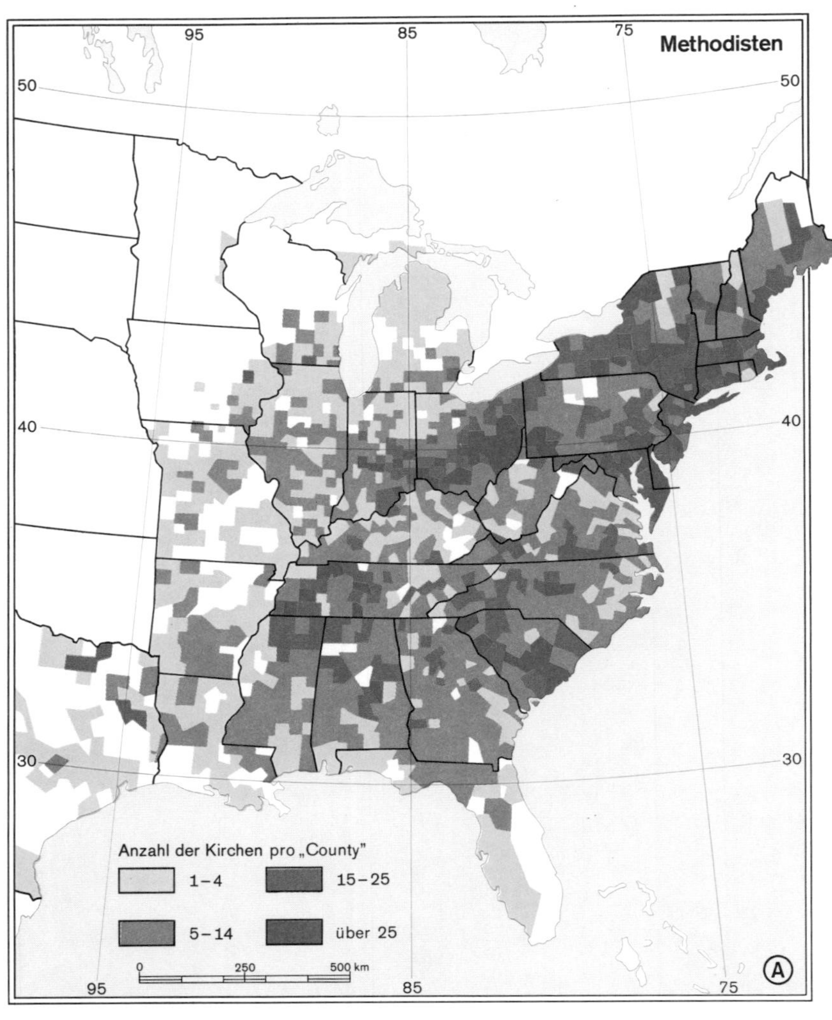

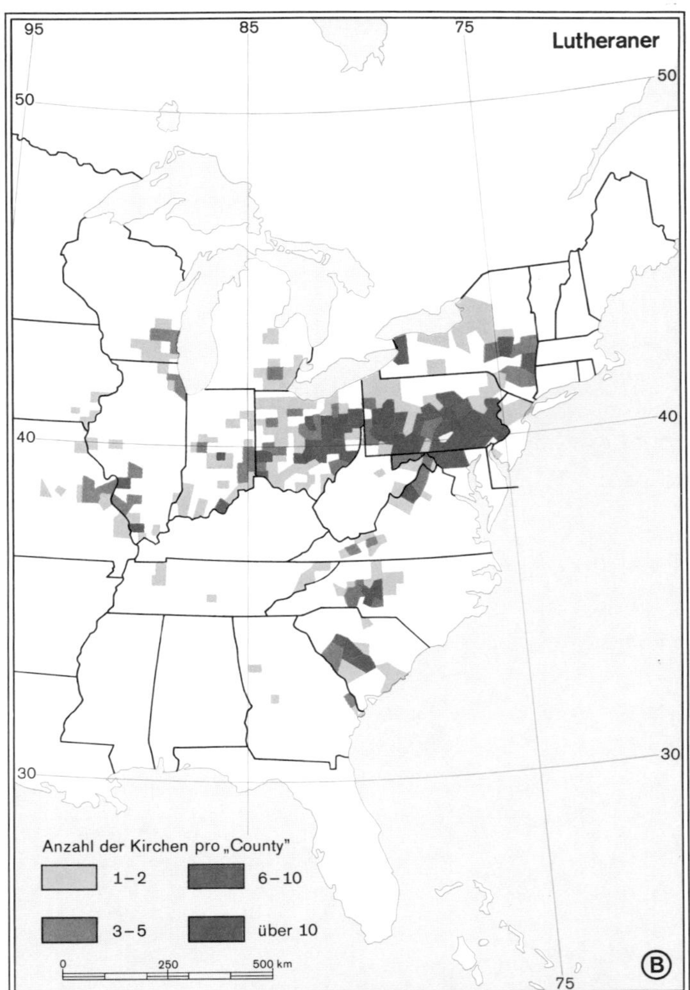

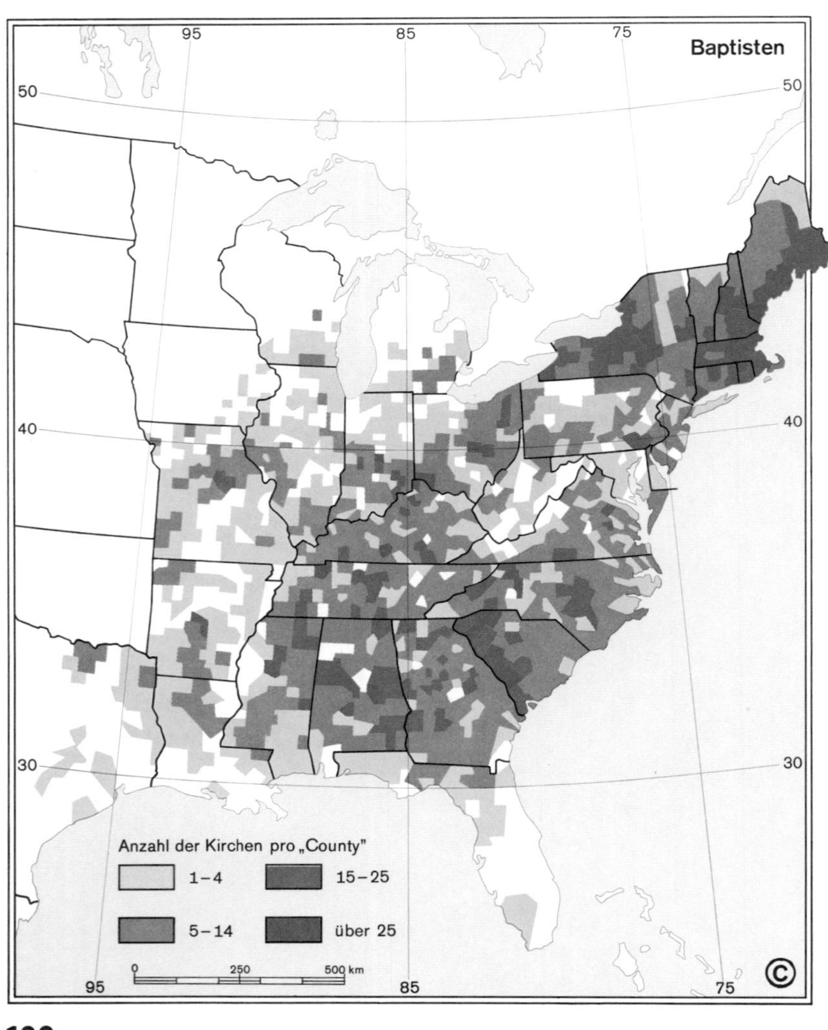

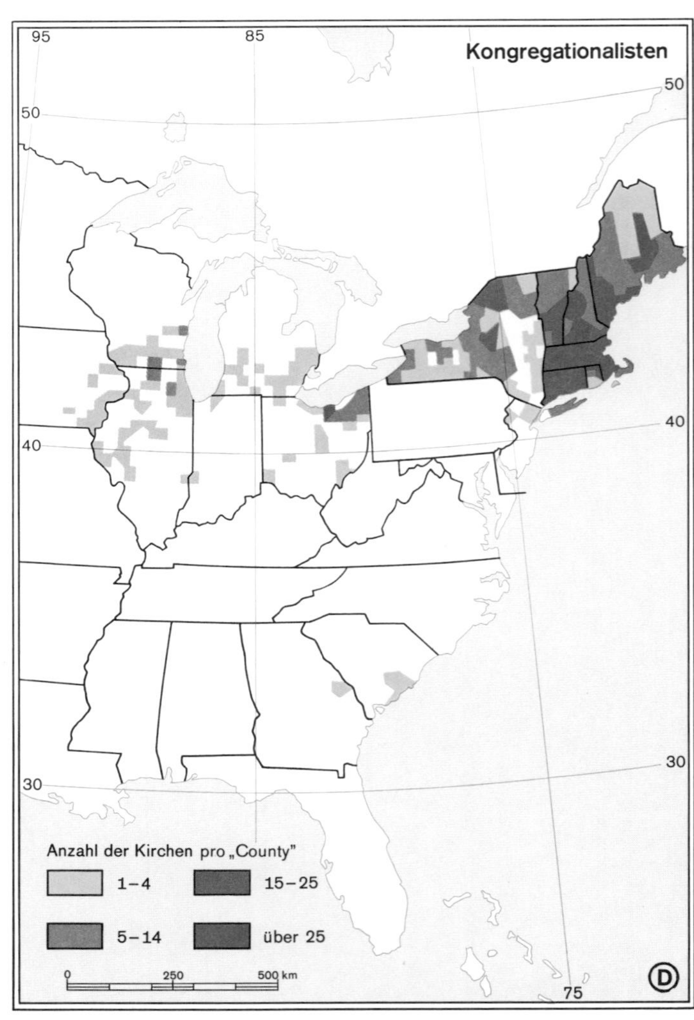

Die kirchliche Situation in den USA 1850

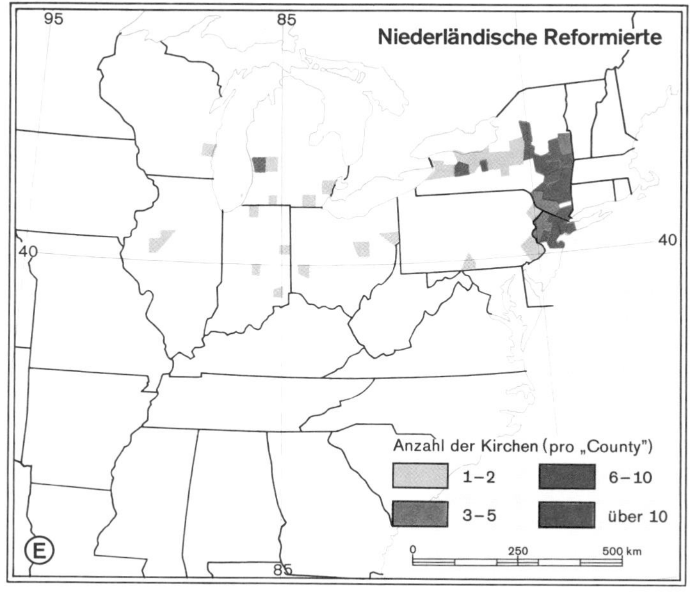

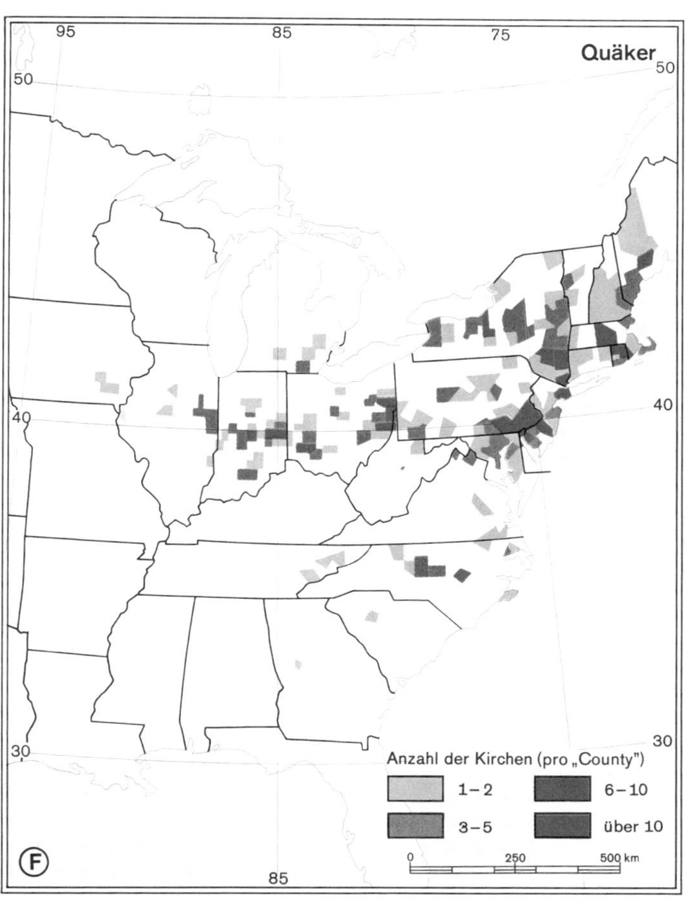

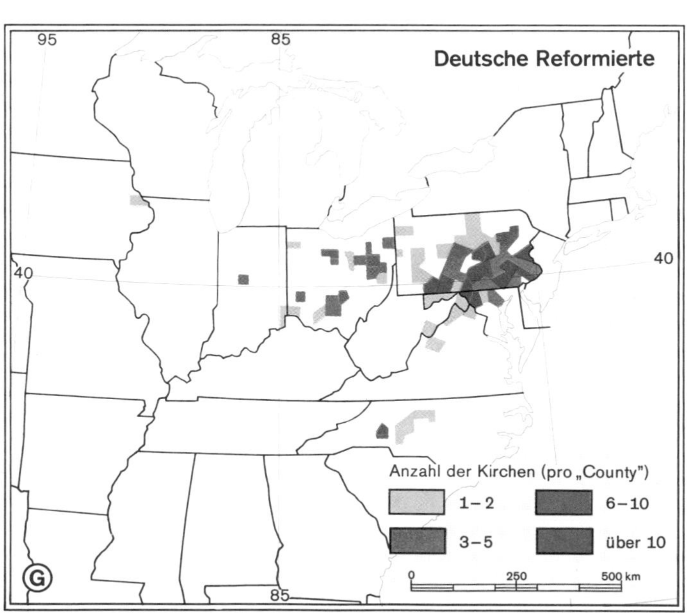

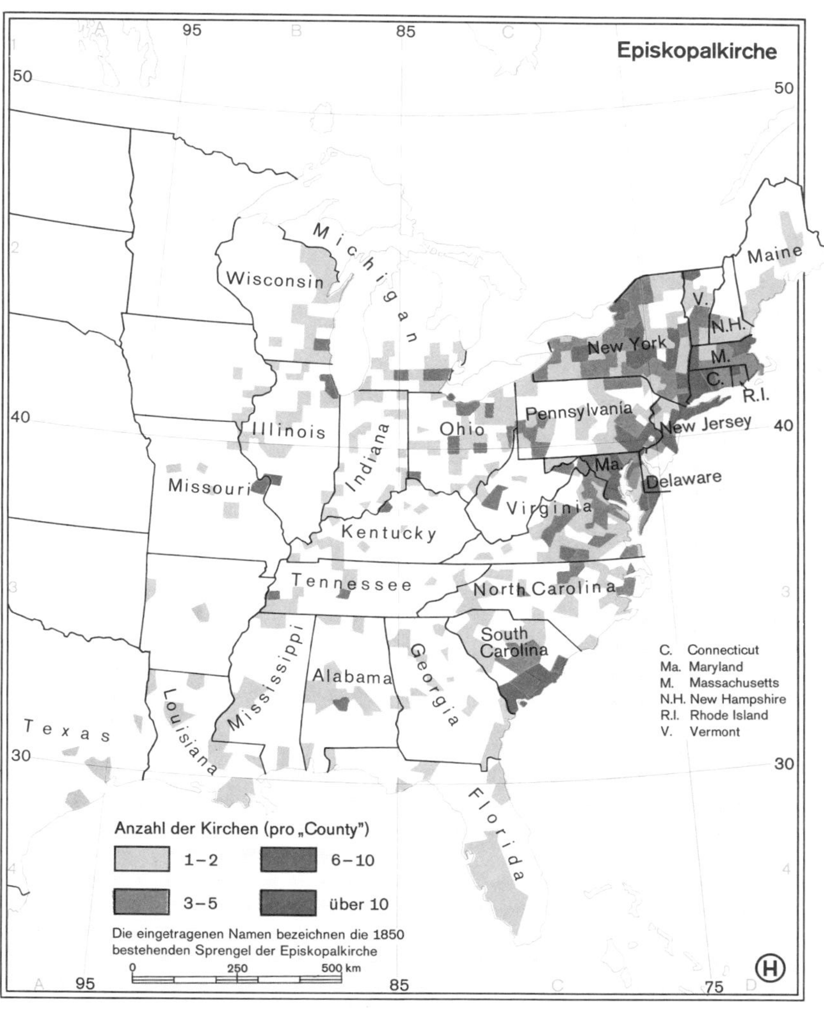

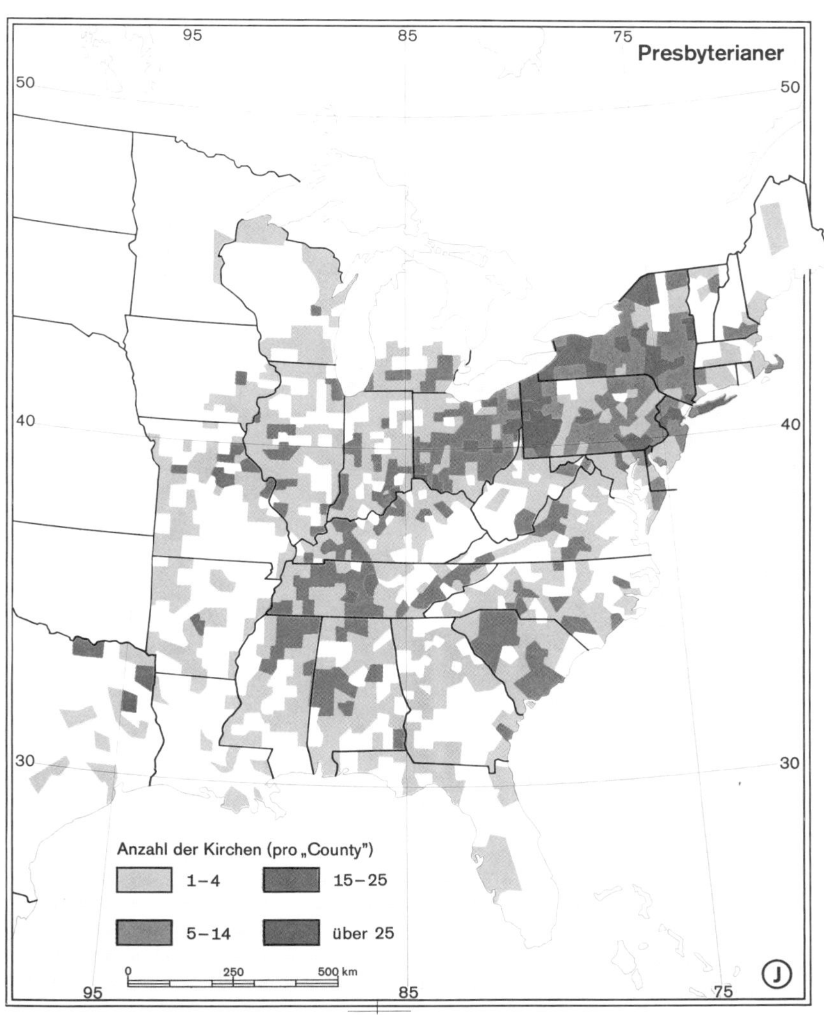

Genealogie der größeren Christlichen Kirchen in den USA

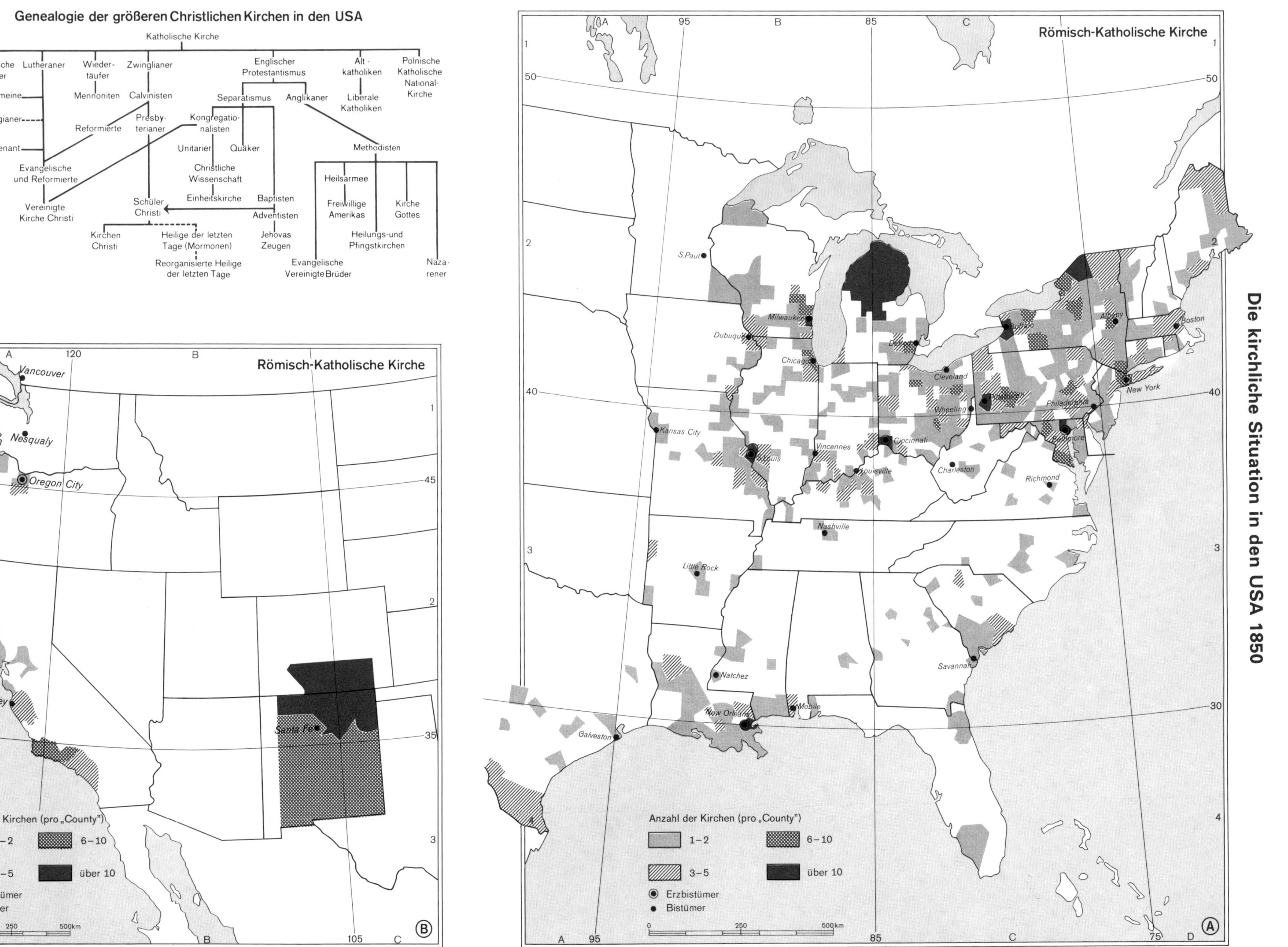

Die protestantischen Missionen bis zum Anfang des 20. Jh.

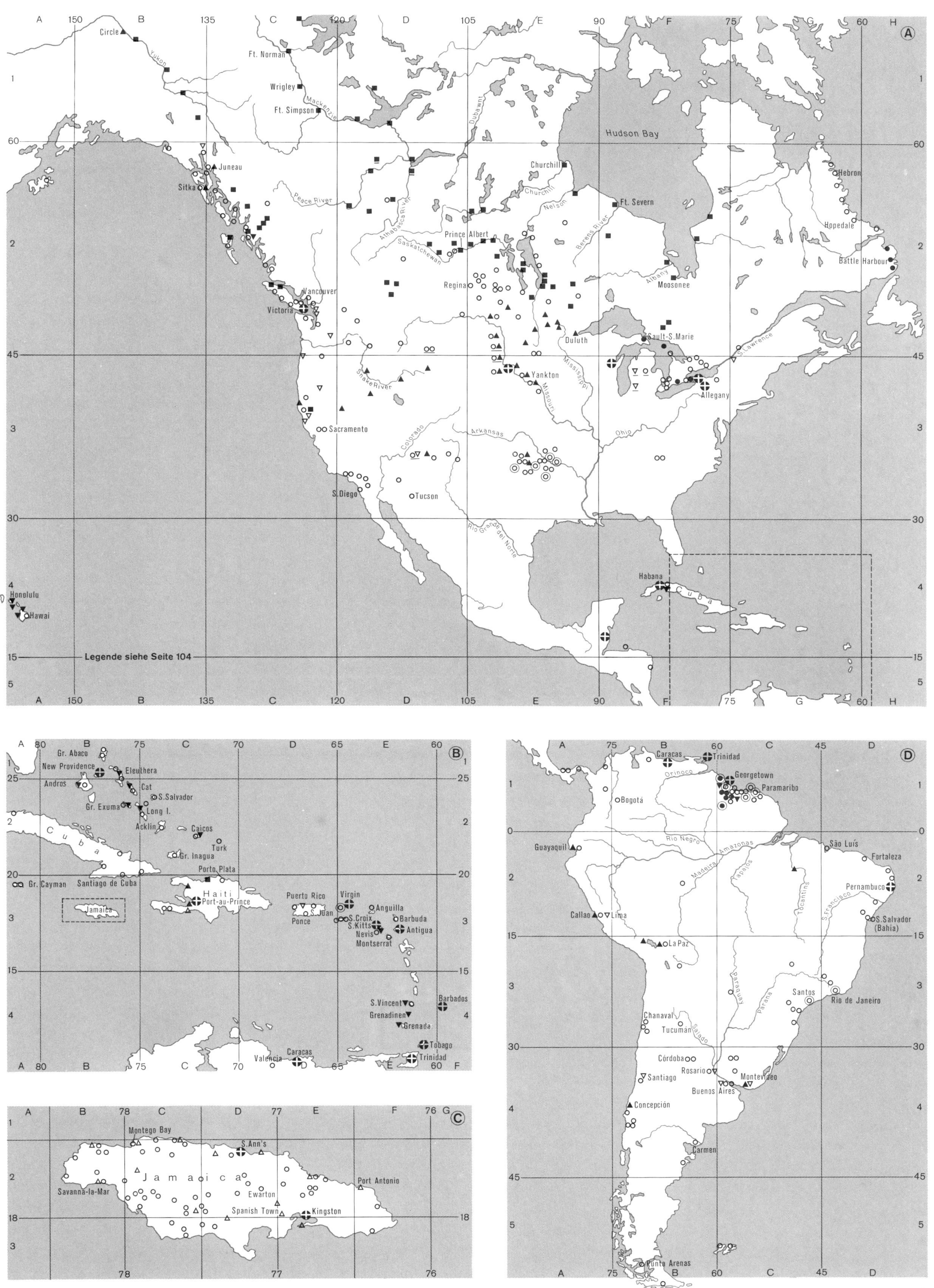

Die protestantischen Missionen bis zum Anfang des 20. Jh.

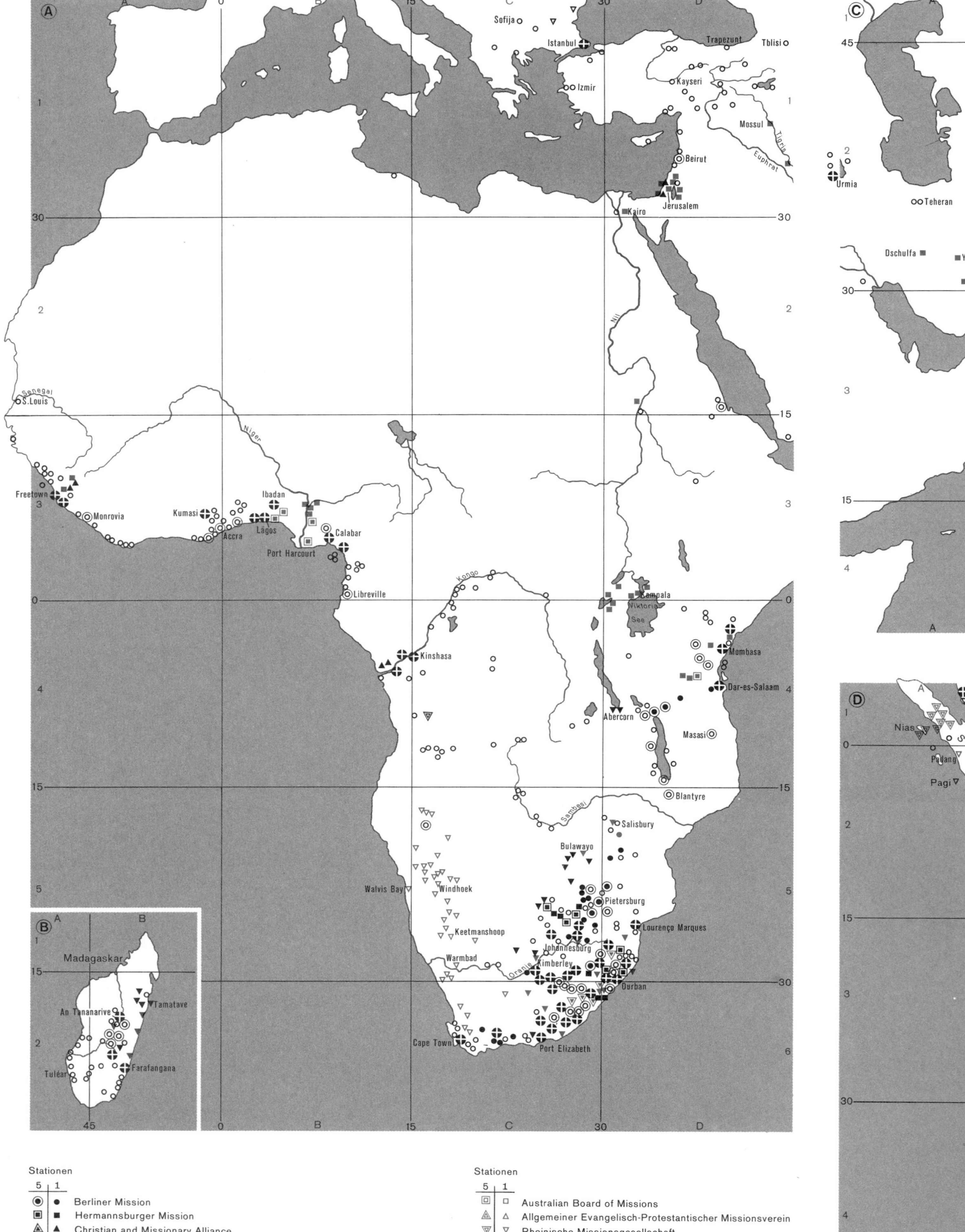

Stationen

5	1	
◉	●	Berliner Mission
▣	■	Hermannsburger Mission
▲	▲	Christian and Missionary Alliance
▼	▼	London Missionary Society
◆	♦	Presbyterianische Mission verschiedener Kolonialkirchen
▣	□	Foreign Mission Board of the National Baptist Convention
▲	△	Baptistische Mission der betr. Kolonialkirchen
▼	▽	Methodist Episcopal Missionary Society
◉	●	Anglikanische Mission
▣	■	Church Missionary Society
▲	▲	Protestant Episcopal Mission
▽	▼	Society for the Propagation of the Gospel

Stationen

5	1	
▣	□	Australian Board of Missions
▲	△	Allgemeiner Evangelisch-Protestantischer Missionsverein
▼	▽	Rheinische Missionsgesellschaft
◎	○	sonstige Missionsgesellschaften
	⊕	mehrere Missionsgesellschaften an einem Ort

Stationen, die nicht genau lokalisiert werden konnten, sind unterstrichen.

Die roten Signaturen auf Seite 104 haben die gleiche Bedeutung wie die braunen auf den Seiten 103 und 105.

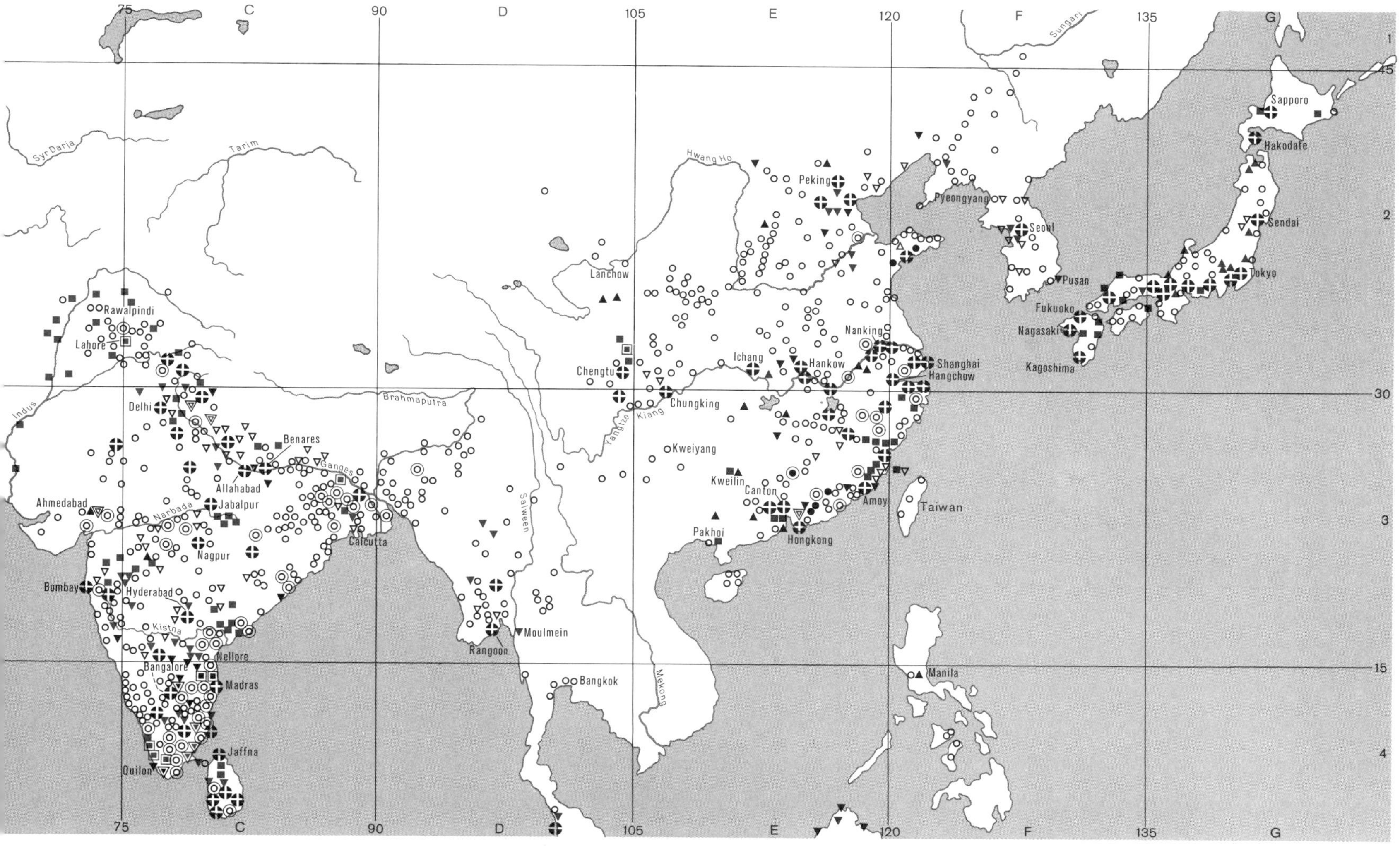

75
C
90
D
105
E
120
F
135
G
Syr Darja
Tarim
Hwang Ho
Sungari
Sapporo
Hakodate
Sendai
Tokyo
Peking
Pyeongyang
Seoul
Pusan
Fukuoka
Nagasaki
Kagoshima
Lanchow
Rawalpindi
Lahore
Nanking
Shanghai
Hangchow
Ichang
Hankow
Chengtu
Chungking
Yangtse Kiang
Brahmaputra
Indus
Delhi
Benares
Ganges
Allahabad
Jabalpur
Narbada
Ahmedabad
Kweiyang
Kweilin
Canton
Amoy
Taiwan
Calcutta
Salween
Nagpur
Pakhoi
Hongkong
Bombay
Hyderabad
Kistna
Moulmein
Rangoon
Nellore
Bangalore
Madras
Bangkok
Mekong
Manila
Jaffna
Quilon
1
2
3
4
45
30
15

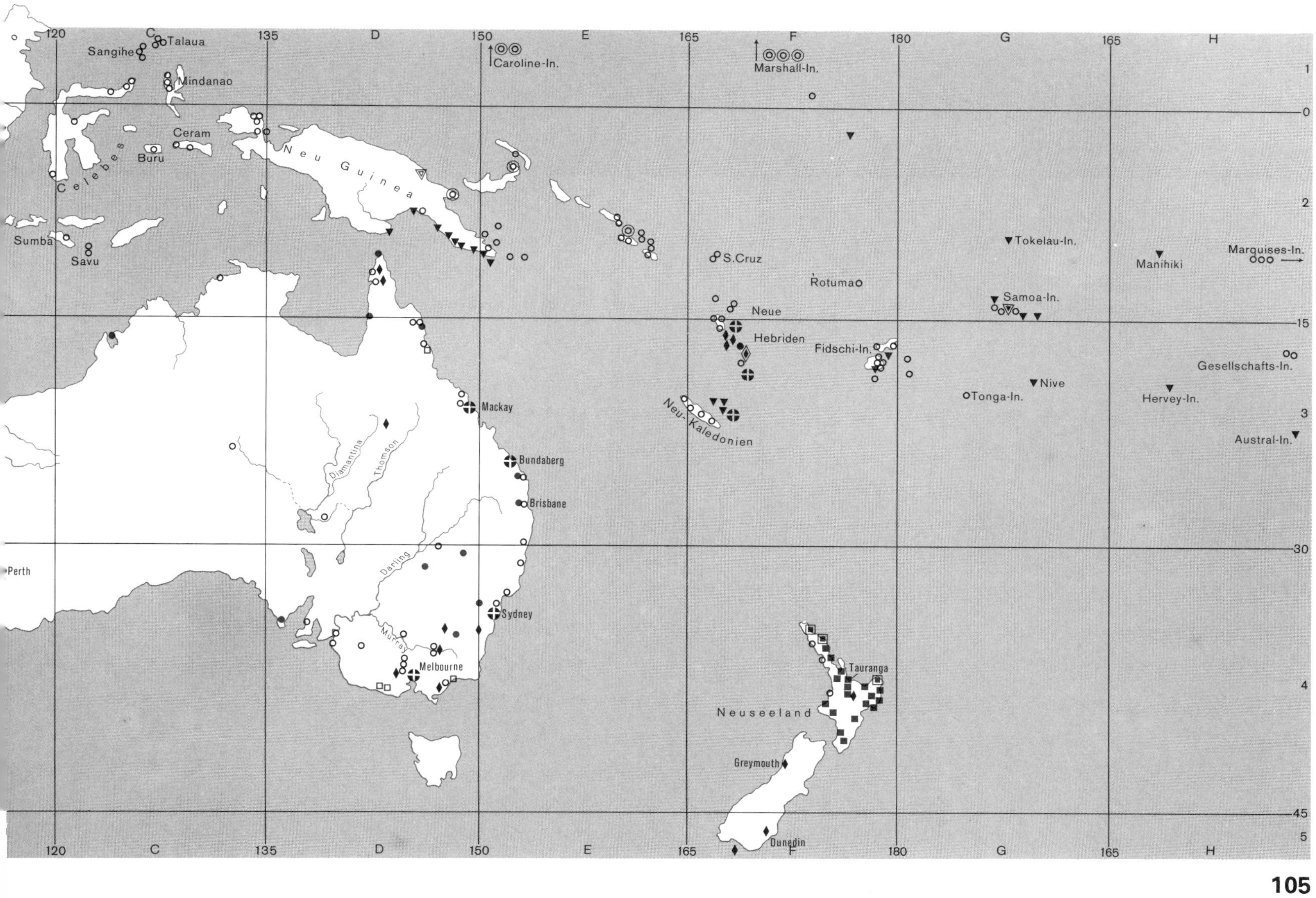

120
C
135
D
150
E
165
F
180
G
165
H
Talaua
Sangihe
Mindanao
Caroline-In.
Marshall-In.
Ceram
Buru
Celebes
Neu Guinea
Sumba
Savu
S.Cruz
Tokelau-In.
Manihiki
Marquises-In.
Rotuma
Samoa-In.
Neue
Hebriden
Fidschi-In.
Gesellschafts-In.
Mackay
Neu-Kaledonien
Tonga-In.
Nive
Hervey-In.
Austral-In.
Diamantina
Thomson
Bundaberg
Brisbane
Perth
Darling
Sydney
Murray
Melbourne
Tauranga
Neuseeland
Greymouth
Dunedin
1
0
2
3
4
5
15
30
45

Die Entwicklung der Kirchenorganisation in Afrika, Asien und Ozeanien bis 1913

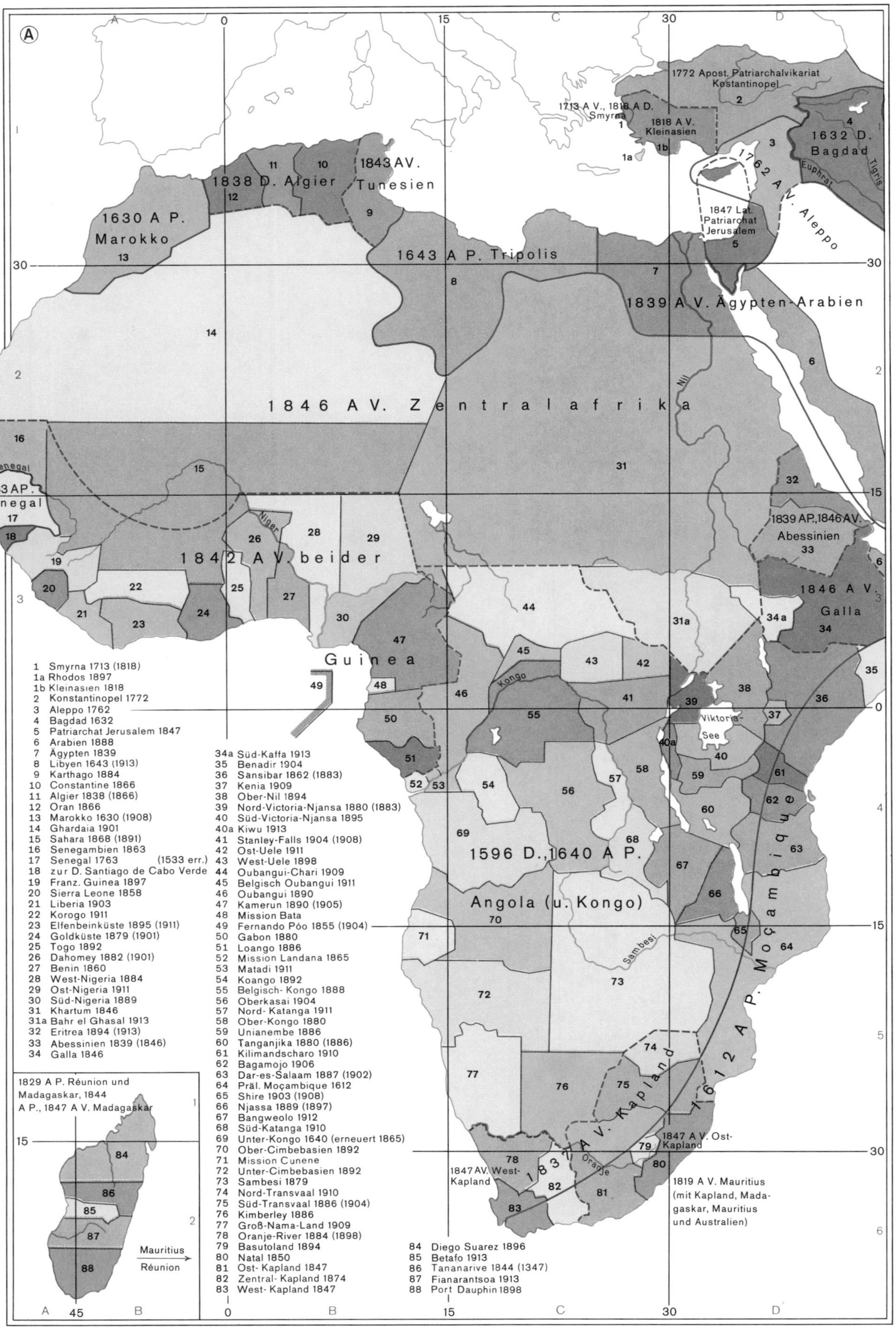

Ⓐ
1772 Apost. Patriarchalvikariat Kostantinopel
1713 A V., 1818 A D. Smyrna
1818 A V. Kleinasien
Bagdad 1632 D.
1762 A V. Aleppo
1847 Lat. Patriarchat Jerusalem
1838 D. Algier
1843 AV. Tunesien
1630 A P. Marokko
1643 A P. Tripolis
1839 A V. Ägypten-Arabien
1846 AV. Zentralafrika
1763 AP. Senegal
1842 A V. beider Guinea
1839 AP.,1846 AV. Abessinien
1846 A V. Galla
Viktoria-See
1596 D., 1640 A P. Angola (u. Kongo)
1612 A P. Moçambique
1837 A V. Kapland
1847 AV. West-Kapland
1847 A V. Ost-Kapland
1819 A V. Mauritius (mit Kapland, Madagaskar, Mauritius und Australien)
1829 A P. Réunion und Madagaskar, 1844 A P., 1847 A V. Madagaskar
Mauritius
Réunion
1 Smyrna 1713 (1818)
1a Rhodos 1897
1b Kleinasien 1818
2 Konstantinopel 1772
3 Aleppo 1762
4 Bagdad 1632
5 Patriarchat Jerusalem 1847
6 Arabien 1888
7 Ägypten 1839
8 Libyen 1643 (1913)
9 Karthago 1884
10 Constantine 1866
11 Algier 1838 (1866)
12 Oran 1866
13 Marokko 1630 (1908)
14 Ghardaia 1901
15 Sahara 1868 (1891)
16 Senegambien 1863
17 Senegal 1763 (1533 err.)
18 zur D. Santiago de Cabo Verde
19 Franz. Guinea 1897
20 Sierra Leone 1858
21 Liberia 1903
22 Korogo 1911
23 Elfenbeinküste 1895 (1911)
24 Goldküste 1879 (1901)
25 Togo 1892
26 Dahomey 1882 (1901)
27 Benin 1860
28 West-Nigeria 1884
29 Ost-Nigeria 1911
30 Süd-Nigeria 1889
31 Khartum 1846
31a Bahr el Ghasal 1913
32 Eritrea 1894 (1913)
33 Abessinien 1839 (1846)
34 Galla 1846
34a Süd-Kaffa 1913
35 Benadir 1904
36 Sansibar 1862 (1883)
37 Kenia 1909
38 Ober-Nil 1894
39 Nord-Victoria-Njansa 1880 (1883)
40 Süd-Victoria-Njansa 1895
40a Kiwu 1913
41 Stanley-Falls 1904 (1908)
42 Ost-Uele 1911
43 West-Uele 1898
44 Oubangui-Chari 1909
45 Belgisch Oubangui 1911
46 Oubangui 1890
47 Kamerun 1890 (1905)
48 Mission Bata
49 Fernando Póo 1855 (1904)
50 Gabon 1880
51 Loango 1886
52 Mission Landana 1865
53 Matadi 1911
54 Koango 1892
55 Belgisch-Kongo 1888
56 Oberkasai 1904
57 Nord-Katanga 1911
58 Ober-Kongo 1880
59 Unianembe 1886
60 Tanganjika 1880 (1886)
61 Kilimandscharo 1910
62 Bagamojo 1906
63 Dar-es-Salaam 1887 (1902)
64 Präl. Moçambique 1612
65 Shire 1903 (1908)
66 Njassa 1889 (1897)
67 Bangweolo 1912
68 Süd-Katanga 1910
69 Unter-Kongo 1640 (erneuert 1865)
70 Ober-Cimbebasien 1892
71 Mission Cunene
72 Unter-Cimbebasien 1892
73 Sambesi 1879
74 Nord-Transvaal 1910
75 Süd-Transvaal 1886 (1904)
76 Kimberley 1886
77 Groß-Nama-Land 1909
78 Oranje-River 1884 (1898)
79 Basutoland 1894
80 Natal 1850
81 Ost-Kapland 1847
82 Zentral-Kapland 1874
83 West-Kapland 1847
84 Diego Suarez 1896
85 Betafo 1913
86 Tananarive 1844 (1347)
87 Fianarantsoa 1913
88 Port Dauphin 1898

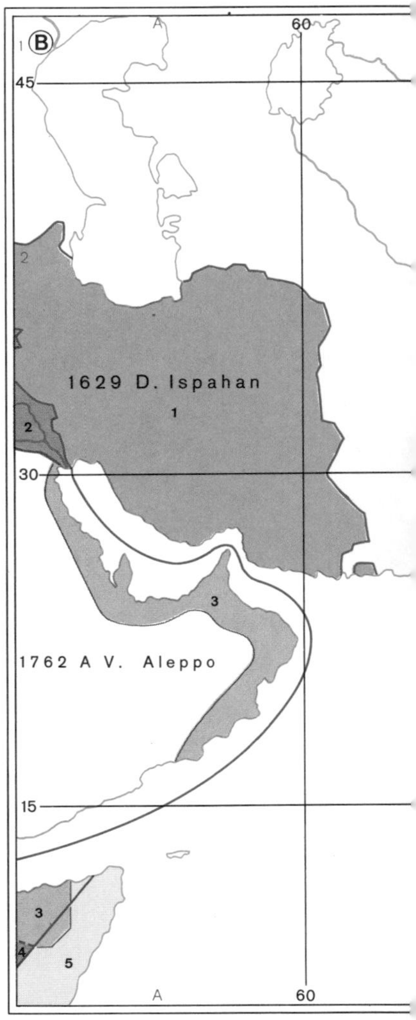

Ⓑ
1629 D. Ispahan
1762 A V. Aleppo

Ⓒ
1841 AV. Malacca
1557 D. Malacca, 1831 A
Erzdiözesen und Diözesen
Apostolische Vikariate
Apostolische Präfekturen
Grenzen kirchlicher Sprengel, die vor 1800 errichtet wurden
Grenzen kirchlicher Sprengel, die zwischen 1800 und 1850 errichtet wurden
AD. Erzdiözese
AV. Apostolisches Vikariat
D. Diözese
AP. Apostolische Präfektur

zu Karte B

1 Ispahan 1629 (1910)
2 Bagdad 1632
3 Arabien 1888
4 Galla 1846
5 Benadir 1904
6 Mittel-Mongolei 1874
7 M. Ili (Kuldscha) 1888
8 Südwest-Mongolei 1883
9 Nord-Kansu 1878
10 Tibet 1857
11 Kafiristan u. Kashmir 1887
12 Lahore 1886
13 Bombay 1886
14 Rajputana 1892
15 Simla 1910
16 Agra 1886
17 Allahabad 1886
18 Bettiah 1892
19 Calcutta 1886
20 Krishnagar 1886
21 Vizagapatam 1866
22 Nagpur 1887
23 Hyderabad 1886
24 Poona 1886
25 Damão 1886
26 Goa 1533
27 Madras 1886
28 Mylapore 1606
29 Mysore 1886
30 Mangalore 1886
31 Pondichery 1886
32 Kumbakonam 1899
33 Trichinopoly 1886
34 Verapoly 1886
35 Cochin 1558
36 Quilon 1886
37 Coimbatore 1886
38 Colombo 1886
39 Galle 1893
40 Jaffna 1886
41 Kandy 1886
42 Trincomalie 1893
43 Malacca 1888
44 Süd-Burma 1866
45 Siam 1673
46 Kambodscha 1850
47 West-Cochinchina 1844
48 Ost-Cochinchina 1659
49 Nord-Cochinchina 1850
50 Laos 1899
51 Süd-Tonkin 1846
52 Küsten-Tonkin 1901
53 Mittel-Tonkin 1848
54 West-Tonkin 1659
55 Ost-Tonkin 1848
56 Ober-Tonkin 1895
57 Nord-Tonkin 1883
58 Ost-Burma 1866
59 Nord-Burma 1866
60 Dacca 1886
61 Assam 1889
62 Yunnan 1840
63 Kwangsi 1875
64 Kwangtung 1858
65 Hongkong 1841
66 Macao 1576
67 Amoy 1883
67a Taiwan 1913
68 Fukien 1696
69 Süd-Kiangsi 1879
70 Nord-Kiangsi 1846
71 Ost-Kiangsi 1885
72 Kienchang 1910
73 Süd-Szechwan 1860
74 Nordwest-Szechwan 1696
75 Ost-Szechwan 1856
76 Süd-Hunan 1856
77 Nord-Hunan 1879
78 Südwest-Hupeh 1870
79 Ost-Hupeh 1838
80 Nordwest-Hupeh 1870
81 Kweichow 1846
82 West-Chekiang 1910
83 Ost-Chekiang 1838
84 Süd-Honan 1844
85 West-Honan 1906
86 Nord-Honan 1882
87 Kiangnan 1856
88 Süd-Shensi 1887
89 Mittel-Shensi 1696
90 Nord-Shensi 1911
91 Süd-Shansi 1890
92 Nord-Shansi 1844
93 Süd-Kansu 1905
94 Südost-Chili 1856
95 Küsten-Chili 1912
96 Mittel-Chili 1910
97 Südwest-Chili 1856
98 Nord-Chili 1856
99 Ost-Chili 1899
100 Süd-Shantung 1885
101 Ost-Shantung 1894
102 Nord-Shantung 1839
103 Ost-Mongolei 1883
104 Nord-Mandschurei 1898
105 Süd-Mandschurei 1838
106 Seoul 1831
107 Taiku 1911
108 Hakodate 1891
109 Niigata 1912
110 Tokio 1891
111 Osaka 1891
112 Shikoku 1904
113 Nagasaki 1891
114 Nueva Segovia 1595
115 Tuguegarao 1910
116 Lipa 1910
117 Manila 1579 (1595)
118 Nueva Cáceres 1595
119 Calbayog 1910
120 Jaro 1865
121 Palawan 1910
122 Cebú 1595
123 Zamboanga 1910
124 Labuan u. Brit. Borneo 1855

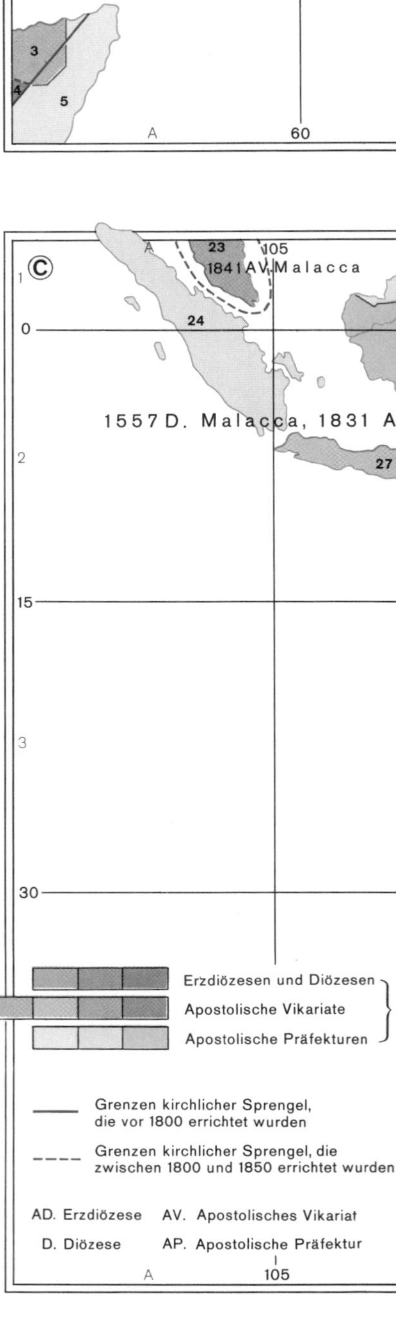

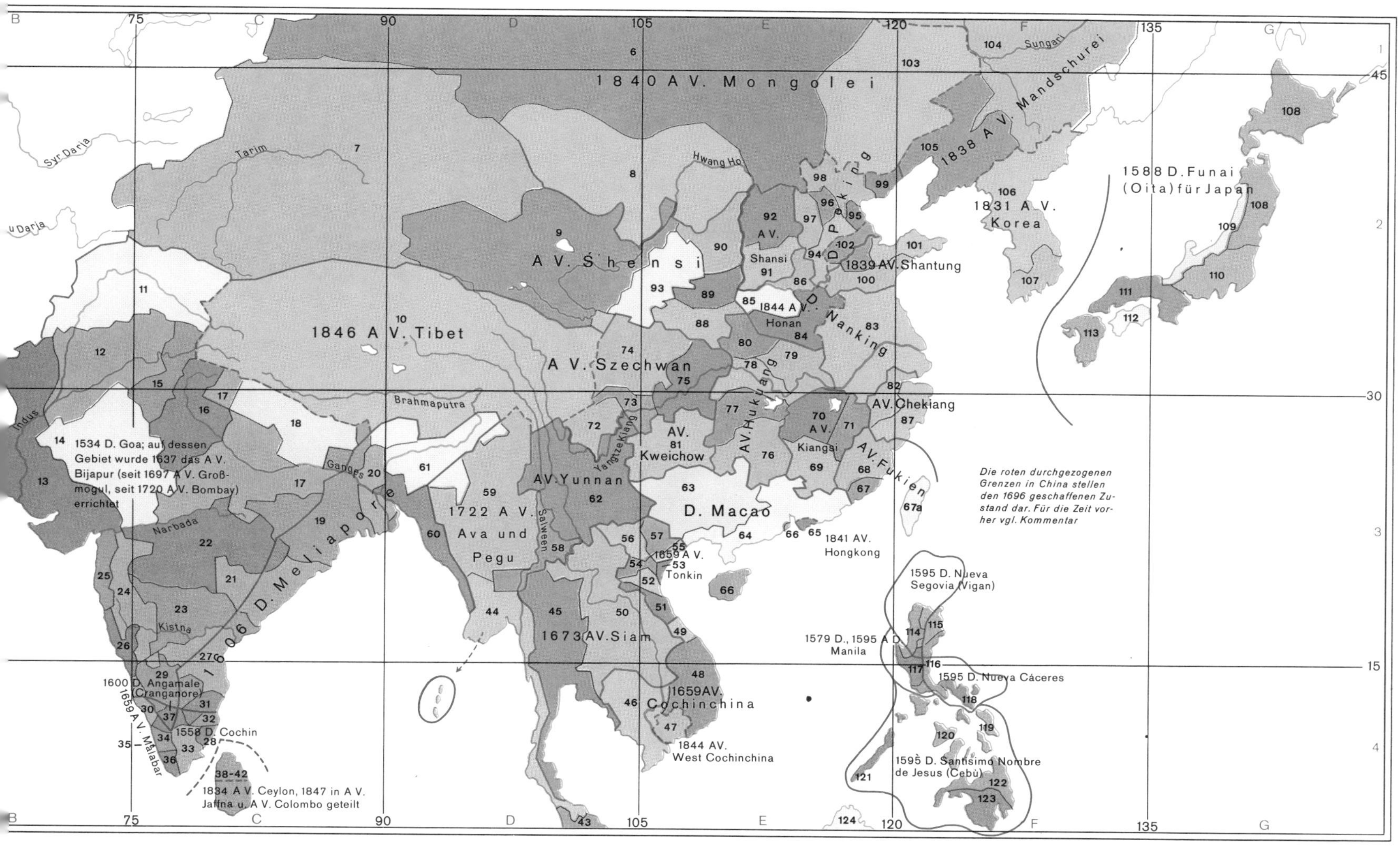
1840 A V. Mongolei
1838 A V. Mandschurei
1588 D. Funai (Oita) für Japan
1831 A V. Korea
A V. Shensi
Shansi
1839 AV. Shantung
1844 A V. Honan
D. Peking
D. Nanking
1846 A V. Tibet
A V. Szechwan
AV. Chekiang
AV. Kweichow
AV. Hukuang
Kiangsi
AV. Fukien
AV. Yunnan
1722 A V. Ava und Pegu
D. Macao
1841 AV. Hongkong
1659 A V. Tonkin
1673 AV. Siam
1659 AV. Cochinchina
1844 AV. West Cochinchina
1534 D. Goa; auf dessen Gebiet wurde 1637 das A V. Bijapur (seit 1697 A V. Groß-mogul, seit 1720 A V. Bombay) errichtet
1606 D. Meliapore
1600 D. Angamale (Cranganore)
1659 A V. Malabar
1558 D. Cochin
1834 A V. Ceylon, 1847 in A V. Jaffna u. A V. Colombo geteilt
1595 D. Nueva Segovia (Vigan)
1579 D., 1595 A D. Manila
1595 D. Nueva Cáceres
1595 D. Santísimo Nombre de Jesus (Cebú)
Die roten durchgezogenen Grenzen in China stellen den 1696 geschaffenen Zustand dar. Für die Zeit vorher vgl. Kommentar
Syr Darja
Tarim
Hwang Ho
Brahmaputra
Ganges
Indus
Narbada
Kistna
Salween
Yangtze Kiang
Sungari

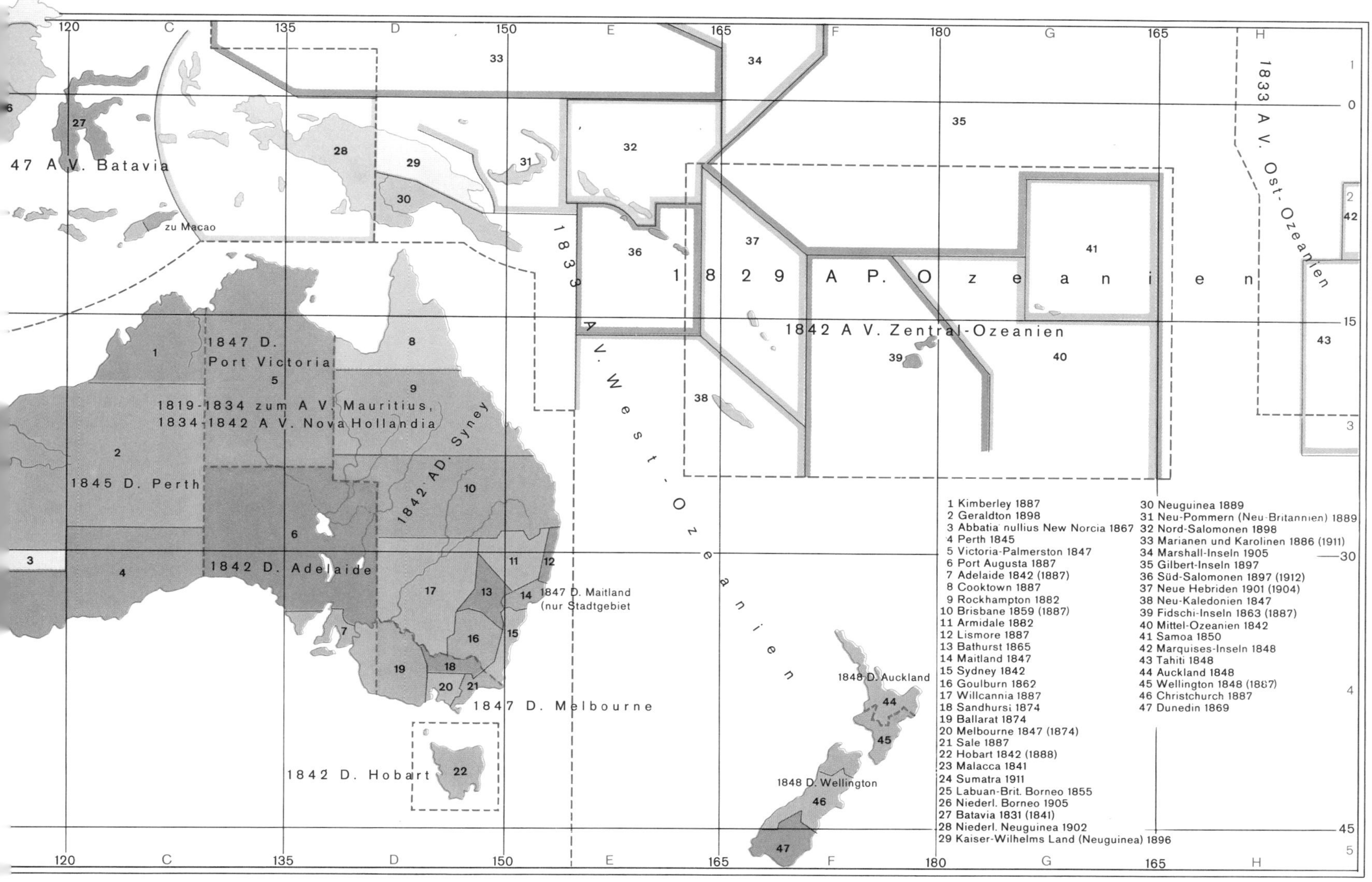
47 A V. Batavia
zu Macao
1833 A V. Ost-Ozeanien
1829 A P. Ozeanien
1842 A V. Zentral-Ozeanien
1836 A V. West-Ozeanien
1847 D. Port Victoria
1819-1834 zum A V. Mauritius, 1834-1842 A V. Nova Hollandia
1842 AD. Syney
1845 D. Perth
1842 D. Adelaide
1847 D. Maitland (nur Stadtgebiet)
1847 D. Melbourne
1842 D. Hobart
1848 D. Auckland
1848 D. Wellington
1 Kimberley 1887
2 Geraldton 1898
3 Abbatia nullius New Norcia 1867
4 Perth 1845
5 Victoria-Palmerston 1847
6 Port Augusta 1887
7 Adelaide 1842 (1887)
8 Cooktown 1887
9 Rockhampton 1882
10 Brisbane 1859 (1887)
11 Armidale 1882
12 Lismore 1887
13 Bathurst 1865
14 Maitland 1847
15 Sydney 1842
16 Goulburn 1862
17 Willcannia 1887
18 Sandhurst 1874
19 Ballarat 1874
20 Melbourne 1847 (1874)
21 Sale 1887
22 Hobart 1842 (1888)
23 Malacca 1841
24 Sumatra 1911
25 Labuan-Brit. Borneo 1855
26 Niederl. Borneo 1905
27 Batavia 1831 (1841)
28 Niederl. Neuguinea 1902
29 Kaiser-Wilhelms Land (Neuguinea) 1896
30 Neuguinea 1889
31 Neu-Pommern (Neu-Britannien) 1889
32 Nord-Salomonen 1898
33 Marianen und Karolinen 1886 (1911)
34 Marshall-Inseln 1905
35 Gilbert-Inseln 1897
36 Süd-Salomonen 1897 (1912)
37 Neue Hebriden 1901 (1904)
38 Neu-Kaledonien 1847
39 Fidschi-Inseln 1863 (1887)
40 Mittel-Ozeanien 1842
41 Samoa 1850
42 Marquises-Inseln 1848
43 Tahiti 1848
44 Auckland 1848
45 Wellington 1848 (1887)
46 Christchurch 1887
47 Dunedin 1869

Die Kurie vom 12. bis zum 16. Jahrhundert

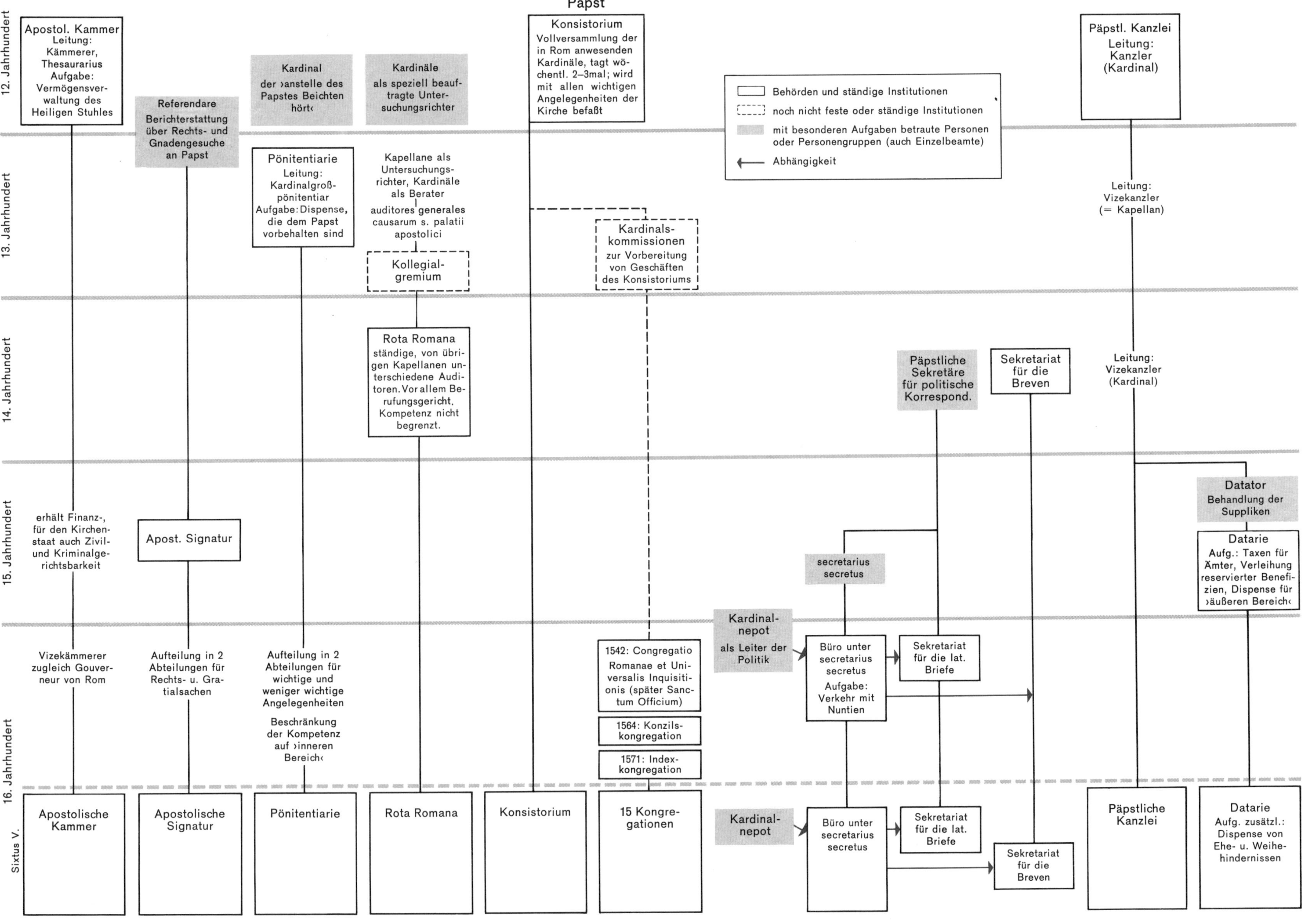

Die Ordnung der Kurie nach der Apostolischen Konstitution Regimini Ecclesiae Universae vom 15. 8. 1967

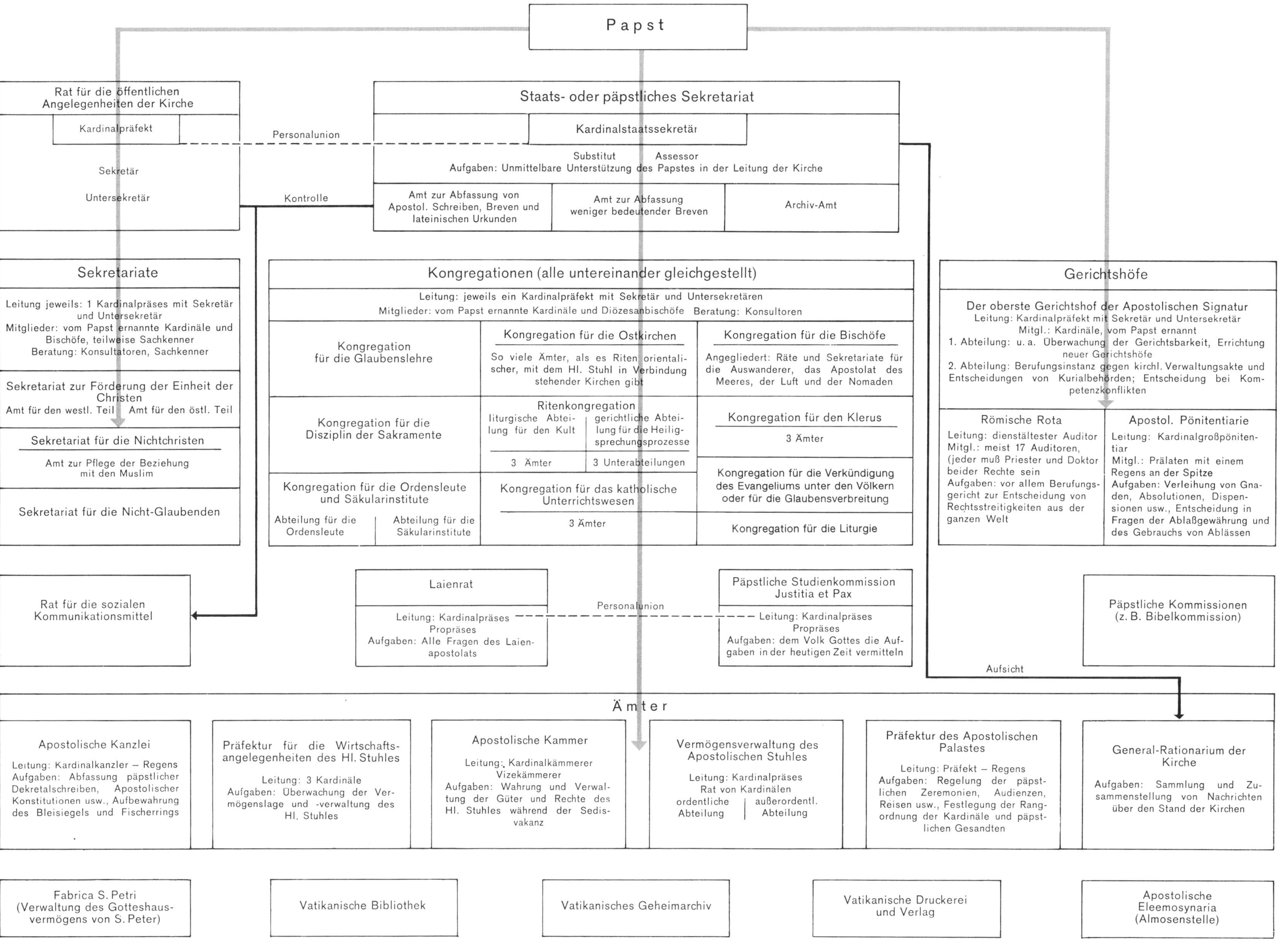

Die russische Kirchenverwaltung bis 1945

Der Aufbau zur Zeit der Patriarchen (1589–1700)

Zar
Patriarch
Landessynode (osvjaščennyj sobor)
Klosteramt (1649-1675/77)
Patriarchatsämter (patriaršie prikazy) Zahl: 4
Eparchialbischof
Klöster
Eparchialämter Zahl: 2–3
Unmittelbare Patriarchenklöster
Dekanate (Zahl in den Eparchien unterschiedlich)
Pfarreien (Zahl in den Dekanaten unterschiedlich)

rechtliche Unterordnung
faktische Unterordnung
Kontrolle in Fiskusfragen
Personen
Institutionen

Der Aufbau der Kirchenverwaltung im 18. Jahrhundert

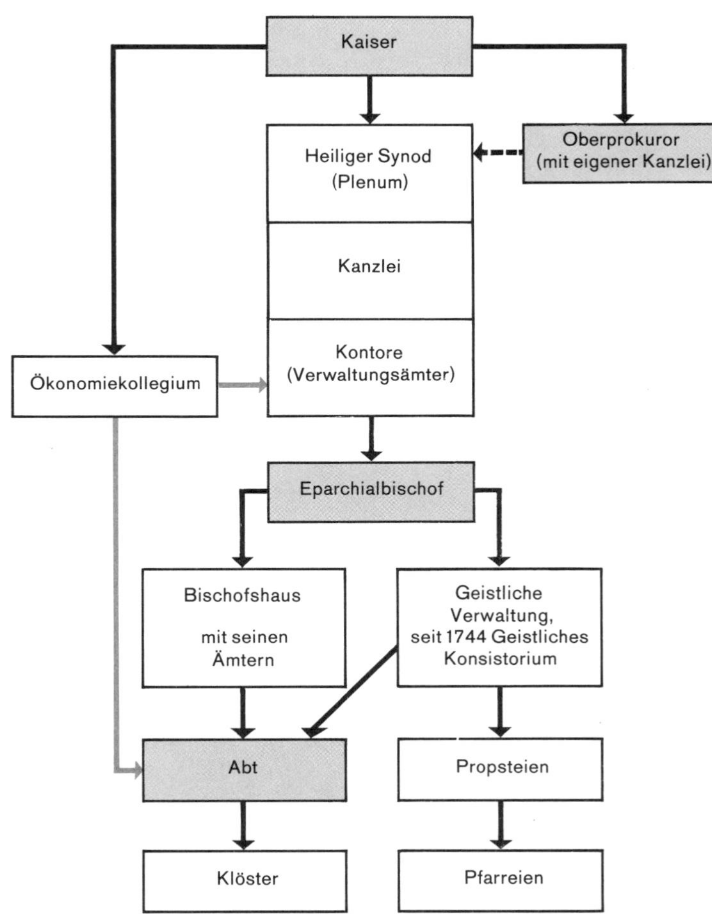

Der Aufbau der Kirchenverwaltung zwischen 1824 bzw. 1836 und 1917

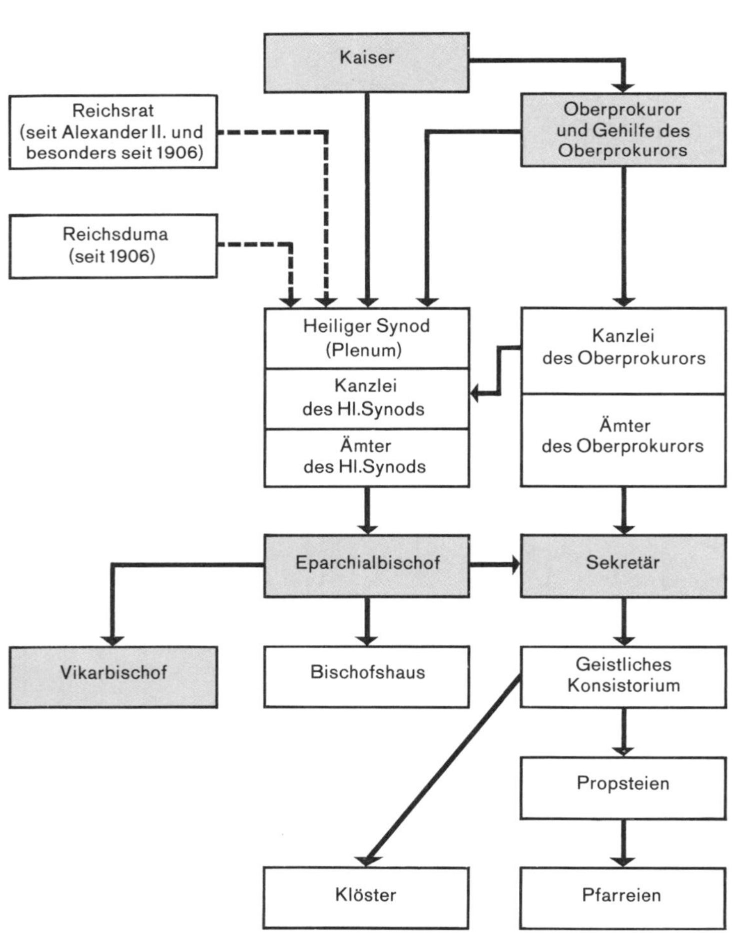

Die Verwaltungsstruktur der Russisch-Orthodoxen Kirche 1917–1945

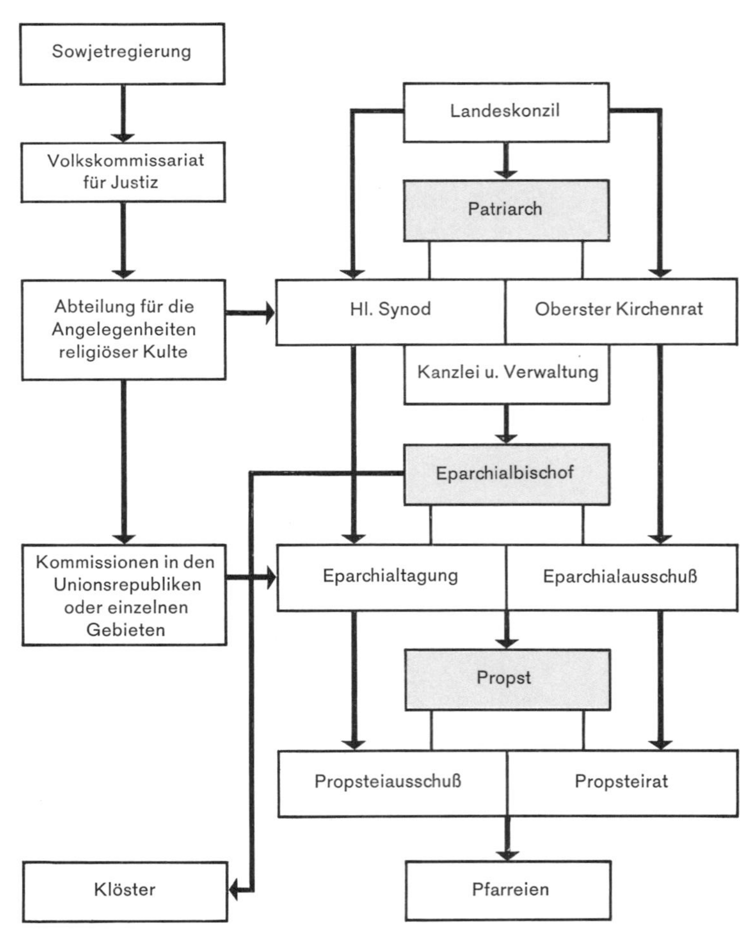

Die Alt-Katholischen Kirchen

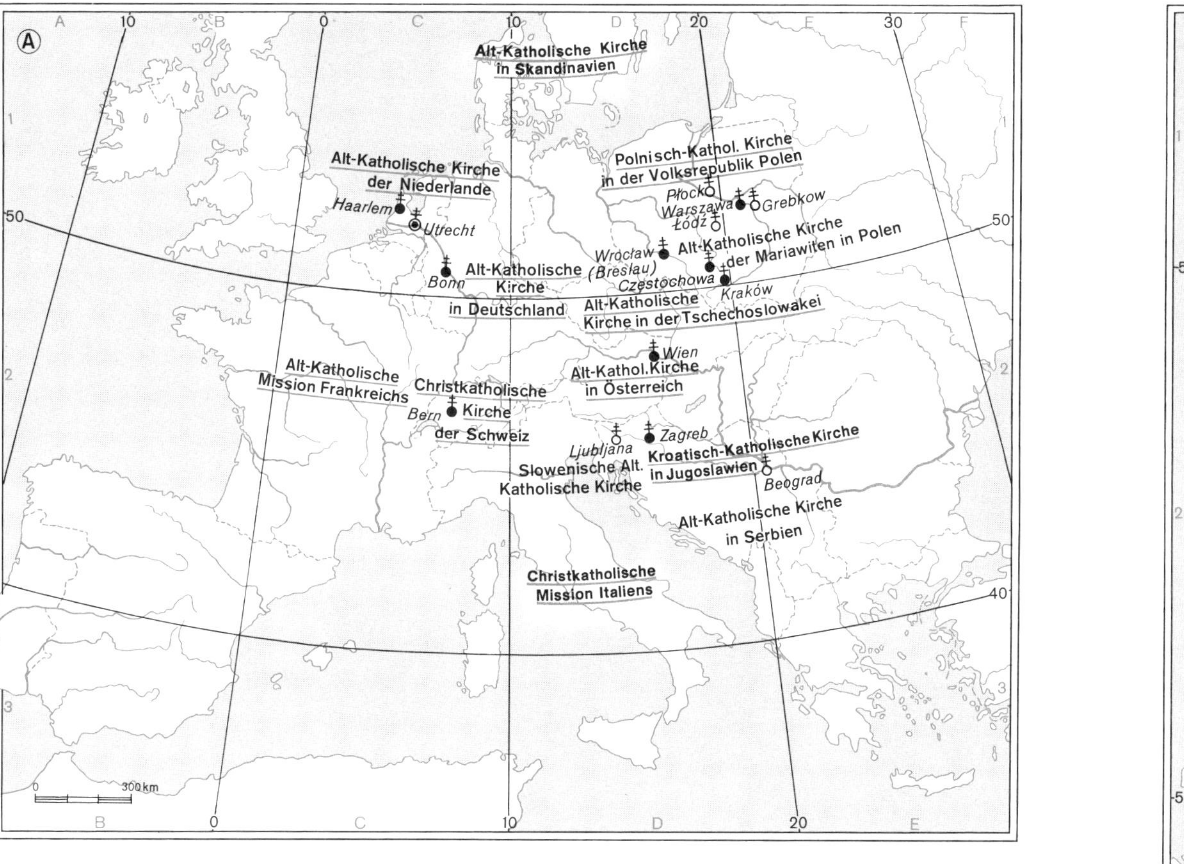

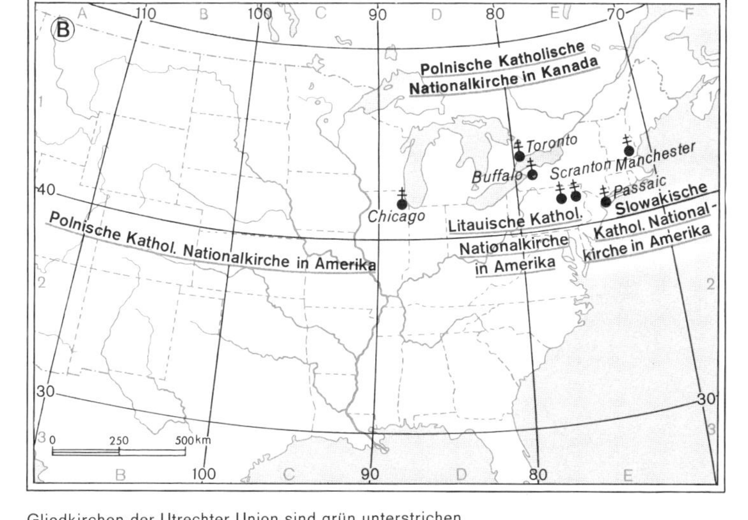

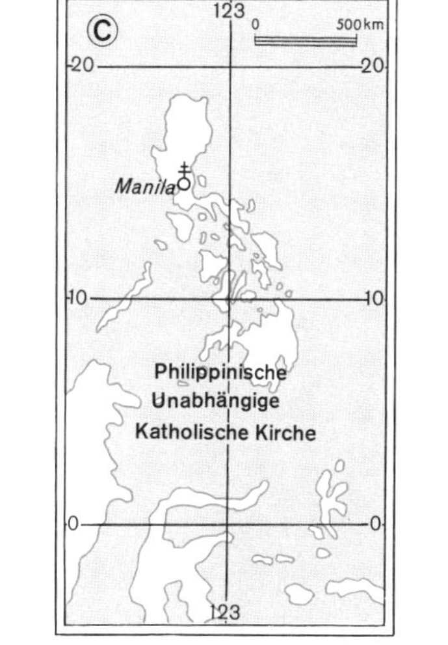
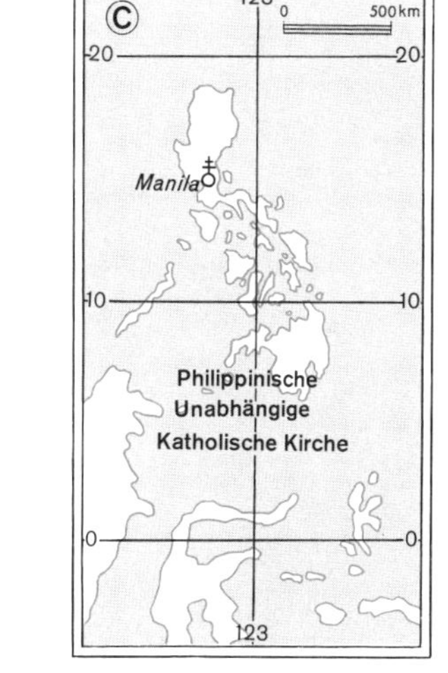

Gliedkirchen der Utrechter Union sind grün unterstrichen

Sitz eines Erzbischofs
Sitz eines Bischofs oder Administrators } einer Gliedkirche der Utrechter Union

Sitz eines Bischofs einer anderen Alt-Katholischen Kirche

Die Anglikanische Gemeinschaft im Bereich der Britischen Inseln

D

Sitz eines Erzbischofs
Sitz eines Bischofs
Grenze einer Kirchengemeinschaft
Grenze einer Kirchenprovinz

0 100 200 km

Die Episkopal-Kirche in Schottland

Inverness, Aberdeen, Fort William, Dundee, Perth, Glasgow, Edinburgh

Die Kirche von Irland

Derry, Fivemiletown, Belfast, Armagh, Crossmolina, Cavan, Kilucan, Leixlip, Dublin, Limerick, Kilkenny, Cork

Douglas

Die Kirche von England

Newcastle, Carlisle, Durham, Ripon, Bradford, York, Blackburn, Wakefield, Liverpool, Manchester, Sheffield, Lincoln, Chester, Derby, Southwell, Lichfield, Birmingham, Leicester, Peterborough, Norwich, Ely, Bury S. Edmunds, Coventry, Worcester, Hereford, Gloucester, Oxford, S. Albans, Chelmsford, London, Rochester, (Diöz. Southwark), Guildford, Canterbury, Bristol, Wells, Salisbury, Winchester, Portsmouth, Chichester, Exeter, Truro

Die Kirche in Wales

Bangor, S. Asaph, Abergwili, Brecon, Newport, Llandaff

London ist seit 1980 auch Sitz eines Bischofs, dessen Jurisdiktionsgebiet ganz Kontinental-Europa, die Türkei und Marokko umfaßt.

Die Anglikanische Gemeinschaft

Grenze einer Kirchengemeinschaft

Grenze einer Kirchenprovinz

Grenze eines Bistums (nur bei Sprengeln, die nicht innerhalb einer Kirchenprovinz liegen, angegeben)

Staatsgrenzen

Sitz eines Erzbischofs

Sitz eines Bischofs

(Shantung) • Eingeklammerte Namen bezeichnen nicht einen festen Bischofssitz, sondern ein Bistumsgebiet

Seoul — Bischofssitze bzw. Gebiete, die unter der Jurisdiktion des Erzbischofs von Canterbury stehen

Monrovia — Bischofssitze bzw. Gebiete, die unter der Jurisdiktion der Protestantischen Episkopalkirche in den USA stehen

○ Bischofssitze der Kirche von Südindien (1947 geschlossene Kirchenunion zwischen Anglikanern, Kongregationalisten, Methodisten und Presbyterianern)

Pfeile bezeichnen Staaten, die unter der Jurisdiktion des Bischofssitzes stehen, von dem der Pfeil ausgeht

Aufbau und Arbeitsweise der Anglikanischen Kirche

Der Klerus der Kirche von England

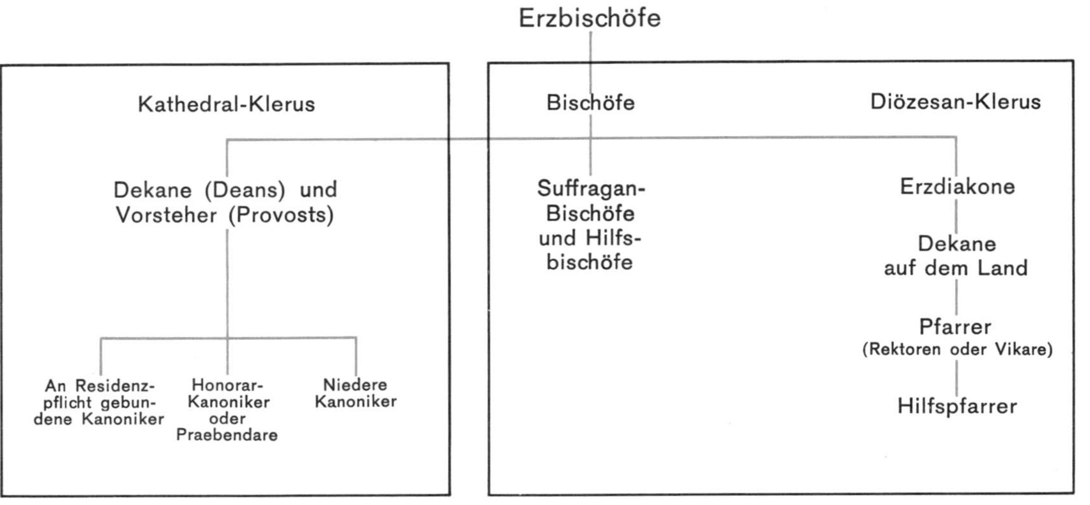

Institutionen und Beamte der Pfarrei

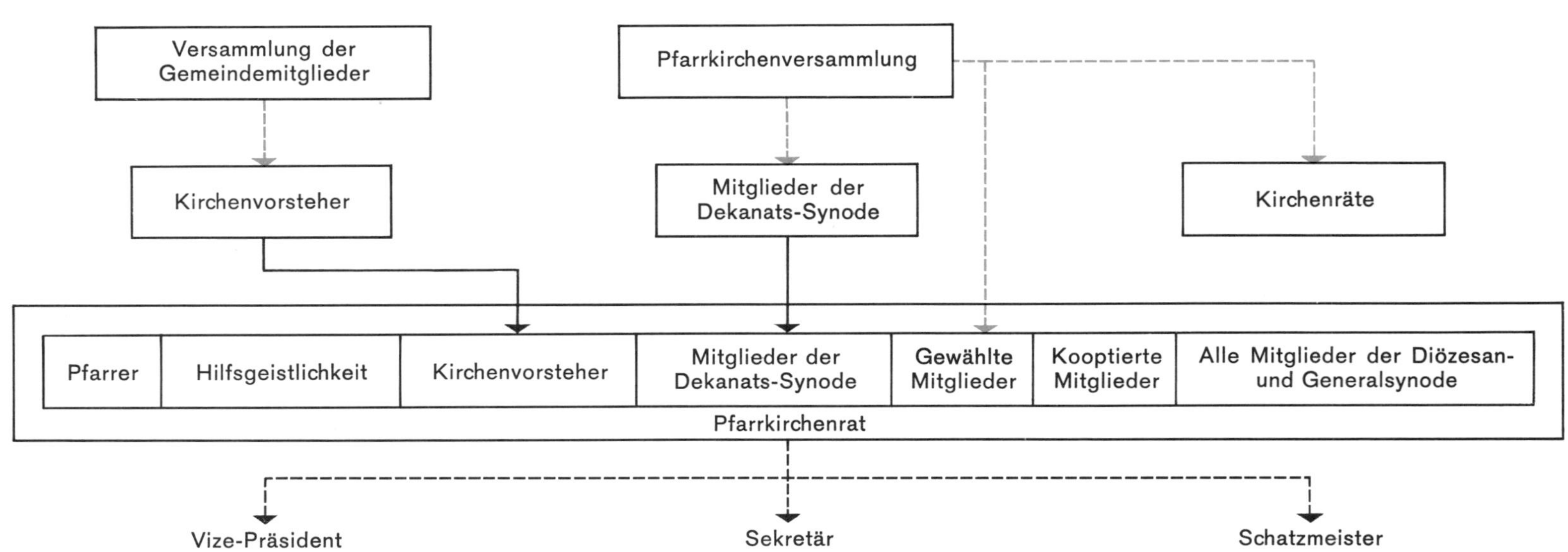

Gesetzgebende Gremien der Kirche

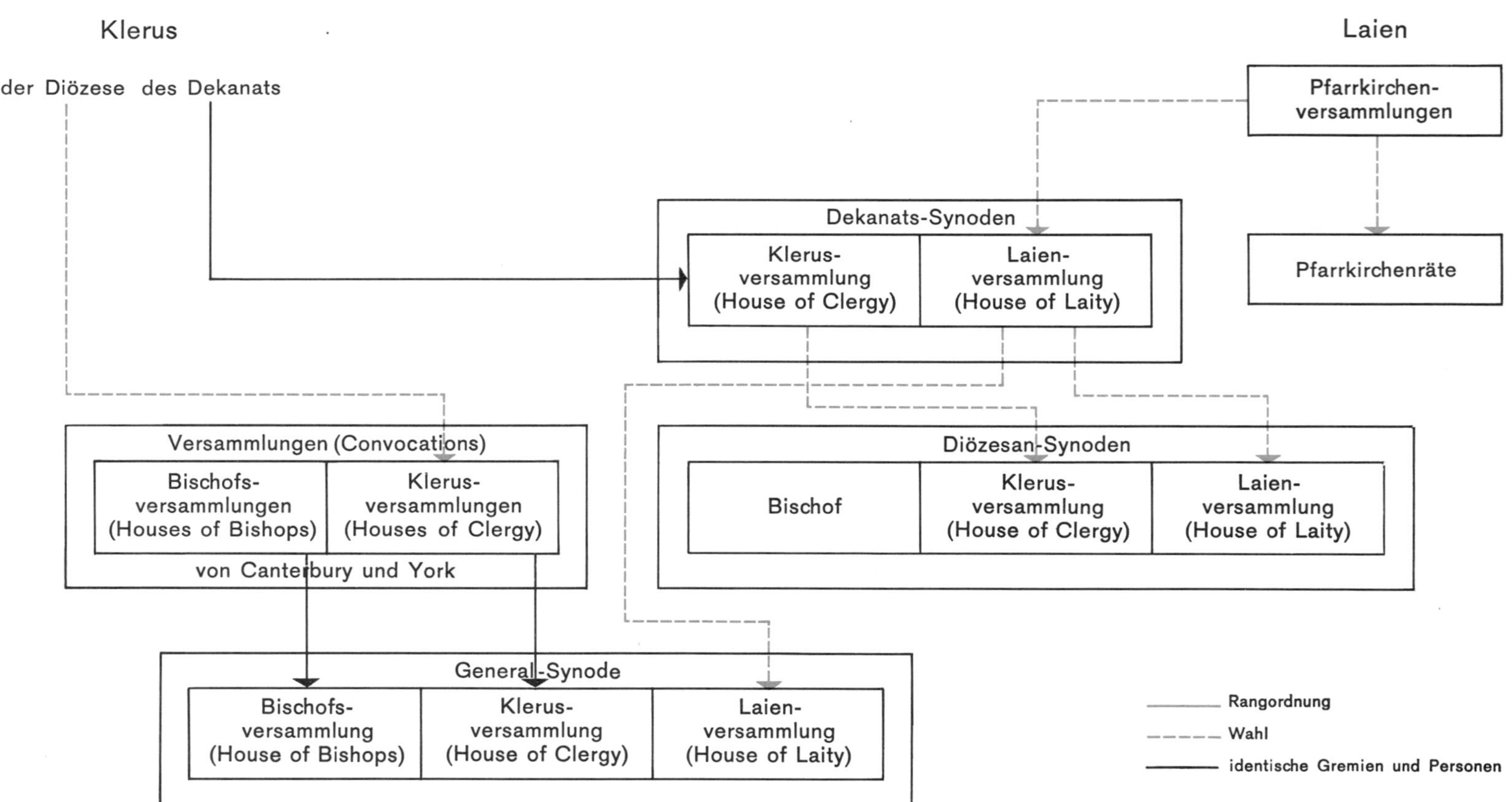

Die Evangelische Kirche in Hessen und Nassau als Beispiel einer synodal geleiteten Kirche

Kirchenleitung
Sitzungen in der Regel einen Tag pro Woche

2 von der Synode gewählte Gemeindemitglieder

4 Mitglieder des leitenden geistlichen Amtes: Kirchenpräsident, dessen Stellvertreter, 2 Pröpste im Turnus.	Der gesamte Kirchensynodalvorstand	3 Mitglieder der Kirchenverwaltung: juristischer Leiter der Kirchenverwaltung und 2 Referenten (Oberkirchenräte) im Turnus.

	Geistliche Leitung	Synodales Element	Verwaltung	
Gesamtkirche	**Leitendes geistliches Amt** Kirchenpräsident, Stellvertreter (beide Theologen, von der Synode auf 8 Jahre gewählt), 7 Pröpste. Leitung: Kirchenpräsident. Tagt wöchentlich einen Tag lang. Kein Beschlußgremium	**Kirchensynode** 1 Pfarrer und 2 Gemeindeglieder jedes Dekanats, von Dekanats-Synode gewählt; 25 Berufene, Amtszeit: 6 Jahre. Jährlich 1 ordentliche und 1 außerordentliche Tagung. Leitung: Kirchensynodalvorstand: 2 Pfarrer und 3 Nichttheologen, auf 6 Jahre von der Synode gewählt.	**Kirchenverwaltung** Führt Beschlüsse der Kirchenleitung aus. Vorsitz: Kirchenpräsident. Dessen Stellvertreter ist der theologische, der erste Jurist der juristische Leiter der Kirchenverwaltung. 15 Referate. Viele Ämter.	
Visitationsbezirk	**Propst** Von der Kirchensynode auf 6 Jahre gewählt. Ordinationsrecht.	Kein eigenes synodales Element. Geregelte, aber informelle Zusammenkünfte etwa der Kirchensynodalen eines Bezirks.	**Katechetisches Amt** Zuständig für den Religions- und Konfirmations-Unterricht des Bezirks. **Sozialpfarramt** Zuständig für Industrie- und Arbeitnehmerfragen. **Amt für Mission**	7 Visitationsbezirke
Dekanat	**Dekan** Von der Dekanatssynode auf 6 Jahre gewählt; Wiederwahl zulässig.	**Dekanatssynode** Gemeindepfarrer und pro Pfarrer 2 vom Kirchenvorstand für 6 Jahre gewählte Gemeindemitglieder. Leitung: Dekanats-Synodal-Vorstand, von der Synode für 6 Jahre gewählt.	**Rentamt** Arbeitsgemeinschaften: Dekanatskonferenzen der Pfarrer monatlich; Teilnahme ist Pflicht; Arbeitsgemeinschaften der Lehrer und Pfarrer für den Religionsunterricht; Teilnahme freiwillig. **Spezielle Dienste** z. B. Dekanatsjugendpfarrer und -wart sowie Beirat für Jugendarbeit; Obmann für Öffentlichkeitsarbeit.	60 Dekanate
Kirchengemeinde	**Pfarrer** 3 aufeinanderfolgende Wahlmodi: a) Wahl durch den Kirchenvorstand; b) Wahl durch den Kirchenvorstand: c) Besetzung durch die Kirchenleitung, aber nicht ohne Zustimmung des Kirchenvorstandes.	**Kirchenvorstand** Pfarrer und von den stimmberechtigten Gemeindemitgliedern in direkter Wahl für 6 Jahre gewählte Kirchenvorsteher. Vorsitz: Pfarrer oder ein Kirchenvorsteher. Aufgabe: Leitung und Vertretung der Gemeinde.	**Gemeindeamt** In Städten gibt es jeweils einen Gemeindeverband.	ca. 1000 Gemeinden

Die reformierten (presbyterianischen) Kirchen

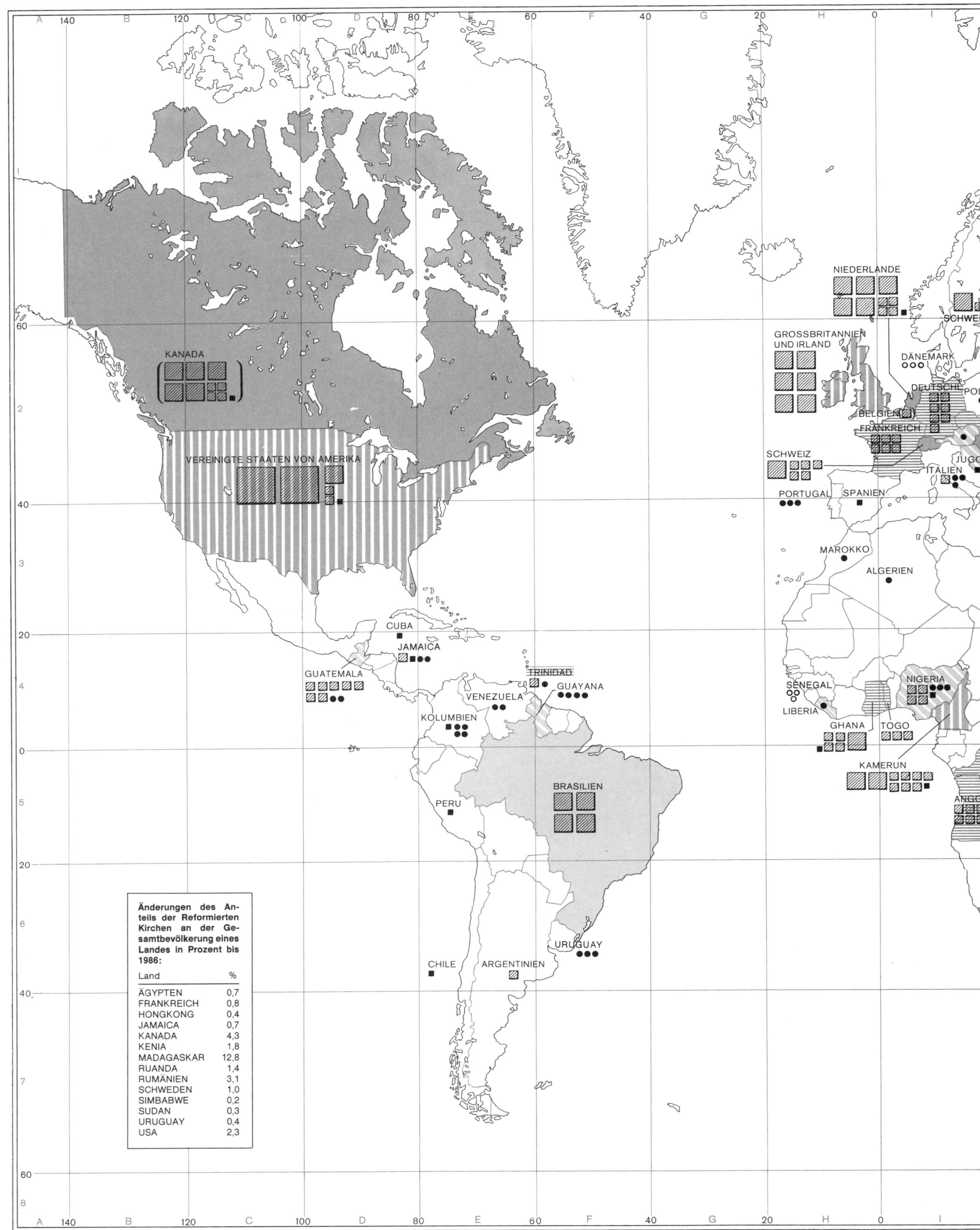

Änderungen des Anteils der Reformierten Kirchen an der Gesamtbevölkerung eines Landes in Prozent bis 1986:

Land	%
ÄGYPTEN	0,7
FRANKREICH	0,8
HONGKONG	0,4
JAMAICA	0,7
KANADA	4,3
KENIA	1,8
MADAGASKAR	12,8
RUANDA	1,4
RUMÄNIEN	3,1
SCHWEDEN	1,0
SIMBABWE	0,2
SUDAN	0,3
URUGUAY	0,4
USA	2,3

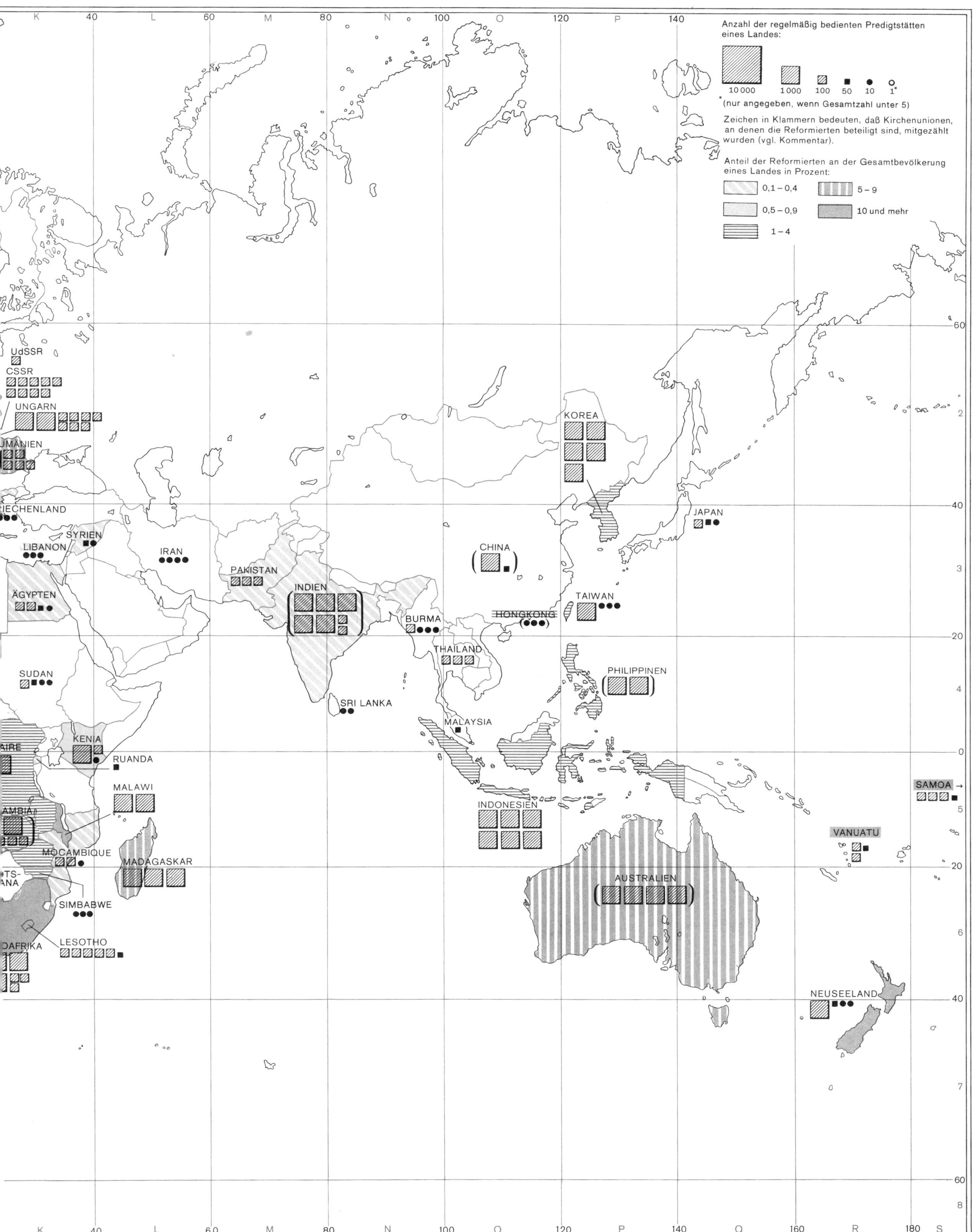
Anzahl der regelmäßig bedienten Predigtstätten eines Landes:
10 000
1 000
100
50
10
1*
* (nur angegeben, wenn Gesamtzahl unter 5)
Zeichen in Klammern bedeuten, daß Kirchenunionen, an denen die Reformierten beteiligt sind, mitgezählt wurden (vgl. Kommentar).
Anteil der Reformierten an der Gesamtbevölkerung eines Landes in Prozent:
0,1 – 0,4
0,5 – 0,9
1 – 4
5 – 9
10 und mehr
UdSSR
CSSR
UNGARN
UMÄNIEN
IECHENLAND
SYRIEN
LIBANON
IRAN
ÄGYPTEN
PAKISTAN
INDIEN
CHINA
KOREA
JAPAN
TAIWAN
HONGKONG
BURMA
THAILAND
PHILIPPINEN
SRI LANKA
MALAYSIA
INDONESIEN
SUDAN
KENIA
RUANDA
AIRE
MALAWI
AMBIA
MOCAMBIQUE
MADAGASKAR
TS-
ANA
SIMBABWE
LESOTHO
DAFRIKA
AUSTRALIEN
SAMOA
VANUATU
NEUSEELAND

Muster lutherischer Kirchenverfassung

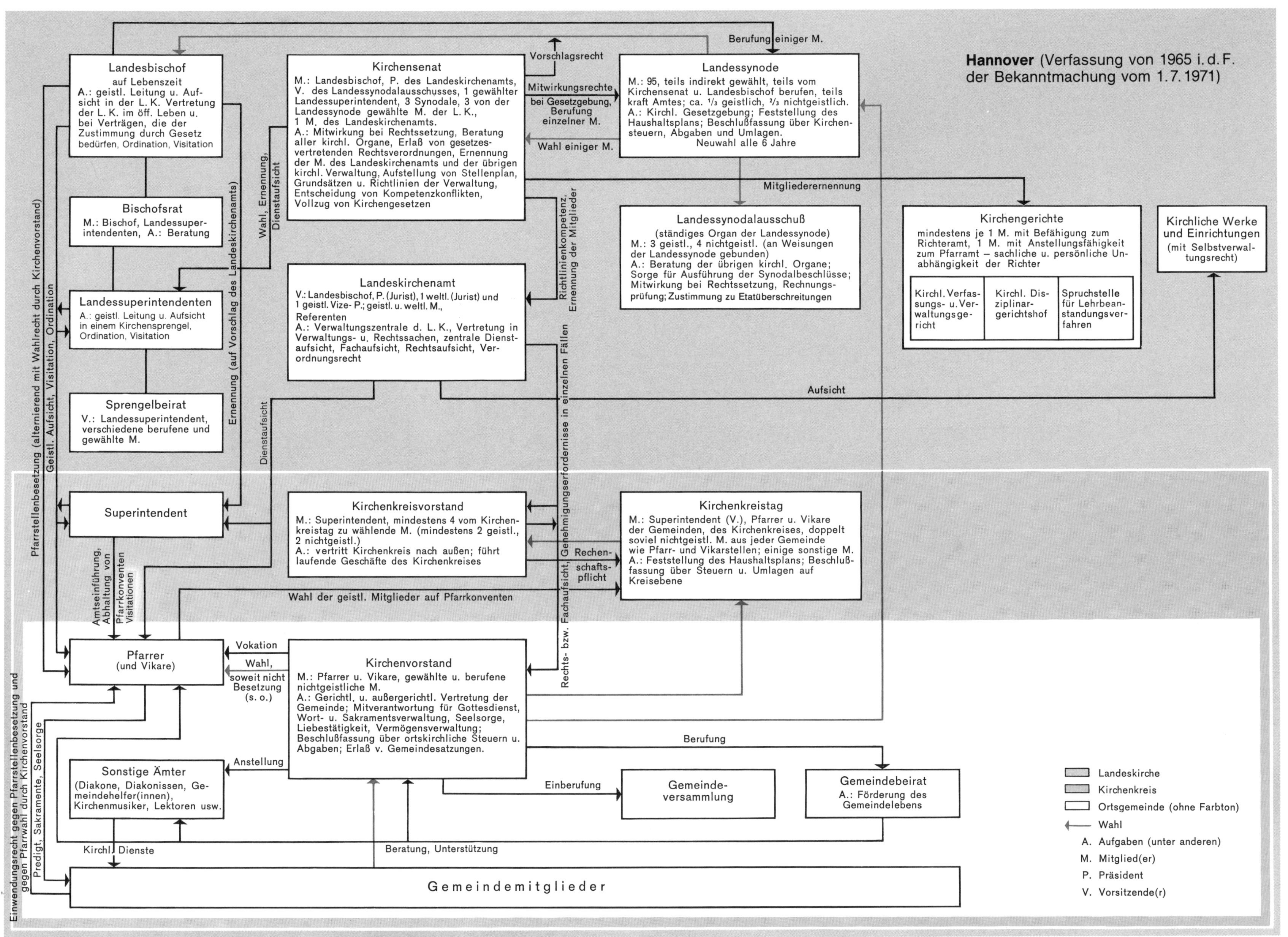

Muster lutherischer Kirchenverfassung

Oldenburg (Verfassung von 1950)
Synode
(›Oberstes Organ der Kirche‹), 6 Jahre
M.: 36 Kirchenälteste (Nichttheologen), 18 Geistliche, 6 berufene M.
Umfassende Zuständigkeit (›Berufen, auf allen Gebieten des kirchl. Lebens Entscheidungen zu fällen‹), vor allem: Kirchl. Gesetzgebung, Steuern, Haushaltsplan, Sorge für Lehre, Liebestätigkeit usw.
Wahl u. Berufung d. M.
Kirchengerichte
Prüfung der Amtsführung
Einberufung, Anhörungs- u. Initiativrecht,
Beanstandungsrecht (aufschiebende Wirkung), Auflösungsrecht
Bischof
(von Synode berufener ›erster Pfarrer der Kirche‹), Träger des Hirtenamtes
Oberkirchenrat
(›leitet und verwaltet die Kirche im Auftrag der Synode‹)
M.: Bischof (V.), Theologen u. Juristen
A.: Ausführung d. Synodalbeschlüsse, Mitwirkung bei Kirchenzucht, Aufsicht über u. Verwaltung des Kirchenguts, rechtl. Vertretung der Kirche, Erlaß von Verwaltungsanordnungen
›Gemeinsame Leitung und Verwaltung der Kirche‹
Zustimmungserfordernisse u. a.
Synodalausschuß
(ständige Vertretung der Synode);
M.: 2 Theologen, 3 Nichttheologen
Berufung auf Vorschlag des Bischofs
Teilnahme- u. Beanstandungsrecht
Kirchliche Werke und Einrichtungen
Aufsicht
Amtseinführung, Ordination
Visitation
Wahlvorschlag bzw. ersatzweise Besetzung
Aufsicht, Genehmigungserfordernisse
Kreispfarrer
(Amt auf Zeit – 6 Jahre)
Kreiskirchenrat
M.: Kreispfarrer (V.), 1 Pfarrer, 3 Kirchenälteste Synodale
A.: Vertretung des Kirchenkreises nach außen, Vermögensverwaltung, Ausführung der Kreissynodalbeschlüsse
Berufung einzelner M.
Kreissynode
M.: Kreispfarrer (V.), Pfarrer, 2 Vertreter aus jeder Gemeinde, berufene Vertreter.
A.: Mitverantwortung für kirchliche Arbeit, Haushaltsplan
Widerspruchsrecht u. Mitwirkungsbefugnisse bei Berufung
Wahl (soweit nicht durch Wahlgemeinde)
Pfarrer und Vikare
Gemeindekirchenrat
M.: Pfarrer (V.), gewählte Kirchenälteste
A.: Mit Pfarrer Verwaltung u. Leitung der Kirchengemeinde, Förderung des geistl. Lebens, Sorge für kirchl. Erziehung u. Unterweisung, Erlaß von Gemeindesatzungen, rechtl. Vertretung der Gemeinde, Vermögensverwaltung, Haushaltsplan
Kirchenvorstand
engeres, mit der Geschäftsführung des Kirchengemeinderats beauftragtes Gremium
Unterstützung
Einstellung
Sonstige kirchl. Ämter
Wort, Sakrament, Seelsorge
Einspruchsrecht bei Pfarrwahl
Wahl (soweit nicht durch Gemeindekirchenrat)
Wahlgemeinde
kirchl. Dienste
Gemeindemitglieder
Landeskirche
Kirchenkreis
Ortsgemeinde (ohne Farbton)
Wahl
A. Aufgaben (unter anderen)
M. Mitglieder
P. Präsident
V. Vorsitzender

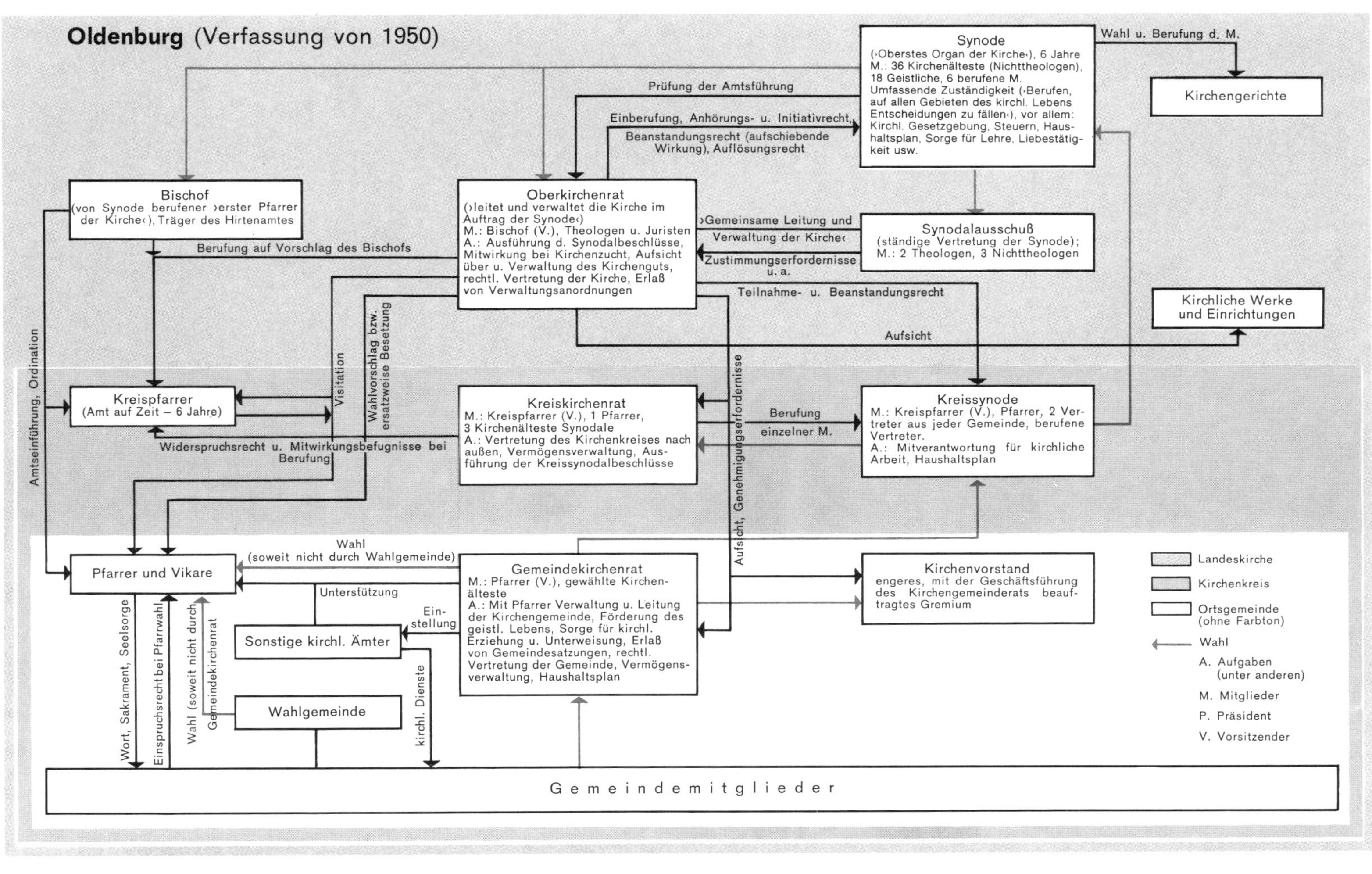

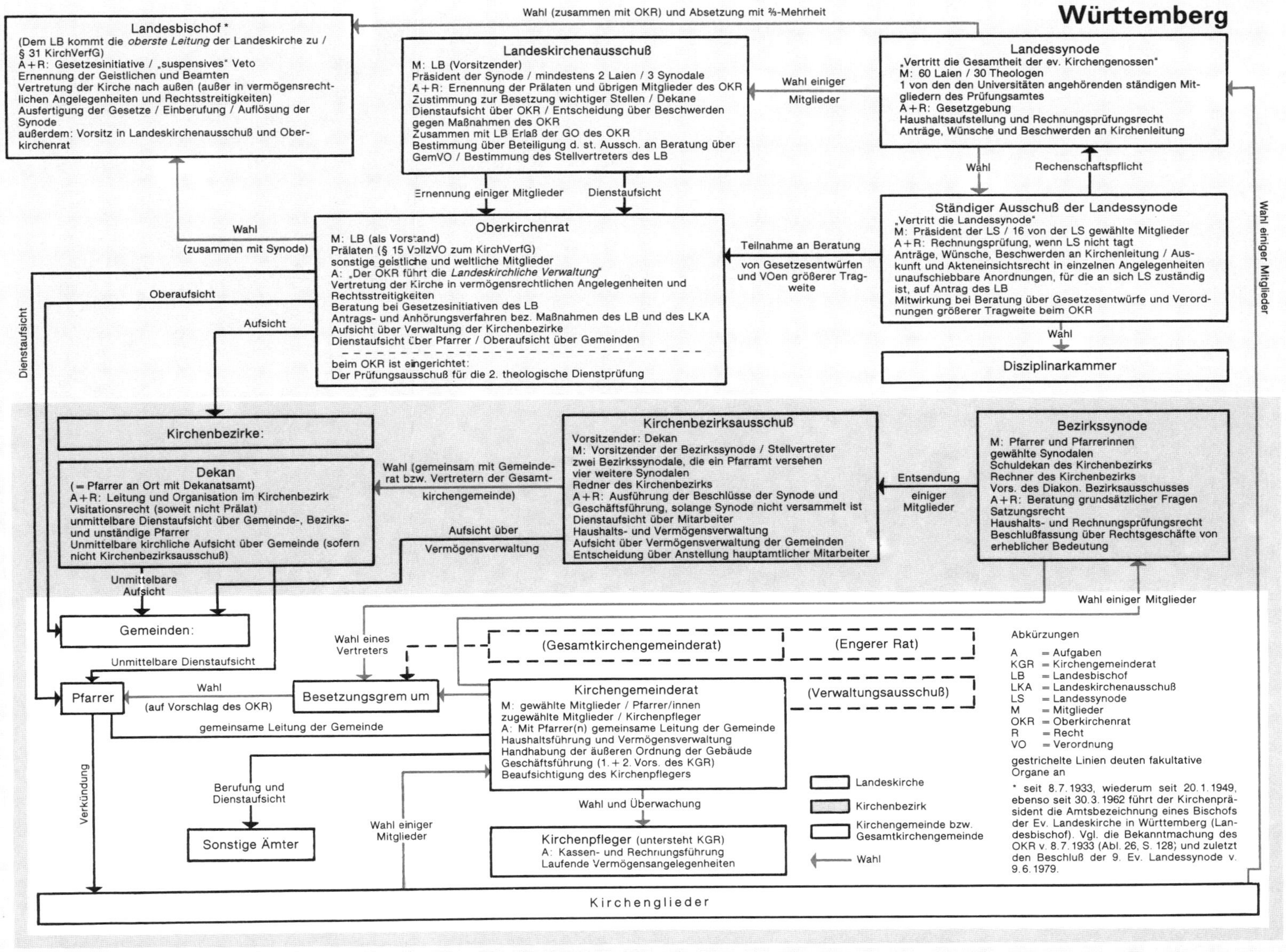

Württemberg
Wahl (zusammen mit OKR) und Absetzung mit ⅔-Mehrheit
Landesbischof *
(Dem LB kommt die oberste Leitung der Landeskirche zu / § 31 KirchVerfG)
A+R: Gesetzesinitiative / „suspensives" Veto
Ernennung der Geistlichen und Beamten
Vertretung der Kirche nach außen (außer in vermögensrechtlichen Angelegenheiten und Rechtsstreitigkeiten)
Ausfertigung der Gesetze / Einberufung / Auflösung der Synode
außerdem: Vorsitz in Landeskirchenausschuß und Oberkirchenrat
Landeskirchenausschuß
M: LB (Vorsitzender)
Präsident der Synode / mindestens 2 Laien / 3 Synodale
A+R: Ernennung der Prälaten und übrigen Mitglieder des OKR
Zustimmung zur Besetzung wichtiger Stellen / Dekane
Dienstaufsicht über OKR / Entscheidung über Beschwerden gegen Maßnahmen des OKR
Zusammen mit LB Erlaß der GO des OKR
Bestimmung über Beteiligung d. st. Aussch. an Beratung über GemVO / Bestimmung des Stellvertreters des LB
Wahl einiger Mitglieder
Landessynode
„Vertritt die Gesamtheit der ev. Kirchengenossen"
M: 60 Laien / 30 Theologen
1 von den den Universitäten angehörenden ständigen Mitgliedern des Prüfungsamtes
A+R: Gesetzgebung
Haushaltsaufstellung und Rechnungsprüfungsrecht
Anträge, Wünsche und Beschwerden an Kirchenleitung
Wahl
Rechenschaftspflicht
Ernennung einiger Mitglieder
Dienstaufsicht
Wahl (zusammen mit Synode)
Oberkirchenrat
M: LB (als Vorstand)
Prälaten (§ 15 VollzVO zum KirchVerfG)
sonstige geistliche und weltliche Mitglieder
A: „Der OKR führt die Landeskirchliche Verwaltung"
Vertretung der Kirche in vermögensrechtlichen Angelegenheiten und Rechtsstreitigkeiten
Beratung bei Gesetzesinitiativen des LB
Antrags- und Anhörungsverfahren bez. Maßnahmen des LB und des LKA
Aufsicht über Verwaltung der Kirchenbezirke
Dienstaufsicht über Pfarrer / Oberaufsicht über Gemeinden
beim OKR ist eingerichtet:
Der Prüfungsausschuß für die 2. theologische Dienstprüfung
Teilnahme an Beratung
von Gesetzesentwürfen und VOen größerer Tragweite
Ständiger Ausschuß der Landessynode
„Vertritt die Landessynode"
M: Präsident der LS / 16 von der LS gewählte Mitglieder
A+R: Rechnungsprüfung, wenn LS nicht tagt
Anträge, Wünsche, Beschwerden an Kirchenleitung / Auskunft und Akteneinsichtsrecht in einzelnen Angelegenheiten
unaufschiebbare Anordnungen, für die an sich LS zuständig ist, auf Antrag des LB
Mitwirkung bei Beratung über Gesetzesentwürfe und Verordnungen größerer Tragweite beim OKR
Wahl
Disziplinarkammer
Wahl einiger Mitglieder
Dienstaufsicht
Oberaufsicht
Aufsicht
Kirchenbezirke:
Dekan
(= Pfarrer an Ort mit Dekanatsamt)
A+R: Leitung und Organisation im Kirchenbezirk
Visitationsrecht (soweit nicht Prälat)
unmittelbare Dienstaufsicht über Gemeinde-, Bezirks- und unständige Pfarrer
Unmittelbare kirchliche Aufsicht über Gemeinde (sofern nicht Kirchenbezirksausschuß)
Wahl (gemeinsam mit Gemeinderat bzw. Vertretern der Gesamtkirchengemeinde)
Aufsicht über Vermögensverwaltung
Kirchenbezirksausschuß
Vorsitzender: Dekan
M: Vorsitzender der Bezirkssynode / Stellvertreter
zwei Bezirkssynodale, die ein Pfarramt versehen
vier weitere Synodalen
Redner des Kirchenbezirks
A+R: Ausführung der Beschlüsse der Synode und Geschäftsführung, solange Synode nicht versammelt ist
Dienstaufsicht über Mitarbeiter
Haushalts- und Vermögensverwaltung
Aufsicht über Vermögensverwaltung der Gemeinden
Entscheidung über Anstellung hauptamtlicher Mitarbeiter
Entsendung einiger Mitglieder
Bezirkssynode
M: Pfarrer und Pfarrerinnen
gewählte Synodalen
Schuldekan des Kirchenbezirks
Rechner des Kirchenbezirks
Vors. des Diakon. Bezirksausschusses
A+R: Beratung grundsätzlicher Fragen
Satzungsrecht
Haushalts- und Rechnungsprüfungsrecht
Beschlußfassung über Rechtsgeschäfte von erheblicher Bedeutung
Unmittelbare Aufsicht
Wahl einiger Mitglieder
Gemeinden:
Unmittelbare Dienstaufsicht
Wahl eines Vertreters
(Gesamtkirchengemeinderat)
(Engerer Rat)
Pfarrer
Wahl (auf Vorschlag des OKR)
Besetzungsgremium
Kirchengemeinderat
M: gewählte Mitglieder / Pfarrer/innen
zugewählte Mitglieder / Kirchenpfleger
A: Mit Pfarrer(n) gemeinsame Leitung der Gemeinde
Haushaltsführung und Vermögensverwaltung
Handhabung der äußeren Ordnung der Gebäude
Geschäftsführung (1.+2. Vors. des KGR)
Beaufsichtigung des Kirchenpflegers
(Verwaltungsausschuß)
gemeinsame Leitung der Gemeinde
Verkündung
Berufung und Dienstaufsicht
Sonstige Ämter
Wahl einiger Mitglieder
Wahl und Überwachung
Kirchenpfleger (untersteht KGR)
A: Kassen- und Rechnungsführung
Laufende Vermögensangelegenheiten
Kirchenglieder
Landeskirche
Kirchenbezirk
Kirchengemeinde bzw. Gesamtkirchengemeinde
Wahl
Abkürzungen
A = Aufgaben
KGR = Kirchengemeinderat
LB = Landesbischof
LKA = Landeskirchenausschuß
LS = Landessynode
M = Mitglieder
OKR = Oberkirchenrat
R = Recht
VO = Verordnung
gestrichelte Linien deuten fakultative Organe an
* seit 8.7.1933, wiederum seit 20.1.1949, ebenso seit 30.3.1962 führt der Kirchenpräsident die Amtsbezeichnung eines Bischofs der Ev. Landeskirche in Württemberg (Landesbischof). Vgl. die Bekanntmachung des OKR v. 8.7.1933 (Abl. 26, S. 128) und zuletzt den Beschluß der 9. Ev. Landessynode v. 9.6.1979.

Die Mitgliedskirchen des Internationalen Rates der Kongregationalisten

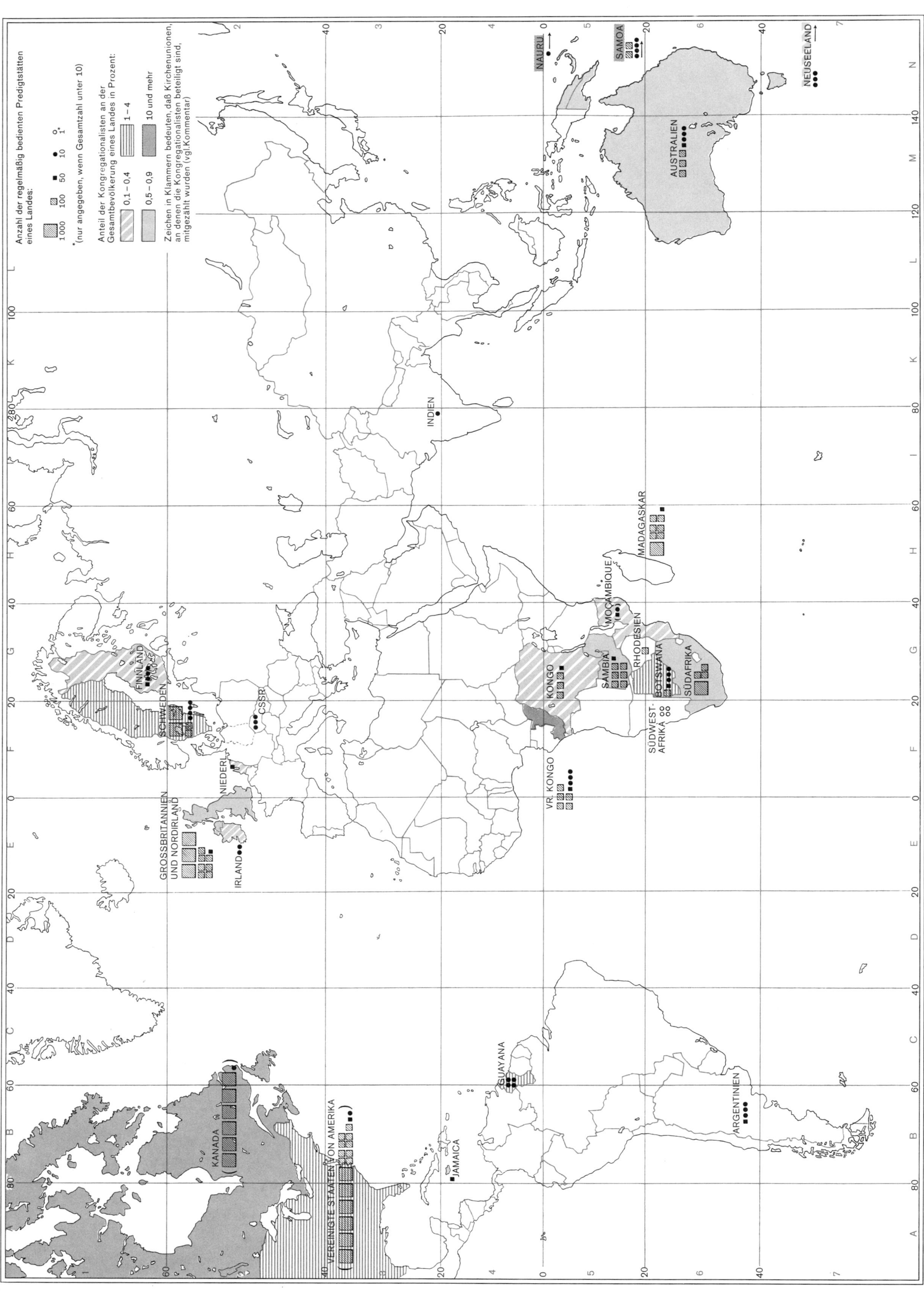

Die evangelischen Kirchen in der Bundesrepublik Deutschland und in der Deutschen Demokratischen Republik

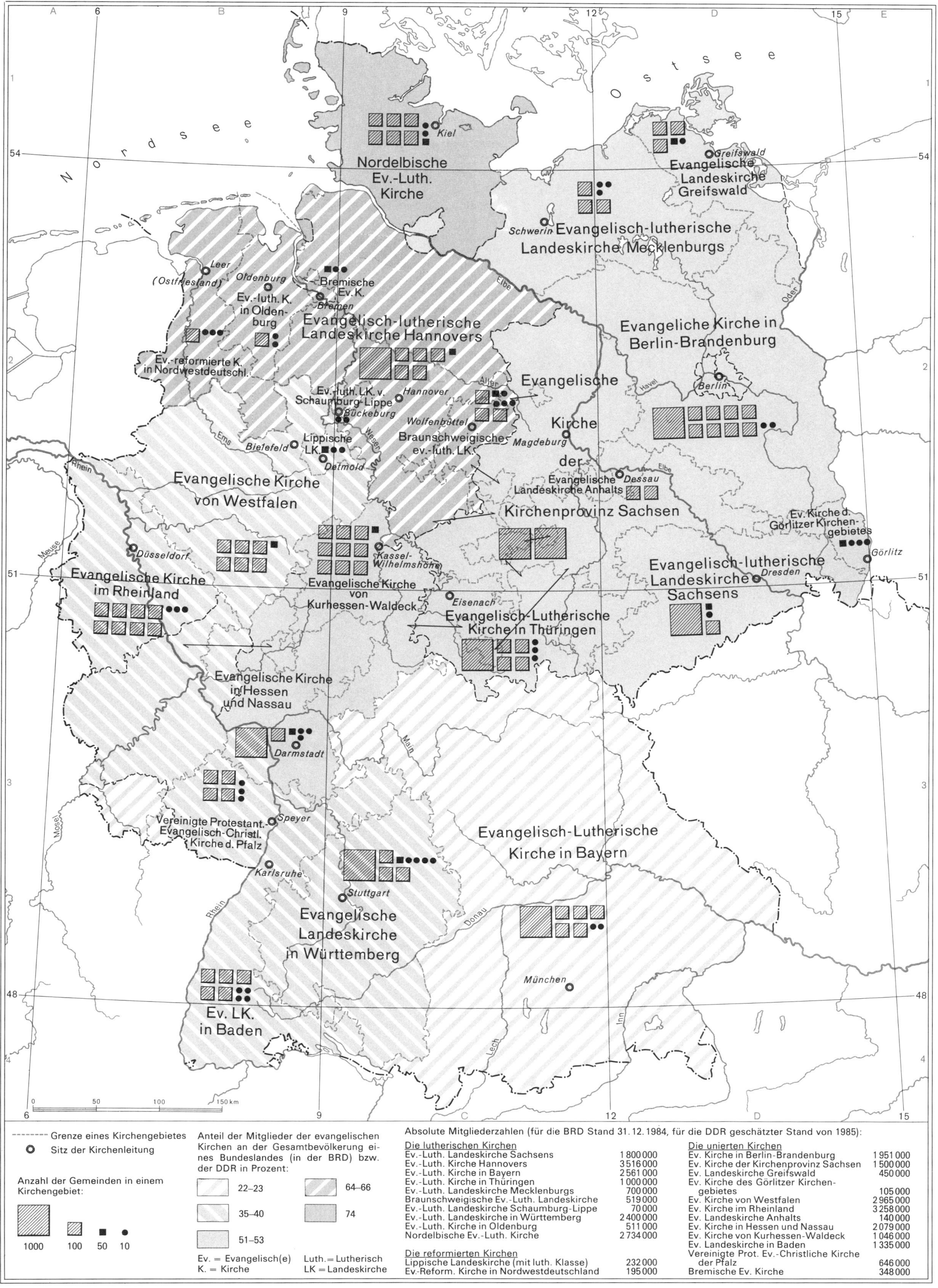

Absolute Mitgliederzahlen (für die BRD Stand 31. 12. 1984, für die DDR geschätzter Stand von 1985):

Die lutherischen Kirchen		Die unierten Kirchen	
Ev.-Luth. Landeskirche Sachsens	1 800 000	Ev. Kirche in Berlin-Brandenburg	1 951 000
Ev.-Luth. Kirche Hannovers	3 516 000	Ev. Kirche der Kirchenprovinz Sachsen	1 500 000
Ev.-Luth. Kirche in Bayern	2 561 000	Ev. Landeskirche Greifswald	450 000
Ev.-Luth. Kirche in Thüringen	1 000 000	Ev. Kirche des Görlitzer Kirchengebietes	105 000
Ev.-Luth. Landeskirche Mecklenburgs	700 000	Ev. Kirche von Westfalen	2 965 000
Braunschweigische Ev.-Luth. Landeskirche	519 000	Ev. Kirche im Rheinland	3 258 000
Ev.-Luth. Landeskirche Schaumburg-Lippe	70 000	Ev. Landeskirche Anhalts	140 000
Ev.-Luth. Landeskirche in Württemberg	2 400 000	Ev. Kirche in Hessen und Nassau	2 079 000
Ev.-Luth. Kirche in Oldenburg	511 000	Ev. Kirche von Kurhessen-Waldeck	1 046 000
Nordelbische Ev.-Luth. Kirche	2 734 000	Ev. Landeskirche in Baden	1 335 000
Die reformierten Kirchen		Vereinigte Prot. Ev.-Christliche Kirche der Pfalz	646 000
Lippische Landeskirche (mit luth. Klasse)	232 000	Bremische Ev. Kirche	348 000
Ev.-Reform. Kirche in Nordwestdeutschland	195 000		

Die lutherischen Kirchen

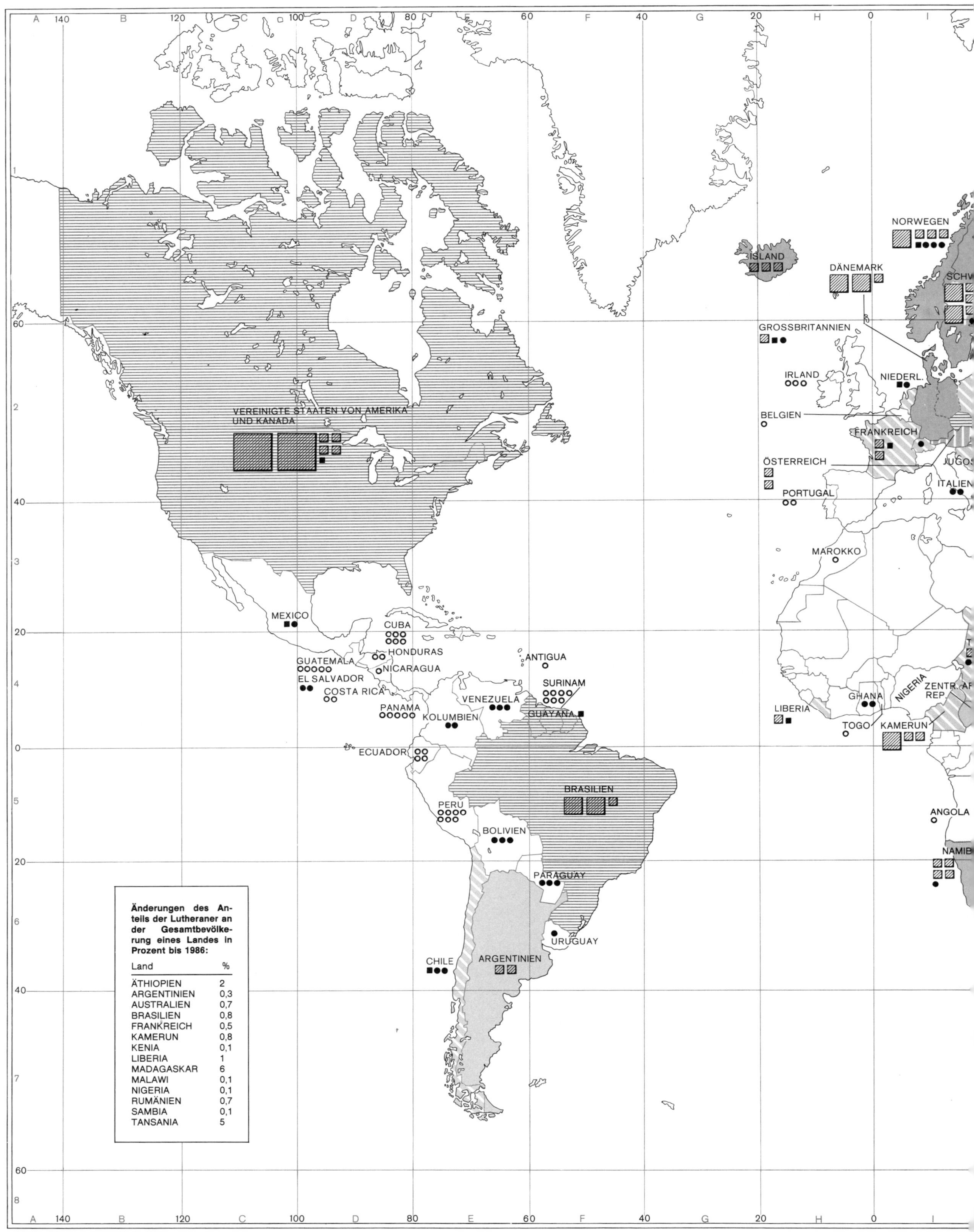

Änderungen des Anteils der Lutheraner an der Gesamtbevölkerung eines Landes in Prozent bis 1986:

Land	%
ÄTHIOPIEN	2
ARGENTINIEN	0,3
AUSTRALIEN	0,7
BRASILIEN	0,8
FRANKREICH	0,5
KAMERUN	0,8
KENIA	0,1
LIBERIA	1
MADAGASKAR	6
MALAWI	0,1
NIGERIA	0,1
RUMÄNIEN	0,7
SAMBIA	0,1
TANSANIA	5

Anzahl der regelmäßig bedienten Gottesdienstplätze eines Landes:
10 000
1 000
100
50
10
1*
*(nur angegeben, wenn Gesamtzahl unter 10)
Anteil der Lutheraner an der Gesamtbevölkerung eines Landes in Prozent:
0,1 – 0,4
5 – 9
0,5 – 0,9
10 und mehr
1 – 4
FINNLAND
USSR
CSSR
UNGARN
ISRAEL
JORDANIEN
ÄGYPTEN
PAKISTAN
NEPAL
BHUTAN
INDIEN
BANGLADESCH
BURMA
THAILAND
SRI LANKA
KOREA
JAPAN
HONGKONG
TAIWAN
PHILIPPINEN
MALAYSIA
PAPUA-NEUGUINEA
INDONESIEN
AUSTRALIEN
NEUSEELAND
ÄTHIOPIEN
KENIA
TANSANIA
MALAWI
SAMBIA
SIMBABWE
MADAGASKAR

Die Gliederung der Baptist Union von Großbritannien und Irland

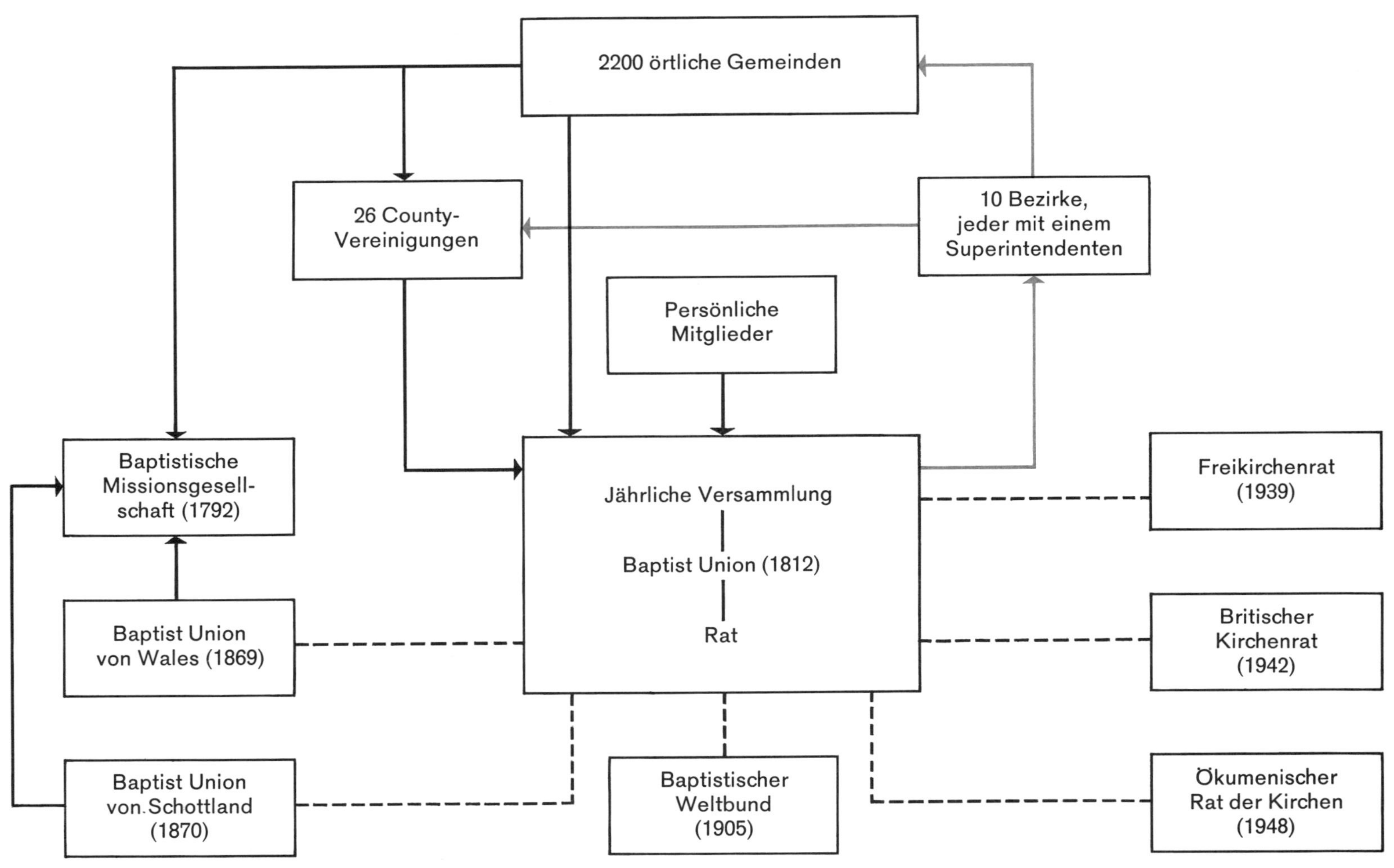

Die Gliederung einer lokalen englischen Baptistenkirche

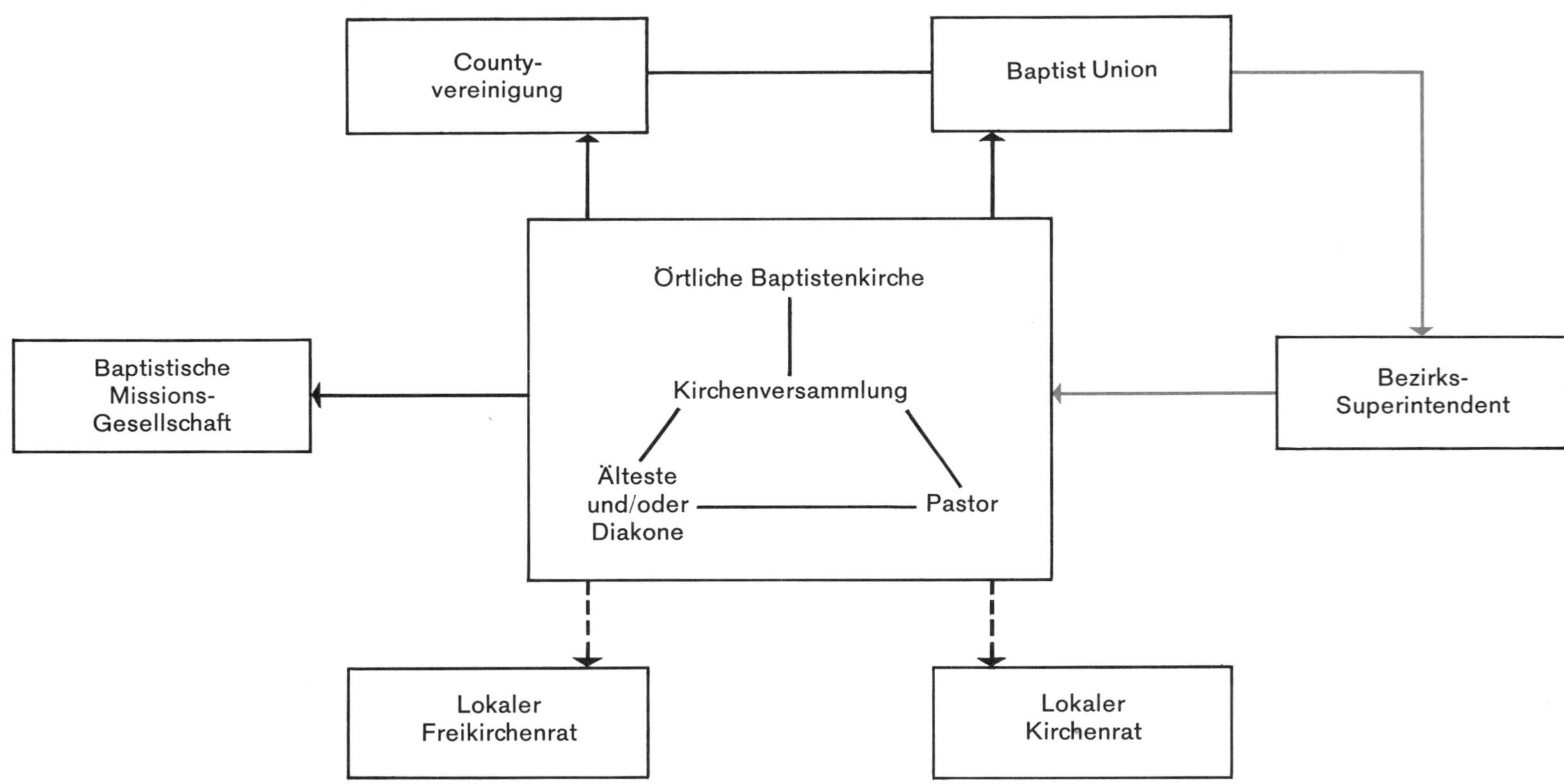

Die 1812 gegr. Baptist Union von Großbritannien und Irland umfaßt etwa 2200 lokale Kirchen mit einer Gesamtmitgliederzahl von 210000. Die Baptist Union von Wales (1869 gegr.; heute 75000 Mitgl.) und die Baptist Union von Schottland (1870 gegr., heute 17000 Mitgl.) sind – obwohl weitgehend autonom – eng mit ihr verbunden, während die Baptist Union von Irland (6500 Mitgl.) heute völlig getrennt ist.

Die „Strikten" und „Partikularen" Baptistenkirchen in England haben keine Verbindungen mit der Baptist Union. Sie bilden drei Bezirks-Assoziationen und sind in einer Federation vereinigt (Gesamtmitgliederzahl etwa 120000). – In den Baptistengemeinschaften anderer Länder – ausgenommen Amerika – haben die lokalen Kirchen weniger Autonomie als in England, da historische Umstände den nationalen Vereinigungen mehr Einfluß gegeben haben.

Verfassungen nicht-chalkedonischer Kirchen

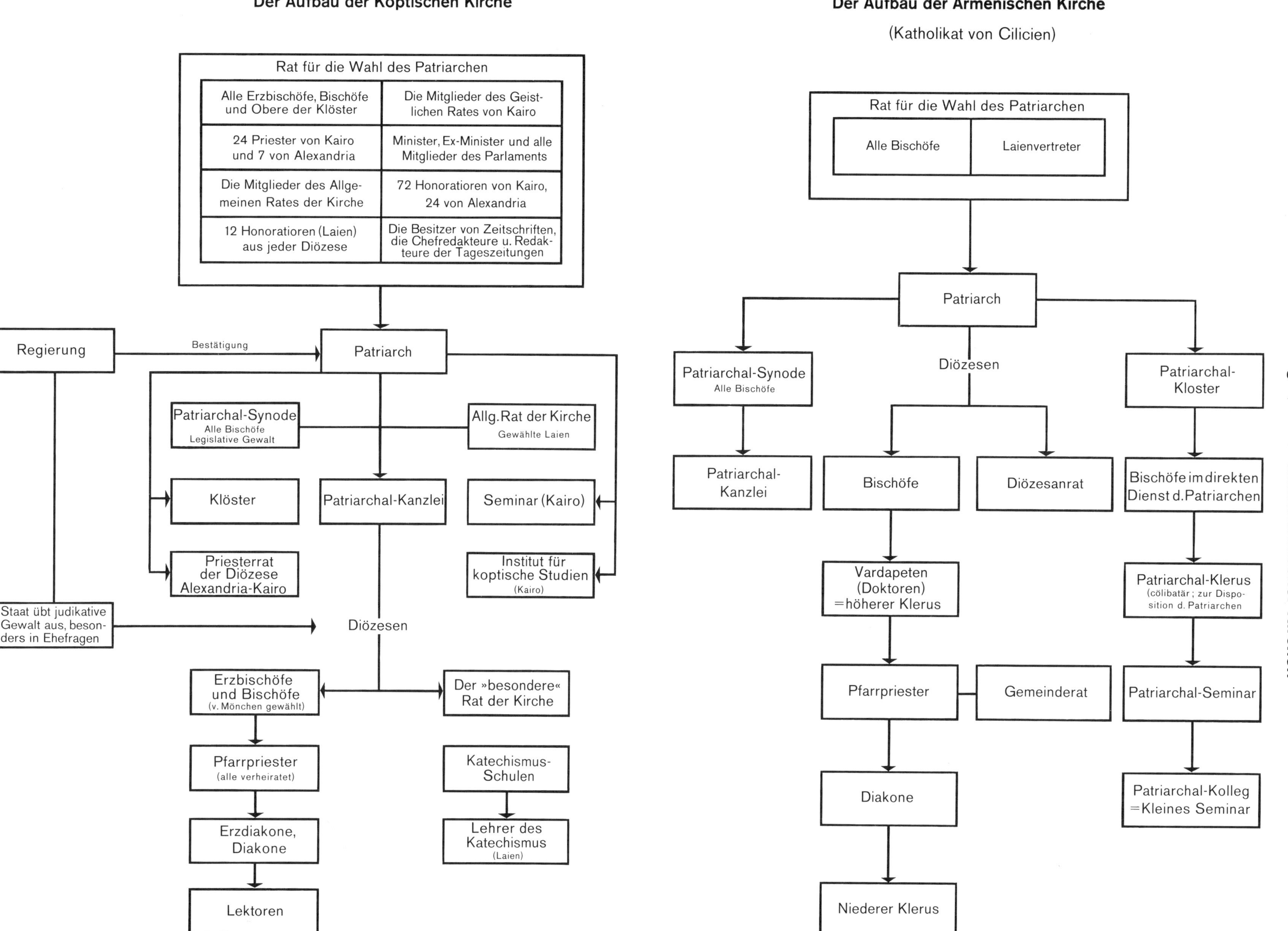

Die methodistischen Kirchen

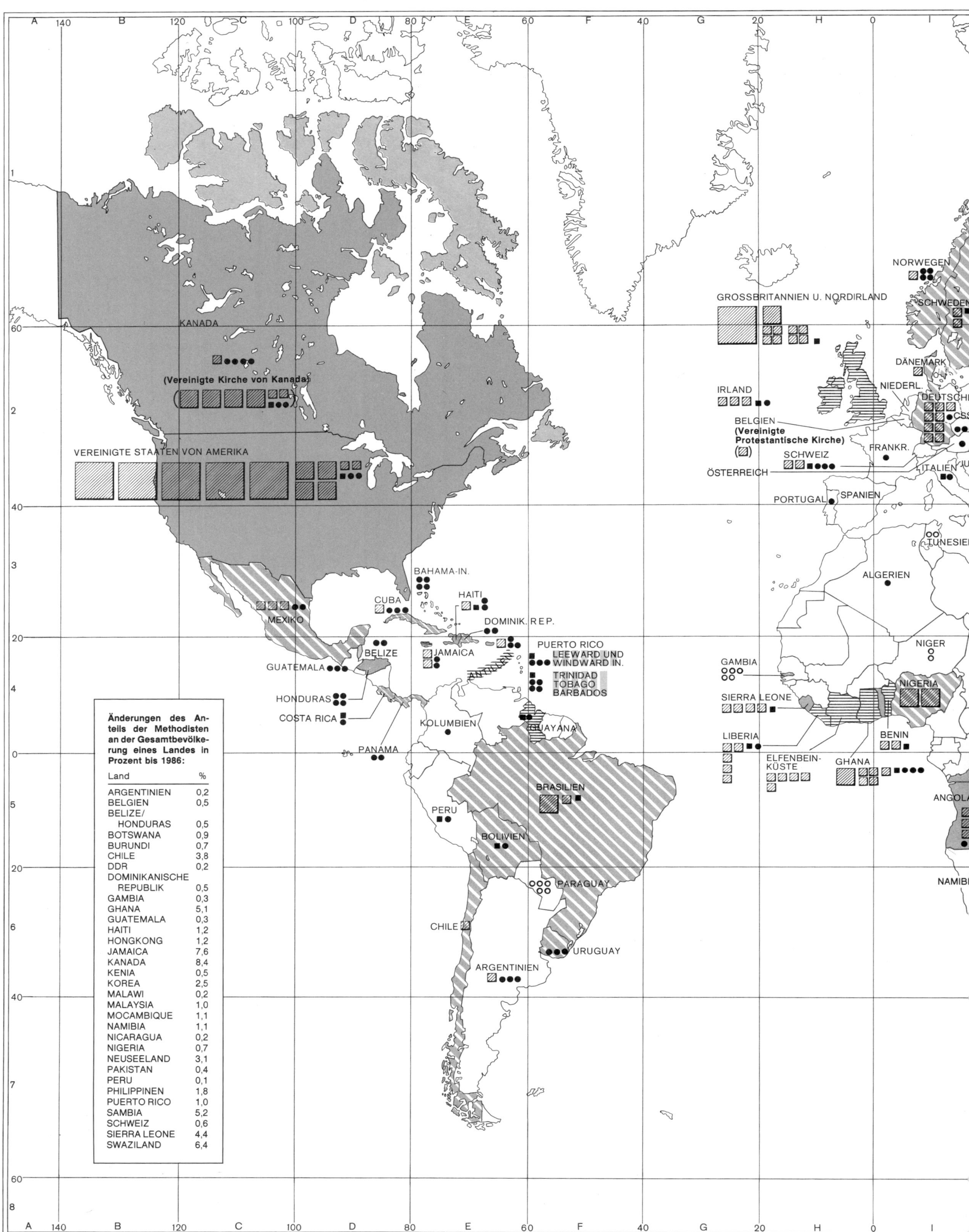

Änderungen des Anteils der Methodisten an der Gesamtbevölkerung eines Landes in Prozent bis 1986:

Land	%
ARGENTINIEN	0,2
BELGIEN	0,5
BELIZE/ HONDURAS	0,5
BOTSWANA	0,9
BURUNDI	0,7
CHILE	3,8
DDR	0,2
DOMINIKANISCHE REPUBLIK	0,5
GAMBIA	0,3
GHANA	5,1
GUATEMALA	0,3
HAITI	1,2
HONGKONG	1,2
JAMAICA	7,6
KANADA	8,4
KENIA	0,5
KOREA	2,5
MALAWI	0,2
MALAYSIA	1,0
MOCAMBIQUE	1,1
NAMIBIA	1,1
NICARAGUA	0,2
NIGERIA	0,7
NEUSEELAND	3,1
PAKISTAN	0,4
PERU	0,1
PHILIPPINEN	1,8
PUERTO RICO	1,0
SAMBIA	5,2
SCHWEIZ	0,6
SIERRA LEONE	4,4
SWAZILAND	6,4

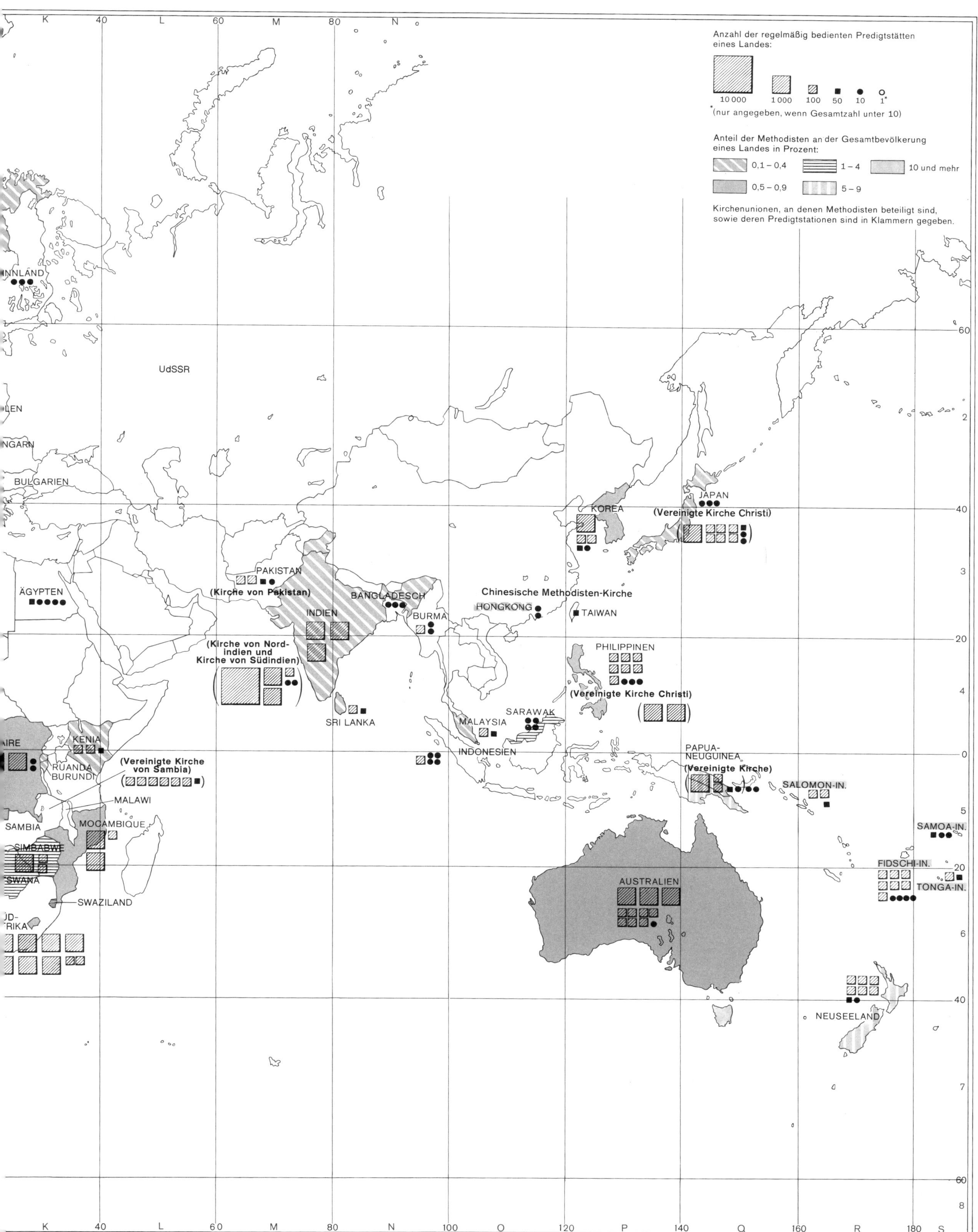
Anzahl der regelmäßig bedienten Predigtstätten eines Landes:
10 000
1 000
100
50
10
1*
*(nur angegeben, wenn Gesamtzahl unter 10)
Anteil der Methodisten an der Gesamtbevölkerung eines Landes in Prozent:
0,1 – 0,4
1 – 4
10 und mehr
0,5 – 0,9
5 – 9
Kirchenunionen, an denen Methodisten beteiligt sind, sowie deren Predigtstationen sind in Klammern gegeben.
UdSSR
BULGARIEN
ÄGYPTEN
PAKISTAN
(Kirche von Pakistan)
INDIEN
BANGLADESCH
BURMA
(Kirche von Nord-indien und Kirche von Südindien)
SRI LANKA
KENIA
RUANDA BURUNDI
(Vereinigte Kirche von Sambia)
MALAWI
SAMBIA
MOCAMBIQUE
SIMBABWE
SWAZILAND
KOREA
JAPAN
(Vereinigte Kirche Christi)
Chinesische Methodisten-Kirche
HONGKONG
TAIWAN
PHILIPPINEN
(Vereinigte Kirche Christi)
SARAWAK
MALAYSIA
INDONESIEN
PAPUA-NEUGUINEA
(Vereinigte Kirche)
SALOMON-IN.
SAMOA-IN.
FIDSCHI-IN.
TONGA-IN.
AUSTRALIEN
NEUSEELAND

Die baptistischen Kirchen

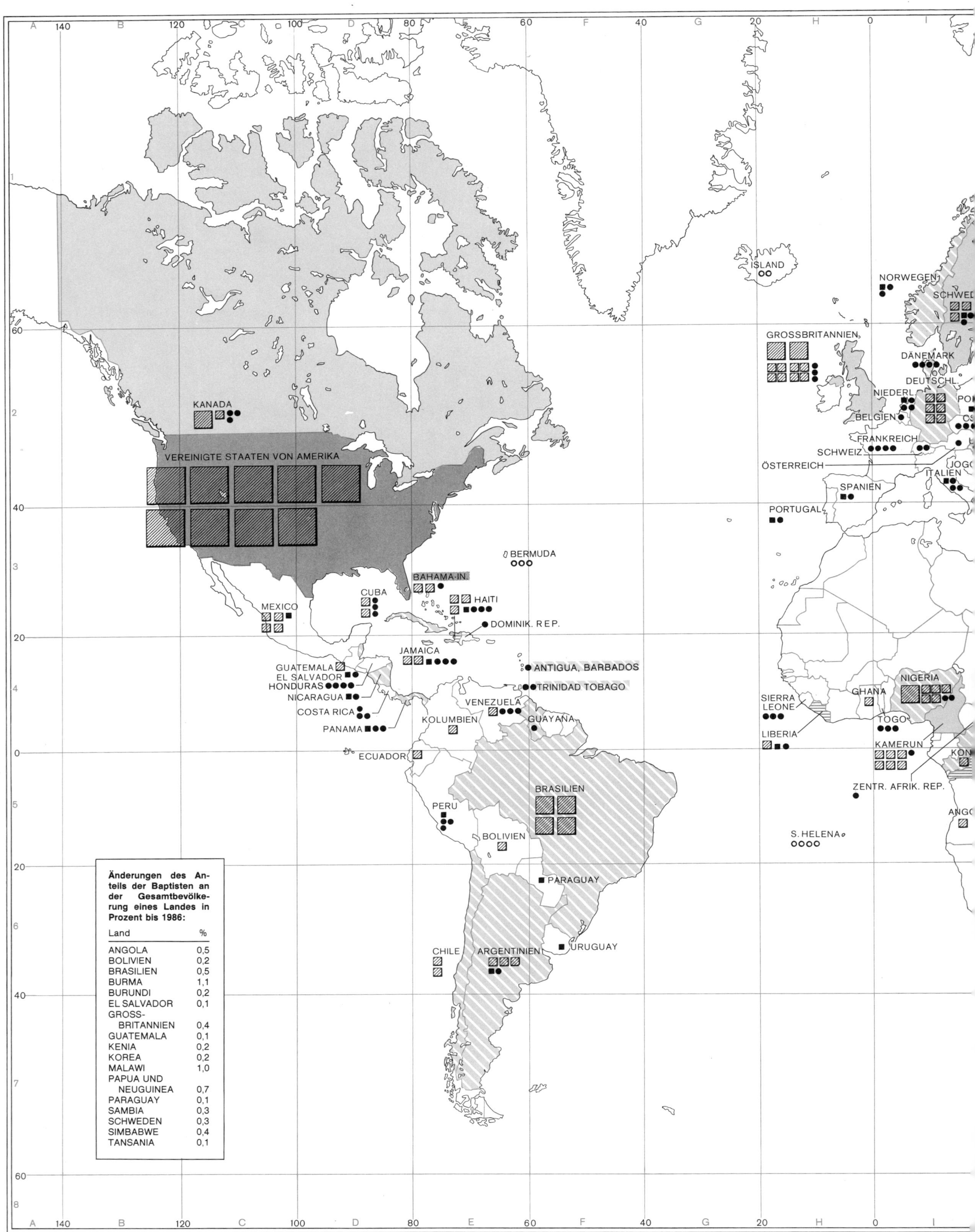

Änderungen des Anteils der Baptisten an der Gesamtbevölkerung eines Landes in Prozent bis 1986:

Land	%
ANGOLA	0,5
BOLIVIEN	0,2
BRASILIEN	0,5
BURMA	1,1
BURUNDI	0,2
EL SALVADOR	0,1
GROSS-BRITANNIEN	0,4
GUATEMALA	0,1
KENIA	0,2
KOREA	0,2
MALAWI	1,0
PAPUA UND NEUGUINEA	0,7
PARAGUAY	0,1
SAMBIA	0,3
SCHWEDEN	0,3
SIMBABWE	0,4
TANSANIA	0,1

Anzahl der Kirchen in einem Land:
10 000
1 000
100
50
10
1*
*(nur angegeben, wenn Gesamtzahl unter 10)
Anteil der Baptisten an der Gesamtbevölkerung eines Landes in Prozent:
0,1 – 0,4
1 – 4
0,5 – 0,9
10 und mehr
FINNLAND
SOWJETUNION
RUMÄNIEN
BULGARIEN
LIBANON
ISRAEL
JORDANIEN
JEMEN
ÄTHIOPIEN
ZAIRE
UGANDA
KENIA
RUANDA
BURUNDI
TANSANIA
SAMBIA
MALAWI
SIMBABWE
MOCAMBIQUE
SÜDAFRIKA
INDIEN
BANGLADESCH
BURMA
SRI LANKA
THAI-
LAND
MALAYSIA
INDONESIEN
KOREA
JAPAN
OKINAWA
TAIWAN
HONGKONG
PHILIPPINEN
PAPUA-
NEUGUINEA
AUSTRALIEN
NEUSEELAND

Die nicht-chalkedonischen orientalischen Kirchen

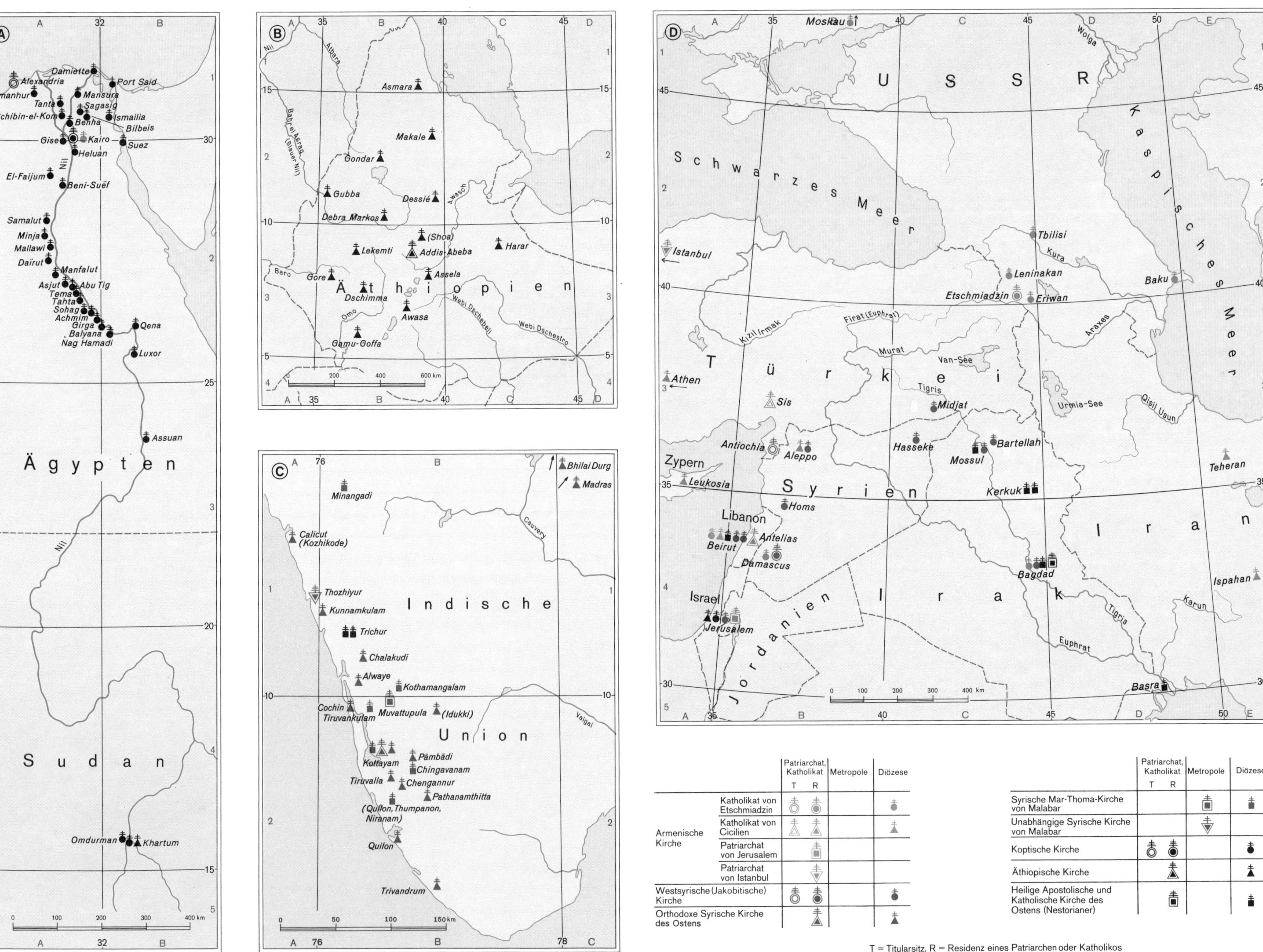

Die Auslandsjurisdiktionen der orthodoxen und nicht-chalkedonischen Ostkirchen

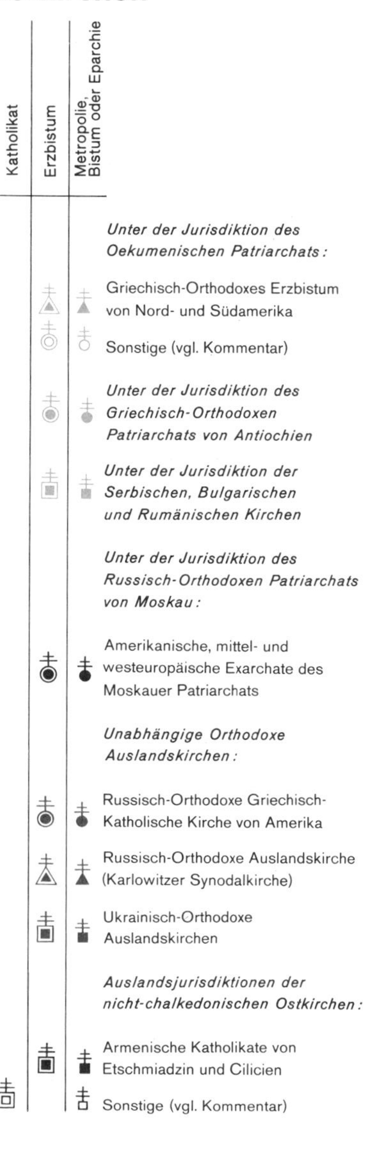

Kanada
Vereinigte Staaten
Mexiko
Sitka (Alaska)
Edmonton
Winnipeg
Montreal
Cumberland
Boston
Detroit
Toronto
Buffalo
New York
Libertyville
Pittsburgh
Chicago
Jackson ( )
Toledo
Akron
Johnstown
Philadelphia
Edgeworth
San Francisco
Denver
Alhambra
Los Angeles
Atlanta
Dallas
Fort Laudersdale
( ) Mexiko
Lodi
New York
Long Island
Jamaica Plain

Zeichen in Klammern stehen für Bischöfe ohne Diözese

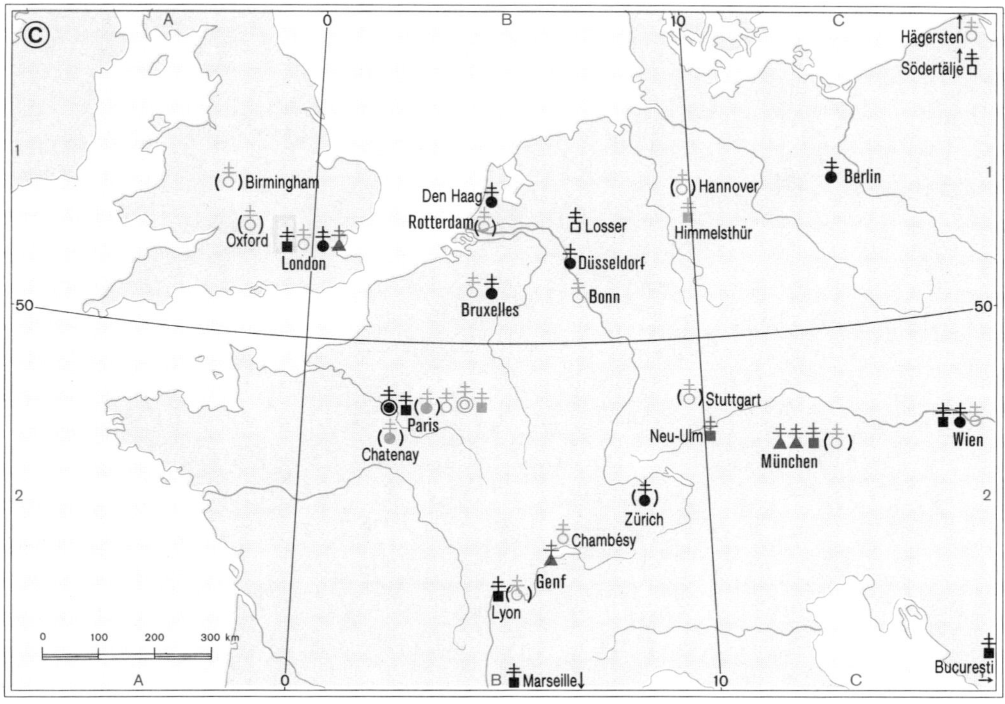

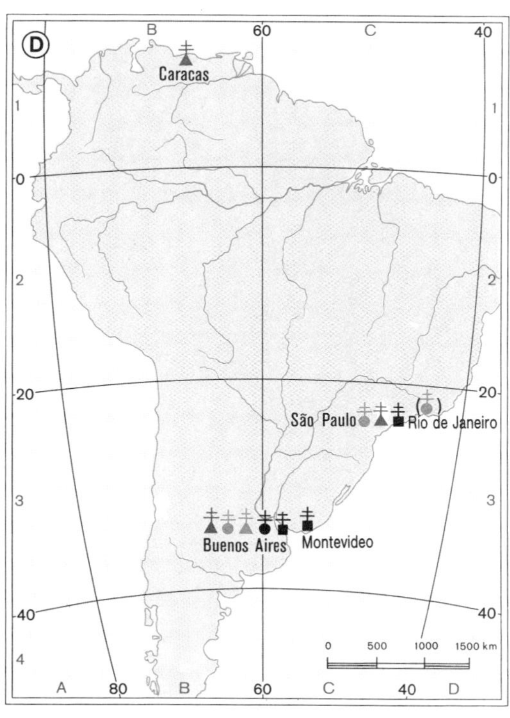

Die Thomaschristen von Malabar

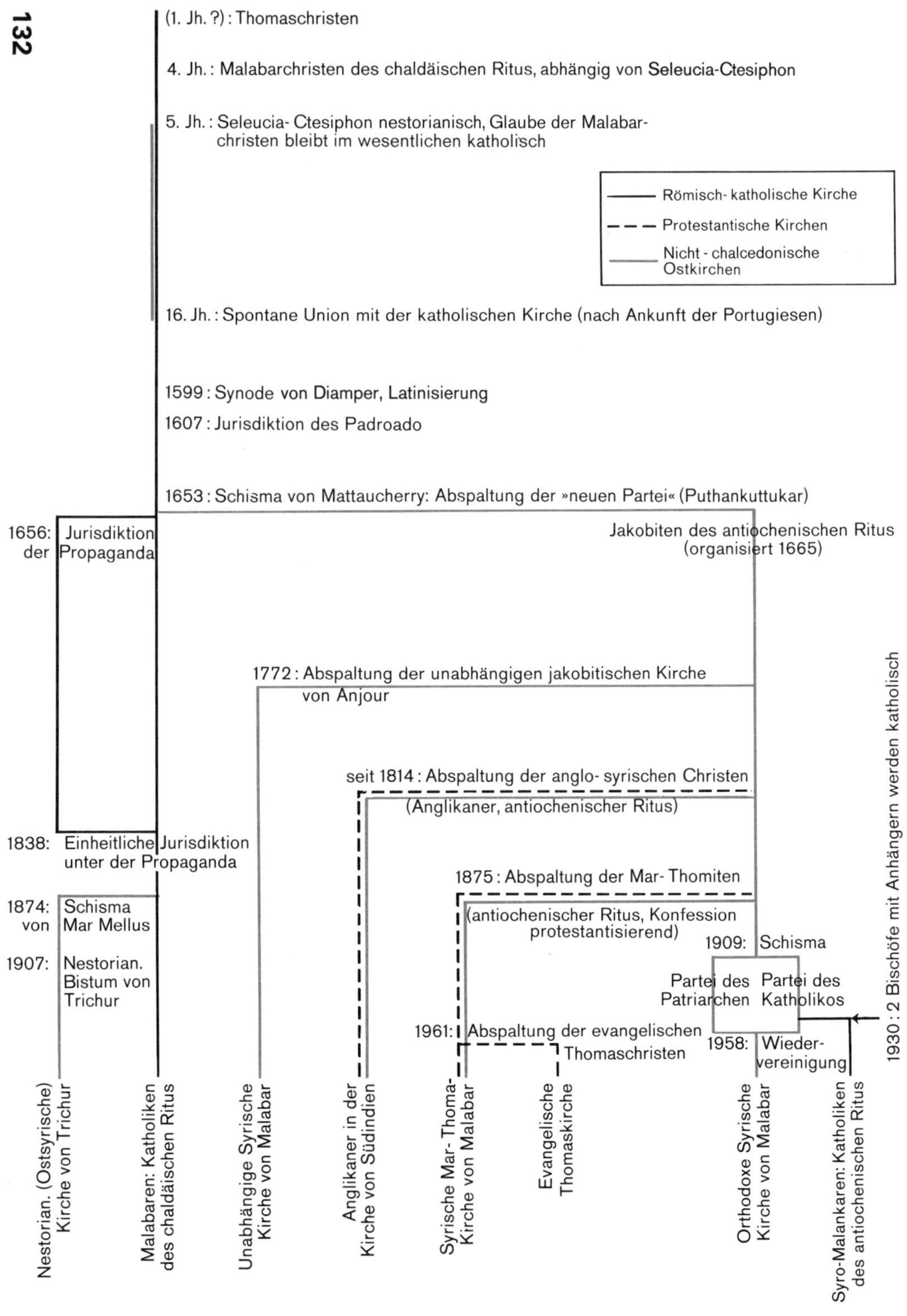

(1. Jh. ?): Thomaschristen

4. Jh.: Malabarchristen des chaldäischen Ritus, abhängig von Seleucia-Ctesiphon

5. Jh.: Seleucia-Ctesiphon nestorianisch, Glaube der Malabarchristen bleibt im wesentlichen katholisch

16. Jh.: Spontane Union mit der katholischen Kirche (nach Ankunft der Portugiesen)

1599: Synode von Diamper, Latinisierung

1607: Jurisdiktion des Padroado

1653: Schisma von Mattaucherry: Abspaltung der »neuen Partei« (Puthankuttukar)

1656: der Jurisdiktion Propaganda

Jakobiten des antiochenischen Ritus (organisiert 1665)

1772: Abspaltung der unabhängigen jakobitischen Kirche von Anjour

seit 1814: Abspaltung der anglo-syrischen Christen (Anglikaner, antiochenischer Ritus)

1838: Einheitliche Jurisdiktion unter der Propaganda

1875: Abspaltung der Mar-Thomiten (antiochenischer Ritus, Konfession protestantisierend)

1874: von Schisma Mar Mellus

1907: Nestorian. Bistum von Trichur

1909: Schisma

Partei des Patriarchen | Partei des Katholikos

1958: Wiedervereinigung

1961: Abspaltung der evangelischen Thomaschristen

1930: 2 Bischöfe mit Anhängern werden katholisch

Nestorian. (Ostsyrische) Kirche von Trichur

Malabaren: Katholiken des chaldäischen Ritus

Unabhängige Syrische Kirche von Malabar

Anglikaner in der Kirche von Südindien

Syrische Mar-Thoma-Kirche von Malabar

Evangelische Thomaskirche

Orthodoxe Syrische Kirche von Malabar

Syro-Malankaren: Katholiken des antiochenischen Ritus

— Römisch-katholische Kirche
- - - Protestantische Kirchen
— Nicht-chalcedonische Ostkirchen

Die Entstehung der katholischen Ostkirchen und die wichtigsten Unionsversuche

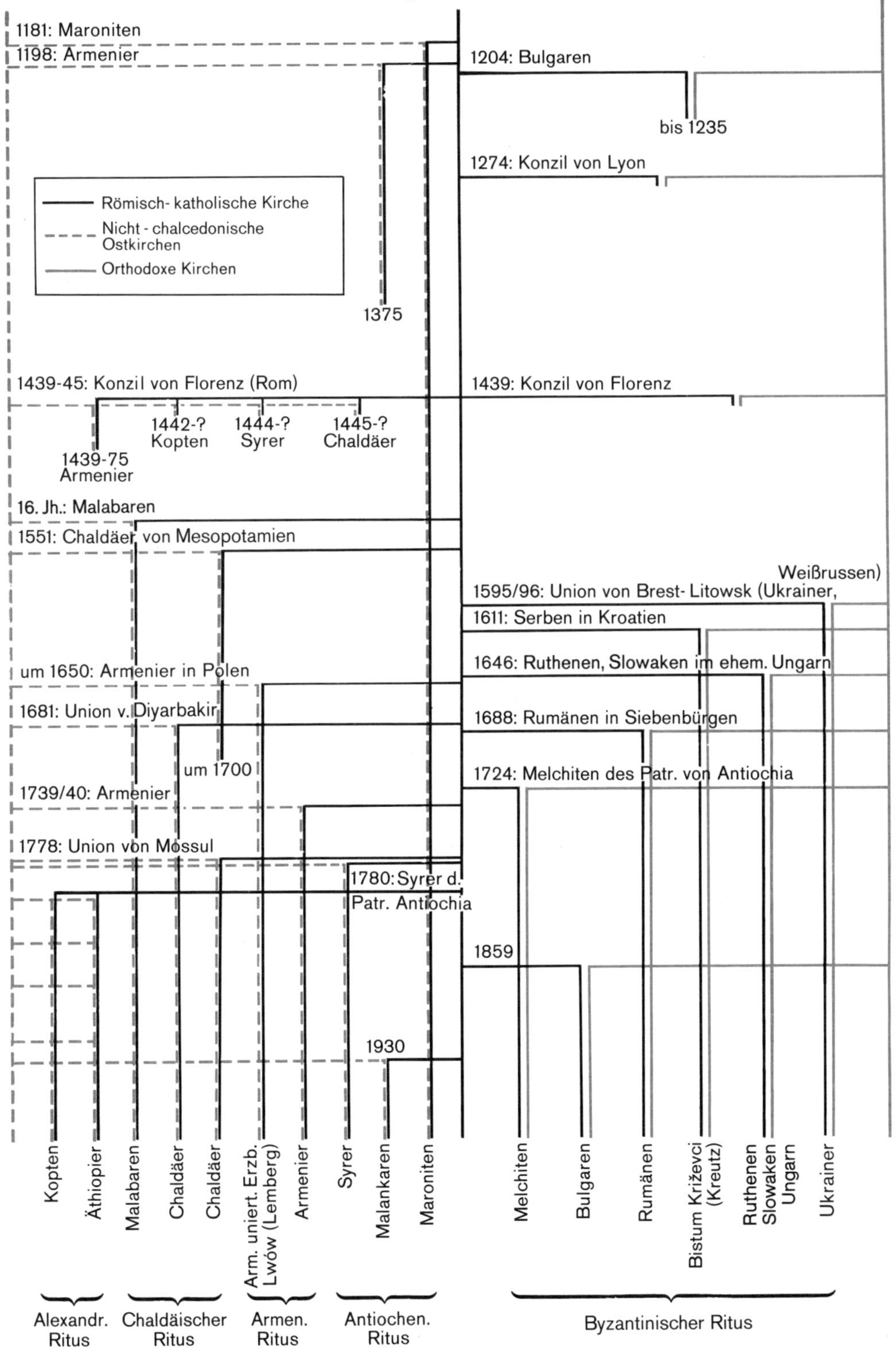

1181: Maroniten

1198: Armenier

1204: Bulgaren

bis 1235

1274: Konzil von Lyon

1375

1439-45: Konzil von Florenz (Rom)

1439: Konzil von Florenz

1439-75 Armenier

1442-? Kopten

1444-? Syrer

1445-? Chaldäer

16. Jh.: Malabaren

1551: Chaldäer von Mesopotamien

1595/96: Union von Brest-Litowsk (Ukrainer, Weißrussen)

1611: Serben in Kroatien

um 1650: Armenier in Polen

1646: Ruthenen, Slowaken im ehem. Ungarn

1681: Union v. Diyarbakir

1688: Rumänen in Siebenbürgen

um 1700

1739/40: Armenier

1724: Melchiten des Patr. von Antiochia

1778: Union von Mossul

1780: Syrer d. Patr. Antiochia

1859

1930

Kopten, Äthiopier — Alexandr. Ritus

Malabaren, Chaldäer, Chaldäer — Chaldäischer Ritus

Arm. uniert. Erzb. Lwów (Lemberg), Armenier — Armen. Ritus

Syrer, Malankaren, Maroniten — Antiochen. Ritus

Melchiten, Bulgaren, Rumänen, Bistum Križevci (Kreutz), Ruthenen, Slowaken, Ungarn, Ukrainer — Byzantinischer Ritus

— Römisch-katholische Kirche
- - - Nicht-chalcedonische Ostkirchen
— Orthodoxe Kirchen

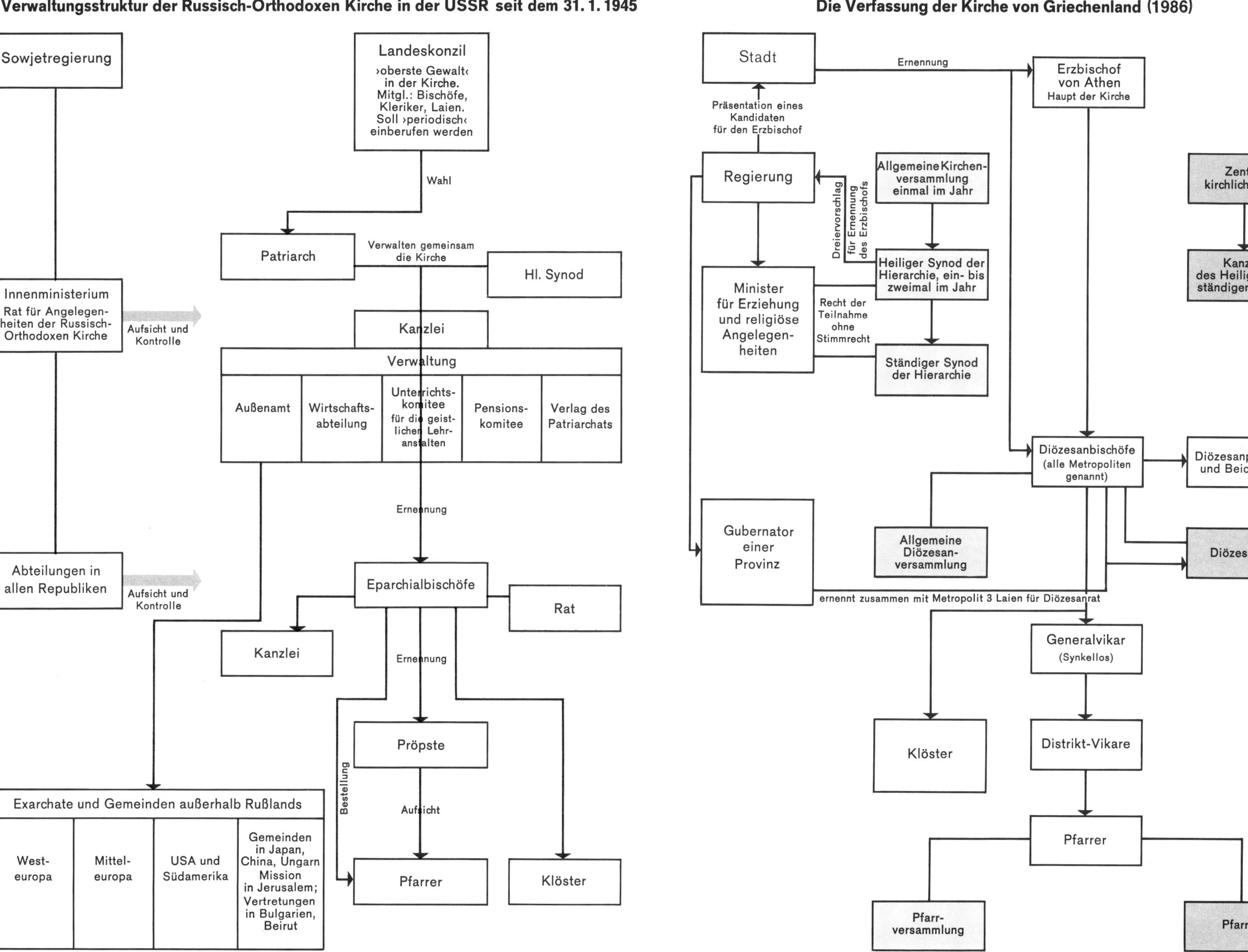
Die Verwaltungsstruktur der Russisch-Orthodoxen Kirche in der USSR seit dem 31. 1. 1945
Sowjetregierung
Innenministerium
Rat für Angelegenheiten der Russisch-Orthodoxen Kirche
Aufsicht und Kontrolle
Abteilungen in allen Republiken
Aufsicht und Kontrolle
Landeskonzil
›oberste Gewalt‹ in der Kirche. Mitgl.: Bischöfe, Kleriker, Laien. Soll ›periodisch‹ einberufen werden
Wahl
Patriarch
Verwalten gemeinsam die Kirche
Hl. Synod
Kanzlei
Verwaltung
Außenamt
Wirtschafts-abteilung
Unterrichts-komitee für die geistlichen Lehr-anstalten
Pensions-komitee
Verlag des Patriarchats
Ernennung
Eparchialbischöfe
Rat
Kanzlei
Ernennung
Pröpste
Aufsicht
Pfarrer
Bestellung
Klöster
Exarchate und Gemeinden außerhalb Rußlands
West-europa
Mittel-europa
USA und Südamerika
Gemeinden in Japan, China, Ungarn Mission in Jerusalem; Vertretungen in Bulgarien, Beirut
Die Verfassung der Kirche von Griechenland (1986)
Stadt
Ernennung
Erzbischof von Athen Haupt der Kirche
Präsentation eines Kandidaten für den Erzbischof
Regierung
Dreiervorschlag für Ernennung des Erzbischofs
Allgemeine Kirchen-versammlung einmal im Jahr
Heiliger Synod der Hierarchie, ein- bis zweimal im Jahr
Minister für Erziehung und religiöse Angelegen-heiten
Recht der Teilnahme ohne Stimmrecht
Ständiger Synod der Hierarchie
Zentral-kirchlicher Rat
Kanzlei des Heiligen und ständigen Synod
Diözesanbischöfe (alle Metropoliten genannt)
Diözesanprediger und Beichtvater
Gubernator einer Provinz
Allgemeine Diözesan-versammlung
Diözesanrat
ernennt zusammen mit Metropolit 3 Laien für Diözesanrat
Generalvikar (Synkellos)
Klöster
Distrikt-Vikare
Pfarrer
Pfarr-versammlung
Pfarrat

Die orthodoxen Kirchen

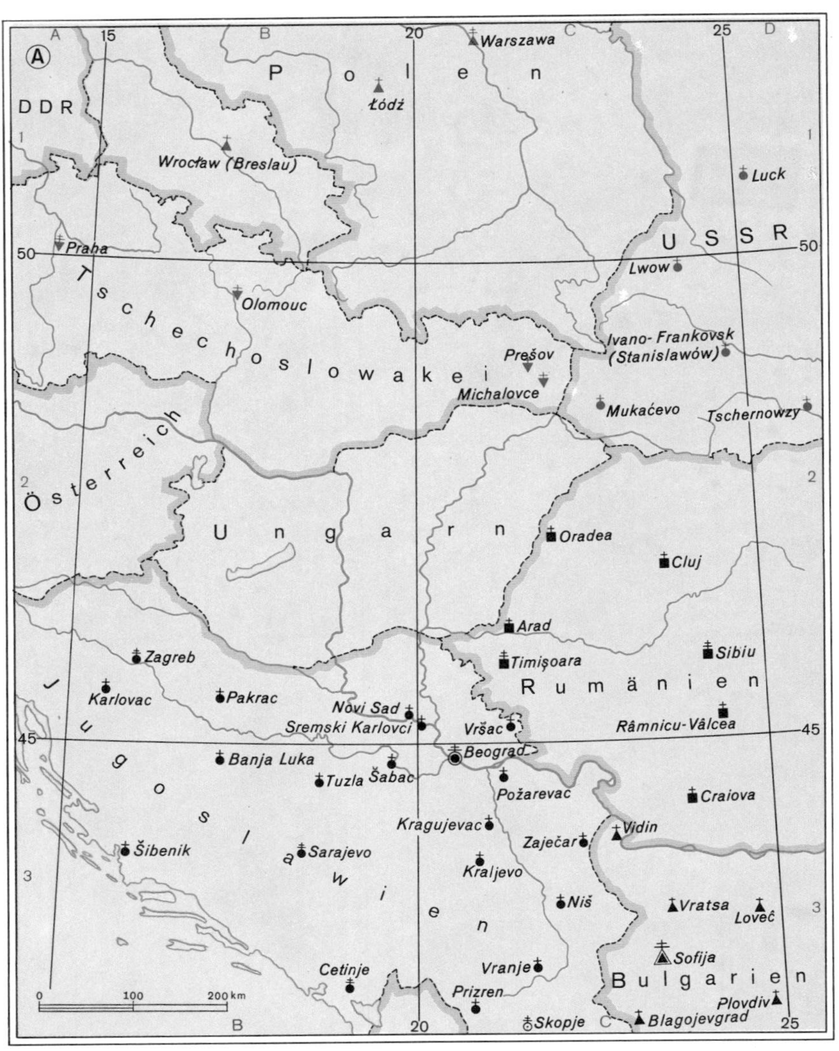

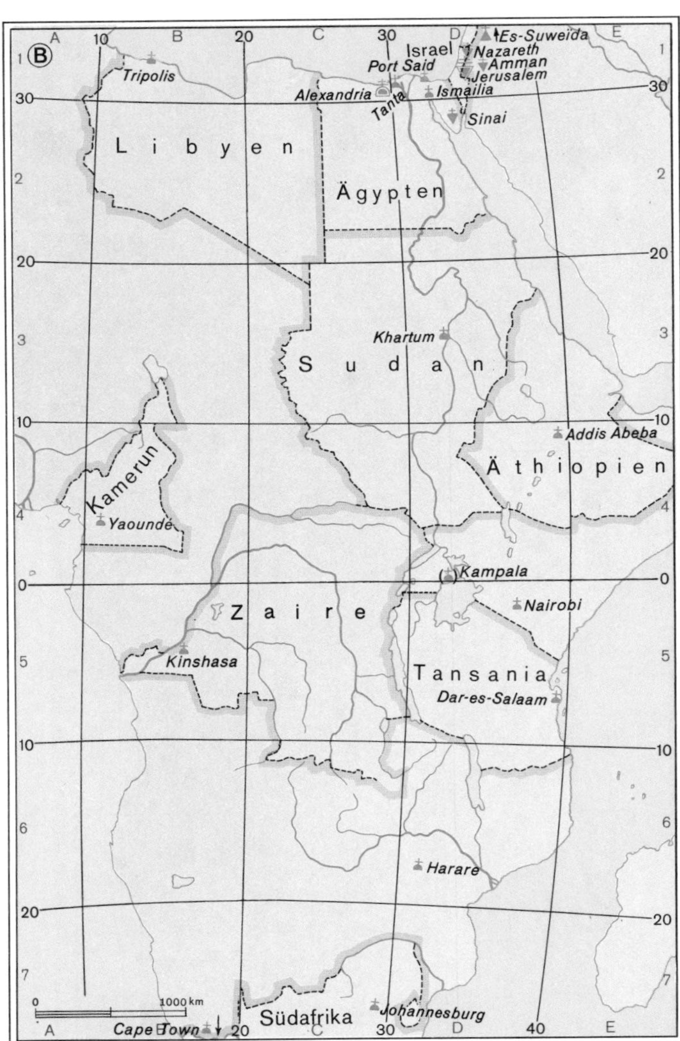

Patriarchat Katholikat	Erzbistum	Metropole Eparchie Bistum	Kirchen
			Ökumenisches Patriarchat von Konstantinopel
			Orthodoxe Kirche von Kreta
			Orthodoxe Kirche von Finnland
			Griechisch-Orthodoxes Patriarchat von Alexandrien
			Griechisch-Orthodoxes Patriarchat von Antiochien
			Griechisch-Orthodoxes Patriarchat von Jerusalem
			Orthodoxe Kirche von Griechenland
			Russisch-Orthodoxes Patriarchat von Moskau
			Orthodoxe Kirche von Georgien
			Orthodoxe Kirche in Polen
			Orthodoxe Kirche in der Tschechoslowakei
			Orthodoxes Patriarchat von Serbien
			Orthodoxe Kirche von Mazedonien
			Orthodoxes Patriarchat von Rumänien
			Orthodoxe Kirche von Albanien
			Orthodoxes Patriarchat von Bulgarien
			Orthodoxe Kirche von Zypern

Die orthodoxen Kirchen

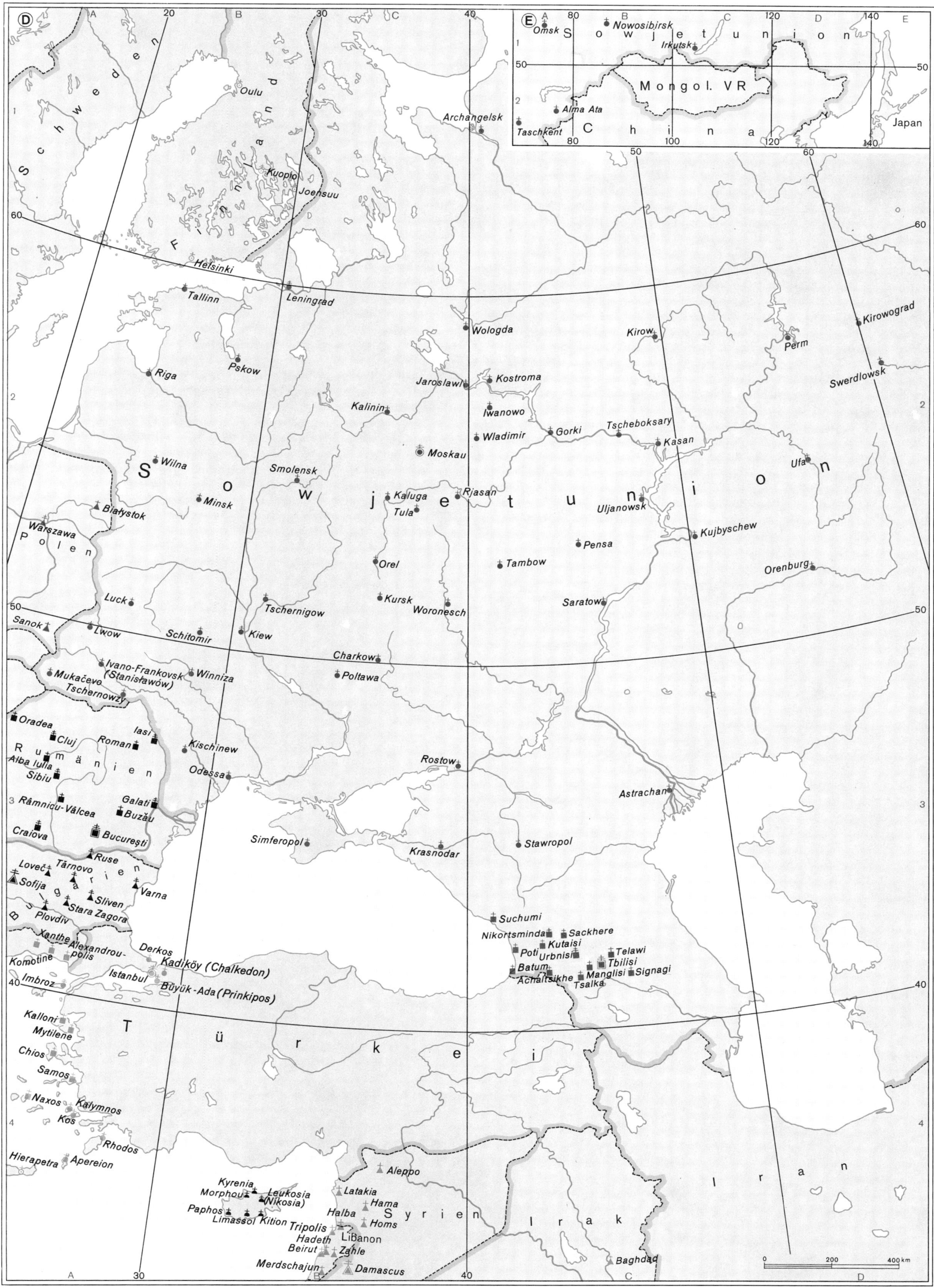

Organisationsschema einer katholischen Diözese

dargestellt am Beispiel des Bistums Limburg (Stand 1. 1. 1987)

Als Beispiel wurde, wie in der Vorauflage, das Bistum Limburg ausgewählt. Die Limburger Leitungs- und Synodalstruktur wollen kein Paradigma sein. Sie verstehen sich als *eine* mögliche Form der Verwirklichung der Beschlüsse des Zweiten Vatikanischen Konzils (1962–1965) und ihrer Konkretisierung durch die Gemeinsame Synode der Bistümer in der Bundesrepublik Deutschland (1971–1975) unter Berücksichtigung der zwingenden Vorschriften des Codex Iuris Canonici von 1983. Diözesanbischof, Priester, Ordensleute und Laien sollen in den synodalen Gremien einen gemeinsamen Weg suchen, um den Heilsauftrag Christi zu erfüllen.

Zur Leitungsstruktur. Dem Diözesanbischof unmittelbar zugeordnet sind für die Verwaltung der Generalvikar und der Bischofsvikar für den synodalen Bereich. Im *Bischofsrat* berät er mit ihnen die wichtigen Leitungsfragen. Das *Domkapitel* wählt den Bischof und berät ihn auf besonderen Wunsch. Als Konsultorenkollegium hat es Mitwirkungsrechte in der Vermögensverwaltung. Die Rechtsprechung liegt beim *Diözesangericht.* In der vom Generalvikar geleiteten *Dezernenten- und Plenarkonferenz* werden, in der Regel in Anwesenheit des Diözesanbischofs, dezernatsübergreifende Angelegenheiten beraten, soweit sie nicht abschließend durch die vom Generalvikar geleitete *Pastoral- oder Verwaltungskammer* oder durch die vom Bischof geleitete *Personalkammer* behandelt wurden. In den Kammern sind die entsprechenden Dezernenten geborene Mitglieder.

Jedem *Dezernat* und den beiden Stabsstellen des Generalvikars korrespondiert ein Hauptausschuß des Diözesansynodalrates. Jeder Hauptausschuß kann dem Diözesansynodalrat Anregungen geben und erstellt für ihn Arbeitsunterlagen. Er berät den betreffenden Dezernenten bzw. den Generalvikar.

Zur Synodalstruktur. Auf der Ebene der Pfarrei/Kirchengemeinde ist der gewählte *Pfarrgemeinderat (PGR)* – in Missionen für Katholiken anderer Muttersprache der Gemeinderat – sowohl Pastoralrat des Pfarrers als auch Gremium des Laienapostolates. Er wählt seinen Vorsitzenden und Vorstand sowie die Mitglieder des *Verwaltungsrates.* Gegen die Beschlüsse des PGR hat der Pfarrer ein suspendierendes Vetorecht.

Auf der Ebene des Bezirks gibt es die *Bezirksversammlung* als ein Gremium des Erfahrungsaustausches der Pfarrer des Bezirks mit den Vorsitzenden der Pfarrgemeinderäte. Die synodale Beratung des Bezirksdekans geschieht im gewählten *Bezirkssynodalrat;* gegen dessen Beschlüsse hat der Bezirksdekan ein suspendierendes Vetorecht.

Auf der Ebene der Diözese ist die *Diözesanversammlung* (Katholikenrat der Diözese) ein nicht kirchenamtliches Gremium des Laienapostolates, das zu kirchlichen und gesellschaftlichen Angelegenheiten Stellung nehmen und Anregungen geben kann. Das den Diözesanbischof beratende synodale Gremium ist der *Diözesansynodalrat* (Diözesanpastoralrat). Seine Mitglieder sind überwiegend gewählt, und zwar von den anderen Gremien auf Diözesanebene. Seine Beschlüsse sind Empfehlungen an den Diözesanbischof. Der mehrheitlich vom Diözesansynodalrat gewählte *Diözesankirchensteuerrat* hat u. a. über den Haushaltsplan zu beschließen.

Ein weiteres Beratungsgremium für den Diözesanbischof ist der *Priesterrat.* Etwa die Hälfte seiner Mitglieder wird von den Priestern gewählt. Für die von ihm zu berufenden Mitglieder erbittet der Diözesanbischof von bestimmten Gruppen Vorschläge. Der Priesterrat hat gewisse Beispruchsrechte und ist bei Angelegenheiten von größerer Bedeutung anzuhören. Aus eigenem Entschluß befaßt er sich hauptsächlich mit Angelegenheiten, die Dienst und Leben der Priester betreffen, und wirkt im übrigen durch drei seiner Mitglieder bei den Beratungen des Diözesansynodalrates mit.

Der *Ordensrat* ist eine Arbeitsgemeinschaft der Orden und geistlichen Gemeinschaften im Bistum.

Der *Rat der Gemeinden von Katholiken anderer Muttersprache* vertritt deren Belange gegenüber den synodalen Gremien und dem Bischöflichen Ordinariat.

Leitungsstruktur auf der Ebene der Diözese: Der Bischof, seine Mitarbeiter und Beratungsgremien

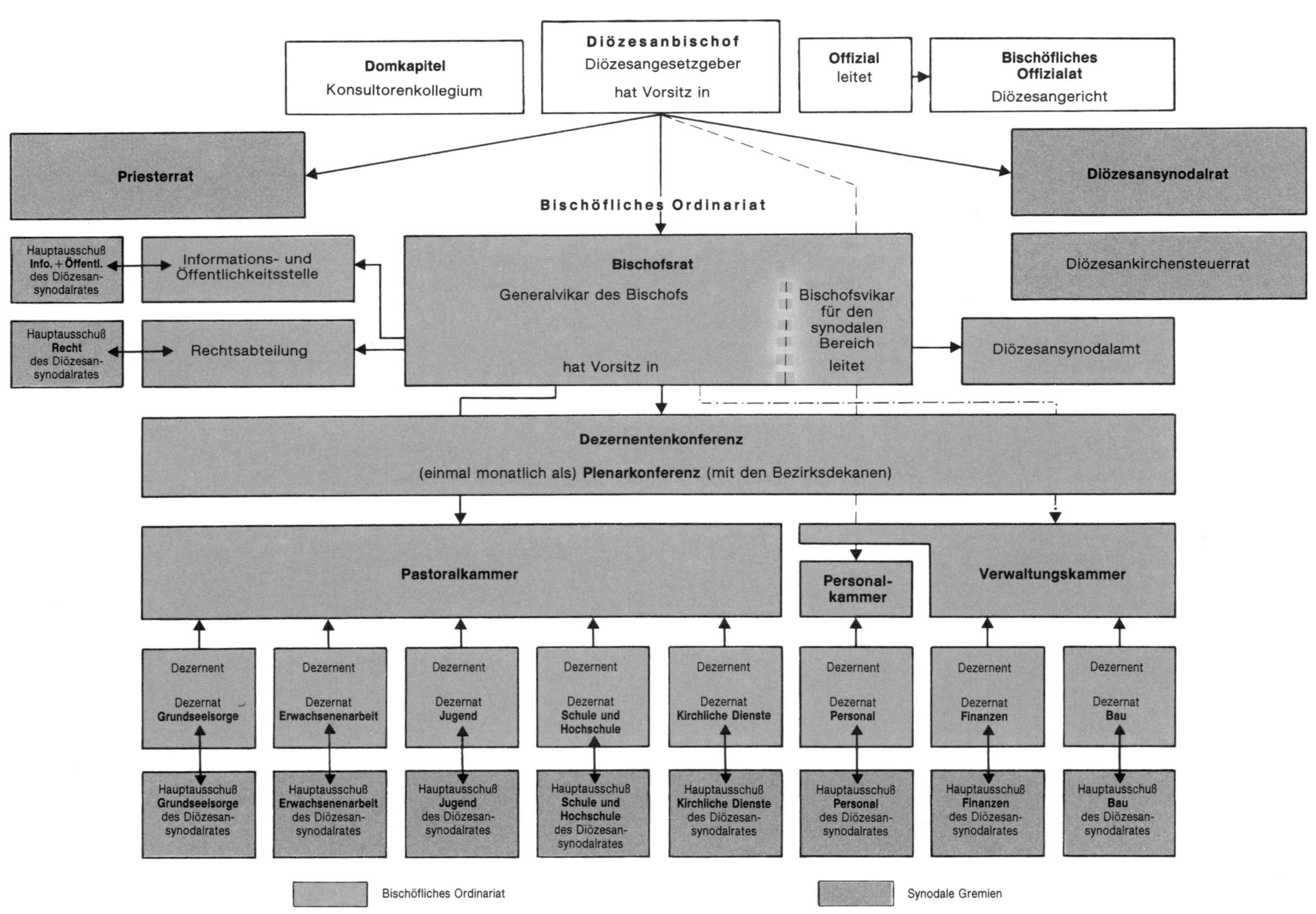

Synodalstruktur in der Diözese:
Die Amtsträger und die Gremien der Mitverantwortung

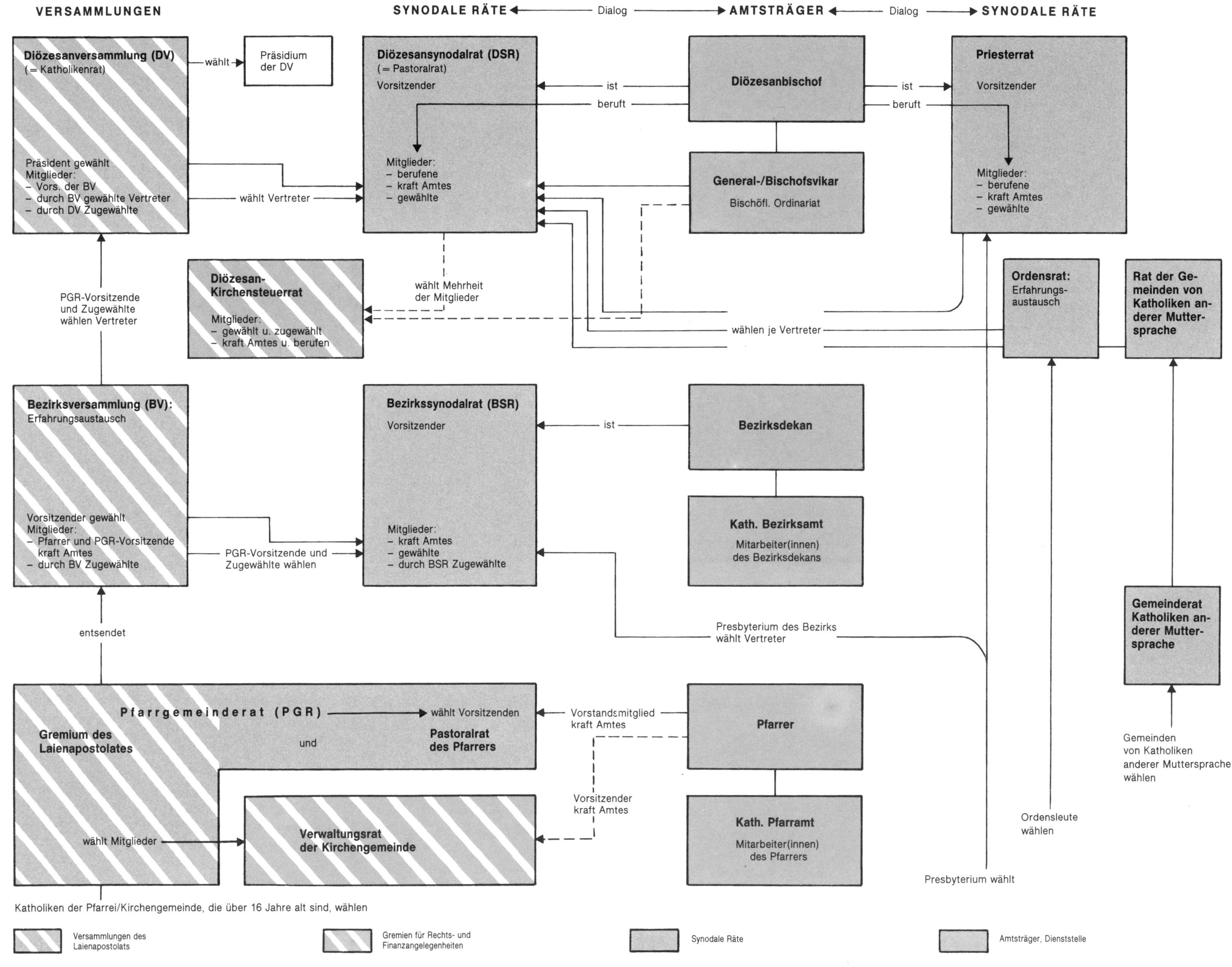

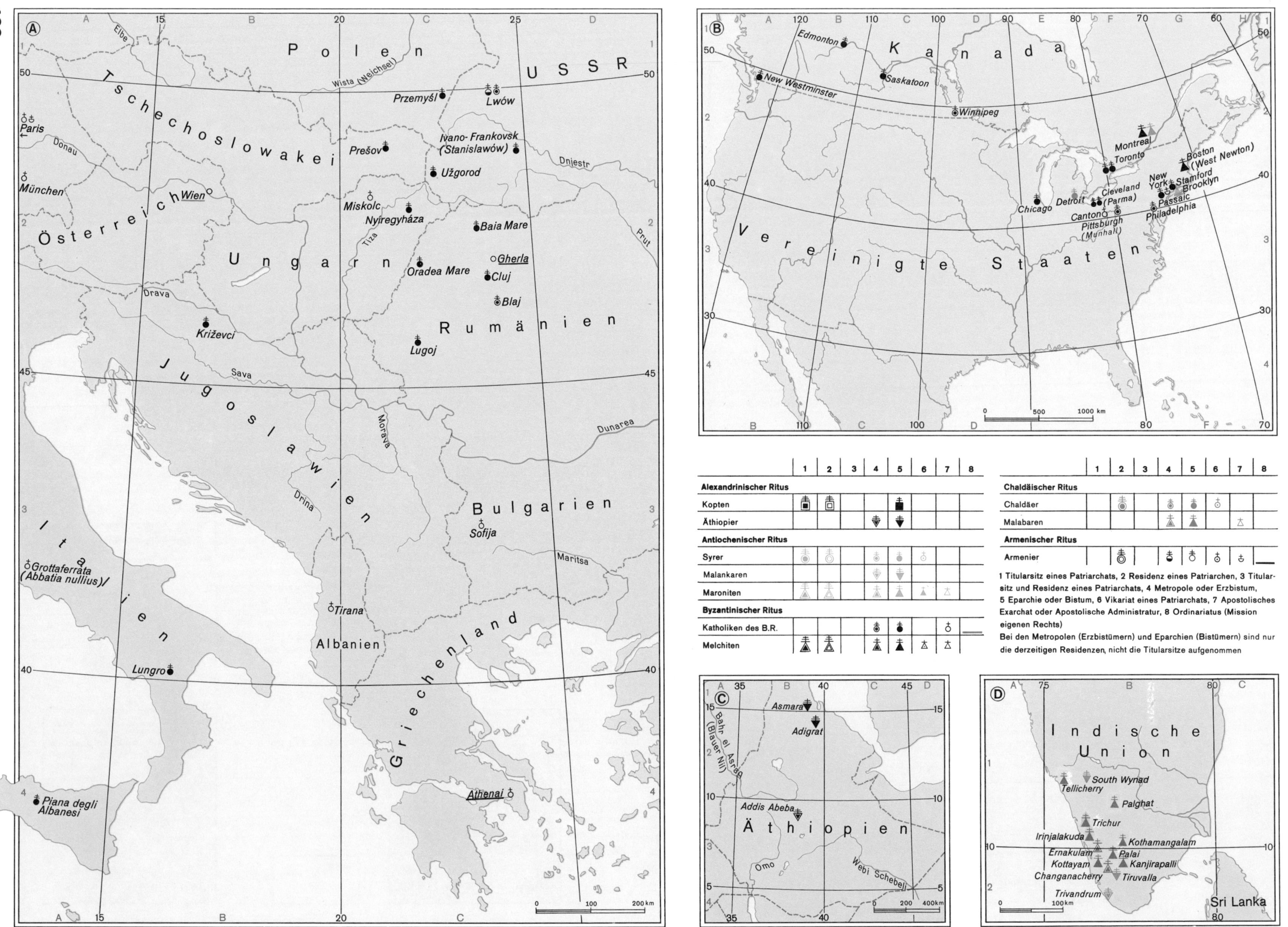
A
Polen
USSR
Tschechoslowakei
Österreich
Ungarn
Rumänien
Jugoslawien
Bulgarien
Albanien
Griechenland
Italien
Paris
München
Wien
Przemyśl
Lwów
Prešov
Ivano-Frankovsk (Stanisławów)
Užgorod
Miskolc
Nyíregyháza
Baia Mare
Gherla
Cluj
Blaj
Oradea Mare
Lugoj
Križevci
Sofija
Tirana
Athenai
Grottaferrata (Abbatia nullius)
Lungro
Piana degli Albanesi
Elbe
Donau
Wista (Weichsel)
Dnjestr
Prut
Tiza
Drava
Sava
Morava
Drina
Dunarea
Maritsa
B
Kanada
Vereinigte Staaten
Edmonton
Saskatoon
New Westminster
Winnipeg
Montreal
Toronto
Boston (West Newton)
New York
Stamford
Brooklyn
Passaic
Philadelphia
Chicago
Detroit
Cleveland (Parma)
Canton
Pittsburgh (Munhall)
C
Äthiopien
Asmara
Adigrat
Addis Abeba
Bahr el Asraq (Blauer Nil)
Omo
Webi Schebeli
D
Indische Union
Sri Lanka
South Wynad
Tellicherry
Palghat
Trichur
Irinjalakuda
Kothamangalam
Ernakulam
Palai
Kottayam
Kanjirapalli
Changanacherry
Tiruvalla
Trivandrum
Alexandrinischer Ritus
Kopten
Äthiopier
Antiochenischer Ritus
Syrer
Malankaren
Maroniten
Byzantinischer Ritus
Katholiken des B.R.
Melchiten
Chaldäischer Ritus
Chaldäer
Malabaren
Armenischer Ritus
Armenier
1 Titularsitz eines Patriarchats, 2 Residenz eines Patriarchen, 3 Titularsitz und Residenz eines Patriarchats, 4 Metropole oder Erzbistum, 5 Eparchie oder Bistum, 6 Vikariat eines Patriarchats, 7 Apostolisches Exarchat oder Apostolische Administratur, 8 Ordinariatus (Mission eigenen Rechts)
Bei den Metropolen (Erzbistümern) und Eparchien (Bistümern) sind nur die derzeitigen Residenzen, nicht die Titularsitze aufgenommen

Die mit Rom verbundenen Ostkirchen

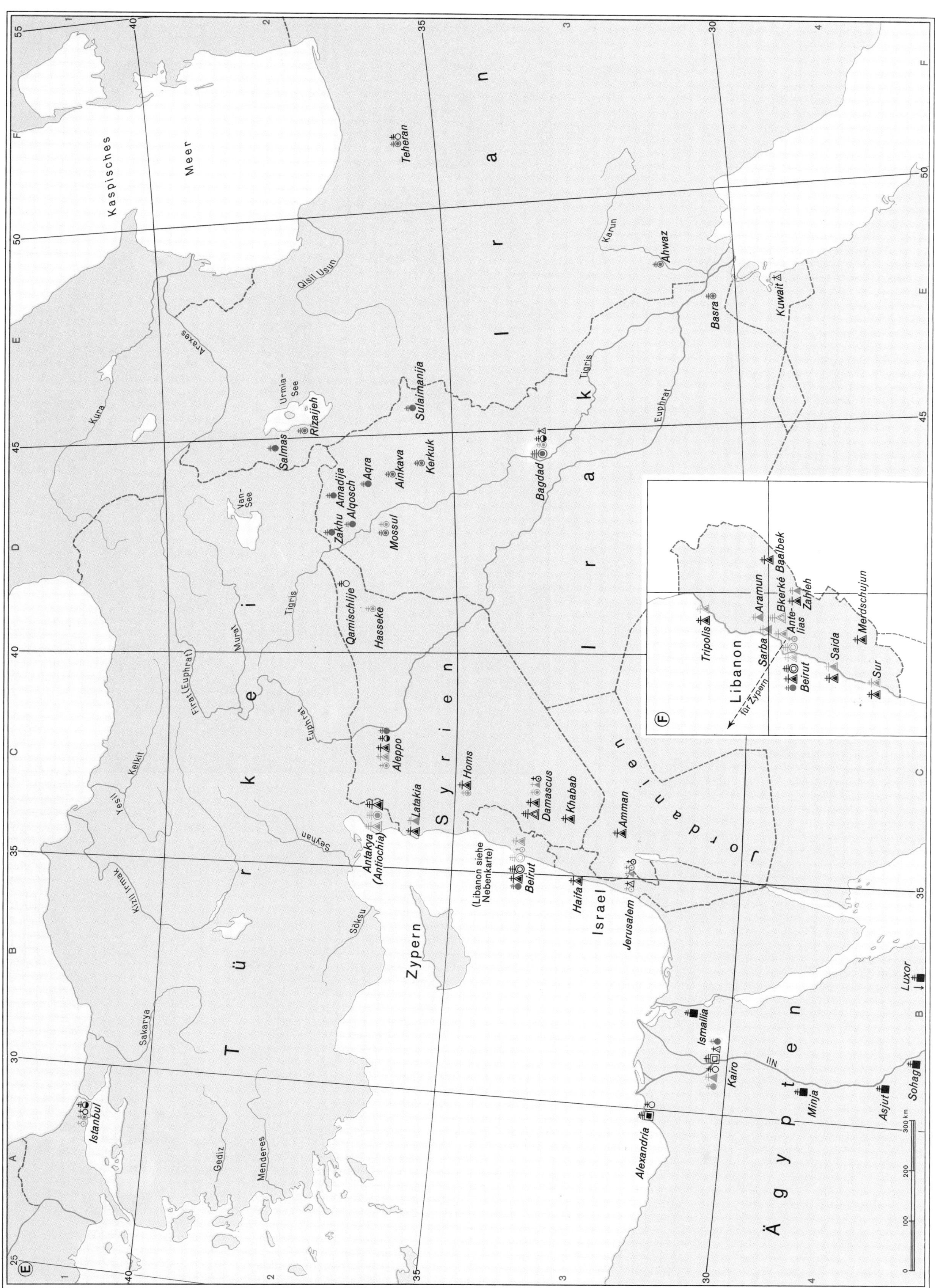

Die Römisch-Katholische Kirche

Die Römisch-Katholische Kirche

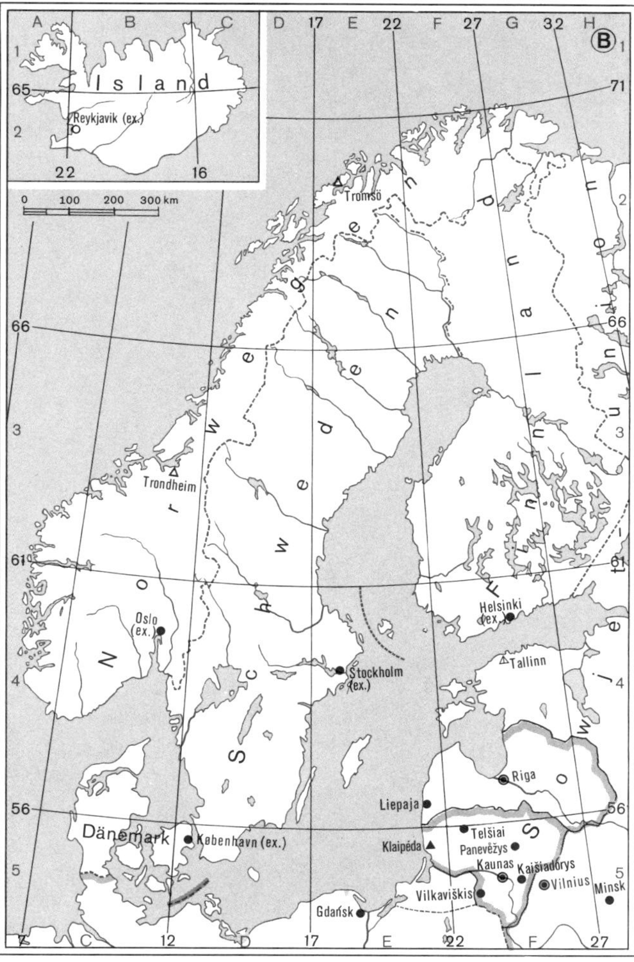

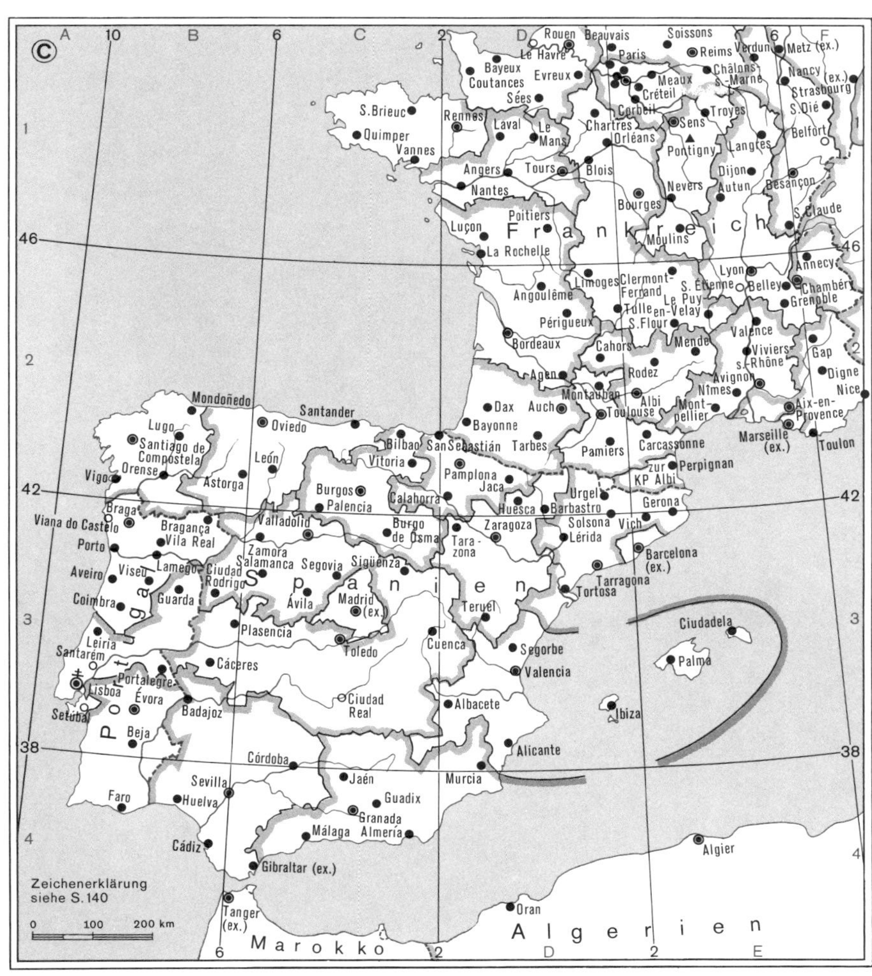

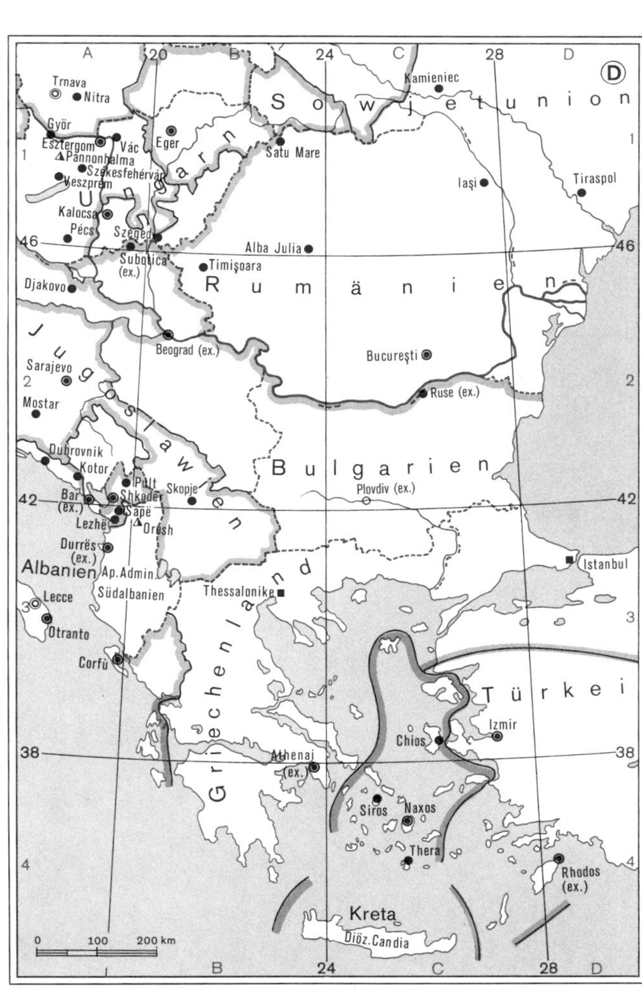

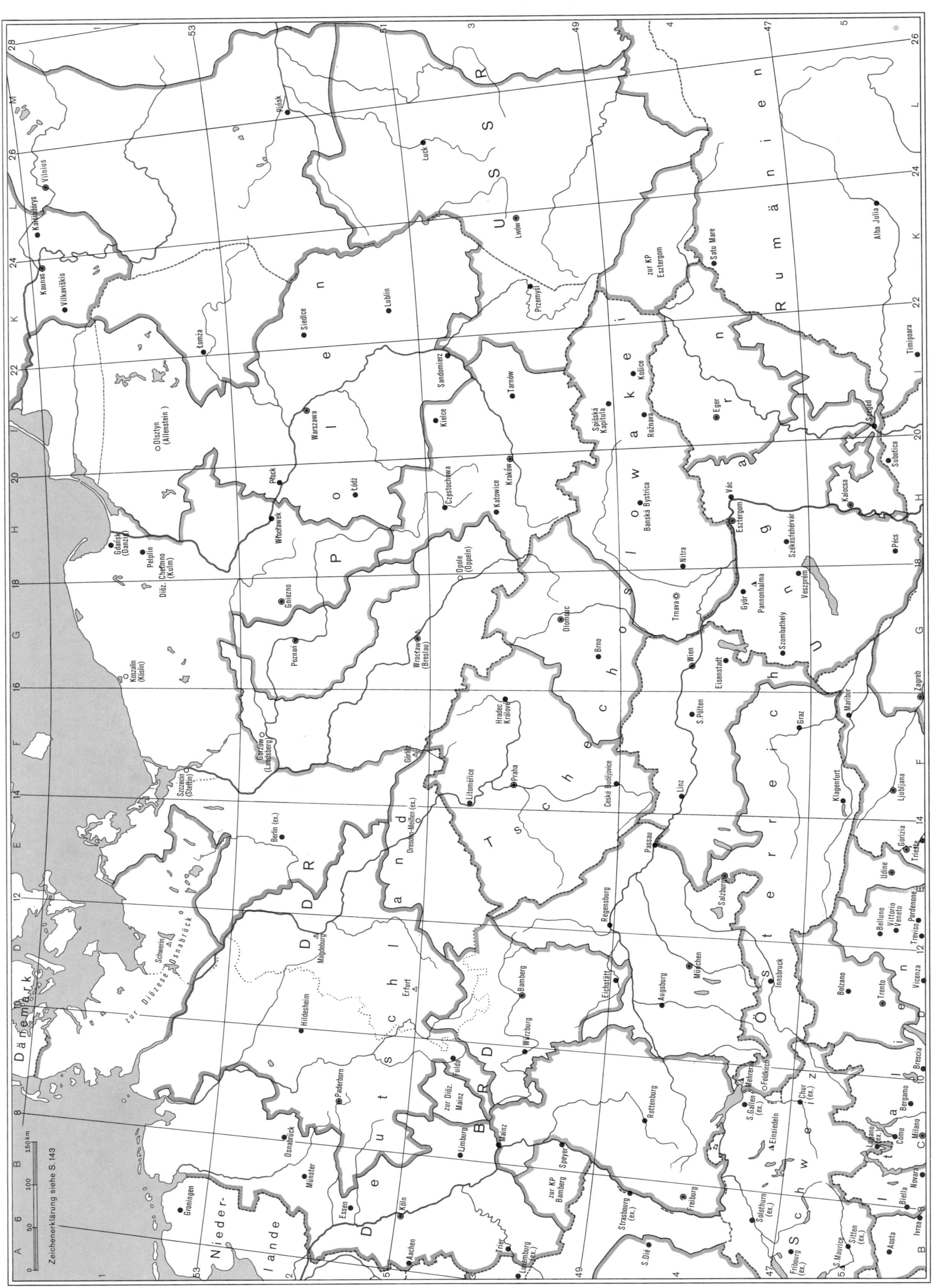
Pińsk
Łuck
Lwów
Vilnius
Kaliningrad
Kaunas
Vilkaviškis
Łomża
Siedlce
Lublin
Przemyśl
zur KP Esztergom
Satu Mare
Alba Julia
Timișoara
Olsztyn (Allenstein)
Warszawa
Sandomierz
Kielce
Tarnów
Spišská Kapitula
Rožňava
Košice
Eger
Szeged
Subotica
Płock
Łódź
Częstochowa
Katowice
Kraków
Banská Bystrica
Vác
Kalocsa
Esztergom
Székesfehérvár
Pécs
Gdańsk (Danzig)
Pelplin
Diöz. Chełmno (Kulm)
Włocławek
Opole (Oppeln)
Nitra
Gniezno
Olomouc
Trnava
Győr
Pannonhalma
Veszprém
Koszalin (Köslin)
Poznań
Wrocław (Breslau)
Brno
Wien
Eisenstadt
Szombathely
Zagreb
Hradec Králové
St. Pölten
Maribor
Gorzów (Landsberg)
Görlitz
Graz
Szczecin (Stettin)
Litoměřice
Praha
České Budějovice
Linz
Klagenfurt
Ljubljana
Berlin (ex.)
Dresden-Meißen (ex.)
Passau
Gorizia
Trieste
Udine
Salzburg
Belluno
Vittorio Veneto
Pordenone
Treviso
Regensburg
Schwerin
zur Diözese Osnabrück
Magdeburg
Erfurt
Bamberg
Eichstätt
Augsburg
München
Innsbruck
Bolzano
Trento
Vicenza
Hildesheim
Würzburg
Fulda
Brescia
Paderborn
zur Diöz. Mainz
Rottenburg
Feldkirch
Mehrerau
S. Gallen (ex.)
Chur (ex.)
Bergamo
Einsiedeln
Lugano (ex.)
Como
Milano
Osnabrück
Limburg
Mainz
Speyer
zur KP Bamberg
Novara
Münster
Essen
Köln
Strasbourg (ex.)
Freiburg
Solothurn (ex.)
Biella
Groningen
Aachen
Trier
Luxemburg (ex.)
S. Dié
Fribourg (ex.)
S. Maurice
Sitten (ex.)
Aosta
Ivrea
Dänemark
Niederlande
Deutschland
DDR
BRD
Polen
UdSSR
Rumänien
Ungarn
Tschechoslowakei
Österreich
Schweiz
Italien
Jugoslawien
Zeichenerklärung siehe S. 143
0 50 100 150 km

Die Römisch-Katholische Kirche

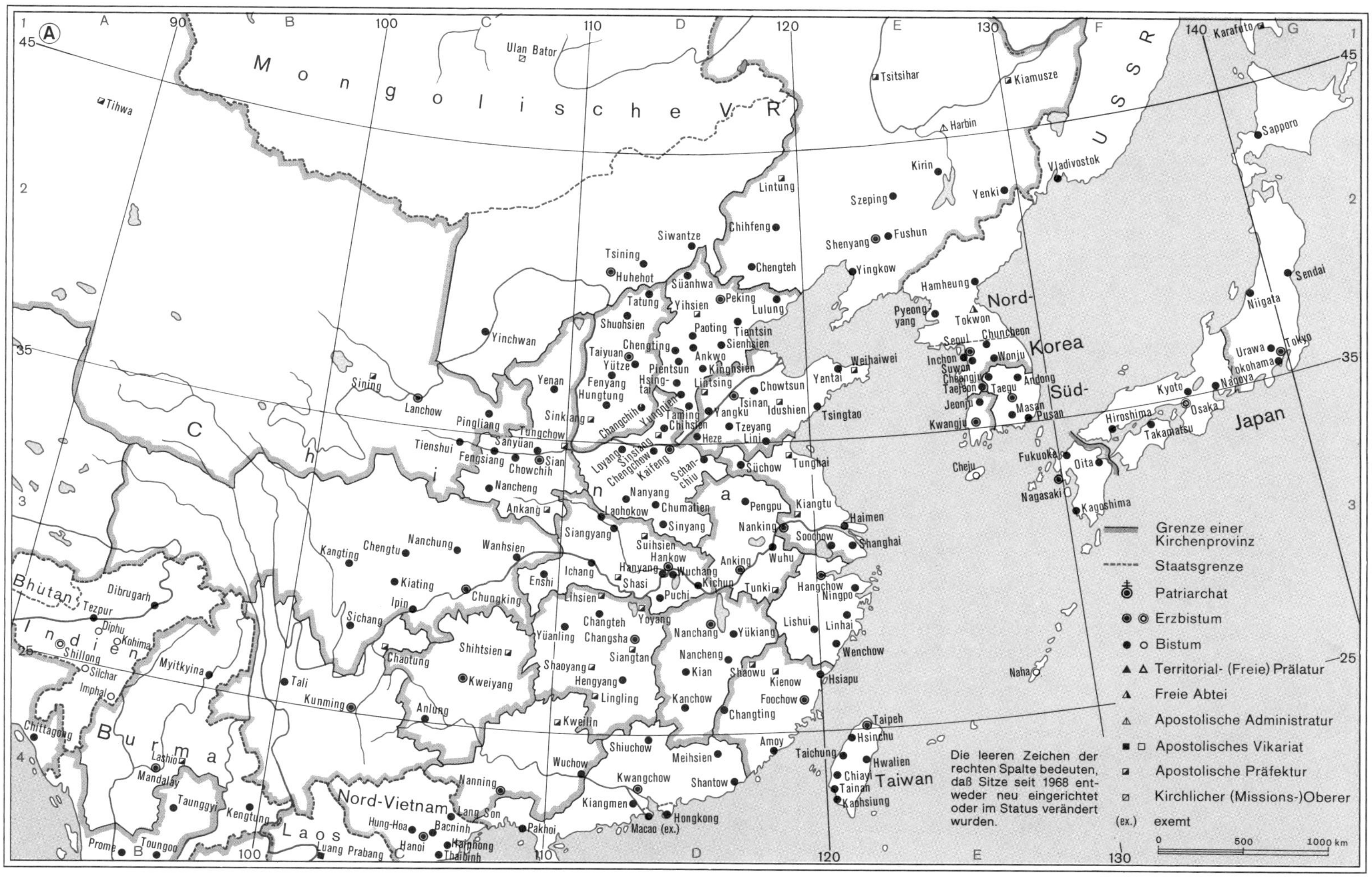

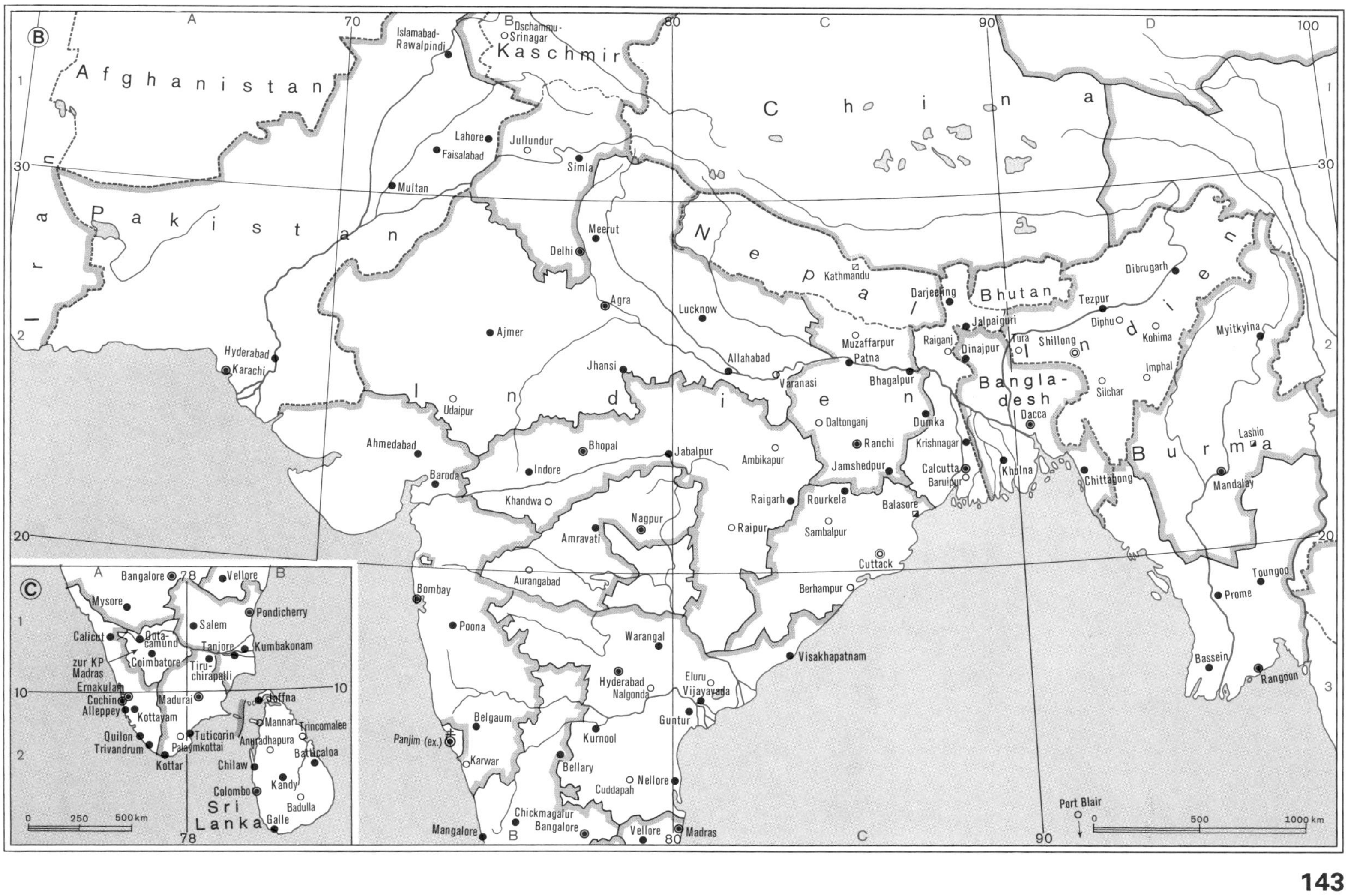

Grenze einer Kirchenprovinz
Staatsgrenze
Patriarchat
Erzbistum
Bistum
Territorial- (Freie) Prälatur
Freie Abtei
Apostolische Administratur
Apostolisches Vikariat
Apostolische Präfektur
Kirchlicher (Missions-)Oberer
(ex.) exemt

Die leeren Zeichen der rechten Spalte bedeuten, daß Sitze seit 1968 entweder neu eingerichtet oder im Status verändert wurden.

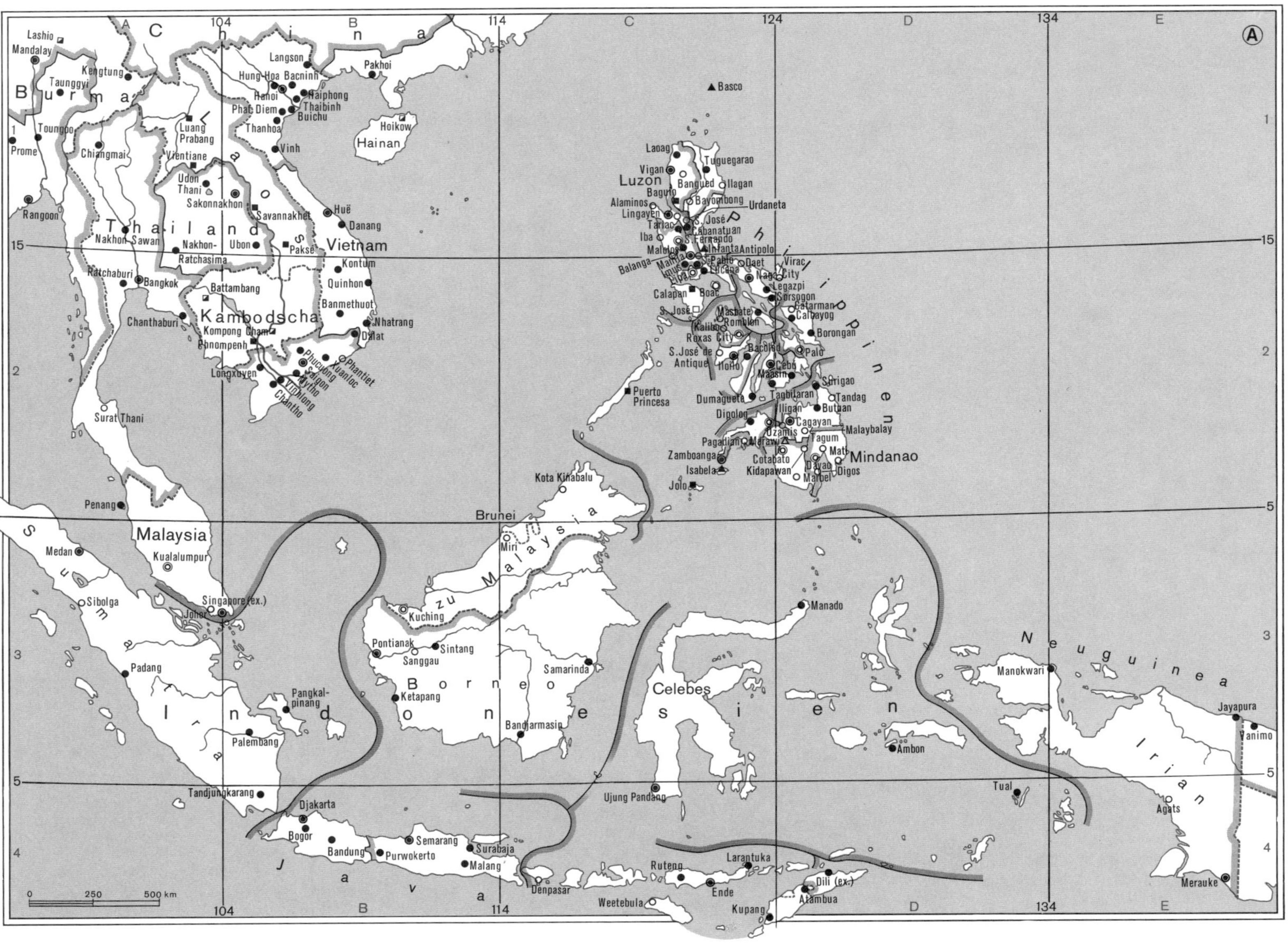

A
China
Burma
Laos
Thailand
Kambodscha
Vietnam
Hainan
Malaysia
Brunei
Philippinen
Luzon
Mindanao
Borneo
Celebes
Indonesien
Sumatra
Java
Neuguinea
Irian
Lashio
Mandalay
Kengtung
Taunggyi
Toungoo
Prome
Rangoon
Langson
Hung-Hoa
Bacninh
Hanoi
Haiphong
Phat Diem
Thaibinh
Buichu
Thanhoa
Vinh
Pakhoi
Hoikow
Luang Prabang
Chiangmai
Vientiane
Udon Thani
Sakonnakhon
Savannakhet
Huë
Danang
Nakhon Sawan
Nakhon-Ratchasima
Ubon
Paksé
Kontum
Ratchaburi
Bangkok
Battambang
Quinhon
Banmethuot
Chanthaburi
Kompong Cham
Phnompenh
Nhatrang
Dalat
Longxuyen
Phantiet
Surat Thani
Penang
Medan
Kualalumpur
Sibolga
Singapore (ex.)
Johor
Padang
Kuching
Pontianak
Sintang
Sanggau
Ketapang
Pangkalpinang
Palembang
Banjarmasin
Samarinda
Kota Kinabalu
Miri
Tandjungkarang
Djakarta
Bogor
Bandung
Semarang
Purwokerto
Surabaja
Malang
Denpasar
Basco
Laoag
Tuguegarao
Vigan
Bangued
Ilagan
Baguio
Bayombong
Urdaneta
Alaminos
Lingayen
Tarlac
Iba
Cabanatuan
Malolos
Balanga
Antipolo
Manila
Lucena
Daet
Virac
Legazpi
Sorsogon
Calapan
Boac
Masbate
Romblon
Kalibo
Roxas City
Catarman
Calbayog
Borongan
Palo
S. José de Antique
Iloilo
Bacolod
Cebu
Maasin
Puerto Princesa
Dumaguete
Tagbilaran
Surigao
Tandag
Butuan
Dipolog
Iligan
Cagayan
Ozamis
Malaybalay
Pagadian
Marawi
Tagum
Mati
Zamboanga
Cotabato
Davao
Isabela
Kidapawan
Digos
Marbel
Jolo
Manado
Ujung Pandang
Manokwari
Jayapura
Vanimo
Ambon
Tual
Agats
Merauke
Ruteng
Larantuka
Ende
Dili (ex.)
Atambua
Weetebula
Kupang
104
114
124
134
15
5
0 250 500 km

B
Zamboanga
Jolo
Isabela
Palau-Inseln
Truk Is.
Caroline-Inseln
Marshall Inseln
Borneo
Manado
Samarinda
Celebes
Banjarmasin
Ujung Pandang
Indonesien
Manokwari
Ambon
Irian
Jayapura
Aitape
Agats
Merauke
Denpasar
Ruteng
Larantuka
Weetebula
Ende
Dili (ex.)
Atambua
Kupang
Papua-Neuguinea
Kundiawa
Vanimo
Wewak
Madang
Rabaul
Kavieng
Mendi
Lae
Kerema
Bereina
Daru
Port Moresby
Sideia
Salomon-Inseln
Kieta
Gizo
Auki
Honiara
Tarawa
Gilbert-Inseln
Ellice-Inseln
Funafuti
Phoenix-Inseln
Santa Cruz-Inseln
Wallis-I.
Lano
zur KP Nouméa
Samoa In.
Apia
Pago Pago
Neue-Hebriden
Port Vila
Suva
Fidschi-In.
Niue-Inseln
Cook-In.
Rarotonga
Neu-Kaledonien
Nouméa
Nukualofa (ex.)
Tonga-Inseln
Marquises-Inseln
Taiohae
Gesellschafts-Inseln
Papeete
Tuamotu-In.
Tubuai-Inseln
Gambier-In.
Kermadec-Inseln
Darwin
Drisdale River
Broome
Cairns
Townsville
Rockhampton
Australien
Toowoomba
Brisbane
Lismore
Geraldton
New Norcia
Perth
Bunbury
Armidale
Maitland
Port Pirie
Bathurst
Parkes
Sydney
Wollongong
Wagga Wagga
Canberra (ex.)
Adelaide
Bendigo
Ballarat
Melbourne
Sale
Hobart (ex.)
Auckland
Hamilton
Palmerston North
Wellington
Christchurch
Neuseeland
Dunedin
Zeichenerklärung siehe S. 145
0 400 800 1200 km
C
Agaña
Guam
0 200 km
D
Kauai
Oahu
Honolulu
Molokai
Maui
zur KP San Francisco
Hawaii
0 200 km

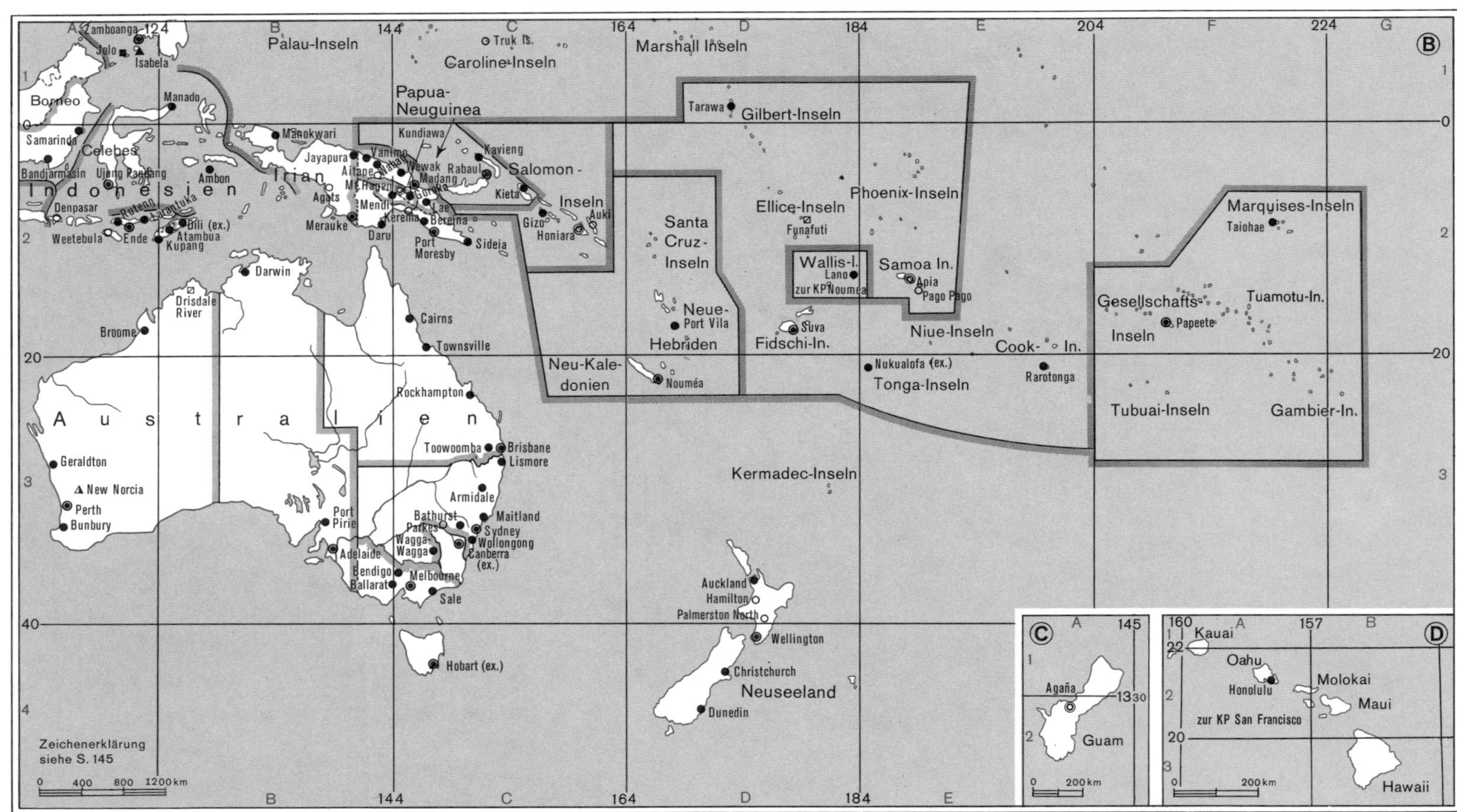

Die Römisch-Katholische Kirche

Die Römisch-Katholische Kirche

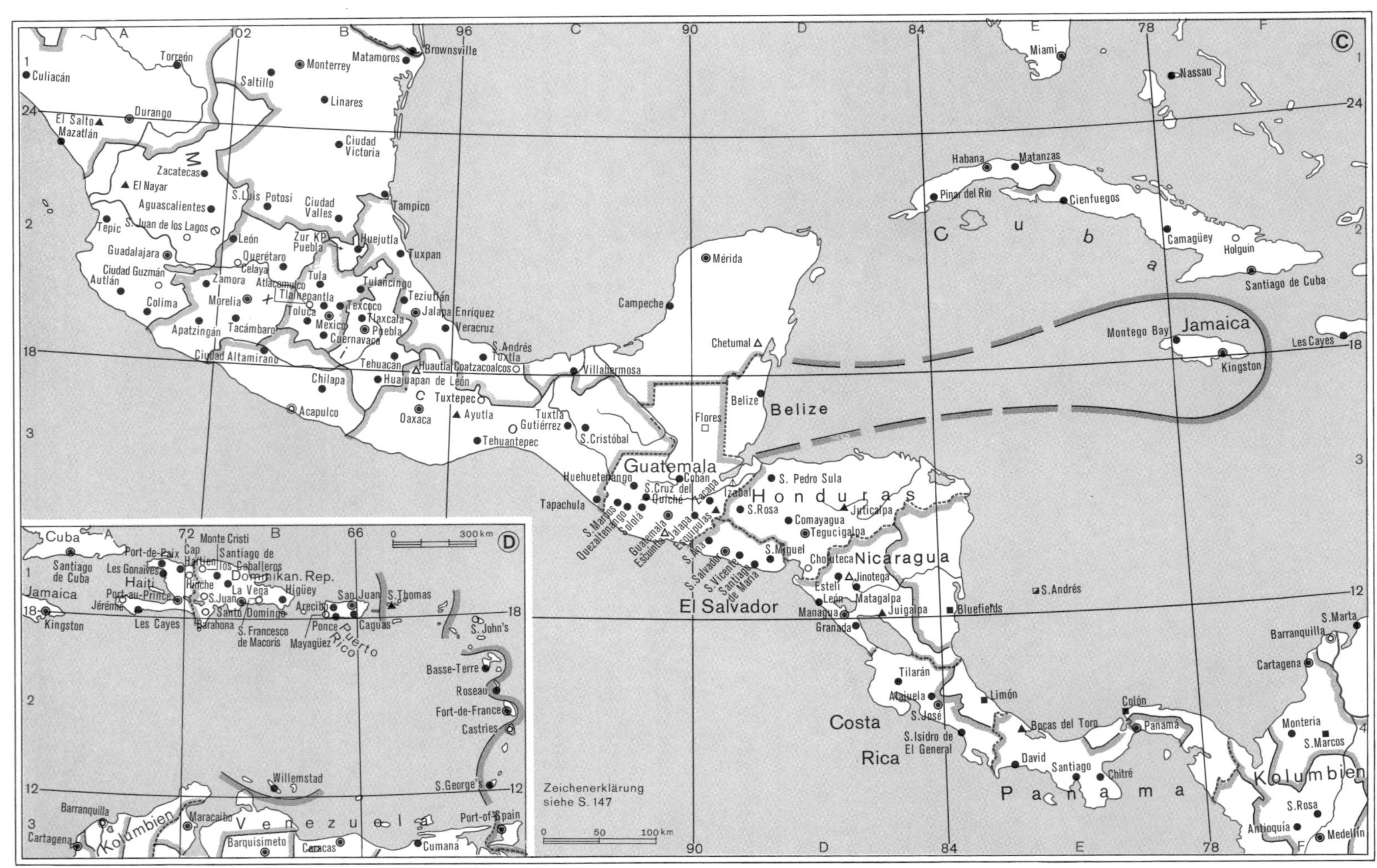

Zeichenerklärung siehe S. 147

Die Römisch-Katholische Kirche

Die Entstehung der größeren, gegenwärtig bestehenden Kirchen

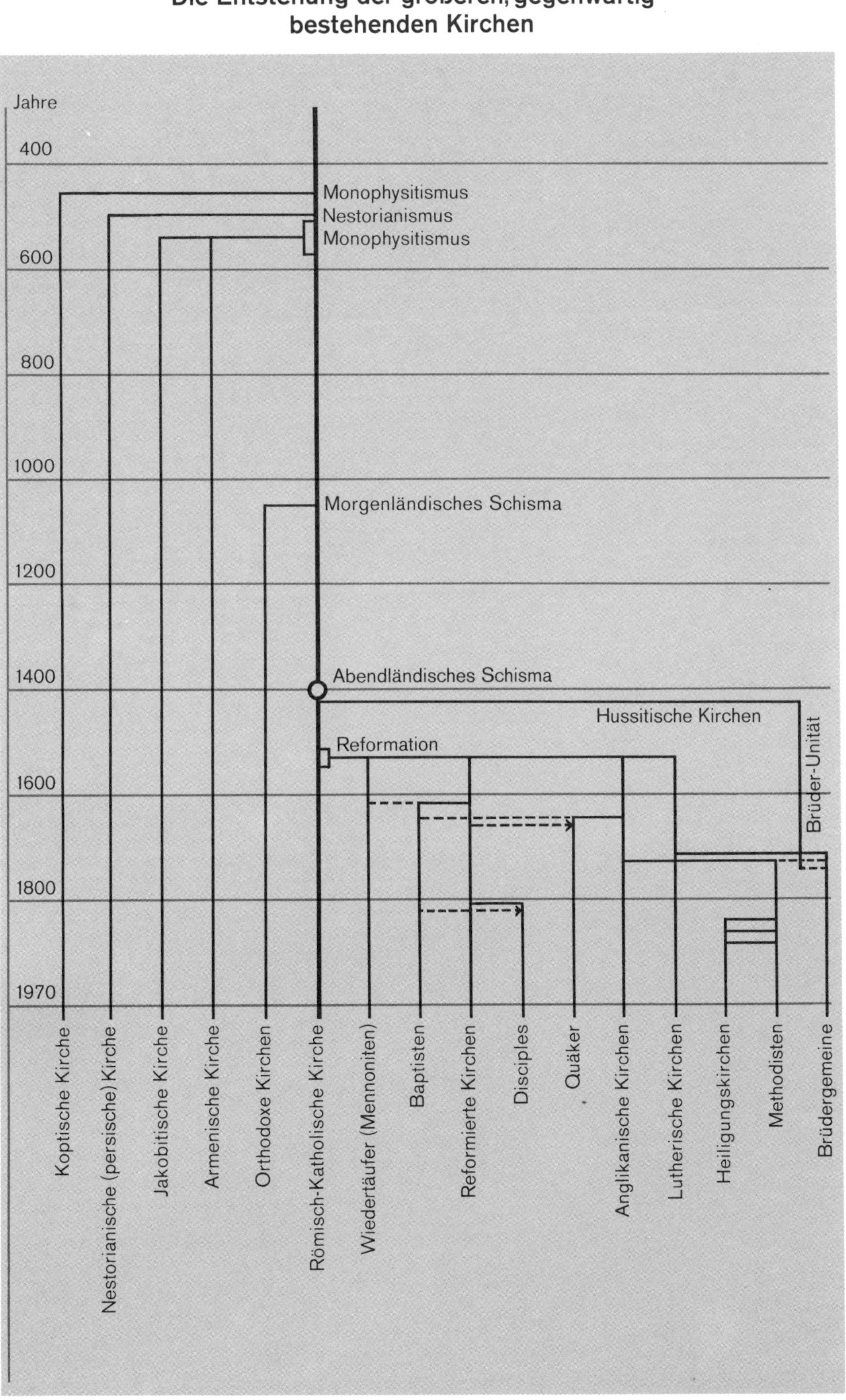

Spaltungen und Einigungsbewegungen innerhalb einer Kirche im 19. und 20. Jh.: Die Methodisten

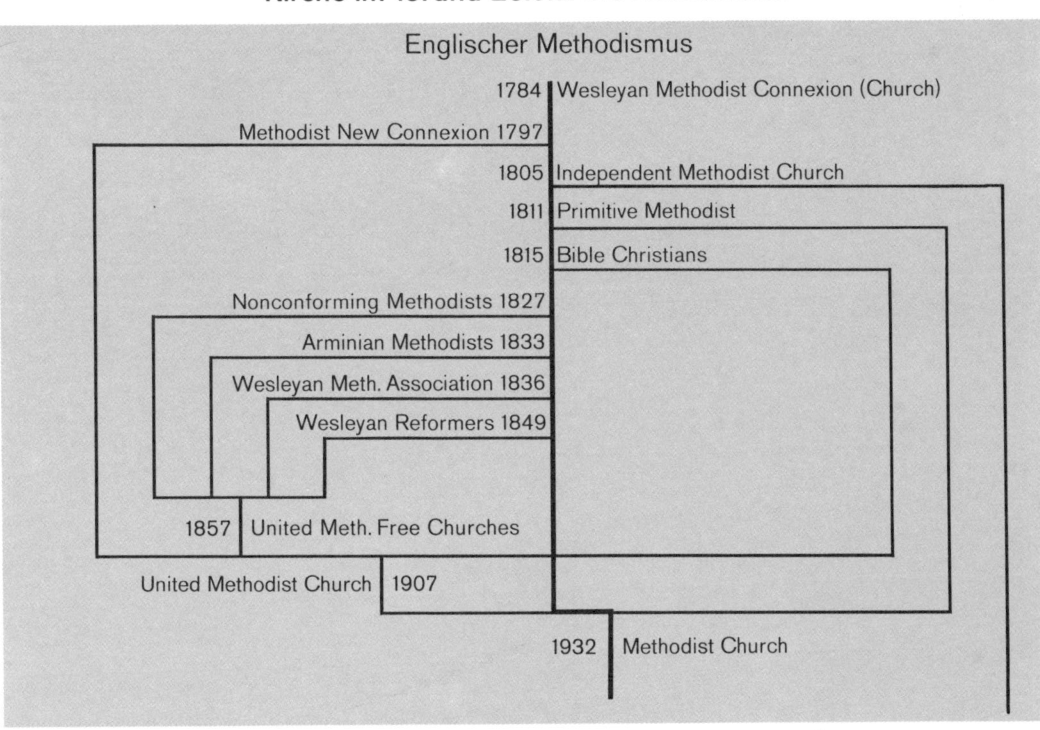

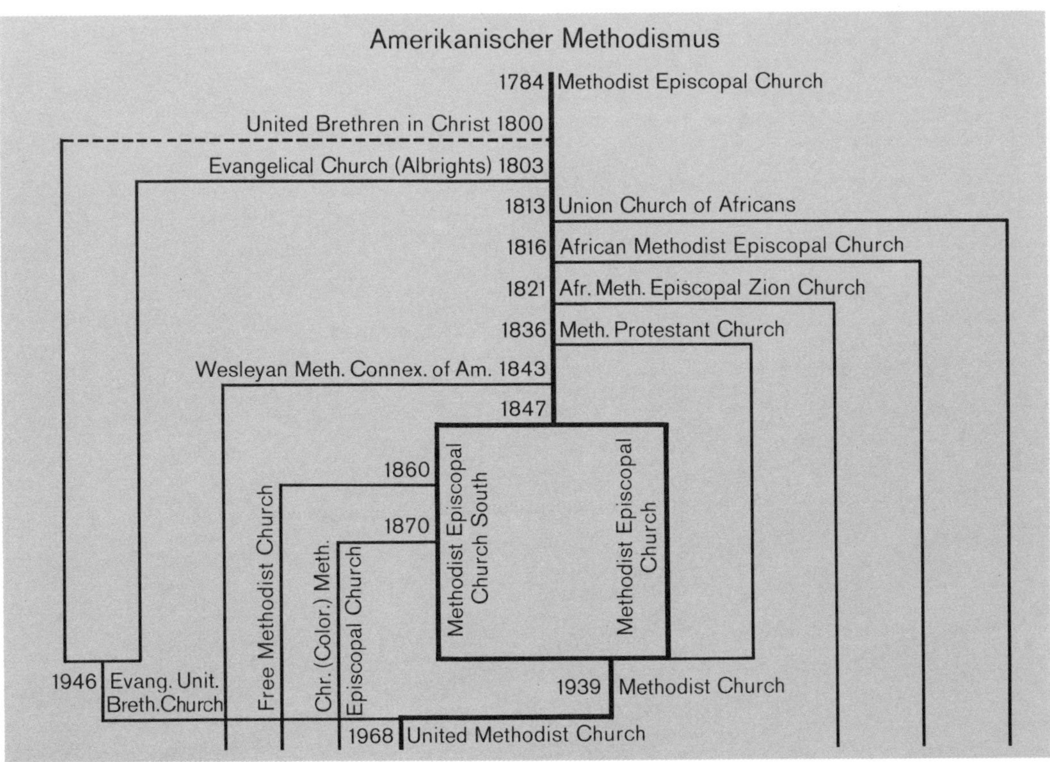

Interkirchliche Unionen seit 1925

Die bis 1981 geschlossenen Unionen und die daran beteiligten Kirchen

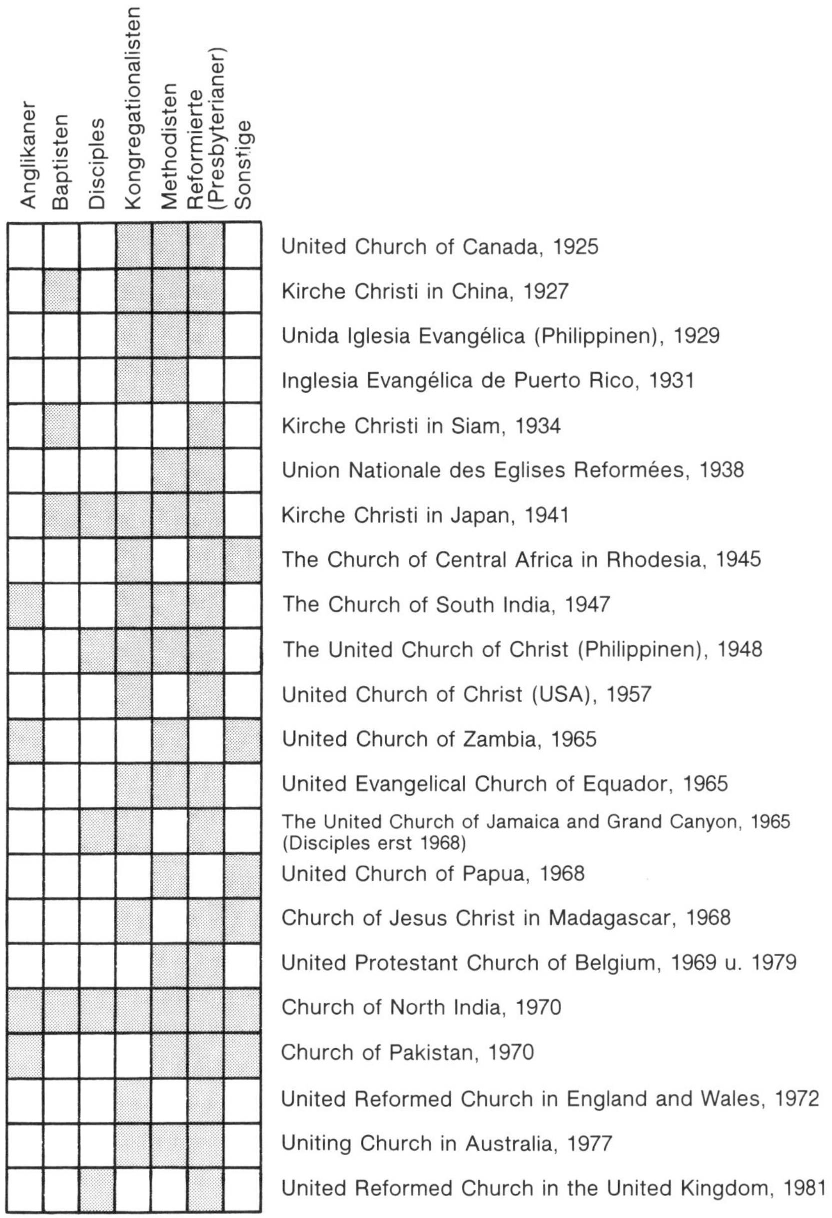

	Anglikaner	Baptisten	Disciples	Kongregationalisten	Methodisten	Reformierte (Presbyterianer)	Sonstige
United Church of Canada, 1925				x	x	x	
Kirche Christi in China, 1927		x		x	x	x	
Unida Iglesia Evangélica (Philippinen), 1929				x	x	x	
Inglesia Evangélica de Puerto Rico, 1931				x	x		
Kirche Christi in Siam, 1934		x				x	
Union Nationale des Eglises Reformées, 1938					x	x	
Kirche Christi in Japan, 1941		x	x	x	x	x	
The Church of Central Africa in Rhodesia, 1945				x		x	x
The Church of South India, 1947	x			x	x	x	
The United Church of Christ (Philippinen), 1948			x	x	x	x	
United Church of Christ (USA), 1957				x		x	
United Church of Zambia, 1965	x				x		x
United Evangelical Church of Equador, 1965				x	x	x	
The United Church of Jamaica and Grand Canyon, 1965 (Disciples erst 1968)			x	x		x	
United Church of Papua, 1968					x		x
Church of Jesus Christ in Madagascar, 1968				x		x	x
United Protestant Church of Belgium, 1969 u. 1979					x	x	
Church of North India, 1970	x	x	x	x	x	x	x
Church of Pakistan, 1970	x				x	x	x
United Reformed Church in England and Wales, 1972				x		x	
Uniting Church in Australia, 1977				x	x	x	
United Reformed Church in the United Kingdom, 1981			x			x	

Unionsverhandlungen 1967–1985

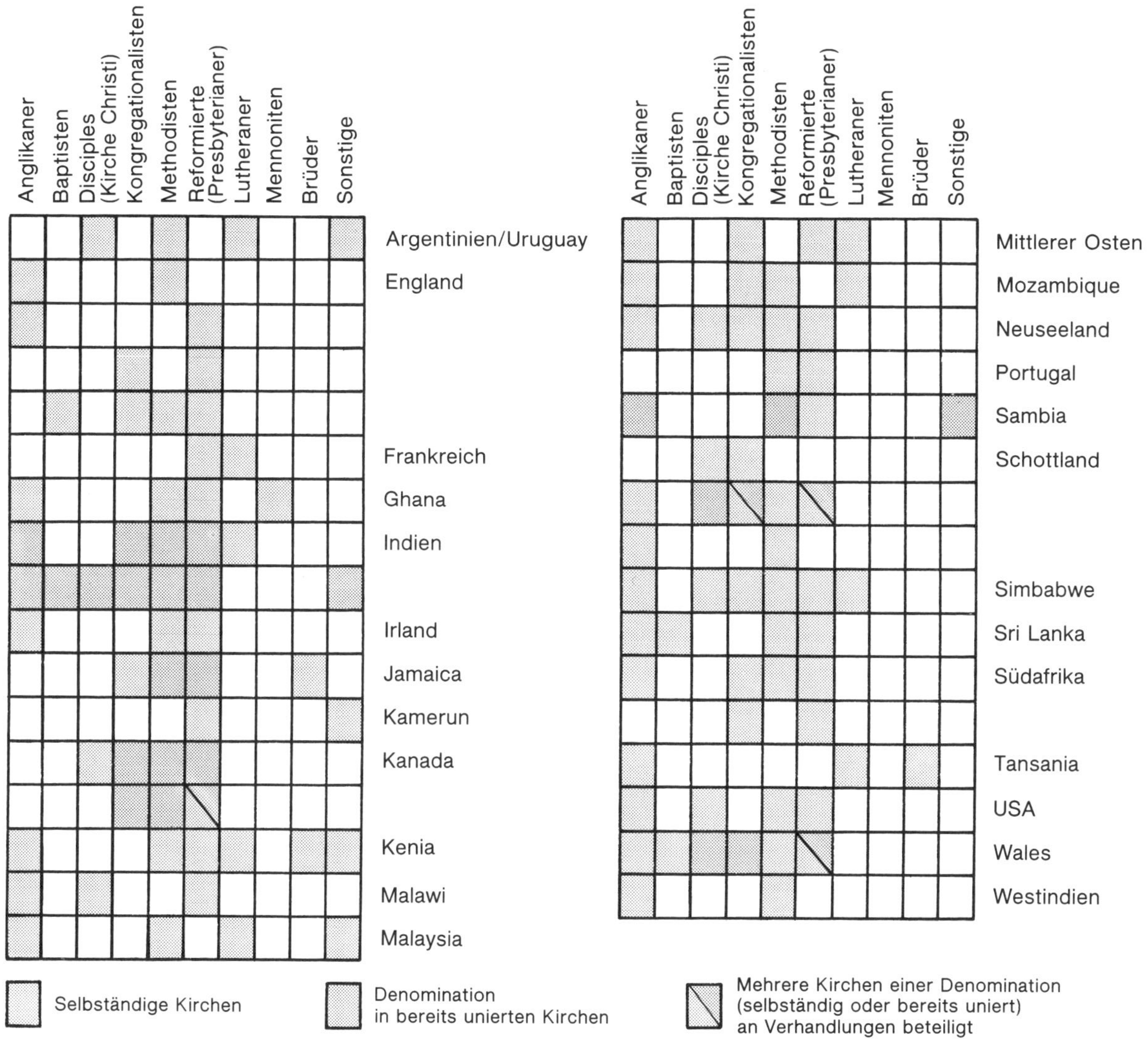

	Anglikaner	Baptisten	Disciples (Kirche Christi)	Kongregationalisten	Methodisten	Reformierte (Presbyterianer)	Lutheraner	Mennoniten	Brüder	Sonstige
Argentinien/Uruguay			x		x		x			x
England	x				x					
	x					x				
				x		x				
		x		x	x	x				
Frankreich						x	x			
Ghana	x				x	x		x		
Indien	x			x	x	x	x			
	x	x	x	x	x	x				x
Irland	x				x	x				
Jamaica				x	x	x			x	
Kamerun						x				x
Kanada			x	x	x	x				
				x	x	x/				
Kenia	x				x	x	x		x	x
Malawi	x		x			x				
Malaysia	x				x		x			x

	Anglikaner	Baptisten	Disciples (Kirche Christi)	Kongregationalisten	Methodisten	Reformierte (Presbyterianer)	Lutheraner	Mennoniten	Brüder	Sonstige
Mittlerer Osten	x			x		x	x			
Mozambique	x			x	x		x			
Neuseeland	x		x	x	x	x				
Portugal					x	x				
Sambia	x				x	x				x
Schottland			x	x						
	x		x	x/	x	x/				
	x				x					
Simbabwe	x		x	x	x	x	x			
Sri Lanka	x	x			x	x				
Südafrika	x			x	x	x				
				x		x				
Tansania	x						x		x	
USA	x		x		x	x				
Wales	x	x	x	x	x	x/				
Westindien	x				x					

☐ Selbständige Kirchen

▒ (x) Denomination in bereits unierten Kirchen

◩ (x/) Mehrere Kirchen einer Denomination (selbständig oder bereits uniert) an Verhandlungen beteiligt

Anteile der Kontinente an den Unionen

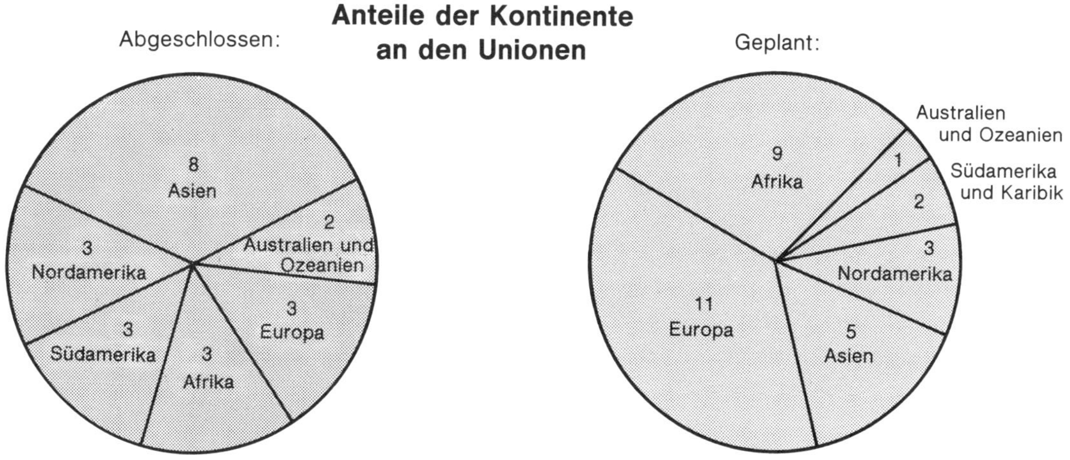

Abgeschlossen:

8 Asien
2 Australien und Ozeanien
3 Europa
3 Afrika
3 Südamerika
3 Nordamerika

Geplant:

9 Afrika
1 Australien und Ozeanien
2 Südamerika und Karibik
3 Nordamerika
5 Asien
11 Europa

Die Mitgliedskirchen des Ökumenischen Rates der Kirchen

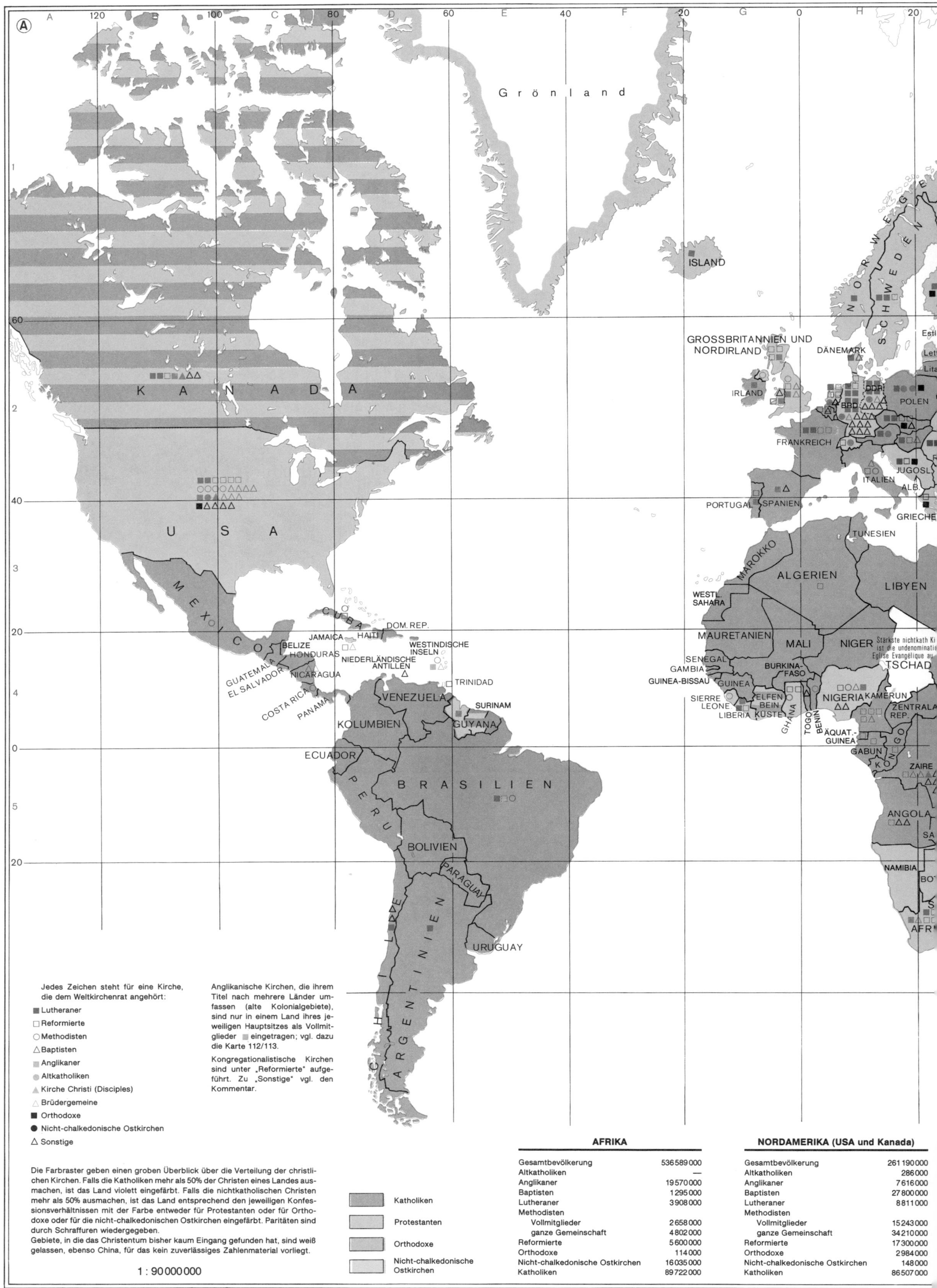

Jedes Zeichen steht für eine Kirche, die dem Weltkirchenrat angehört:

- ■ Lutheraner
- □ Reformierte
- ○ Methodisten
- △ Baptisten
- ■ Anglikaner
- ● Altkatholiken
- ▲ Kirche Christi (Disciples)
- △ Brüdergemeine
- ■ Orthodoxe
- ● Nicht-chalkedonische Ostkirchen
- △ Sonstige

Anglikanische Kirchen, die ihrem Titel nach mehrere Länder umfassen (alte Kolonialgebiete), sind nur in einem Land ihres jeweiligen Hauptsitzes als Vollmitglieder ■ eingetragen; vgl. dazu die Karte 112/113.

Kongregationalistische Kirchen sind unter „Reformierte" aufgeführt. Zu „Sonstige" vgl. den Kommentar.

Die Farbraster geben einen groben Überblick über die Verteilung der christlichen Kirchen. Falls die Katholiken mehr als 50% der Christen eines Landes ausmachen, ist das Land violett eingefärbt. Falls die nichtkatholischen Christen mehr als 50% ausmachen, ist das Land entsprechend den jeweiligen Konfessionsverhältnissen mit der Farbe entweder für Protestanten oder für Orthodoxe oder für die nicht-chalkedonischen Ostkirchen eingefärbt. Paritäten sind durch Schraffuren wiedergegeben.
Gebiete, in die das Christentum bisher kaum Eingang gefunden hat, sind weiß gelassen, ebenso China, für das kein zuverlässiges Zahlenmaterial vorliegt.

1 : 90000000

- Katholiken
- Protestanten
- Orthodoxe
- Nicht-chalkedonische Ostkirchen

AFRIKA	
Gesamtbevölkerung	536589000
Altkatholiken	—
Anglikaner	19570000
Baptisten	1295000
Lutheraner	3908000
Methodisten	
Vollmitglieder	2658000
ganze Gemeinschaft	4802000
Reformierte	5600000
Orthodoxe	114000
Nicht-chalkedonische Ostkirchen	16035000
Katholiken	89722000

NORDAMERIKA (USA und Kanada)	
Gesamtbevölkerung	261190000
Altkatholiken	286000
Anglikaner	7616000
Baptisten	27800000
Lutheraner	8811000
Methodisten	
Vollmitglieder	15243000
ganze Gemeinschaft	34210000
Reformierte	17300000
Orthodoxe	2984000
Nicht-chalkedonische Ostkirchen	148000
Katholiken	86507000

MITTEL- und SÜDAMERIKA

Gesamtbevölkerung	397 138 000
Altkatholiken	—
Anglikaner	1 201 000
Baptisten	1 090 000
Lutheraner	1 207 000
Methodisten	
Vollmitglieder	518 000
ganze Gemeinschaft	1 372 000
Reformierte	1 050 000
Orthodoxe	365 000
Nicht-chalkedonische Ostkirchen	20 000
Katholiken	369 118 000

ASIEN (mit Türkei)

Gesamtbevölkerung	2 777 385 000
Altkatholiken	4 000 000
Anglikaner	588 000
Baptisten	1 794 000
Lutheraner	3 820 000
Methodisten	
Vollmitglieder	3 587 000
ganze Gemeinschaft	7 139 000
Reformierte	7 500 000
Orthodoxe	488 000
Nicht-chalkedonische Ostkirchen	1 673 000
Katholiken	76 467 000

AUSTRALIEN und OZEANIEN

Gesamtbevölkerung	24 458 000
Altkatholiken	—
Anglikaner	5 565 000
Baptisten	103 000
Lutheraner	784 000
Methodisten	
Vollmitglieder	942 000
ganze Gemeinschaft	2 349 000
Reformierte	1 800 000
Orthodoxe	165 000
Nicht-chalkedonische Ostkirchen	—
Katholiken	7 447 000

EUROPA (mit USSR)

Gesamtbevölkerung	766 325 000
Altkatholiken	160 000
Anglikaner	33 507 000
Baptisten	1 109 000
Lutheraner	49 840 000
Methodisten	
Vollmitglieder	749 000
ganze Gemeinschaft	1 864 000
Reformierte	19 250 000
Orthodoxe	72 000 000
Nicht-chalkedonische Ostkirchen	1 101 000
Katholiken	254 961 000

Die Genese, Gliederung und die Aktivitäten des Ökumenischen Rates der Kirchen

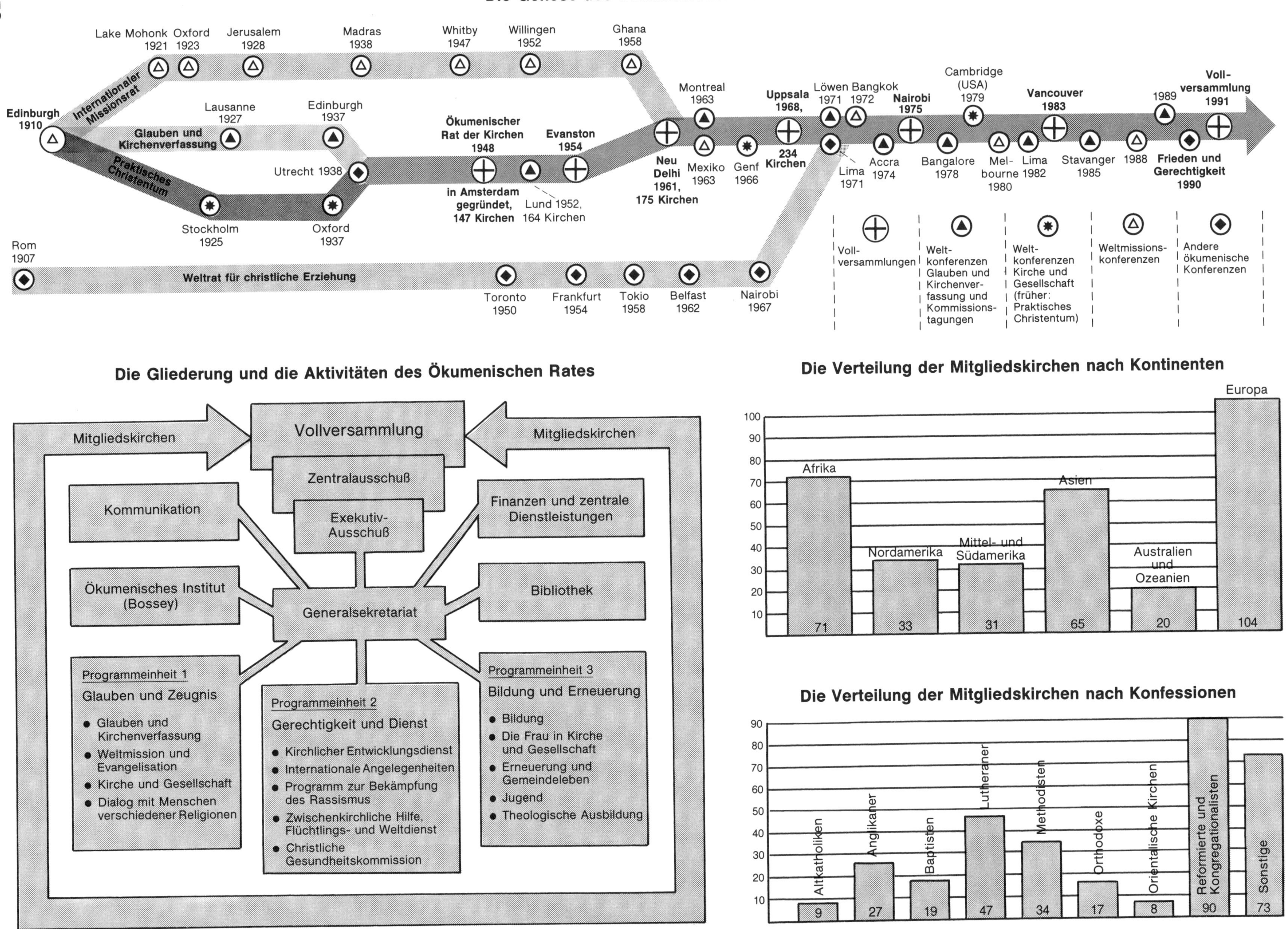

REGISTER

Das Register berücksichtigt nur die Karten des Atlas, nicht die Kommentare und die schematischen Darstellungen. Mit Ausnahme der Gewässernamen verzeichnet es sämtliche in den Karten vorkommende Namen.

Die Angaben zu Orten, die im Atlas unter verschiedenen (z. B. antiken und modernen) Namen vorkommen, sind im Register an einer Stelle zusammengefaßt – und zwar normalerweise unter dem heutigen Namen –, wobei jedoch an dieser Stelle in runden Klammern alle im Atlas gebrauchten Namen angeführt werden und zusätzlich diese Namen als Verweisstichworte ins Register aufgenommen sind. Im übrigen sind im Register auch möglichst für alle antiken und mittelalterlichen Orte, die nicht mit ihrer modernen Namensform im Atlas auftauchen, diese Namensformen genannt (falls es solche gibt). Die Angaben sind in diesen Fällen allerdings unter der antiken oder mittelalterlichen Form zusammengefaßt: hier erscheint dann die moderne Form in runden Klammern; zugleich ist sie als Verweisstichwort aufgenommen. Beispiele: Arles erscheint im Atlas unter den Formen Arelate und Arles. Die Angaben finden sich unter Arles (Arelate). Unter Arelate findet sich ein Verweis auf Arles. – Amisus, das moderne Samsun, erscheint im Atlas nur unter der Form Amisus. Folglich stehen die Angaben unter Amisus (Samsun), unter Samsun findet sich ein Verweis auf Amisus.

Bei verschiedenen Orten gleichen Namens werden in eckigen Klammern differenzierende Zusätze gegeben. Dazu wurden bei antiken Namen die Provinzen des Römischen Reiches, bei modernen Namen Länder oder, falls notwendig, Landschaften, Bezirke und Flüsse benutzt. Beispiele:

Caesarea [Cappadocia II] (Kayseri)
Caesarea [Palaestina] (Qaisariye)
Bathurst [Australien]
Bathurst [Gambia]

Buchstaben mit diakritischen Zeichen (z. B. ğ, ş) sind im Register wie Buchstaben ohne diese Zeichen eingeordnet. Ae, oe und ue sowie ä, ö und ü sind wie a, e und u eingeordnet, und zwar ohne Rücksicht darauf, ob das e jeweils gesprochen wird oder nicht. Die arabischen Artikel al, el, es usw. blieben für die Einordnung ins Register unberücksichtigt (Al Basra ist also z. B. wie Basra eingeordnet). Dagegen sind die Artikel la, le, les bei der Einordnung mitberücksichtigt, weil sie, wie z. B. bei La Paz, Le Mans usw., auch in der Umgangssprache feste Namensbestandteile sind.

Zur leichteren sachlichen Orientierung sind verschiedene Bedeutungen, die Orts- oder Gebietseintragungen in den einzelnen Karten haben, im Register durch Abkürzungen wiedergegeben. Folgende Abkürzungen wurden verwendet:

AA. Apostolische Administratur (Administratura Apostolica)
AD. Erzdiözese, Erzbistum, Erzstift, Metropole (Archidioecesis)
AN. Freie Abtei (Abbatia nullius)
AP. Apostolische Präfektur (Praefectura Apostolica)
AV. Apostolisches Vikariat (Vicariatus Apostolicus)
D. Diözese, Bistum, Eparchie (Dioecesis)
E. Kirche als Gemeinde und Kirche als Bauwerk (Ecclesia)
M. Kloster, Ordensniederlassung (Monasterium)
Mi. Mission (Missio)
P. Patriarchat (Patriarchatus)
Pe. Wallfahrtsort (von Peregrinatio)
PN. Territorial-(Freie) Prälatur (Praelatura nullis)
R. Reliquien (Reliquiae)
U. Universität, Akademie, Hochschule (Universitas)

Alle anderen Bedeutungen, die Orts- oder Gebietseintragungen in den Karten haben können (z. B. Herzogtum; Vorkommen von Häresien), sind im Register nicht differenziert. Falls zu einem Ort oder Gebiet mehrere Stellen vorhanden sind, werden im Register zunächst die angeführt, die nicht unter die oben genannten Abkürzungen fallen. Dann folgen in der alphabetischen Reihenfolge der Abkürzungen die Stellen, die unter die Abkürzungen einzuordnen sind. Innerhalb jeder Gruppe wird nach Seitenzahlen geordnet. Die Abkürzungen und die Buchstaben der Planquadrate können deshalb nicht verwechselt werden, weil die Abkürzungen grundsätzlich einen Punkt, die Buchstaben der Planquadrate nie einen solchen haben.

Bei den Orts- und Klosternamen wurden noch folgende Abkürzungen verwendet:

B. = Beit, Bet
D. = Deir, Der
H. = Hagia, Hagios, Hagiai, Hagioi
Hr. = Henchir
M. = Mar
S. = Sankt, Sankta, Saint, San, Santo usw.

Die so mit B., D., H., M., S. beginnenden Orts- und Klosternamen sind sämtlich am Anfang des jeweiligen Buchstabens, die mit Hr. beginnenden Namen unter Hr eingeordnet.

Klöster oder Kirchen in Städten sind unter der betreffenden Stadt eingeordnet.

Für die Angabe der Planquadrate wurde jeweils die Beschriftung, nicht das Ortszeichen zugrunde gelegt.

Aachen 65 C2, 76 B3, 92A B2, 93 F2; D. 141A F3, 142 B3; M. 50 C2, 58A E2, 59A F2, 67 C2, 68A C2, 70A D3, 78A D1; Pe. 18A C1; R. 28 C2
— BMV M. 35A D1
El Aaiún AP. 145A A2
Aalborg M. 58A F1
Aalen 76 C4, 91 C4, 92B D2
Aargau 73A B/C5, 76 B/C5
Aarhus D. 32 F1; M. 59A F/G1
Aba D. 112A B4
Abaeté PN. 147A E3
Abaetetuba D. 147A E3
Abakaliki D. 145B C2
Abancay D. 147A B4
Abbenrode M. 50 E2
Abbeville M. 47A B2, 51 E2, 58A D2
Abbeydorney M. 52A A3
Abbeylara M. 52A B3
Abbington M. 52A A/B3
Abbir (Hr. el Khandak) D. 7A H2, 24A G1, 24B B2; E. 4B C2
Abbir Cella (Hr. en Naam) D. 7A G2, 24B A2
Abdallah E. 29A C2
Abdallah Nirgi E. 29A C2
Abdasi (Afdashi) D. 26A D3
Abd-el-Gadir E. 29A B3
Abdera (Adra) D. 22 C4
Abdinghof M. 67 D2
Abellinum (Atripalda bei Avellino) D. 23 B3
Abenaki Mission Mi. 88B C1
Abengourou D. 145A B4, 145B A2
Abeokuta D. 112B A2
Aberconway M. 52A B/C3
Abercorn [Sambia] Mi. 104A D4
Abercorn [Schottland] D. 19 E3; M. 19 E3
Aberdaron M. 19 D5
Aberdeen D. 71A D1, 11D C2, 141A C2; M. 59A D1; U. 64 B1, 80C A2
Aberdour M. 19 E2
Aberfoyle M. 19 D3
Abergele M. 19 E4
Abergwili D. 111D B3
Abessinien AV. 106/107A D3
Abia ↗Appia
Abidjan AD. 145A B4; Mi. 98A A3
Abila [Libanensis] (Suq Wadi Barada) D. 9B C3, 21 C3
Abila [Palaestina II] (Tell Abil) 1 B2; D. 21 C3
Abingdon M. 19 F5
Abláncz (Ablanza) E. 29B C2
Ablanza ↗Abláncz
Abnaki Mi. 87A F/G2
Åbo (Turku) D. 71A I1; M. 70A H2; U. 80C D1
Abomey D. 145B B2
Abondance M. 50 C/D4
Abrahám ↗Bač Monoštor
Abramiton M. 39B B3
Abrantes M. 59A C5
Abrány M. 54 I3
Abraschar D. 10A E2
Abrichapa Mi. 86 C3
Abrincatinum ↗Avranches
Abrittus (Razgrad) D. 8A E2, 20 C1
Abropiche Mi. 86 D2
Abswind 91 C3
Abthugni (Hr. es Souar) D. 7A H2, 24A F/G 1; E. 4B C2
Abu Dhabi AV. 145A H2
Abu Galeb M. 38A C1
Abu Hanaya ↗Neocaesarea [Euphratensis]
Abu Hanaya ↗Oragiza
Abuja Mi. 145A C4, 145B C2
Abula ↗Ávila
Abulug E. 90A B1
Abusir ↗Busiris
Abu Sir E. 29A B3
Abu Tig D. 130A A/B2
Abuyo (Abuyog) E. 90A C4
Abydus D. 20 C2, 39C C2
Aeca ↗Troia
Acalissus D. 21 A2
Acámbaro M. 84B C2/3
Acapulco D. 146C B3
Acarigua Mi. 86 B2
Acatlán M. 84B D2
Acatzingo M. 84B E3
Acci ↗Guadix
Accole M. 49A G3
Accra D. 112A A4, 145A B4, 145B A/B2; Mi. 104A B3
Aceites Mi. 86 C2
Acelum (Asolo) D. 23 B2
Acequias Mi. 86 B2
Acerenza (Acheruntia) AD. 71B B2, 140A F5; D. 23 C3, 30A B2
Acerno D. 71B B2
Acerra D. 71B A2, 140B B2
Acey M. 53 G3
Achaea ↗Achaia
Achaguas Mi. 86 C3
Achaia (Achaea) 2A C3, 60A C3, 66 I5
Achaltsikhe D. 135D D3
Achalzich M. 63A B2
Acheruntia ↗Acerenza
Achiutla M. 84B E4
Achlum M. 50 C1
Acholla (Hr. Botria) D. 24A G2
Achonry D. 71A C2
Achtyrskij Swjato-Troickij M. 81 D3
Achyraus (Hocakalesi bei Pamukcu) AD. 31 D3
Acibeiro M. 52D A/B1
Aci Gölü ↗Sanaus
Acinipo E. 4A B5
Acireale D. 140A F6
Acklin Mi. 103B B/C2
Aeclanum (Le Grotte bei Mirabella) D. 23 C3
Acmonea (Acmonia, Ahatköy) 57A G/H3; D. 20 D3, 21 A2; E. 5B A1
Acmonia ↗Acmonea
Acolman-Ucareo M. 84B D3
Acoma Mi. 87A C3, 87B
Aconchi Mi. 84A C3
Acquaformosa M. 52E C2
Acquafredda M. 53 I4
Acqualunga M. 53 H4
Acquapendente D. 140A D4
Acquaviva ↗Aquaviva
Acquaviva delle Fonti M. 59A H4
Acqui (Aquae Statiellae) 57D B2; D. 23 A2, 140A B3
Acragas ↗Agrigento
Acrasus D. 20 C3
Acropolis (Agropoli) D. 23 B3
Actopan M. 84B D2
Adada D. 21 A2
Adala ↗Satala [Lydia]
Adana 60A F3; AD. 31 F3; D. 6A E2, 8A F2, 21 C2, 26A A2; E. 5A E3
Adanda ↗Lamus
Adayes Mi. 87A D3
Ad Capsum Iuliani (Aïn Guigba) D. 7A C3
Ad Centenarium (Hr. el Harmel) D. 7A C3, 24A D2
Addington 69B D2
Addis-Abeba AD. 138C B3, 145A F3/4; D. 134B E4; Mi. 98A D3; P. 130B B/C3
Adelaide 106/107C D4; AD. 144B B3; D. 112A H6
Adelberg M. 54 F3, 91 C4
Adelmo M. 49A E3
Aden 112A D4, 150/151A K 3/4; AV. 145A G3
Adendan E. 29A B2
Adigrat D. 138C B2, 145A F3
Ad Lacum Regium (Hr. Taou-Kouch) D. 24A E2
Ad Maiores (Hr. Besseriani) D. 7A E4, 24A E2
Admont E. 95B F4; M. 48A D3; R. 28 F3
Ado Ekiti D. 112A B4, 112B A2, 145B B2
Ad Olivam (Oundadja) D. 7A B2, 24A D1
Adoor D. 130C B3
Adora (Dura) 1 B3
Adorbigan D. 26A C/D1
Ad Quinque Basilicas ↗Pécs
Adraa (Derat) D. 6A E3, 21 C3
Adramyttium (Edremit) 39C C3; D. 20 C3, 61 C2, 66 J5
Ad Rapam E. 29B C3
Adrassus D. 21 B2
Adria D. 23 B2
Adriat D. 26A A3
Ad Sava Municipium (Hammam du Guergour) D. 7A B/C 2, 24A D1
Ad Turres (Tamerza) D. 7A E4, 24A E2
Aduard M. 52B B3
Aduatuca Tungrorum ↗Tongeren
Adullam (Tell esch Scheikh Madhkur) 1 A/B3
Afanasewskij M. 81 D2
Afdashi ↗Abdasi
Affligem M. 67 B2
Affreville ↗Malliana
Afghanistan 112A E3, 143B A1, 150/151A L3
Aflenz M. 48A D3
Afogados D. 147A F3
Africa 2B B3
Africa Proconsularis 7A, 24B
Afşin ↗Arabissus
Aegae (Nemrut Kalesi) D. 20 C3
Agaña AD. 144C A1/2
Agatha ↗Agde
Agathopolis D. 30A E2
Agats D. 144A E4, 144B B2
Agauron M. 39B C3
Agbia (Aïn Hedja) D. 7A G2, 24A F1, 24B A2; E. 4B B2
Agde (Agatha) D. 13 B2, 22 D3, 97A C4; M. 58A D4
— S. Andreas M. 37 E5
Aegeae D. 9B C2, 21 C2; E. 5A E3
Agen (Aginnum) D. 22 C2, 56C B3, 57B B2, 66 E4, 97A B3, 97B B3, 141C D2; M. 58A D4, 59A E4, 78A C3
Aggar (Sidi Amara) D. 7A G3, 24A F2
Aggarsel Nepte (Nefta du Djerid) D. 24A E3
Aggersel (Sidi Abderrhamane el Garci) D. 7A H2, 24A G1
Aggsbach M. 51 H3
Aghaboe M. 19 C5, 59A C2
Aghadoe M. 19 B5
Aegina (Aigina) AD. 30A D3, 31 C3; D. 20 B3, 61 B2; E. 2A C3
Aginnum ↗Agen
Ağlasum ↗Sagalassus
Agnietenberg M. 68A C1
Agoo E. 90A B2
Agoritschach E. 95B E5
Agra AD. 143B B2; D. 106/107B C3; M. 89C B1
Agram ↗Zagreb
Agraulon M. 39A B1
Agrigento (Agrigentum, Acragas, Girgenti) D. 23 B4, 30A A3, 66 G5, 140A E6; E. 4A F5; M. 58A F5, 59A G5
Agrigentum ↗Agrigento
Agrium D. 30 B A1
Agropoli ↗Acropolis
Aguarico AV. 147A B3
Aguascalientes D. 146C A2
Aguiar M. 52D B2
Aguilar M. 54 D4
Aguntum ↗Lienz
Ägypten 112A C3, 117 K3, 123 K3, 127 K3, 130A A/B2/3, 134B C/D2, 139E A/B4, 145A E/F2, 150/151A I3; AV. 106/107A C/D2
Aegyptus 2A E4
Aegyptus Prima 10C A2
Aegyptus Secunda 10C A/B1
Ahatköy ↗Acmonea
Ahausen M. 48A B3
Ahmedabad D. 143B B2; Mi. 104/105C B3
Ahnas ↗Heracleopolis
Ahome Mi. 84A D5
Ahrensbök M. 51 F/G2, 91 C1
Ahuacatlán M. 84B A2
Ahur Hısar bei Doğla ↗Dioclea [Phrygia Pacatiana]
Åhus M. 59A G1
Ahwaz (Hormizd-Ardaschir) D. 10A C/D3, 26A D/E3, 139E E3; E. 5A G4
Aiacium ↗Ajaccio
Aigina ↗Aegina
Aigion D. 134C B/C2
Aiguebelle M. 53 F/G4
Aigues-Mortes 77A C3; M. 58B A2
Aigues-Vives 56C C3
Ail D. 30A C2
Ailat ↗Aela
Aillon M. 51 F3
Aima Mi. 86 D3
Aïn el Asker ↗Sutunurca
Aïn Babouch ↗Mizigi
Aïn el Bordi ↗Tigisi
Aïn Dokoar ↗Lesbi
Aïn Dourat ↗Uccula
Aïn Fourna ↗Furnos Maius
Aïn Guigba ↗Ad Capsum Iuliani
Aïn el Hammam ↗Trisipa
Aïn Hedja ↗Agbia
Ainkava AD. 139E D2
Aïn Melloul ↗Castellum Thibuzabetum
Aïn Roua ↗Horrea
Aïn Témouchent ↗Albulae
Aïn Tounga ↗Tignica
Aïn Touta ↗Thacarata
Aïn Younès ↗Aquae
Aïn Zada ↗Caput Saltus Horreorum
Aïn Zoui ↗Vazaivi
Aiquile PN. 147A C4
Aire [Belgien] M. 78A C1
Aire [Frankreich] D. 66 D4, 97A B4, 97B B4
Airola 59B
Aitape D. 144B B2
Aix-en-Provence (Aquae) 33C B3; AD. 32 F4, 56C D3, 66 F4, 71A F4, 97A D4, 97B D4, 141C E2; D. 22 D3; M. 56A D/E3, 58B B2, 59A F4; U. 64 C2
Ajaccio (Aiacium) D. 23 A3, 97B D4, 140 B4
Ajidiv I. M. 89C A3
Ajijic M. 84B B2
Ajmer D. 143B B2
Ajune E. 4A C5
Akashi M. 89A D2
Ake D. 9A C3
Akhisar ↗Thyatira
Akhmim 11A C6; D. 130A A2
Akita ↗Kubota
Akizuki M. 89A B3
Akko (Akkon, Ptolemais) 1 B2, 60A E4, D. 8A F3, 21 B3, 61 D/E3; E. 2A E/F4, 5A D4; M. 61 D/E3; Pe. 18B A2
Akron D. 131A C2
Akscha E. 29A B2
Akşehir ↗Philomelium
Akure D. 112B A2, 145B C2
Aela (Ailat) D. 21 C4; E. 5A D5
Alabama D. 101H B3
Alabanda (Arap Hisar) D. 9B A2, 20 C3
Aladža-Kloster M. 30A E1
Alagoinhas D. 147 A F4
Alais D. 97A C3
Alajuela D. 146C D4
Ala Miliaria (Bénian) D. 24A B2
Alaminos D. 144A C1
Aland M. 54 F2
Alanen 27A C/D2, 27A H2, 27A G/H1, 63A A2, 63B A/B2, 63B D2
Alangad 27B A1
Alangalan (Alangalang) E. 90A C4
Alanien 55B F1
Alanya ↗Coracesium
Alaschkert ↗Bagrevand
Alaşehir ↗Philadelphia [Lydia]
Alatri (Aletrium) D. 23 B3, 140A E4
Alatyr, Kiewo-Nikolaewskij Troickij M. 81 E3
Álava D. 60B B1
Albacete D. 141C D3; M. 58A C5
Alba de Tormes, S. Leonardo M. 54 C4
Alba Julia (Gyulafehérvár, Karlsburg, Weißenburg) D. 44A C2, 71A I3, 96A C2, 135D B3; 141D B1, 142 K5; M. 59A I3, 78A G2; U. 80C D3
Alban Mi. 86 A3
Albanien 96A C2/3, 134C A/B1, 138A B/C3, 141D A3, 150A H2
Albano (Albanum) D. 23 B3, 140A D4; E. 4A F4
Albanum ↗Albano
Albany D. 102A D2, 113E F1, 146A G2; E. 88B A2
Alba Pompeia D. 22 D2, 23 A2, 140A B3; M. 59A F4, 70B C2
Albara AD. 61 E2
Albarracín D. 60B B1
Albay E. 90A C3
Albenga (Albingaunum) D. 23 A2, 140A B3; M. 51 F4, 58A E4, 59A F4, 70B C2
Albergen M. 68A C1, 68B C1
Albi (Albiga) 56C C3, 56D C2; AD. 97A C4, 97B C4, 141C E2; D. 22 B3, 57B B2; M. 58A D4
— S. Salvius M. 37 D5
Albiga ↗Albi
Albingaunum ↗Albenga
Albintimilium ↗Ventimiglia
Al Bollor E. 29A B3
Albon ↗Epao
Albulae (Aïn Témouchent) D. 24A A2
Albuquerque D. 113E C2
Alburgh 69B D2
Alcalá M. 78A B3; U. 64 B2
Alcañiz M. 59A D4
Alcântara [Brasilien] M. 85A E3
Alcántara [Spanien] M. 52D B2
Alcaraz M. 59A D5
Alcester 69B C2
Alcobaça M. 52D A/B2
Alcomenae D. 20 B2
Aldeneyk M. 37 F1
Aldersbach M. 50 E/F 3, 52C A3, 53 K/L2
Aleksandro-Oschewenskij M. 81 D2
Aleksandrow, Uspenskij M. 81 D3
Alenquer M. 58A B5
Aleppo (Beroea) 12A C2, 38A B2, 55B D2, 60A F3, 72 F2; AD. 21 C2, 139E C2; AV. 106/107A D1, 106/107B A 3, 145 A F1; D. 9B C2, 26A B2, 130D B3, 135D C4, 139E C2; E. 5A E 3; M. 12A C2; Mi. 98A D1
Aleria D. 23 A3
Ales D. 71A F5, 140A B5
Alès 56C C3; M. 58B A1, 59A E4
Alesani M. 58A E4
Alessandria 57D B2; D. 71A F3/4, 140A B3; M. 56A E2, 58A E4, 59A F4, 70B C2, 78A D3, 79 E2
Alessano D. 71A H5
Alessio D. 66 H4
Alet D. 71A E4, 97A C4
Aletrium ↗Alatri
Alexandrette (Iskenderun) ↗Alexandria minor
Alexandria (el-Iskenderiye) 11A A1, 43 E2, 60A D4, 72 E2; AD. 61 C3; AV. 145A E1; D. 6A C3, 26A A3; E. 2A D4, 5A C4, 139E A/B3; P. 8A E3, 8B A1, 13 E3, 10B B2, 10C A1, 130A A1, 134B C1, 139E A3
Alexandria [Kanada] D. 146A G2
Alexandria [USA] D. 113E D2, 146A E3
Alexandria Cabiosa ↗Alexandria minor
Alexandria minor (Alexandria Cabiosa, Iskenderun, Alexandrette) D. 6A E2, 9B C2, 21 C2; E. 2A F3, 5A E3
Alexandroupolis D. 134C D1, 135D B3
Alfianello M. 47C D2
Alfiano M. 49C E3
Algaride Mi. 86 B2
Algeciras M. 58A B5
Alger ↗Algier
Algerien 112A A/B3, 116 H/I3, 126/127 H/I3, 141C D/E4, 145A B/C2, 150A G/H3
Alghero D. 140A B5; M. 58A E4, 78A D3
Algier (Alger, Icosium) 43 C2, 72 C2; AD. 141C E4, 145A C1; D. 7B C/D1, 24A C1, 106/107A B1
Alhambra D. 131A B3
El Alia ↗Uzalis
Alia D. 20 D3, 21 A2
Aelia Capitolina (Hierosolyma) ↗Jerusalem
Aeliae (Hr. Mrabah) D. 24A G2
Alibamu Mi. 87A E3
Alicante D. 141C D3
Alife (Allifae) D. 23 B3, 140A E4 [20 C3
Alinda (Karpuzlu) D. 9B A2,
Aliwal North D. 145D A2
Allahabad D. 106/107B C3, 143B C2; Mi. 104/105C C3
Allegany Mi. 103A F3
Allegheny Mi. 87A E/F2
Allenstein ↗Olsztyn
Allentown D. 146A F2
Alleppey D. 143C A2
Allerheiligen M. 54 F3
Allevard M. 47A D3
Allex E. 47A C4
Allifae ↗Alife
Alma Ata D. 135E A/B2
Almagro M. 78A B4
Almalygh AD. 27A E1; D. 63B B2; M. 63B B2
Almas M. 54 I3
Almazán M. 58A C4
Almeley 69B B2
Almelo M. 68B C1
Almenara D. 147A E4

Almenno M. 70B C2
Almería D. 60B B2, 71A D5, 141C C4; M. 59A D 5
Almonacid M. 78A B4
Alnwick M. 54 D1
Alodia (Alwa) 29A B/C6
Alovania 57A L2/3
Alpirsbach M. 48A B3, 67 D3, 91 B4
Alqosch D. 139E D2
Alspach M. 48A A3
Altagracia Mi. 86 D2
Altagracia de Orituco Mi. 86 C2
Altamira Mi. 86 C2; PN. 147A D3
Altamura PN. 140A F5
Altar Mi. 86 B2
Altaripa M. 37 D 4/5
Altasar M. 49B A2
Alt-Astrachan M. 63A B/C2
Altava (Lamoricière), D. 24A A2; E. 4A C6
Altbreisach R. 28 D3
Altdorf [Bayern] U. 80C C3
Altdorf [Elsaß] M. 67 D3; R. 28 D3
Altenberg [Rheinland] M. 53 H1; R. 28 D2
Altenberg [Sachsen] M. 58A F2
Altenburg [Hessen] M. 48A B2
Altenburg [Österreich] M. 48A D3, 67 H3
Altenburg [Sachsen] M. 50 E2
Altenryf M. 53 G3
Althaldensleben M. 91 D2
Althiburos (Médeïna) D. 7A F3, 24A F2
Althofen E. 95B F5
Alti E. 29A C6
Altilia bei Sepino ↗Saepinum
Altino (Altinum)
Altinum ↗Altino
Altkirch M. 47A D3
Altmünster M. 37 J3
Altomonte M. 59A H5
Altomünster M. 37 I2
Altoona D. 146A F 2
Alto Paraná PN. 147A D5
Altos de S. Maria Mi. 85A A/B3
Altötting M. 78A E2; Pe. 18A D2; R. 28 E3
Alt-Pernau (Pärnu) D. 62 D2
Altripp M. 37 G2
Altshausen 82 C5, 83 C5
Altstadt ↗St. Město
Altures Mi. 86 C3
Alvastra M. 52B C/D2
Alwa ↗Alodia
Alwaye D. 130C B1
Alzey E. 14A D2; M. 70A E3
Amacueca M. 84B B2/3
Amacuro Mi. 86 D2
Amada E. 29A B/C2
Amadija D. 139E D2
Amagi M. 89A B3
Amakusa-Inseln 89A A3
Amalfi AD. 23 B3, 32 G4, 71B A2, 140A E5, 140B B2
Amalphia ↗Amalfi
Amantea D. 30A B2
Amantia (Pljoka) D. 6A A/B1, 20 A2
Amaranli (Omerus) M. 12B B/C2
Amargosa D. 147A E/F4
Amarillo D. 146A D3
Amasia (Amasya) AD. 8A F2, 21 C1, 31 F2; E. 5A E2
Amasra ↗Amastris
Amastris (Amasra) AD. 31 E2; D. 21 B1; E. 2A E2, 5A D2
Amasya ↗Amasia
Amathus [Cyprus] D. 21 B3
Amathus [Palaestina I] (Ammata) 1 B2; D. 21 C3; Pe. 18A F3
Amatunik D. 9A C2
Ambanja D. 145A G6
Ambato D. 147A A/B3; M. 85A A/B3
Ambatondrazaka D. 145A G/H6
Amberieux E. 47A C3
Ambianis ↗Amiens
Ambierle M. 47A C3
Ambikapur D. 143B C2
Ambinira E. 29A B2
Amblada (Asar Dağ) D. 21 B2; E. 5A D3
Ambleon E. 47A D3
Ambon D. 144A D3, 144B B2
Ambriz Mi. 98A B4
Ambronay M. 94 D3
Amecameca M. 84B D3
Amelia (Ameria) D. 23 B3, 140A D4
Amelungsborn (Amelunxborn) M. 52B B/C3, 91 C2
Amelunxborn ↗Amelungsborn
Ameria ↗Amelia
Amersfoort M. 68A B1, 68B B1
Amersham 69B C2
Amid ↗Diyarbakır
Amida ↗Diyarbakır
Amiens (Ambianis) D. 22 C/D2, 97A C2, 97B C2, 141A E4; M. 14A C2, 39A E3, 50 B3, 54 E3, 56A D2, 58A D3, 59A E3, 78A C2
— S. Martin M. 37 D2
Amisus (Samsun) 39C E2; D. 21 C1; M. 61 E1
Amiternum (S. Vittorino) D. 23 B3
Ammaedara (Haïdra) D. 7A F3, 24A F2; E. 4A E5
Amman (Philadelphia/Arabia) 1 B3; AD. 139E C3; D. 21 C4, 134B D1; E. 5A E4
Ammata ↗Amathus [Palaestina I]
Ammensleben M. 48A C1, 50 E2, 67 F1
Amöneburg M. 37 G1
— S. Michael M. 25C C3
Amorbach M. 35A D2, 37 G/H2, 48A B2
Amorium (Ergankale) AD. 31 E3; D. 21 B2; E. 5A D3
Amour ↗Sufasar
Amos D. 146A F2
Amoy AV. 106/107B E3; D. 143A D4; Mi. 104/105C E3
Amphipolis (Chrysopolis, Chrysoupolis) D. 20 B2, 61 B1
Amphissa (Salona) D. 61 B2, 134C C2
Ampurias ↗Empuriae
Amravati D. 143B B2
Amsterdam M. 51 E2, 68A B1; U. 80C B2
Amstetten 56E C1; E. 95B F3
Amtenhausen M. 48A B3
Amucium D. 31 G3
Amyclae (Amyklai) D. 61 B3
Amyklai ↗Amyclae
Amyzon (Mazın-Kalesi) D. 20 C3
Anaea [Asia] (Kuşadasi) D. 20 C3; E. 5A C3
Anaea [Palaestina] E. 5A D/E4
Anabarza ↗Anazarbus
Anagnano M. 49A E3
Anagni (Anagnia) D. 23 B3, 140A E4; M. 58A F4, 59A G4
Anagnia ↗Anagni
Anamur ↗Anemurium
Anaplus Pe. 18A E2
Anápolis D. 147A E4
Anasartha (Khanasir) AD. 21 C3; D. 9B C2
Anastasiopolis (Buru-Kalesi) D. 30A D2
Anathoth (Ras el-Kharrubeh) 1 B3
Añatuya D. 147A C5
Anavarza ↗Anazarbus
Anazarbus (Anabarza, Anavarza) AD. 8A F2, 9B C2, 21 C2, 26A A2, 31 F3; D. 55B D2; E. 5A D/E3; M. 38A A2
Anbar ↗Peroz-Schabur
Anchialus (Anhialo) 39C C2; AD. 20 C2, 31 D2, 30A E2; D. 6A C1; E. 2A D2, 5A C2
Anchiasmus (Sarande) D. 20 A3
Ancona 33A C2, 33B C2, 33C C2, 33D C2; AD. 140A E3; D. 23 B2; M. 58A F4, 59A G4, 70B E3, 78A E3, 79 F3
Ancud D. 147A B7
Ancyra [Galatia] ↗Ankara
Ancyra [Phrygia Pacatiana] D. 6A C2, 20 C3
Ancyra Sideras E. 5A C3
Andabilis E. 5A D3
Andaca D. 31 G3
Andecavis ↗Angers
Andechs M. 67 F3; Pe. 18A D2; R. 28 E3
Andenne M. 25A C/D1, 37 F1; R. 28 C2
Anderlecht Pe. 18A C1
Andernach M. 58A E2
— BMV M. 37 G1
Andlau M. 82 B4
Andoas Mi. 85A B3
Andong D. 143A E2
Andorra 35A C3
Andover E. 88B B2
Andrapa (Vezirköprü) D. 21 C1
Andravida D. 61 B2; M. 61 B2
Andreas M. 39B B3
Andreewskij-Jantschin M. 44C
Andria D. 71B B1, 140A F4; M. 59A H4
Andropolis (Kharbeta) D. 10B C2, 10C A2
Andros [Bahamas] Mi. 103B B2
Andros [Griechenland] ↗Andrus
Andrus (Andros) D. 30A D3, D. 61 B2
Andrusowa Nikolaewskaja M. 81 C/D2
Andujar M. 78A B4
Anduze M. 58B A2
Andzevatschik D. 9A B2/3
Anemurium (Anamur) 60A E3; D. 9B B2, 21 B3
Anesse E. 47A B3
Angamale 27B A1; D. 106/107B C4
Angel Mi. 86 B2
Angel Custodio Mi. 86 D3
Angermünde M. 58A F2
Angers (Andecavis) 14C A2; D. 22 C2, 34A B2, 97A B2, 97B B2, 141A D4, 141C D1; M. 56A C2, 58A C3, 59A D3; U. 64 B/C2
— L'Evière M. 94 B3
— S. Aubin M. 35A B2, 94 B3
— S. Nicolas M. 94 B3
— S. Serge M. 37 C3 94 B3
— S. Venant M. 14A B/C2
Anghiari M. 49A F3
Anglona D. 71A H4
Angol M. 85A B6
Angola 112A B/C5, 116 I5, 122 I5 126/127 I/K5, 128 I5, 145A D/E6, 150A H/I5
Angola (u. Kongo) AP. 106/107A C4
Angoulême (Ecolisna) D. 22 C2, 97A B3, 97B B3; E. 14A C2, 141C D2; M. 37 C4, 58A D3, 59A E3
— S. Eparchius M. 37 C4
Angra [Azoren] M. 78A A4
Angra dos Reis M. 85A E5
Angri M. 59B
Anguilla Mi. 103B E3
Anhalt 73 D/E3, 76 D/E3
Anhausen M. 67 E3, 91 C4
Anhialo ↗Anchialus
Ani D. 55B E1
Aniago M. 51 C4
Aniane M. 35A C3, 94 C4
Anicium ↗Le Puy
Anières E. 47A D3
Anineta D. 20 C3
Aniqaje M. 38A E2
Anjum M. 50 C1, 68A B1
Ankang AP. 143A C3
Ankara (Ancyra/Galatia) 60 E3, 72 F2; AD. 8A E2, 13 E2, 21 B2, 31 E3; D. 6A D2; E. 2A E3, 5A D3; Mi. 98A D1
Ankerwick 69B C2
Anking AD. 143A D3; D. 112A G3
Ankwo D. 143A D2
Anlung D. 143A C3
Annaghdown D. 71A B/C2
Annan M. 59A D1
Annapolis E. 88A B2
Annecy D. 97B D3, 141C F4; M. 59A F3, 70B B2, 79 E2
Annegray M. 25A D2, 37 F3
Annonay M. 58A D3
Announa ↗Thibilis
Aenon 1 B2
Ansbach M. 37 H2
— S. Gumbert M. 35A E2
Ansbach 73A D4, 76 D4, 92B D2, 93 G3
Anserma M. 85A B2
Ansfelden 56E B1
Ansina ↗Antinoe
Antakya ↗Antiochia [Syria]
Antalaba Mi. 98B B1
Antalya ↗Attalia
Antananarivo ↗Tananarive
Antandrus (Dervenı) D. 20 C3
Antaeopolis (Qaw el-Kebir) D. 10B C2
Antaradus (Tortosa, Tartus) D. 8A E/F3, 9B C2, 21 C3, 61 E3; E. 5A E4
Antelias AD. 139F A2; P. 130D B4
Antequera M. 78A B4
Anthedon (el-Blahiyeh) 1 A3, D. 21 B4
Antibari ↗Bar
Antibes (Antipolis) D. 22 D3, 56C E3
Antidion M. 39B B3
Antigonish D. 146A H2
Antigua 122 E/F4, 128 F4; D. 113A H/J4; Mi. 103B E3
Antillen 126/127 E4
Antinoe (Ansina) D. 6A D3, 6B B3, 10B C2; E. 5A D5
Antiochene 12B B2
Antiochia [Caria] D. 6A C2, 9B A2, 13 E2, 20 C3; E. 5A C3
Antiochia [Isauria] D. 21 B2; E. 5A D3
Antiochia [Pisidia] (Yalvaç) AD. 8A E2, 21 B2, 31 E3; E. 5A D3
Antiochia [Syria] (Antakya) 12B B2, 38A B2, 55B D2, 60A F3, 63A B3; AD. 9B C2, 31 F3, 61 E2; D. 6A E2; E. 2A F3, 5A E3; M. 12A A2, 61 E2; P. 8A F2, 13 F2, 21 C2, 26A A2, 130D A/B3, 139E B/C2
Antioquía D. 146C F4, 147A B2, 147C A1; M. 85A B2
Antipatris (Qalat Ras el-Aïn) 1 A/B2; D. 21 B/C3
Antiphellus (Kaş) D. 20 D3, 21 A2
Antiphrae (Qasr Schamam el gharbi) D. 10B B2
Antipolis ↗Antibes
Antipolo D. 144A C1; E. 90A B3
Antipyrgus D. 6A B3, 10B B1; E. 5A B4
Antium (Porto d'Anzio) D. 23 B3
Antofagasta AD. 147A B5
Antoing R. 28 B2
Antoniew Dynskij M. 81 C/D2
Antoniewo-Sijskij M. 81 D/E1
Antoniewskaja M. 81 D2
Antrodoco M. 54 G4
Antrum M. 14A B2, 37 B3
Antsirabé D. 145A G6; Mi. 98B B2
Antwerpen (Anvers) D. 80B C2, 141A E3; M. 51 E2, 59A E/F2, 68A B2, 68B B2, 70A D2, 78A C1, 79 D1; R. 28 C2
— S. Michael M. 54 E2
Anuradhapura D. 143C B2
Aenus (Enez) AD. 20 C2, 30A D2, 31 D2; D. 61 C1
Anvers ↗Antwerpen
Anzbach 56E C1
Anzitene D. 21 D2
Aosta (Augusta Praetoria) D. 23 A2, 97A D3, 140A B2, 142 B5
Apache [New Mexico] Mi. 87A C3, 87B
Apache [Texas] Mi. 87A D3
Apalache Mi. 87A E3
Apalit E. 90A B2/3
Apam M. 84B D3
Apamea [Bithynia] (Mudanya) AD. 20 C2, 31 D2; E. 5A C2
Apamea [Pisidia] (Dinar) D. 20 D3, 21 A2; E. 2A E3, 5B B1
Apamea [Syria II] (Qalat el Mudiq) 12B B3, 60A F3; AD. 8A F2, 9B C2, 21 C3, 61 E2; D. 26A A2, 55B D2; E. 5A E3
Apamene 12B B3
Aparecida AD. 147D B/C2
Aparicion Mi. 86 B2
Apaseo M. 84B C2
Apatzingán D. 146C A/B2
Apaunik D. 9A B2
Apereion D. 135D B4
Aphrah D. 26B C1
Aphrodisias [Caria] (Stauropolis, Geyre) AD. 8A E2, 9B A2, 20 C3, 31 D3; E. 5B A2
Aphrodisias [Europe] (Evreşe) D. 20 C2
Aphroditopolis (Atfih) D. 10B C2
Apia AD 144B E2
Apiaria (Rahovo) D. 20 C2
Apice M. 70B F4
Apisa (Tarf ech Chena) D. 7A G2
Apollinopolis (Idfu) D. 10B C3
Apollonia [Bithynia] (Abulyont, Apolyont) D. 20 C2; E. 5A C2
Apollonia [Creta] D. 20 B4
Apollonia [Epirus Nova] D. 20 A2
Apollonias (Medet) D. 20 C3, E. 5B A2
Apollonis (Palamut Kalesi) D. 20 C3
Apollonoshierum D. 20 C/D3
Apón Mi. 86 A2
Apóstoles Mi. 85B A/B1/2
Apostolisches Vikariat des Nordens 97C C2, 97D C2
Appelle 56D B2
Appenzell 73A C5, 76 C5
Appia (Abia) D. 20 D3, 21 A2; E. 5A D3
Applecross M. 19 D2
Apponay M. 51 E3
Aprus (Kermian) AD. 20 C2, 30A E2, 31 D2; D. 61 C1
Apt (Apta) D. 22 D3, 97A D3/4; E. 4A E4; M. 37 F5, 58B B2
Apta ↗Apt
Apucarana D. 147A D5
Aqaba 60A F5
Aqra D. 139E D2
Aqsu 27A E1
Aquae [Dacia Riparia] D. 20 B1
Aquae ↗Aix-en-Provence
Aquae (Aïn Younès) D. 24A F1
Aquae Calidae (Hammam Righa) D. 24A C1
Aquae Flavianae (Hr. el Hammam) D. 7A D/E3
Aquae Regiae (Hr. Khatera) D. 7A G3, 24A F/G2
Aquae Sirenses (Bon Hanifia) D. 24A A2
Aquae Statiellae ↗Acqui
Aquae Tarbellicae ↗Dax
Aquae Thibilitanae (Hammam Meskoutine) D. 24A E1; E. 4A E5; Pe. 18A C3
Aquasay Mi. 86 D2
Äquat.-Guinea 145A C4, 150A H4
Aquaviva (Acquaviva) D. 23 B3
Aquila M. 59A G4, 78A E3, 79 F3
Aquileia 66 G3; AD. 8A C1, 13 C1, 23 B2; E. 4A F3; P. 29B B3, 32 G3, 35A E2, 71A G3
Aquino (Aquinum) 33A C/D 3; D. 23 B3
Aquinum ↗Aquino
Aquirás M. 85A F3
Aquitanien 57A A/B 1/2
Araberkloster M. 38A C/D2
Arab al-Hag E. 29A B4
Arabia D. 26A A3
Arabia 2A F4, 9B C3, 21 C3
Arabien AV. 106/107A D2, 106/107B A4
Arabissus (Afşin) D. 21 C2, 26A A1; E. 5A E3
Arab el Mulk ↗Paltus
Arabona M. 52E C1, 53 L5
Aracajú AD. 147A F4
Araçuai D. 147A E4
Arad D. 55A C1, 134A C2; M. 44A C2
Aradi (Bou Arada) D. 24A F1, 24B A2
Aradus (Arvad) D. 21 C3
Aerae D. 20 C3
Aragon 56C B/C3, 66 D/E4
Aragua Mi. 86 D2
El-Araj ↗Bethsaida
Aramun D. 139F A/B1
Arap Hisar ↗Alabanda
Arapiuns Mi. 85A D3
Araquita Mi. 86 C2
Aras (Tarmount) D. 7A B3
Arauca D. 147A B2; Mi. 86 B3
Arauco M. 85A B6
Araure Mi. 86 B2
Arausio ↗Orange
Araxa D. 20 D3
Arayat E. 90A B2
Arba ↗Rab
el-Arbain ↗Modin
Arbal ↗Regiae
Arbela [Decapolis] 1 B2
Arbela [Irak] 38A F2, AD. 10A C2, 26A C2; E. 5A F3
Arbon E. 14A D2
Arca [Armenia II] (Arga) D. 21 C2
Arca [Phoenice Parhalus] (Arqa) D. 8A F3, 9B C2, 21 C3, 26A B1
Arcadia [Ägypten] 10B C2
Arcadia [Creta] D. 61 C2/3
Arcadiopolis (Lüleburgaz) AD. 20 C2, 30A E2, 31 D2; D. 61 C1
Arčar ↗Ratiaria
Arce 33A C3
Arc-en-Barrois E. 47A D3
Archangelsk D. 135D C/D1
Archelais (Khirbet Auja el-Tahta) 1 B3
Arcrunik D. 9A B/C2
Ardagger 56E B1
Ardagh D. 19 C4, 66 C2, M. 19 C4
Ard Artusi ↗Orthosia [Phoenice Parhalus]
Ardenne M. 54 D3
Ardfert M. 19 B5, 58A B2
Ardinghesca M. 70B D3
Ardmore M. 19 C5
Ardorelle M. 53 E5
Ardstraw M. 19 C4
Arecibo D. 146D B1
Aregue Mi. 86 B2
Arelate ↗Arles
Arenillas de S. Pelayo M. 54 R4
Arenosa Mi. 86 A2
Arensburg D. 62 C2
Areopolis (Khirbet er-Rabba) 1 B3; D. 21 C4
Arequipa AD. 147A B4; D. 85A B/C4
Arethusa (Restan) D. 6A E3, 21 C3; E. 5A E4
Aretium ↗Arezzo
Arévalo M. 58A B/C4, 78A B3
Arewan de Ebra D. 10A B2
Arezzo (Aretium) 49A E3, D. 23 B2, 35A E3, 140A D3; M. 58A F4, 59A G4, 78A E3; U. 64 D2
— S. Flora e Lucilla M. 37 I5
Arfeuilles M. 47A C3
Arga ↗Arca (Armenia II)
Argenta M. 59A G4, 70B D2, 78A E3
Argentan M. 59A D3, 70A B3
Argenteuil M. 94 C2; Pe. 18A C2
— BMV M. 37 D2
Argentinien 113 D Q6/7, 116 E/F6, 120 B/C6, 122 E/F6, 126 E/F6, 128 E/F6, 147A B/C 6/7, 150A D 6/7
Argiza (Balya) D. 20 C3
Argon M. 47C C2
Argos ↗Argus
Argostolion D. 134C A/B2
Argus (Argos) D. 20 B3, 30A C3, 61 B2
Argyn E. 29A B3
El Aria ↗Saltus Bagatensis
Ariano D. 32 G/H4, 140A F4, 140B C1
Ariarathia (Pınarbaşı) D. 21 C2
Ariari AP. 147C B2
Ariassus (Bademağacı) D. 21 A2
Aribi Mi. 86 D2
Arica PN. 147A B4
Aricagua Mi. 86 B2
Aricari Mi. 85A D3
Arienzo M. 59B, 70B F4
Arıkh ↗Gargara
Arima M. 89A B3
Arimathea (Rathamim) 1 B2; Pe. 18B B2
Ariminum ↗Rimini
Arindela D. 21 C4
el-Arisch ↗Rhinocorura
Arivechi Mi. 84A D3
Ariye M. 89A B3
Arizpe Mi. 84A C/D2
Arkansas Mi. 87A D3
Arklow M. 59A C2
Arles (Arelate) 14A C3, 14C B3, 33C B3, 43 C1; AD. 8A B2, 13 B/C2, 22 D3, 32 E4, 56C D3, 71A E4, 97A C4; D. 6A A/B1, 14B A3; E. 4A D4; M. 56A D3, 58A D4, 58B A2, 59A E/F4; Pe. 18A C2
— Montmajour M. 94 C/D4

— S. Aurelian M. 37 E5
— S. Hilarian M. 37 E5
— S. Jean (Césaire) M. 37 E/F5
— S. Pierre M. 37 E5
Arles-s.-Tech M. 47A C4
Arlington D. 146A F3
Arluc, S. Cassien M. 47A D4
Armagh AD. 32 C2, 58A B2, 71A C2, 111D B2, 141A B2; D. 19 C4; M. 19 C4
Armagnac 66 E4
Armant 11A D7
Armenaz M. 12A B2
Armenia D. 26A B1
Armenia [Kolumbien] D. 147C A2
Armenia I 9B C/D1, 21 C/D2
Armenia II 9B C1, 21 C2
Armenia maior 5A E/F3
Armenien 60A E/F3
Armenis M. 58A H3
Armentera M. 52D A/B1
Armidale D. 106/107C E4, 144B C3
Arna (Civitella d'Arna) D. 23 B2
Arnaia D. 134C C1
Arnas 38B A2
Arnay [Armenien] D. 9A C2
Arnay [Frankreich] M. 48B C2
Arneae D. 20 D3, 21 A2
Arnedo M. 85A B4
Arnhem M. 51 F2, 68A B2
Arnhem-Marienborn M. 68A B1
Arnisch M. 38A B/C2
Arnoldstein M. 48A C3
Arnsberg M. 54 F2
Arnsburg 53 H1
Arnstadt M. 58A F2, 67 F2
Arnstein M. 54 F2
Arnswalde ↗ Choszczno
Aroisa Mi. 86 C2
Arolsen M. 50 D2
Arona M. 78A D2
Aronnes E. 47A C3
Arpalı ↗ Hierocaesarea
Arpaye E. 47A C3
Arpaz ↗ Harpasa
Arpi D. 23 C3; E. 4A G4
Arpino 33A C3
Arqa ↗ Arca [Phoenice Parhalus]
Arqa [Armenia] 38A B1
Arrabona ↗ Györ
Arras (Atrebates) 57A B1, 65 B2; D. 22 C1, 80A B3, 80B B3, 97A C1, 97B C1, 141A E3; M. 56A D1, 58A D2, 59A E2, 78A C1;
— S. Vaast M. 25A C1, 34B C1, 37 D/E1
Arriach E. 95A C2, 95B E/F 5
Arrouaise M. 50 B3
Arsamosata (Içme) AD. 31 F3; D. 9B D1, 21 D2, 26A B1, 55B D2
Arschamunik D. 9A B2
Arscharunik D. 9A B2
Arsenaria D. 24A B1
Arseniewo-Odigitriewskaja M. 81 E2
Arsinoe [Arcadia] ↗ Crocodilopolis
Arsinoe [Cyprus] (Polistes Chrysochon) D. 21 B3
Arsinoë [Isauria] D. 9B B2
Arsuf ↗ Sozusa [Palaestina I]
Arsuz ↗ Rhosus
Arta D. 134C B2
Artah M. 12A B2
Arthous M. 54 D4
Arthun M. 47A C3
Artois 66 E2
Artzesium D. 31 G3
Artzike D. 31 G3
Arua D. 112C B1, 145A F4, 145C B1
Aruba Mi. 86 B1
Arundel D. 141A D3; M. 59A D/E2
Arusha D, 112C B2, 145A F5, 145C C2
Arvad ↗ Aradus
Arverna ↗ Clermont-Ferrand
Arycanda D. 21 A2; E. 5A C3
Arzamas, Spasskij M. 81 E3
— Nikolaewskij M. 81 E3
— Nowodewitschkij Aleksijatscheloweka Boschija M. 81 E3
Arzon D. 10A B1; 26A C2; E. 5A F3
Ås M. 52B C2
Asar Dağ ↗ Amblada
Asarköy ↗ Attuda
Asbach M. 48A C3
Ascalon (Aschkelon) 1 A3, 60A E4; D. 21 B4; E. 5A D4
Aschaffenburg M. 73A D1; R. 28 D2
Aschbach 56E C2
Ascheraden 62 D2
Aschersleben M. 58A F2, 91 D2
Aschkelon ↗ Ascalon
Aschmum er-Ruman ↗ Panephysis
Aschmunein ↗ Hermopolis magna
Aschtischat (Surb Sahak) E. 5A F3
Asciano M. 70B D3
Ascoli Piceno (Asculium Picenum) M. 58A F4, 59A G4, 70B E3, 78A E3; D. 23 B3, 35A E3, 140A E4; Mi. 104A F4
Ascoli Satriano D. 71B B1
Asdod ↗ Azotus
Asculum Picenum ↗ Ascoli Piceno
Ashbourne 69B C1
Ashford 69B B2
Ashley Green 69B C2
Ashton 69B B2
Asia 2A D3, 9B A1, 20 C3
Asicha ↗ Saktsche Gözu
Asido (Medina Sidonia) D. 22 B4
Asın-Kale ↗ Iasus
Asisium ↗ Assisi
Aesium ↗ Iesi
Asjut (Lycopolis) D. 6B B3, 10B C2, 11A C5, 130A A2, 139E B4; E. 5A D5; Mi. 98A D2
Askar ↗ Sichar
Asmara AV. 145A F3; D. 130B B1, 138C B1
Asola M. 70B D2
Asolo ↗ Acelum
tou Asomatou M. 39A A2
Asow 96A F1
Aspendus (Belkis) D. 21 B2; E. 5A D3
Aspona D. 6A D2, 21 B2
Assab M. 98A D3
Assam AP. 106/107B D3
Assaroe M. 52A A/B2
Assassinen 60A F3
Assela D. 130B B/C3
Assis D. 147A D5, 147D A2
Assisi (Asisium) 33A C2, 33B C2; D. 23 B2, 140A D3; M. 58A F4, 79 F3
Assuan 11A D/E8, 43 F3, 72 F3, D. 130A B3
Assuras (Zanfour) D. 7A F/G2, 24A F1; E. 4B B2
Assus (Behram Kale) D. 20 C3
Astaffort M. 47A B4
Astaroth 1 C2
Asthall 69B C2
Astheim M. 51 G3
Asti (Hasta) 57D B2, 66 F4; D. 23 A2, 140A B3; M. 49C B2, 51 F4, 56A E3, 58A E4, 59A F4, 70B C2
Astigi (Écija) D. 22 B4; E. 4A B5
Aston 69B C2
Astorga (Asturica) D. 22 B3, 60B B1, 141C B2; E. 4A B4; M. 58A B4, 59A C4
Astrachan D. 81 E4, 135D D3; M. 81 E4
Asturica ↗ Astorga
Asunción AD. 147A D5; D. 85A D5, 85B A1, 113D R6
Atacapa Mi. 87A D3/4
Atakpamé D. 145B A/B2
Atambua D. 144A D4, 144B B2
Atapire Mi. 86 C2
Ategua E. 4 A B/C 5
Atella (S. Arpino bei Aversa) D. 23 B3; E. 4A F4
Atella M. 59A H4
el-Atf ↗ Metelis
Atfih ↗ Aphroditopolis
Ath R. 28 B2
Athanassus D. 20 D3, 21 A2
Athenae ↗ Athenai
Athenai (Athenae, Athen) 39C B3, 60A C3, 66 I5, 72 E2, 96A D3; AD. 30A D3, 31 C3, 61 B2, 134C C/D2, 141D B3/4; D. 20 B3, 130D A3, 138A C4; E. 2A C3, 5A B3; M. 61 B2
— Asklepieionbasilika E. 42A B/C2
— Basilika im Dionysostheater E. 42A B/C2
— Basilika im Olympieion E. 42A B1
— Basilika im Stadtpark E. 42A B1
— Basilika mit unbek. Namen E. 42A B1
— Erechtheion-Basilika E. 42A B2
— H. Aikaterine E. 42A B2
— H. Anargyroi E. 42A A3
— H. Apostoloi sta Marmoroi E. 42A B/C2
— H. Apostoloi tou Solake E. 42A B2
— H. Asomatoi E. 42A A/B3
— H. Athanasios E. 42A B2
— H. Dionysios Areiopagites E. 42A B3
— H. Eirene E. 42A A2
— H. Georgios E. 42A B3
— H. Georgios Alexandrinos E. 42A B3
— H. Georgios tou Karuke E. 42A A2
— H. Ioannes sten Kolona E. 42A A3
— H. Ioannes tou Mankute E. 42A B2
— H. Ioannes ho Prodromos E. 42A A2/3
— H. Ioannes Theologos E. 42A B2
— H. Marina E. 42A B3
— H. Nikolaos E. 42A B2
— H. Nikolaos tou Rangaba E. 42A B2
— H. Philippos E. 42A B3
— H. Phrankos E. 42A B1
— H. Thekla E. 42A B2
— H. Theodoroi E. 42A A2
— H. Trias E. 42A B2
— Ilisosbasilika E. 42A B/C1
— Kapnikarea E. 42A A2
— Kirche im Turm der Winde E. 42A B2
Klematiosbasilika E. 42A A1
— Megale Panagia E. 42A B2
— Metamorphosis tou Soteros E. 42A B2
— Panagia Gorgoepekoos E. 42A A/B2
— Panagia sten Petra E. 42A C1
— Panagia Speliotissa E. 42A B2
— Parthenonbasilika E. 42A B2
— Prophetes Elias E. 42A B2
— Propyläenkirche E. 42A B2
— Soteira tou Kottake E. 42A B2
— Soteira tou Lykodemou E. 42A B1
— Taxiarchai E. 42A B2
Athenry M. 59A C2
Äthiopien 112A C/D4, 123 K/L4, 129 K/L4, 130B B/C3, 134B D/E4, 138C B/C3, 145A F/G4, 150/151A I/K4
Athlone M. 58A B2
Athonias [Athos] 39C B2, 45B, 45B B2
Athribis (Kom Atrib) D. 6B B1, 8B B2, 10B C2, 10C B2; E. 5A D4
Athy M. 59A C2
Athyra AD. 30A E2; D. 61 C1
Atienza M. 58A C4
Atil Mi. 84A C2
Atimonan E. 90A B3
Atina D. 32 G4
Atlacomulco D. 146C B2
Atlanta AD. 146A F3; D. 113B E2, 131A C3
Atlatiahuca M. 84B D/E3
Atlixco M. 84B D3
Atme M. 12A B2, 12B B2
Atotonilco M. 84B D2
Atoyac M. 84B B2/3
Atrebates ↗ Arras
Atri D. 23 B3; M. 58A F4, 78A E3
Atripalda bei Avellino ↗ Abellinum
Attalea [Lydia] (Yaran-tepe) D. 20 C3
Attalia (Antalya, Pamphylia) 39C D3, 60A E3; D. 6A D2, 21 A2; E. 2A E3, 5A D3
Attel M. 48A C3
Attersee E. 95B E4
Attigny M. 34A C2; R. 28 C3
Attuda (Asarköy) D. 20 C3
Aetus D. 30A C3
Atzcapotzalco M. 84B D3
Au M. 37 I2, 50 E3
Aubecourt M. 54 E3
Aubenas M. 58B A1, 59A E4, 78A C3
Aubepierres M. 53 E3
Auberives M. 53 F/G3
Aubeterre M. 58A C/D3
Aubignac M. 53 E3
Aubigny M. 25A C1, 37 D1, 47A C3, 50 B2
Auca D. 22 C3
Auch (Auscia) AD. 32 E4, 56C B3, 71A E4, 97A B4, 97B B4, 141C D2; D. 22 C3; E. 14A C3; M. 58A C/D4, 78A C3
Auchy M. 37 D1
Auckland D. 106/107C F4, 113A B6, 144B D3
Aude 56D D2
Audenarde M. 58A D2
Auerbach M. 37 J2
Aufhausen 91 C4
Aufidena D. 23 B3
Aufinum (Ofena) D. 23 B3
Augaza D. 20 C3
Augerolles E. 47A C3
Augsburg (Augusta Vindelicum) 65 E3, 91 C4, 92B D2; D. 23 A1, 34B E2, 46 B3, 73A D4/5, 76 D4/5, 82 D4, 83 D4, 93 F/G 3, 97C C4, 97D C4, 142 D4; E. 4A F3; M. 25B D4, 48A C3, 50 E3, 56A F2, 58A F3, 59A G3, 78A E2; Pe. 18A C/D2; R. 28 E3
— S. Afra M. 37 H2
— S. Ulrich und Afra M. 48A C3, 67 E/F3, 82 D4, 83 D4
Augusta [Cilicia] D. 8A F2, 9B C2, 21 C2
Augusta [Sizilien] M. 59A H5
Augustamnica Prima 10C B1
Augustamnica Secunda 10C B2
Augusta Praetoria ↗ Aosta
Augusta Taurinorum ↗ Torino
Augusta Treverorum ↗ Trier
Augusta Vindelicum ↗ Augsburg
Augustodunum ↗ Autun
Augustopolis [Palaestina III] D. 21 C4
Augustopolis [Phrygia Salutaris] D. 6A D2, 21 A2
Auhausen M. 48A B3
Auki D. 113D K5, 144B C2
Aulnay-sur-Odon M. 53 C/D2
Aulne M. 37 E1, 50 C2, 53 F1
Aulon [Euboea] (Aulonarion) D. 30A D3, 61 B2
Aulonarion ↗ Aulon [Euboea]
Aulonea (Aulon, Valona, Vlonë) 39C A2; D. 20 A2, 30A C2, 61 A1, 66 A/I4
Aulps M. 53 G3
Aumale M. 94 B2
Aura M. 48A B2, 67 E2
Aurangabad D. 143B B3
Auranitis 1 C2
Auray M. 51 D3
Aurelianis ↗ Orleans
Aureliopolis [Lydia] D. 20 C3, E. 5A C3
Aurillac M. 48B B3, 58A D3
Aurocra D. 20 D3, 21 A2
Auscia ↗ Auch
Aussig ↗ Ústi
Austa d'Arzon D. 10A B1
Austin D. 146A D3
Australien 98/99D C/D3, 117 P6, 119 M6, 122/123 P6, 129 P6, 144B A/C3, 150/151A O/P6
Austral-I. 104/105D H3
Autessiodurum ↗ Auxerre
Autet E. 47A D3
Autlán D. 146C A2; M. 84B A3
Autun (Augustodunum) D. 22 D2, 34A C2, 97A C2, 97B C3, 141A E4, 141C E1; E. 4A D3; M. 14A C2, 14B A2, 94 C3
— BMV M. 37 E3
— Cassianskloster M. 37 E3
— S. Andochius M. 37 E3
— S. Nazaire M. 48B B/C3
— S. Symphorian M. 37 E3
Autzey M. 50 C3
Auvillars M. 59A E4
Auxerre (Autessiodurum) D. 22 D2, 97A C2; E. 4A D3; M. 14A C2, 14B A2, 14C B2, 25A C2, 50 B3, 58A D3, 59A E3, 94 C3
— BMV M. 37 E3
— Cosmas und Damian M. 37 D/E3
— S. Eusebius M. 37 E3
— S. Germain M. 37 D/E3, 47A C3, 48B B2
— S. Julian M. 37 E3
— S. Marie M. 54 E3
— S. Martin M. 37 E3
Auximum ↗ Osimo
Auzia E. 4A D5
Ava und Pegu AV. 106/107B D3
Avallon E. 14A C2
Avallon [Isère] E. 47A D3
Avechica Mi. 86 D3
Aveia Vestina D. 23 B3
Aveiro [Brasilien] Mi. 85A D3
Aveiro [Portugal] D. 141C B3; M. 59A C4
Avellaneda D. 147B A2
Avellino D. 140A E5, 140B B2
Avenches ↗ Aventicum
Avennio ↗ Avignon
Avensa (Bordj Hamdouna) D. 7A G2, 24A F1, 24B A1
Aventicum (Avenches) D. 22 D2, 23 A2
Averbode M. 54 F2
Aversa 59B; D. 71B A2, 140B B2; M. 70B E/F4
Avezzano D. 32 G4, 140A E4
Avigliano M. 59A H4, 70B B2
Avignon (Avennio) 33C B3, 43 C1, 65 C4; AD. 71A E4, 97A C4, 97B C/D3, 141C E2; D. 14B A3, 22 D2/3, 56C D3; M. 14B A3, 56A D/E3, 58B A/B2, 59A E4, 78A D3, 79 D3; U. 64 C2
— S. Agricol M. 37 E/F5
— S. Rufus M. 37 E/F5
Avignonet 56C C3, 56D B2
Avigny M. 54 E3
Ávila (Abula) D. 22 B3, 60B B1, 71A D4, 141C C3; M. 58A C4, 59A C4, 59A D4, 78A B3
— S. Spiritus M. 54 D4
Avilés M. 58A B4
Avioccala (Hr. Sidi Amara) D. 24A F1; E. 4B B2
Avitta Bibba (Hr. Bou Ftis) D. 7A G2, 24B A2
Avranches (Abrincatinum) D. 22 C2, 97A A2; E. 14A B2
Awasa D. 130B B3, 145A F4
Awka D. 145B C2
Awraamiew Gorodskij Pokrowskij M. 81 E2
Axholme M. 51 D2
Axiopolis E. 5A C2
Ayacucho AD. 147A B4
Ayaş ↗ Sebaste [Cilicia I]
Ayaviri PN. 147A B/C4
Aydın ↗ Tralles
Aylburton 69B B2
Ayles M. 58A C4
Ayli D. 9A C3
Ayllón M. 58A C4
Ayr D. 141A C2; M. 59A D1
Ayutla PN. 146C C3
Aezani (Çavdarhisar) D. 20 D3, 21 A2; E. 5A C3
el-Azariyeh ↗ Bethania
Azatskaja-Rodnonowskaja M. 81 D2
Azatskij-Nikolskij M. 81 D2
Azcoitia M. 78A B3
Azeffoun ↗ Rusazus
Azeitao M. 59A C5
Azille M. 58A D4
Azogues D. 147A B3
Azotus (Asdod, Isdud) 1 A3; D. 6A D3, 21 B4; E. 2A E4, 5A D4; Pe. 18B A3
Azuchi M. 89A E2
Azul D. 147A D6
Azziz ben Tellis ↗ Idicra

B

B. Bagasch D. 26A C2, 10A B/C2
B. Botin M. 38A C2
B. Daraye D. 10A C2, 26A D3
B. Dasen D. 10A B2, 26A C2
B. Garmai D. 26A C2
B. Laphat ↗ Gondischapur
B. Laschpar D. 10A C2
B. Madaye (Medien) D. 10A C2
B. Mihraqaye D. 10A C2
B. Moksaye D. 10A B1
B. Nuhadra D. 26A C2, 10A B2
B. Parsaye D. 26B B/C3
B. Qoqa M. 38A E2
B. Raman D. 26A C2
B. Sahde M. 38A C1
B. Zabdai (Zabdicene) D. 10A B2
Baalbek (Heliopolis/Libanensis) AD. 139F B2; D. 21 C3, 26A A2
Babahoyo PN. 147A A/B3
Babaeski ↗ Bulgarophygum
Bab Hawa M. 12A B2
Babila M. 12A B3
Baborigame Mi. 84A E4
Babylon [Augustamnica II] D. 8A E3, 8B B2, 10B C2, 10C B2
Baç M. 58A G3
Bacabal D. 147A E3
Bacadeguachi Mi. 84A D3
Bacarra E. 90A B1
Bacerac Mi. 84A D2
Bachtschesarai M. 63A A2
Bäckaskoog M. 54 61
Backnang M. 50 D3
Bačkovo M. 30A D2
— H. Theotokos M. 39C B2
Baclayon E. 90A C4
Bač Monoštor (Abrahám) M. 52C B/C3, 58A G3
Bacninh D. 143A C4, 144A B1
Bacoachi Mi. 84A D2
Bacolod D. 144A C2
Bacolor E. 90A B2
Bacubirito Mi. 84A E5
Baecula E. 4A C5
Badajoz AD. 141C B3; D. 60B A2, 71A C5; M. 58A B5
Bad Aussee E. 95B E4
Baddesley Clinton 69B C2
Bademağacı ↗ Ariassus
Bad Ems 91 B3
Baden E. 95B H3
Baden-Baden 73A C4, 76 C4; M. 78A D2
Baden-Durlach 73A B3/4, 76 B3/4, 92A B/C3/4
Badès ↗ Badias
Bad Gastein E. 95B E4
Bad Goisern E. 95A C2, 95B E4
Bad Hersfeld 91 C3
Al-Badia D. 26A C2
Badia di Cava An. 140B B2
Badias (Badès), D. 7A D4, 24A E2; E. 4A E6
Badip 38 B A2
Bad Ischl E. 95B E4
Badulla D. 143C B2
Bad Vöslau E. 95B H4
Bafa Gölü 39A A2
Bafet M. 12A B2
Bafia D. 145A D4, 145B D3
Bafoussam D. 145B D2
Bagai D. 7A E3, 24A E2; E. 4A E5
Bagamojo AV. 106/107A D4
Bagdad (Baghdad) 43 G2, 72 G 2; AD. 139A D3, 145A G1; AV. 139E D/E3; D. 106/107A D1, 106/107B A2, 130D C/D4, 135D D4, 139E D3; M. 63A B/C3; P. 26A C3, 130D C/D4, 139E D3
Bagé D. 147A D6
Bagis D. 20 C/D3
Bagnères-de-Bigorre M. 59A D4
Bagnoli M. 70B D2
Bagnoli Irpino M. 59A H4
Bagnolo D. 57B C/D2, 57D C2
Bagnols 56C D3; M. 58B A1
Bagnorea ↗ Balneumregis
Bagnoregio D. 140A D4
Bagnotan (Bacnotan) E. 90A B2
Bagrevand (Alaschkert) D. 9A B2; E. 5A F3
Baguan (Bauang) E. 90A B2
Baguang (Bauan) E. 90A B3
Baguio D. 144A C1
Bahama-Inseln 126 E3, 128 E3
Bahia ↗ S. Salvador
Bahia Blanca AD. 147A C6
Bahia Keralam D. 130B A/B2
Bahr el Ghasal AP. 106/107A D3
Bai 27A E1
Baia Mare D. 138A C2
Bailadones Mi. 86 B2
Bailleul 65 B2
Baindt M. 82 C5, 83 C5
Baiocae ↗ Bayeux
Baker D. 146A B2
Bakhit E. 29A B4
Baku D. 130D D2
Balad (Eski Mossul) 38A E2; D. 10A B2, 26A C2

Balaguer M. 59A D/E4
Balaiza M. 11A C5/6
Balaklawa D. 63A A/B2, M. 63A A/B2
Balanea (Banyas) D. 21 C3, 61 E2; E. 5A E3
Balanga D. 144A C 1/2
Balanguigan (Balangiga) E. 90A C/D4
Balasore AP. 143B C2
Balat ↗Miletus
Balbigny E. 47A C3
Balboa D. 113D P/Q4
Balbura D. 20 D3, 21 A2
Balch 27A C2
Baler E. 90A B2
Balerne M. 53 G3
Balesch 38A C3; D. 26A B2
Balga 62 B3, 62 C3
Balharshah AA. 138D B1
Balhisar ↗Pessinus
Balıkesir ↗Hadrianotherae
Balis ↗Barnalissus
Balkiz ↗Zeugma
Balkız-Kale ↗Cyzicus
Balla M. 19 B4
Ballaghaderreen D. 141A B3
Ballarat D. 106/107C D4, 112A H/I6, 144B B3
Ballenstedt M. 48A B/C2, 67 E/F2
Ballina D. 71A C2, 141A B2
Ballindown M. 59A C2
Balmerino M. 52A C2
Balneumregis (Bagnorea) D. 23 B3
Balsas D. 147A E3
Baltimore AD. 102A C3, 146A F3; D. 113E F2
Baltinglass M. 52A B3
Balya ↗Argiza
Balyana D. 130A A/B2
Balyanbolu ↗Palaeopolis [Asia]
Bamako AD. 145A B3
Bambari D. 145A E4
Bamberg AD. 73A D4, 97D C3, 142 D3; D. 46 B2, 65 E3, 66 G3, 71A G3, 76 D3/4, 82 D4, 83 D4, 92A D2/3, 93 G2/3, 97C C3; M. 58A F3, 59A G3, 70A F3, 78A E2, 79 F2; R. 28 E3; U. 80C C3
— Michelsberg M. 48A B/C2
— S. Fides M. 48A B/C2
Bamburgh M. 59A D1
Bamenda AD. 145A D4, 145B D2
Banat 96A C2
Banburg 69B C2
El Banco Mi. 86 A2
Banda M. 51 F3
Bandjarmasin D. 144A C3, 144B A2
Bandra M. 89C A2
Bandung D. 144A B4
Bangalore AD. 143B B3, 143C A1; Mi. 98/99C C4, 104/105C C4
Bangassou D. 145A E4
Bangkok AD. 144A A2; Mi. 104/105C D4
Bangladesch (Ost-Pakistan) 122/123 N3, 127 N3, 129 N3, 143B C/D2, 150/151A M3/4
Bangor [am Dee] M. 19 E5
Bangor [Irland] D. 111D B3; M. 19 D4
Bangor [Wales] D. 19 D/E4; M. 19 D/E4, 59A D2
Bangued D. 144A C1
Bangui AD. 145A D4; Mi. 98A C3
Bangweolo AV. 106/107A D4
Baniyas ↗Paneas
Banja Luka D. 96A B2, 134A B3, 140A G3
Banjul D. 112A A4, 145A A3
Banmethuot D. 144A B2
Banna ↗Cynopolis inferior
Banská Bystrica (Besztercze-bánya, Neusohl) 96A B/C1; D. 142 H4
Bantay E. 90A B2
Banuman, M. Abhai M. 38B A/B2
Banwell M. 19 E5
Banyas ↗Balanea
Banz M. 48A C2
Bar [Frankreich] 66 F3
Bar (Antibari) 58A G4; AD. 66 H4, 71A H4, 96A C2, 141D A2; D. 30A B/C2
El Bara M. 12A B3
al-Baradan D. 26A C/D3
Baragua Mi. 86 B2
Barahona D. 146D B1/2
Baralle, S. Georg M. 37 E1/2
Bararus (Rougga) D. 24A G2
Baras E. 90A B3
Barata (Bin-bir Kilise) D. 21 B2; E. 5A D3
Barba E. 4A B/C5
Barbados 126 F4, 128 F4; D. 113D R4; Mi. 103B F4
Barbalissus (Balis) D. 21 C2
Barbara M. 38A C2
Barbaros ↗Panium
Barbastro D. 60B C1, 141C D2; M. 58A D4
Barbeaux M. 53 E2
Barbery M. 53 D2
Barbezieux M. 47A B3, 58A C3
Barbonne E. 47A C2
Barbuda Mi. 103B E3
Barby 73A E2, 76 E2
Barby M. 58A F2
Barce (El Marj) D. 8A D3, 10B A1; E. 5A B4
Barcelona [Spanien] (Barcino) AD. 43 C1, 141C E3; D. 22 D3, 60B C1; E. 4A D4; M. 56A D3, 58A D4, 59A E4, 79 D3; Pe. 18A C2, U. 64 C2
Barcelona [Venezuela] D. 147A C1/2
Barceloneta Mi. 86 D3
Barcelonette M. 59A F4
Barcino ↗Barcelona
Barcusa (Burkusch) D. 21 C3
Bardaa AD. 26A D1
Bardney M. 19 F4
Bardowick 91 C1
Bardsey M. 19 D5
Bar Gagai M. 38A C1
Barge M. 70B B2
Bargylia (Güllük) D. 20 C3
Barhadan M. 12A B2
Bari (Barium) 43 D1, 45A B1; AD. 32 H4, 71A H4, 140A F4; D. 23 C3, M. 58A G4, 59A H4, 78A F3, 79 G3; Pe. 18A D2
Baria E. 4A C5
Barinas Mi. 86 B2
Baris [Hellespontus] D. 20 C2
Baris [Pisidia] (Isparta) D. 21 A2, E. 5B B2
Barisis-au-Bois M. 25A C2, 37 E2
Barium ↗Bari
Barjols M. 56A E3
Barkalabowskij Ioanno-Predtetschenskij M. 81 B/C3
Barking D. 19 G5; M. 19 G5
Barla ↗Parlais
Barlassina M. 59A F3
Bar-le-Duc M. 78A C2
Barletta AD. 71B B1; M. 58A G4, 59A H4, 78A F3
— S. Samuel M. 54 H4
Barlings M. 54 D2
Barnet 69B C2
Barnstable E. 88B C3
Baroda D. 143B B2
Barona M. 53 I4
Barquisimeto AD. 146D B3, 147A C1; M. 85A C2
Barqum M. 12A B3
Barr 73A B4
Barra D. 147A E4
Barra do Garças D. 147A D4
Barra do Pirai D. 147D C2
Barranca-Bermeja D. 147C B1
Barra Negro Mi. 86 B3
Barranquilla AD. 146C F4, 146D A3, 147A B1
Barreiras D. 147A E4
Barretos D. 147D B2
Barrow M. 19 F4
Barsinghausen M. 50 D2, 91 C2
Bar-sur-Aube M. 58A D/E3; R. 28 C3
Bartellah D. 130D C3
Barthe M. 54 F2
Barugo E. 90A C4
Baruipur D. 143B C2
Baruman M. 12A B/C2
Baruta Mi. 86 C2
Barzanissa (Vardenik, Vartenik, Wartanis) D. 31 F3
Barzelle M. 53 E3
Basalu D. 60B C1
Basankusu D. 145A D4
Baschakuh M. 12A B2
al-Bascharud ↗Busiris
Baschkiren 63A C/D1
Basco PN. 144A C1
Basebrin 38B B2
Basel (Basilea) 65 D3, 93 F3; D. 22 D2, 23 A1, 25C C4, 34A D2, 34B D2, 66 F3, 73A B5, 76 B5, 82 B5, 83 B5, 97A D2; E. 14A D2; M. 50 D3, 51 F3, 56A E2, 58A E3, 59A F3, 68A C3, 70A E4; R. 28 D3; U. 64 C2
— S. Alban M. 47A D3
Basella M. 59A F3
Basen D. 9A B2
Basey E. 9A C4
Basilea ↗Basel
Basilinopolis (Orhangazı) D. 20 D2, 21 A1
Basingwerk M. 52A B/C3
Al-Basra (Perath de Maischan) 43 G2, 72 G2; AD. 10A C3, 26A D3, 139E E3; D. 63A C2, 130D D4; Mi. 98/99C A2
Basratun M. 12A B2
Bassac M. 94 B3
Bassano M. 70B D/E2
Basse-Fontaine M. 54 E3
Bassein [Burma] D. 143B D3
Bassein [Indien] M. 89C A2
Basse-Terre D. 146D C2
Basseville M. 51 E3
Bassum M. 91 B2
Basti (Baza) D. 22 C4; E. 4A C5
Bastia M. 78A D3, 79 E3
Basufan M. 12A B2
Basutoland AP. 106/107A C5
Bata [Äquat. Guinea] D. 145A D4; Mi. 106A B3
Báta [Ungarn] M. 44A B2
Batabu M. 12A B2, 12B B2
Batac E. 90A B1
Batacosa Mi. 84A D4
Batalha 59A C5
Batan E. 90A C4
Batanaea 1 C2
Batang [China] Mi. 98/99C D2
Batang (Batan) [Philippinen] E. 90A B4
Batangas E. 90A B3
Batatas Mi. 86 A3
Batavia A. 106/107C B/C2
Baeterrae ↗Béziers
Bath 69B B2; D. 71A D2; M. 19 E5
Bathurst [Australien] D. 106/107C D4, 112A I6, 144B C3
Bathurst [Gambia] Mi. 98A A3
Bathurst [Kanada] D. 146A G/H2
Bathys Ryax M. 39B B3
Batignolles 14A C2
Batnae ↗Sarug
Baton Rouge D. 146A E3
Batrun ↗Botrys
Battambang AP. 144A A/B2
Batticaloa D. 143C B2; Mi. 98/99C C4
Battle M. 48B A1
Battle Harbour Mi. 103A G/H2
Batucu Mi. 84A D3
Batum D. 135D D3
Baturingskij Nikolaewskij M. 81 C3
Bauda M. 12A B2
Baudeloo M. 53 F1
El Baúl Mi. 86 B2
Baulmes M. 25A D2
Baumburg M. 50 E3
Baume-les-Dames M. 37 F3
Baume-les-Messieurs M. 47A D3, 48B C3
Baumgarten M. 53 H2
Baumgartenberg M. 52C A/B3, 53 L2
Bauru D. 147D B2
Bauske 62 D2
Bautzen M. 58A F/G2
Baverans E. 47A D3
Bawazig D. 26A C2
Bay E. 90A B3
Baybay E. 90A C4
Bayern 73A D/E 4/5, 76 D/E 4/5, 92B D/E 2/3, 93 G3
Bayeux (Baiocae) D. 22 C2, 34A B2, 97A B2, 97B B2, 141A D4, 141C D1; E. 14A B2; M. 37 C2, 56A C2, 58A C3, 94 B2
— S. Vigor M. 48B A2
Bayham M. 54 D2
Bayna (Benna) M. 47C A/B2
Bayombong D. 144A C1
Bayonne D. 32 D4, 66 D4, 97A A4, 97B A4, 141C D2; M. 58A C4, 59A D4
Bayreuth 73A D3, 76 D3, 92B D1, 93 G2/3
Baza ↗Basti
Baeza M. 58A C5, 78A B4
Bazas (Vasates) D. 22 C2, 66 D4, 97A B3; M. 37 C4, 58A C4
Bazelon M. 39C E2
Beaconsfield 69B C2
Béarn 66 D4
Beatis D. 22 C3
Beaubec M. 53 E2, 52A D4
Beaucaire [Provence] M. 58B A2
Beaucaire [Tarn-et-Garonne] 56D A/B1
Beauchamp M. 50 C3
Beauchief M. 54 D2
Beaufays M. 50 C2
Beaugerais M. 53 E3
Beaulieu [Dordogne] M. 47A B3
— S. Pierre M. 94 B/C4
Beaulieu [England] M. 53 C1, 52A C3
Beaulieu [Haute-Marne] M. 54 E3
Beaulieu [Meuse] M. 14C C2, 25A D2, 37 F2
Beaulieu [Pas-de-Calais] M. 50 B2
Beaulieu [Tourraine], Trinité M. 94 B3
Beaulieu-en-Bassigny M. 53 G3
Beaumont [Calvados] 94 B2
Beaumont [Saône-et-Loire] M. 47A C/D3
Beaumont [USA] D. 146A D/E3
Beaune E. 14A C/D2; M. 51 E3, 58A D3, 59A E3, 70A D4, 70B A1
— S. Étienne M. 48B C2
Beauport M. 54 D3
Beaupré [Lothringen] M. 53 G2
Beaupré [Oise] M. 53 E2
Beaurepart M. 54 F2
Beauvais (Bellovacum) D. 22 D2, 97B C2, 97A C2; E. 141C E1, 141A E4; M. 50 B3, 58A D3, 59A E3
— S. Quentin M. 48B B2
Beauvale M. 51 D2
Beauvoir-s.-Mer 77A A2; M. 59A D3
Bebenhausen M. 53 H/I2, 91 C4
Beccles 69B D2
Becerril Mi. 86 A2
Bechhofen 91 C3
Bechilga ↗Zabi
Bechyně M. 58A F3
Beckford M. 19 E/F5
Beckington 69B B2
Beckum R. 28 D2
Bective M. 52A B3
Bedburg M. 54 F2
Bedford M. 58A C2
Bedingham 69B D2
Beeleigh M. 54 E2
Beerenberg M. 68A C3
Beerseba 1 A3
Bégard M. 53 B2
Begerin M. 19 C5
Begorra ↗Bigorre
Behaune M. 54 D4
Behnesa ↗Oxyrhynchus
Behram Kale ↗Assus
Beighton 69B D2
Beinwil M. 48A A/B3
Beira AD. 145A F6
Beirut (Berytus) 38A A4, 60A F4; AD. 21 C3, 84 E/F3, 139E B/C3, 139F A2; AV. 139F A2, 145A F1; D. 6A E3, 9B C3, 61 E3, 130D A/B4, 135D C4, 139E B/C3, 139F A2; E. 5A D/E4; M. 61 E3; Mi. 104A D1
Beit Ras ↗Capitolias
Béja (Pax Iulia) D. 22 B3, 141C B3; M. 58A B5
Bejar M. 58A B4
Bekirli ↗Pepuza
Bél M. 44A B2
Bělá 69A C1
Bélakut M. 52C B3
Belal E. 29A C4
Belalcázar AP. 147C A2
Bela Palanka ↗Remesiana
Bélapátfalva M. 52C C3
Belawinskaja Bogojawlenskaja - Einsiedelei M. 81 D2
Belbeis D. 130A A/B1
Belbuk ↗Białybuk
Belcastro M. 59A H5
Belchamp M. 50 C3
Belchamps M. 54 F3
Belcinac M. 37 C2
Belebusda ↗Pantalia
Belecke M. 48A B2
Belegrada (Singidunum, Belgrad) ↗Beograd
Belém AD. 147A E3; D. 85A E3
Belen Mi. 85A D5
Belencito Mi. 86 A3
Belew M. 81 D3
Belewskaja Wwedenskaja Makarewskaja M. 81 D3
Belfast D. 111D B2, 141A C2
Belfort D. 141C F1
Belgaum D. 143B B3
Belgien 116 H/I2, 122 H2, 126 I2, 118 I2, 141A E3, 151B C1
Belgisch-Kongo AV. 106/107A C4
Belgisch-Oubangui AP. 106/107A C3
Belgorod D. 44B B2
Belgorod D. 81 D3
— Roschdestwo-Bogoroditschnyj M. 81 D3
Belgrad (Singidunum, Belegrada) ↗Beograd
Belguarda M. 51 G4
Belisio ↗Belley
Belize (Britisch-Honduras) 116 D/E4, 126/127 D/E4, 128 D3/4, 146C D3, 150 C4
Belize D. 113D P4, 146C D3
Belkis ↗Aspendus
Bellagio M. 70B C2
Bellaigue 53 E/F3
Bellapais M. 54 H5
Bellary [Frankreich] M. 51 E3
Bellary [Indien] D. 143B B3
Bellavista AP. 147A B3
Belle-Branche M. 53 D3
Belle-Eau M. 53 F2
Belle-Étoile M. 54 D3
Bellelay M. 54 F3
Belle-Perche M. 53 D5
Bellevaux [Haute-Saône] M. 53 G3
Bellevaux [Nièvre] 54 E3
Belleville [Frankreich] M. 50 C4
Belleville [USA] D. 146A E3
Belley (Belisio) D. 22 D2, 97A D3, 97B D3, 141C E2; M. 50 C4
Bellimar M. 78A B3
Bellimoor M. 19 E5
Belloc M. 53 E4
Belloloco M. 61 D2
Bellovacum ↗Beauvais
Bellozanne M. 54 E3
Bellpuig M. 54 E4
Belluno (Bellunum) D. 23 B2, 96A A/B2, 140A D2, 142 E5
Bellunum ↗Belluno
Belmaus D. 21 C4
Belmont AN. 146A F3
Belmonte [Asturias] M. 52D B/C1
Belmonte [Castilla la Nueva] M. 78A B4
Belogorskaja Nikolaewskaja M. 81 D3
Belogostickij Georgiewskij M. 81 D/E2
Belo Horizonte AD. 147D C1
Belorado M. 58A C4
Belowereschskaja M. 81 C3
Belozersk 44B C2
Belton 69B C2
Belval M. 50 C3, 54 F3
Belvès M. 59A E4
Belyatovo 57A G2
Belynitschskij Roschdestwo-Bogorodickij M. 81 C3
Bełżec 59A I2
Bemfica M. 59A C5
Ben M. 54 H3
Benabarre M. 59A E4
Benadier AP. 106/107B A4
Benadir AP. 106/107A D3
Benares Mi. 98/99C C3, 104/105C C3
Benavente M. 58A B4, 59A C4
Bend D. 113E A1
Bendigo D. 112A J6, 144B B/C3
Benearnum ↗Lescar
Benediktbeuren M. 37 I3, 48A C3, 67 F4; R. 28 E3
Benenden 69B D2
Beneschau ↗Benešov
Benešov (Beneschau) M. 58A F3
Benevento (Beneventum) 33A D3, 33B D3, 33C D3, 33D D3; AD. 32 G/H4, 71B A1, 140A E4, 140B B1; D. 23 B/C3, 35A E3; E. 4A G4; M. 58A F/G4, 59A H4, 59B, 78A E3
— S. Modesto M. 34B E3
Beneventum ↗Benevento
Bengasi (Benghazi, Berenice) AV. 145A E1; D. 10B A1; E. 5A B4; Mi. 98A C1
Benghazi ↗Bengasi
Benguela D. 145A D6
Benha D. 130A A1
Bénian ↗Ala Miliaria
Benifazá M. 52D C1
Benin (Dahome, Dahomey) 126 I4, 145A C3/4, 145B B1/2, 150A H4; AV. 106/107A B3
Benin City AV. 106/107A B3; D. 112A B4, 145B C2
Beni Suef 11A C3; D. 130A A/B2
Benken M. 37 H3
Benna ↗Bayna
Bentheim 73A B2, 76 B2
Beograd (Belgrad, Belegrada, Singidunum) 39C B2, 55A C2, 72 E1; AD. 96A C2, 141D B2; D. 30A C1, 111A E2; M. 78A G3; P. 134A C3
Berardenga M. 49A E3
Berat AD. 134C A1
Berau M. 48A A/B3
Beraun ↗Beroun
Berbérati D. 145A D4
Berceto 33A B1; M. 37 H4
Berchtesgaden D. 46 D/E4, 71A G3, 96B D/E3; M. 50 F3, 82 EF, 83 EF
Berdoues M. 53 D5
Bereina D. 144B C2
Berenice ↗Bengasi
Berentrop M. 54 F2
Berezwetschskij Roschdestwo-Bogoroditschnyj M. 81 B/C3
Berg 66 F2, 73A B3, 76A B3, 92A B2
Berg [Donau] M. 35A E2
Berg [Elsaß] M. 14A D2
Berga M. 58A D4
Bergama ↗Pergamum
Bergamo (Bergomum) 56C E/F2, 57D B/C2; D. 23 A2, 140A C2, 142 C5; M. 49C C1, 59A F3, 70B C2
Bergas ↗Theodosiopolis [Asia]
Berge 65 E2; M. 48A C1, 91 D2
Bergen [Bayern] M. 48A B/C3, 67 F3
Bergen [bei Frankfurt] 65 D2
Bergen [Norwegen] D. 71A F1
Bergerac 77A B2; M. 58A C/D4, 59A E4
Bergesserin E. 47A C3
Bergholt 69B D2
Bergomum ↗Bergamo
Berg Thabor 1 B2; Pe. 18B B2
Bergues S. Vinoc (Winnoksbergen) M. 59A E2, 70A C3; R. 28 B2
Bergum M. 50 C1, 68A B1
Berhampur D. 143B C3
Berisa D. 21 C1
Berkeley M. 19 E5
Berlikum M. 68B B1
Berlin 121 D2; D. 131C C1, 142 E2; M. 58A F2, 59A G2
Bermondsey M. 19 F5
Bermuda 128 E/F3; D. 113D Q/R3
Bern 65 D4, 73A B5, 76 B5, 93 F3; D. 111A C2; M. 51 F3, 58A E3, 59A F3, 70B B1
Bernau ↗Pornó
Bernay M. 48B A2, 58A D3, 94 B2
Berndorf E. 95B G/H4
Berne M. 50 C2, 54 E/F2
Bernried M. 50 E3
Bernstein E. 95A E2, 95B H4
Beroea [Macedonia] ↗Beroia
Beroea [Syria I] ↗Aleppo
Beroea [Thrace] ↗Stara Zagora
Beroia [Macedonia] (Beroea, Vereja) D. 20 B2, 30A C2, 134C C1; E. 2A C2, 5A B2
Beroun (Beraun) 69A B/C2; M. 59A G2
Berrouaghia ↗Thanaramusa
Bertinoro D. 71A G4, 140A D3; M. 70B E2

Bertoua D. 145A D4, 145B D2/3
Berwick-on-Tweed M. 56B B1, 58A C1, 59A D1
Berytus ↗Beirut
Berzé E. 47A C3
Besançon (Vesontio) AD. 8A C1, 22 D2, 32 F3, 56C D2, 71A F3, 82 A5, 97A D2, 97B D2, 141A E4, 141C E/F1; D. 34A D2, 66 F3; E. 4A E3; M. 14B B2, 25A D2, 50 C3, 56A E2, 58A D/E3, 59A F3, 78A D2, 79 E2; U. 64 C2
— S. Columba M. 37 F3
— Jussan-Moutier (Jussanum) M. 37 F3, 47A D3
— S. Paul M. 37 F3
Besate M. 47C B/C2
Beschbalyq 27A F1
Besne M. 37 B3
Besni 38A B/C2
Besornay E. 47A C3
Bessarabien 96A D1/2
Beszterczebánya ↗Banská Bystrica
Betanzos M. 58A B4
Beteitiva Mi. 86 A3
Beterrae ↗Béziers
Bethania (el-Azariyeh) 1 B3; Pe 18B B3
Betharamphta 1 B3
Bethel 1 B3
Bethléem M. 68A B2
Bethlehem 1 B3; D. 61 D/E3; E. 5A E4; M. 61 D/E3; Pe. 18B B3
Bethlehem [Südafrika] D. 145D A1
Bethlehem [USA] D. 113E F1
Bethphage (Kefr et-Tur) 1 B3; Pe. 18B B3
Bethsaida (el-Araj) 1 B2; Pe. 18B B2
Bethsan ↗Scythopolis
Bethsemes 1 A/B3
Bethsura 1 B3
Béthune 65 B2; M. 58A D2, 78A C1
Betis E. 90A B2/3
Betogabri ↗Eleutheropolis
Bettbrunn Pe. 18A D2
Bettiah AP. 106/107B C3
Bettona ↗Vettona
Beturigis ↗Bourges
Beuersberg M. 50 E3
Beuil M. 53 E3
Beuron M. 50 D3
Beussent M. 47A B2
Beuthen ↗Bytom
Bevagna (Mevania) D. 23 B3; M. 59A G4
Beverley M. 19 F4, 58A C2, 59A D/E2
Beverwijk M. 68A B1, 68B B1
Beyharting M. 50 E3
Beypazarı ↗Lagania
Beyt Guvrin ↗Eleutheropolis [Palaestina I]
Bèze M. 25A D2, 34B D2, 37 F3, 48B C2, 94 D3
Béziers (Baeterrae, Beterrae) D 6A A/B1, 13 B2, 22 D3, 56C C3, 56D C/D2, 97A C4; M. 18A C3, 58A D4, 59A E4
Bhagalpur D. 143B C2
Bhilai Durg D. 130C C1
Bhopal AD. 143B B2; Mi. 98/99C C3
Bhutan 112A F3, 123 N3, 143A A/B3, 143B C/D2, 150/151A M3
Białybuk (Belbuk) 54 H2
Białystow D. 135D B2
Biberach 73A C4, 76 C4, 91 C4, 92B C2
Bibbiena M. 59A G4
Biburg M. 67 F3, 78A E2
Bida (Djemma Saharidj) D. 24A D1
Biddlesden M. 52A C/D3
Bieda ↗Blera
Biel 73a B5, 76 B5
Bielefeld 73A C3, 121 B2
Biella D. 140A B2, 142 B/C5; M. 59A F3, 70B C2
Biervliet M. 56A D1
Bigastrum (Cehegin) D. 22 C3
Bigeh E. 29A C2
Bigorre (Begorra) 66 D/E4; D. 22 C3
Biguglia M. 58A E/F4
Bihać M. 59A H4
Bijeljina M. 58A G4
Bilbao D. 141C C2; M. 78A B3
Bildhausen M. 53 I1
Bilin ↗Bilina
Bilina (Bilin) 69A B1
Billom M. 78A C2
Biloxi D. 146A E3
Binalonan E. 90A B2
Binangonan E. 90A B3
Bin-bir Kilise ↗Barata
Bindon M. 52A C3, 53 C1
Bingen E. 14A D 1/2
Bingen-Eibingen M. 67 D3
Binmaley E. 90A B2
Binsfeld M. 91 C3
Binson M. 47A C2
Binzwangen 91 C3
Birecik ↗Biredschik
Biredschik (Birecik, Birtha) 60A F3; D. 21 C2
Bir el Bey ↗Nara
Bir el Ench ↗Sululos
Birgelau 62 A/B3
Birgi ↗Dioshierum
Birgi ↗Hypaepa
Biri E. 90A C3
Birklingen M. 68A D2
Bir Mcherga ↗Giufi
Birmingham [England] 69B C2; AD. 141A D3; D. 131C A1
Birmingham [USA] D. 113E E2, 146A E3
Birr M. 19 C4
Birsay M. 19 E1
Birta D. 26A B1
Birtha ↗Biredschik
Bisaccia D. 71B B1/2
Bisarchio D. 71A F4
Bisceglie D. 71B B1
Bischofshofen M. 14C D2, 37 J3
Bischofszell R. 28 D3
Bisenzo ↗Visentium
Bisham 69B C2
Bishopston M. 19 D5
Bishop's Waltham M. 19 F6
Bisica (Hr. Bijga) D. 7A G2, 24B A2
Bisignano (Bisunianum) D. 30A B2, 32 H5; M. 59A H5
Biskra ↗Vescera
Bisley 69B C2
Bislig E. 90A D5
Bismarck D. 146A D2
Bissau AP. 145A A3
Bistrita M. 58A H3
Bistua (Vitez) D. 23 C2
Bisunianum ↗Bisignano
Bita D. 24A G1
Bitburg M. 48A C3
Bitche ↗Bitsch
Bitetto D. 71A H4
Bithaine M. 53 G3
Bitholium D. 21 B4
Bithynia 2A E4, 13 E2, 20 D2, 21 A1
Bito ↗Bitto
Bitola D. 134C B1
Bitolja ↗Butelis
Bitonto D. 140A F4; M. 59A H4
Bitsch (Bitche) 73A B4 76 B4
Bitto (Bito) E. 90A C4
Bitunia D. 26A A3
Biturigis ↗Bourges
Bivona M. 59A G5, 78A E4
Bizana (Widschan) D. 31 F/G3
Bizerte ↗Hippo Diarrhytus
Bizye (Vize) AD. 20 C2, 30A E2, 31 D2
Bkerké P. 139F A/B2
Blackburn D. 111D C3
Blackfeet Mi. 87A B2
Black Mountain D. 113E E2
Bladon 69B C2
Blagojevgrad D. 134A C3
Blagoweschtschenskaja Nikandrowa M. 81 B/C2
Blagoweschwenskij M. 81 D2
el-Blahiyeh ↗Anthedon
Blaj AD. 96A B2, 138A C2
Blancey E. 47A C3
Blanchelande M. 54 D3
Blanchland M. 54 D2
Blancs-Manteau M. 94 B/C2
Blanda Iulia (Porto di Sapri) D. 23 C3
Blangy M. 37 D1
Blankenburg 73A D3, 76 D3
Blantyre AD. 145A F6; Mi. 104A D5
Blanzac M. 37 C4
Blaubeuren M. 48A B3, 67 E3, 91 C4
Blaundus (Süley manlı) D. 20 D3
Blaye, S. Romanus M. 37 C4
Bledzew (Blesen) M. 52B D3, 52C B2
Bleiberg E. 95A C2, 95B E5
Bleidenstadt M. 48A B2; R. 28 D2
Blera (Bieda) D. 23 B3
Blesen ↗Bledzew
Bletterans E. 47A D3
Blieskastel 73A B4, 76 B4
Bloemfontein AD. 145A E7, 145D A1; D. 112A B/C6
Bloemkamp M. 52B B3
Blois D. 97A B2, 97B B2, 141A D4, 141C D1; M. 58A D3, 59A E3, 70A C4
— BMV M. 37 D3
— S. Laumer M. 94 B3
Blomberg M. 68A C2, 91 C2
Bluefields AV. 146C E3
BMV a. d. Enknach M. 37 J2
Bo D. 112A A4
Boak (Boac) D. 144A C2; E. 90A B3
Boa Viagein M. 85A E/F4
Boa Vista D. 147A C2
Bobare Mi. 86 B2
Bobbingworth 69B C/D2
Bobbio D. 71A F4, 140A C3; M. 25A D3, 35A D3, 37 H4
Bobo-Dioulasso D. 145A B3
Bobon E. 90A C3
Boca de Gandu Mi. 84A D3
Bocas del Toro PN. 146C E4
Bocaui (Bocaue) E. 90A B2/3
Bochnia M. 59A I3
Bockenheim M. 91 B3
Bocono Mi. 86 B2
Böddeken M. 25D B2, 68A C2
Bödingen M. 68A C2
Bodmin D. 19 D6; M. 58A C2
Bogatovo ↗Rositten
Bodrum ↗Halicarnassus
Bogenberg Pe. 18A D2
Bogojawlenskij M. 81 C3
Bogojawlenskij Kuteinskij M. 81 C3
Bogoljubow M. 81 D3
Bogor D. 144A B4
Bogorodickaja Ploschtschanskaja M. 81 D3
Bogorodickij M. 44B D2
Bogorodickij Awraamiew M. 81 E2
Bogorodickij Bolschoj M. 81 C2
Bogorodickij Igrickij Pesoschenskij M. 81 D2
Bogoroditsa M. 45D B2
Bogotá AD. 147C B2; D. 113D Q4; M. 85A B2; Mi. 86 A3, 103D B1
Boguslawskij Nikolaewskij M. 81 C4
Böheimkirchen 56E C1
Bohéries M. 53 F2
Böhmen 65 F2, 66 G3, 73A F3, 76 E/F3/4, 93 G/H2/3
Böhmisch-Brod ↗Česky Brod
Böhmisch-Leipa ↗Česká Lipa
Bohol 90A C4
Boiano D. 23 B3, D. 71B A1
Boiotro M. 37 J2
Boise D. 113E B1, 146A B2
Bois-Groland M. 53 C3
Bois-Seigneur-Isaac M. 68A B2
Boke R. 28 D2
Bokungu D. 145A E5
Bol M. 59A H4
Bolaena (Olena) D. 30A C3
Bolat 63B B2
Bolbonne M. 53 E5
Bolchowskij Troickij Optin M. 81 D3
Boldin Troickij M. 81 C/D3
Boleslawiec (Bunzlau) M. 58A G2, 59A H2
Bolinao E. 90A A2
Bolivien 113D Q/R5, 122/123 E5, 126/127 E5, 128 E5, 147A C5, 150A D5
Bolkenhain 73A G3
Bollène 56C D3
al Bollor E. 29A B3
Bologna (Bononia) 33A B1, 33B B1, 33C B1, 33D B1, 45A E2, 57D C2; AD. 35A E3, 140A D3; D. 23 B2; E. 4A F4; M. 51 G4, 56A F3, 58A F4, 59A G4, 70B D2, 78A E3, 79 F3; U. 64 D2
— S. Stefano M. 37 I4
Bolos D. 134C C2
Bolosan (Bulusan) E. 90A C3
Bolsena ↗Volsinii
Bolsward M. 58A E2
Bolton M. 58A C2
Bolu ↗Claudiopolis [Honorias]
Bolu ↗Trapezopolis
Bolvadin ↗Polybotus
Bolzano (Bozen) D. 140A D2, 142 D5; M. 58A F3, 59A G3
Boma D. 145A D5
Bombay AD. 143B B3; D. 106/107B B3; Mi. 104/105C B3
Bom Jesus D. 147A E3
Bom Jesus da Lapa D. 147A E4
Bonaire Mi. 86 B1
Bonaval M. 52D C2
Bondo D. 145A E4
Bône ↗Hippo Regius
Bonfays M. 54 F3
Bonlieu M. 51 F3
Bonlieu [Creuse] M. 53 E3
Bonlieu [Dordogne] M. 53 D4
Bonmont M. 53 G3
Bonmoutier M. 25A D2, 37 F2
Bonn D. 111A C2; 131C B1, M. 58A E2, 68A C2, 78A D1
— S. Cassius M. 34B D1
Bonnac M. 47A C3
Bonnaigue M. 53 E4
Bonne-Espérance M. 54 E2
Bonnecombe M. 53 E4
Bonnefont M. 53 D5
Bonnefontaine M. 53 F/G2
Bonnefoy M. 51 E4
Bonneguête E. 47A D3
Bonneval M. 53 E4, 94 B2
Bonnevaux [Dauphiné] M. 53 G4
Bonnevaux [Poitou] M. 53 D3
Bonnevent M. 47A D3
Bonnrode M. 67 E2
Bonny M. 47A C3
Bononia ↗Bologna
Bononia [Donau] ↗Vidin
Bonpas M. 51 F4
Bonport M. 53 D/E2
Bonrepos M. 53 B2
Bopfingen 76 D3, 91 C4, 92B D2
Borba PN. 147A D3
Bordeaux (Burdigala) AD. 8A B2, 13 B2, 22 C2, 32 D/E4, 66 D4, 71A D4, 97A A/B3, 97B A/B3, 141C D2; E. 4A C4, 14A B3; M. 56A C3 58A C4, 59A D4, 78A B3, 79 C3, 94 B4; U. 64 B2
— S. Severin M. 37 C4
Bordesholm M. 68A D1
Bordesley M. 52A C3
Bordj Alaouine ↗Sicilibba
Bordj Bou Chateur ↗Utica
Bordj Bou Jadi ↗Ucres
Bordj Cedria ↗Gumis
Bordj Hamdouna ↗Avensa
Bordj el Ksar ↗Sila
Bordj Magra ↗Macri
Bordj el Marsa ↗Cercina
Bordj Messaoudi ↗Thacia
Bordj Rhedir ↗Lemellef
Bordj Tambra ↗Thabbora
Bordj Yonca ↗Iunci (Macomades Minores)
Börglum D. 71A F1; M. 54 F1
Borgo di S. Donnino M. 70B C/D2
Borgo di Taro M. 70B C2
Borium E. 5A B4
Borja M. 58A C4; Mi. 85A B3
Borkowskaja Nikolaewskaja M. 81 E3
Bornem ↗Bornhem
Borneo 112A G4/5, 144A B/C3, 144B A1, 150/151A N5
Bornhem M. 50 C2
Borongan D. 144A D2; E. 90A C4
Borowitsch Swjato Duchow M. 81 D2
Borowskij Pafnutiew M. 81 D3
Borsmonostor M. 52C B3
Bort M. 47A C3
Borunskij M. 81 B3
Bosa D. 32 F4, 140A B5
Bosanska-Krupa M. 58A G4
Bosau M. 48A C2, 67 F2
Boseck M. 67 F2
Bosham M. 19 F6
Bosnien 96A B2
Bosporus (Kertsch) AD. 31 F1, 63A B2
Bosra ↗Bostra
Bossangoa D. 145A D4
Bost M. 47A C3
Boston [England] M. 59A D2
Boston [USA] AD. 146A G2; D. 102A D2, 113E F/G1, 131A D2, 138B F/G2; E. 88B B/C2
Bostra (Bosra) AD. 8A F3, 9B C3, 13 F3, 21 C3; D. 6A E3; E. 5A E4, 2A F4
Botrys (Batrum) D. 9B C2, 21 C3
Botswana 112A C6, 117 K6, 119 G6, 123 K6, 127 K6, 145A E7, 150A I6
Botucatú AD. 147D B2
Bouaké D. 145A B4
Bouar D. 145A D4
Bou Arada ↗Aradi
Bouchaud M. 53 D4
Bou Ghara ↗Gightis
Bougie ↗Saldae
Bou Hanifia ↗Aquae Sirenses
Bouillas M. 53 D5
Boulancourt M. 50 C3, 53 F/G2
Boulogne-s.-Mer M. 50 B2; Pe. 18A C1
Bouras M. 53 F3
Bourbon-Lancy M. 47A C3
Bourg-en-Bresse M. 59A E/F3
Bourges (Beturigis, Biturigis) 14A C2, 25A C2; AD. 8A B1, 22 C/D2, 32 E3, 71A E3, 97A C2, 97B C2, 141A E4, 141C E1; E. 4A D3; M. 56A D2, 58A D3, 59A E3, 78A C2; U. 64 C2
— BMV M. 25A C2, 37 D3
— S. Sulpetius (S. Sulpice) M. 37 D3, 94 C3
— S. Symphorian M. 37 D3
Bourgfontaine M. 31 E3
Bourgille M. 37 F3
Bourgueil M. 94 B3 [C3
Bournoncle-la-Roche E. 47A
Bouro M. 52D B2
Boursies R. 28 B2
Bova D. 30A B3, 140A F6
Bovianum ↗Boiano
Bovina M. 78A F3
Bovingdon 69B C2
Bovino D. 32 H4, 140A F4
Boxley 69B D2; M. 52A D3, 53 D1
Boyaca Mi. 86 A3
Boyle M. 52A A2
Bozcaada ↗Tenedus
Bozen ↗Bolzano
Bozók M. 44A B2
Bozzolo M. 70B D2
Brabant 66 E2
Bracara Augusta ↗Braga
Brad M. 12A B2
Bradford 69B B2; D. 111D C3; M. 19 E/F5
Bradwell M. 19 G5
Braga AD. 8A A2, 13 A2, 22 B3, 60B 11, 71A C4, 141C B2; M. 14A B3, 78A A3
Bragança D. 141C B3; M. 58A B4, 78A A3
Bragança do Pará D. 147A E3
Bragança Paulista D. 147D B2
Brageac M. 25A C2, 37 D4
Braine M. 54 E3
Braintree E. 88B B2
Brandenburg 62 B3, 62 C3, 65 E/F2, 66 G2, 93 G2; D. 32 G2, 66 G2, 73A E2, 82 E2, 91 D2; M. 54 G2, 58A F2, 59A G2, 73 D/F2, 76 D/F2, 92A D/F1
Brandon D. 113D O/P2
Branford E. 88B B3
Braničevo ↗Branitza
Braniewo (Braunsberg) 62 B3; M. 58A H2, 78A F2; U. 80C C/D2
Branitza (Braničevo) 39C B2, 55A C2; D. 30A C1
Branko E. 29A C6
Brantome M. 94 B3
Brasilia AD. 147A E4; D. 113D R5
Brasilien 116 F5, 122/123 F5, 126 F5, 128 F5, 147A C/D3, 147D B/C2, 150A D/E5
Brasov (Kronstadt) M. 44A D2
Brathean 62 B3
Bratislava (Preßburg) M. 44A B2, 58A G3, 81 C3; U. 64 D2
Braubach M. 91 B3
Braunau [Österreich] E. 95B E3
Braunau [Tschechoslowakei] ↗Broumov
Braunsberg ↗Braniewo
Braunschweig 65 E2, 73A D2, 76 D2, 93 F/G2, 58A F2; M. 59A G2, 91 C2; R. 28 E2
— S. Ägidien M. 48A B1
Braunschweig-Calenberg 73A C2, 76 C2
Braunschweig-Grubenhagen 73A C/D3, 76 C/D3
Braunschweig-Lüneburg 66 F/G2, 73A C/D2, 76A C/D2
Braunschweig-Wolfenbüttel 73A C2, 76 C2
Brauweiler M. 48A A2, 67 C2
Bray 69B C2
Braybrooke 69B C2
Brazzaville AD. 145A D5; Mi. 98A C4
Brechin D. 71A D1
Brecon D. 111D C3; M. 59A D2
Breda D. 141A E3
Bredelar M. 53 H1
Breedon M. 19 F5
Bregenz M. 25A D2, 37 H3; E. 95B A4
El Breidsch M. 12A B2, 12B B2
Breisgau 93 F3
Breitenau M. 48A B2, 67 E2, 91 C2
Breitenbach 91 D2
Brejo D. 147A E3
Bremen 93 F2, 121 B/C2; AD. 25D B1, 32 F2, 34B D1, 35A D1, 71A F2, 73A C2, 76 C2, 82 C2, 83 C2, 91 B1; M. 58A E2, 59A F2, 67 D1, 70A E2; R. 28 D1; U. 80C B/C2
Brenchley 69B D2
Brendlorenzen E. 14A E1
Brenkhausen M. 67 D/E2
Brentwood D. 141A D3
Brescello ↗Brixellum
Brescia (Brixia) 57D B/C2; D. 23 A2, 142 D5, 140A C2; M. 58A E/F3, 59A F3, 70B D2, 78A E2, 79 E/F2; E. 4A F3
— SS. Cosmae et Damiani M. 37 H4
— S. Faustino M. 34B E2, 37 H4
— S. Giulia M. 34B E2
— S. Salvator M. 35A E2, 37 H4
Breslau ↗Wrocław
Bressanone (Brixen) 29B A3; D. 32 G3, 46 B/D4/5, 82 D5, 83 D5, 96A A2, 96B C4; M. 50 E4, 70B D/E1
Brest M. 59A I2
Bretagne 66 D3
Breteuil M. 94 C2
Bretigny M. 37 D/E2, 47A C2
Breuil M. 37 E2
Breuil-Benoît M. 25A C2, 53 D/E2
Briançon 77A C2
Briatico M. 59A H5
Bridge 69B D2
Bridgeport D. 146A G2, 146B B1
Bridgnorth M. 58A C2
Bridgwater M. 58A C2
Brieg ↗Brzeg
Brielle M. 68A B2
Brightwell 69B C2
Brignano M. 47C C2
Brignoles M. 56A D/E3, 58A E4
Brigown M. 19 B5
Brindisi (Brundisium) AD. 32 H4, 71A H4, 140A G5; D. 23 C3; M. 58A G4, 59A H4, 60A B2
— S. Maria M. 54 H4
Brioude (Brivate) M. 58A D3; Pe. 18A C2
Brisbane AD. 112A I6, 113D J6, 144B C3; D. 106/107C D3; Mi. 104/105D E3
Bristol 69B B2; D. 111D C3; M. 56A C1, 58A C2, 59A D2
Britisch-Honduras ↗Belize
British Columbia 113D N2
Britonia D. 22 B3, 60B A1
Britti M. 49A E2
Briŭla D. 20 C3
Brive M. 14A C2, 58A D3, 59A E3
Brives 14A C2
Brixellum (Brescello) D. 23 A/B2
Brixen ↗Bressanone
Brixia ↗Brescia [F5
Brixworth M. 69B C2, M. 19
Brjansk, Petropawlowskij M. 81 C/D3

Brjanskij Swenskij Uspenskij M. 81 C/D3
Brno (Brünn) D. 96A B1, 142 G3; M. 51 H3, 58A G3, 59A H3, 78A F2
Brode M. 54 G2
Brodnica ↗Strasburg
Brogne R. 28 C2
Bromyard M. 19 E5
Brondolo M. 53 K4
Bronnbach M. 53 I2
Brooklyn D. 138B F/G2, 146A G2/3, 146B A/B2
Broome D. 144B A2
Brotherton Mi. 87A E2
Brou M. 37 D2
Broughton Gifford 69B B/C2
Broumov (Braunau) M. 44A B1
Brownsville D. 146A D4, 146C B/C1
Bruck a. d. Leitha E. 95B H3
Bruck a. d. Mur E. 95B G4
Bruges ↗Brugge
Brugge (Bruges, Brügge) 65 B2; D. 80B B2, 141A E3; M. 50 B2, 51 E2, 56A D1, 58A D2, 59A E2, 67 B2, 78A C1; Pe. 18A C1; R. 28 B2
Brugnato D. 71A F4; M. 37 H4
Bruel-s.-Lys M. 37 D/E1
Brundisium ↗Brindisi
Brunei 144A B/C2/3
Brünn ↗Brno
Brunshausen M. 25D C3, 67 E2, 91 C2
Bruern M. 52A C3
Brüssel ↗Bruxelles
Brussels ↗Bruxelles
Bruxelles (Brussels, Brüssel) 65 C2; D. 131C B1; M. 50 C2, 51 E2, 56A D/E1, 58A D2, 59A E2, 68B B2, 70A D3, 78A C1; R. 28 C2
Bruzus (Kara-Sandıkh) D. 20 D3, 21 A2; E. 5B A/B1
Bryllium 39C C2
Brysis (Pınar-Hisar) AD. 30A E2, 31 D2, 61 C1
Brzeg (Brieg) 73C A1; M. 58A G2, 59A H2
Bschendlaya M. 12A B2
Buéa D. 145B C3
Bubanza D. 145C A2
Bubastis (Tell Basta) D. 6B B/C1, 8B B2, 10C B2; E. 5A D4
Bubon (Ebecik) D. 20 D3
Bucaramanga AD. 147C B1
Bucellum (Fikel) D. 30A D2
Buch M. 52C A2, 53 K1
Buchara 27A C1, 63B A2
Buchau M. 35A D2, 82 C4
Buchbrunn 91 C3
Buchheim 91 C3
Buchholz M. 48A A2
Buchkirchen 56E B1
Bucilly M. 54 E3
Bückeburg 121 C2
Bücken R. 28 D2
Buckfast M. 52A C3, 53 B1
Buckland M. 52A B3, 53 B1
Bucoras ↗Faras
București 72 E1, 96A D2; AD. 141D C2; D. 131C C2; P. 135D B3
Buda ↗Budapest
Budapest 72 D/E1; D. 55A B1; M. 44A B2, 59A H3; U. 64 D2
Budějovice (Budweis) 96A B1; D. 142 F3
Budimlja D. 55A B2
Budine ↗Vidin
Budiño M. 47B A1
Budjala D. 145A D4
Budrum ↗Castabala
Budva D. 71A H4; M. 59A H4
Budweis ↗Budějovice
Buffalo D. 102A C2, 111B D/E1, 113E E/F1, 131A D2, 146A F2
Buga D. 147C A2; M. 85A B2
Buguey E. 90A B1
Buhen E. 29A B3
Buhy (Buhi) E. 90A C3
Buichu D. 144A B1
Buildwas M. 52A C3
Buillon M. 53 G3
Buis-les-Baronnies M. 59A E/F4
Bujedo de Candepajares M. 52D C1, 53 B5, 54 D4
Bujnitschskij Swjato-Duchowskij M. 81 C3
Bujumbura D. 112C A2, 145C A2
Bukarest ↗București
Bukavu AD. 145A E5, 145C A2; D. 112C A2
Bukoba D. 145C B2
Bukovica M. 58A G4
Buków M. 52B D3, 52C A2
Bula E. 90A C3
Bulacan E. 90A B3
Bulach 65 D3
Bulawayo D. 112A C5/6, 145A E/F7; Mi. 104A C5
Bulgar 44B D2
Bulgaria 57A F2
Bulgarien 96A D2, 112A, 126/127 K2, 129 K2, 134A C/D3, 134C C/D1, 135D B3, 138A C/D3, 141D B/C2, 150/151A I2, 151B E2
Bulgarophygum (Babaeski) D. 30A D/E2
Bulla Regia (Hammam Daradji), D. 7A F2; E. 4B A2
Buena Esperanza M. 85A C6
Buena Guarda Mi. 86 C4
Buenaventura AV. 147A B2, 147C A2
Buenavista Mi. 86 A2, 86 C3
Bunbury D. 112A G6, 144B A3
Bundaberg Mi. 104/105D E3
Bunditza ↗Dodona
Bungay 69B D2
Bunia D. 112A C4, 112C B1, 145A E/F4, 145C A/B1
Buenos Aires AD. 113D Q/R6 147A D6, 147B A2; D. 85A C6, 131D B/C3; Mi. 103D B/C4
Buen Pastor Mi. 86 D2
Bunzlau ↗Boleslawiec
Buraburg M. 25C D2
Buraq ↗Constantia [Arabia]
Burdigala ↗Bordeaux
Burdsch es Sab (Teleda II Eusebonas) M. 12A B2, 12B B2, 38A B2
Burdsch Heidar M. 12A B2
Büren 73A C3, 76 C3
Burford 69B C2
Burg [Elbe] M. 58A F2
Burg [Bayern] 91 C3
Burgaz Kale ↗Tabala
Burgdorf M. 58A E3
Bürgel M. 48A C2, 67 F2
Bürgeln M. 48A A3
Burggrumbach M. 91 C3
Burghasungen M. 67 D/E2
Burgh Castle M. 19 G5
Burgille M. 14A D2
Burgo de Osma D. 60B B1, 71A D4, 141C C3
Burgos AD. 141C C2; D. 60B B1, 71A D4; M. 47B D1, 58A C4, 59A D4, 78A B3
Burgsteinfurt 91 B2, U. 80C B2
Burgund 66 E/F3
Burgunder 8A C1
Buri (Beri) E. 90A C3
Burischool M. 59A B/C2
Burkina Faso (Obervolta) 112A A/B4, 145A B/C3, 150A G4
Burkusch ↗Barcusa
Burlington D. 113E F/G1, 146A G2
Burma 112A F3, 117 N3, 123 N3, 126/127 N3, 129 N3, 143A B4, 143B D2, 144A A1, 150/151A M3
Bursa ↗Prusa
el-Bursera ↗Circesium
Bursfelde M. 48A B2, 67 E1, 91 C2
Burta Mi. 86 B2
Burtenbach 73A D4, 92B D2
Burtscheid M. 48A A2, 82 A3, 83 A3
Buru Mi. 104/105D C2
Buru Kalesi ↗Anastasiopolis
Burullus ↗Paralus
Burundi 112B A2, 127 K5, 129 K/L5, 150/151A I5
Buruni (Hr. ed Dakhla), D. 24A F1
Bururi D. 145C A/B2
Bury 69B B1
Bury S. Edmunds 69B D2; D. 111D D3; M. 19 G5, 58A D2
Busbanga Mi. 86 A3
Busbrunno ↗Buxbrunno
Buscot 69B C2
Busendorf R. 28 C3
Bushenyi D. 112C A/B2
Busiris (Abusir) D. 6B B1, 10C B2; E. 5A D4
Buta D. 145A E4
Butare AD. 112C A2; D. 145C A2
Butelis (Bitolja) D. 30A C2
Butembo D. 145A E4/5, 145C A1
Buthrotum (Botriut, Butrinto) D. 20 A3, 30A C2; E. 5A B3
Buto (Ibtu) D. 10C A1
Bütow 62 A3, 73A G1
Butrinto ↗Buthrotum
Buttevant M. 58A B2
Butuan D. 144A D2; E. 90A C5
Butzbach M. 68B C2
Buvilly M. 47A D3
Buxbrunno (Busbrunno) M. 34A D2, 34B D2
Buxentum (Capo della Foresta) D. 23 C3
Buxheim M. 51 G3
Buxtehude 91 C1
Buydumbusch E. 29A B4
Büyük-Ada (Prinkipos) D. 135D B/C3
Buzău D. 135D B3
Buzay M. 53 C3
Buzunik D. 9A B2/3
Byblus (Jebeil) D. 21 C3, 61 E3; E. 5A E4
Byfield 69B C2
Byland M. 52A C2
Byllis D. 20 A2
Bytom (Beuthen) 73C B1; M. 58A G/H2
Byumba D. 145C B2
Byzacena 7A G/H3, 24A F/G2
Byzantium ↗Constantinopolis
Bznunik D. 9A B2
Bzovik M. 54 A3

C

Caacupe D. 147A D5
Cabagan E. 90A B2
Cabalian E. 90A C4
Cabanatuan D. 144A C1
Cabancalan (Kabankalan) E. 90A B/C4
Cabasa (Schabas esch-Schuhada) D. 10C A1
Cabillonum ↗Chalon-s.-S.
Cabimas D. 147A B1
Cabo Frio M. 85A E5
Caborca Mi. 84A B2
Cabra ↗Egabro
Cabruta Mi. 86 C3
Cabu Mi. 85A E3
Cabuabbas M. 52E A2
Caçador D. 147A D5
Caccamo M. 59A G5
Cáceres [Brasilien] D. 147A D4
Cáceres [Spanien] D. 141C B3
Cachoeiro de Itapemirim D. 147A E/F5, 147D C2
Cacsaua (Cagsawa) E. 90A C3
Cadasa (Qadas) 1 B1
Cadi (Gediz) D. 20 D3, 21 A2
Cádiz D. 60B A2, 71A C5, 141C B4; M. 78A A4
Cadouin M. 53 D4
Cadurcum ↗Cahors
Cadzand M. 51 E2
Cafayette PN. 147A C5
Cagayan [de Oro] AD. 144A D2; E. 90A C5
Cagli D. 32 G4, 140A D3; M. 70B E3
Cagliari (Carales) AD. 23 A3, 32 F5, 66 F5, 71A F5, 140A C5; E. 4A E5; M. 58A E5, 59A F5, 78A D4, 79 E4
Cagli nell'Umbria M. 59A G4
Caguas D. 146D B/C1/2
Cahors (Cadurcum) 14D B3; D. 22 C2, 97A B3, 97B B3, 141C D2; M. 14A C3, 51 E4, 58A D4, 59A E4; U. 64 C2
— S. Amant M. 25A C3, 37 D4
— S. Stephan M. 37 D4
Cahuapanas Mi. 85A B3
Cairate M. 37 G4
Caiazzo D. 140A E4, 140B B1
Caicara Mi. 86 D2
Caicó D. 147A F3
Caicos Mi. 103B C2
Caigua Mi. 86 C2
Cairns D. 144B C2
Cairu M. 85A F4
Cajamarca D. 147A B3; M. 85A B3
Cajazeiras D. 147A F3
Calabar D. 145B C2/3; Mi. 104A B3
Calabozo D. 147A C2; Mi. 86 C2
Calagurris Fibularensis (Loarre) E. 4A C/D4
Calagurris Nassica ↗Calahorra
Calahorra (Calagurris Nassica) D. 22 C3, 60B B1, 71A D4, 141C C/D2; E. 4A C4
Calais 66 E2
Calama [Chile] PN. 147A C5
Calama (Guelma) D. 7A E2, 24A E1; E. 4A E5; Pe. 18A C3
Calamian-Gruppe 90A A/B3
Calamon D. 61 B2
Calapan AV. 144A C2
Calasiao E. 90A B2
Calatayud M. 56A C3, 58A C4, 59A D4, 78A B3; U. 64 B2
Calatrava la Nueva M. 52D C/D3
Calatrava la Vieja M. 52D C2
Calavit E. 90A A/B3
Calbayog D. 106/107B F4; 144A D2
Calci M. 51 G4
Calcutta AD. 143B C2; D. 106/107B C3, 112A F3; Mi. 98/99C C3, 104/105C C/D3
Calder M. 52A C2
Calers M. 53 E5
Cales (Caloi) D. 23 B3; M. 58A E4
Calgary D. 113D O2, 146A C1
Cali AD. 147A B2, 147C A2
Caliabris D. 22 B3
Calicut (Kozhikode) D. 130C A/B1, 143C A1; M. 89C B4
Callao D. 147A B4; M. 85A B4; Mi. 103D A2
Callina D. 27A D4
Callinicus (Qalliniqos, Raqqa) AD. 26A B2; D. 9B D2, 21 D3; M. 38A C2/3
Callipolis [Europe] (Gelibolu) 60A D2; D. 20 C2, 23 C3, 30A D2, 61 C1
Callipolis [Italien] ↗Gallipoli
Calolimena D. 61 C1
Calonga (Calongay) E. 90A C3
Caltagirone D. 140A E6; M. 78A E4
Caltanisetta D. 140A E6; M. 59A G5, 78A E4
Caltelli D. 66 F4
Caluigan (Calbiga) E. 90A C4
Calumpit E. 90A B2/3
Calvario Mi. 86 D2
Calvenzano M. 47C C2
Calvi ↗Cales
Calvisano M. 59A G3, 70B D2
Calw 65 D3
Camacha (Kamach) AD. 31 F3; D. 21 C2
Camaguan Mi. 86 C2
Camagüey D. 146C F2
Camaiore, S. Pietro M. 37 H4/5
Camalanyugan (Camalniugan) E. 90A B1
Camaldoli M. 49A E/F3
Camalig E. 90A C3
Camaracum ↗Cambrai
Camarthen M. 58A B/C2
Camatugua Mi. 86 C2
Cambodscha ↗Kambodscha
Cambrai (Camaracum) 65 B2; AD. 80B B3, 83 A4, 97A C1, 97B C1, 141A E3; D. 22 D1, 66 E2, 80A B3, 82 A4; M. 50 B2, 58A D2, 68B B2, 78A C1; R. 28 B2
— S. Médard M. 37 E1
Cambridge 69B D2; E. 88B B2; M. 56A D1, 56B C2, 58A C/D2, 59A E2; U. 64 C1
Cambron M. 53 F1
Camburat M. 37 D4
Cambuslang M. 19 D3
Camden D. 146A F/G3
Camerino [Camerinum] 33A C2, 33B C2, 33C C2, 33D C2; AD. 140A E3; D. 23 B2; M. 58A F4, 59A G4
Camerinum ↗Camerino
Camerota M. 54 H4
Cametá Mi. 85A E3; PN. 147A D/E3
Cammin ↗Kamień
Camoa Mi. 84A D4
Camon M. 94 B4
Campagna D. 140A F5, 140B C2; M. 59A G/H4
Campana D. 147B A1
Campanha D. 147D B2
Campeche D. 146C C2
Campina Grande D. 147A F3
Campinas AD. 147D B2
Campobasso AD. 140 E4; M. 58A F/G4
Campo Grande AD. 147A D5
Campologre Mi. 86 A2
Campo Maior D. 147A E3
Campo Mourão D. 147A D5
Campos D. 147A E/F5, 147D C2
Camprodón M. 47A C4
Camuliana D. 21 C2
Camulodunum ↗Colchester
Caen M. 56A C2, 58A C3, 59A D3, 78A B2, 94 B2; U. 64 B2
Cana [Lycaonia] (Gene) D. 21 B2
Cana [Palaestina] (Khirbet Qana) 1 B2; Pe. 18B B2
Canada ↗Kanada
Canal M. 78A A4
Canberra AD. 144B C3, D. 113D J6
Çandarlı ↗Pitane
Candeil M. 53 E5
Candelaria Mi. 85B A/B1
Candia 60A D3; D. 96A D4, 141D C4; M. 78A G4
Candida Casa ↗Withorn
Cândido Mendes D. 147A E3
Candong (Candon) E. 90A B2
Canea ↗Chania
Canelones D. 147B B2
Cangas de Tieno M. 58A B4
Canna M. 19 C2
Cannanore M. 89C B4
Canne D. 32 H4
Cannetum (Villar S. Costanzo) M. 37 G4
Canoabo Mi. 86 B2
Canonica M. 52E C2
Canopus D. 10B C2
Canosa ↗Canusium
Canotha (Qanawat) D. 21 C3
Cantanus (Kantanos) D. 20 B4
Canterbury 69B D2; AD. 32 E2, 71A E2, 111D D3; D. 19 G5; E. 14A C1; M. 19 G5, 56A C/D1. 58A D2, 59A E2
Cantignano M. 49A D3
Canton AA. 138B E2
Canton M. 89D B4
Canton Mi. 104/105C E3
Cantu M. 47C B/C2
Canusium (Canosa) D. 23 C3
Capacho M. 86 A3
Cap Akrothoon 45B B3
Capalonga E. 90A B3
Cap Arapis 45B A1
Capari ↗Zapara
Cap Chelona 45B B3
Capdenac 77A B2
Cap Djinet ↗Cissi
Cape Coast AD. 145A B4, 145B A2/3; D. 112A A4/5
Cape Palmas D. 145A A/B4
Capernaum (Capharnaum, Tell Hum) 1 B2; E. 2A F4; Pe. 18B B2
Cape Town AD. 112A B6, 145A D8; D. 134B B7; Mi. 98A C6, 104A C6
Cap Haïtien D. 146D A/B1
Capharnaum (Tell Hum) ↗Capernaum
Capitolias (Beit Ras) D. 21 C3; E. 5A E4
Cap Matifou ↗Rusguniae
Capocui Mi. 85A B3
Capo della Foresta ↗Buxentum
Capodiponte (S. Salvator in Val Camonica), M. 47C D1
Capodistria D. 32 G3; M. 58A F3, 59A G3
Capolago M. 53 H/I4
Cappadocia 2A F3 [B/C2
Cappadocia I 9B B/C1, 21
Cappadocia II 9B B/C1, 21 B2
Cappel M. 91 B2
Cappenberg M. 54 F2
Cappiano M. 49C D3
Cap Pinna 45B B3
Capri D. 32 G4; M. 51 G4
Capsa (Gafsa) D. 7A F4, 24A F2; E. 4A E6
Capua 33A C/D3; AD. 32 G4, 71A G4, 71B A1, 140A E4, 140B B1; D. 13 C2, 23 B3; E. 4A F4; M. 59B, 70B E/F4
Capul E. 90A C3
Capul Island 90A C3
Caput Cilani (Gouéa) D. 24A C1
Caput Saltus-Horreorum (Aïn Zada) D. 24A D1
Caqueza Mi. 86 A3
Carablus ↗Europus
Caracas AD. 146D B3, 147A C1; D. 85A C1, 113D Q4 131D B1; Mi. 103B D4, 103D B1
Carales ↗Cagliari
Caraman 57C A1
Caramanico M. 59A G/H4
Caramarate Mi. 86 B2
Caránsebes M. 58A H3
Carapeguá D. 147A C5
Carapo Mi. 86 D3
Caratinga D. 147D C1
Caravaca M. 78A B4
Caravelas D. 147A F4
Caravelí PN. 147A B4
Carcar E. 90A C4
Carcasi Mi. 86 A3
Carcaso ↗Carcassonne
Carcassonne (Carcaso) D. 56D C2, 57B A/B2, 57C B2, 97A C4, 97B C4, 141C E2; M. 58A D4, 59A E4
Cardeña M. 47B D1
Cardiff AD. 141A C3; M. 58A C2, 59A D2
Caere (Cerveteri) D. 23 B3
Carennac M. 47A B4
Carewokokschajskaja M. 81 E/F3
Carey Mi. 87A E2
Caria 9B A2, 20 C3
Cariati D. 71A H5, 140A F5
Caribien Mi. 86 C3
Cariboo D. 113D N/O2
Carichana Mi. 86 C3
Carichic Mi. 84A E3/4
Čaričin Grad ↗Iustiniana Prima
Carigara E. 90A C4
Carignano M. 70B B2
Carinae (Hiccara bei Palermo) D. 23 B4
Carinola D. 71B A1; M. 70B E/F4
Caripe Mi. 86 D2
Carisio M. 49A D3
Caerleon M. 52A B/C3
Carlisle D. 71A D2, 111D C2; M. 19 E4, 58A C2, 59A D2
Carlow D. 141A B3
Carmeia [bei Gargano] D. 23 C3
Carmen [Argentinien] Mi. 103D B4
Carmen [Venezuela] Mi. 86 B2
Carnicum (Zuglio bei Tolmezzo) D. 23 B2
Carnoët M. 53 B3
Carnotas ↗Chartres
Carnuntum ↗Petronell
Carolina D. 147A E3
Caroline Inseln 144B C1; Mi. 104/105D E1
Caroni Mi. 86 D2
Carpasia D. 21 B3
Carpathus (Karpathos) AD. 20 C4, 31 D3; D. 6A C2, 61 C2
Carpentorate ↗Carpentras
Carpentras (Carpentorate) 56C D3; D. 22 D2, 97A D3; M. 14A B3, 59A F4, 78A C3
Carpi [Africa] (Mraissa) D. 7A H2, 24A G1; E. 4B C2
Carpi [Italien] D. 140A C3
Carpi [Kleinasien] M. 61 D1
Carracedo M. 52D B/C1
Carrhae ↗Harran
Carrichfergus M. 58A B2
Carrion-de-los-Condes, M. 47B C1, 58A B/C4
Cartagena [Kolumbien] AD. 146C F4, 146D A3, 147A B1; D. 85A B1; Mi. 86 A2
Cartagena [Spanien] (Carthago Nova) D. 22 C4, 60B B2, 71A D5; E. 4A C5
Cartago D. 147C A2; M. 85A B2
Cartennas (Ténès) D. 24A B1
Carthago AD. 7A H2, 8A C2, 13 C2, 24A G1, 24B B1; E. 2B C3, 4B C2; Pe. 18A D3
Carthago Nova ↗Cartagena [Spanien]
Caruachi Mi. 86 D2
Caruarú D. 147A F3
Carula E. 4A B5

Caerwent M. 19 E5
Carystus (Karystos) D. 20 B3, 30A D3
Casae D. 21 B2
Casae (El Mahder) D. 7A D3
Casablanca Mi. 98A A1
Casale Monferrato D. 71A F3, 140A B2; M. 59A F3/4, 70B C2
Casalvolone M. 53 H4
Casamari M. 52E C2
Casanum ↗Cassano all'Ionio
Casanay Mi. 86 D2
Casanova M. 53 H4
Casanova di Civitella M. 52E C1, 53 L5
Caesar Augusta ↗Zaragoza
Caesarea [Bithynia] D. 20 D2; E. 5A C2
Caesarea [Cappadocia I] (Kayseri) 39C E3, 60A F3; AD. 8A F2, 9B C1, 21 C2, 31 F3; D. 6A E2, 26A A1, 55B D2; E. 2A F3, 5A E3; Mi. 104A D1
Caesarea [Palaestina] (Qaisariye) 1 A/B2; AD. 8A E3, 21 B3, 61 D3; D. 6A D3; E. 2A E4, 5A D4; Pe. 18B A2
Caesarea [Thessalia] (Kaisareia) D. 20 B2
Caesarea Philippi ↗Paneas
Cascavel AD. 147A D5
Caesena ↗Cesena
Caserras M. 47A B4
Caserta D. 71B A1, 140B B1
Cashel AD. 71A C2; M. 19 C5, 59A C2
Casiguran E. 90A C3
Casinum ↗S. Germano
Casium (edsch-Dschals) D. 10B C2
Čáslav (Tschaslau) 69A D2; M. 58A G3
Casotta M. 51 F4
Cassandria (Nea Poteidaia) D. 20 B2
Cassano all'Ionio (Casanum) D. 30A B2, 140A F5
Cassel 65 B2; M. 68B B2
Castabala (Budrum) D. 6A E2, 8A F2, 21 C2; E. 5A E3
Castagnola M. 53 L5
Castania M. 59A G/H5
Castel di Sangro M. 59A G4
Castel Volturno ↗Volturnum
Casteljaloux 77A B2; M. 58A C4
Castell 73A D4, 76 D4, 92B D2
Castellamare della Bruca ↗Velia
Castellammare (Stabiae) 59B; D. 23 B3, 140B B2; M. 78A E3
Castellaneta AD. 71A H4; 140A F/G5; M. 59A H4
Castellazzo M. 70B C2
Castelleto M. 47C B2
Castellón de Ampurias M. 58A D4, 59A E4
Castellum Novas D. 23 B2
Castellum Thibuzabetum (Aïn Melloul) D. 7A C2/3
Castellum Tidditanorum (El Kheneg) D. 24A E1
Castellum-Tingitanum (Orléansville) D. 24A B1; E. 4A D5
Castellum Vanarzanense (Ksar Tir) D. 7A C2
Castelnau-de-Montratier 56D B1
Castelnaudary 56D B/C2; M. 58A D4
Castelvetrano M. 59A G5
Castelyons M. 59A C2
Castert M. 50 C2
Castiglione ↗Gabii
Castiglione delle Stiviere M. 78A E2
Castillon 77A A2
Castledermot M. 19 C5
Castor M. 19 F5
Castoria ↗Kastoria
Castra Martis (Kula) D. 20 B2
Castra Nova (Perrégaux) D. 24A B2
Castres 56D C2, 57C B1, 77A B3; D. 71A E4; M. 51 E4, 58A D4, 59A E4
Castries AD. 146D C2
Castro [Apulien] D. 71A H5
Castro [Chile] M. 85A B7
Castro [Latium] 33C B2
Castro [Sardinien] D. 71A F4
Castrogerit M. 58A C4
Castro-Urdiales M. 58A C4
Castrovillari M. 58A G5
Castulo (Cazlona) D. 22 C3; E. 4A C5
Cat Mi. 103B B/C2
Catalaunis ↗Châlons-s.-M.
Catamarca D. 147A C5
Catania (Catina) 45A B2; AD. 30A B3, 31 B3, 140A F6; D. 23 C4, 66 H5; E. 4A G5; M. 51 G5, 59A H5; U. 64 D3
Catanzaro AD. 140A F6; D. 71A H5; M. 59A H5, 78A F4
Catarman D. 144A D2; E. 90A C3
Catbalogan E. 90A C4
Caeté Mi. 85A E3
Caetité D. 147A E4
Catina ↗Catania
Cattaraugus Mi. 87A F2
Cattaro ↗Kotor
Catuaro Mi. 86 D2
Catubig E. 90A C3
Caucagua Mi. 86 C2
Caudebec M. 37 C2
Caudium [bei Montesarchio] D. 23 B3
Caunes M. 35A C3, 94 C4
Caunus (Dalyan) D. 6A C2, 20 C3
Caurium ↗Coria
Cava D. 71B A2, 140B B2
Cavaglio E. 47C B2
Cavaillon (Cavellio) D. 22 D3, 97A D4; E. 14A C/D3
Cavaller Maggior M. 70B B/C2
Cavan D. 111D B2/3, 141A B3; M. 59A C2
Cavanna M. 49C D2
Çavdahisar ↗Aezani
Cavellio ↗Cavaillon
Cavite E. 90A B3, 90B
Cavour M. 70B B2
Cavtat ↗Epidaurum
Caxias [Brasilien] D. 147A E3
Caxias do Sul D. 147A D5
Cayenne D. 147A D2
Caynta (Cainta) E. 90A B3, 90B
Cayuga Mi. 87A F2
Cayuse Mi. 87A B2
Cazalla M. 51 C5
Cazlona ↗Castulo
Čazma M. 54 H3, 59A H3
Cazorla M. 78A B4
Cazzago M. 47C C2
Cebu 90A C4; AD. 144A C/D2; D. 106/107B F4; E. 90A C4
Cedias (Hr. Ounkif) D. 7A E3; E. 4A E5
Cefalù (Cephaloedium) D. 30A A3, 140A E6
Cehegin ↗Bigastrum
Celaenae E. 5B B1
Celaya D. 146C B2
Celebes 104/105D C2, 112A G/H5, 144A C3, 144B A2, 150/151A O5
Celenderis (Gilindere) D. 9B B2, D. 21 B2
Celeia ↗Celje
Celje (Celeia, Cilli) 29B C3; D. 23 C2; M. 58A F/G3
Cellae (Hr. Aïn Zouarine) D. 7A F2, 24A F1
Cellas (Kherbet Zerga) D. 24A D2
Celle M. 37 D3
Celles M. 37 E/F1
Cemenelum ↗Cimiez [C3
Cenchreae (Kenchreai) E. 2A
Ceneda 34B E2; D. 32 G3, 34B E2, 96A B2
Cendgarad M. 19 D3
Cenomanica ↗Le Mans
Centocelle ↗Subaugusta
Central Cape Colony AP. 106/107A C6
Centula R. 28 B2
Centumcellae ↗Civitavecchia
Centuriones E. 4A E5
Cephallenia (Cephalonia, Kephallenia) 66 H5; D. 30A C3, 61 B2; M. 61 B2
Cephaloedium ↗Cefalù
Cephalonia ↗Cephallenia
Cephas ↗Hasankeyf
Cephro E. 5A C/D4
Ceprano 33A C3, 33B C3
Ceram Mi. 104/105D C2
Ceramus (Ören) D. 20 C3
Cerasolo M. 49A D3
Cerasus (Giresun) 39C E2; D. 21 C1
Cercamp M. 53 E1
Cercanceaux M. 53 E2
Cercemaggiore M. 59A H4
Cercina (Bordj el Marsa) D. 24A G2
Cerdaio M. 47C C2
Cerea 56C F2
Čerepiš M. 30A D1
Ceretapa (Kayı Hısar) D. 6A C2, 20 D3
Čerevič M. 58A G/H3 [B2
Cerisy-la-Forêt M. 37 C2, 94
Cerne M. 19 E6
Cerreto [Lombardei] M. 53 I4
Cerreto [Toskana] 49A D/E3
Cerreto Sannita D. 140A E4
Cerritos del Pao Mi. 86 B2
Cervera M. 58A D4, 59A E4
Cerveteri ↗Caere
Cervia ↗Ficuclae
Cervon M. 37 E3
Cerynia (Keryneia) D. 21 B3
Cerzat E. 47A C3
Cēsa ↗Wenden [Lettland]
Cesena (Caesena) D. 23 B2, 140A D3; M. 59A G4, 70B E2
Česká Lipa (Böhmisch-Leipa) 69A C1
České Budějovice D. 142 F3; M. 59A G/H3
Český Krumlov (Krummau) M. 78A E2
Český Brod (Böhmisch-Brod) 69A C/D1
Çeşmeli Zebir ↗Gdanmaa
Cestri D. 9B B2, 21 B2
Cetinje 55A B2, 58A G4; AD. 134A B3
Ceus (Kea) D. 61 B2
Ceva M. 70B B2
Ceylon (Taprobane) ↗Sri Lanka
Chaalis M. 53 F2
Chabeuil M. 47A D4
Chabtzitzin D. 31 G3
Chacaraguar Mi. 86 D2
Chachapoyas D. 147A B3; M. 85A B3
Chachopo Mi. 86 B2
Chaddesden 69B C2
Chagan-nor 27A H1
Chalais M. 51 F3
Chalakudi D. 130C B1
Chalatsch AD. 27A D2
Chalcedon (Chalkedon, Kadiköy) 39B B/C2, 39C C2; AD. 8A E2, 13 E2, 20 D2, 21 A1, 31 D2; D. 6A C1, 61 C1, 135D B/C3; E. 5A C2; Pe. 18A E/F2
Chalchaius (Kelkid) D. 31 F/G3
Chalcidene 12B B/C2
Chalcis [Euboea] ↗Chalkis
Chalcis [Europe] (Inecik) D. 30A E2
Chalcis [Syria I] (Qenneschre) 12B B/6 2/3; AD. 21 C2; D. 8A F2, 9B C2, 26A A2
Chalco M. 84B D3
Chalekudi D. 130C B2
Chalivoy-sur-Vauvize M. 53 E/F3
Chalkedon ↗Chalcedon
Chalkidike 45B B1
Chalkis [Euboea] (Chalcis, Euripus, Negroponte) AD. 30A D3, 31 C3; D. 20 B3, 61 B2, 134C C/D2; E. 5A B3; M. 61 B2
Chaloché M. 53 D3
Chalon-s.-S. (Cabillonum) D. 22 D2, 97A C/D3; M. 50 C4, 94 C/D3
— S. Marcel M. 14C B2, 35A C2, 37 E/F3
— S. Marie M. 48B B/C3
— S. Pierre M. 48B B/C3
Châlons-s.-M. (Catalaunis) 57A B1; D. 22 D2, 97A C2, 97B C2, 141A E4, 141C E1; E. 4A D3; M. 50 C3, 56A D2, 58A D/E3, 59A E3, 70A D3
Chalvey 69B C2
Chama Mi. 86 B2
Chamalières M. 14B A2, 25A C2, 37 D4
Chambéry AD. 97B D3, 141C E/F2; M. 58A E3, 59A F3, 70B A2, 78A D2
Chambésy D. 131C B2
Chambons M. 53 F4
Chambrefontaine M. 54 E3
Chameza Mi. 86 A3
Chamicuros Mi. 85A B3
Chamillieu E. 47A D3
Chammünster M. 37 I/J2, 50 E3
Champagne M. 53 D2
Champ-Aigue M. 58A D3
Champlieu E. 47A C/D3
Chanaval Mi. 103D B3
Chanbalyq ↗Peking
Chandaq E. 29A B4
Chandieu M. 47A D3
Changanacherry AD. 138D A/B2
Changchih D. 143A D2
Changsha AD. 143A D3
Changteh D. 143A D3
Changting D. 143A D3
Chania (Canea, Cydonia) D. 20 B4, 30B A1, 61 B2, 134C D4; M. 61 B2
Chantemerle M. 50 B3
Chanteuges M. 94 C3
Chanthaburi D. 144A A2
Chantho D. 144A B2
Chaotung AP. 143A C3
Chapala M. 84B B2
Chapantongo M. 84B D2
Chapecó D. 147A D5
Chapelle-aux-Planches M. 54 E3
Chapelle Voland M. 47A D3
Chapulhuacán M. 84B D2
Characmoba (el-Kerak) D. 21 C4
Charadrus (Kaladran) D. 21 B2
Charay Mi. 84A D4/5
Charayave Mi. 86 C2
Charcas M. 85A C4
Charenton M. 25A C2, 37 D3
Chariopolis (Haryabolu) D. 30A D/E2
Charkow D. 135D C2
Charles City E. 88A A/B3
Charleston [S.-Carolina] D. 113E F2, 146A F3
Charleston [W.-Virginia] D. 102A C3, 113E E/F2
Charlestown E. 88B B/C2
Charleville M. 78A C2
Charlieu M. 47A C3, 58A D3
Charlotte D. 146A F3
Charlottetown D. 146A H2
Charnat E. 47A C3
Charo M. 84B C3
Charon M. 53 D3
Charroux M. 34B C2, 35A C2
Chartres (Carnotas) D. 22 C2, 97A B2, 97B B2, 141A D4, 141C D1; E. 4A D3, 14A C2; M. 58A D3, 59A E3; Pe. 18A C2
— S. Martin M. 37 D2
— S. Peter (S. Pierre) M. 37 D2, 94 B2
Chartreuve M. 54 E3
Chartum ↗Khartum
Chascamús D. 147A D6
Chassagne M. 53 G3
Château-Chalon M. 37 F3
Château-Chinon, S. Christophorus E. 47A C3
Châteaudieu M. 54 E2
Châteaudun M. 58A D3
Château-Gontier M. 94 B3
Château-Landon M. 50 B3
Châteauroux M. 58A D3
Châteauvillain M. 58A D3
Châtellerault 77A B2; M. 58A D3
Chatel-Montagne M. 47A C3
Chatenay D. 131C B2
Châtillon M. 53 G2
Châtillon-s.-Seine M. 50 C3, 58A D/E3
Châtrices M. 50 C3
Chaudiere Mi. 87A A/B2
Chaul M. 89C A2
Chaumes-en-Brie M. 37 D/E2
Chaumont M. 54 E3
Chaumouzey M. 50 C3
Chauny M. 50 B3
Chaussy 14A C2
Chaveyriat M. 47A D3
Chayavitas Mi. 85A B3
Chazelle E. 47A C3
Cheju D. 143A E3
Chekiang AV. 89D C3, 106/107B E/F3; D. 112A G/H3; Mi. 98/99C E/F3
Chele 39C D2
Chelles M. 25B, 37 D2, 94 C2
Chelm D. 71A I2
Chełmno (Kulm, Culm) 62 B3; D. 62 B3, 71A H/I12, 142 H1; M. 58A G2, 59A H2, 68B D1; U. 64 D1
Chelmsford 69B D2; D. 111D D3; M. 59A E2
Cheltenham M. 19 E/F5
Cheminon M. 50 C3, 53 F/G2
Chemtou ↗Simittu
Chengannur D. 130C B2
Chengchow D. 143A D3
Chengteh D. 143A D2
Chengting D. 143A D2; M. 89D B1
Chengtu D. 143A C3, M. 27A G2; Mi. 104/105C D2
Chenolakkos M. 39B C3
Cheongju D. 143A E2
Cherasco M. 59A F4, 70B B/C2
Cherchel ↗Iol Caesarea
Chéri M. 53 F2
Cheriana D. 31 F2
Cherlieu M. 53 G3
Cherokee Mi. 87A D3, 87A E3
Chersonesos ↗Chersonesus [Creta]
Chersonesus [Creta] (Chersonesos) D. 20 C4, 30B B1
Chersonesus [Krim] ↗Sebastopol
Chertsey M. 19 F5
Chesham 69B C2
Chesham Bois 69B C2
Chester [England] D. 111D C3; M. 56B B2, 58A C2, 59A D2
Chester [USA] E. 88A B2
Chesterton 69B C2
Chesterton 69B D2
Chetumal PN. 146C D2
Chevagny E. 47A C3
Chevremont M. 35A D1, 37 F1
Cheyenne D. 146A D2; Mi. 87A C2
Chezal-Benoît M. 94 C3
Chézery M. 53 G3
Chézy-l'Abbaye M. 37 E2, 94 C2
Chiangmai D. 144A A1
Chiapas D. 84B F4
Chiaravalle della Colomba M. 53 I4
Chiaravalla Milanese M. 53 I4
Chiaromonte M. 51 H4
Chiautla M. 84B D3
Chiavari D. 140A C3
Chiayi D. 143A E4
Chicago AD. 146A E2; D. 102A B2, 111B D1, 113E D/E1, 131A C2, 138B D/E2; Mi. 87A E2
Chichester D. 71A D/E2, 111D C3; M. 58A C2, 59A D/E2
Chickasaw [Alabama] Mi. 87A E3
Chickasaw [Mississippi] Mi. 87A E3
Chickasaw [Texas] Mi. 87A D3
Chickmagalur D. 143B B3
Chiclayo D. 147A A/B3; M. 85A A/B3
Chicoutimi D. 146A G2
Chiddingfold 69B C2
Chiemsee D. 46 D4, 71A G3, 82 E5, 96B D3; M. 29B A2, 34B E2, 35A E2, 37 I3, 50 E3
Chienshan 27A I1
Chieri 57D A2; M. 59A F3, 70B B2
Chieti (Teate) AD. 140A E4; D. 23 B3; M. 58A F4, 59A G4, 78A E3
Chietla M. 84B D3
Chigarnia ↗Uppenna
Chihfeng D. 143A D2
Chihsien D. 143A D2
Chihuahua AD. 146A C/D4
Chijiwa M. 89A B3
Chilandari [Athos] M. 30A D2, 45B A2, 55A D3
Chilapa D. 146C B3; M. 84B D4
Chilaw D. 143C B2
Chile 113D Q6/7, 116 E6, 122 E6, 126 E6, 128 E6, 147A B/C5/7, 150A D 6/7
Chili Mi. 98/99C E2
Chillán D. 147A B6; M. 85A B6
Chilubula AD. 145A F5/6
Chimalhuacán M. 84B D3
Chimara D. 30A C2
Chimbote D. 147A B3
Chimire Mi. 86 C3
China (Sin, Katai) 112A G3, 117 O3, 135E B/C2 143A B/D3, 143B C/D1, 150/151A M/N3; AD. 27A H2
Chinchilla M. 59A D5
Chingavanam D. 130C B2
Chingchow 27A H/I2
Chinhoyi D. 145A E/F6
Chinkiang M. 27A H2
Chinnor 69B C2
Chino E. 5A C4
Chinock Mi. 87A A2
Chinon M. 14A C2, 37 C3
Chio M. 49A F3
Chioggia D. 71A G3, 96A B2, 140A D2; M. 59A G3, 70B E2
Chios (Chius) 60A D3, 66 I5; D. 20 C3, 61 C2, 96A D3, 134C D/E2, 135D B4, 141D C3; E. 5A C3
Chipáque Mi. 86 A3
Chipata D. 145A F6
Chippewa [Michigan] Mi. 87A E2
Chippewa [Minnesota] Mi. 87A D2
Chiquinquira D. 147C B1; Mi. 86 B2
Chiriguana Mi. 86 A2
Chiromo D. 145A F6
Chirton 69B C2
Chiruri Mi. 86 B2
Chita Mi. 86 A3
Chitré D. 146C E4, 147A A/B2
Chittagong D. 143A B4, 143B D2
Chius ↗Chios
Chiusi (Clusium) D. 23 B2, 140A D3; E. 4A F4; M. 58A F4
Chivasso M. 70B B/C2
Choachi Mi. 86 A3
Choba (Ziama) D. 24A D1; E. 5A E4
Chocques M. 50 B2
Choctaw [Arkansas] Mi. 87A D3
Choctaw [Mississippi] Mi. 87A E3
Choctaw [Oklahoma] Mi. 87A D3
Choisy M. 47A C2
Choisy-au-Bac M. 37 D2
Choix Mi. 84A D/E4
Chojnice ↗Konitz
Cholmogory D. 81 E1
— Uspenskij M. 81 E1
Cholulo M. 84B D3
Choluteca D. 146C D3
Choma D. 20 D3, 21 A2
Chomutov (Komotau) 69A B1; M. 78A E1
Chonae ↗Colossae
Chonochora (Qara) D. 9B C3, 21 C3
Chorazin (Khirbet Kerazeh) 1 B2
Chorchorunik D. 9A B2
Choresm 27A B/C1
Chorin M. 52B C3, 52C A2
Choroschewskij Woznesenskij M. 81 D4
tou Chortaitou M. 39C B2
Chortzianene D. 31 F3
Choszczno (Arnswalde) M. 58A G2
Chota PN. 147A B3
Chotan 27A D/E2
Chouning M. 89D C3
Chowchih D. 143A C3
Chowtsun D. 143A D2
Christburg 62 B3
Christchurch D. 106/107C F4, 113D K7, 144B D4
Christgarten M. 51 F/G3, 91 C4
Christianopolis (Christiano) D. 30A C3
Christopolis ↗Kaballa
Chromitsa M. 45B A1
Chrudim 69A D2; M. 59A H3
Chrysopolis ↗Amphipolis
Chrysoupolis ↗Amphipolis
Chüanchow (Zaitun) D. 27A H3, 63B D3; M. 63B D3, 89D C3
Chuit (Khoit) D. 31 G3
Chullu (Collo) D. 7A D1, 24A E1
Chulucanas PN. 147A A3
Chumatien D. 143A D3
Chuncheon D. 143A E2
Chungking AD. 143A C3; Mi. 104/105C E3
Chunobia ↗Konavlje
Chuquibamba PN. 147A B4
Chuquibambilla PN. 147A B4

Chur (Curia) 76 C5; D. 23 A2, 34 D2, 46 A5, 66 F3, 82 C5, 96B A4, 140A C2, 142 C5; M. 35A D2, 59A F3, 70B C1
— S. Luzi M. 54 F3
Churchill D. 146A E1; Mi. 103A E2
Churwalden M. 54 E3
Chusira (La Kessera) D. 24A F2
Chutynskij Warlaamow Spaso Preobraschenskij M. 81 C2
Chuzelles M. 47A C/D3
Chythri (Kythraia) D. 21 B3
Cibalae (Vinkovce) E. 5A A1
Cibello M. 59A G3
Cibyra D. 20 D3, 21 A2; E. 5A C3
Cidyessus (Gözek-Öyük) D. 20 D3, 21 A2
Cienfuegos D. 146C E2
Cieszyn M. 59A H3
Cigisa (Sidi Tabet) D. 24B B1
Cilibia (Kelbia) D. 7A H2, 24A G1
Cilicia 2A E/F3
Cilicia I 9B C2, 21 B/C2
Cilicia II 9B C2, 21 C2
Cilli ↗ Celje
Cillium (Kasserine) D. 7A F3, 24A F2; E. 4A E5
Cill na Manach M. 54 D1
Cimiez (Cemenelum) D. 14B B3, 22 D/E3
Cinaloa Mi. 84A D/E5
Cincari (Hr. Tengar) D. 7A G2, 24B A1
Cincinnati AD. 102A C3, 146A F3; D. 113E E2
Cingoli (Cingulum) D. 23 B2; M. 59A G4
Cingulum ↗ Cingoli
Cinna D. 21 B2, E. 5A D3
Cinnaborium D. 21 A/B2
Cintoria M. 49A D3
Cipacon Mi. 86 A3
Ciralı ↗ Olympus [Lycia]
Circaria Angliae Australis 54 D2
Circaria Angliae Borealis 54 D2
Circaria Angliae Medianae 54 D2
Circaria Averniae 54 E3
Circaria Bavariae 54 G3
Circaria Bohemiae et Moraviae 54 G/H 3
Circaria Brabantiae 54 E/F2
Circaria Burgundiae 54 E/F3
Circaria Daniae et Norvegiae 54 F/G1
Circaria Flandriae 54 E2
Circaria Floreffiae 54 E/F2
Circaria Franciae 54 E3
Circaria Frisiae 54 F2
Circaria Gasconiae 54 D/E4
Circaria Graeciae et Hierosolymitana 54 H5
Circaria Hiberniae 54 C2
Circaria Hispaniae 54 C/D4
Circaria Hungariae 54 H/I3
Circaria Ilfeldiae 54 F/G2
Circaria Livoniae 54 J/K1
Circaria Lotharingiae 54 F3
Circaria Normanniae Australis 54 D/E3
Circaria Normanniae Borealis 54 D/E3
Circaria Poloniae 54 H/I2
Circaria Ponthivi 54 E3
Circaria Saxoniae 54 G/H2
Circaria Scotiae 54 C/D1
Circaria Slaviae 54 G/H2
Circaria Sueviae 54 F/G3
Circaria Tusciae et Calabriae 54 G/H4
Circaria Vadegotiae 54 F/G3
Circaria Westfaliae 54 F2
Circesium (el-Bursera) D. 9B D2, 21 D3, 26A B/C2; M. 38A D3
Circle Mi. 103A B1
Cirencester ↗ Corinium
Ciriè M. 70B B2
Cirpan ↗ Diocletianopolis [Thrace]
Cirta ↗ Constantine
Ciruma Mi. 86 B2
Cisamus D. 61 B2; M. 61 B2
Cismar M. 67 E1
Cisneros M. 59A D4
Cissa D. 23 B2
Cissi (Cap Djinet) D. 7B D1, 24A C1
Cîteaux M. 53 F/G3
Citharizum D. 21 D2
Citium (Larnaka) D. 21 B3
Citrus (Kitros) D. 30A C2, 61 B1
Cittadella M. 70B D/E2
Città di Castello (Tifernum) D. 23 B2, 140A D3; M. 49C F3, 58A F4, 59A G4, 70B D/E3
Città della Pieve D. 140A D4
Città Ducale D. 71A G4
Cittanova D. 32 G3
Ciudad Altamirano D. 146C A/B2
Ciudad Bolívar AD. 147A C2
Ciudadela D. 141C E3
Ciudad Guayana D. 147A C2
Ciudad Guzmán D. 146C A2
Ciudad Juárez D. 146A C3
Ciudad Obregón D. 146A C4
Ciudad of Caceres (Naga) E. 90A C3
Ciudad Real D. 141C C3; M. 58A C5, 59A D5
Ciudad Rodrigo D. 60B A1, 71A C/D4, 141C B3; M. 54 C4, 58A B4, 59A C4
Ciudad Valles D. 146C B2
Ciudad Victoria D. 146C B2
Cius (Gemlik) AD. 20 D2, 31 D2; D. 6A C1, 8A E2; E. 5A C2
Civate, S. Pietro M. 37 H4
Cividale del Friuli 66 G3; M. 58A F3, 59A G/H3; U. 64 D2
Civita di Bagno ↗ Forconium
Civita Campomanaro M. 58A F/G4
Civita Castellana D. 140A D4
Civitanova ↗ Cluentum
Civitas Coriosopitum ↗ Quimper
Civitas Ebroicorum ↗ Evreux
Civitas Lixoviorum ↗ Lisieux
Civitas Ossismorum ↗ S. Pol-de-Leon
Civitas Tricassium ↗ Troyes
Civitate D. 71B B1
Civitavecchia (Centumcellae) D. 6A A/B1, 23 B3; E. 4A F4; M. 59A G4, 70B D/E3
Civitella d'Arna ↗ Arna
Ciwilsk M. 81 E3
Cizre (Gezira, Dschezireh) ↗ Gozarta de Quardu
Clairefontaine M. 53 G3, 54 E2
Clairfay M. 50 B2
Clairlieu M. 53 G2
Clairmarais M. 53 E1
Clairmont M. 53 D2
Clairvaux M. 53 F/G2
Clane M. 58A B2
Claraval AN. 147D B2
Clare M. 58A B2
Clarenza (Glarentsa) D. 61 B2; M. 61 B2
Clarines Mi. 86 C2
Clarté-Dieu M. 53 D/E3
Clatsop Mi. 87A A2
Claudiopolis [Honorias] (Bolu) AD. 8A E2, 21 B1, 31 E2
Claudiopolis [Isauria] (Mut-Vıran) D. 8A E2, 21 B2; E. 5A D3
Clazomenae (Urla) D. 6A C2, 20 C3
Cleeve M. 52A C3, 53 B1
Clefmont M. 48B C2
Cleopatris (Sersena) D. 6B B1, 8B A2, 10C A2; E. 5A D4
Clermain E. 47A C3
Clermont-Ferrand (Arverna) 14A C2; D. 13 B1, 22 D2, 56C C2, 97A C3, 97B C3, 141C E2; E. 4A D3; M. 14C B2, 56A D2, 58A D3, 59A E3; Pe. 18A C2
— Montferrand M. 94 C3
— S. Allyre M. 94 C3
— S. André M. 54 E3
— S. Cyricus M. 14B A2, 37 E4
— S. Ivoin M. 37 E4
— S. Mars M. 37 E4
Clermont l'Herault 77A B3; M. 59A E4
Cleveland D. 102A C2, 113E E/F1, 146A F2
Cliffe at Hoo M. 19 G5
Clifton-Bristol D. 141A C3
Clion M. 37 D3
Clippesby 69B D2
Clogher D. 19 C4; M. 19 C4
Clonard M. 19 C4
Clonbroney M. 19 C4
Clonenagh M. 19 C4/5
Clones M. 19 C4
Clonfad M. 19 C4
Clonfert D. 66 C2, 71A C2; M. 19 B4
Clonfert-mulloe M. 19 B/C5
Clonmacnoise D. 71A C2; M. 19 B4
Clonmel M. 58A B2
Clonshanville M. 59A C2
Clonymican M. 59A B/C2
Cloyne M. 19 B/C5
Cluj (Klausenburg) 96A C/D2; AD. 135D B3; D. 44A C2, 134A C2, 138A C2; M. 58A H3, 59A I3, 78A G2
Cluj-Mănăstur M. 78A G2
Clunezet M. 47A C4
Cluentum (Civitanova) D. 23 B2
Cluny M. 47A C3, 48B C3
Clupea (Kelibia) D. 7A I2, 24A G1
Clus M. 48A B2, 67 E2, 91 C2
Clusium ↗ Chiusi
Clysma (Qulzum) D. 10B C2
Cnidus D. 20 C3
Cnossus (Knossos) D. 20 C4, 30B B1; E. 2A D3, 5A C3
Coari PN. 147A C3
Coatepec M. 84B D3
Coatlán M. 84B E4
Coatzacoalcos D. 146C C2/3
Coban D. 146C/D3
Cobh D. 141A B3
Cobimenea Mi. 86 C3
Coburg M. 48A C2, 58A F2
Cochabamba AD. 147A C4; M. 85A C4
Cochin 27B A2; AD. 143C A2; D. 89C B4, 106/107B C4, 130C B2; M. 89C B4
Cochinchina AV. 106/107B E4
Cochiti Mi. 87B
Cockersand M. 54 D2
Cocorit Mi. 84A D4
Cocuiza Mi. 86 C2
Cocula M. 84B B2 [D3
Coggeshall 69B D2; M. 52A
Cognac 77A A2; M. 58A C3
Cognat-Lyonne E. 47A C3
Cohasa Mi. 86 A3
Coimbatore D. 106/107B C4, 143C A1
Coimbra D. 22 B3, 60B A1, 71A C4, 141C B3; M. 58A B4, 59A C4, 78A A3; U. 64 B2
Coincy M. 47A C2
Cointinama Mi. 86 C3
Coixtlahuaca M. 84B E4
Cojedes Mi. 86 B2
Coela (Kılıdülbahr) D. 20 C2
Colbasa D. 21 A2
Colchester (Camulodunum) 69B D2; E. 4A C/D2; M. 58A D2
Coldingham M. 19 E/F3
Coleraine M. 19 C3, 59A C1
Colima D. 146C A2; M. 84B B3
Collahuasi M. 85A C5
Colle di Val d'Elsa D. 140A D3; M. 70B D3
Collemaggio-Assisi M. 70B E3
Collioure M. 59A E4
Collo ↗ Chullu
Colluthium E. 5A C4
Colmar 14A D2, 66 F3, 76 B4, 91 B4, 92B B2; M. 58A E3, 59A F3, 70A D/E3
Coloe (Kiraz) D. 20 C3
Colombiers M. 14A C2, 37 D/E3
Colombo AD. 143C B2; D. 106/107B C4; M. 89C C5
Colón AV. 146C E4, 147A B2
Colonia [Armenia I] (Şebinkarahisar) AD. 31 F2; D. 21 C1
Colonia [Cappadocia II] D. 9B B1, 21 B2; E. 5A D3
Colonia [Uruguay] M. 85A D6
Colonia Agrippina ↗ Köln
Colophon (Değirmendere) D. 20 C3
Colorado Springs D. 146A D3
Colossae (Chonae) AD. 31 D3; D. 20 D3; E. 2A D/E3, 5B A2; Pe. 18A E3
Coltibuono M. 49C E3
Columbia D. 113E E/F2
Columbus D. 146A F3
Columnata (Waldeck-Rousseau) D. 24A B2
Colybrassus D. 21 B2
Comacchio 33C C1, 33D C1; D. 32 G4, 35A E3, 140A D3
Comana [Armenia] (Şahr) D. 21 C 2; E. 5A E3
Comana [Pamphylia] (Şerefōyük) D. 21 A2
Comana Pontica (Gümenek) D. 21 C1; E. 5A E2
Comayagua D. 146C D3
Combe M. 52A C3
Combelongue M. 54 E4
Combermere M. 52A C3
Combertault M. 48B C2
Combita Mi. 86 A3
Combronde M. 37 D/E4
Comburg M. 82 C4, 83 C/D4
Commercy R. 28 C3
Comminges (Convenae) 66 E4; D. 22 C3, 97A B4
Como (Comum) D. 23 A2, 35A D2, 140A C2, 142 C5; M. 58A E3, 59A F3, 70B C2, 78A D2
Comodoro Rivadavia D. 147A C7
Comondú Mi. 84A B/C4
Compiègne M. 58A D3, 59A E3, 70A C3, 94 C2; R. 28 B3
Complutum D. 22 C3; E. 4A C4
Compulteria D. 23 B3
Comum ↗ Como
Conakry AD. 145A A3/4
Conana D. 21 A2; E. 5B B2
Conca 59B
Conceição do Araguaia PN. 147A D/E3
Concepción [Argentinien] D. 147A C5
Concepción [Bolivien] Mi. 85A C4
Concepción [Chile] AD. 147A B6; D. 85A B6; Mi. 103D B4
Concepción [Paraguay] D. 147A D5; M. 85B B2
Concepción [Venezuela] Mi. 86 C3
Concepción [Venezuela] Mi. 86 D2
Conches M. 94 B2
Concord D. 113E F/G1; E. 88B B2
Concordia [Argentinien] D. 147A D6
Concordia [Emilia] D. 96A A2
Concordia [Venetia] D. 23 B2, 35A E2
Concorezzo D. 57B C1, 57D B2
Conde [Belgien] 65 B2
Conde [Brasilien] M. 85A F4
Condom D. 71A D/E4; M. 58A D4, 59A D/E4
Cong M. 19 B4
Congregatio Dalmatiae 70B G3
Congregatio Dulcetana 70B F4
Congregatio Hollandiae 70A C/F2/3
Congregatio Ianuensis 70B B/C3
Congregatio Illicetana 70B D3
Congregatio Johannis de Carbonaria 70B F4
Congregatio Lombardiae 70B C/E 2/3
Congregatio Montis Orthonis 70B D/E2
Congregatio Perusina 70B E3
Congregatio Saxoniae 70A D/G 2/3
Congresbury M. 19 E5
Conicarit Mi. 84A D4
Conimbriga ↗ Coimbra
Connecticut 88B A/B3; D. 101H D2
Connor M. 19 C4
Conques M. 34B C3; Pe. 18A C2
Consentia ↗ Cosenza
Consilinum (Sala Consilina in Val di Tamagro) D. 23 C3
Consorannis (S. Lizier) D. 22 C3
Constantia ↗ Cosenza
Constantia ↗ Coutances
Constantia [Cyprus] (Salamis, Famagusta) 60A E3; AD. 8A E2, 21 B3; D. 21 C3, 61 D2; E. 2A E3, 5A D3; M. 61 D2
Constantina ↗ Tela de Mauzelat
Constantine (Cirta) AD. 8A C2; D. 7A D2, 24A E1, 106/107A B1, 145A C1; E. 4A E5
Constantinopolis (Byzantium, Byzanz, Istanbul) 29B E4, 39B B1, 43 E1, 57A G/H2, 60A D2, 72 E/F1, 96A D3; AA. 139A A1; AD. 61 C1, 139E A1; AV. 106/107A D1, 139A A1, 141D D3; D. 6A C1; E. 5A B2; M. 41B A3, 61 C1, 78A G3, 104A C1; P. 8A E2, 13 E2, 20 D2, 30A E2, 31 D/E2, 130D A2, 135D B3; Pe. 18A E2
— Akataleptos M. 41B C3
— Apostel-Kirche 41B B2/3
— Blachernen-Kirche E. 41B A2
— Byz. Kapelle E. 41B A2
— Byz. Kirche E. 41B A2
— Byz. Kirche E. 41B C3
— Byz. Sanctuarium E. 41B C1
— Chora M. 41B A2
— Christus M. 41B C5
— Christuskirche E. 41B B4
— Euphrosyne M. 41B C1
— H. Andreas M. 41B D1
— H. Anthimos E. 41B A3
— H. Christophoros E. 41B B3
— H. Demetrios Kanabos E. 41B A2/3
— H. Dìomedes Jerusalem E. 41B D1
— H. Euphemia E. 41B C4
— H. Euphemia M. 41B C3
— H. Georgios E. 41B D1
— H. Georgios in den Manganen M. 41B C5
— H. Irene E. 41B B4
— H. Irene E. 41B C5
— H. Joannes Baptistes E. 41B A2/3
— H. Joannes Baptistes M. 41B B2
— H. Joannes Baptistes M. 41B D1
— H. Karpos u. Papylos E. 41B D1
— H. Kyriake E. 41B B1
— H. Mamas M. 41B D1
— H. Maria M. 41B B2/3
— H. Maria Hodigitria E. 41B C5
— H. Menas E. 41B C5
— H. Nikolaos M. 41B B2
— H. Polyeuktos E. 41B C2/3
— H. Sergios u. Bakchos E. 41B D4
— H. Sophia E. 41B C4/5
— H. Theodosia E. 41B B3
— Lips M. 41B C2
— Myrelaion M. 41B C3
— Pammakaristos M. 41B A2
— Pantepoptes M. 41B B3
— Pantokrator M. 41B B3
— Peribleptos M. 41B D1/2
— S. Ananias M. 41B B4
— S. Antonius E. 41B B4/5
— S. Benedictus E. 41B B4
— S. Franciscus E. 41B B4
— S. Johannes Baptista E. 41B B4/5
— S. Zoticus E. 41B B4/5
— SS. Petrus u. Paulus E. 41B B4
Contamine-s.-Arve M. 47A D3
Contra M. 49B A2
Controniano M. 49B A2
Convenae ↗ Comminges
Conversano D. 32 H4, 140A F/G5
Conza AD. 71B B2, 140A F5; D. 32 H4
Conzien M. 47A D3
Cookham 69B C2; M. 19 F5
Cook-In. 144B E2, 150/151A R6
Cooktown AV. 106/107C D3
Copiapó D. 147A B5; M. 85A B/C5
Coppet M. 59A F3, 70B A/B1
Copris (Kom Kabrit) D. 10C A1
Coptus D. 6B C3, 10B C3; E. 5A D5
Coquet Island M. 19 F3
Coquimbo M. 85A B/C5
Coracesium (Alanya) D. 21 B2
Corazzo M. 52E C/D2
Corbarieu 56C C3, 56D B1/2
Corbeil D. 141A E4, 141C E1
Corbeny M. 94 C2
Corbie M. 14B A2, 23A C2, 34A C2, 34B C2, 35A C2, 37 D2, 94 C2
Corbigny M. 94 C3
Corbion M. 37 D3
Corbridge M. 19 E/F3
Corby 69B C2
Corciano M. 70B E3
Corcomroe M. 52A A3
Corcyra (Kerkyra, Corfu, Korfu) 60A B2, 66 H5; AD. 30A C2, 31 B3, 61 A2, 96A C3, 141D A3; D. 20 A3, 134C A2; M. 61 A2
Córdoba [Argentinien] AD. 147A C6; M. 85A C6; Mi. 103D B4
Córdoba [Spanien] (Corduba) AD. 60B B2; D. 22 B4, 71A C/D5, 141C C3; E. 4A B/C5; M. 58A C5, 78A B4
— Scala Coeli M. 59A C/D5
— S. Paulus M. 59A C/D5
Córdoba de Tucumán ↗ Tucumán
Corduba ↗ Córdoba [Spanien]
Corfinium (S. Pelino) D. 23 B3
Corfu ↗ Corcyra
Çorhisar ↗ Otrus
Cori M. 70B E4
Coria (Caurium) D. 22 B3, 60B A1, 71A C5
Corinium (Cirencester) E. 4A C2
Corinthus ↗ Korinthos
Coriza ↗ Cyrrhus
Cork D. 111D A3, 141A B3; M. 19 B5, 58A B2, 59A C2
Cormery M. 35A C2, 94 B3
Corna (Dinerna) D. 21 B2
Corneille ↗ Lamasba
Cornelio Procopio D. 147A D5
Cornella M. 47B B/C1
Corner Brook D. 113D Q/R2, 146A H2
Corneux M. 54 F3
Cornillon M. 94 D3
Coro D. 85A C1, 147A B/C1
Coroata D. 147A E3
Corocoro PN. 14A C4
Coroico D. 14A C4
Corona (Korone) D. 30A C3, 61 B2
Coronea (Koroneia) D. 20 B3
Coronel D. 147A D5
Coropissus E. 5A D3
Corpeau E. 47A C3
Corpus Mi. 85A D5, 85B B1
Corrientes AD. 147A D5; M. 85A C/D5, 85B A1
Corsica ↗ Korsika
Cortona D. 71A G4, 140A D3; M. 59A G4, 70B E3
Çorum ↗ Euchaita
Corumbá D. 147A D4
Corvaria M. 49C E2
Corvey D. 97C C3; M. 25D C2, 34B D1, 48A B2, 67 E2, 82 C3, 83 C3, 92A C2; Pe. 18A C1; R. 28 D2
Corycus (Kız Kalesi) 60A E3; D. 8A E/F2, 9B C2, 21 B2, 55B C/D2
Corydalla (Hacı Veliler) D. 21 A2
Cos (Kos) D. 6A C2, 20 C3, 135D B4; E. 5A C3
Cosentia ↗ Cosenza
Cosenza (Cosentia, Consentia, Constantia) AD. 71A H5, 140A F5; D. 23 C3, 30A B2; M. 58A G5, 59A H5, 78A F4, 79 G4
Costa Rica 113D P4, 122 D4, 126 C/D4, 128 D4, 146C D4, 150A C4
Costessy 69B D2
Cotabato AD. 144A C/D2
Cotenna D. 21 B2
Cotiaeum 39C C3; AD. 31 D3; D. 20 D3, 21 A2
Coëtmaloën M. 53 B/C2
Cotonou AD. 145A C4, 145B B2
Cotta E. 47A C3
Cottbus M. 58A F2
Coulombs M. 94 B2
Cour d' Alene Mi. 87A B2
Courlans M. 47A D3
Courtetelle M. 14C C2
Couserans D. 97A B4
Coutances (Constantia) D. 22 C2, 97A A2, 97B A2, 141A D4, 141C D1; M. 25A B2, 37 B2, 59A D3
Coventry 69B C2; D. 71A D2, 111D C3; M. 19 F5, 51 D2, 58A C2
Coverham M. 54 D2

Covilhã M. 58A B4
Covington D. 146A E/F3
Cowlitz Mi. 87A A2
Coxim PN. 147A D4
Coxwell 69B C2
Coyoacán M. 84B D3
Coyran 56D C2
Craiova D. 134A C3, 135D B3
Crampagna 56D B2
Cranbrook 69B D2
Cranganore (Angamale) 27B A1; D. 89C B4, 106/107B C4, 130C B2; M. 89C B4
Craon M. 94 A/B3
Cratea (Gerede) D. 6A D1, 21 B1
Crateús D. 147A E3
Crato D. 147A E/F3
Craviglia M. 49C E3
Crayke M. 19 F4
Creake 69B D2
Crediton D. 32 D2; M. 19 D/E6
Creek [Alabama] Mi. 87A E3
Creek [Oklahoma] Mi. 87A D3
Crema D. 140A C2; M. 47C C2, 59A F3, 70B C2
Cremona 57D C2; D. 23 A2, 140A C2; M. 49C D1, 59A C/D2, 70B G3, 78A E2; U. 64 C/D2
— S. Gabriel M. 47C D2
— S. Silvestro M. 37 H4
Cres M. 58A F4
Créspin M. 14A C1, 37 E1
Crespino M. 49C E3
Crest M. 58A D4
Creta ↗Kreta
Créteil D. 141A E4, 141C E1
Crimmitschau M. 50 E2, 51 G2
Cristalândia PN. 147A E4
Croa (Krujë) D. 30A C2, 61 A/B1, 66 I4
Crocodilopolis (Arsinoe, Kiman Faris) D. 6B B2, 8A E3, 10B B/C2; E. 5A D5
Crondall 69B C2
Cronheim 91 C3
Crookston D. 146A D2
Cross and Burness M. 19 E/F1
Crossen ↗Krosno [Schlesien]
Crossmolina D. 111D A2
Croton (Crotone) D. 23 C3, 30A B2, 140A G5; M. 58A G5
Crotone ↗Croton
Crowland M. 19 F/G5
Croxden M. 52A C3
Croxton M. 54 D2
Cruas M. 48B C3
Cruz Alta D. 147A D5
Cruz del Eje D. 147A C6
Cruzeiro do Sul PN. 147A B3
Csanád 57A F1; D. 44A C2, 71A I3, 96A C2; M. 44A C2
Černovtsy ↗Tschernowzy
Csorna M. 44A B2, 54 H3
Csut 54 H3
Ctesiphon ↗Seleucia-Ctesiphon
Cua Mi. 86 C2
Cuautinchán M. 84B D/E3
Cuautitlán M. 84B D3
Cuba 103A F4, 103B B2, 113D P/Q3, 116 D3, 122 D3, 126 D3, 128 D3, 146C E2, 146D A1, 150A C/D3
Cubières-en-Rasez M. 47A C4
Cuchivero Mi. 86 C3
Cucupao M. 84B C3
Cucurpe Mi. 84A C2
Cucusus (Göksun) D. 21 C2
Cúcuta D. 147C B1; Mi. 86 A3
Cuddapah D. 143B B3
Cuiabá AD. 147A D4; D. 85A D4
Cuicul (Djemila) D. 7A C2, 24A D1; E. 4A E5
Cuilapán M. 84B E4
Cuissy M. 54 E3
Cuitzen M. 84B C2/3
Culhuacán M. 84B D2
Culiacán D. 146A C4, 146C A1
Cuellar M. 58A C4
Culross M. 52A C2
Cuma ↗Cumae
Cumae (Cuma) D. 23 B3; E. 2A A2
Cumaná D. 146D C3, 147A C1
Cumano Mi. 86 D3
Cumber M. 52A B2
Cumberland D. 131A C2
Cumignano E. 47C C/D2
Cumuripa Mi. 84A C/D3
Cunaviche Mi. 86 C3
Cuenca [Ecuador] AD. 147A B3; M. 85A B3
Cuenca [Spanien] D. 60B B1, 71A D4, 141C C3; M. 58A C4
Cunene Mi. 106/107A B5
Cuneo [Piemont] 57D A2; D. 140A B3
Cuneo [Toscana] M. 49C E3
Cupapui Mi. 86 D3
Cupar M. 52A C2
Cupar Five M. 59A D1
Čuprija ↗Horreum Margi
Cuquirachi Mi. 84A D2
Curaçao Mi. 86 B1
Curbati Mi. 86 B2
Cures Sabinorum [bei Correse] D. 23 B3
Curia ↗Chur
Curitiba AD. 147A D/E5
Curium D. 21 B3
Cuernavaca D. 146C B2; M. 84B D3
Currière M. 51 F3
Cuers M. 56A E3
Curtis Luponis M. 49A E3
Curubis (Korba) D. 7A H2, 24A G1; E. 4B C2; Pe. 18A D3
Curucá Mi. 85A E2/3
Cusae (el-Qussiye) D. 6B B3, 10B C2; E. 5A D5
Cusance M. 25A D2, 37 F3
Cuttack AD. 143B C2
Cuevavi Mi. 87A B3
Cuevo AV. 147A C4/5
Cuxa, S. Michel M. 35A C3
Cuyo 90A B4
Cuzco AD. 147A B4; D. 85A B4
Cwmhir M. 52A C3
Cyangugu D. 145C A2
Cybistra (Heraclea, Ereğli) 60A E3; D. 21 B2; E. 5A D3
Cydonia ↗Chania
Cymae (Nemrut Köy) D. 20 C3
Cymmer M. 52A B/C3
Cynopolis (el Qesr) D. 6B B2, 10B C2; E. 5A D5
Cynopolis inferior (Banna) D. 6B A/B1, 10C B2; E. 5a D4
Cyprus ↗Zypern
Cypsela (Ipsala) AD. 20 C2, 30A D2, 31 D2; D. 61 C1
Cyrenaica 2A C4
Cyrene (Schahhat) D. 10B A1; E. 2A C4, 5A B4
Cyrenia 60A E3
Cyrrhus (Khyrros, Khoros, Coriza) 12B B/C2, 38A B2; AD. 21 C2, 26A A/B2, 61 E2; D. 6A E2, 8A F2, 9B C2; E. 5A E3; Pe. 18A F3
Cysoing M. 50 B2; R. 28 B2
Cyzicus (Balkız-Kale) AD. 8A E2, 20 C2, 31 D2, 61 C1; D. 6A C1; E. 5A C2
Częstochowa (Tschenstochau) D. 111A D1, 142 H3; Pe. 18 D1
Czikádor M. 52C B3
Człuchów ↗Schlochau

D

D. Aba Nub M. 11A B5
D. el Abiad M. 11A C6
D. Abu Bagham M. 11A B4
D. Abu Darag M. 11A D3
D. Abu Fana M. 11A B5
D. Abu Girgis M. 11A B3
D. Abu Hennis M. 11A B/C5
D. Abu Lif M. 11A C7
D. Abu Lifa M. 11A B/C3
D. Abu Makar M. 11A B2
D. Abu Mina M. 11A A2
D. Abu Mussa M. 11A C6
D. Abu Sefein M. 11A D7
D. Abu Sefein M. 11A D/E7
D. el Adra M. 11A C5
D. el Adra M. 11A C/D6
D. el Ahmar M. 11A C6
D. Ahschan M. 12B B2
D. el Aizan M. 11A B/C5
D. Aman M. 12A B2
D. Amba Apollo M. 11A B5
D. Amba Bakhum M. 11A C/D6
D. Amba Bakhum M. 11A D/E7
D. Amba Balamus M. 11A D6/7
D. Amba Bidada M. 11A C/D6
D. Amba Bisada M. 11A C/D6
D. Amba Bschoi M. 11A B2
D. Amba Saman M. 11A D8
D. Amba Schnuda M. 11A C7
D. Amba Theodoros M. 11A B5
D. Apa Elias M. 11A C7
D. Apa Jeremia M. 11A B/C3
D. Apa Menas M. 11B
D. Al Asal M. 11A B4
D. el Azab M. 11A B/C3
D. el Bahar M. 11B
D. el Bakhit M. 11B
D. Baramus M. 11A B2
D. Barsui el Arian M. 11A C3
D. el Bercha M. 11A B/C5
D. Bosra M. 11A C5
D. el Buqara M. 11A B/C4
D. Cyriacus M. 11B
D. Debbane M. 12A B3
D. el Dronka M. 11A C5
D. Durin M. 12A B3
D. Epiphanius M. 11B
D. el Fakhuri M. 11A D7
D. el Gaber M. 11A C3
D. el Gabraw M. 11A C5
D. el Ganadla M. 11A C6
D. el Haman M. 11A B/C3
D. el Kosseir M. 11A B/C5
D. Kube M. 38B B2
D. el Madudi M. 11A D6
D. Magrofios M. 11A B/C5
D. el Maietin M. 11A B/C5
D. el Malak M. 11A B3, 11A C6, 11A D6
D. el Malak Mikhail M. 11A C/D6
D. Malak Mikhail M. 11A C7
D. Malak Mikhail M. 11A D/E6
D. Malak Mikhail M. 11A C7
D. Mar Antonios M. 11A D3
D. Mar Bulos M. 11A D3
D. Mari Boqtor M. 11A C7
D. Mari Girgis M. 11A C/D6
D. Mari Girgis M. 11A C7
D. Mari Mina M. 11A C5
D. el Medina M. 11B
D. el Meharraq M. 11A B5
D. el Mohareb M. 11B
D. el Nakhla M. 11A B/C5
D. el Naklum M. 11A B3
D. Pisenthios M. 11A C7
D. Pisenthios M. 11A D/E7
D. el Qadissa M. 11A C7
D. Qunni ↗Qoni
D. Qurnet Murrai M. 11B
D. el Rifa M. 11A B/C5
D. er Rumi M. 11B
D. es Salib M. 11A C7
D. Salip M. 38B B1 C7
D. Samuil M. 11A B4, 11A C5
D. Sawira M. 11A C5
D. el Sawira M. 11A B/C4
D. Schemun M. 12A B2
D. es Schohada M. 11A D7
D. el Schuhara M. 11A C/D6
D. Seta M. 12A B2
D. Siman (Telanissus) 15B; M.12A B2, 12B B2
D. Sinuthios M. 11A D/E 6/7
D. Sunbul M. 12B B3
D. Suriani M. 11A B2
D. Taqinasch M. 11A B4
D. Tell Ade (Teleda I) M. 12A B2, 12B B2, 38A B2
D. ez Zafaran M. 38A D2
Dabar D. 55A B2
Dabud E. 29A C2
Dacca AD. 143B D2; D. 106/107B D3
Dacia M. 48A B/C1
Dacia Mediterranea 20 B2
Dacia Riparia 20 B2
Dacre M. 19 E4
Dadikh M. 12A B3
Dadima (Tadem) D. 21 D2
Dadybra D. 21 B1
Daet D. 144A C2
Dagami E. 90A C4
Dagö 62 C2
Dahme M. 91 E2
Dahn 73A B4, 76 B4
Dahome ↗Benin
Dahomey ↗Benin
Dailam AD. 26A D/E2
Daïrut D. 130A A2
Dakar AD. 145A A3
Dakka E. 29A C2
Dakota Mi 87A D2
Dalat D. 144A B2
Daldis (bei Kemer) D. 20 C3
Dale M. 54 D2
Dalheim M. 68A C2
Dallas [USA] D. 113E D2, 131A C3, 146A D3
Dallas ↗Nilopolis
Dalmatia 2A B2
Daloa D. 145A B4
Dalon M. 53 E4
Daltonganj D. 143B C2
Dalyan ↗Caunus
Damala D. 30A D3
Damanhur D. 130A A1
Damão D. 106/107B B3; M. 89C A1
Damascus (Esch Scham) 1 C1, 60A F4; AD. 8A F3, 9B C3, 21 C3, 26A A3, 139E C3; D. 130D B4, 139E C3; E. 2A F4, 5A E4; P. 130D B4, 135D C4; Pe. 18B C1
— M. Jonan M. 38A B4
Damiani M. 37 H4
tou Damianou M. 39B B1
Damietta (Damiette, Tamiathis) 60A E4; D. 10C B1; M. 61 D3
Damiette (Damietta) D. 130A A1
Damme 65 B2
Damparis M. 50 C3
Danaba (Mehin) D. 21 C3
Danang D. 144A B1
Dana Sud M. 12A B3
Dänemark 66 F/G1, 77B B1, 112A B2, 116 I2, 122 I2, 126 I2, 128 I2, 141B C5, 150A H2, 151B C1
Dänemark-Norwegen 93 F1
Danilow-Schuchgorskij M. 81 D2
Dankowskij Pokrowskij M. 81
Danzig ↗Gdańsk [D/E3
Daonium (Eski-Ereğli) D. 30A E2, 61 C1
Dapa E. 90A D4
Dapango D. 145B B1
Daphni (Athos) 45B A2
Daphni [Griechenland] M. 39C B3
Dapitan E. 90A C5
Daquq D. 26A C2
Dara AD. 9B D2, 21 D2; D. 26A B2
Darabgerd (Darab) D. 10A D3, 26B C3; E. 5A H5
Dardania 20 A/B2
Dardanus (Maltepe) D. 20 C2
Dar-es-Salaam AD. 145A F/G5; AV. 106/107A D4; D. 112 A C/D5, 112C B2, 134B D5; Mi. 98A D4, 104A D4
Dargun M. 52B C3, 52C A2
Darién D. 85A A2
Darjeeling D. 143B C2
Darmstadt 121 B3
Darnis ↗Derna
Daroca M. 58A C4
Darr E. 29A C2
Därstetten M. 50 D4
Dartowo (Rügenwalde) M. 51 H2
Daru D. 144B B2
Darum 60A E4
Darwin D. 144B B2
Dascylium (Eşkâl Liman) D. 61 C1
Dasqarta de Malka (Eski Bagdad) D. 10A C2
Daet E. 90A B3
Daugavgriva M. 52B D2
Daulia D. 30A C3, 61 B2
Dausara (Qala Gabar, Qalat Dscheber) D. 21 C2, 26A B2
Davao AD. 144A D2
Davenport D. 146A E2
Daventry 69B C2
David D. 146C E4
Davington 69B D2
Dax (Aquae Tarbellicae) D. 22 C3, 66 D4, 97A A4, 141C D2; M. 58A C4
Dea ↗Die
De Aar D. 145A E8
Deabolis (Devol) D. 30A E2
Deán Funes PN. 147A C6
Debeltum (Stari Debelt) D. 20 C2, 30A E2; E. 2A D2, 5A C2
Debra Markos D. 130B B2
Debrecen M. 59A I3; U. 80C D3
Dečani M. 55A C2
Deciano M. 49A F3
Dedensen M. 91 C2
Dedham E. 88B B2
Dedowa Troice-Sergiewa M. 81 E2
Dedza D. 145A F6
Deer M. 19 F2, 52A C2
Deerhurst M. 19 E5
Deerness M. 19 E2
Deggingen M. 48A B3, 67 E/F3
Değirmendere ↗Colophon
Deiga E. 29A B4
Deinze 65 B2
Delaware D. 101H C/D3; Mi. 87A D3
Delbinakion D. 134C B2
Delcus ↗Derkos
Delegaturbezirk 97D D2
Delft M. 51 E2, 68B B2
Delhi (New Delhi) AD. 143B B2; Mi. 104/105C C3
Deliceto M. 70B F4
Dellys ↗Rusuccuru
Delmenhorst 66 F2, 73A C2
Delminium (Gardún) D. 23 C2
Delus (Delos) D. 20 C3
Demetrias D. 20 B3, 30A D2, 61 B2
Demirciköy ↗Limyra
Demonte M. 70B B2
Demre ↗Myra
Denderah ↗Tentyra
Dendermonde R. 28 C2
Dendur E. 29A C2
Den Haag D. 131C B1; M. 59A E2, 70A C/D2
Denham 69B C2
Denia ↗Dianium
Denkendorf M. 50 D3, 91 C4
Denpasar D. 144A C4, 144B A2
Denver AD. 146A C/D3; D. 113E C2, 131A B3
Dera ↗Edrei
Derat ↗Adraa
Derbe (Divri) D. 21 B2; E. 2A E3, 5A D3
Derby 69B C2; D. 111D C3; M. 59A D2
Dercus ↗Derkos
Dereköy ↗Vasada
Derewjanskij Woskresenskij M. 81 C2
Derikfan 38B B2
De rivis Caesaris M. 49C E2
Derkos (Delcus, Dercus, Tercos) 39C C2; AD. 30A E2, 31 D2; D. 61 C1, 135D B3
Dermanskij Swjato-Troickij M. 81 B/C3
Derna (Darnis) AV. 145A E1; D. 10B A1
Derneburg M. 50 E2, 91 C2
Derr E. 29A C2
Derry D. 71A C2, 111D B2, 141A B2; M. 19 C3/4, 59A C1
Dertona ↗Tortona
Dertosa ↗Tortosa
Dervenı ↗Atandrus
Desenzano D. 57B C/D1, 57D C2
Des Moines D. 113E D1, 146A E2
Dessau 121 D2
Dessié D. 130B B2
Detmold 121 B/C2
Detroit AD. 146A F2; D. 102A C2, 113E E1, 131A C2, 138B E2; Mi. 87A E2
Dettingen M. 68B D3
Detzeln M. 50 D3
Deubigh E. 88A B3
Deutsch-Jahrndorf E. 95B I3
Deutsch-Kaltenbrunn E. 95B G/H4
Deutschland 111A C/D2, 116 I2, 126 I2, 128 I2
Deutschland (Bundesrepublik Deutschland, BRD) 112A B2, 122 I2, 142 C4, 151B C1/2
Deutschland (Deutsche Demokratische Republik, DDR) 112A B2, 122 I2, 134A A1, 142 D/E2, 151B D1
Deux-Jumeaux M. 37 B/C2
Devenish M. 19 C4
Deventer 65 C2; D. 80B D2; M. 58A E2, 68B C1
Devizes 69B C2
Devna ↗Marcianopolis
Devol ↗Deabolis
Diamantina AD. 147A E4, 147D C1
Diamantino D. 147A D4
Diamper 27B A2
Dianium (Denia) D. 22 C3
Diarbekir AD. 139E B2
Dibdscher E. 29A C2
Dibrugarh D. 143A B3, 143B D2 [C3
Dichargan D. 63A C3; M. 63A
Didymoteichon (Didymotichus) D. 30A D2, 134C D/E1
Didymotichus ↗Didymoteichon
Die (Dea) 77A C2; D. 22 D2, 97A D3; E. 4A E4; M. 58A E4, 59A F4, 78A D3
Diébougou D. 145A B3
Dieburg M. 58A E3
Diégo Suarez AD. 145A G6; Mi. 98B B1
Dieleghem M. 50 B/C2, 54 E2
Diemeringen M. 91 B4
Diepenveen M. 68A C1
Diepholz 73A C2, 76 C2
Dierstein M. 67 D2
Dießen M. 50 E3
Diest M. 25A D/E2, 51 F2
Dietkirchen M. 48A A2; R. 28 D2
Dietramszell M. 50 E3
Dieulacres M. 52A C3
Dieusensouvienne M. 50 C3
Digne (Dinia) D. 22 D2, 97A D3, 97B D3, 141C F2; M. 56A E3, 58A E4
Digos D. 144A D2
Dijon D. 97A D2, 97B C/D2, 141A E4, 141C E1; M. 14A D2, 14C B/C2, 34B D2, 48B C2, 50 C3, 51 E/F3, 58A D3, 59A E3, 78A C2
— S. Benigne M. 14C B/C2, 37 F3, 48B C2, 94 D3
Diksmuide 65 B2
Dili D. 144A D4, 144B B2
Dillingen M. 78A E2; U. 80C C3
Dilo M. 54 E3
Dimitriew Raschskij M. 81 D3
Dimitrow M. 81 D3
Dinajpur D. 143B C2
Dinan M. 58A C3, 59A D3, 70A B3
Dinant M. 58A E2, 78A C1
Dinar ↗Apamea [Pisidia]
Dinawar D. 26A D2
Dindebol ↗Dometiopolis
Dinglas (Dingras) E. 90A B1
Dinia ↗Digne
Dinkelsbühl 73A D4, 76A D4, 91 C3, 92B D2
Dinorna ↗Corna
Diocaesarea [Cappadocia] D. 9B B/C1
Diocaesarea [Isauria] (Uzuncaburç) D. 9B B/C2, 21 B2
Diocaesarea [Palaestina II] (Saffuriyeh) D. 21 C3
Dioclea [Phrygia, Pacatiana] Ahur Hısar bei Doğla) D. 20 D3, 21 A2
Dioclea [Praevalis] (Titograd) D. 20 A2, 30A C2
Diocletianopolis [Palaestina] (Khirbet el-Aschraf) D. 6A D3
Diocletianopolis [Thrace] (Čirpan) D. 20 C2
Dionysias [Arabia] ↗Es Suweida
Dionysiou M. 45B A3
Dionysopolis (Ortaköy) D. 20 D3, 21 A2
Dioshierum (Birgi) D. 20 C3
Diospolis ↗Lydda
Diospolis parva (Hu) D. 6B B/C4, 10B C3; E. 5A D5
Diphu D. 143A B3, 143B D2
Dipolog D. 144A C2
Dirschau ↗Tczew
Disentis M. 14A D2, 25A D2, 34B D2, 35A D2, 37 G3, 82 C5, 83 C5
Disibodenberg M. 37 G2, 48A A2, 53 H2; R. 28 D3
Ditchingham 69B D2
Dithmarschen 73A C1, 76 C1
Diu M. 89C A1
Dium [Decapolis] (Tell el-Aschari) 1 C2
Dium [Macedonia] (Malathria) D. 20 B2
Divielle M. 54 D4
Divinópolis D. 147D B/C2
Divri ↗Derbe
Diwnogorskij Uspenskij M. 81 D/E3
Diyarbakır (Amida, Amid) 38A C/D2, 43 F/G2, 60A G3, 72 G2; AD. 8A F2, 9B D2, 21 D2, 26A B2, 139E D2
Dizier E. 14A D2
Djakarta AD. 144A B4; Mi. 98/99D B2, 104/105D B2
Djakovo D. 44A B2, 71A H3, 96A C2, 140A G2, 141D A2; M. 58A G3
El Djem ↗Thysdrus
Djemila ↗Cuicul
Djemma Saharidj ↗Bida

Djerba ↗ Girba
Djibouti D. 145A G3; Mi. 98A D3
Djidjelli ↗ Igilgili
Djillaoua ↗ Thigillava
Dmitriewskij M. 44B D2
Doara D. 21 B2
Doberan M. 52B C3
Doberus (Doirane) D. 20 B2
Doblen 62 C2
Dobrilugk M. 52B C3, 52C A2, 53 L1
Dobriner Land 62 B4
Dobrudscha 96A D2
Docheiariou M. 45B A2
Docimium (Escekarahisar) D. 6A D2, 21 A2
Dodge City D. 146A D3
Dodoma D. 112A C5, 112C B2, 145A F5
Dodona (Bunditza) D. 20 A3, 30A C2
Dogmersfield 69B C2
Dogo M. 89A C3
Dogura D. 112A I5
Doirane ↗ Doberus
Dokkum M. 54 F2
Dol (Dolus) D. 22 C2, 97A A2
— S. Samson M. 37 B2
Dolan M. 51 H3
Dôle M. 47A D3, 78A D2; U. 64 C2
Dolia D. 66 F5, 71A F5
Doliche (Dolik, Tell-Duluk) D. 6A E2, 9B C2, 21 C2, 26A B2; E. 5A E3
— Salomon M. 38A B2
Dollfusville ↗ Sufasar
Döllstadt M. 67 F2
Dolnja Lendava M. 78A F2
Dolores Mi. 84A C2
Dolus ↗ Dol
Domažlice (Taus) 69A A2
Domène M. 47A D3
Domenicium D. 30A C2, 61 B2
Dometiopolis (Dindebol) D. 21 B2
Dominikanische Republik 126 E/F3, 128 E/F3, 146D B1, 150A D3
Dommartin M. 54 E2
Domnickij Roschdestwo-Bogorodickij M. 81 C3
Dompierre-s.-Authie M. 47A B/C2
Donaghmoyne M. 19 C4
Doña Mencia M. 59A D5
Donauwörth 73A D4, 76 D4; M. 48A B/C3, 67 E/F3; R. 28 E3
Doncaster M. 58A C2
Dongo 56C E2
Dongola D. 29A B4
Donzenac M. 58A D3
Donzy M. 47A C3
Dora (et Tantura) 1 A2; D21 B3
Dorchester D. 19 F5, 32 D2; M. 19 F5, 58A C2
Dordrecht 65 C2; M. 58A D/E2, 68A B2, 70A D2
Dore M. 52A C3
Dorlesberg 91 C3
Dornbach E. 95A C2, 95B E5
Dornbirn E. 95B A4
Dorney 69B C2
Dornoch D. 71A D1
Dorostolus (Durostorum, Dristra, Silistria) AD. 30A E1, 31 D2; D. 8A E2, 20 C1; E. 5A C2
Dorpat ↗ Tartu
Dorstadt M. 68A D1, 91 C2
Dortmund 65 D2, 73A B3, 92A B2, 76 B2, 91 B2; M. 58A E2, 59A F2; R. 28 C/D2
Doruma-Dungur D. 145A E4
Dorylaeum (Eskişehir) 39C D3, 60 E3; D. 6A D2, 20 D3, 21 A2; E. 5A D3
Doesburg M. 68B C1
Dothan (Tell Dotha) 1 B2
Doetinchem M. 50 C2
Douai 65 B2; M. 58A D2, 59A E2, 70A C3, 78A C1; U. 80C B2
Douala AD. 145B C/D3
Doudeauville M. 50 B2
Doue M. 54 E3
Dougga ↗ Thugga
Douglas D. 111D B2
Doumé D. 145A D4, 145B D3
Dourados D. 147A D5
Douzère, M. 25A C3, 37 E/F4
Dovair M. 38A B2
Dover [England] 69B D2; M. 19 G5
Dover [USA] E. 88B C2
Down M. 19 D4
Downpatrick Pe. 18A B1
Dra el Gamra ↗ Gori
Dragsmark M. 54 G1
Draguignan M. 56A E3, 58A E4, 59A F4
Draillant E. 47A D3
Drama D. 134C D1
Drangtse 27A D/E2
Dravsho Pomorskie (Dramburg) M. 58A G2
Drayton Beauchamp 69B C2
Dreis-Tiefenbach 91 B3
Dresden 65 F2, 121 D2; M. 58A F2, 70A G2
Dresden-Meißen D. 142 E2
Drewenz 62 B3
Drinopolis ↗ Hadrianopolis [Epirus Vetus]
Drisdale River Mi. 144B B2
Drishti ↗ Drivastum
Dristra ↗ Dorostolus
Drivastum (Drishti) D. 30A C2
Drogheda M. 58A B2, 59A C2
Dromore D. 71A C2; M. 19 C4
Drongen M. 54 E2
Drontheim ↗ Nidaros
Drosendorf 56C G1
Drübeck M. 91 C2
Drumachose M. 19 C3
Drusiliana D. 7A G2, 24A F1
Druzipara (Mesene, Karistiran) AD. 20 C2, 30A E2, 31 D2; D. 61 C1; E. 5A C2
Dryburgh M. 54 D1
Dryinopolis ↗ Hadrianopolis [Epirus Vetus]
Dschabbul ↗ Gabbula
edsch-Dschals ↗ Casium
Dschammu-Srinagar D. 143B B1
Dschandarus ↗ Gindarus
Dscheble ↗ Gabala
Dscherasch ↗ Gerasa [Arabia]
Dschezireh ↗ Gozarta de Qardu
Dschimma D. 130B B3
El Dschine M. 12A B2
Dschisr esch Schugur (Seleucobelus) D. 8A F2, 21 C3; M. 12B B3
Dschuba AD. 145A F4
Dschulfa Mi. 104/105C A2
Dschuwaniye M. 12A B2
Duaca Mi. 86 B2
Dubica M. 59A H3
Dublin AD. 71A C2, 111D B3, 141A B3; M. 56B A2, 58A B2, 59A C2, 79 B1; U. 64 B1, 80C A2
Dubrovnik (Ragusa) 55A B2, 72 D1; AD. 71A H4; D. 32 H4, 96A B2, 140A G4, 141D A2; M. 58A G4, 59A H4, 78A F3
Dubuque AD. 146A E2; D. 102A B2
Ducatus Romanus (Patrimonium Petri) 33A C3, 33 B/C2/3
Duirinish M. 19 C2
Duisburg 73A B3; M. 58A E2; U. 80C B2
Duitama D. 147C B1
Dula D. 26A A1
Dulag E. 90A C4
Dulcigno ↗ Ulcinj
Duleek M. 19 C4
Dülmen M. 51 F2
Duluth D. 146A E2; Mi. 103A E2
Duma 1 A3
Dumaguete D. 144A C2
Dumalag E. 90A B4
Dumangas E. 90A B4
Dumfries M. 58A C1, 59A D1
Dumium D. 22 B3
Dumka D. 143B C2
Dun 57C A2
Dünaburg 62 D/E2/3
Dunamund (Dunamünde) 62 C/D2, 78B A2
Dueñas, S. Isidoro M. 47B C/D2
Dunblane D. 71A C/D1; M. 19 D/E3
Dunbrody M. 52A B3
Dundalk M. 58 B2, 59A C2
Dundee [England] D. 111D C2. 141A C2; M. 58A C1, 59A D1
Dundee [Südafrika] D. 145D A/B1
Dundrennan M. 52A B/C2
Dunedin D. 106/107C F5, 113D K7, 144B D4
Dunkeld D. 71A D1
Dunkeswell M. 52A B/C3, 53 B1
Dünnwald M. 50 D2
Dunseverick M. 19 C3
Dunstable 69B C2; M. 59A D2
Dunwich D. 19 G5; M. 19 G5, 58A D2, 59A E2
Duperré ↗ Oppidum Novum
Duque de Caxias D. 147D C2
Dur ↗ Durea
Dura ↗ Adora
Dura-Europus (Salhiye) E. 2A G3/4, 5A F4
Durağan ↗ Tyraeum
Durakli (Targala) M. 12B B2
Durango AD. 146C A1/2; D. 84A F5/6; M. 84A F5/6
Durazzo ↗ Durrës
Durban 56D C3; AD. 145A F7, 145D B1; D. 112A C6; Mi. 98A D6, 104A D6
Durbon M. 51 F4
Durea (Dur) D. 21 C3
Durford M. 54 D2
Durham D. 32 D2, 111D C2
Durlach 73A C4, 76 C4
Durnauua E. 29B D2
Durostorum ↗ Dorostolus
Dürrenroth M. 50 D3
Durrës (Dyrrhachium, Durazzo) 39C A/B2, 60A B2; AD. 8A D2, 20 A2, 30A C2, 31 B/C2, 61 A1, 66 H4, 71A H4, 96A C3, 141D A3; M. 58A G/H4, 59A H4
Durrow M. 19 C4
Düsseldorf 73A B3, 121 B2; D. 131C B1
Duxbury E. 88B C2
Dvin D. 55B E1; P. 9A C2
Dvúr Králové (Königinhof) 69A D/E1
Dyano M. 89A B3
Dyrrhachium ↗ Durrës
Dysart [Irland] M. 19 C4
Dysart in Five M. 59A D1

E

Eardisley 69B B2
Earsham 69B D2
Easby M. 54 D2
Eastham E. 88B C3
East Hampton E. 88B B3
East Hendred 69B C2
Easton D. 113E F2
Eastry M. 19 G5
East Sutton 69B D2
Eau Claire D. 113E D/E1
Eaucourt M. 50 B2
Eaunes M. 53 E5
Eauze (Elusa) 77A B3; AD. 8A B2, 22 C3; E. 4A D4;
— S. Lourcy M. 47A B4
Ebba ↗ Obba
Ebchester M. 19 E/F4
Ebebiyin D. 145A D4
Ebecik ↗ Bubon
Eberbach M. 50 D2, 53 H1
Eberhardsklausen M. 68A C2
Ebermergen 91 C4
Eberndorf M. 50 F4, 78A E2
Ebersberg M. 67 F3, 78A E2; R. 28 E3
Ebersheimmünster (Ebersheim, Ebersmünster) M. 14C C2, 25A D2, 34B D2, 35A D2, 37 G2, 67 C/D3
Ebersmünster ↗ Ebersheimmünster
Eberstein 76 C4
Ebrach M. 53 I2, 82 D4, 83 D4
Ebredunum ↗ Embrun
Ebstorf M. 67 E1, 91 C1
Eburacum ↗ York
Ecatepec M. 84B D3
Ecclesia Ellodis E. 29B C2
Ecclesia Erinperhti ↗ Peinicaha
Ecdippa (ez-Zib) 1 B1
Echenbrunn M. 67 E3
Echenoz M. 48B C2
Echinos ↗ Echinus
Echinus (Echinos) D. 20 B3, 30A C2/3
Echternach M. 14C C2, 25C B3, 35A D1/2, 37 F2, 82 A/B4, 83 A/B4; Pe. 18A C2
Écija (Astigi) D. 22 B4; E. 4A B5; M. 59A C5, 78A A4
Ecolisna ↗ Angoulême
Ecuador 113D P/Q5, 122 D5, 128 D5, 147A B3, 150A C/D5
Edessa [Griechenland] D. 134C C1
Edessa (Urfa) 38A C2, 60A F3; AD. 8A F2, 9B D2, 21 C2, 26A B2, 61 E2; D. 55B D2; E. 2A F3, 5A E3; Pe. 18A F3
Edgartown E. 88B C3
Edgeworth D. 131A D2/3
Edinburgh AD. 141A C2; D. 111D C2; M. 59A D1; U. 80C A2
Edingen 65 C2
Edirne ↗ Hadrianopolis [Haemimontus]
Edmonton AD. 146A C1; D. 113D 02, 131A B2, 138B B1
Edmundston D. 146A G2
Edrei (Dera) 1 C2
Edremit ↗ Adramyttium
Eeklo 65 B2
Eemstein M. 68A B2
Eename M. 67 B2
Eferding E. 95A C1, 95B E3
Egabro (Cabra) D. 22 B4
Egara (Tarrasa) D 22 C3
Eger [Tschechoslowakei] M. 58A F2, 59A G2
Eger [Ungarn] (Erlau) AD. 96A C2, 141D B1, 142 I4; D. 44A C2, 71A I3; M. 58A H3
Egglestone M. 54 D2
Egido Mi. 86 B2
Egil ↗ Ingila
Egitania (Idanha-a-Velha) D. 22 B3
Egmond M. 67 B1; R. 28 C2
Egres M. 52C C3
Eğridir ↗ Prostanna
Ehrenbreitstein M. 70A E3
Ehringen 91 C4
Eibingen M. 50 D2
Eichstätt D. 32 Q3, 34A E2, 46 C3, 66 G3, 73A D4, 76 D4, 82 D4, 83 D4, 97C C3/4, 97D C3/4, 142 D4; M. 25C E4, 37 I2, 50 E3, 59A G3, 65 E3, 70A F3, 78A E2; Pe. 18A C/D2; R. 28 E3
Eidgenossenschaft ↗ Schweiz
Einbeck 73A C3, 76 C3; M. 91 C2
Eindhoven M. 68A B2
Einsiedeln AN. 140A B1, 142 C4; M. 82 C5, 83 C5; Pe. 18A C2; R. 28 D3
Eisenach 65 E2, 121 C3; M. 51 G2, 59A F/G2
Eisenberg M. 50 E2, 67 F2
Eisenerz E. 95B F/G4
Eisenstadt D. 142 G4; E. 95B H4
Eisentratten E. 95A C2, 95B E5
Eisenwang M. 37 J3
Eisfeld E. 14A E1
Eisleben M. 70A F2
Eiting M. 48A C3
Ekaterininskaja M. 81 D3
Elaea (Reşadive) D. 10 C3
Elant M. 53 F2
Elasson D. 134C B2
Elatea (Elateia) D. 20 B3
Elateia ↗ Elatea
Elba 140A C4
Elbasan ↗ Scampi
Elbekosteletz ↗ Kostelec n. L.
Elbe-Teinitz ↗ Tynec
Elbing (Eblag) 62 B3, 73B A1; M. 59A H2
Elbora ↗ Evora
Elche ↗ Ilici
Elchingen M. 48A B3, 67 E3, 82 C/D4, 83 C4
Eldena M. 52B C3, 52C A2
Eldoret D. 112C B1; 145A F4, 145C C1
Elearchia (al-Bascharud) D. 10C A1
Elec, Eleckij Troickij M. 81 D3
Elephantaria [Africa Proconsularis] (Sidi Saïd) D. 24B A1
Elephantaria [Mauretania Caesariensis] (Mouzaïaville) D. 24A C1
Eleuthera Mi. 103B B/C1
Eleutherna (Leuterna) D. 20 B4
Eleutheropolis [Palaestina I] (Betogabri, Beyt Guvrin) 1 A3; D. 6A D/E3, 21 B/C4; E. 5A D4
Eleutheroupolis [Griechenland] D. 134C D1
Elfenbein-Küste 112A A4, 126 H5, 145A B4, 150A G4; AV. 106/107A A3
Elgin D. 71A D1; M. 59A D1
Elincourt, S. Marguerite M. 47A C2
Eliocroca (Lorca) E. 4A C5
Elis D. 20 B3, 30A C3
Eliu Bomon M. 39B C3
Elizabethsdal M. 68A B2
Elizabethville ↗ Lubumbashi
Eller M. 37 F/G1
Ellingen 82 D4, 83 D4
Ellwangen M. 34B E2, 35A E2, 37 H2, 48A B3, 73A D4, 78A E2, 82 C/D4, 83 C/D4; R. 28 E3
Elmham D. 19 G5, 32 E2; M. 19 G5
Elna (Elne) D. 22 D3
Elora ↗ Oloron
Elotana (Montealegre del Castillo) D. 22 C3
Elphin D. 71A C2; M. 19 B4
Elsegem M. 68A B2
Elten M. 82 B3, 83 B3
Eltendorf E. 95A E2, 95B H4
Eluru D. 143B C3
Elusa [Frankreich] ↗ Eauze
Elusa [Palaestina] (el-Khalasa) 1 A3; D. 21 B4
Elvas M. 59A C5
Elversdorf M. 67 F1
Elvira ↗ Iliberis
Ely D. 71A E2, 111D C/D3; M. 19 G5
Embrun (Ebredunum) 77A C2; AD. 56C D3, 71A F4, 97A D3; D. 22 D2; M. 58A E4, 78A D3
Emden M. 68A C1, 91 D2
Emerita ↗ Mérida
Emesa ↗ Homs
Emly D. 19 B5, 71A C2; M. 19 B5
Emmaus ↗ Nicopolis
Emmerich M. 68B C2, 78A D1
Emona ↗ Ljubljana
Empuriae (Ampurias) D. 22 D3, 71A F4
Enach Duin M. 54 C2
Encaramada Mi. 86 C3
Ende AD. 144A C4, 144B A2
Enessio M. 37 C3
Enez ↗ Aenus
Enfonvelle M. 48B C2
Engelberg M. 48A B3
Engelsburg 62 B3
Engelszell M. 52C A3, 53 L2
Engeltal 65 E3
England 66 D2, 77B B2, 93 D2
Enhil 38B A2
Enkhuizen M. 70A D2
Ennis D. 141A B3; M. 58A B2
Enns 56E B1; E. 95B F3; M. 58A F3
Ensdorf M. 48A C2, 67 F3
Enshi D. 143A C3
Ensisheim M. 78A D2
Entremont M. 50 C4
Enugu D. 145B C2
Epao (Albon) 13 B1
Eperies ↗ Prešov
Epernay M. 50 C3
Ephesus (Selçuk) 39C C3, 60A D3; AD. 8A E2, 9B A2, 13 E2, 20 C3, 31 D3; D. 6A C2; E. 2A D3, 5A C3; Pe. 18A E3
Ephraim (Ephron, et-Taiyibeh) 1 B3; Pe. 18B B3
Epidaurum (Cavtat) D. 23 C3
Epinal R. 28 C3
Epiphania [Cilicia II] (Erzin) D. 9B C2, 21 C2; E. 5A E3
Epiphania [Syria II] (Hama) D. 6A E2, 8A F2/3, 21 C3, 135D C4; E. 5A E3
Epirus Nova 20 A2
Epirus Vetus 20 A3/4
Epora (Montoro) E. 4A C5
Eporedia ↗ Ivrea
Eposium M. 37 F2
Epoy R. 28 C3
Epozoyuco M. 84B D2
Eppenberg M. 51 F2
Equizeto (Lecourbe) D. 7A B2, 24A D1
Erbach 73 C4, 76 C4, 92B C2
Ercsi M. 52C B3
Ereğli ↗ Cybistra
Ereğli ↗ Heraclea Pontica
Eremo di Garda M. 70B D2
Eresburg M. 25D C2
Erexim D. 147A D5
Erfurt 73A D3, 76 D3, 82 D3, 92A D2; D. 25C E3; M. 50 E2, 51 G2, 56A F1, 58A F2, 59A G2, 70A F2, 78A E1; R. 28 E2; U. 64 D1
— Allerheiligenspital M. 50 E2
— S. Augustinus M. 50 E2
— S. Cyriacus M. 67 F2
— S. Peter M. 37 I1, 48A B/C2, 67 F2
Erfurt-Ilversgehofen 65 E2
Erfurt-Meiningen AA. 142 D2
Ergankate ↗ Amorium
Erhab M. 12A B2
Erie D. 113E F1, 146A F2
Ering M. 37 I/J2
Eritrea AV. 106/107A D2
Eriwan D. 130D C/D2
Eriza D. 20 D3, 21 A2
Erlach M. 48A A3
Erlau ↗ Eger [Ungarn]
Ermelo M. 52D A/B2
Ermenek ↗ Germanicopolis [Isauria]
Erment ↗ Hermonthis
Ermland D. 62 B/C3
Ernakulam AD. 138D B1, 143C A1/2
Ernen M. 78A D2
Erongaricuaro M. 84B B/C3
Erreux M. 58A D3
Errhe D. 21 C3; E. 5A E4
Erstein 65 D3; M. 37 G2; R. 28 D3
Erythrae (Ildır) D. 20 C3
Erythrum D. 8A D3, 10B A1
Erzerum (Qalinqala, Theodosiopolis) AD. 31 G2; D. 9B D2, 21 D2, 26A C1, 55B D/E2; M. 63A B3
Erzin ↗ Epiphania [Cilicia II]
Erzindschan M. 61 E2, 63A B3
Esbus (Hesban) D. 8A F3, 21 C4; E. 5A E4
Escala de Dios M. 51 E4
Escaledieu M. 53 D5
Escarpe M. 52D E2
Escekarahisar ↗ Docimium
Eschau R. 28 D3
Eschede M. 91 C2
Escherde M. 67 E1, 91 C2
Eschwege M. 67 E2, 70A E/F2
Escuintla PN. 146C C3
Escurey M. 53 G2
Escurolles M. 47A C3
Esens 68A C1, 73A B2
Eshowe D. 112A C6, 145A F7, 145D B1
Eşkâl Liman ↗ Dascylium
Eskialikel ↗ Orcystus
Eski-Antaleja ↗ Side
Eski Bagdad ↗ Dasqarta de Malka
Eski-Ereğli ↗ Daonium
Eskihisar ↗ Stratonicea [Caria]
Eski Mossul ↗ Balad
Eskişehir ↗ Dorylaeum
Esmeraldas AV. 147A A/B2
Esphigmenou M. 45B B2
Espinal D. 147C A/B2
Espirito Santo M. 85A E/F5
Espíritu Santo [Kolumbien] Mi. 86 A2
Espíritu Santo [Texas] Mi. 87A D4
Esquipulas PN. 146C C/D3
Esrom M. 52B C2
Essen 76 B3, 91 A/B2, 92A B2; D. 141A F3, 142 B2; M. 34B D1, 82 B3, 83, B3; R. 28 C/D2
Esslingen 59A F/G3, 65 D3, 73A C5, 76 C4, 91 C4, 92B C2; M. 56A E2, 58A E/F3, 70A E3; R. 28 D3
— S. Katharina M. 50 D3
Estância D. 147A F4
Este M. 59A G3
Esteli D. 146C D3
Estella M. 58A C4, 59A D4
Estland 77B D/E1, 150A I2
Estrêla M. 52D B2
Estremoz M. 58A B5
Eszeg ↗ Mursa
Esztergom (Gran) AD. 44A B2, 71A H3, 96A C2, 141D A1, 142 H4; M. 58A G3, 59A H3; Pe. 18A D2
Etam (Khirbet el-Khokh) 1 B3
Etampes M. 58A D3
Etchoja Mi. 84A D4
Etenna D. 21 B2
Etival M. 37 F2, 54 F3
Etla M. 84B E4
Etrabonne M. 47A D3
Etrurien 33D B2

Etschmiadzin P. 130D C2
Ettal M. 67 F4
Ettenheimmünster M. 34B D2, 37 G2, 48A A/B3, 67 D3
Ettenstatt 91 D3
Etzatlán M. 84B A2
Eu M. 78A C2
Euaria (Hauwarin) D. 9B C2, 21 C3
Euböa 60A C3, 66 J5
Eucarpia (Kılandıraz) D. 20 D3, 21 A2; E. 5B B1
Euchaita (Theodoropolis, Çorum) AD. 31 F2; D. 21 C1; Pe. 18A F2
Eudocias [Lycia] D. 20 D3
Eudocias [Pamphylia] (Evdır Han) D. 21 A2
Eudoxias D. 21 B2
Eumenea (Işıkh) D. 20 D3, 21 A2; E. 2A E3, 5B A1
Euphralensis 12B B/C2
Euphratensis 9B D2, 21 C2/3
Euren R. 28 C3
Euripus ↗Chalkis [Euboea]
Euroea (Burg von Joannina) D. 20 A3; E. 5A B3
Europe 20 C2
Europus (Carablus) D. 9B C2, 21 C2
Eurre E. 47A D4
Eusebonas ↗Burdsch es Sab
Eusserthal M. 53 H2, 91 B3
Evansville D. 146A E3
Evdır Han ↗Eudocias [Pamphylia]
Eversham 50 B2
Evesham M. 19 F5
Evora (Elbora) AD. 141C B3; D. 22 B3, 71A C5, 60B A2; E. 4A B5; M. 58A B5, 59A C5, 78A A4
Evreşe ↗Aphrodisias [Europe]
Evreux (Civitas Ebroicorum) 94 B2; D. 14A C2, 22 C2, 34A C2, 97A B2, 141A D4, 141C D1; M. 59A E3, 70A C3
Evron M. 94 B2
Ewarton Mi. 103C D2
Ewig M. 68A C2
Exaloth (Iksal) 1 B2; D. 21 C3
Exaltación Mi. 85A C4
Exideuil M. 58A D3
Excusolle E. 47A C3
Exeter [England] D. 71A D2, 111D C3; M. 19 E6, 58A C2, 59A D2
Exeter [USA] E. 88B B2
Eye 69B D2
Eysses M. 47A B4, 94 B4
Ezerus D. 30A C2/3, 61 B2
Ezo ↗Hokkaido
Ezraa ↗Zorava

F

Fabriano M. 59A G4, 70B E3
Facatativa D. 147C B2; Mi. 86 A3
Fada N'Gourma D. 145A C3, 145B B1
Făgăras D. 96A D2
Fahan M. 19 C3
Fahr M. 48A B3
Fainano M. 37 H4
Faioli M. 49A E3
El-Faijum D. 130A A2
Fairfield E. 88B A3
Faisalabad D. 143B B1
Falaise M. 54 D3, 58A C/D3
Falerií [bei Civita Castellana] D. 23 B3
Falkenau M. 52B D2, 62 D2
Falkenhagen M. 91 C2
Falkenstein 73A B3
Falleri M. 52E B1, 53 K5
Fall River D. 146A G2
Famagusta ↗Constantia [Cyprus]
Fanjeaux 56D B/C2, 57C B2; M. 59A E4
Fano (Fanum) 33A C2, 33B C2; D. 23 B2, 140A D1/E3; M. 58A F4, 59A G4, 70B E3, 78A E3
Faenza (Faventia) 33A B1, 33C B/C1, 33D B/C1, 56C F3; D. 23 B2, 140A D3; E. 4A F4; M. 59A G4, 70B D2, 78A E3
— S. Ypolito M. 49A E/F2
Faqirdib E. 29A C2
Farafangana D. 145A G/H7; Mi. 98B B2, 104B B2
Faras (Bucoras, Pachoras) D. 29A B2; E. 29A B2
Faremoutiers M. 14A C2, 25B, 34B C2, 37 E2
Farfa in Sab. AN. 140A D4; M. 35A E3
Fargo D. 113E D1, 146A D2
Faringdon 69B C2
Al-Farki E. 29A B2
Farmington D. 113E C2
Farne M. 19 F3
Farneta M. 51 G4
Farnham 69B C2
Faro ↗Ossonoba
Farsala ↗Pharsalus
Fassıler ↗Misthia
Faesulae ↗Fiesole
Fatsa ↗Polemonium
Fatshan M. 89D B4
Fau 11A D6
Fausinia D. 23 A3
Faustinopolis D. 8A E2, 21 B2
Faventia ↗Faenza
Faverney M. 37 F3
Favianis M. 37 J2
Fearn M. 19 D2, 54 D1
Fécamp M. 14C B2, 25A C2, 37 C2, 48B A2, 94 B2
Fedj es Siouda ↗Vatari
Fedorowskij M. 44C
Feffernitz E. 95A C2, 95B E5
Feira de Santana D. 147A F4
Feld E. 95A C2, 95B E5
Feldbach E. 95B G5
Feldkirch 96B A3; D. 140A C1, 142 C4; E. 95B A4
Feldsberg M. 58A G3
Felendağı ↗Phellus 62 D2
Fellin (Viljandi) 62 D2
Feltre (Feltria) D. 23 B2, 96A A2; M. 59A G3
Feltria ↗Feltre
Fenagh M. 19 C4
Fenék puszta E. 29B C/D3
Fengsiang D. 143A C3
Feniers M. 53 E4
Fenyang D. 143A D2
Ferapontow-Belozerskij M. 81 D2
Ferentino (Ferentinum) D. 23 B3, 140A E4
Ferentinum ↗Ferentino
Ferento ↗Ferentum
Ferentum (Ferento) D. 23 B3
Fergi E. 29A B4
Ferkan M. 12A B2
Ferme Cruchon ↗Mediana
Fermo (Firmum) AD. 140A E3; D. 23 B2; M. 58A F4, 59 G4, 70B E3, 78A E3; U. 64 D2
Fermoy M. 52A A3
Fernando Póo D. 106/107A B3
Ferndorf E. 95B E5
Ferns D. 19 C5; M. 19 C5
Ferrandina M. 59A H4
Ferrara 33A B/C1, 33B B/C1, 33C B/C1, 57D C2; AD. 140A D3; D. 32 G4; M. 51 G4, 52E C2, 58A F4, 59A G4, 70B D2, 78A E3; U. 64 D2
Ferreolac M. 14B A3, 37 E5
Ferrera E. 47C B2
Ferrières M. 37 D2, 94 C2
Ferring M. 19 F6
Fethiye ↗Telmessus
Feuchtwangen M. 34B E2, 35A E2, 91 C3
Fiac 56D B/C2, 57C A1
Fianarantsoa AD. 145A G/H7
Fiães M. 52D B2
Fiastra M. 53 L5
Ficuclae (Cervia) D. 23 B2
Fidenza D. 140A C3
Fidschi-In. 126/127 R/S5, 144B D2, 150/151A Q5; AV. 106/107 F3; Mi. 98/99D F3, 104/105D F3
Fidschir Antawu E. 29A B3
Fiesole (Faesulae) D. 23 B2, 140A D3; M. 59A G4, 70B D3
Fifield 69B C2
Figeac 77A B2; M. 47A B4, 56A D3, 58A D4, 59A E4
Figina M. 47C C2
Fikel ↗Bucellum
Filippowa Irapskaja Krasnoborskaja M. 81 D2
Filly M. 50 C4
Final Marina M. 59A F4, 70B C2
Finglas M. 19 C4
Finiki ↗Phoenici [Epirus Vetus]
Finnland 112A C1, 119 G1, 123 K1, 127 K1, 129 K1, 135D B1, 141B F/G1/4, 150A I1
Finsteringen 91 B4
Firenze (Florentia) 33A B2, 33B B2, 33C B2, 33D B2, 66 G4; AD. 71A G4, 140A D3; D. 23 B2, 56C F3, 57B D2, 57D C3; E. 4A F4; M. 49C E3, 51 G4, 56A F3, 58A F4, 59A G4, 78A E3, 79 F3; U. 64 D2
— S. Miniato M. 35A E3
— S. Salvatore M. 49 E2
Firenze-Maccione M. 70B D/E3
Firmum ↗Fermo
Fischbeck M. 91 C2
Fischerei-Küste Mi. 89C B4
Fischhausen ↗Primorsk
Fischingen M. 48A B3
Fitero M. 52D D2
Fivemiletown D. 111D A/B2
Flabémont M. 54 F3
Flachslanden 91 C3
Fladbury M. 19 F5
Flandern 66 E2
Flaran M. 53 D5
Flathead [Montana] Mi. 87A B2
Flathead [Washington] Mi. 87A B2
Flavias (Kadirli) D. 9B C2, 21 C2; E. 5A E3
Flavigny M. 14B A2, 25A C2, 34A C2, 34B C2, 35A C2, 37 E3, 48B C2, 94 C3; R. 28 C3
Flaxley M. 52A C3
Flechtdorf M. 48A B2, 67 D2, 91 B2
Fleckenstein 73A B4, 76 B4, 92B B2
Flensburg 73A C1; M. 58A E2
Fleri M. 49A F3
Fleury-en-Vexin M. 37 D2
Fleury-s.-Loire M. 25A C2; 37 D3; 94 C3
Flixton 69B D2
Flône M. 50 C2
Flonheim M. 50 D3
Floreffe 65 C2; M. 54 E2; R. 28 C2
Florencia AV. 147A B2
Florennes R. 28 C3
Florensac M. 58A D4
Florentia ↗Firenze
Florent-le-Vieil M. 14A B2
Florenz ↗Firenze
Flores AV. 146C D3
Florian M. 37 J2
Florianópolis AD. 147A E5; M. 85A E5
Florida [Uruguay] D. 147B B1
Florida [USA] D. 101H C4
Florina ↗Heraclea [Macedonia Prima]
Florischtschewa-Uspenskaja M. 81 E3
Flumana M. 49C F2
Flumen Piscense (L'Oued Ksob) D. 7A B3, 24A D2
el-Flusiyat ↗Ostracine
Foça ↗Phocaea
Foggia AD. 140A F4; M. 79 G3
Fogia Nova D. 61 C2; M. 61 C2
Foigny M. 53 F2
Foinikas Sfakion ↗Phoenice [Creta]
Foix 56D B3, 57C A2, 66 E4
Fojano M. 59A G4
Földvár M. 44A B2
Foligno (Fulginiae) D. 23 B3, 140A D4; M. 59A G4, 70B E3
Follina M. 53 K4
Folkestone M. 19 G5
Fómeque Mi. 86 A3
Foncaude M. 54 E4
Fondarella M. 54 E4
Fond du Lac D. 113E E1
Fondi (Fundi) D. 23 B3; M. 59A G4, 70B E4
Fontaine M. 25A D2, 37 F3
Fontaine-André M. 54 F3
Fontaine-Daniel M. 53 D2
Fontainejean-en-Gâtineais M. 53 E/F3
Fontaine-les-Blanches M. 53 E3
Fontanella E. 47C C2
Fontanella M. 47C C2
Fontanellato M. 70B D2
Fontenay [Bourgogne] M. 53 F3
Fontenay [Normandie] M. 94 B2
Fontenay-le-Comte M. 59A D3
Fontenelle R. 28 A3
Fonte Taona M. 49C D2
Fontevivo M. 53 I4
Fontfroide M. 53 E5
Fontguillem M. 53 D4
Fontmorigny M. 53 E3
Foochow 27A H/J3; AD. 143A D3; M. 89D C3
Forcalquier M. 58A E4
Forconium (Civita di Bagno) D. 23 B3
Forde M. 52A C3, 53 C1
Fordungianus ↗Forum Traiani
Fore M. 19 C4
Forlì (Forum Livii) D. 23 B2, 140 D3; M. 49C F2, 58A F4, 59A G4, 70B E2, 78A E3
Forlimpopoli ↗Forum Popilii
Formiae (Mola di Gaeta) D. 23 B3; E. 4A F4
Formigliana M. 47C B2
Formosa [Argentinien] D. 147A D5
Formosa [Brasilien] D 147A E4
Forres M. 59A D1
Fortaleza AD. 147A F3; M. 85A E/F3; Mi. 103D D2
Fortassa ↗Fronta
Fort-Dauphin D. 145A G7
Fort-de-France AD. 146D C2
Fort Hunter Mi. 87A F2
Fort Laudersdale D. 131A C3
Fort Norman Mi. 103A C1
Fort Portal AD. 112A C4, 112C A/B1; D. 145C B1
Fortrose D. 71A C/D1
Fort-Severn Mi. 103A F2
Fort Simpson Mi. 103A C1
Fort Wayne D. 146A E/F2
Fort William D. 111D B2, 146A E2
Fort Worth D. 113E C/D2, 146A D3
Forum Clodii (S. Liberato am See von Bracciano) D. 23 B3; E. 4A F4
Forum Cornelii ↗Imola
Forum Flaminii (S. Giovanni Profiamma) D. 23 B3; E. 4A F4
Forum Iulii ↗Fréjus
Forum Livii ↗Forlì
Forum Novum (Vescovio bei Torri) D. 23 B3
Forum Popilii [Campania] D. 23 B3
Forum Popilii [Flaminia] (Forlimpopoli) D. 23 B2
Forum Sempronii ↗Fossombrone
Forum Traiani (Fordungianus) D. 23 A3
Fosca Mi. 86 A3
Fos-s.-Mer M. 47A D4
Fossano D. 140A B3
Fossanova M. 52E B/C2
Fosse 65 C2; M. 25A C1, 37 E1
Fossombrone (Forum Sempronii) D. 23 B2, 140A D3
Foucarmont M. 53 E2
Fountains M. 52A C2
Foz do Iguaçu D. 147A D5
Framlingham 69B D2
Franca D. 147D B2
Franceville D. 145A D5
Franche Comté 73A A/B5, 76 A/B5
Franeker U. 80C B2
Franken 65 E3
Frankenstein ↗Zabkowice Śląskje
Frankenthal M. 50 D3, 68A C2
Frankfurt a. M. 65 D2, 73A C3, 76 C3, 91 B3, 92A C2, 92B C1, 93 F2; M. 58A E2, 59A F2, 70A E3
Frankfurt a. O. M. 51 G2, 58A F2
Frankokastro [Athos] M. 45B A1
Frankreich 66 E3, 77B B2, 93 E3, 111A C2, 112A B2, 116 J2, 126 J2, 128 J2, 141A D/E4, 141C D/E1, 150A G/H2, 151B C2
Franquevaux M. 53 F5
Französisch-Guayana 85A D2, 147A D2, 150A E4
Französisch-Guinea AP. 106/107A A3
Frascati D. 32 G4, 140A D4; M. 78A E3
Fratta M. 47C C2
Frauenbreitungen M. 54 G2, 67 E2
Frauenburg D. 62 B3
Frauensee M. 91 C3
Frauenzell M. 67 F3
Freckenhorst R. 28 D2
Fredelsloh M. 50 D2, 91 C2
Frederico Westphalen D. 147A D5
Fredericton D. 113D O2
Freetown AD. 145A A4; D. 112A A4; Mi. 98A A3, 104A A3
Fregenal M. 78A A4
Freiberg M. 58A F2, 59A G2
Freiburg [Breisgau] 93 F3; AD. 97D B4, 142 B4; M. 51 F3, 56A E2, 58A E3, 59A F3; R. 28 D3; U. 64 C2
Freiburg [Schweiz] (Fribourg) 73A B5, 76 B5; D. 97A D3, 140A B2, 142 B5; M. 58A E3, 78A D2
Freidnitz M. 51 G3
Freising D. 25C E4, 29B A2, 32 G3, 46 C/D3/4, 66 G3, 82 D/E4, 83 D/E4, 97C C4; M. 34B E2, 37 I2; R. 28 E3
Freistroff (Freisdorf) M. 50 C3, 54 F3
Fréjus (Forum Iulii) D. 22 D3, 97A D4, 97B D4
Frenswegen M. 68A C1
Fresach E. 95A C2, 95B E5
Fresnes E. 14A D2
Fresno D. 113E B2, 146A B3
Frias M. 58A C4
Fribourg ↗Freiburg [Schweiz]
Friedberg 73A C3, 76 C3, 91 B3; M. 58A E/F2
Friedenshütten Mi. 87A F2
Friedenstadt Mi. 87A E/F2
Friedenweiler M. 48A A/B3
Frienisberg 53 H3
Friesach M. 59A G3, 70A G4, 70B F1
Friesland 65 C1
Frigento D. 71B A/B1/2
Frikya M. 12A B3
Fritzlar D. 35A D1; M. 37 H1, 58A E2
— S. Peter M. 25C D2
Friuli 57D D1
Froidmont M. 53 E2
Frome 69B D2; M. 19 E5
Frómista M. 47B C1
Fronta (Fortassa, Uzès, Le Duc) D. 24A B2
Frontenas E. 47A C3
Frontfroide M. 53 E5
Froville M. 47A D2
El Fua M. 12A B3
Fuan M. 89D C3
Fucecchio M. 49C D/E3
Fuchow M. 89D B3
Fudoyama M. 89A B3
Fuguene Mi. 86 A3
Fukabori M. 89A A3
Fukien AV. 89D B/C3, 106/107B E/F3; D. 112A G3; Mi. 98/99C E3
Fukuoka D. 112A H3, 143A E/F3; Mi. 104/105C F2
Fulda AN. 93 F/G2; D. 97D C3, 142 C3; M. 25C D3, 34B D1, 35A D1, 37 H1, 48A B2, 58A E/F2, 67 E2, 73 C3, 76 C3, 78A D1, 82 C3, 83 C3, 92A C2, 93 F/G2; Pe. 18A D1; R. 28 D2
Fulginiae ↗Foligno
Fultenbach M. 48A B/C3, 67 E3
Funafuti Mi. 144B D2
Funay ↗Oita
Funchal D. 145A A1; M. 78A A4
Fundi ↗Fondi
Fünfkirchen ↗Pécs
Funing 27A I3; M. 89D C3
Furnes R. 28 B2
Furness M. 52A C2
Furnos Maius (Aïn Fourna) D. 7A G2, 24A F1; E. 4B B2
Furnos Minus (Hr. Msaadine) D. 24B A/B1; E. 4B B2
Fürstenau 91 B2
Fürstenberg M. 48A A2
Fürstenfeld [Bayern] M. 53 K2
Fürstenfeld [Österreich] E. 95B G/H4
Fürstenzell M. 52C A3, 53 K/L2
Fuerte Olimpo AV. 147A D5
Fushimi M. 89A D/E2
Fushun D. 143A E2
Füssen M. 37 H3, 67 E4, 78A E2

G

Gabae (Scheikh Abreiq) 1 B2; D. 21 B/C3
Gabala [Syria I] (Dscheble) 12B A3; AD. 21 C3; D. 61 E2; E. 5A E3
Gabalis ↗Javols
Gabbula (Dschabbul) AD. 21 C2; D. 6A E2, 9B C2; E. 5A E3
Gabes ↗Tacape
Gabii (Castiglione) D. 23 B3
Gaborone D. 112A C6; 145A E7
Gabun 112A B5, 145A D5, 150A H5; AV. 106A B4
Gadara (Umm Qeis) 1 B2; D. 21 C3; E. 5A E4; Pe. 18B B2
Gadiaufala (Ksar Sbahi) D. 24A E1; E. 4A E5
Gafsa ↗Capsa
Gagae E. 5A D3
Gagnoa D. 145A B4
Gaishorn E. 95B F4
Gaja 57C A2
tou Gala Krenou M. 39B C2
Galati AD. 135D B3
Galatia 2A E3
Galatia I 21 B2
Galatia Salutaris 21 A/B2
Galatone M. 59A H4
Galesion M. 39C C3
Galeso M. 52E D2
Galilaea 1 B2; E. 2A F4
Galitsch [Ukraine] D. 44B B3
— Ioannowskij M. 44B B3
Galitsch, Nikolaewskij Starotorschskij M. 81 E2
Galla AV. 106/107B A4
Galle D. 106/107B C4, 143C B2
Gallia 2B B2, 13 B1
Gallipoli (Callipolis) D. 30A B2, 140A G5
Gallneukirchen E. 95B F3
Galloway (Candida Casa) M. 14A B1
Gallup D. 146A C3
Galveston D. 102A A4
Galway D. 141A B3; M. 58A B2, 59A C2
Gambia 126 G4, 150A G4
Gambier-In. 144B F/G3
Gaming M. 51 G3
Gamu-Goffa D. 130B B3
Ganagobie M. 47A D4
Gand ↗Gent
Gander D. 113D R2
Gandersheim M. 34B E1, 82 C/D3, 83 C/D3; R. 28 D2
Gandia M. 78A B4
Ganges M. 58A D4
Gangra (Çankiri) 60A E2; AD. 8A E2, 13 E2, 21 B1, 31 E2; D. 6A D1; E. 5A D2
Ganzak (Takht-i-Soleiman) D. 10A C2
Gao D. 145A C3
Gap (Vappincum) 77A C2; D. 22 D2, 97A D3, 97B D3, 141C F2; M. 58A E4, 59A F4
Gapan E. 90A B2
Garab M. 54 H3
Garaba 1 B2
Garagoa D. 147C B1/2
Garanhuns D. 147A F3
Garden City D. 113E F/G1
Gardicium (Gardikion) D. 30A C/D2/3, 61 B2
Gardun ↗Delminium
Garendon M. 52A C3
Garessio M. 59A F4, 70B B2
Gargar (Gerger) D. 26A B2; M. 38A C2
Gargar (Arıkh) D. 20 C3
Garissa D. 145A F/G5
Garoua AD. 145A D4. 145B D2
Gars M. 37 I2, 50 E3
Garsten M. 48A C/D3, 67 G4
Garupos D. 26A B2
Garway M. 19 E5
Gary D. 146A E2
Garzón D. 147A B2
Gasang (Gasan) E. 90A B3
Gaesdonk M. 68A C2
Gaspé D. 146A G/H2
Gaeta AD. 140A E4; D. 32 G4; M. 59A G4, 70B E4
Gateshead M. 19 F3/4
Gaukönigshofen E. 14A E2
Gaulanitis 1 B2
Gâvur-Ören ↗Traianopolis [Phrygia Pacatiana]
Gaye M. 47A C2
Gaylord D. 146A F2

Gaza (el-Gazzeh) 1 A3, 60 A4; D. 6A D3, 21 B4; E. 5A D4; Pe. 18B A3
Gazali E. 29A C4
Gazara (Tell Jezer) 1 A3; D. 21 B4
Gazipaşa ↗ Selinus
el-Gazzeh ↗ Gaza
Gdanmaa (Çeşmeli Zebir) D. 21 B2; E. 5A D3
Gdańsk (Danzig) 62 A/B3, 62 B3, 70B A1; D. 141B E5, 142 H1; M. 51 H2, 78A F2, 59A H2
Gdańsk-Oliva ↗ Oliva
Gedir M. 54 H3
Gediz ↗ Cadi
Geertruidenberg M. 51 E2
Gegenford M. 19 F4
Gehrden M. 67 D/E2
Geirach M. 51 H3
Geisenfeld M. 67 F3
Geita D. 145C B2
Gelemen ↗ Patara
Gelibolu ↗ Callipolis [Europe]
Gellone M. 35A C3
Gelnhausen 91 C3, 92B C1; M. 58A E2
Gelnica M. 59A I3
Gembloux M. 67 B2; R. 28 C2
Gemella E. 4A C5
Gemellas (Snob Touil) D. 7A C2
Gemir ↗ Perta
Genappe 65 C2
Genava ↗ Genf
Gene ↗ Cana [Lycaonia]
Genève ↗ Genf
Genezareth (Ginnesar) 1 B2; Pe. 18B B2
Genf (Genava, Genève) 73A B5, 76 B5, 93 F3; D. 14B B2, 22 D2, 66 F3, 82 B5, 97A D3, 131C B2; M. 58A E3, 59A F3; R. 28 C4; U. 64 C2, 80C B3
— S. Victor M. 47A D3
Gengenbach 73A C5, 76 C5; M. 25C C4, 34B D2, 37 G2, 48A A/B3, 67 D3, 82 C4, 83 C4
Gennadiewskaja-Preobraschenskaja M. 81 D2
Génolhac M. 59A E4
Genova (Genua) 66 F4, 93 F4; AD. 56C E3, 71A F4, 140A B3; D. 23 A2; M. 49C B2, 51 F4, 58A E4, 59A F4, 70B C2, 78A D3, 79 E3
— S. Agostino M. 37 G4
Gent (Gand) D. 80B B2, 141A E3; M. 28A B2, 51 E2, 56A D1, 58A D2, 59A E2, 68A B2, 68B B2, 70A C2; R. 28 B2
— S. Bavo M. 37 E1
— S. Peter (S. Pierre) M. 25A C1, 37 E1
Gent-Baudeloo 65 B/C2
Genua ↗ Genova
George D. 112A C6
Georgenthal M. 53 I1
Georgetown D. 113D R4
Georgia D. 101H C3
Georgien 55B E/F1
Georgiewskij M. 44B C2
Georgiewski Kazeleckij M. 81 C3
Georgiewskij Kitaewskaja M. 81 C4
Georgs-Kl. M. 44C
Gerae D. 8A E3, 10B C2
Gerade-Est M. 12A B3
Geraldton D. 106/107C C3, 112A G6, 144B A3
Gerar (Tell Abu Hureira) 1 A3, D. 21 B4
Geras M. 54 H3
Gerasa [Arabia] (Dscherasch) 1 B2; D. 6A E3, 21 C3; Pe. 18B B2
— Genesios-Kirche E. 17B
— Georgios-Kirche E. 17B
— Johannis-Kirche E. 17B
— Kathedrale E. 17B
— Kosmas-Kirche E. 17B
— Peter- u. Paulskirche E. 17B
— Prokopios-Kirche E. 17B
— Propheten-Kirche E. 17B
— Propyläen-Kirche E. 17B
— Theodoros-Kirche E. 17B
Gerboweockij Uspenskij M. 81 C4
Gerdauen ↗ Železnodorožnyj
Gerede ↗ Cratea
Gereuth (Greuth) 91 C3
Gerger ↗ Gargar
Gergesa (Kursi) 1 B2
Gerkeskleaster M. 52B A/B3
Germania 2B B1/2
Germanicia [Euphratensis] ↗ Marasch
Germanicopolis [Isauria] (Ermenek) D. 21 B2
Germe (Kiresin-Savaştepe) AD. 31 D3; D. 20 C3
Germerode M. 54 F2
Germia (Yörme) AD. 31 E3, 21 B2
Gernrode M. 82 D3, 83 D3, 91 D2
Gerode 91 C2; M. 67 E2
Gerokomeiou M. 39C B3
Gerola M. 47C D2
Gerona (Gerunda) D. 22 D3, 60B C1, 141C E2/3; E. 4A D4; M. 58A D4, 59A E4, 78A C3; Pe. 18A C2; U. 64 C2
Géronde M. 50 D4, 51 F3
Géronsart M. 50 C2
Gerpinnes R. 28 C3
Gerresheim R. 28 C/D2
Gerri M. 35A C3
Gertrudenberg M. 67 D1
Gerunda ↗ Gerona
Geseke R. 28 D2
Gesellschafts-In. 144B F2; Mi. 98/99D B/C4, 104/105D H3
Geyre ↗ Aphrodisias
Gezira ↗ Gozarta de Qardu
Geziret Tet E. 29A B3
Ghana 112A A4, 116 H4, 122 H/J4, 126 H5, 128 H/J4, 145A B4, 145B A2, 150A G4
Ghardaia AP. 106/107A A2
Gherla Mi. 138A C2
Ghistelles M. 67 B2
Giano M. 70B E3
Gibba (Ksar Kalaba) D. 7A D3, 24A E2
Gibello M. 59A G3, 70B D2
Gibeon (el-Jib) 1 B3
Gibraltar [Spanien] D. 112A A3, 141C C4
Gibraltar [Venezuela] Mi. 86 B2
Giebelstadt 91 C3
Giengen 73A D4, 76 D4, 91 C4, 92B D2
Gießen U. 80C B2
Gifu M. 89A E2
Gightis (Bou Ghara) D. 7A H/I5, 24A G3
Gignac 77A B3; M. 58A D4
Gignat E. 47A C3
Gigny M. 47A D3
Gilan AD. 26A D/E2
Gilbert-In. 98/99D F1, 144B D1; AV. 106/107C G2
Gilindere ↗ Celenderis
Gillingham M. 59A D2
Gilling West M. 19 E/F4
Gimont M. 53 D5
Ginae (Jenin) 1 B2
Gindarus (Dschandarus) E. 5A E3; M. 12A B2, 12B B2
Gindinarri E. 29A B2
Ginetti E. 29A B5
Ginkulskij Paraskewiewskij M. 81 C4
Ginnesar ↗ Genezareth
Gioia del Colle M. 59A H4
Girardot D. 147C B2
Girba (Djerba, Houmt Souk) D. 7A H5, 24A G3; E. 4A F6
Giresun ↗ Cerasus
Girga D. 130A A2
Girgenti ↗ Agrigento
Gischala (el-Jisch) 1 B1
Gischra D. 26A B2
Gise D. 130A A1/2
Gitega AD. 145A E/F5, 145C B2; D. 112C A/B2
Giufi (Bir Mcherga) D. 7A G2, 24A F1, 24B A1
Gizo D. 144B C2
Gjirokaster AD. 134C A/B1
Gjoani (D. Pulati) D. 66 H/J4, 71A H/J4, 96A C2, 141D A2
Glabinitza (Glavnica) D. 30A C2
Gladbach M. 48A A2, 67 C2
Gladstone D. 112A H6
Glamoč M. 58A G4
Glandève (Glannativa) D. 22 D2, 97A D3/4
Glandier M. 51 E3
Glangragh M. 52A A/B3
Glannativa ↗ Glandève
Glarentsa ↗ Clarenza
Glarus 73A C5, 76A C5
Glasbury M. 19 E5
Glasgow AD. 71A D1, 111D B2, 141A C2; D. 19 D/E3; M. 19 D/E3, 59A D1; U. 64 B1
Glasowm M. 19 E5
Glastonbury M. 19 E5; Pe. 18A B1
Glatz ↗ Klodzko
Glavnica ↗ Glabinitza
Glaž M. 58A G3
Gledenskij-Troickij M. 81 E2
Gleichen 73A D3, 76 D3
Gleink M. 48A D3, 67 G3
Glendalough D. 19 C/D4; M. 19 C/D4
Glenluce M. 52A B2
Glinskaja Bogorodickaja M. 81 C/D3
Glogau ↗ Głogów
Gloggnitz E. 95B G4
Glogher D. 111D B2
Głogów (Glogau) 73A F/G3, 76 F/G3; M. 58A G2, 59A H2
Glogówek (Oberglogau) M. 58A G3
Gloucester [England] 69B B2, D. 111D C3; M. 19 E5, 58A C2, 59A D2
Gloucester [USA] E. 88B C2
Gluchowskij Petropawlowskij M. 81 C/D3
Glumenskij M. 81 C3
Gmunden E. 95B E4
Gnadenhütten Mi. 87A E/F2
Gnadenzell M. 91 C4
Gnathia (Torre di Anazzo bei Fasano) D. 23 C3
Gnesau E. 95A C/D2, 95B E/F5
Gnesen ↗ Gniezno
Gniew ↗ Mewe
Gniezno (Gnesen) AD. 32 H2, 71A H2, 142 G2; M. 58A G2; Pe. 18A D1
Gnunik D. 9A B2/3
Goa AD. 89C A3; D. 106/107B B/C3; M. 89C A3
Goailles M. 50 C4
Goce Delčev ↗ Nicopolis [Rhodope]
Goiânia AD. 147A E4
Goiás D. 85A E4, 147A D4
Göksun ↗ Cucusus
Goldbach M. 50 D3
Goldenkron ↗ Zlatá Koruna
Goldingen (Kuldīga) 62 C2
Goldküste AV. 106/107A A3
Gollub 62 B3
Göllük ↗ Termessus
Goloseewskaja M. 81 C3
Gols E. 95A E2, 95B H4
Goltn D. 9A C2
Golutwin M. 81 D3
Goma D. 145A E5, 145C A2
Gomphi (Mouzakion) D. 20 B3
Gonaives D. 146D A1
Gondar D. 130B B2
Gondischapur (B. Laphat) AD. 10A C2, 26A D3; E. 5A G4
Gondom M. 53 D4
Gophna (Jiphna) 1 B3
Gördes ↗ Gordus
Gordus (Gördes) D. 20 C3
Gore D. 130B A/B3
Gorgona M. 51 F4
Gori (Dra el Gamra) E. 4B B2
Gorizia (Görz) 66G3, 76 E5/6, 96A B2; AD. 140A E2, 142 E5; M. 78A E2
Gorkij ↗ Nischni-Nowgorod
Görlitz 121 F2; AA. 142 F2; M. 58A F/G2
Gorochowec Znamenskij Krasnogriwskij M. 81 E3
— Nikolaewskij M. 81 E3
Gorockij Woskresenskij M. 81 D2
Gorodeckij Feodorowskij M. 81 E3
Gorodischtschenskij Roschd-Bogorodickij M. 81 C3
Goroka D. 144B C2
Gortyna AD. 8A E2, 20 C4, 30B A/B1, 31 D3; E. 2A C3/4, 5A C3
Görz ↗ Gorizia
Gorze M. 34B D2, 35A D2, 37 F2; R. 28 C3
Gorzów (Landsberg) D. 142 F2; M. 78A E2
Gosau E. 95A C2, 95B E4
Goschgoschünk Mi. 87A F2
Goseck M. 48A C2, 67 F2
Goshen Mi. 87A E2
Goslar 73A D3, 76 D3, 91 C2; R. 28 E2
— Georgenberg M. 50 E2
Gosnay 51 E2
Gotha 65 E2; M. 70A F3
Gottesau M. 48A B2, 67 D3, 91 B3
Gottesgnaden M. 54 G2; R. 28 E2
Gottesstadt M. 54 G2
Gottesthal M. 50 D3
Gotteszell M. 53 L2
Göttingen 73A C3, 76 C3; M. 58A E2, 59A F/G2, 91 C2
Gottstadt M. 54 F3
Göttweig M. 48A D3, 50 F3, 67 H3
Gouda M. 68B B1
Gouéa ↗ Caput Cilani
Goulburn D. 106/107C D4
Gourdon 56C C3, 56D B1; M. 53 E4, 58A D4
— Mont-S. Jean 47A B4
Governador Valadares D. 147D C1
Goya D. 147A D5
Gozarta de Qardu (Gezira, Dschezireh, Cizre) D. 26A C2
Gözek-Öyük ↗ Cidyessus
Gozo 45A B3
Gračanica M. 55A C2
Grace Dieu M. 52A B/C3
Graecia 13 D2
Gradista ↗ Graditzium
Graditzium (Gradista) D. 30A C2
Grado D. 35A E2; P. 32 G3
Grafenhausen M. 48A B3
Grafschaft M. 48A A/B2, 67 D2
Grafton D. 113D J6
Grahamstown D. 112A C6
Graiguenamanagh 52A B3
Grajaú D. 147A E3
Grammont M. 51 E2, 68B B2; R. 28 B/C2
Gramzow M. 54 G2
Gran ↗ Esztergom
Granada [Nicaragua] D. 146C D4
Granada [Spanien] 43 B2, 66 D5, 72 B2; AD. 60B B2, 71A D5, 141C C4; M. 59A D5, 78A B4
Grancga Mi. 86 B2
Grand Bassam D. 145A B4
Grandchamp M. 54 E3
Grande Chartreuse M. 51 F3
Grand Falls D. 146A H2
Grandfontaine M. 47A D3
Grandgourt M. 54 F3
Grand Island D. 146A D2
Grandpré M. 53 G1
Grand Rapids D. 146A E/F2
Grandselve M. 53 E5
Grandson M. 58A E3
Grandvaux M. 50 C4
Granfelden M. 25A D2, 37 G3
Gransee M. 58A F2
Grasellus M. 14B B3, 25A C3, 37 F4
Grasse D. 71A F4, 97A D4; M. 58A E4, 59A F4
Gratianopolis ↗ Grenoble
Gratosoglio M. 49C C1
Gratteri M. 54 G5
Graubünden 73A C5, 76 C5
Graudenz (Grudziądz) 62 B3, 73B A2
Graufthal M. 48A A3
Grauhof M. 68A D1/2, 91 C2
Gravedona M. 70B C1
Gravelbourg D. 146A C2
Gravina D. 32 H4, 140A F5
Gray M. 58A E3; U. 64 C2
Graz 46 G4; D. 96A B2, 96B G3, 140A F1, 142 F4; E. 95B G4; M. 58A G3, 59A H3, 70A G4, 78A F2, 79 G2; U. 80C C3
Grand Cayman Mi. 103B A/B3
Great Abaco Mi. 103B B1
Great Chart 69B D2
Great Exuma Mi. 103B B2
Great Falls D. 146A C2
Great Gaddesden 69B C2
Great Inagua Mi. 103B C2
Great Marlow 69B C2
Greben M. 58A G4
Grebena D. 134C B1
Grebkow D. 111A E1
Green Bay D. 146A E2; Mi. 87A E2
Greenock D. 141A C2
Greensburg D. 146A F3
Greifswald 73A E1, 121 D1; M. 58A F2, 59A G2, 70A G2; U. 64 D1
Grelonges M. 47A C3
Grenada Mi. 103B E4
Grenadinen Mi. 103B E4
Grenoble (Gratianopolis) 77A C2; D. 22 D2, 97A D3, 97B D3, 141C E2; M. 58A E3, 59A F3; U. 64 C2
— S. Laúrent M. 37 F4
Grey Abbey M. 52A B2
Greyerz 73A B5, 76 B5
Greymouth Mi. 104/105D F4
Griechenland 96A C3, 112A, B/C2/3, 117 K3, 134C B/C2, 138A C3/4, 141D B3, 150A H/I3, 151B E3
Gries M. 50 E4
Grieskirchen 56E A1
Griffen M. 54 G3
Grignano M. 49C E3
Grigny M. 37 E4
Grigoriou [Athos] M. 45B A3
Grimbergen M. 50 C2
Grimma M. 70A F/G2
Grimsby M. 58A C2
Gripsholm M. 51 G1
Grjazoweckij Arseniewa-komelskij M. 81 D/E 2
Grobe-Pudagla M. 54 G2
Grobbendonk M. 68A B2
Grobin (Grobina) 62 C2
Grobina ↗ Grobin
Gröbming E. 95B E4
Grodek M. 58A H3
Grodno
— Borisoglebskij M. 81 B3
Gronau M. 48A B2, 67 D2
Groenendaal M. 68A B2
Groningen D. 80B D1, 141A F3, 142 B1; M. 58A E2, 59A F2, 68B C1, 70A D/E2; R. 28 C1; U. 80C B2
Grosbois M. 53 D4
Grönland 150A E/F1
Großbritannien 112A A2, 116 H2, 119E/F 1/2, 122 H2, 126 G/I1, 128 H2, 150A G2, 151B B1
Großer S. Bernhard M. 50 D4
Grosseto D. 71A G4, 140A D4
Groß-Mogul AV. 89C B1
Groß-Nama-Land AP. 106/107A C5
Großpetersdorf E. 95B H4
Großwardein ↗ Oradea
Grottaferrata AN. 138A A3, 140A D4
Gruaro 56C F2
Grudzladz ↗ Graudenz
Grumello M. 47C C2
Grumentum (Saponera in Valle di Agri) D. 23 C3
Grunau M. 67 D2
Grünau M. 51 F2/3, 91 C3
Grünberg [Hessen] M. 58A E2
Grünberg [Schlesien] (Zielona Góra) 73A F3
Gründelhardt 91 C3
Grünhain M. 53 K1
Grússaü ↗ Krzeszów
Gryfice (Greifenberg) M. 58A G2
Gschatskij Kolotschskij M. 81 C/D3
Guadalajara AD. 146C A2; D. 84B A/B2, 113D O3; M. 84B A/B2
Guadalupe [Mexico] Mi. 84A B4
Guadalupe [Spanien] Pe. 18A B3
Guadix (Acci) D. 22 C4, 60B B2, 71A D5, 141C C4; E. 4A C5; M. 78A B4
Guagua E. 90A B2
Guaipar Mi. 86 C3
Guaiquetume Mi. 86 C3
Guajará Mirim D. 147A C4
Gualdalajara M. 58A C4
Gualdo Tadino ↗ Tadinum
Guale Mi. 87A E3
Gualeguaychú D. 147A D6
Guam 144C A2
Guamá PN. 147A E3
Guamanga D. 85A B4
Guanare D. 147A C2
Guanarito Mi. 86 B2
Guanhães D. 147A E4, 147D C1
Guano M. 85A B3
Guapi AP. 147A B2, 147C A2
Guarabira D. 147A F3
Guaracaro Mi. 86 D3
Guaramamunoe Mi. 86 C3
Guaramare Mi. 86 C2
Guaranda D. 147A A/B3
Guarapuava D. 147A D5
Guarda D. 60B A1, 71A C4, 141C B3; M. 58A B4
Guardialfiera D. 71B A1
Guásabas Mi. 84A D3
Guasave Mi. 84A D5
Guasimal Mi. 86 C3
Guasipati Mi. 86 D3
Guastalla D. 140A C3
Guatama Mi. 86 C4
Guatemala 113D P4, 116 D4, 122 D4, 126 C/D4, 128 C/D4, 146C C/D3;
Guatemala AD. 146C C3, 150A C4; D. 113D P4
Guateque Mi. 86 A3
Guaxupé D. 147D B2
Guayabal Mi. 86 C3
Guayana 113D R4, 116 F4, 119 C4, 122 F4, 126 F4, 128 F4; 147A C/D2, 150A E4
Guayaquil AD. 147A A/B3; M. 85A B3; Mi. 103D A2
Guaypa Mi. 86 C/D3
Gubba D. 130B B2
Gubbio (Iguvium) 33A C2, 33B C2; D. 23 B2, 140A D3; M. 58A F4, 59A G4, 70B E3
Gubos D. 26A B1
Guebwiller M. 59A F3, 70A D/E4
Gudvala M. 52B D2
Gué de l'Orme M. 54 E3
Guelma ↗ Calama
Guérande M. 59A D3, 70A B4
Guéret S. Peter M. 37 D3
Guglionesi M. 51 G4
Guhrau 73A G3
Guildford D. 111D C/D3; M. 59A D2
Guilford E. 88B B3
Guimarães M. 58A B4, 59A C4
Guimbal E. 90A B4
Guinea 112A A4, 145A A/B 3/4, 150A G4
Guinea AV. 106/107A B3
Guinea-Bissau (Portugiesisch-Guinea) 145A A3, 150A G4
Guingamp M. 58A C3, 59A D3
Guinguito E. 90A B3
Guiratinga D. 147A D4
Guiuan E. 90A C4
Gülchsheim 91 C3
Gulluk ↗ Bargylia
Gulu D. 112C B1, 145A F4, 145C B1
Gümenek ↗ Comana Pontica
Gumis (Bordj Cedria) D. 24A G1
Gummi (Mahdia) D. 7A I3, 24A G2
Gümüşlük ↗ Myndus
Gundelsheim 91 C3
Gunia (Juniya) D. 26A A2
Gunskirchen 56E A1
Günstedt 65 E2
Guntur D. 143B B/C3 [B1
Gunugu (Sidi Brahim) D. 24A
Gunzenhausen M. 35A E2
Gurgan D. 10A D2
Guri Mi. 86 D3
Gürice ↗ Temnus
Gurk D. 46 F5, 71A G3, 82 F5, 96B F4; M. 50 F4
Gurupatuba Mi. 85A D3
Gurupi Mi. 85A E3
Gustynskij Troickij M. 81 C3
Gutenzell M. 82 D4, 83 D4
Gütersloh 76 C3
Güterstein M. 51 F3
Guxmaca (Gumaca) E. 90A B3
Gweru D. 112A C5/6, 145A E/F6
Győr (Raab) 29B D2; D. 44A B2, 46 J4, 71A H3, 96A B2, 141D A1, 142 G4; M. 58A G3, 59A H3
Gytheion D. 134C B/C3
Gyulafehérvár ↗ Alba Julia

H

H. Andreou [Athos] M. 45B B2
H. Anna [Athos] M. 45B B3
H. Anna [Mikra] M. 45B B3
H. Auxentios M. 39B C2
H. Bassa M. 39B C1
H. Christos M. 39B C2
H. Daniel M. 39B B/C1
H. Dimitriou [Athos] M. 45D B2
H. Eugenios M. 39C F2

H. Eustratios M. 39B C3
H. Georgios [Athos] M. 45B B3
H. Georgios M. 39B C1
H. Georgios M. 39B C2
H. Georgios Kyparissotes M. 39B B3
H. Georgios mesampelos M. 39B C2
H. Glykeria M. 39B C2
H. Lukas M. 39C B3
H. Maria D. 31 G3
H. Martha M. 39C B3
H. Michael M. 39B C2
H. Michael tou Satyrou M. 39B B/C2
H. Neilos [Athos] M. 45B B3
H. Nikolaos M. 39B B3
H. Nikon M. 39C B3
H. Panteleemon M. 39C B2
H. Panteleimen M. 39B C1
H. Panteleimonos [Athos] M. 45B A2
H. Paulou [Athos] M. 45B B3
H. Philippos M. 39B B/C1
H. Philippou [Athos] M. 45B A2
H. Prodromos M. 39B B1
H. Severina AD. 30A B2, 31B B3
H. Theotokos M. 39C A/B2
H. Trias M. 39B C1
H. Trias M. 39B C2
H. Tryphon M. 39B C2
H. Vasileios [Athos] M. 45B B3
H. Zacharias M. 39B B3
Haag [Bayern] 73A E4, 76 E4
Haag [Österreich] 56E B1
Haapsalu (Hapsalu) D. 62 C2, 71A I1
Haarlem D. 80B C2, 111A C1, 141A E3; M. 59A E2, 68A B1, 70A C/D2
Habana ↗ Havana
Habora D. 26A B/C2
Hachirao M. 89A B3
Haci Veliler ↗ Corydalla
Hackington 69B D2
Hackness M. 19 F4
Haddington M. 58A C1
Hadersleben ↗ Haderslev
Haderslev (Hadersleben) 73A C1, 76 C1; M. 59A F1, 70A E1
Hadet D. 26A A/B2
Hadeth D. 135D C4
Hadjeb el Aioun ↗ Masclianae
Hadlow 69B D2
Hadmersleben M. 67 E/F1
Hadriane D. 9B A2
Hadriani (Orhaneli) D. 20 C3; E. 5A C3
Hadrianopolis [Epirus vetus] (Dryinopolis, Drinopolis, Libohovë) D. 20 A3, 30A C2
Hadrianopolis [Haemimontus] (Edirne) 39C C2, 60A D2, 72 E1; AD. 8A E2, 20 C2, 30A D2, 31 D2, 61 C1; E. 5A C2, 5A D3
Hadrianopolis [Honorias] (Viranşehir) D. 21 B1
Hadrianopolis [Pisidia] (Adaras) D. 21 B2
Hadrianotherae (Balıkesir) D. 20 C3
Hadrumetum (Sousse) D. 7A H3, 24A G2; E. 4A F5, 4B C3
Hagenau ↗ Haguenau
Hagenbusch M. 48A A2, 67 C2
Hägersten D. 131C C1
Haghbat D. 55B E1
Hagnaby M. 54 D/E2
Hagonoy E. 90A B3
Haguenau (Hagenau) 73A B4, 76 B4, 91 B4, 92 B2; M. 54 F3, 58A E3, 59A F3, 78A D2
Hah 38B B2; D. 26A C2
Haidershofen 56E B2
Haïdra ↗ Ammaedara
Haifa 38A A4; AD. 139E B3
Hailes M. 52A C3
Hailun 27A I1
Haimen D. 143A E3
Haina M. 53 I1
Hainan 144A B1
Hainburg 65 G3; M. 58A G3
Haiphong D. 143A C4, 144A B1
Haiti 103B C3, 113Q H4, 126 E3, 128 E3, 146D A1, 150A D4
Hajdudorog D. 96A C2
Hakata M. 89A B3
Hakodate D. 106/107B G2; Mi. 104/105C G2
Hal Pe. 18A C1
Halba D. 135D C4
Halberstadt 92A D2; D. 32 G2, 35D D2, 65 E2, 66 G2, 73 D2/3, 76 D2/3, 82 D3, 83 D3, 91 D2; M. 34B E1, 50 E2, 54 G2, 58A E/F2, 59A G2, 68A D2, 70A F2, 91 D2; R. 28 E2
Halbun ↗ Helbon
Halden 69B D2
Haleiwa E. 29A B4
Halesowen M. 54 D2
Halicarnassus (Bodrūm) D. 9B A2, 20 C3
Halicz M. 58A I3
Halifax AD. 146A H2; D. 113D P/R2
Halıtpaşaköy ↗ Hyrcanis
Hall M. 78A E2
Halle M. 50 E2, 58A F2, 59A G2, 70A F2, 78A C1, 91 D2; R. 28 E2; U. 80C C2
Hallein E. 95B E4
Hallstatt E. 95B E4
Halmstad M. 59A G1
Halmyros ↗ Halmyrus
Halmyrus (Halmyros) D. 61 B2
Hälsingborg M. 59A G1
Halstead 69B D2
Ham [Normandie] M. 37 B2
Ham [Somme] M. 50 B3
Hama ↗ Epiphania [Syria II]
Hamadan 43 G2, 72 G2; D. 26A D2
Hamar D. 71A F1
Haman D. 26A A2
Hamave M. 37 D/E1
Hambledon 69B C2
Hamborn M. 54 F2
Hamburg 73A C2, 76 C2, 92A C1, 93 F/G2; D. 25D C1; M. 58A F2, 59A G2; R. 28 E1
— Altona M. 78A D1
Hameln 76 C3, 91 C2; M. 25D C2
Hamersleben M. 50 E2, 68A D1
Hamheung D. 143A E2
Hami 63B C2; D. 27A F1
Hamilton [Kanada] D. 113D Q2, 146A F2
Hamilton [Neuseeland] D. 113D K6, 144B D3
Haemimontus 20 C2
Hamm U. 80C B2
Hammam Daradji ↗ Bulla Regia
Hammam du Guergour ↗ Ad Sava Municipium
Hammam Meskoutine ↗ Aquae Thibilitanae
Hammam Righa ↗ Aquae Calidae
Hammam Zouakra ↗ Thigimma
Hammelburg E. 14A D/E1
Hampton [New Hampshire] E. 88B C2
Hampton [Virginia] E. 88A B3
Hanau U. 80C B2
Hanau-Lichtenberg 73A B4, 76 B4, 92 B2
Hanau-Münzenberg 73 C3, 76 C3, 92B C1
Hanbury M. 19 E/F5
Handborough 69B C2
Hane M. 50 D3
Hangchow AD. 143A D/E3; M. 27A J2, 89D C2, 63B D2; Mi. 104/105C F2
Hanigan (Tuz Khurmatu) D. 26A C/D2
Hanita D. 26A C2
Hankow AD. 143A D3; Mi. 104/105C E2
Hannover 65 D2, 73A C2, 76 C2, 121 C2; M. 58A E2
Hanoi AD. 143A C4, 144A B1
Hanwell 69B C2
Hanyang D. 143A D3
Hanzit D. 26A B1
Hapisnas 38B A2
Hapsal ↗ Haapsalu
El Harairia ↗ Pertusa
Haraldstedt Pe. 18A D1
Harapali 38B A2
Harar AV. 145A G4; D. 130B C3
Harare (Salisbury) AD. 145A F6; D. 112A C5, 134B D6
Harbagelal D. 10A C2
Harbaz M. 38A C2
Harbin AA. 143A E1
Hardehausen M. 53 I1
Hardenberg M. 68B C1
Harderwijk M. 58A D/E2, 68B B1; U. 80C B2
Hark D. 9A B2
Harleston 69B D2
Haro (Jaro) E. 90A B4, 90A C4
Harpasa (Arpaz) D. 9B A2, 20 C3
Harran M. 12A B2
Harran (Carrhae) 38A C2; D. 9B D2, 21 D2, 26A B2; E. 5A E3
Harrien 62 D1
Harrisburg D. 113E F1, 146A F2
Harrow 69B C2
Harsefeld M. 67 D/E1
Hartberg E. 95B G4
Hartford E. 88B B3; D. 113E F/G1, 146A G2
Hartlepool M. 19 F4, 58A C2, 59A D2
Haryabolu ↗ Chariopolis
Harzburg R. 28 E2
Hasaheysa E. 29A C6
Hasankeyf (Cephas) 38A D2, 38B A1; D. 21 D2
Hasinai Mi. 87A D3
Haskerdijken M. 50 C2, 68A B1
Hasköy ↗ Sasima
Haslach M. 34B D2, 37 F/G2; R. 28 D3
Hasleton 69B B/C2
Hasnon M. 37 D/E1
Hassassanaye D. 26A C2
Hasseke D. 130D C3, 139E D2
Hasselt D. 141A E3
Hasta ↗ Asti
Hasungen 91 C2; M. 48A B2
Hato Mi. 86 A2
Hatton-Châtel R. 28 C3
Hatvan M. 44A B2
Hautcrêt M. 53 G/H3
Hautecombe M. 50 E2
Hautefontaine M. 53 F2
Hautepierre M. 47A D3
Hauterive D. 146A G2
Haute Seille M. 53 H2
Hautmont M. 37 E1; R. 28 B2
Hautpoul 56C C3, 56D C2
Hautvillers M. 37 E2
Hauwarin ↗ Euaria
Havana (Habana) AD. 146C E2; D. 113D P3; Mi. 103 F4
Havelberg D. 32 G2, 66 G2, 73A E2, 82 E2, 91 D2; M. 54 G3
Haverfordwest M. 59A C2
Haverhill E. 88B B2
Hawaii 144D B3; Mi. 103A A4
Hazzanu M. 12A B2
Hearst D. 146A F2
Hebdow M. 54 J2
Hebriden 150/151A Q5
Hebron (el-Khalil) 1 B3; D. 61 D/E3; Pe. 18B A/B3
Hebron (USA) Mi. 103A G2
Hedersleben M. 50 E2
Heggbach M. 82 C4, 83 C4
Heidelberg M. 58A E3, 59A F3, 70A E3; U. 64 C2
Heidenfeld M. 50 D/E3
Heidenheim [Brenz] M. 37 H2
Heidenheim am Hahnenkamm M. 25C D3
Heilbronn 73A C3, 76 C5, 91 C3, 92B C2; M. 58A E3, 91 C3
Heiligenberg M. 54 F2
Heiligenblut Pe. 18A D2
Heiligenfeld ↗ Svaty-Pole
Heiligenfelde M. 91 B/C2
Heiligenkreuz M. 52C B3; R. 28 G3
Heiligenrode M. 67 D1, 91 B/C2
Heiligenstadt M. 78A E1; R. 28 E2
Heiligenstetten R. 28 D1
Heilsberg ↗ Lidsbark Warminski
Heilsbronn 65 E3; M.53 K2, 82 D4
Heiningen M. 68A D1, 91 C2
Heinrichau ↗ Henryków
Heinsberg M. 54 F2
Heisterbach M. 53 H1
Heitersheim 82 B5, 83 B5
Helbon (Halbun) AD. 26A A3
Helena D. 113E B/C1, 146A C2
Helenopolis [Bithynia] (Hersek) D. 20 D2, 21 A1; E. 5A C/D2
Helenopolis [Palaestina II] D. 21 C3
Helenopontus 21 C1
Heliopolis [Libanensis] ↗ Baalbek
Heliopolis (Tell-Hisn) AV. 145A F1; D. 6B B/C1, 10C B2
Hellas 20 B3
Hellespontus 20 C3
Helmarshausen M. 91 C2; R. 28 D2
Helmstedt 65 E2; M. 35A E1, 67 E/F1; U. 80C C2
Helsingör M. 59A G1
Helsinki D. 135D B1, 141B F4
Heluan 11A C3; D. 130A A2
Hemmersheim 91 C3
Hempstead E. 88A C1, 88B A3
Hengyang D. 143A D3
Hénin M. 50 B2
Henley 69B C2
Henneberg 73A C3, 76 C3
Hennegau 66 E2/3
Henrico E. 88A A3
Henryków (Heinrichau) M. 52C B2
Hephaestia E. 5A C2
Hephaestus D. 10C B1
Hephthaliten D. 27A C2
Heraclea [Cappadocia] ↗ Cybistra
Heraclea [Europe] (Marmaraereğlisi) AD. 8A E2, 20 C2, 30A E2, 31 D2, 61 C1; D. 6A C1; E. 5A C2
Heraclea [Macedonia Prima] (Florina) D. 20 B2, 134C B1
Heraclea-Latmi (Kapıkırık) D. 20 C3
Heraclea Pontica (Ereğli) 39C D2; D. 21 B1
Heraclea Salbaces (Makıf) D. 20 C/D3
Heracleopolis (Ahnas) D. 10B C2; E. 5A C/D5
Heracleopolis parva E. 5A D4
Heraclopolis AD. 31 F2; D. 21 C1
Herakleion (Heracleum, Candia) AD. 61 C2, 134C D4; D. 20 C4; M. 61 C2
Herat AD. 26B D2, 27A C2; D. 10A F2
Herbaamata M. 49C C1
Herbeuville M. 14C C2
Herbitzheim 91 B3
Herbolzheim 91 C3
Herborn U. 80C B2
Herbrechtingen M. 37 H2, 50 D/E3, 91 C4; R. 28 E4
Herceg Novi M. 58A G4
Herdecke M. 25A B2
Herdonia (Ordona) D. 23 C3
Hereford D. 19 E5, 32 D2, 111D C3; M. 19 E5, 58A C2, 59A D2
Heremur M. 49A E/F3
Herford 73A C2, 91 B2; M. 34B D1, 35A B2, 58A E2, 68B C1, 82 C2, 83 C2; R. 28 D2
Hergla ↗ Horrea Caelia
Hérinnes M. 51 E2
Hérival M. 50 C3
Hermager E. 95B E5
Hermannstadt ↗ Sibiu
Hermières M. 54 E3
tou Hermolaou M. 39B C1
Hermonthis (Erment) D. 6B C4, 10B C3; E. 5A D5
Hermopolis magna (Aschmunein) 11A B5; D. 6B A/B3, 8A E3, 10B B/C2; E. 5A C/D5
Hermopolis minor D. 8B A2, 10C A2
Hermosillo AD. 146A C4
Hermoupolis D. 134C D3
Herodium (Jebel Fureidis) 1 B3
Herrenalb M. 53 H2, 82 C4, 91 B4
Herrenberg 65 D3; M. 68B C3
Herrenbreitungen M. 50 E2, 67 E/F2
Herrera M. 52D D1, 53 B5
Herrevad M. 52B C2
Herrieden 65 E3; M. 34B E2, 35A D2
Hersek ↗ Helenopolis [Bithynia]
Hersel M. 50 C2
Hersfeld M. 35A D1, 37 H1, 58A E2, 82 C/D3, 83 C/D3; R. 28 D2
's-Hertogenbosch D. 80B C2, 141A E3; M. 51 F2, 58A D/E2, 59A E/F2, 68B B2, 70A D2
Hervey-Inseln Mi. 104/105D H3
Herzberg M. 70A G2
Herzebrock M. 67 D2
Herzegowina 96A B/C2; AV. 96A B/C2
Herzogenbuchsee M. 48A A/B3
Herzogenburg M. 50 F/G3
El-Hesah E. 29A C1
Hesban ↗ Esbus
Hesdin M. 58A D2, 78A C1
Hesna de Zaid (Kharput) D. 26A B1
— B. Baut M. 38A C1
Hesn Mansur 38A C2; D. 26A B2
Hesn Patriq D. 26A B1
Hesse M. 68A C3
Hessen 65 D2, 66 F2, 73 C3, 76 C3
— Darmstadt 92B C2
— Kassel 92B C1, 93 F2
Heugne M. 37 D3
Heugnes M. 14A C2
Hewton D. 26A C2
Hexamilium D. 30A D/E2
Hexham D. 19 E4; M. 19 E4
Heylissem M. 54 E/F2
Heze D. 143A D2
Hiccara bei Palermo ↗ Carinae
Hiddensee M. 52B C3, 52C A2
Hierapetra (Hierapydna) D. 20 C4, 30B B1/2, 61 C2/3, 134C D/E4, 135D B4
Hierapolis [Euphratensis] (Mabbug, Menbidsch) 12 B C2; AD. 8A F2, 9B D2, 21 C2, 26A B2; E. 5A E3
Hierapolis [Isauria] D. 21 B2
Hierapolis [Phrygia Pacatiana] (Pamukkale) AD. 20 D3, 31 D3; E. 2A D/E3, 5B A2
Hierapolis [Phrygia Salutaris] (Koç Hisar) D. 6A D2, 20 D3, 21 A2
Hierapydna ↗ Hierapetra
tes Hieras, M. 39A A1
Hierocaesarea (Arpalı) D. 20 C3
Hierosolyma (Aelia Capitolina) ↗ Jerusalem
Higüey D. 146D B1
Hildesheim 65 D/E2, 91 C2; D. 25 C2, 32 F/G2, 34B C1, 66 F2, 73A C/D2, 76 D2, 82 D2, 83 D2, 92 D1, 93 F/G2, 97C C2, 97D C2, 142 C2; M. 50 E2, 51 E2, 58A E/F2, 59A F2, 68B D1, 78A D1; R. 28 D/E2
— S. Godehard M. 67 E1
— S. Michael M. 48A B1, 67 E1
Hillersleben M. 67 F1, 91 D2
Hilwartshausen M. 50 D2, 91 C2
Himi M. 89A A3
Himmelpfort M. 52B C3, 52C A2
Himmelpforten M. 67 D/E1, 91 C1
Himmelspforte M. 70A F2
Himmelsthür D. 131C B/C1
Himmelwitz ↗ Imielnica
Himmerod M. 53 G1; R. 28 C3
Hinche D. 146D B1
Hingham E. 88B C2
Hinton M. 51 D2
Hinton 69B C2
Hinton Charterhouse 69B B2
Hippo Diarrhytus (Bizerte) D. 7A G/H 1, 24A F/G1; E. 4B B/C1
Hippo Regius (Bône) 15C; D. 7A E2, 13 C2, 24A E1; E. 4A E5; Pe. 18A C3
Hippus (Qalat el-Husn) 1 B2; D. 6A E3, 21 C3
Hira D. 10A C2
Hirado M. 89A A3
Hirosaki ↗ Tokaoka
Hiroshima D. 143A F3; M. 89A C2
Hirsau M. 48 A B3, 67 D3, 91 B4; R. 28 D3
Hirzenach M. 48A A2
Hirzenhain M. 68A D2
Hisarlık ↗ Ilium
Hispalis ↗ Sevilla
Hispania 2B A2, 13 A/B2
Hispellum (Spello) D. 23 B2/3
Hitchin 69B C2
Hobart AD. 144B C4; D. 106/107C D4, 112A I7
Hocakalesi bei Pamukcu ↗ Achyraus
Hochien 27A H2
Höchst M. 48A B2, 91 B/C3; R. 28 D2
Hockeln M. 91 C2
Hoddom M. 19 E4
Hof M. 58A F2
Hofei 27A H2
Hofgeismar M. 91 C2
Höglwörth M. 50 E3
Hohenburg 76 D/E4; M. 14A D2, 37 G2
Hohenfurth ↗ Vyšši Brod
Hohenlohe 73A C4, 76 C4, 92B C2
Hohenmaut ↗ Vysoke Mýto
Hohentwiel M. 34B D2
Hohenwaldeck 73A D5, 76 D5
Hohenwart M. 67 F3
Höhlen (Petscherskij)-Kl. M. 44C
Höhnscheid M. 91 C2
Hohnstein 73A D3, 76 D3
Hohorst M. 48A A1
Hoikow AP. 144A B1
Hoima D. 112C B1
Hokkaido (Ezo) 89B B1; Mi. 98/99C G2
Hólar D. 71A A1
Holbaek M. 59A G1
Holcombe 69B B1
Holcot 69B C2
Holguin D. 146C F2
Holmcultram M. 52A C2
Holme M. 52B C2
Holstein 73A C/D1/2, 76 C/D1/2, 93 F/G2
Holwan AD. 26A D2; E. 5A G4
Holycross M. 52A A3/B3
Holyhead M. 19 D4
Holywood M. 54 D1
Holzburg M. 91 C3
Holzen M. 67 E3
Holzhausen-Externsteine 91 B2
Holzkirchen M. 37 H2, 91 C3
Holzschlag E. 95B H4
Homanades D. 21 B2
Homburg [Hessen] M. 67 D2
Homburg [Thüringen] M. 67 E2
Homs (Emesa) 38A B3, 60A F4; AD. 9B C2, 21 C3, 26A A/B2; D. 6A E3, 8A F3, 130D B4, 135D C4, 139E C3; E. 5A E4
Honan AV. 106/107B E2; D. 112A G3; Mi. 98/99C E2
Honau M. 25A D2, 35A D2, 37 G2; R. 28 D3
Honda M. 85A B2; Mi. 86 A3
Hondo M. 89A A/B3
Hondo ↗ Honshu
Honduras 113D P4, 122 D/E4, 126 C/D4, 128 C/D4, 146C D3, 150A C4
Hongkong 117 O3, 123 O3, 127 O3, 129 O/P3, 150/151A N3; D. 112A G3, 143A D4; Mi. 98/99C E3, 104/105C E3
Honiara AD. 144B C2; D. 113D K5
Höningen M. 50 D3, 68A C2
Honnecourt M. 37 D/E1, 47A C2
Honolulu D. 113D M3, 144D A2; Mi. 103A A4
Honorias 21 B1
Honshu (Hondo) 89A, 89B
Hoo 69B D2
Hoorn M. 68A B1, 68B B1
Hopi Mi. 87A B3
Horaźd'ovice 69A B2
Horbait ↗ Pharbaetus
Horburg 73A B4, 76 B4, 92B B2
Hördt M. 50 D3, 91 B3
Hore Abbey M. 52A B3
Hormizd-Ardaschir ↗ Ahwaz
Horn E. 95B G3
Hornbach M. 25C C3, 34A D2, 34B D2, 37 G2, 91 B3
Horodło M. 59A I2
Horpacs M. 54 H3
Horrea (Aïn Roua) D. 7A C2
Horrea Caelia (Hergla) D. 7A H2, 24A G1; E. 4B C2
Horreum Margi (Cuprija) D. 20 B2
Horsens M. 58A E1
Horta (Orte) D. 23 B3

Horyniec M. 58A H2
Hosanna AV. 145A F4
Hostein Pe. 18A D2
Houffalize M. 50 C2
Houma D. 146A E4
Houmt Souk ↗Girba
Houston D. 113E D3, 146A D4
Houthem M. 54 F2
Hovedø M. 52B C2
Höxter 73A C3, 76 C3; M. 58A E2; R. 28 D2
Hoya 66 F2, 73A C2, 76 C2
Hoydonk M. 50 C2
Hr. el Aabed ↗Thunigaba
Hr. el Abiod ↗Tucca
Hr. Aïn Zouarine ↗Cellae
Hr. Aouan ↗Theudalis
Hr. Béjar ↗Vazari
Hr. Besseriani ↗Ad Maiores
Hr. Bijga ↗Bisica
Hr. Botria ↗Acholla
Hr. Bou Ftis ↗Avitta Bibba
Hr. Bou Redia ↗Medeli
Hr. ed Dakhla ↗Buruni
Hr. ed Douamis ↗Saia Maior
Hr. Douemis ↗Uchi Maius
Hr. Forma Mta Zralma ↗Mutia
Hr. Fradis ↗Pheradi Maius
Hr. el Hammam ↗Aquae Flavianae
Hr. Harat ↗Segermes
Hr. el Harmel ↗Ad Centenarium
Hr. el Hatba ↗Verrona
Hr. Kasbat ↗Thuburbo Maius
Hr. el Khandak ↗Abbir
Hr. Khatera ↗Aquae Regiae
Hr. ben Khelifi ↗Nova Petra
Hr. el Ksour ↗Sarsura
Hr. Mafouna ↗Lamsorti
Hr. Mahdjouba ↗Tituli
Hr. el Makhreba ↗Uzitta
Hr. el Matria ↗Numluli
Hr. Mden ↗Vina
Hr. Medded ↗Mididi
Hr. Menkoub ↗Medeli
Hr. el Mergueb ↗Macomades
Hr. Merouana ↗Lamasba
Hr. Mest ↗Musti
Hr. Mettich ↗Villa Magna
Hr. Mrabah ↗Aeliae
Hr. Msaadine ↗Furnos Minus
Hr. en Naam ↗Abbir Cella
Hr. Ounkit ↗Cedias
Hr. Rekba ↗Vegesela [Byzacena]
Hr. Rekoub ↗Rucuma
Hr. Remada ↗Macri
Hr. Sidi Amara ↗Avioccala
Hr. Souar ↗Abthugni
Hr. Sougga ↗Urusi
Hr. Taoukouch ↗Ad Lacum Regium
Hr. Techga ↗Thisica
Hr. Tedjious bei Bordj Gourbata ↗Thiges
Hr. Tengar ↗Cincari
Hr. Tina ↗Thaenae
Hr. Tindja ↗Thimida
Hr. Zarour ↗Theudalis
Hr. Zemda ↗Semta
Hr. Zouitina ↗Thibiuca
Hradec Králové (Königgrätz) 69A D/E1; D. 142 F3; M. 58A G2, 59A H2
Hradisko M. 54 H3
Hradište M. 52C A/B2, 53 L1
Hram M. 58A H4
Hrubieszow M. 59A I2
Hsiapu D. 143A D/E3
Hsinchu D. 143A E4
Hsingtai D. 143A D2
Hu ↗Diospolis parva
Huachinango M. 84B D/E2
Huacho D. 147A B4
Huajuapan de León D. 146C B/C3
Huamachuco PN. 147A B3
Huambo AD. 145A D6
Huamelula M. 84B E/F4
Huancavelica D. 147A B4; M. 85A B4
Huancayo AD. 147A B4
Huango M. 84B C2/3
Huánuco D. 147A B3; M. 85A B3
Huaraz D. 147A B3
Huari PN. 147A B3
Huautla PN. 146C B2
Huazolotitlán M. 84B E4
Hude M. 52B B3
Huë AD. 144A B1
Hughenden 69B C2
Hugshofen M. 48A A3, 67 D3
Huhehot AD. 143A D2
Huehuetenango D. 146C C3
Huejotitlan Mi. 84A E/F4
Huejotzingo M. 84B D3
Huejutla D. 146C B2; M. 84B D2
Hukuang AV. 89D A/B2/3, 106/107B E2/3
Hülfensberg im Eichsfeld Pe. 18A D1
Hull [England] M. 51 D2
Hull [Kanada] D. 146A F2
Hulsbergen M. 67 C1, 68B C1
Hulton M. 52A C3
Huelva D. 141C B4
Hum D. 55A B2
Humahuaca PN. 147A C5
Humaitá AD. 147A C3
Humenné M. 78A G2
Humilimont M. 54 F3
Hunak M. 12A B3
Hunan Mi. 98/99C E3
Hünfeld R. 28 D2
Hungerford 69B C2
Hung-Hoa D. 143A C4, 144A B1
Hungtung D. 143A D2
Huepac Mi. 84A C2/3
Hupeh Mi. 98/99C E2
Huerte M. 12B B3
Huesca (Osca) 56C B3; D. 22 C3, 60B B1, 141C D2; M. 58A C4, 59A D4, 78A B3; U. 64 B2
Husum 73A C1
Huete M. 58A C4, 59A D4, 78A B3
Huveaune M. 54 F4
Huexotla M. 84B D3
Huy M. 58A E2, 78A D1
Hueyapan M. 84B D3
Huysburg M. 67 F2
Hvar D. 71A H4, 96A B2, 140A F3; M. 59A H4, 70B G3
Hvosno D. 55A C2
Hwalien D. 143A E4
Hyderabad [Indien] AD. 143B B3; D. 106/107B C3; Mi. 104/105C C3
Hyderabad [Pakistan] D. 143B A2
Hydra D. 134C C3
Hydrus ↗Otranto
Hyères M. 56A E3, 58A E4
Hypaepa (Birgi) D. 20 C3; E. 5A C3
Hypata (Hypate) D. 20 B3
Hypate ↗Hypata
Hypselis (Schutb) D. 6B B3, 10B C2; E. 5A D5
Hyrcanis (Halıtpaşaköy) D. 20 C3

I

Iabruda (Yabrud) D. 9B C3, 21 C3
Iader ↗Zadar
Iamnia (Yebna) 1 A3; D. 21 B4; E. 5A D4
Iarapa Mi. 86 D2
Iaşi, AD. 135D B3; D. 96A D2, 141D C1; M. 78A H2
Iasus (Asın-Kale) D. 20 C3
Iba D. 144A C1
Ibadan AD. 112B A2; D. 112A B4, 145B B2; Mi. 104A B3
Ibagué AD. 147C A2
Ibarra D. 147A B2; M. 85A B2
Ibeas de Juarros M. 54 D4
Iberskij Bogorodickij Swjatoezerskij M. 81 D2
Ibezmu M. 12A B2
Ibiza 22 C3; D. 141C D3
Ibora (Iverönü) D. 21 C1
Ibschadi ↗Niciu
Ibtu ↗Buto
Iburari M. 85A D3
Iburg M. 48A B1, 67 D1
Ica D. 147A B4; M. 85A B4
Ichang D. 143A D3; Mi. 104/105C E2
Ichtershausen R. 28 E2
Ickelheim 91 C3
Iconium (Konya) 60A E3; AD. 8A E2, 13 E2, 21 B2, 31 E3; E. 2A E3, 5A D3
Icosium ↗Alger
Idah D. 145B C2
Idanha-a-Velha ↗Egitania
Idfu ↗Apollinopolis
Idicra (Azziz ben Tellis) D. 7A D2
Idil M. 38B B2
Idiofa D. 145A D/E5
Idlib M. 12A B2
Idukki D. 130C B2
Idumaea 1 A/B3
Idushien AP. 143A D2
Iebu Ode D. 112B A2
el-Ieddschun ↗Maximianopolis [Palaestina II]
Ieper ↗Ypres
Iergalem D. 130B B3
Iericho 1 B3; D. 6A E3, 21 C4; E. 5A E4; Pe. 18B B3
Ierissus D. 30A D2, 61 B1
Iesi (Aesium) D. 23 B2, 140A E3; M. 58A F4, 59A G4
Igabrum E. 4A C5
Igaliko D. 71A A1
Igaracu M. 85A F3
Igilgili (Djidjelli) D. 7A C2, 24A D1
Iglau ↗Jihlava
Iglesias D. 140A B5; M. 58A E5, 78A D4
Ignerande E. 47A C3
Ignig E. 90A B2
Igny M. 53 F2
Igoumenos 45B B2
Iguana Mi. 86 C2
Iguatú D. 147A E/F3
Iguvium ↗Gubbio
Ihlo M. 52B B3
Ihosy D. 145A G7
Ijebu Odo D. 145B B2
Ikitstuki M. 89A A3
Iksal ↗Exaloth
Ikot Ekpene D. 145B C2
Ilagan D. 144A C1
Ilagua ↗Laoay
Ilbenstadt M. 54 F2
Ilchester M. 59A D2
Ildır ↗Erythrae
Ile d'Aix M. 47A A/B3
Ile-Dieu M. 53 C3
Ilerda ↗Lérida
Ile de Yeu M. 37 B3
Ilesha D. 112B A2
Ilfeld M. 54 G2, 91 C2
Ilhéus D. 147A F4; M. 85A F4
Ili (Kuldscha) Mi. 106/107B C2
Iliberis (Elvira) D. 13 B2, 22 C4; E. 4A C5
Ilice M. 63A A2
Ilici (Elche) D. 22 C3
Iligan D. 144A D2
Ilipla (Niebla) D. 22 B4
Ilisire ↗Ilistra
Ilistra (Ilisire) D. 21 B2; E. 5A D3
Ilium (Hisarlık) D. 6A C2, 20 C3; E. 5A C3
Illapel PN. 147A B6
Illinois D. 101H B2
Illiturgi E. 4A C5
Illston 69B C2
Illyricum 13 D2
Ilmbach M. 51 G3
Ilmmünster M. 37 I2; R. 28 E3
Iloilo AD. 144A C2
Ilok M. 58A G3
Ilorin D. 145A C4, 145B B/C2
Ilsenburg M. 67 E/F2, 91 C2
Iluza D. 20 D3, 21 A2
Imbramowice M. 54 H2
Imbroz (Imbrus) 66 J4; D. 134C D1, 135D B3
Imbrus ↗Imbroz
Imielnica (Himmelwitz) M. 52C B2
Imma ↗Yeni Schehir
Immichenhain M. 91 C3
Imola (Forum Cornelii) 33C B1, 33D B1; D. 23 B2, 140A D3; M. 59A G4, 70B D2, 78A E3
Imotski M. 58A G4
Imperial D. 85A B6
Imphal D. 143A B4, 143B D2
Imus D. 144A C2
Inabagan (Inabanga) E. 90A C4
Inamapao Mi. 86 C4
Ince Aliler ↗Oenoanda
Inch M. 52A B2
Inchbofin M. 19 B4
Inchcleraun M. 19 B4
Inchilla ↗Usula
Inchmore M. 19 B4
Inchon D. 143A E2
Indan (Indang) E. 90A B3
Indersdorf M. 50 E3
Indiana D. 101H B2/3
Indianapolis AD. 146A E3; D. 113E E1/2
Indien (Indische Union) 117 M/N3, 120 J/K3, 123 M/N3, 127 M/N3, 129 M/N3, 130C B2, 138D B1, 150/151A L/M3; AD. 27B B2
Indija M. 58A G/H3/4
Indische Union ↗Indien
Indonesien 112A G/H5, 117 O5, 123 O5, 127 O4/5, 129 O5, 144A A/C3, 144B A/B2, 150/151A N/O5
Indore D. 143B B2
Indre (Antrum) M. 14A B2, 25A B2, 37 B3
Inebolu ↗Ionopolis
Inecik ↗Chalcis [Europe]
Inek-bazar ↗Magnesia [Mäander]
Infanta PN. 144A C1
Ingila (Egil) D. 9B D1, 21 D2
Ingolstadt 46 C3, 91 C3; M. 58A F3, 78A E2; U. 64 D2
Ingwavuma AP. 145A F7, 145D B1
Inhambane D. 145A F7
Inishbofin M. 19 A/B4
Inishcaltra M. 19 B5
Inishkeen M. 19 C4
Inishmore M. 19 B4
Inishmurray M. 19 B4
Inislounaght M. 52A A/B3
Innichen M. 29B A3, M. 37 I3, 50 E4; R. 28 E4
Innimond M. 47A D3
Innisfallen M. 19 B5
Innsbruck 46 C4; D. 140A D1, 142 D4; E. 95B C4; M. 78A E2, 79 F2; U. 80C C3
Insula M. 49A E/F2
Interamna ↗Terni
Interamnia ↗Teramo
Interlaken M. 50 D4
Inongo D. 145A D5
Inundayan (Hinundayan) E. 90A C4
Inverness D. 111D B/C2; M. 59A C/D1
Ioannina (Janina) D. 30A C2, 134C B2
Ioanno-Bogoslowskij Krypeckij M. 81 B/C2
Ioanno-Predtetschenskij M. 81 E/F3
Ioanno-Predtetschenskij M. 81 E/F4
Ioanno-Predtetschew M. 81 E/F2
Iol Caesarea (Cherchel) D. 7B C1, 24A B/C; E. 4A D5
Iomnium (Tigzirt) D. 7A B2
Iona M. 19 C3
Ionopolis (Inebolu) D. 8A E2, 21 B1; E. 5A D2
Ioppe (Jaffa) 1 A2, 60A E4; D. 21 B3, 61 D3; E. 2A E4, 5A D4; M. 61 D3; Pe. 18B A2
Iosifow-Wolokolamskij M. 81 C/D3
Iotapata (Khirbet Jefat) 1 B2
Iotape D. 21 B2
Iovia ↗Ludbreg
Iowa Mi. 87A D3
Ipagrum E. 4A B/C5
Ipamâri D. 147A E4
Ipatiew Troickij M. 81 D2
Iphofen E. 14A E2
Ipiales D. 147A B2
Ipin D. 143A C3
Ipsala ↗Cypsela
Ipswich [England] 69B D2; M. 58A D2, 59A E2
Ipswich [USA] E. 88B C2
Ipurichapani Mi. 86 C4
Iquique D. 147A B5
Iquitos AV. 147A B3
Irak 112A C3, 130D B/D4, 135D D4, 139E D/E3, 145A G1, 150/151A K3
Iran 112A D3, 117 L3, 130D D/E4, 135D D/E4, 139E E/F3, 143B A1/2, 150/151A K3
Iranzu M. 52D D1, 53 C5
Irecê D. 147A E4
Irene Mi. 87A E3
Irenopolis [Cilicia II] D. 6A E2, 8A F2, 9B C2, 21 C2, 26A A2
Irenopolis [Isauria] (Irnebol) D. 8A E2, 21 B2
Iria Flavia D. 22 B3; D. 60B A1
Irian 144A D/E3/4, 144B B2, 150/151A O5; Mi. 104D C2
Irig M. 58A H3
Iringa D. 145A F5
Irinjalakuda D. 138D B1
Irkutsk D. 135E B/C1
Irland 66 C2, 93 C2, 112A A2, 116A H2, 120 E2, 122 G/H2, 126 G/H2, 141A B3, 150A G2, 151B B1
Irnebol ↗Irenopolis [Isauria]
Irschenberg R. 28 E3
Irsee M. 67 E4, 82 D5, 83 D5
Isabela PN. 144A C2, 144B A/B1
Isahaya M. 89A B3
Isaktscha ↗Noviodunum
Isangi D. 145A E4
Isarhofen R. 28 E/F3
Isaura D. 21 B2; E. 5A D3
Isauria 9B B2, 21 B2
Ischia D. 71A G4, 140A E5, 140B A2
Isdud ↗Azotus
Isen M. 37 I2; R. 28 E3
Isenburg 73 C3, 76 C3, 92B C1
Isenhagen 91 C2
Isernia D. 32 G4, 140A E4; Pe. 18A D2
Iseure M. 94 C3
Ishinoseki 89B B2
Işıkh ↗Eumenea
Isinda (Kışla) D. 21 A2
Isiro-Niangara D. 145A E4
Iskenderiye ↗Alexandria
Iskenderum (Alexandrette) ↗Alexandria minor
Islamabad-Rawalpindi D. 143B B1
Island 77B A1, 150A F/G1
Isledieu M. 54 E3
Isle-en-Barrois M. 50 C3, 53 F/G2
Isle of Wight [Virginia] E. 88A A/B3
Isleta Mi. 87A C3, 87B
Ismailia 130A A2, 134B D1, 139E B3
Isna ↗Latopolis
Isny 73A D5, 76 D5, 92B D3; M. 48A B3
Isola D. 71A H5
Isola di S. Antioco ↗Sulci
Isola Tremiti M. 52E C/D1
Ispahan (Isfahan) 43 H2, 72 H2; D. 10A D2, 26A E3, 106/107B A2, 112A D3, 130D E4; Mi. 98/99C A2
Isparta ↗Baris
Ispus D. 21 A2
Israel 123 K3, 129 K3, 130D A4, 134B D1, 139E B3, 150/151A I3
Issele-Uku D. 145B C2
Issoire M. 94 C3
Issoudun M. 58A D3
Istakhr D. 26B B2; E. 5A H5
Istanbul ↗Constantinopolis
Istmina AV. 147A B2, 147C A1
Isva D. 9B B2
Itabira D. 147D C1
Itaboca Mi. 85A E3
Itabuna D. 147A E/F4
Itacoatiara PN. 147A D3
Itacuruça Mi. 85A D3
Itaguai D. 147D C2
Italica D. 22 B4; E. 4A B5
Italien 33D B1, 112A B2, 116 I2, 122 I2, 126 I2, 128 I2, 138A A/B3, 140A C/F3/5, 142 B/D5, 150A H2, 151B D2
Itanhaém M. 85A E5
Itapeva D. 147D B2
Itapipoca D. 147A F3
Itapúa M. 85B A/B1
Ittenviller (Ittenweiler) M. 50 D3, 68A C3
Ittenweiler ↗Ittenviller
Ittingen M. 50 D3, 51 F3
Itu M. 85A E5
Ituiutaba D. 147A D4, 147D B1
Itumbiara D. 147A D4, 147D B1
Ituraea 1 B1
Iudaea 1 A/B3, 2A E/F4
Iulias (Tell er-Rameh) 1 B2; Pe. 18B B2
Iuliopolis [Galatia I] (Heliopolis) D. 6A D1, 21 B1; E. 5A D2
Iunci (Macomades Minores Bordj Yonca) D. 7A H4, 24A G2; E. 4A F6
Iustiniana Prima (Čaričin Grad) 15A; AD. 20 B2
Iustinianopolis [Bithynia] D. 20 D2, 21 A1
Iustinianopolis [Galatia Salutaris] ↗Palia
Ivano-Frankovsk (Stanislawów) D. 96A D1, 134A C2, 135D B3, 138A C2
Iver 69B C2
Iverönü ↗Ibora
Iviron M. 45B B2
Ivois M. 14A D2
Ivrea (Eporedia) D. 23 A2, 140A B2, 142 B5; M. 59A F3, 70B B2
Ivry M. 94 B2
Iwanowo D. 135D D2
Ixmiquilpan M. 84B D2
Ixtepexi M. 84B E4
Izabal AA. 146C D3
Izmir (Smyrna) 57A G3, 60A D3; AD. 20 C3, 31 D3, 61 C2, 66 I5, 141D C3; AV. 106/107A C1; D. 6A C2; E. 2A D3, 5A C3; M. 61 C2; Mi. 104A C1
Izmit ↗Nicomedia
Iznabul ↗Zenonopolis
Iznik ↗Nicaea
Iznik Gölü 39B C3
Izúcar M. 84B D3
Izvid ↗Sbide

J

Jabalpur D. 143B B/C2; Mi. 104/105C C3
Jablonné M. 59A G2
Jablotschinskij Onufriewskij M. 81 B3
Jaboticabal D. 147D B2
Jaca D. 60B B1, 141C D2; M. 58A C4
Jacarezinho D. 147D A/B2
Jackson D. 113E D/E2; 131A C2, 146A E3
Jacksonville D. 113E E/F2
Jacona M. 84B B3
Jacuacuara Mi. 85A D3
Jaén D. 60B B2, 71A D5, 141C C4; M. 58A C5, 59A D5, 78A B4
Jaén en Perú AV. 147A B3
Jaffa ↗Ioppe
Jaffna D. 106/107B C4, 143C B2; M. 89C C4; Mi. 104/105C C4
Jägerndorf ↗Krnov
Jagi Mi. 86 B2
Jagua Mi. 86 A2
Jakobsberg M. 54 F3
Jakobstadt, Swjato-Duchow M. 81 B/C3
Jalapa [Guatemala] D. 146C C/D3
Jalapa [Mexico] M. 84B F4
Jalapa Enriquez AD. 146C B/C2
Jales D. 147A D5, 147D A2
Jalisco M. 84B A2
Jalogny E. 47A C3
Jalpaiguri D. 134 B C/D2
Jamaica 103B B3, 103C, 116/117 D/E4, 120 B4, 126/127 E4, 128 D/E4, 146C F2, 146D A1, 150A C/D4
Jamaica Plain D. 131B B2
Jamestown E. 88A B3
Jamshedpur D. 143B C2
Janina ↗Ioannina
Jánoshida M. 44C C2, 54 I3
Jantetelco M. 84B D3
Januária D. 147A E4
Japan 112A H/I3/4, 117 Q3, 123 Q3, 127 Q2, 129 Q3, 135E E2, 143A F3, 150/151A O/P3
Jardim D. 147A D5
Jargeau 77A B2
Jarkend 27A D2
Jaro D. 106/107B F4
Jaroměř 69A D1
Jaroslaw M. 78A G1
Jaroslawl 44B C/D2; D. 135D C2
— Spaso-Preobraschenskij M. 81 D2
Jaroslawlskij Tolgskij M. 81 D2
Jarrow M. 19 F4, 59A D2
Jaschezerskaja-Einsiedelei M. 81 C/D2
Jasienica-Marienberg M. 68A D1
Jasov M. 54 I3
Jászó M. 44C C2
Jatai D. 147A D4
Játiva (Setabis) D. 22 C3; M. 56A C4, 58A C5, 59A D5
Jauer 76 F3
Jauja M. 85A B4

Java 104/105D B2, 112A G5, 144A B4, 150/151A N5; AD. 27A G4
Javols (Gabalis) D. 22 D2; E. 4A D4; M. 37 E4
Jayapura D. 144A E3, 144B B2
Jebeil ↗Bylus
Jebel Fureidis ↗Herodium
Jedrzejów M. 52C C2
Jefferson City D. 146A E3
Jejevo D. 113D J/K5
Jelgava ↗Mitau
Jemen 112A C/D4, 129 L4, 145A G3
Jemez Mi. 87A C3, 87B
Jena M. 59A G2; U. 80C C2
Jenbach E. 95B C4
Jenin ↗Ginae
Jenlis M. 58A D3
Jeonju D. 143A E2
Jequié D. 147A F4
Jerecuaro M. 84B C2
Jérémie D. 146D A1
Jerez de la Frontera M. 51 C5, 58A B5, 59A C5, 78A A4
Jerichow M. 54 G2
Jericó D. 147C A1
Jerpoint M. 52A B3
Jerusalem (Aelia Capitolina, Hierosolyma) 1 B3, 55B C/D3, 60A F4; AD. 26A A3, 61 E3; AV. 139E B3; D. 6A E3, 130D A/B4; E. 2A F4, 5A E4; M. 61 E3; Mi. 104A D1; P. 8A E3, 13 E3, 21 C4, 106/107A D1, 130D A/B4, 134B D/E1; Pe. 18B B3
— Cenaculum (Sion-Kirche) E. 42B A2/3
— Felsendom ↗Templum Domini
— Geißelungskapelle E. 42B B1
— Gethsemani Kirche E. 42B B2
— Grabeskirche E. 42B A2
— Grab-Mariens-Kirche E. 42B A2
— Ibererkloster E., M. 42B A2
— Johanniter 42B A2
— Kanoniker vom Heiligen Grabe M. 42B A2
— Kloster am Davidsturm M. 42B A2
— Kloster vom Heiligen Grabe (Spoudaion) M. 42B A2
— Maria Magdalena M. 38A A4
— Maria-Marcus-Kirche E. 42B A2
— Probatica E. 42B B1
— Regularkanoniker M. 42B B2
— Ruhekapelle E. 42B B1
— S. Abraham E. 42B A1
— S. Agnes E. 42B A1
— S. Anna E., M. 42B B1
— SS. Cosmas et Damianus E., M. 42B A2
— S. Elias 42B B1
— S. Georgius M. 42B A2
— S. Ioannes E. 42B B1
— S. Ioannes Baptistes E. 42B A2
— S. Iulianus E. 42B B1
— S. Jacobus E. M. 42B A2
— S. Jacobus E. 42B B2
— S. Maria (Deutschherren) E. 42B A/B 2
— S. Maria Magna M. 42B A2
— S. Maria Nova E., M. 42B A/B2
— S. Maria im Tale Josephat M. 42B B1 [A2
— S. Maria Latina E., M. 42B
— S. Maria Magdalena E. 42B B1
— S. Menas E. 42B A2
— S. Passarion M. 42B A2
— S. Petrus in Fesseln E. 42B A/B2
— S. Petrus in Gallicantu E., M. 42B A/B3
— S. Sabas E., M. 42B A2
— S. Samaritana E., M. 42B A2
— S. Serapion E. 42B A1
— S. Sophia E. 42B A/B2
— S. Stephanus E., M. 42B A1
— S. Thalaleus M. 42B A/B2
— S. Thomas E. 42B A2
— Siloe-Kirche E. 42B B3
— Sion-Kirche ↗Cenaculum
— Spoudaion ↗Kloster vom Heiligen Grabe
— Templer M. 42B B2
— Templum Domini (Felsendom) E. 42B B2
— Verurteilungskapelle E. 42B A/B1
Jervaulx M. 52A C2
Jerwen 62 D1
Jesolo D. 32 G3
Jesreel (Zerin) 1 B2
Jésus Mi. 85B B1
Jesús del Monte M. 78A B3
Jhansi D. 143B B2
el-Jib ↗Gibeon
Jihlava (Iglau) M. 58A G3, 59A H3
Jilotepec M. 84B D3
Jindřichův Hradec (Neuhaus) M. 58A F/G3, 78A E2
Jinja D. 112C B1, 145C B1
Jinotega PN. 146C D3
Jiphna ↗Gophna
el-Jisch ↗Gischala
Joaçaba D. 147A D/E5
João Pessoa AD. 147A F3; M. 85A F3
Joensuu D. 135D B/C1
Johannesburg D. 112A B/C6, 134 B C/D7, 145A E7, 145D A1; Mi. 104A C5
Johannes Prodromos M. 39C B2
Johannes Theologos [Patmos] M. 39C C3
Johannisberg [Hessen] M. 91 C3
Johannisberg [Rhein] M. 48A B2; 67 D3
Johnstown D. 131A C/D2/3
Johor D. 144A A3
Joinville D. 147A E5
Joliet D. 146A E2
Joliette D. 146A G2
Jolo AV. 144A C2, 144B A1
Jonvelle 56C D2
Jordanien 123 K3, 129 K3, 130D B4/5, 139E C3/4, 145A F1, 150/151A J/K3
Jos D. 112B A2, 145A C3, 145B C2
Josaphat M. 94 B2
José de Maitapus Mi. 85A D3
Jouarre M. 35B, 37 E2
Jouet-s.-l'Aubois M. 25A C2, 37 D/E3
Jounié D. 139F A2
Jouy M. 53 F2
Jovilliers M. 54 F3
Joyenval M. 54 E3
Juan Mi. 103B D3
Juázeiro D. 147A E3
Juba D. 112A C4
Jubia M. 47B B1
Juchipila M. 84B B2
Juchnowskij Kazanskij M. 81 D3
Judenburg E. 95 B F4
Jugoslawien 112A B2, 116 I2, 122 I2, 126 I/K2, 128 I2, 134A A/C2/3, 134C B/C1, 138A B/C2/3, 140A E/G2/3, 141D A/B2/3, 142 F5, 150A H2, 151B D/E2
Juigalpa PN. 146C D3
Jugskaja Dorofeew M. 81 D2
Juichow M. 89D B3
Juiz de Fora AD. 147D C2
Jujuy D. 147A C5; M. 85A C5
Juli PN. 147A B/C4
Jülich 73A B3, 76 B2, 92A B2
Julita M. 52B D2
Jullundur D. 143B B1
Jully E. 47A C3
Jumièges M. 14A C2, 25A C2, 34A C2, 34B C2, 37 C2, 48B A2, 94 B2
Junant M. 37 D4
Junantus M. 14A C3
Jundiai D. 147D B2
Juneau Mi. 103A C2
Jungbunzlau ↗Mlada Boleslav
Júnhas M. 52D B2
Juniya ↗Gunia
Junquera M. 52D B1
Jura M. 19 C/D3
Juraklöster M. 14A D2, 14B B2, 37 F3
Jurew ↗Tartu
Jurew, Archangelskij M. 81 D3
— Petropawlowskij M. 81 D3
Jurew, Nowgorodskij M. 81 C2
Jurew [Ukraine] D. 44B B3
Jussey M. 48B C2
Justemont M. 50 C3, 54 F3
Jüterbog M. 91 E2
Juticalpa PN. 146C D3
Jutta (Yatta) 1 B3

K

Kaaden ↗Kadan
El-Kab E. 29A C4
Kabale D. 112C A/B2, 145C A/B2
Kaballa (Christopolis) D. 30A D2, 61 B1, 134C D1
Kabgayi D. 145A E/F5, 145C B2
Kabinda D. 145A E5
Kadamattam 27B A2
Kadan (Kaaden) 69A B1
Kadiköy ↗Chalcedon
Kadırlı ↗Flavias
Kadnikowskij Dionisiewo-Gluschickij M. 81 D2
Kaduna AD. 145A C3, 145B C1; D. 112A B4, 112B A1
Kaffa D. 63A B2; M. 63A B2
Kafiristan u. Kashmir AP. 106/107B C2
Kafr Basin M. 12A B/C2
Kafr Derian M. 12A B2
Kafr Mares M. 12A B2
Kafr Nadsche M. 12A B3
Kafr Tay M. 12A C2
Kafr Yahmul M. 12A B2
Kagoshima D. 143A F3; M. 89A B4; Mi. 104/105C F2
Kahama D. 145C B2
Kaifeng AD. 143A D3; M. 89D B2
Kairo (el Qahira) 11A C2, 60A E4; AV. 139E B4; D. 112A C3, 130A A2, 139E B4; M. 61 D3; Mi. 98A C/D1, 104A D1; P. 130A A2, 139E B4
Kaischum ↗Keischum
Kaiserslautern M. 54 F3, 58A E3
Kaiserswerth M. 25C B2, 37 F/G1
Kaisheim M. 53 I2, 82 D4, 83 D4
Kaišiadorys D. 141B F5, 142 L1
Kaitaken 63A B/C2
Kakamega D. 112C B1, 145C B/C1
Kalaa ↗Timici
Kalabaka ↗Stagi
Kalabscha (Talmis, Termus) D. 29A C2; E. 29A C2
Kaladran ↗Charadrus
Kalamata D. 134C B/C3
Kalamazoo D. 113E E1, 146A E2
Kalavasi ↗Myrina
Kalavryta M. 54 I5
Kale M. 12B A2
Kaletümare 38A D2
Kalemie-Kirungu D. 145A E5
Kalgan 27A H1
Kalibo D. 144A C2
Kalinin D. 135D C2
Kaliningrad ↗Königsberg
Kalisz M. 58A G2, 78A F1
Kalkar M. 59A F2, 70A D2
Kalloni D. 134C D/E2, 135D B4
Kalmar M. 59A H1
Kalocsa AD. 71A H3, 96A C2, 140A G2, 141D A1, 142 H5
Kaltenbach M. 50 E2
Kaltenborn M. 50 E2
Kaltenbruchreuth 91 D3
Kaltenburg M. 50 E2, 91 C2
Kaluga D. 135D C2
— Kazanskij M. 81 D3
Kalundborg M. 58A F1
Kaluschskij Lawrentiew M. 81 D3
Kalymnos D. 135D B4
Kamach ↗Camacha
Kambodscha 112A G4, 144A A/B2, 150/151A N4; AV. 106/107B D4
Kamena M. 45B A1
Kamenskij Uspenskij M. 81 C3
Kamenz ↗Kamieniec
Kamerun 112A B4, 116 H/I5, 122 I4, 128 I4, 134B B4, 145A C/D4, 150A H4
Kamień (Kammin) D. 66 H2, 71A H2, 73A F/G1/2, 76 F/G1/2, 82 F2, 83 F2, 91 E1; M. 59A H2
Kamieniec (Kamenz) M. 52C B2
Kamieniec-Podolskij 72 E1; D. 71A J3, 141D C1; M. 58A I3, 78A H2
Kamina D. 145A E5
Kamloops D. 113D N/O2, 146A B1
Kammer 56D G2, 56E A2
Kammin ↗Kamień
Kampala AD. 112C B1, 145A F4/5, 145C B1; D. 134B D4; Mi. 104A D3
Kampen M. 51 F2, 58A E2, 68A B1, 68B B1
Kamp-Lintfort M. 53 G1; R. 28 C2
Kana 1 B1
Kanada (Canada) 113D O2, 116 C/D2, 119 B2, 122 C2, 126 C1, 128 C2, 131A B/C2, 138B C/E1, 146A B/G1, 150A B/D2
Kananga AD. 145A E5
Kanazawa M. 89A B3
Kanazawa M. 89A E1
Kanchow D. 143A D3; M. 89D B3
Kanchow M. 27A G2
Kandamir E. 29A B4
Kandanad D. 130C B2
Kandau 62 C2
Kandia ↗Candia
Kandy D. 106/107B C4, 143C B2
Kanew 44B C3
Kangting D. 143A C3
Kanjirapalli D. 138D B2
Kankan AP. 145A A/B3
Kano D. 112B A1
Kansas D. 146A E3; Mi. 87A D3
Kansas City AD. 146A D/E3; D. 102A B3, 113E D2
Kantanos ↗Cantanus
Kanuschia M. 38A E2
Kaohsiung D. 143A E4
Kaolack D. 145A A3
Kap Akritas 39B C2
Kapersana M. 12B C1
Kapfenberg E. 95B G4
Kaphana M. 38B B1
Kapıkırık ↗Heraclea Latmi
Kapland AV. 106/107A C/D5
Kaposszentbenedek M. 54 H3
Kappel M. 53 H3
Kapsokalyvia M. 45B B3
Kapstadt ↗Cape Town
Karabostasi ↗Soli
Karachi AD. 143B A/2; Mi. 98/99C B3
Karafuto AP. 143A G1
Kara Hüyük ↗Midaeum
Karaj von Abu Dulaf D. 26A E3
Karakaliou M. 45B B2
Karalar ↗Pionia
Karaman ↗Laranda
Karamürsel ↗Praenetus
Karanog E. 29A B2
Karapınar ↗Hyde
Kara-Sandıkh ↗Bruzus
Karasu M. 63A A2
Karataş ↗Mallus
Karayostasi M. 45B B3
Karden E. 14A D1
Karditsa D. 134C B2
Kargopolskij Spaso-Preobraschenskij M. 81 D/E2
Kargopolskij Uspenskij M. 81 D2
Karistiran ↗Druzipara
Karka de B. Salok ↗Kerkuk
Karka de Ledan, D. 10A C3, 26A D3
Karka de Maischan D. 10A C/D3, 26A D/E3
Karkhus 62 D2
Karlburg M. 37 H1/2
Karlovac D. 134A B2
Karlsburg ↗Alba Julia
Karlsruhe 121 B3
Karma D. 10A B/C2, 26A C2
Karman D. 26B C2
Kärnten 66 G3, 73A E5, 76 E/F5, 93 G3
Karoulia M. 45B B3
Karpenision D. 134C B2
Karpuzlu ↗Alinda
Kars D. 55B E1
Karthago ↗Carthago
Karwar D. 143B B3
Karya M. 39A A1
Karyes M. 45B B2
Karystos ↗Carystus
Kaş ↗Antiphellus
Kasama AD. 145A F5/6
Kasan D. 81 F3, 135D/E2;
— Bogorodickij M. 81 F3
— Ioanno-Predtetschenskij M. 81 F3 [81 F3
— Spaso-Preobraschenskij M.
— Troickij Feodorowskij M. 81 F3
Kaschan D. 26A E3
Kaschau ↗Košice
Kaschgar 63B B2; AD. 27A D2
Kaschin, Nikolaewskij Kobukow M. 81 D2
—, Dimitrowskij M. 81 D2
—, Sretenskij M. 81 D2
Kaschkar (Al-Wasit) D. 10A C3, 26A D3; E. 5A G4
Kaschmir 143B B1
Kasembar E. 29A C6
Kasongo D. 145A E5
Kassa ↗Košice
Kassel M. 50 D2, 68B D2; U. 80C B/C2
Kassel-Wilhelmshöhe 121 C2
Kasserine ↗Cillium
Kasmin M. 81 D/E3
Kastellion D. 134C C4
Kastilien 66 C/D4/5
Kastl M. 48A C2, 67 F3
Kastoria (Castoria) D. 30A C2, 134C B1
Kastraki ↗Opus
Kastron ↗Myrine
Kasulu D. 112A C5, 112C B2, 145A F5, 145C B2
Kasupe D. 112A C5
Katalonien 56C C4
Kataskepe M. 39B B/C1, 39C C2
Katerine D. 134C C1
Kathmandu Mi. 143B C2
Katiola D. 145A B4
Katounakia M. 45B B3
Katowice (Kattowitz) D. 142 H3
Katromskij Nikolaewskij M. 81 D2
Katsusa M. 89A B3
Kattowitz ↗Katowice
Katzenellnbogen 66 F2, 73A B4, 76 B4
Katzis M. 37 H3
Kaufbeuren 73A D5, 76 D5, 91 C4, 92B D3
Kaufungen M. 67 E2, 82 C3, 91 C2
Kaunas AD. 141 F5, 142 K1
Kavieng D. 144B C2
Kaw E. 29A B2
Kawachinoura M. 89A B3
Kaya D. 145B A1
Kayes D. 145A A3
Kayi Hisar ↗Ceretapa
Kayseri ↗Caesarea [Cappadocia]
Kazanskaja Raifskaja Bogorodickaja M. 81 F3
Kazanskaja Sedmiozernaja Bogorodickaja M. 81 F3
Kazanskij M. 81 D2
Kazanskij Kasimowskij M. 81 E3
Kazanskij Kizitscheskij Wwedenskij M. 81 F3
Kazanskij Zilantow-Uspenskij M. 81 F3
Kazrun D. 26A E4, 26B B3; E. 5A H5
Kea ↗Ceus
Kecoughtan E. 88A B3
Kecskés M. 59A H3
Keetmanshoop AV. 145A D7; Mi. 104A C5
Kefallenia ↗Cephallenia
Kefar Nahum ↗Capernaum
Kef Benzioune ↗Zattara
Keferbi 38B B2
Kefer Binni M. 12A B2
Keferdiz 38A C1
Kefertkherin M. 12A A/B2
Keferzi 38B B2
Kefr et-Tur ↗Bethpage
Kefri 38B A1
Kefr Kermin M. 12A B2
Keimoes D. 145A E7
Keischum (Kaischum, Kesun, Keysun) D. 26A B2
— Tabesch M. 38A B/C2
Kelat D. 26A C1
Kelbia ↗Cilibia
Kelby 69B C2
Kelibia ↗Clupea
Kelkid ↗Chalchaius
Kellia M. 11A B2
Kellibaron M. 39A B2
Kellie M. 12A B2
Kells M. 19 C4
Kelowna D. 113D N/O2
Keltzine AD. 31 F3
Kelvedon 69B D2
Kematen 56E A/B1
Keme M. 54 I3
Kemer ↗Parium
Kemerhisar ↗Tyna
Kemnade M. 48A B2, 67 E2
Kempten 73A D5, 76 D5, 91 C4, 92B D3; M. 34B E2, 35A E2, 37 H3, 48A B3, 82 D5, 83 D5; R. 28 E3
Kenema D. 145A A/B4
Kenge D. 145A D5
Kengtung D. 143A B/C4, 144A A1
Kenia 112A C/D4, 117 K/L4, 123 K4, 127 K4, 129 K4, 145A F4, 145C C1, 150/151A I4; AV. 106/107A D4
Kenilworth 69B C2
Kenora D. 113D P2
Kentheim M. 48A B3
Kent Island E. 88A B2
Kentucky D. 101H B/C3
Kephar Tab D. 26 A/B2
Kephar Tuta D. 26A B2
Kephisia D. 134C C/D2
Keräit 27A F/G1
el-Kerak ↗Characmoba
Kerasia (Athos) 45B B3
Kerema D. 144B B/C2
Kerenskij Tichwinskij Bogorodickij M. 81 E3
Kerkuk (Karka de B. Salok) AD. 10A C2, 26A C2, 130D C3, 139E D2; E. 5A F3
Kerkyra ↗Corcyra
Kermadec-Inseln 144B D3
Kermian ↗Aprus
Kersaf 38B A2
Kertsch ↗Bosporus
Keryneia ↗Cerynia
Kessel Pe. 18A C1
Kesseling M. 37 F/G1
Kesselostheim 91 C4
Kesun ↗Keischum
Keta-Ho D. 145B B2
Ketapang D. 144A B3
Keysun ↗Keischum
Kfeirhaya M. 12A B3
Kfelludin M. 12A B2
Kferschlaya M. 12A A/B3
Khabab AD. 139E C3
el-Khalasa ↗Elusa
el-Khalil ↗Hebron
Khamissa ↗Thubursicum Numidarum
Khanasir ↗Anasartha
Khandwa D. 143B B2
Kharab Schams M. 12A B/C2
Kharbeta ↗Andropolis
Kharga 11A B7
Kharput ↗Hesna de Zaid
Khartum AD. 145A F3; AV. 106A C2, 145A F3; D. 112A C4, 130A B4, 134B C/D3
Khenchela ↗Mascula
El Kheneg ↗Castellum Tidditanorum
El Kherba ↗Tigava Municipium
Kherbet Guidra ↗Sertei
Kherbet el Mahder ↗Perdices
Kherbet Ouled Arif ↗Lambiridi
Kherbet Zembia ↗Thamascani
Kherbet Zerga ↗Cellas
Khirbet el-Aschraf ↗Diocletianopolis
Khirbet Auja et-Tahta ↗Archelais
Khirbet Fahil ↗Pella
Khirbet Fasayil ↗Phasaelis
Khirbet Jefat ↗Iotapata
Khirbet Kerazeh ↗Chorazin
Khirbet el-Khokh ↗Efam
Kirbet Mukawer ↗Machaerus
Khirbet Qana ↗Cana
Khirbet er-Rabba ↗Areopolis
Khirbet Sûq Mazen ↗Sycamazon
Khoit ↗Chuit
Khorasan D. 26B D1
Khoros ↗Cyrrhus
Khotin M. 58A I3
Khulna D. 143B C/D2
Kiamusze AP. 143A F1
Kian D. 143A D3
Kiangche 27A H/I3
Kiangchow M. 89D A/B2
Kiangmen D. 143A D4
Kiangnan 27A H2/3; AV. 106/107B F3; Mi. 98/99C E2
Kiangsi 27A H3; AV. 89D B3, 106/107B E3; Mi. 98/99C E3
Kiangsu D. 112A G/H3
Kidapawan D. 144A C/D2
Kibworth Beauchamp 69B C2
Kibworth Harcourt 69B C2
Kidlington 69B C2
Kiangtu AP. 143A D/E3

Kiating D. 143A C3
Kibungo D. 145C B2
Kickapoo Mi. 87A D3
Kiel M. 58A F2; U. 80C B2
Kielce D. 142 I3
Kienchang [Kiangsi] M. 89D B3
Kienchang AV. 106/107B D3
Kienow AP. 143A D3
Kieta D. 144B C2
Kiew 44B B2; AD. 44B C2; D. 71A K2, 135D C2
— Andreewskij-Jantschin M. 44C
— Bolnitschnyj Troickij M. 81 C4
— Bratskij Bogojawlenskij M. 81 C4
— Desjatina Cerkow Bogorodicy (Zehntkirche) E. 44C
— Fedrowskij M. 44C
— Florowskij Woznesenskij M. 81 C4
— Georgs-Kl. M. 44C
— Höhlen-Kl. (Petscherskij) M. 44C
— Irenen-Kl. M. 44C
— Kirillowskij M. 44C
— Klowskij-Wlachernskij M. 44C
— Kosmodamianskij M. 44C
— Lazarew M. 44C
— Menas M. 44C
— Michajlowskij-Wydubickij M. 44C
— Michajlowskij-Zlatowerchij M. 44C, 81 C4
— Nikolaewskij M. 44C, 81 C4
— Omitriewskij M. 44C
— Sophien-Kirche E. 44C
— Spasskij-Berestowskij M. 44C
— Wasilij E. 44C
— Wasilewskij M. 44C
— Woskresenskij M. 44C
— Wydubickij Michailowskij M. 81 C4
Kigali AD. 145C A2; D. 112A C5, 112C B2
Kigoma D. 145C A2
Kikwit D. 145A D/E5
Kılandıraz ↗Eucarpia
Kilbeggan M. 52A B3
Kilcooly M. 52A B3
Kildare D. 19 C4; M. 19 C4, 58A B2
Kilfenora D. 71A B/C2; M. 19 B5
Kılıdülbahr ↗Coela
Kilimallock M. 59A C2
Kilimandscharo AV. 106/107A D4
Kilkenny D. 71A C2, 111D B3, 141A B3; M. 58A B2, 59A C2
Kilkis D. 134C C1
Killala M. 19 B4
Killaloe D. 71A C2; M. 19 B5
Killarney D. 71A C2, 141A B3
Killeedy M. 19 B5
Killenny M. 52A B3
Killevy M. 19 C4
Killit (Qilit) 38A D2; D. 26A C2
Killucan D. 111D B3
Kilmacduagh D. 66 C2, 71A C2; M. 19 B4/5
Kilmallock M. 59A C2
Kilmonaster M. 52A B2
Kilmore D. 71A C2; M. 19 C4
Kilmuir M. 19 C2
Kilnsea M. 19 G4
Kilshane M. 52A A3
Kilwa D. 145A E5
Kimaken 27A C1
Kiman Faris ↗Crocodilopolis (Arsinoe)
Kimar M. 12A B2
Kimberley [Australien] AV. 106/107C C3
Kimberley [Südafrika] AV. 106A C5; D. 112A B/C6, 145A E7; Mi. 98A C5, 104A C5
Kinaleghin M. 51 C2
Kindberg E. 95B G4
Kindu D. 145A E5
Kinghorn M. 59A D1
Kinghsien D. 143A D2
Kings Langley 69B C2; M. 59A D2
King's Lynn 69B D2; M. 58A D2
Kingsthorpe 69B C2
Kingston [England] 69B C2
Kingston [Jamaica] AD. 146C F2/3; 146D A1/2; D. 113D Q4; Mi. 103C E2
Kingston [Kanada] AD. 146A F2; D. 113D Q2
Kingswood M. 52A C3, 53 C1
Kinhwa M. 89D C3
Kınık ↗Xanthus
Kinloss M. 52A C2
Kinnitty M. 19 C4
Kinross M. 19 E3
Kinshasa (Léopoldville) AD. 145A D5; D. 134B B5; Mi. 104A C4
Kinston D. 113E F2
Kiprianowskij Uspenskij M. 81 C4
Kiraz ↗Coloe
Kirchdorf E. 95B F4
Kirchenstaat 33, 66 G4, 93 G4
Kirchheim 91 C4; M. 91 C4
Kiresin-Savaştepe ↗Germe
Kirgisen 27A F1
Kirillo-Belozerskij M. 81 D2
Kirillo-Tschelmogorskaja M. 81 D/E2
Kirillow-Belyj Nowoezerskij M. 81 D2
Kirillowskij M. 44C
Kirin D. 143A E2
Kirkcudbright M. 59A C/D2
Kirkebö D. 71A C1
Kirkstall M. 52A C3
Kirkstead M. 52A C/D3
Kirkwall D. 71A D1
Kirman Mi. 104/105C A2
Kirow D. 135D D2
Kirowograd D. 135D F2
Kirschdornberg R. 28 D2
Kirtlington 69B C2
Kirtorf 91 C3
Kisangani (Stanleyville) AD. 145A E4; D. 112A C4/5; Mi. 98A C3
Kisantu D. 145A D5
Kischinew D. 135D B/C3
Kisii D. 145C B/C2
Kışla ↗Isinda
Kisumu D. 112C B2, 145C B/C1
Kition D. 135D C4
Kitros ↗Citrus
Kitta ↗Scheikh Rih
Kitui D. 145A F5
Kitzbühel E. 95B D4
Kitzingen 91 C3; M. 17C D3, 35A E2, 37 H2
Kiukiang M. 89D B3
Kiungchow M. 89D A4
Kiwu AV. 106A C/D4
Kız Kalesi ↗Corycus
Kjustendil ↗Pautalia
Klaarkamp M. 52B A/B3
Klaarwater M. 67 C1
Kladrau M. 48A C2
Klagenfurt 46 F5; D. 96A B2, 96B F4, 140A E2, 142 F5; E. 95B F5; M. 78A E2
Klaipėda (Memel) 62 C3; PN. 141B E5
Klais, Scharnitz-Kloster M. 29B A2
Klarenthal M. 91 B3
Klarholz M. 54 F2
Klástor pod Znievom M. 78A F2
Klatovy (Klattau) 69A B2; M. 59A G3
Klattau ↗Klatovy
Klausenburg ↗Cluj
Klein-Armenien 55B C/D2
Kleinasien AV. 106/107A C/D1
Kleinerdlingen 91 C4
Kleinlützel M. 50 D3
Klein-Mariazell M. 67 H3
Klerksdorp AP. 145D A1
Kleve 66 F2, 73A B3, 76 B3, 92A B2; M. 58A E2
Klimenskij M. 81 D2
Klingen 91 C3
Klingenmünster M. 34B D2, 37 G2; R. 28 D3
— S. Walburg M. 48A A2
Kłodsko (Glatz) 73A G3, 73B A1, 76 G3; M. 58A G2, 78A F2
Klopskij-Troickij Michajlowskij M. 81 C2
Klosterneuburg 65 G3; E. 95B H3; M. 50 G3
Klosterrat ↗Rolduc
Klosterreichenbach ↗Reichenbach [Schwarzwald]
Klosterrode M. 54 G2, 67 E/F2
Kloster Sulz M. 91 C3
Klosterzimmern M. 91 C4
Kloster Zinna M. 91 E2
Klowskij-Wlachernskij M. 44C
Knechtsteden M. 54 F2
Knin D. 71A H4
Knittelfeld E. 95B F4
Knock in Haglish M. 19 D3
Knockmoy M. 52A A3
Knossos ↗Cnossus
Knoxville D. 113E E2
Koango AP. 106A C4
Kobe D. 112A H3
København D. 141B D5; M. 58A F1; U. 64 D1
Kobern R. 28 C/D2
Kobersdorf E. 95A E2, 95B H4
Koblenz 82 B/C3, 83 B/C3; M. 51 F2, 58A E2, 59A F2, 70A E3, 78A D1; R. 28 D2
Kochel M. 37 I3
Koç Hisar ↗Hierapolis [Phrygia Salutaris]
Koforidua D. 112A A4/5
Koga M. 89A B3
Kohima D. 143A B3, 143B D2
Kojiro M. 89A B3
Kokenhusen D. 62 D2
Kokstad D. 145D A2
Kokura M. 89A B3
Kołbacz (Kolbatz) M. 52B C/D3, 52C A/B2
Kolbatz ↗Kołbacz
Kolberg ↗Kolobrzeg
Kölbigk M. 54 G2
Kolding M. 58A E1
Kole D. 145A E5
Kolin 69A D1; M. 59 G/H3
Köln (Colonia Agrippina) 14C C1, 65 D2, 73A B3, 76 B3, 92A B2, 93 F2; AD. 25C B3, 32 F2, 66 F2, 71A F2, 82 B3, 83 B3, 97C B3, 97D B3, 141A F3, 142 B3; D. 13 C1, 22 D/E1; E. 4A E2; M. 48A A2, 51 F2, 56A E1, 59A F2, 68A C2, 68B C2, 70A E3, 78A D1, 79 E1; Pe. 18A C1; R. 28 C2; U. 64 C1
— Ad Olivas M. 41A B3
— Alexianer M. 41A A3
— Antoniter M. 41A B3
— Augustiner-Eremiten M. 41A B3
— Brüder vom gemeinsamen Leben M. 41A A2
— Dom E. 41A B3/4
— Dominikaner M. 41A B4
— Franziskaner M. 41A B3
— Groß-Nazareth M. 41A B4
— Groß-S. Martin M. 41A C3/4, 48A A2, 67 C2
— Herrenleichnam M. 41A B4/5
— Hl. Dreifaltigkeit M. 41A C1/2
— Karmeliten M. 41A B2
— Kartäuser M. 41A B1/2
— Klein-Nazareth M. 41A B4
— Klein-S. Martin E. 41A C3
— Klein-S. Ursula M. 41A B4
— Kreuzbrüder M. 41A B3
— Makkabäer M. 41A B4/5, 67 C2
— Mariengarten M. 41A B3/4
— Marienspiegel od. Sion M. 41A C2
— S. Achatius M. 41A B4
— S. Agatha M. 41A B3, 67 C/D2
— S. Alban E. 41A B3
— S. Andreas E. 41A B4
— S. Anna z. unteren Lämmchen M. 41A B3
— S. Apern M. 41A A3/4
— S. Apollonia M. 41A B4
— S. Aposteln E. 41A A3
— S. Bonifatius M. 41A B2
— S. Brigida E. 41A C3
— S. Cäcilia E. 41A B3
— S. Christoph E. 41A A/B4
— S. Clara M. 41A A3/4
— S. Elisabeth M. 41A B3
— S. Georg E. 41A B2
— S. Gereon E. 41A A4
— S. Gertrud M. 41A A3
— S. Gregor E. 41A B2
— S. Heribert M. 41A C3
— S. Ignatius M. 41A B4
— S. Jakob E. 41A B2/3
— S. Johannes Baptist E. 41A B2
— S. Johannes Evangelist E. 41A B/C3/4
— S. Johannes u. Cordula M. 41A C4/5
— S. Johann in der Klusen M. 67 C/D2
— S. Joseph M. 41A B3
— S. Katharina M. 41A B2
— S. Kolumba E. 41A B3
— S. Kunibert E. 41A C4/5; M. 25A D1, 37 F/G1
— S. Laurenz E. 41A B3
— S. Lupus E. 41A C4
— S. Maria ad Gradus E. 41A C4
— S. Maria im Kapitol E. 41A B3; M. 37 F/G1, 48A A2
— S. Maria im Pesch E. 41A B4
— S. Maria im Tempel M. 41A B3
— S. Maria in Bethlehem M. 41A B3/4
— S. Maria Lyskirchen E. 41A C3
— S. Maria Magdalena E. 41A B1; M. 41A B2
— S. Maria Magdalena z. Buße M. 41A B4/5
— S. Martin M. 48A A2, 67 C2
— S. Mauritius M. 41A A2, 48A A2, 67 C/D2
— S. Maximin M. 41A C4
— S. Michael M. 41A B3
— S. Nikolaus M. 41A B3
— S. Pantaleon M. 41A B2, 48A A2, 67 C/D2
— S. Paul E. 41A B4
— S. Peter E. 41A B3
— S. Reinold M. 41A A3
— S. Severin E. 41A B1; M. 37 F/G1
— S. Ursula E. 41A B4/5
— S. Vinzenz Mi. 41A B4
— Vom Berge Mariä M. 41A B2
— Zederwald M. 41A B4
— Zum Lämmchen M. 41A B3/4
— Zur Zelle M. 41A B3/4
Köln-Deutz M. 48A A2, 67 C/D2
Kolobrzeg (Kolberg) D. 32 H2
Kolomenskij Bogorodice-Roschdestwenskij Bobrenew M. 81 D3
Kolomna D. 81 D3
— Troicky Nowogolutwin M. 81 D3
— Uspenskij Brusenskij M. 81 D3
Kolomyja M. 58A I3
Koloszvár ↗Cluj
Kolozsmonostor M. 44A C2
Kolumbien 86 A/B3, 113D Q4, 116 E4, 122 E4, 126 E4, 128 E4, 146C F4, 146D A3, 147A B/C2, 147C A/B1, 150A D4
Kolwezi D. 145A E6
Komárom M. 59A H3
Kom Atrib ↗Athribis
Komávaros M. 59A H3
Komburg M. 48A B2
Kom el-Gise ↗Schedia
Kom Kabrit ↗Copris
Kom el-Khawalid ↗Pachnemunis
Kom Ombo ↗Ombi
Komotau ↗Chomutov
Komotine (Maximianopolis / Rhodope) AD. 20 C2, 30A D2, 31 C/D2; D. 134C D/E1
Kompong Cham AP. 144A A/B2
Konavlje (Chunobia) D. 30A C2, 61 B1, 66 I4
Konewskij-Roschdestwenskij M. 81 C2
Kongo (Brazzaville) 112A B4/5, 120 E/F5, 128 I4/5, 145A D4/5, 150A H4/5
Kongo (Kinshasa) ↗Zaire
Kongolo D. 145A E5
Königgrätz ↗Hradec Králové
Königinhof ↗Dvůr Králové
Königsberg (Kaliningrad) 62 B3; U. 80C D2
Königsberg i. Fr. M. 70A F3
Königsbronn M. 82 C/D4, 91 C4
Königsdorf M. 48A A2
Königshofen E. 14A D2
Königslutter M. 48A B/C1, 67 E/F1, 91 C2
Königssaal ↗Zbraslav
Königstein 73A C3, 76 C3; M. 68B C2
Konitz (Chojnice) 73A G2
Köniz M. 50 D4
Konoura M. 89A A3
Konradsburg M. 51 G2
Konstamonitou M. 45B A2
Konstantinopel ↗Constantinopolis
Konstanz 65 D3; D. 25C D4, 32 F3, 34A D2, 35A D2, 66 F3, 82 C5, 83 C5, 97C B/C4; M. 34B D2, 58A E3, 59A F3, 78A D2, 79 E2; R. 28 D3
Kontum D. 144A B2
Konya ↗Iconium
Kopenhagen ↗København
Koper D. 140A E2
Koprivnica M. 58A G3
Koprzywnica 52C C2
Korba ↗Curubis
Korbach M. 91 B2
Korce AD. 134C B1
Korčula D. 71A H4; M. 59A H4, 70B G3
Korczyna M. 58A H3
Korea 112A H2/3, 117 P2, 123 P3, 127 P2/3, 129 P2, 143A E2, 150/151A O3; AV. 106/107B F2; Mi. 98/99C F2
Koreckij Woskresenskij M. 81 C3
Korennaja Roschdestwo Bogoroditschnaja M. 81 D3
Korfu ↗Corcyra
Korhoyo D. 145A B4
Kori M. 89A A3
Korinthos (Corinthus) 39C B3, 60A C3; AD. 8A D2, 20 B3, 30A C3, 31 C3, 61 B2; D. 134C C3; E. 2A C3, 5A B3; M. 61 B2
Kornelimünster M. 82 B3, 83 B3
Korneuburg E. 95B H3
Korniliew-Komelskij-Wwedenskij M. 81 D/E2
Kornofolea ↗Plotinopolis
Korogo AP. 106A A3; Mi. 98A A3
Korogwe AD. 112C B2; D. 112A C/D5
Korone ↗Corona
Koroneia ↗Coronea
Koronowo M. 52C B2
Köröszeg M. 59A H/I3
Korsendonk M. 68A B2
Korsika (Corsica) 43 C1, 66 F4, 72 C1, 93 F4, 140A B/C4
Korsunskij Onufriewskij Guljanickij M. 81 C/D4
Korte ↗Qurta
Kortrijk 65 B2; M. 78A C1
Kos ↗Cos
Koscheozerskij M. 81 D2
Kościan (Kosten) M. 59A H2
Košice (Kassa, Kaschau) D. 96A C1; 142 I4; M. 59A I3
Kosil D. 30A C2
Kosinskij Nikolaewskij Roschdestwenskij M. 81 C/D2
Köslin ↗Koszalin
Kosmo-Damianskij M. 44C
Kostajnica M. 58A G3
Kostanjevica M. 52C B3
Kostelec n. L. (Elbe Kosteletz) 69A C1
Kosten ↗Kościan
Kostolac ↗Viminacium
Kostroma D. 135D D2
—, Bogojawlenskij Anastasinskij M. 81 E2
—, Krestowozdwischenskij M. 81 E2
Koszalin (Köslin) D. 142 G1
Kota Kinabalu D. 112A G4, 144A C2
Koteine M. 39C C3
Kothamangalam D. 130C B1, 138D B1
Kotor (Cattaro) D. 32 H4, 66 H4, 96A C2, 140A G4, 141D A2; M. 58A G4, 59A H4
Kottar D. 143C A2
Kottayam 27B A2; D. 130C B2, 138D B2, 143C A2; P. 130C B2
Koudougou D. 145A B3, 145B A1 [A/B1
Koupéla D. 145A B/C3, 145B
Kouřim 69A C2
Koutloumousiou M. 45B B2
Kovin 58A H4
Kowalewo Pomorskie ↗Schönsee
Koxon 60A F3
Kozane D. 134C B/C1
Kozelskaja Wwedenskaja Optina M. 81 C/D3
Kozhikode ↗Calicut
Kozuura M. 89A B3
Kragujevac D. 134A B/C3
Krain 66 G3, 73A E5, 76 E/F6, 93 G3
Krakau ↗Kraków
Krak de Montréal 60A F4
Krak des Chevaliers 60A F4
Kraków (Krakau) AD. 142 H3; D. 32 H2; M. 51 H2, 58A H2, 59A I2, 78A F1; Pe. 18A E1; R. 28 H2; U. 64 D1
Kraljevo D. 134A C3
Kralove M. 58A G2
Krasnocholmskij Nikolaewskij Antoniew M. 81 D2
Krasnodar D. 135D C3
Krasnogorskij-Bogorodickij M. 81 E3
Krasnogorskij Ioanno-Bogoslowskij M. 81 C3
Krautostheim 91 C3
Krbava D. 71A H4; M. 58A G4
Kremenc, Bogojawlenskij M. 81 B4
Krems 46 G3; E. 95B G3; M. 59A H3, 70A G3, 78A F2
Kremsmünster M. 29B B2, 35A E2, 37 J2, 67 G4; R. 28 F3
Krestnyj-Oneschskij M. 81 D2
Krestowozdwischenskij M. 81 B/C3
Krestowozdwischenskij M. 81 D3
Krestowozdwischenskij M. 81 E3
Kreta (Creta, Krete) 2A C/D3, 20 B/C4, 43 E2, 60A C/D3, 66 I/J5, 72 E2, 96A D4, 134C D4, 141D C4
Krete ↗Kreta
Kreutz ↗Križevci
Kreuzlingen M. 50 D3, 82 C5; R. 28 D3
Krim 66 K3
Krishnagar D. 106/107B C3, 143B C2
Križevci (Kreutz) D. 96A B2, 138A B2
Krk (Veglia) D. 32 G3, 96A B2, 140A E2; M. 58A F3, 59A G3
Krnov (Jägerndorf) 73C A1; M. 58A L2/3
Kronberg M. 91 B3
Krone ↗Koronowo
Kronstadt ↗Brasov
Kroonstad D. 145A E7, 145D A1
Krosno [Schlesien] (Crossen) M. 58A G2, 59A H2
Krosno M. 78A G2
Krože M. 78B A2
Krujë ↗Croa
Krummau ↗Česky Krumlov
Krylovo (Nordenburg) M. 59A I2
Krzeszów (Grüssau) M. 52C B2
Krzyzanowice M. 54 I2
Ksar beni Feredj ↗Thullio
Ksar Kalaba ↗Gibba
Ksar el Kelb ↗Vegesela [Numida]
Ksar Sbahi ↗Gadiaufala
Ksar Tir ↗Castellum Vanarzanense
Ksedschbe M. 12A B2
Ksour Abd el Melek ↗Uzappa
Kualalumpur AD. 144A A3; D. 112A F/G4; Mi. 104/105D A/B1
Kuba ↗Cuba
Kubota (Akita) 89B B2
Kuching AD. 144A B3; D. 112A G4; Mi. 98/99D B1, 104/105D B1
Kuchinotsu M. 89A A/B3
Al-Kuduk E. 29A C4
Kufstein E. 95B D4; M. 37 I3
Kühbach M. 67 F3
Kujbyschew D. 135D E2
Kuklen M. 30A D2
Kukmirn E. 95A E2, 95B H4
Kulb E. 29A B3
Kuldiga ↗Goldingen
Kulmbach M. 70A F3
Kulmsee D. 71A H2
Kumasi D. 112A A/B4, 145A B4, 145B A2; Mi. 104A A3
Kumbakonam D. 106/107B C4, 143C B1
Kumbo D. 145B C/D3
Kumuk D. 63A C2; M. 63A C2
Kundiawa D. 144B C2
Kunming AD. 143A C3
Kunnamkulam D. 130C A/B1

Kuopio AD. 135D B1
Kupang D. 144A C4, 144B A/B2
Kurjaschskij-Preobraschenskij M. 81 D3
Kurland 77B D1
Kurnool D. 143B B3
Kursi ↗Gergesa
Kursk D. 135D C2
— Troickij M. 81 D3
— Znamenskij M. 81 D3
Kurşunlu Tepe ↗Scepsis
Kurume M. 89A B3
Kuşadasi ↗Anaea
Kuschan 27A C/D2
Küsten-Chili AV. 106/107B E2
Küsten-Tonkin AV. 106/107B E3
Kutahya ↗Cotiaeum
Kutaisi D. 135D D3
Kutama M. 89A B3
Kutami M. 89A B3
Kutná Hora (Kuttenberg) 69A D2
Kutrang E. 29A C6
Kuttenberg ↗Kutná Hora
Kuwait AV. 139E E4, 145A G2
Kwangchow 27A H3; AD. 143A D4
Kwangju AD. 143A E2
Kwangsi AP. 106/107B E3; Mi. 98/99C E3
Kwangtung AP. 106/107B E3 Mi. 98/99C E3;
Kweichow AV. 89D A3, 106/107B E3; Mi. 98/99C E3
Kwei-Hsiang D. 112A G3
Kweilin AP. 143A D3; M. 89D A3; Mi. 104/105C E3
Kweiyang AD. 143A C3; Mi. 104/105C E3
Kwidzyn ↗Marienwerder [Preußen]
tou Kyklobiou M. 39B B2
Kyme D. 134C D2
Kyoto ↗Miyako
Kyparissia D. 134C B3
Kyrenia D. 135D C4
Kyrrhos ↗Cyrrhus
Kyritz M. 58A F2
Kythera D. 134C C3
Kythraia ↗Chythri
Kyushu 89A B3/4

L

Laa E. 95B H3; M. 58A G3
La Anunciata M. 51 D5
La Asunción D. 147A C1
Lab ↗Ljubovija
La Badiazza M. 52E C/D3
La Baix M. 52D E1, 53 D5
La Barre M. 50 B3
Labécède 57C A2
La Bénissons-Dieu M. 53 F3
Labicum [bei Monte Compatri] D. 23 B3; E. 4A F4
Labo E. 90A B3
La Boissière M. 53 D3
Labranza Grande Mi. 86 A3
Lábrea PN. 147A C3
Labuan [Brit. Borneo] AP. 106/107B E4, 106/107C B1
La Bussière M. 53 F3
La Candelaria Mi. 86 A3
La Capelle M. 54 E4
La Capilla Mi. 86 A3
La Casedieu M. 54 D/E4
La Cava M. 53 I4
Lac-de-Joux M. 53 F3
Lacedaemon ↗Sparta
Lacedonia D. 71B B1, 140A F4
La Chaise-Dieu M. 48B B/C3, 94 C3
La Chalade M. 53 G2
La Charité M. 53 G3
La Charité-sur-Loire 77A B2; M. 47A C3, 48B B/C2
La Charmoye M. 53 F2
La Chaume M. 94 A3
Lachis 1 A3
La Colombe M. 53 E3
La Concepción Mi. 85A C4
La Coruña M. 58A B4, 59A C4
La Cour-Dieu M. 53 E2
La Crête M. 53 G2
Lacroisille 56D B2
La Crosse D. 146A E2
La Cruz Mi. 85A D5, 85B A2
Lactora ↗Lectoure
Lacu M. 49A E3
Lad (Lond) M. 52C B2
La Daurade M. 47A B4
Ladinskij Pokrowskij M. 81 C/D3
Ladoga 44B C1
Ladorada D. 147C B1
Lae D. 144B C2
La Espina M. 52D C2
La Faise M. 53 D4
Lafayette [Indiana] D. 146A E/F2
Lafayette [Louisiana] D. 146A E3
La Ferté-Hauterive M. 47A C3
La Ferté-sur-Grosne M. 53 F/G3
La Flèche M. 78A B2
Lafões M. 52D A/B2
La Frenade M. 53 D4
La Frette M. 47A D3
Lagada D. 134C C1
Lagania (Beypazarı) D. 21 B2
La Garde-Dieu M. 53 D/E4
La Garenne E. 47A C3
Laghouat D. 145A C1
Lagny M. 25B, 37 D2, 94 C2
Lagos AD. 145A C4, 145B B2; D. 112A B4, 112B A2; Mi. 98A B3, 104A B3
La Grâce-Dieu [Jura] M. 53 G/H3
La Grâce-Dieu [Poitou] M. 53 D3
Lagrasse M. 35A C3
La Grasse M. 94 C4
La Grita M. 85A B2
La Guaira D. 147A C1
La Guardia ↗Mentesa
Laguna M. 85A E5
Lagunas Mi. 85A B3
Lagunillas Mi. 86 B2
Lahonce M. 54 D4
Lahore D. 106/107B B2, 143B B1; Mi. 104/105C B2
Laibach ↗Ljubljana
Laizé E. 47A C3
Lajes D. 147A D/E5
La Junta Mi. 87A C4
Lake Charles D. 146A E3/4
Lake Oswego D. 113E A/B1
La Kessera ↗Chusira
Lakeville Mi. 87A E2
Lakkou M. 45B B3
La Laguna D. 145A A2
La Lance M. 51 F3
La Loubatière M. 51 E4
La Loye M. 48B C2
La Luzerne M. 54 D3
Lamasba (Hr. Merouana, Corneille) D. 7A C3, 24A D2; E. 4A E5
Lambach M. 48A C3, 67 G3
Lambaesis (Lambèse) D. 24A E2; E. 4A E5
Lamballe M. 56A C2
Lambdia (Médéa) D. 7B C1
Lambèse ↗Lambaesis
Lambiridi (Kherbet Ouled Arif) D. 7A D3, 24A D2
Lamego (Lamegum) D. 22 B3, 60B A1, 71A C4, 141C B3; M. 58A B4
La Merci-Dieu M. 53 D/E3
Lamesa Mi. 86 B2
Lamia (Zetunium) D. 20 B3, 30A C3, 61 B2, 134C C2
Lamiggiga (Sériana, Pasteur) D. 7A D3, 24A E2
La Mision M. 86 B2
Lamoricière ↗Altava
Lampidiago M. 14A C3
Lampsacus (Lâpseki) D. 6A C1, 13 E2, 20 C2, 61 C1; E. 5A C2
Lamsorti (Hr. Mafouna) D. 7A D3, 24A E2
Lamspringe M. 67 E2, 91 C2
Lamus (Adanda) D. 21 B2
Lanark M. 58A C1
Lancaster D. 141A C2; M. 59A D2
Lanchow AD. 143A C2; Mi. 104/105C D2
Lanciano AD. 140A E4
Łańcut M. 59A I2
Landana Mi. 106/107A B4
Landau 73A C5, 76 C5, 92B C2
Landévennec (Laudevenech) M. 37 A2, 94 A2
Landeves M. 50 C3
Landsberg ↗Gorzów
Landshut M. 58A F3, 59A G3, 70A F3
Landstrass ↗Kostanjevica
Landumo M. 49A F3
Langdon M. 54 E2
Langen M. 54 F2
Langenau M. 48A B3
Langendorf M. 67 F2
Langenlois 56C G/H1, 56E C1
Langensalza M. 70A F2
Langenselbold M. 50 D2, 54 F2
Langheim M. 53 K1
Langley M. 54 E2
Langonnet M. 53 B2
Langres (Lingones) D. 22 D2, 97A C/D2, 97B D2, 141A E4, 141C E1; E. 4A E3; 14A D2, 34B D2, 59A E/F3, 70A D4, 79 D/E2; R. 28 C3
— S. Amatre M. 48B C2
— S. Geosmes M. 37 F3
Langson D. 143A C4, 144A B1
Langy E. 47A C3
L'Anje Mi. 87A E2
Lannoy M. 53 E2
Lano D. 144B D2
La Noara M. 52E C3
La Noë M. 53 E2
Lansing D. 146A F2
Lanta 57C A1
Lantenac M. 94 A2
Lanusei D. 140A C5
Lanvaux M. 53 C3
Laoag (Ilagua) D. 144A C1; E. 90A B1
Laodicea [Phrygia Pacatania] (Eskihisar) AD. 8A E2, 13 E2, 20 D3, 31 D3; D. 6A C2; E. 2A D3, 5B A2
Laodicea [Pisidia] (Laodicea Combusta) 60A D3; D. 21 B2; E. 5A D3
Laodicea [Syria] ↗Latakia
Laodicea ad Libanum (Tell Nebi Mind) D. 8A F3, 21 C3
Laohokow D. 143A D3
La Oliva M. 52D D1, 53 C5
Laon (Laudunum) D. 22 D2, 39A C2; M. 14C B2, 58A D3, 94 C2
— S. Jean M. 94 C2
— S. Martin M. 54 E3
— S. Salaberga M. 14B A2, 25A C2, 37 E2
— S. Vincent M. 37 E2, 94 C2
Laos 112A G3/4, 143A C4, 144A A/B1, 150/151A N4, AV. 106/107B D3
La Palma M. 85A B2
La Palma Mi 86 A2
La Part-Dieu M. 51 F3
La Paz [Bolivien] AD. 147A C4; D. 85A C4; Mi. 103D B3
La Paz [Mexico] AV. 146A C4; Mi. 84A C/D5
Lapethos ↗Lapethus
Lapethus (Lapethos) D. 21 B3
La Peyrouse M. 53 E4
La Piana M. 53 K4
La Piedra Mi. 86 C3
La Plata AD. 147A D6, 147B A/B2
La Pointe Mi. 87A D2
La Popa Mi. 86 A2
Lappa D. 20 B4, 30B A1
La Prée M. 53 E3
La Presentation Mi. 87A F2
Lâpseki ↗Lampsacus
La Punta Mi. 86 B2
La Purísima Mi. 84A B/C4
Laqabin D. 26A B2
La Quebrada Mi. 86 B2
La Quercia M. 59A G4, 70B E3
L'Aquila AD. 140A E4; D. 71A G4; M. 58A F4, 70B E3
Lara ↗Magydus
Laramie D. 113E C1
Laranda (Karaman) D. 21 B2; E. 5A D3
Larantuka D. 144A C4, 144B A/B2; Mi. 98/99D C2
Larco D. 61 C1
La Real M. 52D E/F2
La Réol M. 58A C4, 59A D4, 94 B4
Lares (Lorbens) D. 7A F2, 24A F1; E. 4B A2
Largentière M. 58B A1
Larino (Larinum) D. 23 B3, 140A E4
Larinum ↗Larino
La Rioja D. 147A C5; M. 85A C5
Larisa ↗Larissa [Thessalia]
Larissa [Syria II] (Seheizar) D. 6A E2, 8A F2, 21 C3; E. 5A E3
Larisa [Thessalia] 60A C3; AD. 8A D2, 20 B3, 30A C2, 31 C3, 61 B2; D. 134C C2; E. 2A C3, 5A B3
Larnaka ↗Citium
Larnat 56C C3, 56D B3
La Roche Beaucourt M. 47A B3
La Rochelle 77A A2; D. 97A A/B3, 97B B3, 141C D1; M. 56A C/D2, 58A C3, 59A D3
L'Arrivour M. 53 F2
La Salina Mi. 86 A3
La Sauve-Majeure M. 94 B4
Laschin ↗Laschom
Laschom (Laschin) D. 10A C2, 26A C2; E. 5A F4
Las Cruces D. 146A C3
La Serena AD. 147A B5
Lashio AP. 143A B4, 143B D2, 144A A1
Las Palmas D. 71A C6, 145A A2
La Spezia D. 140A C3
Lastingham M. 19 F4
Lašva M. 58A G4
Latacunga D. 147A A/B3; M. 85A B3
Latakia [Syria I] (Laodicea) 60A F3; AD. 21 C3; D. 6A E2, 8A F2, 9B C2, 26A A2, 55B D2, 61 E2, 135D C4, 139E C2; E. 5A E3
La Tarce M. 59A C4
Latisana M. 70B E2
Latmus M. 39C C3
Latopolis (Isna) 11A D7; D. 6B B/C4, 10B C3
La Torre M. 51 I5
La Trappe M. 53 D2
Latta M. 14A C2, 37 C3
Laudunum ↗Laon
Lauenburg 73A D2, 76 D2
Lauenburg [Pommern] (Lebork) 73A G1
Läuferkloster M. 38A C1
Lauffen E. 14A D2
L'Aumône M. 53 E3
Laun ↗Louny
Laurac 56D C2, 57C A2
Lauriacum (Lorsch/Donau) D. 23 B1; E. 4A F3
Lausanne (Lousonna) D. 22 D2, 66 F3, 82 B5; M. 58A E3, 59A F3; R. 28 C4
— S. Maire M. 50 C/D4
Lausick M. 48A C2
Lausitz AP. 97C D3
Laus Pompeia ↗Lodi
Lautrec 56D C2, 57C B1; M. 58A D4
Laval D. 141A D4, 141C D1; M. 59A D3, 70A B3
Lavaldieu M. 54 E2
La Valette M. 53 E4
La Valletta D. 140A E7; M. 78A E4
Lavant ↗S. Andrä
Lavaur 56C C3, 56D B2, 57C A1; D. 71A E4, 97A B/C4; M. 58A D4
La Vega D. 146D B1
La Vega M. 52D C1
Laveine E. 47A C3
Lavelanet 57C A2
Lavendon M. 54 D2
Laveno E. 47C B2
La Verne M. 51 F4
La Victoria Mi. 86 B2
La Vid M. 54 D4
Lavoûte M. 47A C3
Lawn's Creek E. 88A A/B3
Laye R. 28 C3
Layrac M. 47A B4
Lazarew M. 44C
Leal (Lihula) 62 D2
Leau Pe. 18A C1
Lebaba E. 5A E4
Lebadeia D. 134C C2
Lebda ↗Leptis Magna
Lebedjanskij Troickij M. 81 E3
Lebedos ↗Lebedus
Lebedus (Lebedos) D. 20 C3
Leberau ↗Lièpvre
Le Boquen M. 53 C2
Lębork ↗Lauenburg [Pommern]
Le Bouchet M. 53 F4
Le Bourget M. 47A D3
Lebus D. 71A G2, 73A F2, 82 F2, 91 E2
Lecce (Lippia) AD. 140A G5, 141D A3; M. 59A H4, 78A F3, 79 G3
Lecceto M. 70B D3
Lecco M. 70B C2
Lechlade 69B C2
Lechnica (Lechnitz) M. 51 H3
Lechnitz ↗Lechnica
Lecourbe ↗Equizeto
Le Croix, S. Leufroy M. 37 C/D2
Lectoure (Lactora) 77A B2; D. 22 C2, 97A B4; M. 47A B4, 58A D4, 59A D/E4
Łęczyca M. 59A H2
Leeden M. 91 B2
Leeds D. 141A D3
Leer 121 B2
Leeuwarden D. 80B C/D1; M. 59A F2, 70A D2
Leeward In. 126 F4
Leffe M. 54 E2
Le Gard M. 53 E2
Legazpi D. 144A C/D2
Legio ↗León [Spanien]
Legionum Urbs E. 4A C2
Legnago 56C E2; M. 59A G3/4
Legnica (Liegnitz) 73A F/G3, 76 F/G3; M. 51 H2, 58 G2, 59A H2; U. 80C C2
Le Grotte bei Mirabella ↗Aeclanum
Leh 27A D2
Le Havre D. 141A D4, 141C D1
Lehnin M. 52B C3, 52C A2
Léhon M. 94 A2
Lehrberg 91 C3
Leibnitz E. 95B G5
Leicester 69B C2; D. 19 F5, 111D C3; M. 19 F5, 56B B2, 58A C2, 59A D2
Leiden U. 80C B2
Leiderdorp M. 68A B1
Leiferde 91 C2
Leigh 69B B2
Leighlin M. 19 C5
Leighmore M. 19 C5
Leiningen 73A B/C4, 76 B/C4, 92 B/C2
Leipe 62 B3
Leipzig M. 50 E2, 58A F2, 59A G2, 67 F2; U. 64 D1
Leiria D. 141C B3; M. 58A B5
Leiston 69B D2
Leitmeritz ↗Litoměřice
Leitomischl ↗Litomyšl
Leitzkau M. 54 G2
Leiva Mi. 86 A3
Leix M. 52A B3
Leixlip D. 111D B3
Le Kef ↗Sicca Veneria
Lekemti D. 130B B3
Lekno-Wagrowiec M. 52C B2
Le Krib ↗Musti
Le Landais M. 53 E3
Lelesz M. 44A C2, 54 I3
Le Loroux M. 53 D3
Lelów M. 58A H2
Le Luc M. 56A E3
Le Mans (Cenomanica) D. 22 C2, 34A C2, 35A C2, 97A B2, 97B B2, 141A D4, 141C D1; M. 14A C2, 58A D3, 59A E3
— BMV M. 37 C2/3
— S. Audoenus M. 37 C3
— S. Germain M. 37 C3
— S. Pierre de la Couture M. 37 C/D3, 94 B2
— S. Vincent M. 94 B3
Le Mas M. 58A D4
Le Mas-Grenier M. 94 B4
Lemberg ↗Lwów
Lembos M. 39C C3
Lemellef (Bordj Rhedir) D. 24A D2
Lemgo 73A C3, 76 C2
Le Miroir M. 53 G3
Lemnos ↗Lemnus
Lemnus (Lemnos) AD. 31 D3; D. 20 C3
Le Moinestre 60A F4
Le Monêtier M. 37 F4
Lemovices ↗Limoges
Lemta ↗Leptis Minor
Lengenfeld 56D G1, 56E C1
Lengupá Mi. 86 A3
Leninakan D. 130D C/D2
Leningrad AD. 135D C2
Leno M. 34B E2, 37 H4
Lens M. 58A D2
Lentiana D. 61 C2
Lentini (Leontium) D. 23 B4; M. 59A H5
Lenton M. 47A B1
Lenzing-Kammer E. 95B E4
Leoben D. 96B F/G3; E. 95B G4; M. 59A H3, 70A G4
Leominster M. 19 E5
León [Mexico] D. 146C B2
León [Nicaragua] D. 146C D3
León [Spanien] (Legio) D. 32 C4, 60B B1, 141C C2; E. 4A B4; M. 58A B4, 59A C4, 78A A3
Léoncel M. 53 G4
Leonessa M. 70B E3
Leontium ↗Lentini
Leontopolis [Augustamnica II] (Tell Muqdam) D. 6B B/C1, 8B B2, 10C B2; E. 5A D4
Leontopolis [Phoenicia] 1 B1
Leopoldina D. 147D C2
Léopoldville ↗Kinshasa
Le Parc M. 51 D3
Le Pas AD. 146A D1
L'Épau M. 53 D4
Le Perray-Neuf M. 54 D3
Le Pin M. 53 D3
Leptis Magna (Lebda) D. 7A I5, 24A G3
Leptis Minor (Lemta) D. 7A H/I3, 24A G2; E. 4A F5
Le Puy (Anicium) D. 22 D2, 97A C3, 97B C3, 141C E2; M. 39A E3, 56A D2, 58A D3, 59A E3, 78A C2; Pe. 18A C2
Léré 14A C2
Le Reclus M. 53 F2
Le Relecq M. 53 B2
Le Reposoir M. 51 F3
Leribe D. 112A C6, 145D A1
Lérida (Ilerda) 56C B4; D. 22 C3, 60B C1, 71A E4; M. 58A D4, 59A E4, 78A C3, 141C D3; U. 64 C2
Lérins M. 14B B3, 37 F/G5, 47A D4
Lerium D. 31 F2
Le Rivet M. 53 D4
Leros ↗Lerus
Lerus (Leros) D. 20 C3
Les Andelys M. 37 D2
Lesbi (Aïn Dokoar) D. 7A C2, 24A D1
Lesbos ↗Lesbus
Lesbus (Lesbos) 60A D3, 66 I5
Lescar (Benearnum) D. 22 C3, 97A B4
Les Casses 57C A2
Les Cayes D. 146C F2, 146D A1/2
Les Châtelliers M. 53 D3
Les Echarlies M. 53 F3
Les Ecouges M. 51 E/F3
Les Feuillants M. 53 E5
Les Fontaines M. 47A C4
Lesh ↗Lezhë
Lesina D. 32 H4
Leslau ↗Włocławek
Lesotho 117 K/L6, 145D A1, 150/151A
Lesparre M. 58A C3
Les Pierres M. 53 E3
Les Roches M. 53 F3
Lessay M. 94 A2
Les Sellières M. 53 F2
L'Estrée M. 53 E2
Les Vaux-de-Cernay M. 53 E2
L'Etanche M. 54 F3
Letcombe Basset 69B C2
Letcombe Regis 69B C2
Lete D. 20 B2, 30A D2
Letenkow M. 51 H3
Le Thoronet M. 53 G5
Leticia AP. 147A B3
L'Étoile M. 53 D/E3, 54 E3
Letopolis (Usim) D. 6A D3, 6B B1, 10C A/B2; E. 5A D4
Le Tronchet M. 94 A2
Letterkenny D. 71A C2, 141A B2
Lettland 150A I2, 151B E1
Leubus ↗Lubiaz
Leuc 56D C2
Leucas ↗Leukas
Leuk ↗Liège
Leukas (Leucas) AD. 30A C3, 31 C3; D. 134C B2
Leukosia (Nicosia, Nikosia) 60A E3; AD. 61 D2/3; D. 112A C3, 130D A3, 135D C4; M. 61 D2/3
Leutenberg M. 59A G2
Leuterna ↗Eleutherna
Leutkirch 73A D5, 76 D5, 92B D3, 91 C4
Leuven (Louvain, Löwen) 65 C2, 68A B2, 68B B2; D. 66 E2; M. 51 E2, 58A D2, 59A E2, 70A D3, 78A C1; U. 64 C1
Leuze M. 37 E1
Le Val M. 53 E2
Le Valasse M. 52A D4, 53 D2
Levante M. 70B C2
Levello D. 71B B1
Le Wast M. 47A B2
Lewel M. 51 H3
Lewes M. 47A B2, 58A C/D2
Lewin (Löwen) M. 59A H2
Lexington D. 113E E2
Leyre M. 52D D1, 53 C5
Leyston M. 54 E2
Leyte 90A C4
Lezama Mi. 86 C2

Lézat M. 47A B4
Lezcya M. 59A H2
Lezhë (Lesh, Lissus) D. 20 A2, 30A C2, 61 A/B1, 96A C3, 141D A3
Lhasa 27A F3
Liangchow 27A G2
Liaoyang 27A I1
Libanon 117 K3, 129 K/L3, 130D A/B4, 135D C/D4, 139E B/C3, 139F A1, 150/151A I3
Liberia 112A A4, 116 H4, 122 H4, 126 G4, 128 H4, 150A G4; AP. 106/107A A3
Libertyville D. 131A C2
Libmanan E. 90A B/C3
Libohovë ↗Hadrianopolis [Epirus vetus]
Libong (Libon) E. 90A C3
Libourne M. 58A C3/4
Libreville AD. 145A C/D4; Mi. 98A B3, 104A B3
Libya Marmarica 10B A/B2
Libya Pentapolis 10B A1
Libyen 112A B3, 134B B/C2, 145A D/E2, 150A H3; AV. 106/107A C3
Lichfield D. 32 D2, 111D C3; M. 19 E/F5, 58A C2
Lichinga D. 145A F6
Lichtenau [Baden] 65 D3
Lichtenau [Ohio] Mi. 87A E2
Lichtenstern M. 91 C3
Lichwinskij Pokrowskij Dobryj M. 81 D3
Licqués M. 54 E2
Lidlum M. 50 C1, 54 F2
Lidorikion ↗Loedericium
Lidsbark Warminski (Heilsberg) D. 62 B3, 71A H/I2
Liebschau (Lubiszewo Tczewskie) 62 B3
Liège (Leuk, Lüttich) 57A C1, 65 C2; D. 34A D1, 56C D1, 66 F2, 73A A2, 76 A3, 80A C3, 80B C3, 82 A3, 83 A3, 141A E3; M. 51 F2, 56A E1, 58A E2, 59A F2, 67 C2, 68A B2, 68B B2, 78A D1; R. 28 C2
Liegnitz ↗Legnica
Lienz (Aguontum) D. 23 B2; E. 95B D5
Liepaja D. 141B E4
Lièpvre (Leberau) M. 35A D2; R. 28 C/D3
Lier 65 C2; M. 78A C1
Lierneux R. 28 C2
Liesborn M. 25D B2, 67 D2; R. 28 D2
Liessies R. 28 C2
Lieu-Croissant M. 53 G3
Lieu-Dieu M. 52A D3, 53 E1
Lieu-Dieu-en-Jard M. 54 D3
Lieu-Restaure M. 54 E3
Ligao E. 90A C3
Liget M. 51 E3
Ligugé M. 14A C2, 37 C3
Lihons-en-Santerre M. 47A C2
Lihsien AP. 143A D3
Lilibeo ↗Lilybaeum
Lilienfeld M. 52C B3
Lilienthal M. 91 B/C1
Lilio E. 90A B3
Lille 65 B2; D. 141A E3; M. 58A D2, 59A E2, 70A C3, 78A E2, 79 D1; R. 28 B2
Lilongwe D. 112A C5, 145A F6
Lilybaeum (Lilibeo) D. 23 B4, 30A A3; E. 4A F5
Lima AD. 85A B4, 147A B4; D. 113D Q5; Mi. 103D A/B2
Limassol 60A E4; D. 61 D3, 135D C4; Mi. 61 D3
Limburg [Hessen] 73A B3, 76 C3; D. 97D B3, 142 C3; M. 48A A/B2, 58A E2
Limburg [Pfalz] M. 67 D3
Limeira D. 147D B2
Limenae E. 5A D3
Limerick D. 71A C2, 111D A3, 141A B3; M. 58A B2, 59 A C2
Limoeiro do Norte D. 147A F3
Limoges (Lemovices) D. 22 C2, 97A B3, 97B B3, 141C D2; M. 56A D2, 58A D3, 59A E3, 78A C2
— S. Aridius M. 14A C2
— S. Augustin M. 94 B3
— S. Martin M. 37 C/D4
— S. Martial M. 37 C/D4, 47A B3
Limón AV. 146C E4
Limoux 56C C3, 56D B/C2; M. 58A D4, 59A E4
Limponi ↗Photice [C2
Limpurg 73A C4, 76 C4, 92B
Limyra (Demirciköy) D. 21 A2
Linares [Chile] D. 147A B6
Linares [Mexico] D. 146C B1
Lincoln [England] 69B C1; D. 71A D/E2, 111D C/D3; M. 56B B2, 58A C2, 59A D2
Lincoln [USA] D. 146A D2
Lind M. 48A C3
Lindau 66 F/G3, 73A C5, 76 D5, 91 C4, 92B C3; M. 58A E/F3, 82 C/D5, 83 C/D5 [F3
Lindisfarne D. 19 F3; M. 19
Ling M. 27A G2
Lingayen AD. 144A C1; E. 90A A/B2
Lingen 73A B2, 76 B2, 92 B1
Lingling AP. 143A D3
Lingones ↗Langres
Linhai D. 143A E3
Lini D. 143A D2
Linköping D. 71A H1
Lins D. 147D B2
Linthelles E. 47A C2
Linthes E. 47A C2
Lintsing AP. 143A D2
Lintung AP. 143A D2
Linz 46 F3; D. 96A B1, 96B F2, 142 F4; E. 14A E2, 95B F3; M. 58A F3, 78A E2
Lipa ↗Lipaa
Lipaa (Lipa) AD. 144A C2; D. 106/107B F3/4; E 90A B3
Lipaenium ↗Ulpiana
Lipara ↗Lipari
Lipari (Lipara) D. 23 B4, 30A A3, 71A G5, 140A E6
Lipljan ↗Ulpiana
Lippe 73A C3, 76 C2/3, 91 B2
Lippia ↗Lecce
Lippoldsberg M. 48A B2, 67 E2, 91 C2
Lipporn M. 48A A2
Lipprichhausen 91 C3
Lippstadt 73A C3, 92A C2; M. 91 B2
Lira D. 112C B1, 145C B1
Lisala D. 145A E4
Lisboa (Olisipo) 72 B2; AD. 60B A2, 71A C5; D. 6A A/B1, 22 B3, 112A A2/3; M. 58A B5, 59A C5, 78A A4, 79 B4; P. 141C B3; U. 64 B3
Lishui D. 143A D3
Lisieux (Civitas Lixoviorum) D. 22 C2, 97A B2; M. 59A E2
L'Isle Jourdain 77A B3; M. 58A C/D4
Lismore [Australien] D. 106/107C E4, 144B C3
Lismore [Irland] M. 19 C5
Lismore [Schottland] D. 71A C/D1; M. 19 D3
Lissabon ↗Lisboa
Lissus ↗Lezhë
Litauen 62 C/D3, 93 I/J2, 150A I2, 151B E1
Litoměřice (Leitmeritz) 69A C1; D. 142 F3; M. 58A F/G2, 59A G2
Litomyšl (Leitomischl) 69A E2; D. 44A B2, 71A H2/3; M. 51 H3, 54 H2
Littemala M. 37 E/F1
Little Missenden 69B C2
Littleover 69B C2
Little Rock D. 102A B3, 113E D2, 146A E3
Litzmannstadt ↗Łódz
Liverpool AD. 141A C3; D. 111D C3 [C4
Livias (Tell er-Rameh) D. 21
Livingstone D. 145A E6
Livland 77B E1, 93 J1
Livorno D. 140A C3
Livramento D. 147A E4
Livron 77A C2
Lixheim, S. Johann M. 48A A3
Ljubarskij Swjato-Georgiewskij M. 81 C3
Ljubetsch 44B C2
Ljubinski-Spaso-Gennadiew M. 81 D2
Ljubljana (Emona, Laibach) 29B B3; AD. 96A B2, 140A E2, 142 F5; D. 23 B2, 71A G/H3, 96A B2, 96B F4, 111A D2; M. 78A E2
Ljubovija (Lab) M. 58A G/H4
Llanartheny M. 19 D5
Llanbadarn M. 19 D5
Llancarvan M. 19 E5
Llandaff D. 71A D2, 111D C3; M. 19 E5
Llanddeusant M. 19 E5
Llanddewi-Brefi M. 19 D5
Llandeilofawr M. 19 D/E5
Llandinam M. 19 E5
Llandough M. 19 E5
Llandrillo M. 19 E4
Llanfoes M. 58A C2
Llangorse M. 19 E5
Llangurig M. 19 E5
Llangyfelach M. 19 D/E5
Llangynog M. 19 E5
Llanrhaiader Mochnant M. 19 E5
Llansilin M. 19 E5
Llantarnam M. 52A C3
Llantwit Major M. 19 D/E5
Llówek Slaki (Löwenberg) 73A G3; M. 58A G2
Loango AV. 106/107A B4
Loarre ↗Calagurris Fibularensis
Löbau [Lausitz] M. 58A F/G2
Lobau [Preußen] (Lubawa) 62 B3, 73B A2
Lobbes M. 25A C1, 34A C1, 37 E1, 48B C1; R. 28 C2
Lobenfeld M. 67 D3
Loboc E. 90A C4
Loccum M. 52B B3, 91 C2
Loc-Dieu M. 53 E4
Locedio M. 53 H4
Loch Cé M. 54 C2
Loches M. 14A C2, 37 C/D3, 58A D3
Lochstedt 62 B3
Loch Uachtair M. 54 C2
Lockenhaus M. 58A G3
Locri D. 23 C4, 30A B3, 140A F6
Loda M. 51 F4
Loddon 69B D2
Lodève (Luteva) D. 22 D3, 97A C4; M. 58A D4
Lodi (Laus Pompeia) 57D B2; D. 23 A2, 140A C2; M. 59A F3, 70B C2
— S. Marco M. 47C C2
Lodi D. 131B A2
Loedoricium (Lidorikion) D. 30A C3, 61 B2
Lödöse M. 59A G1
Lodwar D. 145A F4
Łódź (Litzmannstadt) D. 111A D1, 134A B1, 142 H2
Logium M. 25A C2
Logroño M. 58A C4, 78A B3
Løgum M. 52B B2
Loipersbach E. 95B H4
Loja D. 147A B3; M. 85A B3
Lokoja D. 145A C4, 145B C2; Mi. 98A B3
Lokossa D. 145B B2
Lolo D. 145A E4
Lomas de Zamora D. 147B A2
Lombez D. 71A E4, 97A B4
Lomé AD. 145A C4, 145B B2
Łomża D. 142 K1; M. 78A G1
Londinium ↗London [England]
London [England] (Londinium) 65 A2, 69B C/D2; AD. 141A D3; D. 111D C3, 131C A/B1; E. 4A C/D2, 14A B1; M. 19 F5, 51 D/E2, 56A C/D1, 58A C/D2, 59A D/E2
London [Kanada] D. 113D P2, 146A F2
Londonderry M. 59A C2
Londrina AD. 147D D5
Longford D. 141A B3; M. 59A C2
Long In. [Bahamas] Mi. 103B B/C2
Long Island 88B A/B3, 131B B/C2
Longpont M. 47A C2, 53 F2
Longuay M. 53 F3
Longuyon, S. Agatha M. 37 F2
Longvilliers M. 52A D3, 53 E1
Longwé M. 54 E3
Longxuyen D. 144A A/B2
Lonlay M. 94 B2
Lonnig M. 50 D2
Lons-le-Saunier, S. Desire E. 47A D3; M. 58A D/E3
Loo M. 50 B2
Loos M. 53 F1
Lopadium 39B A3, 39C C2
Lopotow-Grigoriewo-Pelschemskij M. 81 D2
Lopud M. 59A H4
Lorbeus ↗Lares
Lorca ↗Eliocroca [C4
Lorch M. 48A B3, 67 E3, 91
Lordat 56D B3
Lorena D. 147D B/C2
Loreto [Argentinien] Mi. 85B B1
Loreto [Italien] M. 78A E3, Pe. 18A D2; PN. 140A E3
Loreto [Kolumbien] Mi. 85A B/C3
Loreto [Mexico] Mi. 84A C4
Lorium D. 23 B3
Lorrha M. 19 B4, 59A C2
Lorroy M. 53 E3
Lorsch M. 34B D2, 35A D2, 37 G2, 48A B2, 54 F3; R. 28 D3
Lorsch [Donau] ↗Lauriacum
Los Altos D. 146A B3
Los Angeles [Chile] D. 147A B6; M. 85A B/C6
Los Angeles [USA] AD. 146A B3; D. 113E B2, 131A B3; P. 131A B3
Los Banos E. 90A B3
Los Dolores Mi. 84A C5
Losne E. 47A D3
Losque 56D B1
Losser D. 131C B1
Los Teques D. 147A C1/2
Lothringen 65 C3, 66 F3
Loudun 77A B2; M. 58A C3
L'Oued Ksob ↗Flumen Piscense
Loughborough 69B C2
Lough Derg ↗Saints Island
Loughrea D. 141A B3
Louisiana D. 101H B3
Louis Trichardt D. 145A E7
Louisville AD. 146A E/F3; D. 102A B/C3, 113E E2
Louka M. 54 H3
Loulan 27A E2
Louny (Laun) 69A B1; M. 59A G2
Lourenço Marques ↗Maputo
Lousonna ↗Lausanne
Louth M. 19 C4
Louth Park M. 59A D3
Louvain ↗Leuven
Loveč D. 134A C3, 135D B3
Löwen ↗Leuven
Löwen ↗Lewin
Löwenberg ↗Lwówek Slaski
Lower Kabete D. 112C B2
Lowicz M. 59A I2
Loyang D. 143A D3; M. 27A H2
Loyüan M. 89D C3
Luan (Lauban M. 58A F/G2
Luanda AD. 145A D5; Mi. 98A B4
Luang Prabang AV. 143A C4, 144A A1
Lubango AD. 145A D6
Lubao E. 90A B3
Lubawa ↗Lobau [Preußen]
Lubbock D. 113E C2, 146A D3
Lübeck 65 E1, 73A D2, 76 D2, 93 G2; D. 71A F/G2, 73A D1, 76 D1, 82 D2, 83 D2, 91 C1; M. 58A E/F2, 59A G2, 68B D1
Lubenskij Mgarskij Spaso-Preobraschenskij M. 81 D3
Lubiaz (Leubus) M. 52C B2
Lubiszewo Tczewskie ↗Liebschau
Lublin D. 142 K2; M. 59A I2, 78A G1
Luebo D. 145A E5
Lubumbashi (Elizabethville) AD. 145A E6
Luca ↗Lucca
Lucca (Luca) 33A B2, 33B B2, 33C B2, 33D B2, 93 F/G4; AD. 140A C3; D. 23 A2; E. 4A F4; M. 56A F3, 58A F4, 59A F/G4, 70B D3; Pe. 18A D2; U. 64 C/D2
— S. Frediano M. 37 H5
— S. Michele Arcangelo M. 37 H5
— S. Pietro Somaldi M. 37 H5
Lucedio, S. Michele M. 37 G4, 53 H4
Lucelle M. 53 H3
Lucena D. 144A C2
Lucera (Luceria) D. 23 C3, 140A F4; M. 58A G4
Luceria ↗Lucera
Luchente M. 59A D/E5
Łuck D. 71A I2, 134A D1, 135D B2, 142 L3
Luckau M. 59A G2
Lucknow D. 143B C2; Mi. 98/99C C3
Luco M. 49A E2
Luçon D. 71A D3, 97A A3, 97B A3, 141C D1
Lucus Augusti ↗Lugo
Ludbreg (Iovia) D. 23 C2; M. 58A G3
Ludd ↗Lydda
Lüders ↗Lure
Ludingakerk (Achlum) M. 50 C1, 68A B1
Ludro (Odorje) D. 23 C2
Ludsen (Ludza) 62 E2
Ludza ↗Ludsen
Lugano D. 32 F3, 140A B2, 142 C5
Luganville D. 113D K5
Lugban (Lucban) E. 90A B3
Lugban (Lucban) E. 90A B3
Lugdunum ↗Lyon
Lugny M. 51 E3
Lugo [Italien] M. 59A G4, 70B D2
Lugo [Spanien] (Lucus Augusti) AD. 32 C4; D. 22 B3, 60B A1, 141C B2; M. 58A B4, 59A C4
Lugoj (Lugosch) D. 96A C2, 138A C2
Lugosch ↗Lugoj
Luichow M. 89D A4
Luisa D. 145A E5
Lukianowa M. 81 D3
Łukow M. 78A G1
Luleburgaz ↗Arcadiopolis
Luluabourg Mi. 98A C4
Lulung D. 143A D2
Lumbang (Lumban) E. 90A B3
Luna 33A B1; D. 23 A2
Lund AD. 71 G1; M. 51 G1, 58A F1, 59A G1; U. 80C C2
— S. Trinitas M. 54 G1
Lunda E. 5B A1
Lüne M. 91 C1
Lüneburg 73A D2, 76 D2, 91 C1; M. 48A B1, 58A E/F2; U. 64 C/D1
Lunel 77A C3; M. 56A D3, 58B A2
Lunéville M. 50 C3
Lungro D. 138A B3
Lurcy-le-Bourg M. 47A C3
Lure (Lüders) M. 14A D2, 25A D2, 37 F3, 82 B5
Lusaka AD. 145A E6; D. 112A C5
Lusk M. 19 C/D4
Luss M. 19 D3
Luteva ↗Lodève
Lüttich ↗Liège
Lützelau E. 14A D2; M. 37 G3
Lützelstein 73A B4, 76 B4, 92 B2
Lutzmannsburg E. 95A E2, 95B H4
Luviniacus M. 47A C/D3
Luxemburg 66 F3, 76 A/B3/4, 151B C2; D. 141A E/F4, 142 B3; M. 58A D/E3, 59A F3, 67 C3, 70A D3, 78A D2
Luxeuil M. 14A D2, 14B B2, 14C C2, 25A D2, 34B D2, 35A D2, 37 F3, 48B C2, 82 A/B5
Luxor (Thebae/Thebais) 11A D7, 11B; D. 10B C3, 130A B2, 139E B4; E. 5A D5
Luz D. 147D B1
Luzarches E. 14A C2
Luzern 73A C5, 76 C5; M. 14C C2, 58A E3, 78A D2, 79 E2; U. 80C B3
— S. Leodegar M. 37 G3
Luzon 90A B2, 144A C1
Luzy E. 47A C3
Luzzara M. 70B D2
Lwena D. 145A D/E6
Lwów (Lemberg) AD. 71A I3, 96A D1, 134A C2, 138A C2, 142 K3; D. 135D B3; M. 58A H3, 59A I2/3, 78A G2
Lycaonia 2A E3, 21 B2
Lychnidus ↗Ohrid
Lycia 9B A2, 20 C/D3
Lycopolis ↗Asjut
Lydda (Diospolis, Ludd) 1 A3; D. 13 E3, 21 B/C4, 61 D/E3; E. 2A F4, 5A D4; Pe. 18B A3
Lydia 20 C3
Lydney 69B B2
Lyminge M. 19 G5
Lynally M. 19 C4
Lynn [England] M. 59A E2
Lynn [Irland] M. 19 C4
Lynn [USA] E. 88B C2
Lynnhaven E. 88A B3
Lyon (Lugdunum) 43 C1; AD. 8A B1, 13 C1, 14B A2, 22 D2, 32 F3, 141C E2; D. 131C B2; M. 56A D/E2, 56C D2, 71A E3, 71A E3, 97A C3, 97B C3; E. 2B B2, 4A D/E3; M. 14A C2, 39A E3, 50 C4, 58A D3, 59A E3, 70B A2, 78A C2, 79 D2; R. 28 C4
— Ainay M. 37 E/F4
— Ile Barbe (Insula Barbara) M. 14B A2, 34B C2, 37 E/F4
— S. Etienne M. 34B C2
— S. Georg M. 37 E4
— S. Just M. 34B D2
— S. Michel M. 37 E/F4
— S. Nizier M. 34B C2
— S. Paul M. 34B D2
— S. Pierre M. 37 E4
Lyre M. 94 B2
Lyse M. 52B A/B1
Lysias D. 21 A2
Lysinia (Üveyik Burnu) D. 6A D2, 20 D3, 21 A2
Lystra (Zoldera) D. 21 B2; E. 2A E3

M

M. Abhai M. 38A D2
M. Abhai de Seblata M. 38A C2
M. Abraham M. 38B A/B2
M. Aharon M. 38A C1
M. Aharon M. 38A C2
M. Aho M. 38B B2
M. Antonias M. 11A C3; Pe. 18A F3
M. Atonos M. 38A D2
M. Augen M. 38B A2
M. Bar Sauma M. 38A C1
M. Bar Sauma M. 38B B2
M. Bennam M. 38A E2
M. Bossus M. 38B B2
M. Bulos Pe. 18A F3
M. Daniel M. 38A E2
M. Dodo M. 38B B2
M. Dometius M. 38A D2
M. Domitius M. 38A C2
M. Estefanus M. 38B A/B2
M. Gabriel (Qartamin) M. 38B A2
M. Georg M. 38A D2
M. Hanania M. 38A C3
M. Izzozoyel M. 38B B2
M. Jakob M. 38A B2
M. Jakub M. 38B A1
M. Jakub M. 38B A2
M. Jakub M. 38B B2
M. Johannes M. 38A B2
M. Juhannan M. 38B A/B2
M. Julianus ↗Rotes Kloster
M. Kuryakos M. 38B A2
M. Lazarus M. 38A B/C1
M. Lazarus M. 38A C2
M. Loozor M. 38B A2
M. Malke M. 38B A2
M. Mattai AD. 26A C2; M. 38A E2
M. Mose M. 38A B4
M. Phokas M. 38A B2
M. Saba M. 12A B2
M. Sarkis Bakus M. 38B B2
M. Scharbel M. 38B A2
M. Schila M. 38A C2
M. Schmuel M. 38B B2
M. Serbil M. 38B A2
M. Severus M. 38A C2
M. Zakai M. 38A C3
M. Zeora M. 38A C2
M. Zeora M. 38A D2
M. Zoche M. 38A D2, 38B A1
Ma'alta D. 10A B2
Ma'alta D. 26A C2
Maarret en Noman M. 12A B3
Maasin D. 144A C/D2
Maastricht (Traiectum) D. 22 D1; M. 58A E2, 59A F2, 70A D3, 78A D1
— S. Servatius M. 37 F1
Mabbug ↗Hierapolis [Euphratensis]
Macao D. 89D B4, 106/107B E3, 143A D4; M. 89D B4
Macapá D. 147A D2
Macaveve (Macabebe) E. 90A B3
Macchia [bei Reino] ↗Samnium
Maccurritae 29A B/C4
Macedonia 2A C2, 20 B2, 57A F2
Macedonopolis E. 5A E3
Maceió AD. 147A F3
Maceira M. 52D B2
Macerata 33C C2, 33D C2; D. 140A E3; M. 70B E3, 78A E3
Machakos D. 112C B2, 145A F5, 145C C2
Machala D. 147A A/B3
Machapure Mi. 86 C3

Machaerus (Khirbet Mukawer) 1 B3
Machiques AV. 147A B1/2
Mackay Mi. 104/105D D/E3
Mackinaw Mi. 87A E2
Maclodio M. 47C D2
Mac Mahon ↗ Thacarata
Macomades (Hr. el Mergueb) D. 7A E3, 24A E2
Macomades Minores ↗ Iunci
Mâcon (Matisco) D. 13 B1, 22 D2, 97A C3; M. 47A C3, 58A D3, 59A E3
— S. Vincent M. 48B C3
Macosquin M. 52A B2
Macoyahui Mi. 84A D4
Macre (Makre) AD. 61 C1; D. 30A D2
Macri (Hr. Remada, Bordj Magra) D. 7A C3, 24A D2
Mactaris (Maktar) D. 7A G3, 24A F2; E. 4B B3
Mačva 55A B2
Madaba (Madeba, Medeba) 1 B3; D. 21 C4
Madagaskar 98B A/B1, 104B A/B1, 112A C/D6, 117 L5, 120 H/I5, 123 L5, 145A G6, 150/151A K5
Madang AD. 144B C2
Madaourouch ↗ Madauros
Madauros (Madaourouch) D. 7A E/F2, 24A E1; E. 2B B3, 4A E5
Madaye D. 26A B/C2
Maddaloni M. 59B, 70B F4
Madeba ↗ Madaba
Madera PN. 146A C4
Madignano M. 47C C2
Madiq M. 38A C1
El-Madiq E. 29A C2
Madison D. 146A E2
Madras AD. 143B C3; D. 106/107B C3, 130C C1; Mi. 104/105C C4
Madrid AD. 141A C3; D. 111A B2, 112A A2/3; M. 58A C4, 78A B3, 79 C3
Maduey Mi. 86 D2
Madura ↗ Madurai
Madurai (Madura) 27B B2; AD. 143C A/B2; Mi. 89C B4
Madyta AD. 61 C1; D. 30A D2
Magal E. 29A B4
Magaldan (Mangaldan) E. 90A B2
Magalona (Maguelonne) D. 22 D3
Magangué D. 147A B2
Magdala 1 B2
Magdeburg 65 E2, 68B D1, 92A D1, 121 C2; AA. 142 D2; AD. 32 G2, 66 G2, 71A G2, 73A D2, 76 D2, 82 D2, 83 D2, 91 D2; M. 54 G2, 58A F2, 59A G2, 67 F1, 70A F2; R. 28 E2
Maggiano M. 51 G4
Magliano M. 70B F4
Magliano dei Marsi M. 59A G4
Magnesia [Hermus] (Manisa) D. 6A C2, 20 C3
Magnesia [Mäander] (Inekbazar) D. 20 C3; E. 2A D3, 5A C3
Maguelonne ↗ Magalona
Magydus (Lara) D. 9B B2, 21 A2; E. 5A D3
Mahagi-Nioka D. 145A E/F4, 145C B1
Mahallet Menuf ↗ Onuphis
Maharragah (Ofedunia) E. 29A C2
Mahayhay (Majayjay) E. 90A B3
El Mahder ↗ Casae
Mahdia ↗ Gummi
Mahe D. 112A D5
Mahenge D. 145A F5
Mahoze d'Arewan D. 10A B2
Mähren 66 H3, 73A G4, 73C A2, 76 G4, 93 H3
Mährisch Neustadt ↗ Unicov
Maidenhead 69B C2
Maidstone 69B D2 [D1
Maiduguri D. 145A D3, 145B
Mailand ↗ Milano
Maillé M. 14A C2, 37 C3
Maillezais 77A A2; D. 71A D/E3; M. 47A B3
Mainbach M. 37 I2
Maine [Griechenland] D. 30A C3, 61 B2
Maine [USA] D. 101H D2
Mainstockheim 91 C3
Mainz (Mogontiacum) 57A C1, 65 D3, 73A B/C4, 76 B4, 92A B2, 92B B2; AD. 32 F2, 34B D2, 56C E1, 66 F3, 71A F3, 82 B/C4, 83 B/C4, 97C B3; D. 22 D2, 25C C3, 34A D2, 97D B3, 142 C3; M. 48A B2, 51 F3, 58A E3, 59A F3, 70A E3, 78A D1, 79 E1; R. 28 D2; U. 64 C2
— Altmünster M. 37 G2
— Domstift M. 14A D1
— Johannisberg M. 48A B2
— S. Alban M. 37 G2, 48A B2
— S. Jakob M. 48A B2, 67 D3
— S. Nikomedis M. 67 D3
Maipherqat ↗ Martyropolis
Maipures Mi. 86 C3
Maiqueta Mi. 86 C2
Maire M. 37 C3
Maitland D. 106/107C E4, 144B C3
Maiumas 1 A3; D. 21 B4
Maiumas Ascalon 1 A3; D. 21 B4
Maizières E. 47A D3; M. 53 F3
Majk M. 54 H3
Majunga M. 145A G6
Makale D. 130B B2
Makarew, Unschenskij M. 81 E2
Makarewskaja-Einsiedelei M. 81 D/E2
Makarewskij Scheltowodskij Troickij M. 81 E3
Makarska (Muccora) D. 23 C2, 71A H4
Makassar Mi. 98/99D B2
tou Makedoniou M. 39B C1
Makeni D. 145A A4
Makıf ↗ Heraclea Salbaces
Makiminato D. 112A H3
Makre ↗ Macre
Maksakowskij Troickij M. 81
Maktar ↗ Mactaris [C3
Maku D. 63A B3
Makurdi D. 145A C/D4, 145B
Malabar 27B A2 [C2
Malabo AD. 145A C4, 145B C3
Malabohoc (Maribojoc) E. 90A C4
Malaca ↗ Malaga
Malacca AP. 106/107C A/B2; AV. 106/107B D4, 106/107C A/B1; D. 106/107C A/B2; Mi. 98/99D A1
Málaga (Malaca) D. 22 B4, 60B B2, 71A C/D5, 141C C4; E. 4A C5; M. 59A D5, 78A B4
Malaguicay (Maliguikay) E. 90A C4
Malaita D. 113D K5
Malakal D. 145A F4
Malamocca D. 32 G3/4
Malang D. 144A B4
Malanje D. 145A D5; Mi. 98A C4
Malathria ↗ Dium
Malatiya ↗ Melitene
Malatya ↗ Meirus
Malatya ↗ Melitene
Malawi 117 L5, 123 K5, 127 K/L5, 129 K/L5, 150/151A I5
Malay E 47A C3
Malaybalay D. 144A D2
Malaysia 112A G4, 117 O4, 123 O4, 127 O4, 129 O4, 144A A3, 150/151A N4
Malbork ↗ Marienburg
Malden [England] 69B D2
Malden [USA] E. 88B B2
Maldon 69B D2
Maldonado-Punta del Este D. 147A D6
Maleinos M. 39B C3, 39C C/D2
Malgarten M. 67 D1
Mali 112A A/B4, 145A B/C3, 150A G/H4
Malinalco M. 84B D3
Malines ↗ Mechelen
Mallawi D. 130A A2
Mallersdorf M. 48A C3, 67 F3
Malliana (Affreville) D. 7B C1, 24A C1
Mallorca 22 D3, 43 C2 72 C2; M. 56A D4
Mallus (Karataş) D. 8A F2, 21 C2
Malmedy M. 14A D1, 14C C1, 25A D1, 37 F1; R. 28 C2
Malmesbury M. 19 E/F5
Malojaroslaweckij Tschernostrowskij Nikolaewskij M. 81 D3 [81 C2
Malo-Kirillow-Pokrowskij M.
Malolos D. 144A C1; E. 90A B3
Malonne M. 25C A3, 37 E/F1, 50 C2
Malta (Melita) 45A B3, 79 F4, 140A E7; D. 23 B4, 30A A3
Maltepe ↗ Dardanus
Malus D. 21 A/B2; E. 5A D2
Malvito D. 32 H5
Mambusao E. 90A B4
Mamestia ↗ Mopsuestia
Mamistra ↗ Mopsuestia
Mamo Mi. 86 D2
Man D. 145A B4
Manado D. 144A D3, 144B B1
Managua AD. 146C D3; D. 113D P4
Mananali (Mananalis) 57A I/K3; D. 31 G3
Mananjary D. 145A G/H7
Manaŭeg (Manaoag) E. 90A B2
Manaus AD. 147A C3; M. 85A C/D3
Manavgat 60A E3
Manazgirt D. 55B E2
Manazkert AD. 9A B2
Manchester [England] D. 111D C3
Manchester [USA] D. 111B E/F1, 146A G2
Mandalay AD. 143A B4, 143B D2, 144A A1; D. 112A F3
Mandane D. 9B B2
Manderscheid-Schleiden 73A B3, 76 B3
Mandos-Kırı ↗ Tymandus
Mandschurei 27A H/K1; AV. 106/107B F1/2; Mi. 98/99C F2
Manfalut 11A B5; D. 130A A2
Manfredonia AD. 140A F4
Mangalore D. 106/107B C4, 143B B3
Manglieu M. 25A C2, 34B C2, 37 E4
Manglisi D. 135D D3
Mangochi D. 145A F6
Mangyales M. 58A G/H4
Manila AD. 144A C1/2; D. 106/107B E/F 3/4, 111C A1, 112A G/H4; Mi 104/105C F4
— Dilao E. 90B
— Malate E. 90B
— Minondoc E. 90B
— Parian E. 90B
— S. Ana de Sapa E. 90B
— S. Cruz E. 90B
— S. Miguel E. 90B
— S. Pedro Makati E. 90B
— Sampaloc E. 90B
— Tondo E. 90B
Maniniki Mi. 104/105D H2
Manisa ↗ Magnesia [Hermus]
Manizales AD. 147C A1
Mannar D. 143C B2
Mannar M. 89C C4
Manokwari D. 144A D/E3, 144B B2
Manono D. 145A E5
Manosque M. 58A E4
Manresa M. 59A E4
Mansa D. 145A E/F6
Mansfeld 73A D3, 76 D3
Mansura 60A E4; D. 130A A/B1
Mantecal Mi. 86 B3
Mantenay-s.-Saône M. 14B A2, 37 E2
Mantes M. 58A D3
Mantova (Mantua) 33A B1, 33B B1, 57D C2; D. 32 G3, 140A C2; M. 51 G3, 59A G4, 70B D2, 78A E2; U. 64 D2
Mantua ↗ Mantova
Mantzikierte D. 31 G3
Manuden 69B D2
Manzini D. 145A F7, 145D B1
Maon (Tell Main) 1 B3
Maeonia (Menye) D. 20 C3
Maporal Mi. 86 B3
Maputo AD. 145A F7; D. 112A C6; Mi 104A D5
Marabá D. 147A D/E3
Maracaibo AD. 146D B3, 147A B1; Mi. 86 B2
Maracaña Mi. 85A E2/3
Maracay D. 147A C1
Maraga ↗ Maragha
Maragha (Maraga) D. 26A D2, 63A C3; M. 63A C3
Maragondon E. 90A B3
Maramon D. 130C B3
Maran 60A F3
Marans 77A A2
Maraş (Germanicia/Euphratensis, Marasch) 38A B2, 60A F3; D. 6A E2, 9B C2, 21 C2, 26A A2, 61 E2; E. 5A E3
Marasma Mi. 86 C2
Marathon D. 20 B3
Marawi PN. 144A C/D2
Marbach M. 50 D3, 68A C3; R. 28 C/D3
Marbel D. 144A D2
Marburg M. 58A E2, 59A F2, 68B C2, 70A E3, 91 B3; U. 80C B2
Marburg [Jugoslawien] ↗ Maribor
Marchena M. 78A A4
Marcheroux M. 54 E3
Marchiennes M. 37 D/E1
Marchtal M. 82 C4, 83 C4
Marchtrenk E. 95B F3
Marciac M. 59A E4
Marcianopolis (Devna) AD. 8A E2, 20 C2, 30A E1; E. 5A C2
Marcigny M. 47A C3
Mardali D. 9A B2
Mardastan D. 9A C2
Marden 69B C2
Mardin 38A D2, 55B E2; D. 26A B2, 139E B2
Mardpetakan D. 9A C2
Mareotis D. 10C A1
Mareuil M. 14A C2
Marga D. 26A C2
Margam M. 19 D/E5, 52A B/C3
Margarita M. 85A C1
Margerie-Hancourt M. 47A C2
Margit-Sziget M. 59A H/I3
Margum D. 20 A1
Maria Mi. 86 B2
Maria Hof M. 48A D3
Maria Laach M. 67 C/D2
Mariamme (Miryamin) D. 21 C3
Mariana [Brasilien] AD. 147A E5, 147D C2; D. 85A E5
Mariana [Korsika] D. 23 A3, 71A F/G4
Mariannhill D. 145D B1/2
Maria Saal D. 46 F5; E. 29B B3; Pe. 18A D2
Mariaschein Pe. 18A D1
Mariastein Pe. 18A C2
Maria Wörth E. 29B B3
Mariazell Pe. 18A D2
Maribiame Mi. 86 C4
Maribor [Jugoslawien] (Marburg) D. 96A B2, 96B G4, 140A F2
Marienau M. 91 C2
Marienberg [Ungarn] ↗ Borsmonostor
Marienberg [Harz] M. 91 D2
Marienberg [Rheinland] M. 67 C/D2
Marienburg [Lettland] (Alūksne) 62 D/E2
Marienburg [Mosel] M. 50 C/D2
Marienburg [Preußen] (Malbork) 62 B3, 73B A1
Marienfeld M. 52B B3
Mariengaarde M. 54 F2
Mariengarten M. 91 C2
Marienhagen M. 91 C2
Marienheide M. 59A F2, 70A E2
Marienmünster M. 48A B2, 67 D2
Marienrode M. 50 D2, 52B B3, 91 C2
Mariensee M. 91 C2
Marienstadt M. 53 H1
Marienthal [Harz] M. 52B C3, 91 C/D2
Marienthal [Rheinland] M. 68B C2
Marienwalde M. 52B D3, 52C B2
Marienweerd M. 54 E/F2
Marienwerder [Niedersachsen] M. 50 D2
Marienwerder [Preußen] (Kwidzyn) D. 62 B3, 71A H2
Marilia D. 147D B2
Marinduque 90A B3
Maringá AD. 147A D5
Mariquita M. 85A B2
Mariscal Estigarribia AV. 147A C5
Marivels (Mariveles) E. 90A A/B3
El Marj ↗ Barce
Mark 66 F2, 73A B3, 76 B3, 92A B2
Mark Ancona 33B C2
Marken 33C C2
Market Harborough 69B C2
Märkit 27A G/H1
Markt Allhau E. 95A D2, 95B G/H4
Marktlustenau 91 C3
Marlanga E. 90A B3
Marmande M. 58A D4
Marmara Adası ↗ Proconnesus
Marmaraereğlisi ↗ Heraclea [Europe]
Marmesse E. 47A C2
Marmosolio M. 52E B2
Marmoutier [Elsaß] (Maursmünster) 65 D3; M. 14A D2, 25A D2, 25C B/C4, 34B D2, 37 F/G2, 67 D3; R. 28 D3
Marmoutier [Loire] M. 14A C2, 37 C3, 94 B3
Marœuil M. 50 B2
Maroilles M. 37 E1
Marokko 112A A3, 116 H3, 122 H3, 141C C4, 145A B1; AP. 106/107A A1; AV. 106/107A A1, 150A G3
Maronea (Maroneia) AD. 20 C2, 30A D2, 31 C/D2; D. 61 B/C1
Maroua D. 145A D3, 145B D1
Marquette D. 113E E1, 146A E2
Marquises-In. 144B F/G2; AV. 106/107C H2; Mi. 98/99D C4, 104/105D H2
Marradi M. 49C E2
Marrakesch 43 B2, 72 B2
Marsabit D. 145A F4
Marsa Bomba ↗ Zygris
Marsa Matruh ↗ Paraetonium
Marsas E. 14A B/C2
Marseille (Massilia) AD. 141C E2; D. 22 D3, 97A C/D4, 97B C/D4, 131C B2; E. 4A E4; M. 56A D3, 58A D/E4, 58B B2, 59A E/F4, 79 E3; Pe. 18A C2
— S. Cassian M. 14B B3, 37 F5
— S. Victor M. 14B B3, 35A D3, 37 F5
Marshall-In. 144B D1; AV. 106/107C F1; Mi. 98/99D A4, 105D F1
Marshfield E. 88B C2
Marsico Vetere D. 32 H4, M. 70B F/G4
Martari D. 23 C2
Martel M. 58A D4
Martenthal M. 50 C2
Martham 69B D2
Martha's Vineyard E. 88B C3; Mi. 87A F/G2
Martigny (Octodurus) D. 22 D2; M. 14A D2
Martina M. 59A H4
Martins Brandon E. 88A A3
Martins Hundred E. 88A A/B3
Mártires Mi. 85B B1
Martos ↗ Tucci
Martyropolis (Maipherqat, Sandalaja, Silvan) AD. 26A B1; D. 9B D1, 21 D2, 55B E2; M. 38A D1
Marvejols 77A B2; M. 58A D4, 59A E4
Märw 43 J2, 63B A2, 72 J2; AD. 27A C2; D. 10A E2
Maryland 88A A/B2; D. 101H C3
Maryland Mi. 87A F3
Mas Cabardès 57C B2
Masada (es-Sebbeh) 1 B3
Masaka D. 112C B2, 145C B2
Masan D. 143A E2
Masasi D. 112A C/D5; Mi. 104A D4
Masbate 90A C3/4
Masbate D. 144A C2
Masclianae (Hadjeb el Aioun) D. 7A G3, 24A F2
Mascula (Khenchela) D. 7A E3, 24A E2; E. 4A E5
Maseno D. 112C B1/2
Maseru AD. 145A E7, 145D A1; D. 112A C6
Mashpee Mi. 87A F/G2
Masi E. 90A B1
Masindi Mi. 98A D3
Masinloc E. 90A A/B2
Masowien 62 B/C3
Masqueray ↗ Rapidum
Massa D. 140A C3; M. 78A E4
Massachusetts 88B B2/3; D. 101H D2
Massa di Ferrara M. 70B D/E2
Massalubrense D. 71B A2; M. 78A E3
Massa Marittima D. 32 G4, M. 58A F4, 70B D3
Massay M. 37 D3
Massilia ↗ Marseille
Mas-S. Puelles 56D B2, 57C A2
Massy E. 47A C3
Mastaura (Mastavara) D. 20 C3
Mastavara ↗ Mastaura
El Mastume M. 12A B3
Matachic Mi. 84A E3
Matadi AP. 106/107A B4; D. 145A D5
Matagalpa D. 146C D3
Matamoros D. 146A D4, 146C B1
Matanzas D. 146C E2
Matapi Mi. 86 C4
Matelica ↗ Mitilica
Matera [Africa Proconsularis] (Mateur) D. 7A G1, 24A F1
Matera [Italien] AD. 140A F5; D. 71A H4; M. 58A G4, 59A H4
Mateur ↗ Matera [Africa Proconsularis]
Mati D. 144A D2
Matino M. 59A H5
Matisco ↗ Mâcon
Matrabatz D. 31 G3
Matrega AD. 63A B2; M. 63A B2
Mattighofen E. 95B E3
Mattina M. 52E C/D2
Mattsee M. 34B E2, 37 J2/3
Maturin D. 147A C2; Mi. 86 D2
Maubec M. 59A F3
Maubeuge 65 B/C2, M. 37 E1
Mauerbach M. 51 H3
Maughold M. 19 D/E4
Maui 144D B2
Maulbronn M. 53 H2, 82 C4, 91 B3/4
Maumee Mi. 87A E2
Maure M. 52A A3
Mauretania Caesariensis 7B, 24A B/C2
Mauretania Sitifensis 7A B/C2, 24A D1
Mauretanien 112A A4, 145A A/B2, 150A G4
Mauriac M. 78A C2, 94 C3
Mauricium D. 31 G2
Maurienna ↗ S. Jean-de-Maurienne
Mauritius AV. 106A D6, D. 112A D/E5/6
Maursmünster ↗ Marmoutier [Elsaß]
Mauvan (Mauban) E. 90A B3
Mauvezin 77A B3
Mauvoisin M. 59A E4
Mavitac (Mabitac) E. 90A B3
Mavromati ↗ Messene
Maximianopolis [Arabia] (Schaqqa) D. 21 C3
Maximianopolis [Palaestina II] (el-leddschun) D. 21 C3; E. 5A D/E4
Maximianopolis [Pisidia] E. 5A C/D3
Maximianopolis [Rhodope] ↗ Komotine
Maximianopolis [Thebais Secunda] ↗ Qena
Maxula (Radès) D. 7A H2, 24B B1; E. 4B C2
Mayagüez D. 146D B1/2
Mayo D. 71A C2; M. 19 B4
Mayorga M. 58A B4, 59A C4
Mazan M. 53 F4
Mazara del Vallo D. 72A G5, 140A D6
Mazatlán D. 146C A2
Mazerolles M. 25A C2, 37 C3
Mazin-Kalesi ↗ Amyzon
Mbabane D. 112A C6
Mbala D. 145A E/F5
Mbale D. 112C B1
Mbalmayo D. 145A C/D4, 145B D3
Mbandaka AD. 145A D/E4
Mbarara D. 112C B2, 145C B2
Mbeya D. 145A F5
Mbuji-Mayi D. 145A E5
Mbulu D. 145A F5, 145C C2
Mcenskij Petropawlowskij M. 81 D3

Mc Lennan AD. 146A B1
Méallet M. 37 D4
Meaux [England] M. 52A C3
Meaux [Frankreich] (Meldis) D. 22 D2, 34A C2, 97A C2, 97B C2, 141A E4, 141C E1; M. 25B, 37 D2, 48B B2, 58A D3
— S. Faron HM. 34B C2, 48B B2, 94 C2
Mechelen (Malines) 65 C2; AD. 80B C3, 141A E3; D. 66 C2; M. 58A D2, 68A B2, 78A C1
Mecklenburg 73A D/E2, 76 D/E2, 93 G2
Medamut 11A D/E7
Medan AD. 144A A3; Mi. 98/99D A1
Médéa ↗Lambdia
Medeba ↗Madaba
Médeïna ↗Althiburos
Medeli (Hr. bou Rebia, Hr. Menkoub) D. 7A G/H2, 24B B1; E. 4B B2
Medellín AD. 146C F4, 147A B2, 147C A1
Medet ↗Apollonias
Media D. 30A E2, 61 C1
Mediana (Ferme Cruchon) D. 7A C2
Medien ↗B. Madaye
Medikion M. 39B B3
Medina 43 F3, 72 F3
Medina del Campo M. 58A B4, 59A D4, 78A B3
— S. Saturnin M. 54 D4
Medina del Pomar M. 58A B/C4
Medina Sidonia ↗Asido
Medinet Addeh E. 29A B/C2
Medinet el Faijum 11A B3
Medinet el Kdima ↗Thelepte
Medingen 91 C1
Mediolanum ↗Milano
Medmenham M. 52A C3, 53 D1
Medole M. 70B D2
Medjez-el-Bab ↗Membressa
Medolago M. 47C C2
Medwedowskij Nikolaewskij M. 81 C4
Meerholz M. 91 C3
Meerssen R. 28 C2
Meerut D. 143B B2
Meez M. 12A B2
Megalopolis D. 20 B3, 134C C3
Megara D. 20 B3, 61 B2, 134C C2
Mega Spelaion M. 39C B3
Megisti Lavra [Athos] M. 45B B3
Mehin ↗Danaba
Mehnunik D. 9A C2
Mehrerau AN. 142 C4; M. 48A B3
Meifod M. 19 E5
Meihsien D. 143A D4
Meiningen M. 58A F2
Meira M. 52D B1
Meirus (Malatya) D. 20 D3, 21 A2
Meissen 65 E/F2; D. 32 G2, 73A E3, 76 E3, 82 E3, 91 E2, 142 E2/3; M. 50 F2
Meki AP. 145A F/G4
Mekka 43 F/G3, 72 F/G3
Melbourne AD. 112A H/J6, 144B C3; D. 106/107C D4; Mi. 104/105D D4
Melcombe Regis M. 59A D2
Melde ↗Miletopolis
Meldis ↗Meaux
Meldola M. 59A G4, 70B D2
Meldorf M. 59A F2, 70A E1
Meleckij Swjato-Nikolaewskij M. 81 B/C3
Melfi D. 71B B1, 140A F5
Meliapur (Meliapore) 63B B3; D. 106/107B C/D3; M. 27A D4
Melilla 72 B2
Melita ↗Malta
Melitene (Malatya, Malatíya) 38A C1, 39C E3, 43 F2, 72 F2, 60A F3; AD. 8A F2, 9B D1, 21 C2, 26A B1, 31 F3; E. 2A F3, 5A E3
Melk 65 F3; E. 95B G3; M. 48A D3, 67 H3; R. 28 F3
Melle M. 68A B2
Melleray M. 53 C3
Mellifont M. 52A B3
Mellrichstadt E. 14A E1
Melnik [Bulgarien] 57B F2
Mělník [Tschechoslowakei] 69A C1;
Melo D. 147A D6
Meloë D. 9B B2; 21 B2
Melon M. 52D A/B1
Melrose M. 19 E3, 52A C2
Melun M. 94 C2
Melos ↗Melus
Melus (Melos) D. 61 B2; E. 5A B3
Membressa (Medjez-el-Bab) D. 7A G2, 24B A1; E. 4B B2
Membrone (Sidi Ahmed bou Farès) D. 7A G/H1, 24A G1
Memel ↗Klaipėda
Memmingen 73A D5, 76 D5, 91 C4, 92B D2/3
Memphis [Ägypten] D. 6B B2, 10B C2, 10C A/B2, E. 5A D5
Memphis [USA] D. 113E E2, 146A E3
Menapolis Pe. 18A E3
Menas M. 44C
Menat M. 14A C2, 37 D3, 47A C3
Menbidsch ↗Hierapolis [Euphratensis]
Mende D. 32 E4, 97A C3, 97B C3, 141C E2; M. 58A D4
Méndez AV. 147A B3
Mendi D. 144B B2
Mendoza AD. 147A C6; M. 85A C6
Menevia ↗S. Davids
Menois D. 21 B4
Menominee Mi. 87A D/E2
Menongue D. 145A D6
Menorca 22 D3, 43 C1/2, 72 C1/2
el-Menschiye ↗Ptolemais [Thebais]
Mentana ↗Nomentum
Menterna M. 52B B3
Menteş ↗Stectorium
Mentesa D. 22 C4; E. 4A C5
Menuthis Pe. 18A E3
Menye ↗Maeonia
Méobec M. 37 D3
Meolo M. 70B E2
Meonstoke 69B C2
Meppen M. 78A D1, 25D B2
Merauke AD. 144A E4, 144B B2
Mercedes [Argentinien] D. 147A C/D6
Mercedes [Uruguay] D. 147A D6
Merdja ↗Tucca
Merdschujun AD. 139F A/B2; D. 135D C4
Merevale M. 52A C3
Mergentheim 82 C/D4, 83 C/D4, 92B C2; M. 59A
Meria D. 23 C4 [F/G3
Mérida [Mexico] (Yucatan) AD. 146C D2; D. 84B F2
Mérida [Spanien] (Emerita) AD. 8A A2, 22 B3; E. 4A B5; Pe. 18A B3
Mérida [Venezuela] AD. 147A B2, 147C B1; M. 85A B/C2; Mi. 86 B2
Merl M. 58A E3
Meroe E. 29A C5
Merowe E. 29A B/C4
Merseburg D. 32 G2, 66 G2, 73A D/E3, 82 E3, 83 E3, 91 D2; M. 67 F2, 68B D2; R. 28 E2
Mers el Hadjedj ↗Rusubbicari Matidiae
Mersine ↗Zephyrium
Merthyr Mawr M. 19 E5
Meru D. 145A F4
Merxhausen M. 50 D2, 68A D2, 91 C2
Merzig M. 50 C3
Mesarfelta D. 7A C3, 24A D2
Meschigorskij Preobraschenskij M. 81 C3
Meschtschowskij Georgiewskij M. 81 D3
Mesembria AD. 30A E2, 31 D2; D. 20 C2
Mesene ↗Druzipara
Mesolongion D. 134C B2
Mesopotamia 9B D1, 21 D2
Messana ↗Messina
Messene (Mavromati) D. 20 B3
Messina (Messana) 45A B2; AD. 71A H5, 140A F6; D. 23 C4, 30A B3; M. 58A G5, 59A H5, 78 F4, 79 G4
Messines R. 28 B2
Mestrianae E. 29B C/D3
Mesvres M. 47A C3
Meszes M. 54 I3
Mesztegnyö M. 59A H3
Metallana de Campos M. 52D C/D2
Metelis (el Atf) D. 6B B1, 10C A1; E. 5A D4
Meteoron M. 39C B3
Methone 60A C3; D. 20 B3, 30A C3, 61 B2, 66 I5; M. 61 B2
Methymna AD. 20 C3, 31 D3
Metrae D. 30A E2
Metropolis [Asia] (Torbalı) D. 20 C3
Metropolis [Pisidia] (Tatarlı) D. 21 A2; E. 5B B1
Metten M. 34B E2, 37 I/J2, 67 G3
Mettis ↗Metz
Mettlach M. 35A D2, 37 F2, 48A A2, 67 C/D3
Metuchen D. 146B A2
Metz (Divodurum Mediomatricum, Mettis) 65 C3; AD. 97A D2; D. 14A D2, 22 D2, 34A D2, 34B D2, 35A D2, 56C D1, 66 F3, 73A B4, 82 B4, 83 B4, 97B D2, 141A F4, 141C F1; E. 4A E3; M. 56A E2, 58A E3, 59A F3, 70A D3, 76 B4; R. 28 C3
— S. Arnulf M. 35A D2, 37 F2, 48B C2
— S. Croix M. 54 F3
— S. Felix M. 37 F2
— S. Glossinde M. 37 F2
— S. Martin M. 37 F2
— S. Stephan M. 37 F2
— S. Symphorian M. 37 F2
Metztitlán M. 84B D2
Meulan M. 94 B2
Meursault E. 47A C/D3
Mevania ↗Bevagna
Mewe (Gniew) 62 B3
Mexicali D. 146A B/C3
Mexico 113D O/P3/4, 122 C/D3, 126 C/D3, 128 C/D3, 131A B3, 146A C/D4, 146C A/C2/3, 150A B/C3/4
Mexico [City] AD. 84B C/D3, 146C B2; D. 113D P3, 131 C4
Mexico [Philippinen] E. 90A B2
Mexiko ↗Mexico
Meycauayan E. 90A B2/3
Meymac M. 94 C3
Meyriat M. 51 F3
Mézin M. 47A B4
Mežotne M. 54 K1
Miami [Florida] AD. 146A F4, 146C E1; D. 113E E3
Miami [Kansas] Mi. 87A D3
Miamo Mi. 86 D3
Miarinarivo D. 145A G6
Michaelbeuren M. 67 F4
Michaelstein M. 52B C3, 53 I1, 91 C2
Michailo-Archangelskij M. 81 D/E1
Michailo-Archangelskij Lalskij M. 81 E/F2
Michajlowskij-Wydubicki M. 44C
Michajlowskij-Zlatowerchij M. 44C
Michalovce D. 134C A2
Micheldean 69B B2
Michelfeld M. 48A C2, 67 F3
Michelsberg M. 67 E/F3
Michigan D. 101H B/C2
Michoacán D. 84B C3; M. 84B C3
Midaeum (Kara Hüyük) D. 21 A2
Middelburg D. 80B B2; M. 50 B2, 54 E3, 56A D1, 58A D2, 70A C2
Middlesborough D. 141A D2
Mididi (Hr. Medded) D. 7A G3, 24A F2
Midin 38B B2
Midjat 38B A2; D. 130D C3
Midleton M. 52A A/B3
Mièges M. 47A D3
Mies ↗Stříbro
Mikulčice 29B D2
Mila ↗Milev
Milano (Mailand, Mediolanum) 57D B2, 66 F/G3, 93 F4; AD. 8A C1, 13 C1, 23 A2, 32 F3, 34B D2, 35A D2, 56C E2, 71A F3, 140A C2, 142 C5; D. 6A A/B1; E. 4A E3; M. 48B D3, 51 F3, 56A E2, 58A E3, 59A F3, 70B C2, 78A D2, 79 E2; Pe. 18A C2
— Apostel-Basilika E. 17D
— Jungfrauen-Basilika E. 17D
— Martyrer-Basilika E. 17D
— S. Ambrogio M. 35A D2, 48B D3
— S. Giovanni in Conca E. 17D
— S. Lorenzo E. 17D
— S. Simpliciano M. 37 H4
— S. Tecla E. 17D
— S. Vincenzo in Prato E. 17D
Milaor E. 90A B/C3
Milas ↗Mylasa
Milazzo ↗Mylae
Mildenhall 69B D2
Mildenfurt M. 54 G3
Mileševo 55A B2
Mileto D. 71A H5, 140A F6
Miletopolis (Melde) D. 20 C2
Miletus (Balat) 39A A2, 39C C3; AD. 20 C3, 31 D3; D. 6A C2; E. 2A D3, 5A C3
Milev (Mila) D. 7A D2, 13 C2, 24A E1; E. 4A E5
Milevsko M. 54 G3
Milford E. 88B A/B3
Miliana ↗Zucchabar
Milinao (Malinao) E. 90A C3
Milinguii E. 57B F3
Militsch-Trachtenberg 73C A1
Millau M. 56A D3, 58A D4, 59A E4
Millay E. 47A C3
Millen M. 48A A2
Millestorte M. 63A C/D3
Millstatt 78A E2; D. 96B E4; M. 48A C/D3, 67 G4
Milwaukee AD. 146A E2; D. 102A B2, 113E D/E1
Mina (Reliziane) D. 24A B2
Minalabac E. 90A C3
Minalin E. 90A B2/3
Minangadi D. 130C B1
Minas D. 147A D6
Mindanao 90A B/C5, 144A D2; Mi. 104/105D C1
Mindelheim M. 70A F3
Minden 65 D2, 92A C1; D. 25D B2, 32 F2, 73A C2, 76 C2, 82 C2, 83 C2, 91 B2; M. 59A F2, 67 D1; R. 28 D2
— S. Moritz M. 48A A/B1
Mindoro 90A B3
Minervino D. 71B B1
Minja 11A B4; AD. 139E B4; D. 130A A2
Minna D. 145A C4, 145B C2
Minneapolis D. 113E D1
Minsk D. 135D B2, 141B G5
Minster M. 19 G5
Minster in Sheppey M. 19 G5
Minturnae (Minturno Vecchia) D. 23 B3
Minturno Vecchia ↗Minturnae
Mipont E. 47A C3
Miracema do Norte D. 147A E3/4
Miradolo E. 47C C2
Miraflores M. 51 D4
Miranda [Spanien] M. 58A C4
Miranda [Venezuela] Mi. 86 C2
Mirande M. 58A C/D4
Mirandola M. 78A E2
Mirebeau M. 58A C3
Mirepoix 57C A2; D. 71A E4, 97A B/C4; M. 58A D4
Miri D. 144A C3
Miryamin ↗Mariamme
Miseno ↗Misenum
Misenum (Miseno) D. 23 B3
Misis ↗Mopsuestia
Miskolc AA. 138A C2
Missenden 69B C2
Mississippi D. 101H B3
Missouri D. 101H B3
Missua (Sidi Daoud) D. 24A G1
Misthia (Fassıller) AD. 31 E3; D. 21 B2
Mistras, Brontochien M. 38C B3
— H. Theodoroi M. 39C B3
— Pantanassa M. 39C B3
Misurata AP. 145A D1
Mitau (Jelgava) 62 C2
Mitilica (Matelica) D. 23 B2
Mito 89A G1
Mitrovica M. 58A G4
Mit Samannud ↗Sebennytus
Mittel-Chili AV. 106/107B E2
Mitteldachstetten 91 C3
Mittel-Mongolei AV. 106/107B D1
Mittel-Ozeanien AV. 106/107C G3
Mittel-Shensi AV. 106/107B E2
Mittel-Tonkin AV. 106/107B E3
Mitterbach E. 95A D2, 95B G4
Mitú AP. 147A B2
Mityana D. 112C B1, 145C B1
Mitylene (Mytilene) AD. 20 C3, 31 D3, 61 C2; D. 6A C2, 134C E2, 135D B4; M. 61 C2
Mixquic M. 84B D3
Miyako (Kyoto) D. 112A H3, 143A F2; M. 89A D/E2
Mizigi (Aïn Babouch) D. 24B A2
Mizque M. 85A C4
Mlada Boleslav (Jungbunzlau) 69A C/D1
Mnizus D. 21 B1
Mobaye Mi. 98A C3
Mobile D. 102A B3, 113E E2, 146A E3
Moçambique (Mozambique) 112A C5/6, 117 K/L5, 120 145A F6/7, 150/151A I5/6; AP. 106/107A D4/5
Moccas M. 19 E5
Mocha M. 85A B6
Mochicahui Mi. 84A D5
Mocissus AD. 21 B2
Mocorita Mi. 84A E5
Modena (Mutina) 33A B1, 33B B1, 33C B1, 33D B1, 56C F3, 93 G4; AD. 140A C3; D. 23 A2 35A E3; M. 56A F3, 59A G4, 70B D2, 78A E3
Modenskij Nikolaewskij M. 81 D2
Modica M. 59A G5, 70A E4
Modigliana D. 140A D3; M. 59A G4, 70B D2
Modin (el-Arbain) 1 B3
Mödling E. 95B H3
Modriča M. 58A G3
Modruš M. 58A G3, 59A H3
Modugno M. 59A H4
Mogadischu D. 145A G4
Mogi das Cruzes D. 147D B/C2
Mogiła M. 52C C2
Mogilew D. 81 C3; M. 81 C3
Mogilewskij Uspenskij M. 81 C/D2
Moglaena (Moglen) D. 30A C2; E. 55B A1
Moglen ↗Moglaena
Mogontiacum ↗Mainz
Mograka E. 29A B3
Mohacs 72 D/E1
Mohale's Hoek D. 145D A1/2
Mohawk Mi. 87A F2
Mohegan Mi. 87A F2
Moirai D. 134C D4
Moirans M. 58A E3
Moirax M. 47A B4
Moissac 56C B/C3, 56D A1; M. 25A C3, 37 D4, 47A B4
Mokk D. 9A B2
Mola di Gaeta ↗Formiae
Molango M. 84B D2
Moldau 96A D2
Molegbe D. 145A E4
Molesmes M. 37 E3, 48B C2, 94 C3
Molfetta D. 140A F4; M. 78A F3
Molina de Aragon M. 58A C4
Möllenbeck M. 68 C/D1, 91 B2
Mologskij Afanasewskij M. 81 D2
Molokai 144D B2
Molosmes M. 34B C2, 37 E3, 48B B/C3, 94 B3
Molsheim M. 78A D2; U. 80C B3
Moltschenskaja Sofroniewa M. 81 D3
Molukken 150/151A O4
Mombasa D. 112A C/D5, 112C B2, 145A F/G5; Mi. 104A D4
Mombracco M. 51 F4
Mömpelgard ↗Montbéliard
Mompós M. 85A B2; Mi. 86 A2
Monaco AD. 140A B3
Monaghan D. 141A B2
Monasterboice M. 19 C/D4
Monasterevin M. 52A B3
Moncetz M. 54 E3
Mönchröden M. 67 F2 [C3
Mönchsrot(h) M. 48A B2, 91
Moncton AD. 146A G/H2
Mondeye M. 54 D3
Mondoñedo D. 32 C4, 60B A1, 141C B2
Mondovì D. 66 F4, 71A F4, 140A B3; M. 59A F4
Mondsee M. 29B B2, 34B E2, 37 J3, 48A C3, 67 G4
Monembasia D. 30A D3, 61 B2
Monfero M. 52D B1
Monflauquin 77A B2
Monforte M. 78A B3
Mongolei AV. 106/107B E2; Mi. 98/99C E1
Mongolische Volksrepublik 112A F/G2, 135E B/C2, 143A B/D1, 150/151A M/N2
Monheim R. 28 D/E3
Monnet M. 47A D3 [G5
Monópoli D. 71A H4, 140A
Monoxylitis M. 45B A2
Monreale AD. 66 G5, 71A G5, 140A E6; M. 78A E4
Monrovia AD. 145A A4; D. 112A A4; Mi. 98A A3, 104A A3
Mons [Belgien] 65 B/C2; M. 58A D2, 78A C1
— S. Waudru M. 37 E1
Mons [Frankreich] M. 47A C3
Monsalud M. 52D D2
Monselice 33A B1; M. 59A G3
Mons Herculis M. 49A F3
Mons mirabilis Pe. 18A F3
Mons Sinai Pe. 18A F3
Montacute M. 47A A2
Montalcino D. 71A G4, 140A C/D3
Montalegre M. 51 E4
Montalto D. 140A E4
Montalto Uffugo M. 59A G/H5
Montauban 33C B3, 56D B1, 77A B2/3; D. 71A E4, 97A B3, 97B B3, 141C D2; M. 58A D4, 59A E4
Montaut E. 47A B4
Montbéliard (Mömpelgard) 73A B5, 76 B5, 92B B3; R. 28 C3
Montbenoît M. 50 C3
Montblanch M. 58A D4
Montbozon M. 59A F3
Montbrison 56C C/D2; M. 58A D3
Montbron M. 47A B3
Mont-Cornillon M. 50 C2
Montcup 56C B/C3, 56D A/B1; M. 58A D4
Mont-de-Marsan 77A A3; M. 58A C4
Montdidier M. 47A C2
Mont-Dieu M. 51 E3
Monte Acuto M. 53 K5
Montealegre del Castillo ↗Elotana
Monte Amiata M. 37 I5, 53 K5
Monte Armato M. 49C E2
Monte Benedetto M. 51 F4
Montebruno M. 70B C2
Montecalvo M. 70B F4
Monte Cassino AN. 140A E4; M. 14A E3, 35A E3
Monte Cristi D. 146D B1
Montederramo M. 52D B/C1
Montefalco M. 70B E3
Montefiascone D. 71A G4, 140A D4
Monteforte 57A C1
Monte Gargano Pe. 18A D2
Montego Bay D. 146C E/F2; Mi. 103B C1
Monteleone M. 58A F4
Montélimar 56C D3, 77A C2; 58B A/B1
Montello M. 51 G3
Montemarano D. 71B A/B2
Monte Murgo M. 52E C3
Montemurro [Basilicata] 59A H4
Montemurro [Marche] 49A G3
Montenegro 96A C2
Monte Oliveto Maggiore AN. 140A D3
Montepeloso D. 71B B2
Montepiano M. 49C E2
Montepulciano D. 140 D3; M. 59A G4, 78A E3
Monte Rasu M. 58A E4
Monterey [USA] AD. 146A B3; D. 102B A2, 113E A/B2
Monteria D. 146C F4, 147A B2, 147C A1
Monterrey [Mexico] AD. 146A D4, 146C B1; D. 113D O/P3

Monterrey [Spanien] M. 78A A3
Monte S. Angelo M. 58A G4
Montesanto M. 78A E3
Monte Santo in Soave M. 59A F/G3
Monte Scalari M. 49C E3
Montes Claros D. 147A E4
Montespecchio M. 70B D3
Montespieu 56D C2
Monteux M. 58B B2
Monteverde M. 34B E3
Monteverdi, S. Pietro M. 37 H/I5
Monte Vergine AN. 140B B2
Montevideo AD. 147A D6, 147B B2; D. 131D C3; M. 85A D6; Mi. 103D C4
Montferrat 66 F3/4
Monthéron M. 53 G/H3
Montiéramey M. 48B B/C2
Montier-en-Argonne M. 53 F2
Montier-en-Der M. 14B A2, 25A C2, 37 E/F2, 48B C2
Montier-la-Celle M. 25A C2, 37 E2, 48B B2
Montierneuf-de-Poitiers M. 47A B3
Montignac M. 58A D3
Montigny M. 48B C2
Montilla M. 78A B4
Montivillers M. 25A C2, 37 C2
Mont-Laurier D. 146A F2
Montmartre Pe. 18A C2
Montmaur 57C A2
Montmélian M. 59A F3, 70B B2
Montmerle E. 47A C3; M. 51 E3
Montmeyran M. 48B C3
Montoli M. 35A C3
Montolieu M. 94 C4
Montoro ↗Epora
Mont' Ortone M. 70B D2
Montpellier 56C C3, 77A B3; D. 97A C4, 97B C4, 141C E2; M. 56A D3, 58B A2, 59A E4; U. 64 C2
Montpeyroux M. 53 F4
Montpezat-de-Quercy 56D B1
Montréal [Frankreich] 57C B2; M. 56A D3
Montreal [Kanada] AD. 131A D2, 146A G2; D. 113D Q2, 131A D2, 138B F2
Montreuil-Bellay M. 94 B3
Montreuil[-s.-Mer] M. 25A C1, 37 D1, 51 E2, 94 B2
Montrieux M. 51 F4
Montrose M. 59A D1
Mont-S. Aubert 65 B2
Montségur 57C A2; M. 47A C4
Mont-S. Eloi M. 37 D/E1, 50 B2
Montserrat [Antillen] Mi. 103B E3
Montserrat [Spanien] Pe. 18A C2
Mont-S. Jean E. 47A C3
Mont-S. Marie M. 53 G3
Mont-S. Martin M. 54 E2
Mont-S. Michel M. 37 B2, 48B A2, 94 A2; Pe. 18A B2
Mont-S. Quentin M. 94 C2
Mont-S.-Vaudrey E. 47A D3
Mont-S. Vincent M. 37 F3
Monza M. 58A E3, 59A F3
— S. Giovanni Battista M. 37 H4
Monze D. 145A E6
Monzón M. 58A D4
Moorias M. 59A D4
Moorsel M. 37 E1
Moosburg ↗Zalavár
Moosonee D. 146A F1; Mi. 103A F2
Mophti D. 7A C2, 24A D1
Mopoi AP. 145A E4
Mopsuestia (Mamestia, Mamistra, Misis) AD. 31 F3; D. 9B C2, 21 C2, 26A A2, 55B D2, 61 E2; E. 5A D/E3
Moquegua M. 85A B/C4
Moravica D. 55A C2
Morbegno M. 59A F3, 70B C1
Mörbisch E. 95A E2, 95B H4
Morcote Mi. 86 A3
Moreilles M. 53 C/D3
Morelia (Valladolid) AD. 146C A/B2; M. 84B C3
Morella M. 58A C4
Morengo M. 47C C2
Moreruela M. 52D B/C2
Mores M. 53 F2
Moriczhida M. 54 H3
Morimond M. 53 G2
Morimondo M. 53 H4
Morini ↗Thérouanne
Morins M. 48B C2
Morlaas M. 47A B4, 58A C4, 59A D4
Morlaix M. 59A D3, 70A A/B3
Morlhon 56D C1
Morobisdus (Morovizd) D. 30A C2
Morogoro D. 112A C5, 112C B2, 145A F5
Morombe D. 145A G7
Morón D. 147B A2
Morondava D. 145A G7
Morong E. 90A B3
Moroni AA. 145A G6
Moroto D. 112C B1, 145A F4, 145C B1
Morovizd ↗Morobisdus
Morphonou [Athos] 45B B3
Morphou D. 135D C4
Morrona M. 49A D3
Morrones Mi. 86 B2
Moers 73A B3, 76 B3
Mortagne M. 94 B3
Mortemart M. 51 E3
Mortemer [Normandie] M. 53 E2
Mosbach M. 34B D2, 37 H2
Moschajskij-Luscheckij Ferapontow M. 81 D3
Moscheta M. 49C E2
Moschnogorskij Woznesenskij M. 81 C/D4
Mościska M. 59A I3
Moshi D. 145A F5
Moesia 20 B/C2
Moesia Prima 20 A/B1
Mosio 57B C/D2
Moskau 44B C2; D. 81 D3, 130D B1; P. 135D C2
— Alekseewskij M. 81 E4
— Bogojawlenskij M. 81 E4
— Danilow M. 81 E4
— Donskoj M. 81 F4
— Iwanowskij M. 81 F4
— Moskowskij-Woznesenskij M. 81 F4
— Nikitskij M. 81 F4
— Nikolaewskij Gretscheskij M. 81 E4
— Nikolo-Pererwinskij M. 81 D3
— Nowodewitschij M. 81 F4
— Nowospasskij M. 81 E4
— Pokrowskij M. 81 F4
— Roschdestwenskij M. 81 E4
— Simonow M. 81 E4
— Spaso-Androniew M. 81 E4
— Sretenskij M. 81 E4
— Strastnoj M. 81 F4
— Tschudow-Kafedralnyi M. 81 E4
— Wysokopetrowskij M. 81 E4
— Zaikonospasskij M. 81 F4
— Zatschatiewskij M. 81 F4
— Zlatoustowskij M. 81 F4
— Znamenskij M. 81 F4
Mosnitz M. 48A C3
Mossoró D. 147A F3
Mossul 38A E2, 43 G2, 55B E2, 72 G2; D. 130D C3, 139E D2; Mi. 98A D1, 104A D1, 145A G1
Most M. 58A F2
Mostar D. 96A B2, 140A G3, 141D A2
Mostene D. 20 C3
Mosyna D. 20 D3
Mosynopolis AD. 61 C1; D. 30A D2
Motella E. 5B A1
Motherwell D. 141A C2
Motroninskij Troickij M. 81 C4
Möttingen 91 C4
Mottola D. 71A H4
Mouches M. 47A B4
Mougon M. 47A B3
Mouila D. 145A D5
Moulins, D. 97B C3, 141C E1; M. 78A C2
Moulmein Mi. 98/99C D3, 104/105C D3
Moundou D. 145A D4
Mount Grace M. 51 D2
Mount Hagen AD. 144B B2
Mount Omei M. 27A G3
Mountsorrel 69B C2
Moutier [Belgien] M. 37 E1
Moutiers [Bourgogne], S. Jean M. 34A C2, 37 E3, 48B B/C2
Moutiers[-en-Puisaye] M. 25A C2, 37 D/E3
Moutiers [Provence] M. 37 F5
Moutiers [Savoie] D. 97B D3
— S. Martin E. 47A D3
Mouzaïaville ↗Elephantaria [Mauretania Caesariensis]
Mouzakion ↗Gomphi
Mouzon R. 28 C3
Movas Mi. 84A D3
Moville M. 19 D4
Moyenmoutier M. 34B D2, 37 F2; R. 28 C3
Moyenvic M. 37 F2
Moyobamba PN. 147A B3
Mozac M. 47A C3
Mozambique ↗Moçambique
Mozolowskij-Woznesenskij M. 81 C3
Mraissa ↗Carpi
Mstislawskij Tupitschewskij Swjatoduchow M. 81 C3
Mtwara D. 145A F/G6
Muallaq M. 38A E2
Mucchio M. 49A E3
Muccora ↗Makarska
Much Dewchurch M. 19 E5
Muchelney M. 19 E5
Much Wenlock M. 19 E5
Mucuchachi Mi. 86 B2
Mucuchies Mi. 86 B2
Mucuruba Mi. 86 B2
Mucutuy Mi. 86 B2
Mudanya ↗Apamea [Bithynia]
Mufulira D. 112A C5
Mugarone M. 47C B3
Muggia Valle M. 58A F/G3
Mühldorf 92B E2
Mühlhausen [Thüringen] 73 D3, 76 D3, 91 C2, 92A D2; M. 58A F2, 59A G2
Muitaca Mi. 86 C3
Mukačevo AV. 96A C1; D. 134A C2, 135D B3
Mukono D. 112C B1
Mulegé Mi. 84A B/C4
Mülhausen [Elsaß] ↗Mulhouse
Mulhouse (Mülhausen) 66 F3, 73A B5, 76 B5, 92B B3, 93 F3; M. 58A E3
Mullingar D. 71A C2, 141A B3; M. 59A C2
Multan D. 143B B1
Multyfarnham M. 58A B2
Muña D. 60B B1
Münchaurach M. 48A B2, 67 E/F3
München 46 C3, 121 C3; AD. 97D C4, 142 D4; D. 131C C2, 138A A2; M. 58A F3, 70A F3, 79 F2, 78A E2
Münchmünster M. 48A C3
Mundham 69B D2
Mungret M. 19 B5
Muniches Mi. 85A B3
Munsee [Kansas] Mi. 87A D3
Munsee [New Jersey] Mi. 87 F2
Munster (Münster) 73A B5, 76 B5, 92B B3; M. 34B D2, 37 G2, 82 B4, 83 B4
Münster [Elsaß] ↗Munster
Münster [Westfalen] D. 25D B2, 32 F2, 35A D1, 73A B3, 76 B3, 82 B3, 83 B3, 92A B/C2, 93 F2, 97C B3, 97D B3, 142 B2; M. 58A E2, 59A F2, 68B C2, 78A D1
— S. Aegidius M. 67 D2
— Überwasserstift M. 67 C/D2
Münsterberg ↗Ziebice
Munsterbilsen M. 37 F1
Münsterdorf M. 25D C1
Münsterdreisen M. 54 F3
Münstereifel R. 28 C2
Münstermaifeld E. 14A D1; R. 28 D2
Münsterschwarzach M. 67 E/F3; R. 28 E3
Müntzweiler 65 D3
Muranga D. 112C B2, 145A F5, 145C C 1/2
Murano M. 59A G3, 70B E2
Murbach M. 14B B2, 14C C2, 25C C4, 34B D2, 35A D2, 37 G3, 82 B5, 83 B5
Murcia D. 60B B2, 141C D3/4; M. 58A C5, 59A D5, 78A B4
Mureau M. 54 F3
Muret M. 58A D4
Muri M. 48A B3
Muro Lucano D. 71B B2, 140A F5
Murom, Spasskij M. 44B D2, 81 E3
— Blagoweschtschenskij M. 81 E3
— Troickij M. 81 E3
Murom-Rjasan 44B C/D2
Murowinskij M. 81 D2
Murray Bridge D. 112A H/J6
Murrhardt M. 35A D2, 67 E3, 91 C4
Mursa (Eszeg) D. 6A A1, 23 C2; E. 5A A1
Murtana ↗Perge
Murucure Mi. 86 D2
Murviedro M. 58A C5
Mürzzuschlag E. 95B G4
Mus D. 31 G3
Muscat Mi. 104/105C A3
Muschennef ↗Neela
Musoma D. 112C B2, 145C B2
Müstair M. 34B E2, 35A D2
Musti (Hr. Mest, Le Krib) D. 7A F/G2, 24A F1, 24B A2
Mutare D. 145A F6
Mutia (Hr. Forma Mta Zralma) D. 24A F2
Mutina ↗Modena
Muttuchira 27B A2
Muturu Mi. 85A D3
Mut-Viran ↗Claudiopolis [Isauria]
Muvattupula P. 130C B2
Muyinga D. 145C A/B2
Muyong M. 89D C3
Muzaffarpur D. 143B C2
Muzo M. 85A B2; Mi. 86 A3
Muzuc D. 7A G2, 24A F1; E. 4B B2
Muzuc [Byzacena] D. 7A G3, 24A F2
Mwanza D. 112C B2, 145C B2
Mweka D. 145A E5
Myagual Mi. 86 B2
Myitkyina D. 143A B3, 143B D2
Mylae (Milazzo) D. 23 C4
Mylapore (Meliapur, Meliapore, S. Tomé) 63B B3; D. 89C C3, 106/107 B/C4; M. 27A D4, 89C C3
Mylasa (Milâs) D. 20 C3
Mylopotamou [Athos] 45B B2
Myndus (Gümüşlük) D. 20 C3
Myra (Demre) AD. 8A E2, 20 D2, 21 A2, 31 D3; E. 5A C3
Myricium D. 21 B2
Myrina (Kalavası) D. 20 C3
Myrine (Kastron) D. 134C D2
tou Myrsionos M. 39A B2
Myślibórz (Soldin) M. 59A H2
Mysore D. 106/107B C4, 143C A1
Mytho D. 144A B2
Mytilene ↗Mitylene
Mzuzu D. 145A F6

N

Naarden M. 68A B1
Naarn 56E B1
Nabatene 1 A/B3
Nabeul ↗Neapolis [Africa Proconsularis]
Nablus ↗Neapolis [Palaestina I]
Nabogame Mi. 84A E4
Nabua E. 90A C3
Nachdschowan (Nachitschevan) 55B F2, 63A C3
Nachingwea D. 145A F6
Nachitschevan ↗Nachdschowan
Nacolea (Seyitgazi) AD. 31 E3; D. 21 A2
Naga Abdalla E. 29A C2
Naga ad-Doma E. 29A C2
Naga asch-Scheima E. 29A C2
Naga City AD. 144A C/D2
Nagada 11A D7
Naga el Oqba E. 29A B/C2
Nagasaki AD. 143A E3; D. 106/107B F2; M. 89A A3; Mi. 104/105C F2
Nagcarlang (Nagcarlan) E. 90A B3
Nageszeben M. 59A I3
Nag Hamadi D. 130A B2
Nagoya 89A E2; D. 112A H/I3, 143A F2
Nagpur AD. 143B B2; D. 106/107B C3; Mi. 104/105C C3
Nagyhatvan M. 54 I3
Nagykökényes M. 54 H3
Nagyolasz M. 54 H3
Nagyvárad ↗Oradea
Naha D. 143A E3
Nahra de Qarire M. 38A B2
Naim (Nein) 1 B2; Pe. 18B B2
Naiman 27A F1
Nain Mi. 87A F2
Nairobi AD. 112A C/D4/5, 112C B2, 145A F5, 145C C2; D. 134B D5
Naissus ↗Niš
Najac 56C C3, 56D C1
Nájera D. 60B B1; M. 47B D1
Nakatsu M. 89A B3
Nakhon Ratchasima D. 144A A1/2
Nakhon Sawan D. 144A A1
Nakuru D. 112A C/D4, 112C B2, 145C C2
Nalb 56C H1
Nalgonda D. 143B B3
Nambe Mi. 87B
Namêche E. 47A C2
Namibia (Südwest-Afrika) 112A B5/6, 120 F6, 122 I5, 126 I6, 145A D7, 150A H6
Nampula AD. 145A F/G6
Namslau ↗Namysłów
Namur 65 C2, 66 E2; D. 80B C3, 141A E3; M. 58A E2, 78A C1; R. 28 C2
Namysłów (Namislau) M. 58A G/H2
Nanchang AD. 143A D3; M. 89D B3
Nancheng [Kirchenprovinz Nanchang] D. 143A D3
Nancheng [Kirchenprovinz Sian] D. 143A C3
Nanchung D. 143A C3
Nancy D. 97A D2, 97B D2, 141A E/F4, 141C F1; M. 78A D2, 79 E2
Nanking AD. 143A D3; D. 89D C2, 106/107B E2; M. 89D C2; Mi. 104/105C E2
Nanning AD. 143A C4
Nansati D. 66 H/I4
Nanterre D. 141A E4
Nantes (Portus Namnetum) D. 22 C2, 97A A2, 97B A2, 141A D4, 141C D1; M. 51 D3, 58A C3, 59A D3, 70A B4; U. 64 B2
— Pirmil M. 94 A3
Nanyang D. 143A D3
Naphschata (M. Jakob) M. 38A C2
Napier D. 113D K/L6
Napoli (Neapolis, Neapel) 33D C/D3, 45A A/B1, 66 G/H4, 93 G/H4; AD. 32 G4, 71A G4, 71B A2, 140A E5, 140B B2; D. 23 B3; E. 2A A/B2, 4A F4; M. 14A E3, 51 G4, 58A F4, 59A G4, 59B 70B F4, 78A E3, 79 F3; Pe. 18A D2; U. 64 D2
Nara (Bir el Bey) D. 7A G3, 24A F2
Naraggara (Sidi Youssef) D. 7A F2, 24A F1
Narbonne (Narbo) AD. 8A B2, 22 D3, 32 E4, 56C C3, 56D C/D2, 71A E4, 97A C4; E. 4A D4; M. 56A D3, 58A D4, 59A E4
— La Mourguié M. 94 C4
Nardò D. 71A H4, 140A G5; M. 59A H4
Narenta M. 70B G3
Narni (Narnia) 33A C2, 33B C2; D. 23 B3; M. 58A F4, 59A G4
Narnia ↗Narni
Narona D. 23 C2
Narragansett Mi. 87A F/G2
Narrandera D. 112A J6
Narrarca (Narvacan) E. 90A B2
Narwa (Narva) 62 E1
Nashville D. 102A B3, 113E E2, 146A E3
Našice M. 58A G3
Nasiping (Nassiping) E. 90A B1
en-Nasireh ↗Nazareth
Nassau [Bahamas] D. 113D Q3, 146C F1
Nassau [Deutschland] 66 F2, 92A C2, 93 F2
— Beilstein 73A C3, 76 C3
— Dillenburg 73A C3, 76 C3
— Hadamar 73 C3, 76 C3, 92A B2
— Idstein-Wiesbaden 73A C3, 76 C3
— Saarbrücken 73A B4, 76 B4, 92B B2
— Siegen 92A B/C2
— Weilburg 73A C3, 76 C3
Nassawadox E. 88A B3
Nassig 91 C3
Naestved M. 59A G1
Naßwald E. 95B G4
Natal [Brasilien] AD. 147A F3
Natal [Südafrika] AV. 106/107A C6
Natchez D. 102A B3; Mi. 87A D3
Natick Mi. 87A F2
Natitingou D. 145A C3, 145B B1
Naucratis D. 10C A2
Naumburg [-Zeitz] D. 66 G2, 71A G2, 73A D3, 82 D3, 91 D2; M. 50 F2, 67 F2
— S. Maria u. S. Georg M. 48A C2
Naupactus (Naupaktos) 39C B3, 60A C3; AD. 30A C3, 31 C3, 61 B2, 66 I5; D. 20 B3, 134C B2
Naupaktos ↗Naupactus
Nauplion D. 134C C3
Nauru 120 N4/5
Navaho Mi. 87A C3, 87B
Navalcarnero M. 78A B3
Navarra 66 D4
Navekath AD. 27A D1
Navence M. 25A C2
Navojoa Mi. 84A D4
Navrongo D. 145A B3, 145B A1
Nawa ↗Neve
Nawi E. 29A B4
Naxos (Naxus) 60A D3, 66 J5; AD. 61 C2, 96A D3, 141D C4; D. 20 C3, 134C D3, 135D B4
Naxus ↗Naxos
El Nayar PN. 146C A2
Nayland 69B D2
Nazaré D. 147A F3
Nazareth (en-Nasireh) 1 B2; AD. 61 E3; D. 134B D/E1 M. 61 E3; Pe. 18B B2
Nazianzus (Nenezi) D. 21 B2; E. 5A D/E3
Ndanda AN. 145A F/G6
N'Djamena AD. 145A D3
Ndola D. 112A C5, 145A E6
Nea Aula D. 20 C3
Nea Mone M. 39C C3
Neae Patrae 39C B3; AD. 30A C3, 31 C3, 61 B2
Neapel ↗Napoli
Nea Petra M. 39C B2
Neapolis ↗Napoli
Neapolis [Africa Proconsularis] (Nabeul) D. 7A H2, 24A G1; E. 4B C2
Neapolis [Kreta] D. 134C D4
Neapolis [Palaestina] (Nablus) 1 B2; D. 21 C3; E. 5A E4
Neapolis [Pisidia] AD. 31 E3; D. 21 B2; E. 5A D3
Nea Poteidaia ↗Cassandria
Nea Sion M. 39C D4
Nea Skiti M. 45B B3
Neath M. 52A C3
Nea-Zichne D. 134C C1
Nebbio D. 71A F4
Nebi Yunas ↗Porphyreum
Necheile ↗Negaule
Needham 69B D2
Neela (Muschennef) D. 21 C3
Neerheylissem M. 50 C2
Nefesköy ↗Tabia
Nefta du Djerid ↗Aggarsel Nepte
Negapatam M. 89C C4
Negaule (Necheile) M. 12B B/C2
Negroponte ↗Chalkis [Euboea]
Negros 90A B/C4
Nehargur D. 10A C3
Nein ↗Naim
Neirab M. 12A B3
Neisse ↗Nysa
Neiva D. 147C A2
Nejapa M. 84B F4
Nekemte AV. 145A F4
Nellore D. 143B B/C3; Mi. 104/105C C3
Nelson [Kanada] D. 146A B2
Nelson [Neuseeland] D. 113D K7
Neman ↗Ragnit
Nemausus ↗Nimes
Nembro M. 70B C/D2
Nemrut Kalesi ↗Aegae
Nemrut Köy ↗Cymae
Nenagh M. 58A B2
Nenay M. 52A A3
Nendrum M. 19 D4
Nenezi ↗Nazianzus

Neocaesarea [Euphratensis] (Abu Hanaya) D. 8A F2, 21 C3; E. 5A E3
Neocaesarea [Pontus Polemoniacus] (Niksar) AD. 8A F2, 13 F2, 21 C1, 31 F2; D. 6A E1, 55B D1; E. 5A E2
Neocastrum ↗Nicastro
Nepal 112A F3, 123 N3, 143B C2, 150/151A M3
Nepi (Nepet) D. 23 B3, 140A D4
Nepomuk M. 52C A3, 53 L2
Nérac M. 58A C/D4
Nerana M. 49C E3
Neresheim M. 48A B3, 67 F3, 83 D4
Néris M. 14A C2, 37 D3
Neronias E. 5A E3
Nesle-la-Reposte M. 34A C2
Nesqualy D. 102B A1
Nessau 62 B4
Netheravon 69B C2
Netley M. 52A C3, 53 C1
Netze M. 91 C2
Neuberg 65 F3
Neu Bidschow ↗Novy Bydžov
Neubourg [Elsaß] (Neuburg) M. 53 H2, 58A E3
Neubrandenburg M. 58A F2
Neuburg 73A D/E4, 76 D/E4, 92B D/E2
Neuburg [a. d. Donau] D. 46 C4
Neuburg [Elsaß ↗Neubourg
Neuburg [Neckar] M. 67 D3
Neue Hebriden 117 R5; AV. 106/107C F2; Mi. 98/99D F3, 104/105D F2/3
Neuenburg [Baden] 58A E3
Neuenburg [Westpreußen] ↗Nowe
Neuenheerse M. 34B D1; R. 28 D2
Neuenkamp M. 52B C3, 52C A2
Neuenwalde 67 D/E1, 91 B1
Neuffontaine M. 54 E3
Neufmoustier M. 50 C2
Neuguinea ↗Irian; Papua-Neuguinea
Neuhaus E. 95A D2, 95B G5
Neuhaus [Tschechoslowakei] ↗Jindřichův Hradec
Neuhausen 91 C4; R. 28 D3
Neuhelfta M. 67 E/F2
Neuhofen 56E B1
Neu-Kaledonien 144B C3, 150/151A Q6; AV. 106/107C E3; Mi. 98/99D E3, 104/105D E/F3
Neukematen E. 95A D1, 95B F3
Neukloster [Jugoslawien] M. 59A H3, 70B F1
Neukloster [Niedersachsen] M. 67 E1
Neumarkt-S. Veit ↗S. Veit [Bayern]
Neumünster [Saar] M. 91 B3; R. 28 C/D3
Neumünster [Schleswig-Holstein] M. 50 E1
Neunkirchen E. 95B H4
Neu-Pernau (Pärnu) 62 D2
Neu Pommern (Neu-Britannien) AV. 106/107C E2
Neuquén D. 147A C6
Neureisch ↗Nová Říše
Neuruppin M. 59A G2
Neu-Sarai (Aksari) 27A A1; M. 63A C2
Neuschloß 62 E1
Neuseeland 113D K7, 117 R6, 120 N7, 123 R7, 127 R6/7, 129 R6, 144B D4, 150/151A Q6/7; Mi. 98/99D F4, 104/105D F4
Neusohl ↗Banská Bystrica
Neuss M. 50 C2, 58A E2, 68A C2, 78A D1; R. 28 C2
— S. Quirin M. 48A A2
Neustadt ↗Nové Město
Neustadt [Main] R. 28 D3
Neustadt [Orla] M. 70A F3
Neustadt [Pfalz] U. 80C B3
Neustadt [Saale] M. 35A D1, 48A B2
Neustadtl 56E C1
Neustift M. 54 G3
Neutra ↗Nitra
Neu-Ulm D. 131C B/C2
Neuwerk [Niedersachsen] M. 67 E2
Neuwerk [Rheinland] M. 48A A2, 67 C2
Neuwerk [Saale] M. 50 E2
Neuwiller M. 25C C4, 34B D2, 37 G2; R. 28 D3
Neuzelle M. 52B C3, 52C A2
Neve (Nawa) D. 21 C3
Nevern M. 19 D5
Nevernum ↗Nevers
Nevers (Nevernum) 57A B1; D. 22 D2, 97A C2, 97B C2, 141A E4, 141C E1; M. 58A D3, 59A E3, 78A C2
— BMV M. 37 E3
— S. Étienne M. 47A C3
— S. Sauveur M. 47A C3
Nevis Mi. 103B E3
Newark AD. 146B A2; D. 113E F1
Newbo M. 54 D2
Newbottle M. 52A C2
Newbridge M. 59A C2
Newbury E. 88B C2
Newcastle [Australien] D. 113D J6
Newcastle-under-Lyme M. 59A D2
Newcastle-upon-Tyne D. 111D C2, 141A D2; M. 56B B1, 58A C1, 59A D1
New Castle [USA] E. 88A B2
New Delhi ↗Delhi
Newel, Spaso-Preobraschenskij M. 81 C3
Newenham M. 52A C3, 53 B1
New Gnadenhütten Mi. 87A F2
New Hampshire 88B B1/2, 101H D2
New Haven E. 88B A3
Newhouse M. 54 D2
New Jersey D. 101H D2
New London E. 88B B3
Newminster M. 52A C2
New Norcia [Australien] AN. 144B A3
New Norcia [USA] AN. 106/107C B4
New Orleans AD. 102A B3, 146A E4; D. 113E E3
New Pocoson E. 88A B3
Newport [England] D. 111D C3
Newport [USA] E. 88B B3
New Providence Mi. 103B B1
New Ross M. 59A C2
Newry D. 141A B/C2; M. 52A B2
New Salem Mi. 87A E2
New Stockbridge Mi. 87A F2
Newton 69B D2
Newtonards M. 59A C/D2
New Ulm D. 146A D/E2
New Westminster D. 138B A/B2
New York AA. 138B F2; AD. 102A D2, 131A D2, 131B A2, 146B A/B2; D. 101H C/D2, 113E F1/2, 131B A2; E. 88A C1, 88B A3
— Brooklyn 131A D3; AD. 131B A2, 131B B2
Nez Percé Mi. 87A B2
N'Gaoundéré D. 145A D4, 145B D2
Ngaous ↗Nicivibus
Ngara D. 112C B2
Ngo-Hsiang D. 112A G3
Ngong D. 145A F5, 145C C2
Ngunze D. 145A D6
Ngozi D. 112C A/B2, 145C A/B2
Nhatrang D. 144A B2; Mi. 98/99C E4
Niamey D. 145A C3
Niara M. 12B C2
Nias Mi. 104/105D A1
Nicaea [Bithynia] (Jznik) 39C C/D2, 60A D2; AD. 8A E2, 13 E2, 20 D2, 21 A1, 31 E2; D. 6A C/D1; E. 5A C/D2
Nicaea [Frankreich] ↗Nice
Nicaragua 113D P/Q4, 122 D/E4, 128 C/D4, 150A C4
Nicastro (Neocastrum) D. 30A B3, 140A F5/6
Nice (Nicaea) D. 22 D3, 66 F4, 97A D4, 97B D4, 141C F2, 140A B3; E. 4A E4; M. 58A E4, 59A F4, 78A D3
— Kloster des Hospitius M. 37 G5
Niciu (Ibschadi) D. 6B B1, 10C A2; E. 5A D4
Nicivibus (Ngaous) D. 7A C3, 24A D2
Nickelsdorf E. 95B I4
Nicolet D. 146A G2
Nicomedia (Izmif) 39C D2, 60A D2; AD. 8A E2, 20 D2, 21 A1, 31 E2; D. 6A D1, 61 D1, 66 K4; E. 2A E2, 5A C/D2
Nicopolis [Armenia] E. 5A E2; D. 21 C1
Nicopolis [bei Prebeza/Epirus Vetus] 39C B3; AD. 8A D2, 20 A3; E. 2A C3, 5A B3
Nicopolis [Moesia] (Nikup) D. 20 C2
Nicopolis [Palaestina] (Emmaus, Imwas) 1 A/B3; D. 21 C4; E. 5A E4; Pe. 18B A3
Nicopolis [Rhodope] (Goce Delčev) D. 20 B2
Nicosia [Sizilien] D. 140A E6
Nicosia [Zypern] ↗Leukosia
Nicotera D. 23 C4, 30A B3
Nidaros (Drontheim) AD. 71A F1
Niebla ↗Hipla
Niederaltaich (Altaich) M. 14C D2, 29B B2, 34A E2, 34B E2, 35A E2 37 I/J2, 48A C3; R. 28 F3
Niederalteich M. 25C E/F4
Niederlande (Holland) 65 C2, 76 A/B2/3, 77B B/C2, 111A C1, 120 F2, 122 I2, 126 I2, 128 I2, 141A E/F3, 142 A/B1/2, 151B C1
— Spanische 93 E/F2
— Vereinigte 93 E/F2
Niederländisch Borneo AP. 106/107C B2
Niederländische Antillen 150A D4
Niederländisch Neuguinea AP. 106/107C D2
Niederlausitz 73A F3, 76 F2, 92A F2
Niederprüm R. 28 C2
Niederwerth M. 68A C2
Nienburg M. 48A B/C2, 67 F2, 91 D2
Nieśwież M. 78A G1
Nieuwpoort 65 B2
Niewa M. 59A D4
Niffar D. 26A D3
Niger 112A B4, 126 J4, 145A C/D3, 150A H4
Nigeria 112A B4, 116 J4, 122 I4, 126 J4, 128 J4, 145A C4, 145B C2, 150A H4
Nihavand D. 26A D2
Niigata AP. 106/107B G2; D. 143A F/G2
Nijmegen [Nimwegen] M. 59A F2, 68A B2, 68B B2, 70A D2
Nikaia D. 134C C2
Nikertai M. 12B B3
Nikitskij M. 81 D2
Nikitskij M. 44B C2
Nikolaewskaja-Berljukowskaja M. 81 D3
Nikolaewskaja Nadeewskaja M. 81 E2
Nikolaewskajawstanowitschtschach M. 81 D2
Nikolaewskij M. 44C
Nikolaewskij Babaewskij M. 81 D2
Nikolaewskij Kovelskij M. 81 D/E1
Nikolaewskij Korjaschemskij M. 81 E/F2
Nikolaewskij Kowschenskij M. 81 D2
Nikolaewskij Malickij M. 81 D2
Nikolaewskij Ozerskij M. 81 D2
Nikolaewskij Priluckij M. 81 E2
Nikolaewskij Terebenskaja M. 81 D2
Nikolaewskij Tichonow Lychskij M. 81 E2
Nikolaewskij Ugreschskij M. 81 D3
Nikolaewskij-Wjaschischtschskij M. 81 C2
Nikolaewskij-Wolosow M. 81 E3
Nikolaewskij-Wwsudbischtschach M. 81 D2
Nikolo Pesnoschskij M. 81 D3
Nikolo Radowickij M. 81 D3
Nikolo-Schartomskij M. 81 D/E3
Nikolo-Stolpenskaja M. 81 D2
Nikopol D. 96A D2
Nikortsminda D. 135D C3
Nikosia ↗Leukosia
Niksar ↗Neocaesarea [Pontus Polemoniacus]
Nikup ↗Nicopolis [Moesia]
Al-Nil D. 26A D3
Nilopolis (Dallas) D. 6B B2, 10B C2; E. 5A D5
Nilowa-Stolbenskaja M. 81 C3
Nilwa E. 29A B3
Nîmes (Nemausus) 77A C3; D. 13 B2, 22 D3, 56C C3, 97A C4, 97B C4, 141C E2; M. 58B A2, 59A E4, 78A C3, 94 C4
Nimwegen ↗Nijmegen
Nin D. 71A G4; M. 59A H4
Ninghsia 27A G2
Ningpo D. 143A E3; M. 89D C3
Ninove M. 54 E2; R. 28 B2
Nio Mi. 84A D5
Niombe D. 145A F5
Niort 77A A2; M. 58A C3
Niranam 27B A2; D. 130C B2
Niš (Naissus, Nisus) 39C B2, 57A F2; D. 20 B2, 30A C1, 61 B1, 134A C3
Nischapur 43 H2, 72 H2; D. 10A E2; P. 27A B2
Nischnelomowskij Kazanskij Bogorodickij M. 81 E3
Nischni-Nowgorod (Gorkij) 44B D2; D. 135D D2; M. 81 E3
— Blagoweschtschenskij M. 81 E/F2
— Proischoschdenskij M. 81 E/F2
— Woskresenskij M. 81 E/F2
— Zatschatiewskij M. 81 E/F2
Nisibis (Nusaybin) 38A D2, 38B A2; AD. 10A B2, 26A C2; D. 21 D2; E. 5A F3
Nisqualli Mi. 87A A2
Nisus ↗Niš
Nisyros ↗Nisyrus
Nisyrus (Nisyros) D. 61 C2
Niterói AD. 147A E5, 147D C2
Nitra (Neutra) D. 29B D2, 44A B2, 71A H3, 96A B/C1, 141D A1, 142 H4; M. 58A G3
Nitria M. 11A B2
Niue 144B E2; Mi. 104/105D G3
Nivelles 65 C2; M. 25A C1, 37 E1, 58A D2, 78A C1; Pe. 18A C1
Nizors M. 53 D5
Njassa AV. 106/107A D4
Njombe D. 112A C5
Nkayi D. 145A D5
N'Kongsamba D. 145B C/D2/3
Nobadia 29A B/C2/3
Nocera D. 32 G4, 71A A2, 140A D3
Nocera de' Pagani (Nuceria) D. 23 B3, 140B B2
Nogales M. 52D C1
Nogaro M. 58A C4
Nogent [Champagne] M. 48B C2
Nogent [Picardie] M. 94 C2
Nogent-le Rotrou M. 47A B2
Noirétable E. 47A C3
Noirlac M. 53 E3
Noirmoutier M. 25A A2, 37 B3
Nola D. 23 B3, 140B B2; E. 4A F4; M. 78A E4; Pe. 18A D2
Noli D. 71A F4
Nombre de Dios M. 84A F6
Nombre de Jesús Mi. 85A B3
Nombre de Maria Mi. 85A B3
Nomentum (Mentana) D. 23 B3
Nonantola AN. 140A D3; M. 34B E3, 35A E3, 37 I4
Nonnenwerth M. 48A A/B2, 67 C2
Nonoava Mi. 84A E4
Nontron M. 58A D3
Nonza M. 58A E4
Norcia (Nursia) 33A C2, 33B C2; D. 23 B3, 140A E4; M. 58A F4
Nord-Burma AV. 106/107B D3
Nord-Chili AV. 106/107B E2
Nord-China D. 112A H2
Nord-Cochinchina AV. 106/107B E3
Norden M. 59A F2, 70A E2
Nordenburg ↗Krylovo
Nordhausen 73 D3, 76 D3, 91 C2, 92A D2, 93 G2; M. 58A E/F2, 59A G2, 70A F2
Nordheim 91 C3
Nord-Honan AV. 106/107B E2
Nord-Hunan AV. 106/107B E3
Nordirland 150A G2, 151B B1
Nord-Kansu AV. 106/107B D2
Nord-Katonga AP. 106/107A C4
Nord-Kiangsi AV. 106/107B E3
Nördlingen 73A D4, 76 D4, 91 C4, 92 D2; 58A F3
Nord-Mandschurei AV. 106/107B F1
Nord-Salomonen AP. 106/107C E2
Nord-Shansi AV. 106/107B E2
Nord-Shantung AV. 106/107B E2
Nord-Shensi AV. 106/107B E2
Nord-Tonkin AV. 106/107B E3
Nord-Transvaal AP. 106/107A C5
Nord-Victoria-Njansa AV.106/107A D3
Nordwest-Hupeh AV. 106/107B E2
Nordwest-Szechwan AV. 106/107B D2
Norfolk D. 113E F2; E. 88A B3
Norogachic Mi. 84A E4
Northampton 69B C2; D. 141A D3; M. 56A C1, 56B B2, 58A C2, 59A D2
North-Bay D. 146A F2
North Carolina D. 101H C3
Northeim 73A C/D3, 76 C/D3; M. 67 E2, 91 C2
Norton S. Philip 69B B2
Norton Underhill 69B B2
Norwegen 66 F1, 77B C1, 112A B/C1/2, 122 I1, 126 I1, 118 I1, 141B B/D2/4, 150A H1, 151B C1
Norwell E. 88B C2
Norwich [England] 69B D2; D. 71A E2, 111D D3; M. 56B C2, 58A D2, 59A E2, 141A D3
Norwich [USA] D. 146A G2
Nostra Signora de Paulis M. 52E A/B2
Noestved M. 58A F1
Noto D. 140A F7; M. 59A H5, 78A F4
Notre-Dame-de-l'Île-de-Né M. 53 C3
Notre-Dame-du-Jau M. 53 E5
Notsu M. 89A B3
Nottingham D. 141A D3; M. 58A C/D2
Nottowa Mi. 87A E2
Nottuln M. 25D B2
Nouaillé M. 25A C2, 37 C3, 94 B3
Nouakchott D. 145A A3
Nouméa AD. 144B D3
Nouna D. 145A B3
Novae (Svištov) D. 20 C2
Nova Friburgo D. 147D C2
Nova Hollandia AV. 106/107C C/D3
Nova Iguaçú D. 147D C2
Novalese M. 34A D2, 34B D2, 35A D2, 37 F/G4
Novalèze, S. Peter M. 37 F4
Nova Lisboa D. 145A D6
Nova Petra (Hr. ben Khelifi) D. 7A D3
Novar (Sillègue) D. 24A D1; E. 4A E5
Novara (Novaria) D. 23 A2, 140A B2, 142 C5; M. 49C B1, 59A F3, 70B C2
Novaria ↗Novara
Nová Říše (Neureisch) M. 44A B2
Novellara M. 78A E3
Nové Město (Neustadt) 69A C1
Noviodunum (Isaktscha) E. 5A C1
Noviomagus ↗Noyon
Novi Sad D. 134A B2
Novo Hamburgo D. 147A D/E6
Novy Bydžov (Neu Bidschow) M. 58A F/G2
Nowe (Neuenburg) 62 B3; M. 58 G/H2
Nowgorod D. 44B C2, 81 C2; M. 81 C2
— Antoniew M. 44B B1
— Arkasch-Uspenskij M. 44B B1
— Blagoweschtschenskij M. 44B B1
— Chutynskij M. 44B B1
— Desjatin Bogorodickij M. 81 B2
— Ewfimiin M. 44B B1
— Ioanno-Predtetschew M. 44B B1
— Jurew (Georgiewskij) M. 44B B1
— Kirillowskij M. 44B B1
— Michalickij na Molotkowe M. 44B B1
— Nikolo-Ostrowskij M. 44B B1
— Pantelejmonow M. 44B B1
— Pawlow Wareckij M. 44B B1
— Pokrowskij Zwerin M. 81 B2
— Roschdestwo-Bogorodickij-Antonija-Rimljanina M. 81 B2
— Spaso-Neredickij M. 44B B1
— Swjato Duchow M. 44B B1, 81 B2
— Warwarinskij M. 44B B1
— Woskresenskij M. 44B B1
— Zwerin M. 44B B1
Nowgorod Sewerskij 44B C2
— Spaso-Preobraschenskij M. 81 C/D3
Nowosibirsk D. 135E B1
Nowosilskij-Swjato-Duchow M. 81 D3
Noyers M. 94 B3
Noyon (Noviomagus) D. 22 D2, 34A C2, 97A C2; M. 23A C2 50 B3, 51 E3, 58A D3, 94 C2
— S. Eligius M. 37 D2
— S. Godebertha M. 37 D2
Nuceria ↗Nocera dei Pagani
Nukualofa D. 144B E3
Numana (Umana) D. 23 B2
Al Numaniya D. 10A C2, 26A D3
Numidia 7A 24A
Numluli (Hr. el Matria) D. 7A G2, 24B A1
Nuoro D. 140A C5
Nuri E. 29A B4
Nürnberg 46 C2, 65 E3, 66 G3, 73A D5, 76 D5, 91 D3, 92B D2, 93 G3; M. 58A F3, 59A G3, 70A F3
— S. Aegidius M. 67 F3, 82 D4
Nursia ↗Norcia
Nursling M. 19 F5/6
Nurun M. 12A B2
Nusaybin ↗Nisibis
Nusco D. 71B B2, 140A F5, 140B C2
Nuestra Señora de los Dolores del Norte Mi. 84A B3/4
Nuestra Señora del Topo Mi. 86 A2
Nueva Cáceres D. 106/107B F4
Nueva Segovia ↗Vigan
Nueve de Julio D. 147A C6
Nyborg M. 58A E/F1
Nydala M. 52B C2
Nyeri D. 145A F5, 145C C2
Nyiradony M. 54 I3
Nyirdályi M. 54 I3
Nyiregyháza D. 138A C2
Nymburk 69A D1; M. 59A G/H2
Nyon M. 59A E3
Nysa (Neisse) 73C A1; M. 58A G2, 78A F2
Nysa [Asia] (Sultanhisar) D. 20 C3
Nyssa [Cappadocia II] D. 9B B1; 21 B2
Nyulakszigete M. 54 H3
Nyundo D. 145C A2
N'Zérékore D. 145A A/B4

O

Oea (Tripoli) D. 7A I5, 24A G3
Oahu 144D A2
Oakland D. 146A B3
Oaraophta M. 38A D2
Oas E. 90A C3

Oasis maior (Oasis magna, Wahat ed-Dakhle) 5A C/D5, 10B B/C3
Oasis minor 5A C5
Oaxaca AD. 146C B3; D. 84B E4
Oaxtepec M. 84B D3
Oban D. 141A C2
Obazine M. 53 E4
Obba (Ebba) D. 7A F3, 24A F2; E. 4B A2
El Obeid AV. 145A F3
Oberaltaich M. 67 F3
Ober-Cimbebasien AP. 106/107A C4
Oberkasai AP. 106/107A C4
Ober-Kongo AV. 106/107A C4
Oberlausitz 73A F3, 76 F3, 92A F2
Oberlothringen 57A C1
Obermarchtal M. 54 F3
Obernbibert 91 C3
Ober-Nil AV. 106/107A D3
Obernkirchen M. 91 C2
Oberpahlen (Põltsamaa) 62 D2
Oberpfalz 72 D/E4, 92B D/E2
Oberpleis M. 48A A2
Oberschützen E. 95A D/E2, 95B G/H4
Obersteigen M. 50 C3
Ober-Tonkin AV. 106/107B D3
Obervolta ↗ Burkina Faso
Oberwart E. 95A D/E2, 95B H4
Oberwerba M. 91 B2
Oberwerth M. 67 D2
Oberwesel M. 58A E2
Oberzell M. 54 F3
Óbidos PN. 147A D3
Obojan, Znamenskij M. 81 D3
Obori (Sidi-Ferruch) D. 24A C1
Oborniki M. 58A G2
Obra M. 52B D3, 52C B2
Oca D. 60B B1
Ocaña D. 147C B1; M. 85A B2; Mi. 86 A2
Ocaña [Spanien] M. 78A B4
Ocatlán M. 84B B2
Ochika M. 89A A3
Ochowskij Spasopreobraschenskij M. 81 C3
Ochrida ↗ Ohrid
Ochsenfurt M. 25C D3, 37 H2
Ochsenhausen M. 48A B3, 82 D4, 83 D4
Ockica Mi. 86 A3
Ocmug (Ormoc) E. 90A C4
Ocoroni Mi. 84A D4/5
Ocotlán M. 84B E4
Ocsa M. 54 H3
Octodurus ↗ Martigny
Octon (Oton) E. 90A B4
Ocuilan M. 84B D3
Ocuituco M. 84B D3
Ocumare de La Costa Mi. 86 C2
Oecus D. 20 B2
Ocusa Mi. 86 A3
Odacker M. 67 D2
Odegem M. 50 B2
Oedenburg ↗ Sopron
Odenheim M. 48A B2, 67 D3, 82 C4, 83 C4
Odense D. 71A G1; M. 58A E/F1, 59A G1
Ödenwaldstetten 91 C4
Ode Ondo D. 112A B4
Oderberg (Starý Bohumin) 73C B2
Odernheim R. 28 D3
Oderzo ↗ Opitergium
Odessa 71 F1; D. 135D B/C3
Odessus ↗ Varna
Odiham 69B C2
Odilienberg M. 48A A3; Pe. 18A C2
Odorhei M. 78A H2
Odorje ↗ Ludro
Odrin Nikolaewskij M. 81 D3
Ofeduna ↗ Maharragah
Offa D. 112B A2
Offenburg 65 D3; M. 58A E3
Öfved M. 54 G1
Ogdensburg D. 146A F/G2
Oghusen 27A B/C1
Ogoja D. 145B C2
Ohio D. 101H C2
Ohlhof M. 91 C2
Öhningen M. 50 D3
Ohrdruf M. 25C D3, 37 H1
Ohrid (Ochrida Lychnidus) 55A C3; AD. 30A C2, 31 C2, 71A I4; D. 20 A2
Öhringen M. 91 C3
Oeiras D. 147A E3
Oignies M. 50 C2
Oigny M. 50 C3
Oiraten 27A G1
Oiron M. 51 D/E3
Oita (Funay) D. 89A B3, 106/107B F/G2, 14A F3; M. 89A B3
Ojika M. 89A A3
Okbara D. 26A C3
Okigwe D. 145B C2
Okinawa D. 112A H3, 129 P3
Oklahoma City AD. 146A D3; D. 113E C/D2
Olba (Ura) D. 9B C2, 21 B2; E. 5A D3
Ölberg Pe. 18B B3
Olbia D. 21 A2
Oldenburg 73A B/C2, 121 B2; D. 32 F2
— Delmenhorst 76 C2
Oldenkloster M. 67 E1
Oldenstadt M. 67 E1
Oldisleben M. 48A B/C2, 67 E/F2
Old Kilcullen M. 19 C4
Olena ↗ Bolaena
Ölenberg M. 50 D3
Olenus D. 61 B2
Oléron M. 58A C3
Oleśnica ↗ Oels
Olgiate M. 47C B2
Olima M. 49B B2
Olinda-Recife AD. 147A F3; D. 85A F3
Ölinghausen M. 54 F2
Olisipo ↗ Lisbõa
Olite M. 58A C4
Oliva (Gdansk-Oliwa) M. 52C B2, 62 B3
Oliveira D. 147D B/C2
Olivet-s.-Cher M. 53 E3
Ollersbach 56E C1
Olmedo M. 58A C4
Olmeto M. 70B B2
Olmo M. 70B D2
Olmütz ↗ Olomouc
Olnute D. 31 G3
Olomouc (Ölmütz) AD. 96A B1, G3; D. 44A B2, 71A H3, 134A B2; M. 51 H3, 58A G3, 59A H3, 78A F2; U. 80C C3
Olonna, S. Anastasius M. 37 H4
Olon Sume-in Tor 27A G/H1, 63B D2
Oloro M. 58A G4
Olorou (Eloro) D. 22 C3, 97A B4; M. 58A C4, 78A B3
Oels (Oleśnica) 73A G3, 73B A1, 76 G3
Ölsburg M. 91 C2
Olsztyn (Altenstein) D. 142 I1
Olympus [Bithynia] 39B C3
Olympus [Lycia] (Ciralı) D. 21 A2
Øm M. 52B B2
Omaha AD. 146A D2; D. 113E D1
Oman 112A D3/4, 150/151A K3/4
Ombi (Kom Ombo) D. 10B C3
Ombriano M. 47C C2
Omdurman D. 112A C4, 130A A/B4
Omerus ↗ Amaranli
Omitriewskij M. 44C
Omiya D. 112A J3
Omsk D. 135E A1
Omura M. 89A B3
Oñate M. 78A B3
Oenaeum 39C E2
Onavas Mi. 84A D3
Ondo D. 112B A2
Oneglia M. 70B C3
Oneida Mi. 87A E2
Oneida Mi. 87A F2
Öngüt 63B C/D2; AD. 27A H1/2
Onitsha AD. 112A B4, 145B C2
Onjiva D. 145A D6
Oenoanda (Ince Aliler) D. 20 D3, 21 A2
Onondaga Mi. 87A F2
Onteniente M. 59A D5
Onuphis (Mahallet Menuf) D. 8B A/B2, 10C A/B2
Oostmalle M. 68A B2
Ootacamund D. 143C A1
Opatowiez M. 59A I2
Opava (Troppau) 73C A2; M. 58A G2/3, 59A H3
Opitergium (Oderzo) D. 23 B2
Opleto M. 49C E2
Opodepe Mi. 84A C2/3
Opole (Oppeln) 73C A/D1; D. 142 G3; M. 58A G2, 59A H2, 70A H3
Oporto E. 14A B3
Oposura Mi. 84A C/D3
Oppeln ↗ Opole
Oppenheim M. 58A E3, 91 B3
Oppido Mamertino (Oppidum) D. 30A B3, 71A H5, 140A F6
Oppidum ↗ Oppido Mamertino
Oppidum Novum (Duperré) D. 24A B/C1
Opus (Kastraki) D. 20 B3
Oradea (Nagyvárad, Großwardein) 72 E1; D. 44A C2, 71A I3, 134A C2, 135D B3, 138A C2; M. 51 I3, 54 I3, 58A H3, 59A I3
Oragiza (Abu Hanaya) D. 21 C2
Orahovica D. 55A B2
Oran [Algerien] 43 B/C2, 72 B2; D. 106A B1, 141C D4, 145A B1
Orán [Argentinien] D. 147A C5
Orange (Arausio) 33C A/B3; D. 13 B2, 22 D2, 56C D3, 97A C3; E. 4A D4; M. 58B A1, 59A E4; U. 64 C2
Oranje-River AV. 106A C6
Oranskij-Bogorodickij M. 81 E3
Orbais M. 25A C2, 37 E2, 94 C2
Orcystus (Eskialikel) D. 21 A/B2
Orda 1 A3
Ordona ↗ Herdonia
Ordos 27A G2
Ordynskaja Poretschskaja M. 81 C/D3
Oregon City AD. 102B A/B1
Orel D. 135D C2
— Orlowskij Wwedenskij M. 81 D3
Oren ↗ Ceramus
Orenburg D. 135D E2
Orense D. 60B A1, 141C B2; M. 58A B4
Oreos ↗ Oreus
Oretum D. 22 C3
Oreus (Oreos) D. 20 B3, 30A D3, 61 B2
Organum M. 63A C2
Orhangazi ↗ Basilinopolis
Oria D. 32 H4, 140A G5
Orientalen M. 38A C2
Orihuela D. 60B B2, 71A D5; M. 59A D5
Oristano AD. 66 F5, 71A F5, 140A B5; M. 58A E5
Orlando D. 146A F4
Orléans (Aurelianis) 57A B5; D. 13 B1, 22 C/D2, 97A B/C2, 97B C2, 141A D/E4, 141C D/E1; E. 14A C2; M. 59A E3; U. 64 C2
— Bonne Nouvelle M. 94 B/C3
— S. Aignan M. 35A C2, 37 D3
— S. Anianus M. 37 D3
— S. Euverte M. 35A C2
Orléansville ↗ Castellum Tingitanum
Orlow, Spasskij M. 81 F2
Ormana ↗ Orymna
Ormuz D. 26B C3
Ornano M. 58A E4
Oroër M. 37 D2
Oropa Pe. 18A C2
Oropesa M. 85A B4
Orosh AN. 96A C3, 141D B3
Orsara M. 59A H4, 70B F4
Orschanskij Uspenskij M. 81 C3
Orschin Woznesenskij M. 81 D3
Orşova M. 58A H4
Orsza M. 78A H1
Ortaha ↗ Veszprem
Ortaköy ↗ Dionysopolis
Ortas ↗ Orthosia
Orte ↗ Horta
Ortelsburg (Szczytno) 62 C3
Ortenburg 73A E4, 76 E4, 92B E2
Orthez M. 59A D4
Orthosia [Caria] (Ortas) D. 20 C3
Orthosias [Phoenice Parhalus] (Ard Artusi) D. 9B C2, 21 C3; E. 5A E4
Ortona a Mare D. 23 B3; M. 59A G/H4
Oruro D. 147A C4; M. 85A C4
Orval M. 50 C3, 53 G2
Orvieto (Urbs vetus) 33A B/C2, 33B B/C2, 57D D3; D. 23 B3, 140A D4; M. 58A F4, 59A G4, 70B D/E3; U. 64 D2
—, S. Severo M. 54 G4
Orymna (Ormana) D. 21 B2
Osage Mi. 87A D3
Osaka AD. 143A F3; D. 106/107B F2, 112A H3; M. 89A D2
Osca ↗ Huesca
Oschatz M. 58A F2
Oesede M. 67 D1
Osek (Ossegg) M. 44A A1, 52C A2, 53 L1
Ösel[-Wieck] D. 62 C/D2
Osella M. 49C F3
Osera M. 52D B1
Oshogbo D. 145B B2
Osimo (Auximum) D. 23 B2, 140A E3; M. 59A G4, 70B E3
Oslo D. 141B C4
Osma ↗ Oxoma
Osnabrück 65 D2, 91 B2; D. 25D B2, 32 F2, 35A D1, 73A B/C2, 76 B/C2, 82 C2, 83 C2, 92A B/C1, 97C B2, 97D B2, 142 B/C2; M. 58A E2, 59A F2, 68B C1; R. 28 D2; U. 80C B2
Osoi D. 32 G4
Osorno D. 147A B7; M. 85A B7
Ospino M. 86 B2
Osrhoene 2A F/G3, 9B D2, 12B D1/2, 13 F2, 21 C/D2
Ossegg ↗ Osek
Ossigi E. 4A C5
Ossonoba (Faro) D. 22 B4, 141C B4; E. 4A B5; M. 78A A4
Ostan D. 31 G3
Ostaschkow, Znamenski M. 81 C2
Oestbroek M. 67 C1
Ost-Burma AV. 106/107B D3
Ost-Chekiang AV. 106/107B E2
Ost-Chili AV. 106/107B E2
Ost-Cochinchina 106/107B E4
Osterberg M. 68B C1, 91 B2
Osterburken E. 14A D2
Osterhofen M. 54 G3
Osterholz M. 67 D/E1, 91 B/C1
Osterode (Ostróda) 62 B3
Österreich 65 F/G3, 66 G/H3, 73A F4, 76 F4, 93 G/H3, 111A D2, 112A B2, 122 H2, 126 G/H2, 128 H/I2, 134A A/B2, 138A A2, 140A C/F1, 142 D/G4, 151B D2
Österreich-Ungarn 93 H3
Osterwiek M. 25D C/D2
Ostfriesland 73A B2, 76 B2, 93 F2
Ostgoten 8A D1/2
Ostheim 91 C4
Ost-Hupeh AV. 106/107B E2
Ostia D. 23 B3, 140A D4; E. 4A F4
Ost-Kapland AV. 106/107A C5
Ost-Kiangsi AV. 106/107B E3
Ost-Mongolei AV. 106/107B F1
Ost-Nigeria AP. 106/107A B3
Ost-Ozeanien AV. 106/107C H2
Ostra D. 23 B2
Ostracine (el-Flusiyat) D. 6A D3, 10B C2
Ostróda ↗ Osterode
Ostrumelien 96A D2
Ost-Shantung AV. 106/107B F2
Ost-Szechwan AV. 106/107B E2; D. 112A F/G3
Ost-Tonkin AV. 106/107B E3
Ost-Uele AP. 106/107A C3
Osuna M. 78A A4
Oświęcim (Auschwitz) M. 59A H3
Otavalo M. 85A B2
Otenga Mi. 86 A3
Otenskij M. 81 C2
Otoe Mi. 87A D2
Otočac D. 71A H4
Otok M. 58A G3
Otrabanda Mi. 86 B1
Otranto (Hydrus, Ydruntum) 60A B2; AD. 30A B2, 31 B2, 71A H4, 140 G5, 141D A3; D. 23 C3; M. 59A H4
Otrar 27A C1
Otricoli ↗ Otriculum
Otriculum (Otricoli) D. 23 B3
Otrus (Çorhisar) D. 20 D3, 21 A2; E. 2A E3
Ottana D. 32 F4
Ottati M. 59A G/H4
Ottawa [Kanada] AD. 146A F2; D. 113D Q2
Ottawa [Kansas] Mi. 87A D3
Ottawa [Michigan] Mi. 87A E2
Otterberg M. 53 H2, 91 B3
Otting M. 37 I3
Öttingen 73A D4, 76 D4, 91 C4, 92B D2
Ottobeuren M. 34B E2, 35A E2, 37 H3, 48A B3, 67 E4, 82 D4/5, 83 D4/5; R. 28 E3
Ottweiler E. 14A D2
Otumba M. 84B D3
Ouagadougou AD. 145A B/C3, 145B A1
Ouahigouya D. 145A B3
Oubangui AV. 106/107A C3
Oubangui-Chari AP. 106/107A C3
Oudenaarde 65 B/C2
Oudna ↗ Uthina
Oudtshoorn D. 145A E8
Ouessa D. 145A D4
Oujon M. 51 F3
Oulu D. 135D B1
Oundadja ↗ Ad Olivam
Oundle M. 19 F5
Ouroux E. 47A C/D3
Ourscamp M. 53 F2
El Outaya ↗ Mesarfelta
Overath M. 48A A2
Oviedo [Paraguay] D. 147A D5
Oviedo [Spanien] 43 B1; AD. 141C C2; D. 32 C4; 60B B1; M. 58A B4, 78A A3
Ovila M. 52D D2
Owando D. 145A D5
Owo D. 112B A2
Owensboro D. 146A E3
Owerri D. 112A B4, 145B C2
Oxford 69B C2; D. 111D C3, 131C A1; M. 19 F5, 56A C1, 58A C2, 59A D2; U. 64 B1
Oxoma (Osma) D. 22 C3
Oxyrhynchus (Behnesa) D. 6A D3, 6B A/B2, 10B B/C2; E. 5A D5
Oya M. 52D A1
Oyem D. 145A D4
Ozamis AD. 144A C/D2
Ozeanien AP. 106/107C F/G/H2
Ozieri D. 140A C5

P

Pacciana M. 49C D3
Pachnemunis (Kom el-Khawalid) D. 10C B1
Pachoras ↗ Faras
Padamo Alto Mi. 86 C4
Padang D. 144A A3; Mi. 98/99D A2, 104/105D A2
Padena ↗ Pedena
Paderborn AD. 142 C2; D. 25D B/C2, 32 F4, 66 F2, 73A C3, 76 C3, 82 C3, 83 C3, 92A C2, 93 F2, 97C B/C3, 97D B3; M. 58A E2, 78A D1; R. 28 D2; U. 80C B/C2
— Abdinghof M. 67 D2
— S. Marien, Johannes und Ulrich M. 67 D/E2
Padis M. 62 D1
Padova (Padua, Patavium) D. 23 B2, 96A A2, 140A D2; M. 51 G3, 58 F3, 59A G3, 70B D2, 78A E2; Pe. 18A D2; U. 64 D2
— S. Giustina M. 37 I4
Padstow M. 19 D6
Padua ↗ Padova
Padula M. 51 H4
Pag M. 58A G4
Pagadian D. 144A C2
Pagi Mi. 104/105D A2
Pagno M. 37 G4
Pago Pago D. 144B E2
Pahuatlán M. 84B D2
Paide ↗ Weißenstein [Estland]
Paipa Mi. 86 A3
Paiper D. 31 G2
Pairis M. 53 H2
Paisiew Galitschskij M. 81 E2
Pakhoi D. 143A C/D4, 144A B1; Mi. 104/105C E3
Pakistan (West-Pakistan) 117 M3, 122/123 M3, 126/127 M3, 143 A/B2, 150/151A L3
Pakrac D. 134A B2
Paksé AV. 144A B1
Pala D. 145A D4
Palacios M. 59A C4
Palai D. 138D B2
Palaia Chora ↗ Porthmus
Palaiokastron ↗ Metropolis [Thessalia]
Palais-Notre-Dame M. 53 E4
Palaeocastrum D. 30A B2
Palaeopolis [Asia] (Balyanbolu) D. 20 C3
Palaeopolis [Pamphylia] D. 20 D3, 21 A2
Palamut Kalesi ↗ Apollonis
Palaestina 13 F3
Palaestina I 21 C3
Palaestina II 21 B3
Palaestina III 21 B/C4
Palau-Inseln 144B B1
Palawan 90A A4, 106/107B E4
Palayamkottai D. 143C A/B2
Palazuelos M. 52D C2
Palazzolo M. 59A G5
Palazzuolo M. 52E B2
Palea Pella ↗ Pella [Macedonia]
Palembang D. 144A B3
Palencia (Palentia) D. 22 B/C3, 60B B1, 71A D4, 141C C2; M. 58A C4, 59A D4, 78A B3; U. 64 B2
Palentia ↗ Palencia
Palenzuela 58A C4
Paleo Episkopi ↗ Tegea
Paleostrowskij Roschdestwenskij Bogorodickij M. 81 D2
Palermo (Panhormus, Panormus) 43 D2, 45A A2; AD. 71A G5, 140A E6; D. 23 B4, 30 A3; M. 58A F5, 59A G5, 78A E4, 79 F4
Palestrina (Praeneste) D. 23 B3, 140A D4; E. 4A F4
Paletwa D. 112A F3
Palghat D. 138D B1
Palia (Iustinianopolis / Galatia Salutaris) D. 21 B2
Palleau M. 48B C3
Palma [Venezuela] Mi. 86 B2
Palma de Mallorca D. 60B C2, 71A E5, 141C E3; M. 58A D5, 59A E5, 78A C4; U. 64 C3
Palma del Rio M. 59A C5
Palmar [Kolumbien] Mi. 86 A3
Palmar [Niederlande] M. 54 F2
El Palmar [Venezuela] Mi. 86 D3
Palmares D. 147A F3
Palmarito Mi. 86 B3
Palmas D. 147A D5
Palm Beach D. 146A F4
Palmeira dos Indios D. 147A F3/4
Palmerston North D. 144B D3
Palmira D. 147C A2
Palmyra (Tadmor, Tudmur) D. 9B D2, 21 C3, 26A B2; E. 5A E4
Palo AD. 144A D2; E. 90A C4
Paltus (Arab el Mulk) AD. 21 C3; D. 9B C2; E. 5A E3
Palunik D. 9A B2
Pāmbādi D. 130C B2
Pamiers 56D B2, 57C A2; D. 71A E4, 97A B4, 97B B4, 141C D2; M. 58A D4, 59A E4; U. 64 C2
Pamphylia 9B B2, 21 A/B2
Pampilona ↗ Pamplona
Pamplona [Kolumbien] AD. 147C B1; M. 85A B2; Mi. 86 A3
Pamplona [Spanien] (Pampilona) AD. 141C D2; D. 22 C3, 60B B1, 71A D4; M. 58A C4, 59A D4, 78A B3, 79 C3
Panama 113D P4, 122 D/E4, 126 D4, 128 D4, 146C E4, 147A B2; AD. 146C E4, 147A A/B2, 150A C4; D. 85A B2
Panay 90A B4
Panay (Roxas) E. 90A B4
Paneas (Caesarea Philippi, Baniyas) 1 B1, 60A F4; D. 21 C3, 61 E3; E. 5A E4; Pe. 18B B1
Panemutichus D. 21 A2
Panephysis (Aschmun er-Ruman) D. 10C B1; E. 5A D4
Panevėžys D. 141B F5
Pangil E. 90A B3
Pangkalpinang D. 144A B3

Panglao Island 90A C4; E. 90A C4
Panhagia Kamariotissa, M. 39B B/C2
Panhormus ↗ Palermo
Panium (Barbaros) D. 20 C2, 30A E2, 61 C1
Panjim ↗ Goa
Panni M. 70B F4
Pannonhalma AN. 141D A1, 142 G4
Pannonia 65 G3
Panopolis (Akhmim) D. 10B C2; E. 5A D5
Panormus ↗ Palermo
Pantelejmon [Athos] M. 44B B3
Pantelleria 45A A3
Pantokratoros M. 45B B2
Pao [Venezuela] Mi. 86 B/C2
Pao [Venezuela] Mi. 86 C2
Paola M. 78A F4
Paoting D. 143A D2
Paoying 27A H/I2
Papau (Papowo Biskupie) 62 B3
Papa Westray M. 19 E1
Papeete AD. 144B F2
Paphlagonia 21 B1
Paphos ↗ Paphus
Paphus (Paphos) D. 21 B3, 61 D3, 135D C4; E. 2A E4, 5A, D4; M. 61 D3
Papigochi Mi. 84A E3
Papowo Biskupie ↗ Papau
Pappa (Yunuslar) D. 21 B2
Pappenheim M. 91 D4
Papua-Neuguinea 112A I5, 123 Q4, 127 Q5, 129 Q5, 144B B/C2, 150/151A P5; Mi. 98/99D D2, 104/105D D2
Papykion 39C C2
Parabita M. 59A H5
Paracali (Paracale) E. 90A B3
Paracatú D. 147A E4
Paracotos Mi. 86 C2
Paradies ↗ Paradyż
Paradyż M. 52B D3, 52C B2
Paraguay 113D R6, 122 F6, 126 F6, 128 F6, 147A C/D5, 150A D/E6
Paraiba M. 85A F3
Parakou D. 145A C4, 145B B2
Paralus (Burullus) D. 8B B1, 10C B1
Paramaribo D. 147A D2; Mi. 103D C1
Paramythia D. 134C B2
Paraná AD. 147A C/D6
Paranaguá D. 147A E5; M. 85A E5
Paranapura M. 85A B3
Paranavai D. 147A D5
Paraetonium (Marsa Matruh) D. 6A C3, 10B B2; E. 5A C4
Parauma Mi. 86 B2
Paray-le-Monial M. 47A C3
Parc R. 28 C2
Parchim 65 E1; M. 58A F2
Parchus D. 31 G3
Parentium ↗ Poreč
Parenzo ↗ Poreč
Pariguan Mi. 86 C2
Paring M. 50 E3
Parintins D. 147A D3
Paris (Parisius) AD. 97A C2, 97B C2, 131C B2, 141A E4, 141C E1; AV. 138A A2; D. 6A A/B1, 13 B1, 22 D2, 34B C2, 35A C2, 112A B2, 131C B2; E. 4A D3, 14A C2; M. 25A C3, 25B, 34B C2, 50 B3, 51 E3, 56A D2, 58A D3, 59A E3,70A C3, 78A C2, 79 D2, 94 B2; U. 64 C2, 80C B3
— Argenteuil BMV M. 37 D2, 94 C2
— Blancs-Manteaux M. 94 B/C2
— Eligiuskloster M. 37 D2
— S. Cloud M. 34A C2, 34B C2, 37 D2
— S. Denis D. 141A E4; M. 14C B2, 34A C2, 34B C2, 35A C2, 37 D2, 94 C2; Pe. 18A C2
— S. Germain-d.-Prés M. 35A C2, 37 D2, 48B B2, 94 B/C2
— S. Laurent M. 37 D2
— S. Maur-des-Fossés M. 14B A2, 25B, 35A C2, 37 D/E2
Parisius ↗ Paris
Parisot 56C C3, 56D B1
Parium (Kemer) AD. 20 C2, 31 D2, 61 C1; E. 2A D2
Park M. 54 E2
Parkes D. 144B C3
Parlais (Baria) D. 21 A2
Parlasan ↗ Parnassus
Parma 33A B1, 33B B1, 33C B1, 33D B1, 57D B/C2 93 F/G4; D. 23 A2, 140A C3; M. 51 G4, 56A F3, 58A F4, 59A F/G4, 70B D2, 78A E3, 79 F3
Parnaíba D. 147A E3; M. 85A E3
Parnassus (Parlasan) D. 6A D2, 8A E2, 21 B2; E. 5A D3
Pärnu ↗ [Neu/Alt-]Pernau
Paroch 63B B3
Parone E. 47C B2
Paros ↗ Parus
Parsa Dadsch M. 12A C2
Parthenay 58A C3
Parthicopolis D. 20 B2
Partney M. 19 G4
Parus (Paros) D. 20 B/C3, 30A D3
Pascha Mi. 86 A3
Paschoras ↗ Faras
Pasewalk M. 59A G2, 70A G2
Pasig (Passi) E. 90A B4
Pasman M. 58A F/G4
El Paso D. 146A C3
Passaic D. 111B E/F1, 138B F2
Passamaquoddy Mi. 87A G2
Passau D. 25C F4, 29B B2, 32 G3 35A E2, 46 E3, 73A E4, 76 E4, 82 E4, 83 E4, 96A B1, 96B E2, 97C D4, 97D D4, 142 E4; M. 50 F3, 78A E2; R. 28 F3
— Niedernburg M. 37 J2
Passignano 49C E3
Passo Fundo D. 147A D5
Pasteur ↗ Lamiggiga
Pasto D. 147A B2; M. 85A B2
Paesto ↗ Paestum
Pastora Mi. 86 D3
Paestum (Paesto) D. 23 C3, 71A G/H4
Pásztó M. 44A B2, 52C B3
Pata E. 90A B1
Patara (Gelemen) D. 20 D3; E. 5A C3
Patavium ↗ Padova
Paete E. 90A B3
Paterson D. 146B A2
Pathanamthitta D. 130C B2
Patmus E. 2A D3
Patna D. 143B C2
Patos D. 147A F3
Patos de Minas D. 147A E4, 147D B1
Patrae (Patrai) 39C B3, 60A C3; AD. 30A C3, 31 C3, 61 B2; D. 20 B3, 134C B2; M. 61 B2; Pe. 18A E3
Patrai ↗ Patrae
Patti D. 71A G/H5, 140A E6
Pattiswick 69B D2
Pátzcuaro M. 84B C3
El Paular M. 51 D4
Pauliac M. 37 D5
Paulinzelle M. 48A B/C2
Paul Afonso D. 147A F3
Paulopetrion M. 39B C2
Pausula ↗ Pausulae
Pausulae (Pausula) D. 23 B3
Pautalia (Belebusda, Velbužd Kjustendil) AD. 61 B1; D. 20 B2, 30A C2
Pavia (Ticinum) 56C E2, 57D B2; D. 23 A2, 140A C2; M. 49C C1, 51 F3, 56A E2, 58A E3, 59A F3, 70B C2, 78A D2; U. 64 C2
— S. Agata al Monte M. 37 G/H4
— S. Agatha M. 37 G/H4
— S. Maiolus E. 47C C2
— S. Maria Senatoris M. 37 G/H4
— S. Maria Theodotis M. 37 G/H4
— S. Marinus M. 37 G/H4
— S. Pietro M. 37 G/H4
— S. Salvator M. 37 G/H4
Pavilly M. 37 C/D2
Pawlo-Obnorskij-Troickij Komelskij M. 81 D2
Pawnee Mi. 87A D2
Pax Iulia ↗ Béja
Paya Mi. 86 A3
Payaguas 85A B3
Payerne ↗ Peterlingen
Peace River D. 113D O2
Peakirk M. 19 F5
Peć P. 55A B/C2
Pecos Mi. 87A C3, 87B
Pécs (ad Quinque Basilicas, Fünfkirchen) D. 44A B2, 71A H3, 96A C2, 140A G2, 141D A1, 142 H5; E. 29B D3; M. 58A G3, 59A H3; U. 64 D2
Pécsyarad M. 44A B2
Pečuj D. 55A B1
Pedena (Padena) D. 23 B2
Pedona M. 37 G4
Pedernach M. 50 D2
Pedraza Mi. 82 B2
Pedrogaó Grande M. 59A C4
Peel M. 19 D4
Pegae D. 61 C1
Pegau M. 48A C2, 67 F2
tes Peges M. 39B B1
Peggau E. 95B G4
Peillonnex M. 50 C4
Peinicaha (Eccl. Erinperhti) E. 29B C2
Peiraieus D. 134C C3
Peking (Chanbalyq) 63B D2; AD. 27A H2, 63B D2, 143A D2; D. 89D B1, 106/107B E2; M. 63B D2, 89D B1; Mi. 104/105C E2
Pelagonia 57A F2
Pelekete M. 39B B3
Pella [Macedonia] (Palea Pella) D. 20 B2
Pella [Palaestina] (Khirbet Fahil) 1 B2; D. 21 C3; E. 2A F4, 5A E4
Pelotas D. 147A D6
Pelplin 62 B3; D. 142 H1; M. 52C B2
Peltae D. 23, 21 A2
Pelusium (Tell Farama) D. 6B C1, 6B D3, 10B C2; E. 5A D4
Pemba D. 145A G6
Pembina Mi. 87A D2
Pembroke [Kanada] D. 146A F2
Pembroke [Wales] 69B A2
Peña de Francia M. 59A C4
Peñafiel M. 58A D4
Penally M. 19 D5
Peñamayor M. 52D B1
Penang D. 144A A2
Penco D. 85A B6
Pend d'Oreille Mi. 87A B2
Penedo D. 147A F4; M. 85A F3
Pengpu D. 143A D3
Penmon M. 19 D4
Penn 69B C2
Pennabilli D. 32 G4, 140A D3
Penne [Frankreich] M. 58A D4
Penne [Italien] M. 58A F4, 59A G4
Pennsylvania 88A A/B1; D. 101H C2
Penobscot Mi. 87A G2
Pentagoet Mi. 87A G2
Pentale M. 37 C2
Pentapolis 33A C2
Pensa D. 135D D2
— Spaso-Preobraschenskij M. 81 E3
— Troickij M. 81 E3
Pensacola D. 146A E3
Peoria [Illinois] D. 113E E1, 146A E2; Mi. 87A E2
Peoria [Kansas] Mi. 87A D3
Pepas Mi. 85A B3
Pepuza (Bekirli) E. 5B A1
Pera ↗ Tamassus
Peraea 1 B2/3
Peralada M. 56A C3
Perath de Maischan ↗ al-Basra
Perchtoldsdorf E. 95B G/H3
Perdices (Kherbet el Mahder), D. 7A C3, 24A D2
Pereira D. 147C A/B2
Perejaslawl D. 44B C2
— Ioannowskij M. 44B C2/3
Perekomskij M. 81 C2
Peremyschl D. 44B B3
Peremyschlskij Troickij Ljutikow M. 81 D3
Pereslawl, Nikolaewskij M. 81 D3
— Troickij Danilow M. 81 D3
Pereslawlskij Feodorowskij M. 81 D3
Pereslawlskij Nikitskij M. 81 D3
Pergamum (Bergama) 39C C3; D. 6A C2, 20 C3; E. 2A D3, 5A C3
Perge (Murtana) AD. 8A E2, 9B B2, 21 A/B2, 31 E3, D. 6A D2; E. 2A E3. 5A
Periban M. 84B B3
Périgotville ↗ Satafi
Périgueux (Petrocorica) D. 22 C2, 66 E3, 97A B3, 97B B3, 141C D2; M. 58A C/D3, 59A D/E3, 78A C2
Perin ↗ Perrhe
Periquita Mi. 86 C3
Peristasis D. 30A E2, 61 C1
Peritheorium D. 30A D2
Perkri D. 31 G3
Perm D. 135D E2
Pernambuco Mi. 103D D2
Péronne E. 47A C3; M. 25A C2, 37 D/E2, 58A D2
Peroz-Schabur (Anbar) D. 10A B2, 26A C3
Perpignan D. 97A C4, 97B C4, 141C E2; M. 56A D3, 58A D4, 59A E4, 78A C3; U. 64 C2
Perrégaux ↗ Castra Nova
Perrhe (Perin) D. 9B D2, 21 C2
Perseigne M. 53 D2
Pershore M. 19 E5
Persien 55B F2
Persis 5A H4/5
Perta (Gemir) D. 21 B2
Perth [Australien] AD. 112A G6, 144B A3; D. 106/107C C4; Mi. 104/105D B4
Perth [Schottland] D. 111D C2; M. 51 D1, 59A D1
Pertominskij M. 81 D/E1
Pertusa (el Harairia) D. 24B B1
Peru 113D Q5, 116 E5, 122 E5, 126 E5, 128 E5, 147A B3/4, 150A D5
Perugia (Perusium) 33A C2, 33B C2, 33C C2, 33D C2; AD. 140A D3; D. 23 B2; E. 4A F4; M. 56A F3, 58A F4, 59A G4, 70B E3, 78A E3; U. 64 D2
Perusium ↗ Perugia
Perynskij M. 81 C2
Pesaro (Pisaurum) 33A C2, 33B C2, 33C C2, 33D C2; D. 23 B2, 140A D/E3; M. 59A G4, 70B E3
Pescara AD. 140A E4; D. 32 G4
Pescia D. 140A C3
Pescina 58A F4
Pesqueira D. 147A F3
Pessinus (Balhisar) AD. 8A E2, 21 B2, 31 E3
Pest ↗ Budapest
Peterborough [England] D. 111D C/D3; M. 19 F/G5
Peterborough [Kanada] D. 146A F2
Peterlingen (Payerne) M. 37 F/G3, 47A D3; R. 28 C/D4
Petersberg [bei Fulda] M. 91 C3; R. 28 D/E2
Petersberg (Lauterberg) [bei Halle] M. 50 E2
Petersberg [Rhein] M. 50 D2
Petershausen M. 48A B3, 82 C5, 83 C5
Petersinsel M. 47A D3
Petit Fray E. 47A D3
Petra (Wadi Musa) AD. 8A E/F2, 21 C4, 61 E3; D. 6A E3, 30A C2
Petrocorica ↗ Périgueux
Petrolina D. 147A E3
Petronell (Carnuntum) 29B C2; D. 23 C1
Petropawlowskij M. 81 E3
Petrópolis D. 147D C2
Petrowsk, Nikolaewskij M. 81 E3
Petscherskaja M. 81 C3
Petscherskij-Kloster ↗ Höhlen-Kloster
Petscherskij Woznesenskij M. 81 E3
Pettau ↗ Ptuj
Pewsey 69B C2
Peyrien E. 47A D3
Peyrignac M. 53 D/E4
Pfäfers M. 34A D2, 34B D2, 35A D2, 37 H3, 48A B3, 82 C5
Pfaffenhofen 91 C3
Pfaffenschwabenheim ↗ Schwabenheim
Pfäfflingen 91 C4
Pfahldorf 91 D4
Pfalz 66 F3, 73A B/C3/4, 76 B/C4, 93 F3
— Simmern 73A B3/4, 76 B3/4, 92B B1/4
— Zweibrücken 73A B4, 76 B4, 92B B2
Pfalzel M. 37 F2
Pferdmont M. 37 G3
Pforta M. 53 K1
Pforzheim 73A C4, 76 C4; M. 58A E3, 59A F3, 70A E3, 91 B4
Pfullingen E. 14A D2; M. 91 C4
Phacusa D. 6B B/C1, 10C B2; E. 5A D4
Phalempin M. 50 B2
Phaeno D. 21 C4; E. 5A E4
Phanthiet D. 144A B2
Pharbaetus (Horbait) D. 10C B2; E. 5A D4
Pharis M. 38A C2
Pharsalus (Farsala) AD. 30A C2, 31 C3; D. 20 B3
Phasaelis (Khirbet Fasayil) 1 B2
Phaselis (Tekirova) D. 21 A2
Phasiane D. 31 G2
Phat Diem D. 144A B1
Phbow M. 11A D6
Phellus (Felendaği) D. 20 D3, 21 A2
Pheradi Maius (Hr. Fradis) D. 7A H2, 24A G1
Philae D. 10B C3, 29A C2; E. 29A C2
Philadelphia [Aegyptus] E. 5A C/D5
Philadelphia [Arabia] ↗ Amman
Philadelphia (Isauria) D. 9B B/C2, 21 B2
Philadelphia [Lydia] (Alasehir) 39C C3; D. 6A C2, 8A E2, 20 C/D3; E. 2A D3, 5B A1
Philadelphia [USA] AD. 131A D3, 138B F3, 146A G2/3; D. 113E F2, 131A D3
Philippeville ↗ Rusicade
Philippi (Philippoi) AD. 30A D2, 31 C2, 61 B1; D. 20 B2; E. 2A C2, 5A B2
Philippinen 98/99C F4, 112A H4, 117 P4, 123 P4, 127 P4, 129 P4, 144A C/D1/2, 150/151A O4
Philippoi ↗ Philippi
Philippopolis [Arabia] D. 21 C3
Philippopolis [Bulgarien] ↗ Plovdiv
Philomelium (Akşehir) 60A E3; D. 21 B2; E. 2A E3
Philosophon M. 39C B3
Philotheou M. 45B B2
Phocaea (Foça) D. 20 C3, 61 C2
ton Phoneos M. 39B B1
Phoenice [Creta] (Foinikas Sfakion) D. 20 B4
Phoenice [Epirus Vetus] (Finiki) D. 20 A2
Phoenice Libanensis 9B C2, 21 C3
Phoenice Parhalus 9B C2/3, 21 C3
Phoenicia 2A F4
Phoenix D. 113E B2, 146A C3
Phoenix [Mauritius] D. 112A D6
Phoenix-Inseln 144B D/E2
Photeinodios M. 39B C3
Photice (Limponi) D. 20 A3, 30A C2
Phragon (Tida) D. 10C A/B1
Phrygia 2A D/E3
Phrygia Pacatiana 20 D3
Phrygia Salutaris 21 A2
Phtenegys E. 5A D4
Phucuong D. 144A B2
Piacenza (Placentia) 33C A/B1, 33D A/B1, 57D B2; D. 23 A2, 35A E3, 56C E3, 140A C2; M. 49C C1, 59A F/G4, 70B C2, 78A D2; U. 64 C2
— S. Gregovius M. 47C C3
Piana degli Albanesi D. 138A A4
Pianella M. 59A G4
Piat E. 90A B2
Piazza Armerina D. 140A E6; M. 59A G5, 78A E4
Picardie 65 B2
Piche Mi. 86 A2
Pictavis ↗ Poitiers
Picuris Mi. 87A C3, 87B
Piedra M. 52D D2
Piedrahita M. 59A C/D4
Pientsun D. 143A D2
Pienza D. 140A D3
Pierre-Châtel M. 51 F3
Pietersburg AN. 145A E7; Mi. 104A D5
Pietramelara M. 70B F4
Pietravairano M. 59B
Pieusse 57B B2
Pieve di Teco M. 70B B2/3
Pila E. 90A B3
Pila (Schneidemühl) 73A G2
El Pilar [Venezuela] Mi. 86 C2
El Pilar [Venezuela] Mi. 86 D2
Pililla E. 90A B3
Pilis M. 52C B3
Pilsen ↗ Plzeň
Pilten ↗ Piltene
Piltene (Pilten) D. 62 C2, 71A I1
Pimichin Mi. 86 C4
Pinara D. 6A C2, 20 D3
Pinarbaşı ↗ Ariarathia
Pınar-Hisar ↗ Brysis
Pinar del Rio D. 146C D/E2
Pinches Mi. 85A B3
Pinerolo 56C E3; D. 140A B3
Pingliang D. 143A C2
Pingyang 27A H2
Pinheiro D. 147A E3
Pinkafeld E. 95A D/E2, 95B H4
Pinna D. 23 B3
Pinneberg 73A C2, 76 C2
Pińsk 44B B2; D. 142 M2
— Bogojawlenskij Bratskij M. 81 B/C3
Piolenc M. 47A C/D4
Pionia (Karalar) D. 20 C3
Pionsat M. 37 D3
Piotrków M. 59A I2
Piperno M. 59A G4
Pipewell M. 52A C/D3
Piracicaba D. 147D B2
Pirano M. 58A F3
Piraviri Mi. 85A D3
Pirella M. 49A G3
Piritu Mi. 86 B2
Piritu Mi. 86 C2
Pirna 65 F2; M. 59A G2
Pisa (Pisae) 33A B2, 33B B2, 33C B2, 33D B2, 57D C3, 66 G4; AD. 71A F/G4, 140A C3; D. 23 A2; E. 4A F4; M. 49A D3, 49C D3, 56A F3, 58A E/F4, 59A F/G4, 70B D3; U. 64 D2
Pisae ↗ Pisa
Pisaurum ↗ Pesaro
Pisco M. 85A B4
Pisek 69A C2; M. 59A G3
Pisidia 2A D/E3, 21 B2
Pisogne M. 70B D2
Pissadine M. 39B C3
Pistia ↗ Plestia
Pistoia D. 23 A2, 140A C3; M. 49C D3, 59A G4, 70B D3
— S. Bartolomeo M. 37 H/I4/5
— S. Gregorio M. 37 H/I5
— S. Michele M. 37 H/I5
— SS. Pietro, Paolo ed Anastasio M. 37 H/I4
— S. Salvatore M. 37 H/I5
— S. Silvestro M. 37 H/I4
Pisva Mi. 86 A3
Pitane (Çandarlı) D. 20 C3
Pithiviers E. 47A C2
Pitinum Mergens D. 23 B2
Pitsford 69B C2
Pittsburgh D. 102A C2, 113E E/F2, 131A D2, 138B E2, 146A F2
Pityus E. 5A F2
Piura AD. 147A A3
Placanica M. 59A H5
Placentia ↗ Piacenza
Plaiano M. 49D A2
Planitto M. 49A E3
Plankstetten M. 67 F3
Plasencia D. 60B A1, 71A C4, 141C B/C3; M. 58A B4, 59A C4, 78A A3
Plass ↗ Plasy
Plasy (Plass) M. 52C A3, 53 L2
Plataeae D. 20 B3
Platanar Mi. 86 C3
Plauen M. 59A G2
Pleineselve M. 54 D3
Pless 73C B1
Plestia (Pistia) D. 23 B2
Pleterje M. 51 H3, 78A F2
Pleurs E. 47A C2
Pljoka ↗ Amantia
Ploaghe D. 71A F4

Płock D. 71A H2, 111A D1; M. 54 I2, 59A I2, 78A F1
Plotinopolis (Kornofolea) D. 20 C2
Plovdiv (Philippopolis) 39C B/C2, 57A F2; AD. 8A D2, 13 D/E2, 20 B2, 30A D2, 31 C2; AV. 96A D2; D. 6A B1, 134A C3, 135D B3, 141D C2; E. 5A B2
Plymouth [England] D. 141A C3
Plymouth [USA] E. 88B C3
Plzeň (Pilsen) 46 E2; M. 58A F3, 59A G3
Pnompenh AV. 144A A/B2; Mi. 98/99C D4
Poblet M. 52D E2
Pocetus E. 5A C2
Pocona M. 85A C4
Podalia D. 20 D3, 21 A2
Podnovlje M. 58A G3/4
Podolien 96A D/E1
Poggibonsi M. 70B D3
Poggio Mirteto D. 140A D/E4
Pogla D. 21 A2
Pogoniane M. 39C B3
Pöhlde M. 54 G2, 91 C2
Pointe-Noire D. 145A C/D5
Poitiers (Pictavis) 43 C1; D. 22 C2, 97A B3, 97B B3, 141C D1; E. 4A D3; M. 14A C2, 56A D2, 58A D3, 59A E3, 78A C2; U. 64 C2
— BMV M. 37 C3
— S. Croix M. 14B A2, 37 C3
— S. Cyprien M. 47A B3, 94 B3
— S. Hilarius M. 37 C3
Pojuca M. 85A F4
Pok M. 54 H3
Pokrowskij M. 81 F3
Pokrowskij - Chotkow M. 81 D3
Pokrowskij Gluschickij M. 81 D/E2
Pola ↗Pula
Polangui E. 90A C3
Polemonium (Fatsa) D. 21 C1
Polen 62 A/B4, 65 G/H2, 77B D/E2, 93 J2, 111A D/E1, 112A B/C2, 116 J2, 122/123 J/K2, 126/127 J/K2, 128 J2, 134A B/C1, 135D B2, 138A B/C1, 142 H/K2, 150A H/I2, 151B D/E1
— Litauen 66 H/J2
Polesworth M. 19 F5
Policastro D. 71A H5, 140A F5
Policka (Politschka) 69A E2
Polignano D. 71A H4
Poligny M. 47A D3, 59A F3
Polis tes Chrysochou ↗ Arsinoe [Cyprus]
Politschka ↗Policka
Polizzi M. 59A G5
Polling M. 37 H/I3, 50 E3
Pollrone M. 47C D/E3
Polo de Catangalan (Polo) E. 90A B2/3, 90B
Polock D. 44B B2, 81 C3; M. 78B B2
— Bogojawlenski M. 81 C3
— Bogorodickij M. 44B B2
— Boriso-Glebskij M. 44B B2, 81 C3
— Spasskij M. 44B B2
Polockij Spaso-Ewfrosiniewskij M. 81 C3
Polotsk ↗Polock
Poltawa D. 135D C3
Poltawskij Krestodwischenskij M. 81 D4
Poltsamaa ↗Oberpahlen
Polybotus (Bolvadin) 60 E3; D. 21 A2
Polychnios M. 39B A3
Polychronion M. 39B A3
Polygyros D. 134C C1
Poemanenum D. 20 C2
Pomaria (Tlemcen) D. 24A A2
Pomas 56D C2
Pombeiro M. 47B B1
Pomesanien D. 62 B3
Pomiers M. 51 F3
Pommerellen 62 A/B3
Pommern 62 A3
— Stettin 73A F/G1/2, 76 F/G1/2
— Wolgast 73A E1/2, 76 E1/2
Pompei PN. 140B B2
Pompeiopolis [Cilicia] (Viranşehir) AD. 31 E3; D. 9B C2, 21 B2; E. 5A D/E3
Pompeiopolis [Paphlagonia] (Taş Köprü) AD. 21 B1, 31 E/F2; D. 6A D1; E. 5A D2
Ponagovski M. 30A C2
Ponce D. 146D B1/2; Mi. 103B D3
Poncillán M. 84B B2
Pondicherry AD. 143C B1; D. 106/107B C4
Pons 77A A2; M. 58A C3
Pons-en-Saintonge M. 59A D/E3
Ponta Delgada M. 78A A4
Ponta Grossa D. 147A D5
Ponta de Pedras D. 147A D/E3
Pont-à-Mousson M. 78A D2; U. 80C B3
Pontarlier M. 47A D3, 78A D2
Pontaut M. 53 D5
Pont-du-Château M. 47A C3
Pont du Chélif ↗Quiza
Pontecorvo 33C C/D3, 33D C/D3; M. 59A G4
Pontefract M. 59A D2
Pontevedra M. 58A B4, 59A C4
Pontevico M. 70B C/D2
Pontianak AD. 144A B3
Pontida M. 47C C2
Pontigny M. 53 F3; PN. 141A E4, 141C E1
Pontiniani M. 51 G4
Pontlevoy M. 94 B3
Pontlieu E. 14A C2
Pontoise M. 47A C2, 48B B2, 58A D3, 78A C2, 94 C2
Pontremoli D. 140A C3; M. 70B C/D2
— S. Giovanni M. 37 H4
Pontrond M. 53 C3
Pontus 2A E/F2, 13 F2
— Polemoniacus 21 C/D1
Poona D. 106/107B B3, 143B B3
Popayán AD. 147A B2; D. 85A B2
Popokabaka D. 145A D5
Popondetta D. 112A J5
Poppiena M. 49A E3
Populonia 33A B2, 33B B2; D. 23 A3
Porag (Porac) E. 90A B2
Pordenone D. 140A D2, 142 E5
Poreč (Parentium, Parenzo) D. 23 B2, 96A B2, 140A E2; M. 58A F3
Porg Mi. 86 B3
Pornó (Bernau) M. 52C B3
Porphyreum (Nebi Yunas) D. 21 B3
Porquerolles M. 56A E3
Portalegre M. 58A B5, 78A A4
Port Antonio Mi. 103C F2
Port Augusta D. 106/107A D3
Port-au-Prince AD. 146D A1; D. 113D Q4; Mi. 103B C/D3
Port Blair D. 112A F4, 143B D3
Port Elizabeth D. 145A E8; Mi. 98A C6, 104A C6
Portes M. 51 F3
Portesana M. 47C C2
Port Harcourt D. 145B C3; Mi. 104A B3
Porthmus (Palaia Chora) D. 20 B3, 30A D3
Portiers, BMV M. 37 C3
— S. Croix M. 37 C3
— S. Hilarius M. 37 C3
Portishead 69B B2
Portland [Maine] D. 113E F/G1, 146A G2
Portland [Oregon] AD. 146A B2
Port-le-Grand M. 37 D1
Port Louis D. 145A H6/7
Port Moresby AD. 144B C2; D. 112A J5
Port-de-Paix D. 146D A1
Porto [Italien] (Portus) D. 23 B3, 140A D4; E. 4A F4
Porto [Portugal] (Portus Cale) D. 22 B3, 60B A1, 71 A C4; M. 39A C4, 58A B4, 59A C4, 78A A3
Pôrto Alegre AD. 147A D6; D. 113D R6
Porto d'Anzio ↗Antium
Porto dei Sapri ↗Blanda Iulia
Port-of-Spain AD. 146D C3, 147A C1
Pôrto Nacional D. 147A E4
Porto Novo D. 145B B2
Porto Pisano 63A A/B2; M. 63A A/B2
Porto Plata Mi. 103B C2/3
Pôrto Seguro M. 85A F4
Porto Torres ↗Turris Libisonis
Pôrto Velho D. 147A C3
Portoviejo D. 147A A3
Port Pirie D. 144B B3
Port Said AV. 145A F1; D. 130A B1, 134B C/D1
Port S.-Marie [Auvergne] M. 51 E3
Port S.-Marie [Garonne] M. 59A D/E4
Pörtschach E. 95B F5
Portsmouth D. 111D C3, 141A D3
Port Stanley AP. 147A D8
Port-sur-Saône M. 47A D3
Port Tobacco E. 88A A2
Portugal 66 C4/5, 93 C4/5, 112A A2, 116 H2/3, 122 H2/3, 126 H2, 128 H3, 141C B3, 150A G3, 151B A/B2
Portugiesisch-Guinea ↗Guinea-Bissau
Portumna M. 59A C2
Portus ↗Porto
Portus Cale ↗Porto
Portus Namnetum ↗Nantes
Port Vila D. 144B D2
Posadas D. 147A D5
Poschechonskij Adrianow M. 81 D/E2
Poschechonskij Isakow Roschdestwo Bogorodickij M. 81 D2
Poschechonskij Preobraschenskij Sewastianowskij M. 81 D2
Posen ↗Poznań
Posillipo M. 70B F4
Postel M. 54 F2
Potam Mi. 84A D4
Potawatomi [Illinois] Mi. 87A D/E2
Potawatomi [Iowa] Mi. 87A D2
Potawatomi [Kansas] Mi. 87A D3
Potentia ↗Potenza [Lucania]
Potentia [Marche] D. 23 B2
Potenza [Lucania] (Potentia) AD. 140A F5; D. 23 C3; M. 58A G4
Pothières M. 48B C2
Poti D. 135D D3
Potol (Pudtol) E. 90A B1
Potosí D. 147A C4; M. 85A C4
Poetovio ↗Ptuj
Potschaewskaja Uspenskaja M. 81 C4
Pöttelsdorf E. 95A E2, 95B H4
Pouilly-les-Fleurs M. 47A C3
Pouso Alegre AD. 147D B2
Požarevac D. 134A C3
Požega M. 52C B3, 58A G3
Požega [Bosnien] M. 58A H4, 59A I4
Poznań (Posen) AD. 142 G2; D. 32 H2; M. 59A H2, 78A F2
Poznelos Mi. 86 C2
Pozzeveri M. 49A D3
Pozzuoli (Puteoli) D. 23 B3, 140B B2; E. 4A F4, 2A A2; M. 70B E/F4
Prachatice (Prachatitz) 69A B/C2
Prag ↗Praha
Praha (Prag) 29B B1, 65 F2, 69A C1; AD. 44A A1/2, 46 F1/2, 71A G2/3, 134A A/B1, 142 F3; D. 32 G2, 44A A1, 46 F1/2; M. 51 G2, 58A F2, 59A G2, 78A E1, 79 F1; Pe. 18A D1; R. 28 F2; U. 64 D1
Praeneste ↗Palestrina
Praenetus (Karamursel) D. 20 D2, 21 A1
Prataglia M. 49A E/F3
Prato D. 57D C3, 140A D3; M. 59A G4, 70B D3
Pratoveteri M. 49A E3
Praevalis 20 A2
Prealla M. 53 I4
Préaux M. 94 B2
Pré-Benoît M. 53 E3
Prebeza D. 134C B2
Predtetschenskaja - Klenowskaja M. 81 D2
Prémeyzel E. 47A D3
Prémillien E. 47A D3
Prémontré M. 54 E3; R. 28 B3
Prenzlau M. 58A F2, 59A G2
Presidente Prudente D. 147A D5
Presidente Roque Sáenz Peña D. 147A C5
Preslav AD. 61 C1; D. 30A D1
Prešov (Eperies) D. 96A C1, 134A C2, 138A C2; U. 80C D3
Preßburg ↗Bratislava
Preston M. 58A C2
Pretoria AD. 145A E7, 145D A1; D. 112A C6
Preuilly M. 53 F2
Preußen 73B A/C1, 77B B2, 93 I2
Prezzate M. 47C C2
Pribram Pe. 18A D2
Přibyslav 69A D2
Priene (Samsun Kalesi) D. 20 C3
Prières M. 53 C3
Priment ↗Przemet
Primis ↗Qasr Ibrim
Primorsk (Fischhausen) 62 B3; D. 71A J2
Primuliacum M. 14A C3
Prin M. 47A D3
Prince Albert D. 113D 02, 146A C1; Mi. 103A D/E2
Prince George D. 146A B1
Prince Rupert D. 113D N2
Princes Risborough 69B C2
Prinkipos ↗Büyük Ada
Priverno D. 32 G4
Prizdiana ↗Prizren
Prizren (Prizdriana) 55AA C2; D. 30A C2, 61 B1, 134A C3
Probstzella M. 48A C2
Proconnesus (Marmara Adası) AD. 20 C2, 31 D2, D. 61 C1
Prodromou M. 45B B3
Prome D. 143A B4, 143B D3, 144A A1
Prophetes Iliou M. 45B B2
Propriá D. 147A F4
Prostanna (Eğridir) D. 21 A/B2
Proto Nero 45B A2
Prouille M. 59A E4
Provaglio M. 47C D2
Provence 66 F4
Providence D. 113E F/G1, 146A G2; E. 88B B3
Provins M. 58A D3, 59A E3
Prüfening M. 48A C2/3, 67 F3
Prüll M. 48A C3, 51 G3
Prüm M. 14A D1, 14C D1, 34B D1, 35A D1, 37 F1, 48A A2, 82 B3, 83 B3; R. 28 C2
Pruntrut M. 78A D2
Prusa (Bursa) 39B C3, 39C C2; D. 20 D2; E. 5A C2
Prusias (Üskübü) D. 21 B1; E. 5A D2
Prymnessus (Süylün) D. 21 A2; E. 5A D3, 5B B1
Przemet M. 52B D3, 52C B2
Przemyśl D. 71A J3, 96A C1, 138A C2, 142 K3; M. 59A I3, 78A G2
Psalmodi M. 35A C3
Pskow 44B B2; D. 135D B2
— Joanno-Predtetschenskij M. 81 C2
— Spaso-Miroschskij M. 81 C2
Pskowo-Petscherskij M. 81 B/C2
Ptolemais [Libya] (Tolmetha) D. 6A B3, 10B A1; E. 5A B4
Ptolemais [Palaestina] ↗Akko
Ptolemais [Thebais] (el-Menschiye) D. 6B B3, 10B C2
Ptuj (Pettau, Poetovio) 29B C3; D. 23 C2; E. 4A G3; M. 58A G3, 59A H3, 70B F1
Puaray Mi. 87B
Puebla AD. 146C B2; D. 84B D/E3
Pueblo D. 146A C/D3
Puedpa Mi. 86 D3
Pucallpa AV. 147A B3
Puchi D. 143A D3
Puget Sound Mi. 87A A2
Pugnano M. 37 H5
Puigcerda M. 58A D4, 59A E4
Pula (Pola) D. 23 B2; M. 58A F4
Pulati ↗Gjoani
Pulcheriopolis (Berat) D. 30A C2
Puligny E. 47A C3
Pult ↗Gjoani
Pułtusk M. 78A G1
Punceres Mi. 86 D2
Puno D. 147A B/C4
Punta Arenas D. 147A B8; Mi. 103D B5
Punta Piedra Mi. 86 B2
Pupping 56D G1, 56E A1
Pupput (Souk el Abiod), D. 7A H2, 24A G1
Purisima Concepción Mi. 87A A/B3
Purkersdorf E. 95B G/H3
Puerta del Cielo M. 51 D5
Puerto Ayacucho AV. 147A C2
Puerto Aysén AV. 147A B7
Puerto Carreño AP. 147A C2
Puerto Maldonado AV. 147A C4
Puerto Montt AD. 147A B7
Puerto Princesa AV. 144A C2
Puerto Rico 103B D3, 126/127A E/F4, 146D B/C2
Purwokerto D. 144A B4
Pusan D. 112A H3, 143A E/F2; Mi. 104/105C F2
Pustogradsko ↗Stobi
Pustynskij Uspenskij M. 81 C3
Puteoli ↗Pozzuoli
Putiwl, Moltschenski Petscherskij, M. 81 C3
Puycerda M. 56A D3
Puylaurens 56D B2, 57C B1
El Puyo AV. 147A B3
Pydna E. 5A B2
Pyeongyang D. 143A E2; Mi. 104/105C F2
Pyrgos D. 134C B3
Pyritz ↗Pyrzyce
Pyrzyce (Pyritz) M. 58A F/G2
Pyzdry M. 58A G2

Q

Qadas ↗Cadasa
Qacha's Nek D. 145D A1
el Qahira ↗Kairo
Qaisariye ↗Caesarea [Palaestina]
Qajalygh 27A D1
Qala Gabar ↗Dausara
Qalat Dscheber ↗Dausara
Qalat el-Husn ↗Hippus
Qalat el Mudiq ↗Apamea [Syria II]
Qalat Siman M. 12A B2, 12B B/C2, 15B; Pe. 18A F3
Qalat Ras el-Ain ↗Antipatris
Qalinqala ↗Erzerum
Qalliniqos ↗Callinicus
Qamischlije D. 139E D2
Qanawat ↗Canotha
Qanqrat M. 38A D2
Qara ↗Chonochora
Qara Balghasum 27A G1
Qara Chitai 27A D1
Qara Chodscho 27A E/F1
Qaraqorum 27A G1, 63B C2
Qardu D. 10A B2
Qarluqen 27A D1
Qarna AD. 26A B1
Qartamin 38B B2; D. 26A C2
Al-Qasr D. 26A C3
Qasr Ain Mustafa Kachif M. 11A B7
Qasr Antawu E. 29A B3
Qasr el Banat M. 12A B2
Qasr el Deir M. 12A B2
Qasr el Dscharbi M. 12A A/B2
Qasr Ibrim (Primis) D. 29A C2; E. 29A C2
Qasr el Mudakhkhar M. 12A B2
Qasr Schamam el-gharbi ↗Antiphrae
Qaw el-Kebir ↗Antaeopolis
Qena [Thebais Secunda] (Maximianopolis) D. 6B C3, 10B C2, 130A B2
Qenneschre ↗Chalcis [Syria I]
el-Qes ↗Cynopolis
Qilit ↗Killit
Qlaudia D. 26A B1
Qlisura D. 26A B1
Qminas M. 12A B3
Qoni (D. Qunni) D. 10A C2
Qrna M. 63A C3
Quakenbrück 91 B2; M. 50 [D2
Quapaw Mi. 87A D3
Quarai Mi. 87A C3, 87B
Quarr (Isle of Wright) M. 52A C3, 53 C1
Quartazzola M. 53 I4
Qubbe M. 38A C2
Quebec AD. 146A G2; D. 113D Q2
Quebradahonda Mi. 86 A3
Quecholac M. 84B E3
Quedlinburg M. 54 G2, 58A E/F2, 73A D3, 76 D3, 82 D3, 83 D3, 91 D2; R. 28 E2
Queenstown D. 145A E8, 145D A2
Quelimane AD. 145A F6
Quepayo (Quipayo) E. 90A C3
Querétaro D. 146C B2; M. 84B C2
Querum M. 91 C2
Quevavi Mi. 84A C2
Quezaltenango D. 146C C3
Quft ↗Coptus
Quibdó AV. 147A B2, 147C A1
Quillota M. 85A B6
Quilmes D. 147B A2
Quilon 27B A/B2; D. 63B B4, 106/107B C4, 130C B2, 143C A2; M. 89C B4; Mi. 98/99C B/C4, 104/105C C4
Quimper (Civitas Coriosopitum) D. 22 C2, 97A A1, 97B A1, 141A C4, 141C C1; M. 58A C3
Quimperlé M. 59A D3, 94 A3
Quincy [Frankreich] M. 53 F3
Quincy [USA] E. 88B B2
Quingamp M. 56A C2
Quingey M. 47A D3
Quinhon D. 144A B2
Quinqua (Plavidel) E. 90A B2/3
Quinzano M. 47C D2
Quipia (Jovellar) E. 90A C3
Quito AD. 147A B3; D. 85A B3, 113D P/Q4; M. 85A B3
Quivabena Mi. 86 C4
Quixadá D. 147A F3
Quiza (Pont du Chélif) D. 7B A1, 24A B1
Qulzum ↗Clysma
Qum D. 26A E2
Qumran 1 B3
Quortolodors M. 37 E/F1
Qurta (Korte) D. 29A C2
Qurzahiel ↗Qurzihel
Qurzihel (Qurzahiel) M. 12A B2, 38A B2
Qus 11A D7
el Qussiye ↗Cusae

R

Raab ↗Györ
Rab (Arba) D. 23 B2; M. 58A F4, 59A G4
Rabadavia M. 59A C4
Raban D. 26A B2
Rabastens 57C A1; M. 58A D4
Rabat AD. 145A B1
Rabaul AD. 144B C2; D. 112A J5
Rachla D. 21 C3
Racibórz (Ratibor) M. 59A H2
Radani D. 10A C2
Radenthein E. 95B E5
Radès ↗Maxula
Radkersburg E. 95B G5
Radolfzell R. 28 D3
Radomsko M. 58A G2
Radziejów M. 58A G2
Rafniye ↗Raphaneae
Ragnit (Neman) 62 C3
Ragusa ↗Dubrovnik
Ragusa [Sizilien] D. 140 E7
Rahan M. 19 C4
Rahovo ↗Apiaria
Rahum Mi. 84A C4
Raichur M. 89C B2/3
Raiganj D. 143B C2
Raigarh, D. 143B C2
Raigern M. 44A B2
Rainaldi M. 49A G3
Raipur D. 143B C2
Raitenhaslach M. 53 K/L2
Rajj AD. 26A E2; D. 10A D2
Rajk M. 54 H3
Rajputana AP. 106/107B B3
Rakvere ↗Wesenberg
Raleigh D. 113E F2, 146A F3
er-Ram ↗Rama
Rama (er-Ram) 1 B3
Ar-Ramal E. 29A B/C2
Ramatuelle 56C D3
Ramesloh 91 C1; R. 28 D/E1
Ramiriqui Mi. 86 A3
Ramla D. 61 D3

Râmnicu-Vâlcea D. 134A C2, 135D B3
Ramsau [Bayern] M. 70A F3
Ramsau [Österreich] E. 95A C2, 95B E4
Ramsbury D. 32 D2
Ramsen M. 48A A2
Rancagua D. 147A B6
Ranchi AD. 143B C2
Randan M. 37 E3/4
Randers M. 58A F1
Rangoon AD. 143B D3, 144A A1; D. 112A F4; Mi. 104/105C D3
Rankweil Pe. 18A C/D2
Ranshofen M. 50 F3
Rapallo M. 70B C2
ad Rapam E. 29B C3
Rapau 62 B3
Rapha ↗Raphia
Raphaneae (Rafiniye) D. 6A E3, 21 C3; E. 5A E4
Raphia (Rapha) D. 21 B4
Raphoe M. 19 C4
Rapid City D. 146A D2
Rapidum (Soûr Djouab, Masqueray) D. 24A C1
Rapolla D. 71B B2
Rappoltstein 73A B4, 76 B4, 92B B2
Rappoltsweiler M. 70A D/E3
Raqqa ↗Callinicus
Raquira Mi. 86 A3
Ras (Rasa) D. 30A C1, 55A C2
Rasa ↗Ras
Ras el-Ain ↗Resaina
Rasdorf R. 28 D/E2
Ras el-Kharrubeh ↗Anathof
Rass Dimas ↗Thapsus
Rass el Djebel ↗Thiniza
Ras Skikda ↗Rusicade
Rass Salakta ↗Sullecthum
Rastede M. 67 D1
Ratchaburi D. 144A A2
Rathamim ↗Arimathea
Rathfran M. 59A B/C2
Rathleen Island M. 19 C3
Ratiaria (Arčar) AD. 20 B2
Ratibor ↗Racibórz
Ratot M. 54 H3
Ratzeburg D. 71A F/G2, 73A D2, 76 D2, 82 D2, 83 D2, 91 C1; M. 54 G2
Raudal de Mura Mi. 86 C3
Raudeu ↗Rudy
Ravello D. 71B A2
Ravengiersburg M. 50 D3, 68A C2, 91 B3
Ravenna 17A, 33A C1, 33B C1, 33C C1, 33D C1, 57A D2; AD. 8A C2, 23 B2, 32 G4, 71A G4, 140A D3; E. 4A F4; M. 14A E3, 58A F4, 59A G4, 70B E2
— Baptisterium der Arianer E. 17A
— Baptisterium Neonianum E. 17A
— Basilica Apostolorum ↗S. Francesco
— Basilika Johannes des Evangelisten E. 17A
— Dom E. 17A
— Mausoleum der Galla Placidia 17A
— S. Agata E. 17A
— S. Apollinare Nuovo E. 17A
— S. Croce E. 17A
— S. Francesco (Basilica Apostolorum) E. 17A
— S. Giorgio M. 37 I4
— S. Vitale E. 17A
Ravensberg 73A C2, 76 C2, 92A C1
Ravensburg 73A C5, 76 C5, 91 C4, 92B C3
Rawa M. 78A G1
Rawalpindi Mi. 104/105C B/C2
Razès D. 57B B2, 57C B2
Razgrad ↗Abrittus
Razzuolo M. 49C E2
Reach 69B D2
Reading 69B C2, M. 58A C2
El Real Mi. 86 B2
Realvalle M. 52E C2
Reate ↗Rieti
Rebais M. 14B A2, 25B, 34A C2, 34B C2, 37 E2, 94 C2
Rebdorf M. 50 E3, 68A D3
Rebreuve M. 50 B2
Recanati D. 71A G4, 140A E3; M. 59A G4, 78A E3
Rechnitz E. 95A E2, 95B H4
Recife D. 113D S5; M. 85A F3
Reconquista D. 147A C/D5
Reculver M. 19 G5
Redbridge M. 19 F6
Redon M. 94 A3
Redones ↗Rennes
Reepsholt R. 28 D1
Regensburg (Regina Castra) 91 D3/4; D. 25C E3/4, 29B A2, 46 D3, 56C F/G1, 65 E3, 73A E4, 76 E4, 82 E4, 83 E4, 97C D3, 97D D3, 142 E3; E. 4A F3; M. 58A F3, 59A G3, 70A F3, 78A E2; R. 28 E3
— Niedermünster M. 37 J2, 82 E4, 83 E4
— Obermünster M. 82 E4, 83 E4
— S. Emmeram M. 35A E2, 37 I2, 48A C2, 67 F/G3, 82 E4, 83 E4
— S. Johann M. 50 E/F3
Reggio Calabria (Rhegium) AD. 30A B3, 31 B3, 71A H5, 140A F6; D. 23 C4; M. 58A G5, 78A F4, 79 G4
Reggio Emilia (Regium Lepidum) 33A B1, 33B B1, 33C B1, 33D B1; D. 23 A/B2, 35A D/E3, 140A C3; M. 56A E/F3, 59A G4, 70B D2, 78A D/E3; U. 64 D2
Regiae (Arbal) D. 24A A2
Regina [Kanada] AD. 146A D1; D. 113D 02; Mi. 103A D2
Regina Castra ↗Regensburg
Regis Mi. 85A B3
Registro D. 147D B2
Regium Lepidum ↗Reggio Emilia
Rehabot D. 26A B2
Rehden 62 B3
Reichenau M. 14A D2, 14C C2, 25C D4, 29B H2, 34B D2, 35A D2, 37 G/H3, 82 C5, 83 C5; R. 28 D3
Reichenbach [Bayern] M. 48A C2, 67 F3
Reichenbach [Schwarzwald] M. 48A B3, 91 B4
Reichenhall M. 50 E/F3; R. 28 E3
Reichenstein M. 54 F2
Reichersberg M. 50 F3
Reicholzheim 91 C3
Reifenstein M. 53 I1
Reigny M. 53 F3
Reii ↗Riez
Reilhac E. 47A C3
Reillanne M. 58B B2
Reimdorf M. 67 F2
Reimerswaal M. 68A B2
Reims (Remis) 65 C3; AD. 8A B1, 22 D2, 32 E3, 71A E3, 97A C2, 97B C2, 141A E4, 141C E1; E. 4A D3, 14A C2; M. 39A E3, 50 C3, 56A D2, 58A D3, 59A E3, 78A C2
— S. Nicaise M. 94 C2
— S. Pierre-de-la-C. M. 37 E2
— S. Pierre-les-D. M. 37 E2
— S. Remi (S. Remigius) M. 35A C2, 37 E2, 48A C2, 94 C2
— S. Thierry [-du-Mont-d'Or] M. 50 B3, 94 C2
Rein M. 52C B3
Reinfeld M. 52B C3
Reinhardsbrunn M. 48A B2, 67 E2
Reinhausen M. 67 E2, 91 C2
Reinsdorf M. 48A C2, 67 F2
Relanges M. 47A D2
Reliziane ↗Mina
Remagen M. 48A A2; R. 28 D2
Remesiana (Bela Palanka) D. 20 B2
Remiremont M. 14C C2, 25A D2, 34B D2, 37 F2, 82 B5
Remis ↗Reims
Remse M. 67 F2
Renaix M. 37 E1; R. 28 B2
Rengéval M. 54 F3
Renkum M. 68A B1; Pe. 18A C1
Rennes (Redones) AD. 141A D4, 141C D1; D. 22 C2, 97A A2, 97B A2; M. 58A C3, 59A D3, 70A B3, 78A B2, 79 C2
— S. Mélaine M. 37 B2, 94 A2
Reno D. 113E B2, 146A B3
Reomaus ↗Réome
Réome (Reomaus) M. 14B A2, 94 C3
Repton M. 19 F5
Requena AV. 147A B3
Reşadiye ↗Elaea
Resaina (Theodosiopolis/Osrhoene, Ras el Ain) 38A D2; D. 21 D2, 26A B2
Resapha (Sergiopolis) 38A C3; AD. 21 C/D3, 26A B2; Pe. 18A F3
Reschenskij Makarowskij M. 81 E2
Resistencia AD. 147A C/D5
Ressons M. 54 E3
Restan ↗Arethusa
Rethymnon M. 134C D4
Rettel M. 51 F3
Retuerta M. 54 D4
Retz M. 59A H3, 70A H3
Reuil M. 25B, 37 E2
Reussische Herrschaften 73A D4, 76 D3
Reuthin M. 91 B4
Reutlingen 73A C5, 76 C5, 92B C2; M. 58A E3
Reutte E. 95B B4
Reval ↗Tallinn
Revel M. 59A E4
Revesbay M. 52A C3
Rew Ardaschir AD. 10A D3, 26A B3; E. 5A H5
Reyes AV. 147A C4; Mi. 85A C4
Reykjavik D. 141B B2
Rhaedestus 39C C2; D. 30A E2, 61 C1
Rheda 73A C3, 76 C3, 92A B2
Rhegium ↗Reggio Calabria
Rheinau M. 48A B3; R. 28 D3
Rheingrafschaft 73A B4, 76 B4
Rheintal 73A C5, 76 C5
Rhinocorura (el-Arisch) D. 8A E3, 10B C2
Rhizaeum D. 31 G2
Rho M. 70B C2
Rhode Island D. 101H D2
Rhodesien ↗Simbabwe
Rhodiapolis D. 21 A2
Rhodope 20 B/C2
Rhodos (Rhodus) 60A D3, 66 I5; AD. 8A E2, 20 C3, 31 D3, 61 C2, 96A D3, 141D D4; AP. 106/107A C1; D. 135D B4; E. 5A C3; M. 61 C2
Rhodus ↗Rhodos
Rhoga D. 30A C2
Rhosus (Arsuz) 12B A2; D. 6A E2, 9B C2, 21 C2; E. 5A E3
Rhuddlan M. 59A D2
Rhuiz M. 37 B3
Rhusianum D. 30A B2
Rhusium AD. 30A D/E2, 31 D2; D. 61 C1
Rhynern R. 28 D2
Ribadavia M. 59A C4
Ribadeo M. 58A B4
Ribe D. 32 F1; M. 58A E1, 59A F1, 70A E1
Ribeirão Preto AD. 147D B2
Ribémont M. 94 C2
Riberalta AV. 147A C4
Richmond [England] M. 58A C2
Richmond [USA] D. 102A C3, 113E F2, 146A F3
Riddagshausen M. 52B C3, 82 D2, 91 C2
Riechenberg M. 50 D/E2, 68A D2, 91 C2
Ried i. I. E. 95B E3
Riem M. 58A D3
Rieneck 73A C3, 76 C3
Rietberg 73A C3, 76 C3, 92A C2
Rieti (Reate) 33A C2, 33B C2; D. 23 B3, 140A D4; M. 58A F4, 59A G4
Rieux D. 71A E4, 97A B4; M. 58A D4, 59A E4
Riéval M. 54 F3
Rievaulx M. 52A C/D2
Riez (Reii) D. 14B B3, 22 D3, 97A D4; M. 37 F5, 58A E4
Riga AD. 62 C/D2, 66 I1, 71A I1, 141B F4; D. 135D B2; M. 54 I1, 59A I1, 70A H2, 78B A2
Rigny M. 47A C3
Rijeka AD. 140A E2
Rila-Kloster M. 30A D2
Rima (Tell Riha) D. 10A C3
Rimini (Ariminum) 33A C1, 33B C1, 57D D2; D. 6A A/B1, 13 C2, 23 B2, 140A D3; E. 4A F4; M. 59A G4, 70B E2
Rimmon (Rummaneh) 1 B3
Rimouski AD. 146A G2
Rimsingen M. 47A D3
El Rincón Mi. 86 D2
Rinconada Mi. 86 A2
Ringelheim M. 67 E1, 91 C2
Ringwold 69B D2
Rinteln M. 67 D1, 91 B/C2; U. 80C B/C2
Riobamba D. 147A B3; M. 85A B3
Rio Branco PN. 147A C3
Rio Cuarto D. 147A C6
Rio do Sul D. 147A E5
Rio Gallegos D. 147A C8
Rio Grande D. 147A D6
Rio de Janeiro AD. 147A E5, 147D C2; D. 85A E5, 113D R6, 131D C/D3; Mi. 103D D3
Rio de Oro Mi. 86 A2
Riohacha AV. 147A B1; M. 85A B1
Rioms M. 47A D4
Rions M. 58A C4
Rio Preto D. 147D B2
Rioseco M. 52D C1, 53 B5
Rio Tocuyo Mi. 86 B2
Riottiers E. 47A C3
Ripaille M. 50 C4
Ripalta M. 52E C2
Ripalta Scrivia M. 53 H/I4
Ripatransone D. 140A E3/4; M. 59A G4
Ripon D. 19 F4, 111D C2; M. 19 F4
Rippoldsau M. 48A B3
Ris M. 47A C3
Rivalta di Torino M. 53 H4
River 69B D2
Rivoli M. 59A F3/4
Rizaiieh AD. 139E E2
Rizpoloschenskij M. 44B D2
Rizpoloschenskij Awraamiew M. 81 E2
Rjasan D. 44B C/D2, 81 D3, 135D C/D2
— Kazanskij M. 81 D3
— Spasskij M. 81 D3
Rjazanskij Bogoslowskij M. 81 D3
Rjazanskij Troickij M. 81 D3
Rjazanskij Uspenskij Olgow M. 81 D3
Roanne M. 78A C2
Roanoke D. 113E E/F2
Robbio M. 47C B2
Röbel M. 59A G2, 70A F2
Robertsbridge M. 52A D3, 53 D1
Rocamadour Pe. 18A C2
Roccadia M. 52E C3
Roccamadore M. 52E C/D3
Roche M. 52A C3
Rochefort M. 47A C3, 94 C4
Rochester [England] 69B D2; D. 19 G5, 32 D/E2, 111D D3; M. 19 G5
Rochester [USA] D. 113E E/F1, 146A F2
Rockford D. 146A E2
Rockhampton D. 106/107C D3, 112A I6, 113D I6, 144B C3
Rockland 69B D2
Rockville Centre D. 146A G2/3, 146B B2
Roda D. 60B C1
Rodengo M. 47C D2
Rodez (Rutenis) D. 22 D2, 97A C3, 97B C3; M. 58A D4, 59A E4, 78A C3
— S. Amantius M. 37 D4
Rogate 69B C3
Roggenburg M. 82 C/D4, 83 C/D4
Roggenhausen 62 B3
Rohr M. 50 E3
Rojas M. 59A D4
Rokycany 69A B2
Rolduc (Klosterrat) M. 50 C2
Rolvenden 69B D2
Roma 16, 29B A4, 33A C3, 33B C3, 33C C3, 33D C3, 40, 45A A1, 45B, 57A D2, 57D D4; D. 6A A/B1; E. 2A A2, 2B C2, 4A F4, 14A E3; M. 56A F3, 58A F4, 59A G4, 70B E4, 78A E3, 79 F3; P. 8A C2, 13 C2, 23 B3, 32 G4, 71A G4, 66 G4, 140A D4; Pe. 18A D2; U. 64 D2
— Ad duo Furna M. 40 D/E2
— Ad Gallinas Albas M. 16 C3, 40 D2
— Agnetis E., M. 16 C/D2
— Balbinae E. 16 C4
— Basilica Julia ↗SS. Apostolorum
— Basilica Liberiana ↗S. Maria Maioris
— Basilica am Tor de' Schiavi E. 16 D3
— Calepodii E. 16 A3
— Caput Africae M. 40 D/E3
— Gordiani et Epimachi E. 16 C4
— Hermetis E., M. 16 B2
— Hierusalem E. 16 C/D3, 40 F3
— Hierusalem M. 40 A1
— Honorii M. 40 E3
— In Catacumbas M. 16 C5
— Iuxta Thermas Agrippianas M. 16 B3
— Marcellini et Petri E. 16 D4
— Marci et Marcelliani E. 16 C4
— Pancratii E. 16 A3
— S. Agapiti M. 40 D2
— S. Agathae in Subura E., M. 16 C3, 40 D2
— S. Agnetis in Agone E. 40 B/C2
— S. Alessio M. 54 G4
— S. Anastasiae (Titulus Anastasiae) E. 16 B/C3, 40 D3
— S. Anastasio M. 35A E3, 45C
— S. Andrea cata Barbara M. 16 C3, 40 E2
— S. Andreae de Biberatica M. 40 D2
— S. Andreae in Clivo Scauri M. 16 C3, 40 D3
— S. Andreae in Massa Iuliana M. 40 E2
— S. Apollinaris E. 40 C2
— SS. Apostolorum (Basilica Julia) E. 16 B3, 40 D2
— SS. Apostolorum (S. Sebastiani ad Catacumbas) E. 16 C/D5
— S. Aristi M. 16 B4
— S. Balbinae (Titulus Tigridae) E. 16 B/C4, 40 D4
— S. Bartholomaei de Insula E. 40 C/D3
— S. Basilii M. 40 D2
— S. Benedicti de Thermis E. 40 B/C2
— S. Bibianae E., M. 16 C3, 40 F2;
— S. Bonifatii et Alexii M. 40 C3, 45C
— S. Caeciliae (Titulus Caeciliae) E., M. 16 B3, 40 C3
— S. Caesarii in Palatio M. 40 D3
— S. Chrysogoni (Titulus Chrysogoni) E., M. 16 B3, 40 C3
— S. Clementis (Titulus Clementis) E. 16 C3, 40 E3
— SS. Cosmae et Damiani E. 16 C3, 40 D3, 45C
— SS. Cosmae et Damiani M. 40 E2
— SS. Cosmae et Damiani in Mico Aurea M. 40 B/C3
— S. Croce M. 51 G4
— S. Cyriaci in Thermis (Titulus Cyriaci) E., M. 16 C2, 40 E1
— S. Cyriaci in Via Lata M. 40 C2
— S. Donati M. 40 D3
— S. Erasmi M. 40 E3
— S. Euphemiae M. 40 D/E2
— S. Eusebii (Titulus Eusebii) E. 16 C3, 40 E2
— S. Felicis in Pincis E. 40 D1
— S. Felicitatis E. 40 D/E3
— SS. Hadriani et Laurentii M. 40 D/E2
— S. Iohannis ante Portam Latinam E. 16 C4, 40 E4
— SS. Iohannis et Pauli (Titulus Byzanti) E. 16 C3, 40 D3
— SS. Iohannis et Pauli E. 40 B3
— SS. Iohannis et Pauli M. 16 A3, 40 A2
— S. Iohannis in Laterano E. 40 E3, 45C
— S. Isidori M. 40 E/F2
— S. Laurentii E. 16 D2
— S. Laurentii de Palatio E. 40 E/F3
— S. Laurentii in Damaso (Titulus Damasi) E. 16 B3, 40 C2
— S. Laurentii in Fonte E. 40 D/E2
— S. Laurentii in Lucina (Titulus Lucinae) E. 16 B3, 40 C1
— S. Laurentii in Pallacinis M. 40 C/D2
— S. Laurentii in Panisperna E., M. 40 D2
— S. Marcelli (Titulus Marcelli) E. 16 B3, 40 C/D2
— S. Marci (Titulus Marci) E. 16 B3, 40 C2
— S. Mariae Antiquae E. 16 B3, 40 D3, 45C
— S. Mariae de Cella Farfae E. 40 C2
— S. Mariae de Julia M. 40 C2
— S. Mariae de Maxima M. 40 C2
— S. Mariae in Aventino M. 40 C3
— S. Mariae in Campo Martio M. 40 C2
— S. Mariae in Capitolio M. 40 C/D2
— S. Mariae in Cosmedin M. 45C
— S. Mariae in Gradellis E. 40 C/D3
— S. Mariae in Minverva E. 40 C2
— S. Mariae in Monasterio ↗S. Agapiti
— S. Mariae in Pallara M. 40 D3
— S. Mariae in Saxia E. 40 B2
— S. Mariae in Tempulo M. 40 D/E3
— S. Mariae Maioris (Basilica Liberiana) E. 16 C3, 40 E2
— S. Mariae Rotundae E. 40 C2
— S. Mariae trans Tiberim E., M. 40 B/C3
— S. Martinae E. 40 D2
— S. Martini M. 40 A2
— S. Matthaei in Merulana E. 40 E3
— S. Michaelis E. 40 B2
— SS. Nerei et Achillei (Titulus Fasciolae) E. 16 C4, 40 D/E4
— S. Nicolai de Calcarario E. 40 C2
— S. Nicolai in Carcere E. 40 C/D3
— S. Pancrafii M. 16 C3
— S. Paneratii in Laterano M. 40 E3
— S. Pauli E. 16 B5
— S. Petri E. 16 A/B3, 40 A2, 45C
— S. Petri ad Vincula (Titulus Apostolorum [Titulus Eudoxiae]) E. 16 C3, 40 D2
— SS. Petri et Marcellini (Titulus Nicomedis) E. 16 C3, 40 E3
— S. Petronillae E. 40 A2
— S. Praxedis (Titulus Praxedis) E., M. 16 C3, 40 E2, 45C
— S. Priscae (Titulus Priscae) E. 16 B/C3, 40 D3
— S. Pudentianae (Titulus Pudentis) E. 16 C3, 40 D2
— SS. Quattuor Coronatorum (Titulus Aemilianae) E. 16 C3, 40 E3
— SS. Quirici et Iulittae E. 16 C3, 40 D2
— S. Saba M. 47A E4
— S. Sabae M. 40 D4, 45C
— S. Sabinae (Titulus Sabinae) E. 16 B4, 40 C3
— S. Salvatore M. 35A E3
— S. Salvatoris de Thermis E. 40 C2
— S. Saturnini E. 16 C1
— S. Sergii et Bachi de Forma M. 40 E/F3
— SS. Sergii et Bacchi de Subura M. 40 D2
— S. Silvestri E. 16 C1
— S. Silvestri et Martini in Montibus (Titulus Aequitii) E., M. 16 C3, 40 E2
— S. Silvestri in Capite M. 40 C1, 45C
— S. Sixti (Titulus Crescentianae) E. 16 C4, 40 E4
— S. Stephani E. 16 D5
— S. Stephani E. 16 C3, 40 E3
— S. Stephani M. 16 C3, 40 E3
— S. Stephani Maioris M. 16 A3, 40 A2
— S. Stephani Minoris M. 40 A/B2
— S. Susannae (Titulus Gaii) E. 16 C2, 40 D1

— S. Symmetri M. 16 C4
— S. Symmetri (Monasterium Corsarum) M. 40 D/E4
— S. Valentini E. 16 B2
— S. Victoris ad Pancratium M. 16 A3
— S. Vitalis (Titulus Vestinae) E. 16 C3, 40 D2
— S. Viti M. 40 E2
— Salvatoris in Laterano ↗S.Johannis in Laterano
— Titulus Aemilianae ↗SS. Quattuor Coronatorum
— Titulus Aequitii ↗SS. Silvestri et Martini in Montibus
— Titulus Anastasiae ↗S. Anastasiae
— Titulus Apostolorum ↗S. Petri ad Vincula
— Titulus Byzanti ↗SS. Iohannis et Pauli
— Titulus Caeciliae ↗S. Caeciliae
— Titulus Callisti E. 16 B3
— Titulus Chrysogoni ↗S. Chrysogoni
— Titulus Clementis ↗S. Clementis
— Titulus Crescentianae ↗S. Sixti
— Titulus Cyriaci ↗S. Cyriaci in Thermis
— Titulus Damasi ↗S. Laurentii in Damaso
— Titulus Eusebii ↗S. Eusebii
— Titulus Fasciolae ↗SS. Nerei et Achillei
— Titulus Gaii ↗S. Susannae
— Titulus Lucinae ↗S. Laurentii in Lucina
— Titulus Marcelli ↗S. Marcelli
— Titulus Marci ↗S. Marci
— Titulus Nicomedis ↗SS. Petri et Marcellini
— Titulus Praxedis ↗S. Praxedis
— Titulus Priscae ↗S. Priscae
— Titulus Pudentis ↗S. Pudentianae
— Titulus Sabinae ↗S. Sabinae
— Titulus Tigridae ↗S. Balbinae
— Titulus Vestinae ↗S. Vitalis
Diakonien
— S. Agathae in Diaconia 40 D2
— S. Angeli in Foro Piscium 40 C3
— S. Blasii de Captu Secuta 40 B/C2
— S. Bonifatii et Alexii 40 C3
— S. Eustachii 40 C2
— S. Georgii ad Velum Aureum 40 D3
— S. Hadriani 40 D2
— S. Laurentii in Lucina 40 C1
— S. Luciae 40 D3
— S. Luciae in Orphea 40 E2
— S. Mariae in Aquiro 40 C2
— S. Mariae in Cosmedin 40 C3
— S. Mariae in Domnica 40 D3
— S. Mariae in Hadriano 40 B1
— S. Mariae Novae 40 D3
— S. Mariae in Via Lata 40 C2
— SS. Sergii et Bacchi 40 A/B2
— SS. Sergii et Bacchi 40 C/D3
— S. Theodori 40 D3
— S. Viti 40 E2
Katakomben
— Ad Duas Felices 16 A3
— Anonyme Katakombe 16 A3
— Aproniani 16 D4
— Balbinae 16 C4
— Calepodii 16 A3
— Calixti 16 C5
— Castuli 16 D3
— Commodillae 16 B/C5
— Cyriacae 16 D3
— Cyriaci 16 A6
— Domitillae 16 C5
— Felicitatis 16 C2
— Generosae 16 A6
— Gordiani et Epimachi 16 C4
— Hermetis 16 B2
— Hippolyti 16 C/D2
— Iordanorum 16 C1
— Jäger-Katakombe 16 C4
— Katakombe an der Via Dino Compagni 16 D4
— Katakombe an der Via Yser 16 C2
— Katakombe Cava della Rossa 16 D4
— Katakombe der Aurelier 16 C3
— Katakombe des Zirkus des Maxentius 16 D5
— Katakombe in der Vigna Chiaraviglia 16 C5
— Katakombe in der Villa del Vecchio 16 D4
— Katakombe unter der Casa Schneider 16 C/D5
— Maius 16 D1
— Marcellini et Petri 16 D4
— Marci et Marcelliani 16 C4
— Nicht identifizierte Märtyrer 16 C/D4
— Nicomedis 16 C2
— Novatiani 16 C/D2
— Nunziatella 16 C/D6
— Pamphili 16 C2
— Pancratii 16 A3
— Pontiani 16 B4
— Priscillae 16 C1
— SS. Apostolorum (S. Sebastiani ad Catacumbas) 16 C/D5
— S. Crucis 16 C/D4
— S. Valentini 16 B2
— Scipionen-Katakombe 16 C4
— Soteris 16 C4
— Theclae 16 B5
— Thrasonis 16 C2
— Timotei 16 B5
— Trebii Iusti 16 C4
— Vibiae 16 C4
Romagna 33A B/C1/2, 33B B/C1, 33C B/C1
Romainmôtier M. 37 F3, 47A D3
Roman D. 135D B3
Romano di Ligure M. 70B C/D2
Romans M. 58A D3
Romblon D. 144A C2; E. 90A B3
Rommersdorf M. 48A A/B2, 54 F2
Romney 69B D2
Rompon M. 47A C4
Romsey M. 19 F5
Ronco 56C E/F2
Ronda M. 59A C5
Rondonópolis PN. 147A D4
Roning R. 28 E3
Rooklooster M. 68A B2
Roermond D. 80B C/D2, 141A E/F3; M. 25A D2, 37 F1, 51 F2, 58A E2, 68A C2, 78A D1
Rosario AD. 147A C/D6; Mi. 103D B4
Roscomon M. 59A C2
Roscrea M. 19 B/C5
Roseau D. 146D C2
Roselle ↗Rusellae
Rosenau ↗Rožňava
Rosenthal Pe. 18A D1
Rosfa ↗Ruspe
Rosia M. 70B D3
Rosiéres M. 53 G3
Rositten (Bogatovo) 62 E2
Roskilde D. 71A G1; M. 58A F1, 59A G1
Roslawl, Spaso-Preobraschenskij D. 81 C/D3; M. 81 C/D3
Rosnyo ↗Rožňava
Ross D. 71A C2; M. 19 B5, 58A B2
Rossano 45A B2; AD. 71A H5, 140A F5
Rossillon E. 47A D3
Roßleben M. 50 E2
Rostock 73A E1; M. 51 G2, 58A F2, 59A G2, 68B E1, 70A F1; U. 64 D1
Rostow D. 81 D2
— Bogojawlenskij M. 44B C2
— Petrowskij M. 44B C2
— Roschdestwenskij M. 81 D2
— Spaso-Iokowlewskij Dimitriew M. 81 D2
Rostow [Don] D. 135D C3
Rostowskij Bogojawlenskij M. 81 D2
Rostowskij Borisoglebskij M. 81 D3
Rostowskij Petrowskij na Pole M. 81 D3
Rostowskij Troickij-Sergiew-Warnickij M. 81 D2
Rostow-Susdal 44B C/D2
Rot M. 82 C5, 83 C5
Rota M. 49A E3
Rotes Kloster (M. Julianus) M. 38A B2
Roth M. 54 G3
Rothenberg 73A D4
Rothenburg 73A D4, 76 D4, 91 C3, 92B D2, 93 F/G3; M. 58A F3
Rothenkirchen M. 54 F2/3
Rothwell 69B C2
Rotomagus ↗Rouen
Rotorua D. 113D K/L6
Rott M. 67 F4, 82 D5
Rottenburg 65 D3; D. 97D B4, 142 C4
Rottenmann E. 95B F4
Rottenmünster M. 82 C4, 83 C4
Rotterdam D. 131C B1, 141A E3; M. 59A E2, 70A C/D2
Rotthalmünster M. 37 J2
Rottweil 93 F3; M. 59A F3, 70A E3
Rotuma Mi. 104/105D F2
Roudnice 69A C1
Rouen (Rotomagus) AD. 8A B1, 22 C2, 32 E3, 34A C2, 71A E3, 97A B2, 97B B2, 141A D4, 141C D1; M. 14A C2, 34B C2, 56A D2, 58A D3, 59A E3, 70A C3, 78A C2, 79 D2; E. 4A D3
— Bonne Nouvelle M. 94 B2
— S. Pierre M. 37 D2
— S. Quen M. 48B B2, 94 B2
Rouffach M. 58A E3
Rougga ↗Bararus
Rourkela D. 143B C2
Rovigo D. 32 G3, 140A D2
Rowley E. 88B C2
Roxas City AD. 144A C2
Roxburgh M. 58A C1
Roxbury E. 88B B2
Royat M. 25A C2, 37 D/E4
Royaumont M. 53 E2
Roye M. 58A D3
Rožňava (Rosnyo, Rosenau) 96A C1; D. 142 I4
Rschischtschewskij Preobraschenskij M. 81 C4
Rschtunik D. 9A B2
Ruanda 112B A/B2, 117 L5, 127 K5, 129 K5, 150/151A I5
Rubiataba D. 147A D/E4
Ručišca M. 70B G3
Rucuma (Hr. Rekoub) D. 24A F1; E. 4B B1
Rudiano M. 47C C/D2
Rudy (Rauden) M. 52C B2
Rue E. 47A B2
Rueda M. 52D D/E2
Rüeggisberg M. 47A D3
Ruffey E. 47A C3
Rufford M. 52A C3
Ruheklloster M. 52B B3
Ruhengeri D. 145C A/B2
Rui Barbosa D. 147A E4
Ruinenkloster M. 11B
Ruisseauville M. 50 B2
Rukungiri D. 112C A2
Rulenge D. 145C B2
Rumänien 96A D2, 112A C2, 123 K2, 129 K2, 134A C2, 135D B3, 138A C/D2, 141D B/C2, 142 K/L4, 150A I2, 151B E2
Rumbek D. 112A C4, 145A E4
Rumilly E. 47A D3; M. 47A C2, 50 C4
Rummaneh ↗Rimmon
Rumst 65 C2
Rupertsberg M. 48A A2
Ruphinianai M. 39B B/C2
Rupt M. 48B C2
Rusazus (Azeffoun) D. 24A D1
Ruse D. 135D B3, 141D C2
Rusellae (Roselle) D. 23 B3
Rusguniae (Cap Matifou) D. 24A C1
Rushen M. 19 D4, 52A B2
Rusicade (Philippeville, Ras Skikda) D. 7A D2, 24A E1; E. 4A E5
Rusippisir (Taksebt) D. 24A D1
Ruspe (Rosfa) D. 7A I3, 24A G2
Russon-Littemala M. 14A D1
Rust E. 95A E2, 95B H4
Rustenburg AP. 145A E7; 145D A1
Rusubbicari Matidiae (Mers el Hadjedj) D. 7B D1, 24A C1
Rusuccuru (Dellys) D. 7A A/B2, 7B D1 24A C1; E. 4A D5
Ruteng D. 144A C4, 144B A2
Rutenis ↗Rodez
Ruthwell M. 19 E4
Rüti M. 54 F3
Rutzenmoos E. 95A C1, 95B E4
Ruvo D. 71B B1
Ruyigi D. 145C B2
Rychlowskij Pustynno-Nikolaewskij M. 81 C3
Rye M. 56A D1
Rylsk, Nikolaewskij M. 81 D3

S

S. Adriano M. 45A B1
S. Aegyd E. 95B G4
S. Affrique M. 58A D4
S. Afrique 56D C2
S. Agata dei Goti D. 140B B1
S. Agnes M. 47A D3
S. Agostino in Monte Alto M. 52E A/B3
S. Albans 69B C2; M. 19 F/G 5; Pe. 18A B/C1
S. Amand M. 14A C1, 25A C1, 37 E1; R. 28 B2
S. Amand-d.-M. M. 25A C2, 37 D3
S. Amarin E. 14A D2; M.37 G3
S. Ana [Argentinien] Mi. 85B B1
S. Ana [Bolivien] Mi. 85A C4
S. Ana [Bolivien] Mi. 85A C/D4
S. Ana [El Salvador] D. 146C C/D3
S. Ana [USA] Mi. 87B
S. Ana [Venezuela] Mi. 86 C2
S. Andeol-le-Château E. 47A C3
S. Andrä (Lavant) D. 46 F/G5, 71A G/H3, 82 F5, 96B F/G4; M. 50 F4
S. André [Brasilien] D. 147D B2
S. André [Frankreich] M. 50 B2
S. Andrea M. 49A E3
S. Andrea dell'Isola M. 45A C1
S. André-au-Bois M. 54 E2
S. André-de-Gouffern M. 53 D2
S. André-de-Rosans M. 47A D4
S. Andrés AP. 146C E3
S. Andrés Tuxtla D. 146C C2
S. Andrews AD. 71A D1; D. 32 D1; M. 19 E3, 59A D1; U. 64 B1
S. Angel [Brasilien] Mi. 85A D5, 85B B2
S. Angel [Frankreich] M. 94 C3
S. Angelo [Brasilien] D. 147A D5
S. Angelo [USA] D. 146A D3
S. Angelo al Raparo M. 45A B1
S. Angelo de Lombardi D. 71B B2
S. Angelo di Brolo M. 45A B2
S. Angelo in Frigido M. 52E D2/3
S. Angelo in Vado ↗Tifernum
S. Anne-de-la-Pocatière D. 146A G2
S. Ann's Mi. 103C D2
S. Antimo M. 34B E3
S. Antoine Pe. 18 C2
S. Antonin 56 C3, 56D B/C1; M. 58A D4
S. Antonio [Kalifornien] Mi. 87A A/B3
S. Antonio [Texas] AD. 146A D4; D. 113E D3; Mi. 87A C/D4
S. Antonio [Venezuela] Mi. 86 C2
S. Antonio [Venezuela] Mi. 86 C/D3
S. Antonio [Venezuela] Mi. 86 D3
S. Antônio das Cachoeiras Mi. 85A C3
S. Antonio de Aurare Mi. 86 B2
S. Antonio de Guachara Mi. 86 B3
S. Antonio in Selva M. 70B D3
S. Apollinaris in Classe M. 49A F2; E. 17A
S. Arnaud D. 112A H/I6
S. Arnoul-de-Crépy M. 47A C2
S. Arnual M. 54 F3, 91 A/B3
S. Arpino bei Aversa ↗Atella
S. Asaph D. 111D C3
S. Aubin-des-Bois M. 53 C2
S. Augustine D. 146A F3/4
S. Avit M. 37 D3
S. Avold M. 37 F/G2; R. 28 C3
S. Bárbara [Peru] Mi. 85A B3
S. Barbara [USA] Mi. 87A B3
S. Bárbara [Venezuela] Mi. 86 B2
S. Bárbara [Venezuela] Mi. 86 B3
S. Bárbara [Venezuela] Mi. 86 C2
S. Bárbara [Venezuela] Mi. 86 C4
S. Bárbara [Venezuela] Mi. 86 D2
St. Bartholomäus in der Sülte M. 50 E2
S. Bartolomeo di Trigona M. 45A B2
S. Benedikt M. 44A B2
S. Benet at Hulme M. 19 G5
S. Benoît de Quincay M. 25A C2, 37 C/D3
S. Benoît-du-Sault M. 94 B3
S. Benoît-en-Voivre M. 53 G2
S. Bernaerds opt Scheldt M. 53 F1
S. Bernardino D. 146A B3
S. Bernhart M. 78A F2
S. Bertin M. 14B C1; R. 28 B2
S. Bertin-de-Thérouanne M. 47A C2
S. Bertrand de Comminges ↗Convenae
S. Blasien M. 48A A/B3, 67 D4, 82 B/C5, 83 B/C5; R. 28 D3
S. Blin M. 48B C2
S. Boniface AD. 146A D2
S. Bonifacio M. 58A E4, 59A F4
S. Borja [Bolivien] Mi. 85A C4
S. Borja [Brasilien] Mi. 85A D5, 85B B2
S. Borja [Mexico] Mi. 84A E4
S. Boys E. 47A D3
S. Brieuc D. 32 D3, 97A B1, 97B B1, 141A C4, 141C C1; M. 37 B2
S. Buenaventura [USA] Mi. 87A A/B3
S. Buenaventura [Venezuela] Mi. 86 C2
S. Buenaventura [Venezuela] Mi. 86 D2
S. Burchard M. 48A B2
S. Calais M. 14A C2, 35B C2, 37 C3, 94 B3
S. Carlos [Argentinien] Mi. 85B A1
S. Carlos [Brasilien] D. 147D B2
S. Carlos [USA] Mi. 87A A3
S. Carlos [Venezuela] D. 147A C2; Mi. 86 B2
S. Carlos [Venezuela] Mi. 86 C4
S. Carpophori M. 49C C1
S. Catharinadal M. 54 E2
S. Catherines D. 146A F2
San Cayetano de Tumacacord Mi. 87A B/C3
S. Chaffre M. 14B A3, 37 E4, 48B C3
S. Chef M. 14B A2, 14C C2, 37 F4
S. Chély-d'Ancher M. 58A D4
S. Chinian M. 94 C4
S. Christina M. 49A E2
S. Christophen 56D G/H1, 56E C1
S. Clara [Kalifornien] Mi. 87A A3
S. Clara [New Mexico] Mi. 87B
S. Clara [Venezuela] Mi. 86 C2
S. Clara [Venezuela] Mi. 86 C2
S. Clara [Venezuela] Mi. 86 C3
S. Clara [Venezuela] Mi. 86 D3
S. Clara de Choroni Mi. 86 C2
S. Clara de Zama Mi. 86 C3
S. Claude AD. 34A D2; D. 97A D3, 97B D3, 141C E1; M. 35A D2, 48B C3
San Clemente M. 78A B4
S. Clodio M. 52D B1
S. Cloud [USA] D. 146A E2
S. Colombe [Bourgogne] M. 47A C3
S. Colombe [Orléanais] M. 34A C2, 94 C2
S. Come-du-Mont M. 47A A2
S. Cosmé Mi. 85B A1
S. Cosme de Chalon M. 47A C3
S. Creus M. 52D E2
S. Cristo Mi. 86 C2
S. Cristóbal [Mexico] D. 146C C3
S. Cristóbal [USA] Mi. 87A C3, 87B
S. Cristóbal [Venezuela] D. 147A B2, 147C B1; Mi. 86 A/B3
S. Cristovão M. 85A F4
S. Croce in M. Fávoli M. 53 K5
S. Croix Mi. 103B E3
S. Croix-en-Jarez M. 51 E3
S. Crux M. 53 L4
S. Cruz [Bolivien] AD. 147A C4; D. 85A C4; M. 85A C4
S. Cruz [Mexico] Mi. 84A F5
S. Cruz [USA] Mi. 87A A3
S. Cruz [Venezuela] Mi. A/B2
S. Cruz [Venezuela] Mi. 86 C2
S. Cruz [Venezuela] Mi. 86 D2
S. Cruz del Quiché D. 146C C3
S. Cruz de Mayo Mi. 84A E/F3
S. Cruz de Monzón M. 54 D4
S. Cruz de Napo E. 90A B3
S. Cruz do Sul AD. 147A D/E5
S. Cruz-Inseln 144B D2; Mi. 104/105D F2
S. Cybard d'Angoulême M. 47A B3
S. Cyran M. 25A C2, 37 D3
S. Cyr-les-Colons M. 37 E3
S. Damiano M. 49 E2
S. Davids (Menevia) D. 19 D5; M. 19 D5
S. Decentius M. 49A F3
S. Demetrius M. 44A B2
S. Denis ↗Paris
S. Denis [Réunion] D. 145A H7
S. Denis-du-Sig ↗Tasaccura
S. Didier-de-Formans E. 47A C3
S. Didier-s.-Chalaronne E. 47A C3
S. Dié D. 97A D2, 97B D2, 141C F1, 142 B4; M. 14C C2, 25A D2, 37 F2
S. Diego [USA] D. 113E B2; 146A B3; Mi. 87A B3, 103A C/D3
S. Diego [Venezuela] Mi. 86 C2
S. Diego [Venezuela] Mi. 86 C2
S. Domingo [Dominikanische Republik] AD. 146D B1; D. 113D Q3/4
S. Domingo [Spanien] M. 58A C4
S. Domingo [USA] Mi. 87B
S. Domingo [Venezuela] Mi. 86 B2
S. Domingo [Venezuela] Mi. 86 C2
S. Elena AV. 147A C2
S. Elia di Carbone M. 45A B1
S. Elia di Ebulo M. 45A B2
S. Elia Nuovo M. 45A B2
S. Elisabeth M. 54 F2, 58A E/F2
S. Emilien M. 59A D3
S. Emilion M. 58A C/D3/4
S. Eparchius M. 37 C4
S. Estaban de Gormaz M. 58A C4
S. Etienne D. 141C E2; M. 35A B2
S. Eutrope de Saintes M. 47A B3
S. Evroult M. 34A C2, 94 B2
S. Facundo prés Sahagun M. 58A B/C4
S. Fe [Argentinien] AD. 147A C6; M. 85A C/D6
S. Fé [Spanien] M. 52D E2
S. Fe [USA] AD. 146A C/D3
S. Fe de Bogotá 85A B2
S. Felice M. 49A E2
S. Felices de los Gallegos M. 59A C4
S. Felipe M. 84B A3
S. Felipe [Chile] D. 147A B6; M. 85A B/C6
S. Felipe [Kolumbien] Mi. 86 C4
San Felipe [USA] Mi. 87A C3, 87B

S. Felipe [Venezuela] D. 147A C1; Mi. 86 B2
S. Felix [Brasilien] PN. 147A D4
S. Félix [Frankreich] 57B B2, 57C A2
S. Felix [Venezuela] Mi. 86 D2
S. Fernando [Chile] M. 85A B/C6
S. Fernando [Philippinen] AD. 144A C1
San Fernando [USA] Mi. 87A B3
S. Fernando [Venezuela] Mi. 86 D2
S. Fernando de Apure D. 147A C2; Mi. 86 C3
S. Fernando de Atabapo Mi. 86 C3
S. Fernando de Cachicamo Mi. 86 C2
S. Ferreolus M. 37 E4
S. Feuillien M. 54 E2
S. Fiacre M. 94 C2
S. Fides M. 48A C2
S. Filareto M. 45A B2
S. Filippo di Agira M. 45A B2
S. Filippo di Fragala M. 45A B2
S. Filippo di Gerace M. 45A B2
S. Fins M. 78A A3
S. Fiora M. 70B D3
S. Florent-le Vieil M. 14A B2, 37 B/C3, 94 A/B3
S. Florian 56E B1; M. 50 F3
S. Flour [-en-Auvergne] D. 71A E3, 97A C3, 97B C3; M. 47A C3, 59A E3
S. Francisco [Argentinien] D. 147A C6
S. Francisco [USA] AD. 146A B3; D. 113E A2, 131A A/B3; Mi. 87A A3
S. Francisco [Venezuela] Mi. 86 A/B2
S. Francisco [Venezuela] Mi. 86 C3
S. Francisco [Venezuela] Mi. 86 C/D2
S. Francisco [Venezuela] Mi. 86 D2
S. Francisco de Capanapare Mi. 86 C3
S. Francisco de Cara Mi. 86 C2
S. Francisco de Macoris D. 146D B1/2
S. Francisco de Tiznados Mi. 86 C2
S. Francisco Solano Mi. 86 C3, 87A A3
S. Francis Regis Mi. 87A F2
S. Frediano M. 49A D3
S. Fuscien M. 94 C2
S. Gabriel [Kalifornien] Mi. 87A B3
S. Gabriel [New Mexico] Mi. 87A C3, 87B
S. Galgano M. 53 K5
S. Gallen 46 A4, 73A C5, 76 C3; D. 142 C4; M. 14A D2, 14C C2, 25A D2, 34B D/E2, 37 H3, 67 E4, 82 C5, 83 C5; R. 28 E3
S. Gaetano Mi. 85A E3
S. Gaudens M. 59A D/E4
S. Genesio M. 49A D3
S. Gengoux E. 47A C3
S. Genis-des-Fontaines M. 47A C4
S. Georgen [Kärnten] M. 48A D3
S. Georgen [Schwarzwald] M. 48A B3, 82 B/C4, 91 B4
S. Georgenberg M. 48A C3, 67 F4
S. George's D. 146D C2, 147A C1
S. Georges-de-Boscherville M. 94 B2
S. Georges-de-Didonne M. 47A B3
S. Geosmes M. 34B D2
S. Germain-de-Renon E. 47A D3
S. Germain-s.-Marne M. 37 E/F2
S. Germain-s.-Moselle M. 14B B2
S. Germano (Casinum) D. 23 B3; M. 58A F4
S. Germano [Lombardia] M. 70B B/C2
S. Germans D. 32 D2; M. 19 D/E6
S. Germer [-de-Flay] M. 37 D2, 94 B/C2
S. Gervasius M. 49C D1
S. Ghislain M. 37 E1; R. 28 B2
S. Gildas-des-Bois M. 94 A3
S. Gildas-des-Ruis M. 94 A3
S. Gilgen M. 48A B2
S. Gilles [Maas] M. 50 C2
S. Gilles [Provence] M. 37 E5, 47A C4, 58B A2; Pe. 18A C2
S. Gimignano M. 59A F/G4, 70B D3
S. Giorgio M. 59A H5
S. Giorgio d'Agrigento M. 45A A2
S. Giovanni al Timavo M. 29B B3 [B1
S. Giovanni a Piro M. 45A
S. Giovanni de Pantellaria M. 45A A3
S. Giovanni di Laura M. 45A B2
S. Giovanni Profiamma ↗ Forum Flaminii
S. Giovanni Tereste M. 45A B2
S. Girons M. 59A E4
S. Giuliano di Rocca Fallucca M. 45A B2
S. Giusta D. 71A F5
S. Giusto [Lazio] M. 52E B1, 53 K5
S. Giusto [Toscana] M. 49A D3
S. Goar 91 B3; M. 37 G1
S. Godenzo M. 53 K5
S. Gotthard [Ungarn] ↗ Szentgotthard
S. Gregorio di Gesso M. 45A B2
S. Guilhem M. 94 C4
S. Habakuk M. 54 H5
S. Harmon M. 19 E5
S. Helena 128 H5; D. 112A A5
S. Helena [Italien] M. 49A F/G3
S. Hilaire M. 35A C3
S. Hilaire-s.-Veyre M. 47A C3
S. Hubert M. 14C B/C1, 37 F1/2; R. 28 C2
S. Hugon M. 51 F3
S. Hyacinthe D. 146A G2
S. Ignacio [Baja California] Mi. 84A B4
S. Ignacio [Bolivien] AV. 147A C4; Mi. 85A C/D4
S. Ignacio [Bolivien] Mi. 85A C4
S. Ignacio [Peru] Mi. 85A B3
S. Ignacio [Sonora] Mi. 84A C2
S. Ignacio de Zamucos Mi. 85A D5
S. Ignacio Guazú Mi. 85B A1
S. Ignacio Mini Mi. 85B B1
S. Ildefonso Mi. 87B
S. Immer E. 14A D2
S. Inácio Mi. 85A D3
S. Inés Mi. 87A A3
S. Inigoes E. 88A B2
S. Isabel [Afrika] D. 145A C4, 145B C3
S. Isabel [Kolumbien] Mi. 86 A2
S. Isabel [Venezuela] Mi. 86 C/D2
S. Isidro D. 147B A1
S. Isidro de El General D. 146C D/E4
S. Jacut M. 94 A2
S. Jaime Mi. 86 C2
S. Jaime de Valle Paraíso M. 51 E4
S. Jakob im Prätigau M. 54 G3
S. Jalle M. 47A D4
S. Javier [Argentinien] Mi. 85A D5, 85B B1
S. Javier [Baja California] Mi. 84A C5
S. Javier [Bolivien] Mi. 85A C4
S. Javier [Peru] Mi. 85A B3
S. Javier [Venezuela] Mi. 86 B2
S. Jean [Kanada] D. 146A G2
S. Jean-d'Angély 77A A/B2; M. 47A B3, 58A C/D3, 59A D3, 94 B3
S. Jean-de-Gonville E. 47A D3
S. Jean-de-la-Castelle M. 54 D4
S. Jean de Losne M. 37 F3
S. Jean [de Maurienne] (Maurienna) D. 22 B2, 97A D3, 97B D3
S. Jerôme D. 146A F/G2
S. João da Bôa Vista D. 147D B2
São João del Rei D. 147D C2
S. Joaquin [Bolivien] Mi. 85A C4
S. Joaquin [Venezuela] Mi. 86 C2
S. Johann [Elsaß] M. 48A A3
S. Johann [Schweiz] M. 82 C5, 83 C5
S. Johannes M. 63A B/C2
S. John D. 146A G2
S. John's AD. 146A H/I2; D. 113D Q/R2
S. John's D. 146D C2
S. José [Argentinien] Mi. 85B A/B1 [C4
S. José [Bolivien] Mi. 85A
S. José [Bolivien] Mi. 85A C/D4
S. José [California] Mi. 87A A3
S. José [Costa Rica] AD. 146C D4; D. 113D P4
S. José [Kolumbien] Mi. 86 B3
S. José in Mindoro [Philippinen] AV. 144A C2
S. José [Philippinen] D. 144A C1
S. José [Venezuela] Mi. 86 B2
S. José [Venezuela] Mi. 86 D2
S. José de Amazonas AV. 147A B3
S. José de Antique D. 144A C2
S. José Cascara Mi. 86 A2
S. José de las Palmas Mi. 86 A2
S. José del Cabo Mi. 84A D6
S. José del Tucson Mi. 87A B/C3
S. José de Mayo D. 147B B1
S. José de Tiznados Mi. 86 C2
S. José dos Campos D. 147D B/C2
S. Joseph Mi. 87A E2
S. Josse M. 37 D1, 94 B2
S. Jouin-de-Marnes M. 94 B3
S. Juan [Argentinien] AD. 147A C6; M. 85A C6
S. Juan [Bolivien] Mi. 85A C4
S. Juan [Brasilien] Mi. 85B B2
S. Juán [Dominikanische Republik] PN. 146D A/B1
S. Juan [New Mexico] Mi. 87A C3, 87B
S. Juan [Puerto Rico] AD. 146D B/C1; D. 113D Q3/4
S. Juan [Venezuela] Mi. 86 B2
S. Juan [Venezuela] Mi. 86 C2
S. Juan [Venezuela] Mi. 86 C3
S. Juan [Venezuela] Mi. 86 C/D2
S. Juan Bautista [Baja California] Mi. 84A A/B4
S. Juan Bautista [California] Mi. 87A A/B3
S. Juan Capistrano Mi. 87A B3
S. Juan de los Lagos D. 146C A2
S. Juan Encarnación PN. 147A D5
S. Juan Evangelista Mi. 86 D2
S. Julien M. 94 B3
S. Junien M. 58A C/D3, 59A E3
S. Just M. 34B D2
S. Just-au-Chaussee M. 54 E3
S. Justo D. 147B A2
S. Kew M. 19 D6
S. Kitts Mi. 103B E3
S. Lambrecht D. 96B F3; M. 48A D3; R. 28 F3
S. Laumer M. 37 F2
S. Laurent E. 47A C3
S. Léonard M. 53 D3
S. Leonardo di Lecceto M. 70B D3
S. Leone D. 71A H5
S. Leonhard [Bayern] M. 48A C3
S. Leonhard [Elsaß] M. 48A A/B3
S. Leu d'Esserent M. 47A C2
S. Lézer M. 47A B4
S. Liberato am See von Bracciano ↗ Forum Clodii
S. Livrade M. 94 B4
S. Lizier ↗ Consorannis
S. Longis M. 37 C2
S. Lorenz M. 91 C/D2
S. Lorenzo [Brasilien] Mi. 85B B2
S. Lorenzo [Venezuela] Mi. 86 C2
S. Lorenzo [Venezuela] Mi. 86 C/D2
S. Lothain M. 37 F3, 47A D3
S. Louis [Senegal] D. 145A A3; Mi. 98A A2, 104A A2
S. Louis [USA] AD. 102A B3, 146A E3
S. Loup M. 50 C3
S. Lucia [Venezuela] Mi. 86 B3
S. Lucia del Mela PN. 140A F6
S. Lucie M. 47A D4
S. Luis [Argentinien] D. 147A C6
S. Luís [Brasilien] AD. 147A E3
S. Luís [Maranhão] D. 85 E3; M. 85A E3; Mi. 103D D2
S. Luis [Mexico] Mi. 84A C5
S. Luis [Rio Grande do Sul] Mi. 85B B2
S. Luis [Venezuela] Mi. 86 C3
S. Luís de Montes Belos D. 147A D4
S. Luis Obispo Mi. 87A A/B3
S. Luis Potosí D. 146C B2
S. Luis Rey Mi. 87A B3
S. Macaire M. 58A C4
S. Mahé M. 94 A2
S. Maixent 77A A2; M. 37 C3, 58A C3, 94 B3
S. Malo D. 32 D3, 97A A2; M. 37 B2, 94 A2
S. Mamert E. 47A C3
S. Marc M. 37 G3
S. Marcel M. 53 E4
S. Marcel [Saône] M. 47A C3
S. Marcel-lès-Sauzet M. 47A C/D4
S. Marco (Thurii) D. 23 C3, 71A H5, 140A F5
S. Marco de Leon 60B A2
S. Marcos [Guatemala] D. 146C C3
S. Marcos [Kolumbien] AV. 146C F4, 147A B2, 147C A1
S. Marcoulf M. 37 B/C2
S. Märgen M. 50 D3
S. Maria [Argentinien] Mi. 85B B1
S. Maria [Brasilien] D. 113D R6, 147A D5
S. Maria [Venezuela] Mi. 86 D3
S. Maria Caboan (S. Maria) E. 90A B3
S. Maria de Caritate M. 52E A3
S. Maria de Cuevas Mi. 84A E/F4
S. Maria de Fé Mi. 85A D5, 85B A1
S. Maria de Huerta M. 52D D2
S. Maria de Ipire Mi. 86 C2
S. Maria dei Polsi M. 45A B2
S. Maria de Lacu E. 47C C2
S. Maria della Grotta M. 45A A2
S. Maria della Grotta di Marsala M. 45A A2
S. Maria dell'Arco M. 52E C/D3
S. Maria della Vittoria M. 52E C1/2
S. Maria delle Grazie M. 45A A2
S. Maria del Patire M. 45A B2
S. Maria de Mirteto M. 53 I5
S. Maria de Poncio M. 52E B/C2
S. Maria de Spanó M. 52E C3
S. Maria di Campogrosso M. 45A A2
S. Maria di Capua ↗ Capua
S. Maria di Cerrate M. 45A C1
S. Maria di Crispiano M. 45A C1
S. Maria di Grottaferrata M. 45A A1
S. Maria di Lungro M. 45A B2
S. Maria di Mater Domini M. 45A B1
S. Maria di Nerito M. 45A C1
S. Maria di Siponto [bei Manfredonia] ↗ Sipontum
S. Maria di Talsano M. 45A C1
S. Maria di Terreti M. 45A B2
S. Maria di Tindaro ↗ Tyndaris
S. Maria di Tridetti M. 45A B2
S. Maria Incoronata M. 52E A3
S. Maria in Strada M. 53 K4
S. Maria Magdalena Mi. 84A B/C4
S. Maria Magdalena Mi. 86 D3
S. Maria u. S. Georg M. 48A C2
S. Marie au Bois M. 54 F3
S. Marie-Madelaine M. 50 C2
S. Marienkirchen 56E A1
S. Maries-de-la-Mer Pe. 18A C2
S. Marta D. 85A B1, 146C F4, 147A B1
S. Marta de Ortigueira M. 59A C4
S. Martín [Argentinien] D. 147B A2
S. Martín [Bolivien] Mi. 85A C4
S. Martin [Frankreich] M. 14A C2, 37 C/D4
S. Martin-aux-Bois M. 50 B3
S. Martin de Castañeda M. 52D B/C2
S. Martin del Puerto Mi. 86 A3
S. Martin-des-Champs M. 47A B/C2
S. Martin de Sées M. 14A C2
S. Martino AN. 140A D4
S. Martino al Cimino M. 52E B1, 53 K5
S. Marx M. 48A A3
S. Mary's [Irland] M. 52A B3
S. Marys [USA] E. 88A B2
S. Mateo [Spanien] M. 59A D4
S. Mateo [Venezuela] Mi. 86 C2
S. Mateus D. 147A F4, 147D C/D1
S. Maur M. 47A D3
S. Maurice [d'Agaune, Agaunum] AN. 140A A/B2, 142 B5; M. 14A D2, 14B B2, 14C C2, 34A D2, 37 F/G3, 48B C/D3, 50 C4; Pe. 18A C2; R. 28 C4
S. Maurice d'Arcisse M. 14B B2, 14C C2
S. Maurin M. 94 B4
S. Mauro di Gallipoli M. 45A C1
S. Maur-s.-Loire M. 35A B2, 94 B3
S. Maximin M. 59A F4; Pe. 18A C2
S. Mesmin M. 37 D2
S. Město (Altstadt) 69A C1
S. Michael M. 49A E3
S. Michele M. 49A D3
S. Michele alla Verrucca M. 53 I5
S. Michele di Troina M. 45A A/B2
S. Michel-en-l'Herm M. 94 A/B3
S. Miguel [Argentinien] D. 147B A1/2
S. Miguel [Bolivien] Mi. 85A C4
S. Miguel [Brasilien] Mi. 85A D5, 85B B2
S. Miguel [Mexico] Mi. 84A F4
S. Miguel [Peru] Mi. 85A B3
S. Miguel [El Salvador] D. 146C D3
S. Miguel [USA] Mi. 87A A/B3
S. Miguel [Venezuela] Mi. 86 B3
S. Miguel [Venezuela] Mi. 86 C2
S. Miguel [Venezuela] Mi. 86 C4
S. Miguel [Venezuela] Mi. 86 D2
S. Miguel de Groz M. 54 C4
S. Miguel de Sucumbios AV. 147A B1/2
S. Mihiel M. 14A D2, 34B D2, 35A D2, 37 F2, 48B C2
S. Miniato D. 140A C3; M. 59A F/G
S. Miniato [Firenze] M. 70B D3
S. Mont M. 47A B4
S. Mullins M. 19 C5
S. Nauphary M. 56D B2
S. Nazaire M. 37 B3
S. Nazario M. 45A B1
S. Niceta di Melendugno M. 45A C1
S. Nicola Mi. 85A C4
S. Nicola di Calamizzi M. 45A B2
S. Nicola di Casole M. 45A C1 [C3
S. Nicola di Girgenti M. 52E
S. Nicola di Morbano M. 45A B1
S. Nicolás [Argentinien] D. 147A C/D6
S. Nicolas [Brasilien] Mi. 85B B2
S. Nicolas de Cebu (S. Nicolas) E. 90A C4
S. Nicolas-du-Port M. 78A D2; R. 28 C3
S. Nikolaus M. 67 E/F3
S. Ninians M. 19 G2
S. Nizier M. 34B C2
S. Omer 65 B2; D. 80B B3; M. 14A C1, 25A C1, 37 D1, 51 E2, 58A D2, 59A E2
S. Orens de Auch M. 47A B4
S. Oswald 56D G1, 56E C1
S. Osyth 69B D2
S. Pablo [Bolivien] Mi. 85A C4
S. Pablo [de los Montes] D. 144A C2; E. 90A B3
S. Pablo [Venezuela] Mi. 86 C2
S. Pablo de Mar M. 51 E4
S. Pair M. 37 B2
S. Pancrazio di Scilla M. 45A B2
S. Pantaléon-les-Vignes M. 47A C4
S. Pantaleone M. 53 I5
S. Pantaleone in Salinis M. 45A B2
S. Paolo AN. 140A D4
S. Papoul D. 71A E4, 97A B4
S. Pastore M. 52E B1, 53 K/L5
S. Paterniano M. 49A F2
S. Paul [nell'Isola del Lago d'Iseo] M. 47C D1
S. Paul [Kanada] D. 146A C1
S. Paul [Languedoc] 56C C3, 56D C3
S. Paul [Österreich] M. 48A D3, 67 G4
S. Paul [Provence] D. 97A C3
S. Paul [USA] AD. 146A E2; D. 102A B2
S. Paul-Cap-de-Joux 56D B2, 57C A/B1
S. Paul-de-Fenouillet 57C B2
S. Paulo AD. 147D B2; D. 85A E5, 113D R6, 131D C3
S. Paulo de Frades M. 52D B2
S. Paulo de Olivença PN. 147A C3
S.-Paul-Trois-Chateaux ↗ Tricastinum
S. Pé M. 94 B4
S. Pedro [Bolivien] Mi. 85A C4
S. Pedro [Paraguay] D. 147A D5
S. Pedro [Venezuela] Mi. 86 C3
S. Pedro [Venezuela] Mi. 86 D3
S. Pedro-Alcântara Mi. 86 C2
S. Pedro das Aguias M. 52D B2
S. Pedro de Gumiel M. 52D C/D2
S. Pedro de las Dueñas M. 59A D4
S. Pedro Sula D. 146C D3
S. Pelayo de Cerrato M. 54 D4
S. Pelino ↗ Corfinium
S. Peter [Hersfeld] M. 91 C3
S. Peter [Kanada] AN. 146A D1
S. Peter [Niederösterreich] M. 56C G2, 56E B2

S. Peter [Schwarzwald] M. 48A A3, 82 B/C5
S. Peter im Einsiedel M. 68B D3
S. Peter im Holz ↗Teurnia
S. Petersburg D. 113E E3, 146A E/F4
S. Pierre [Frankreich] M. 25A C2, 35A D2
S. Pierre [Kanada] AV. 146A H2
S. Pierre-à-la-Chaux M. 47A C2
S. Pierre-hors-les-murs ↗Salins S. Michel
S. Pierre-les-Nonnains M. 34B D2
S. Pierre-le-Vieux M. 34B C2
S. Pierremont M. 50 C3, 54 F3
S. Pierre-s.-Dives M. 48B A2, 94 B2
S. Pietro M. 49A E3
S. Pietro d'Arena M. 45A B2
S. Pietro dell' Isola Grande M. 45A C1
S. Pietro e Paolo di Agró M. 45A B2
S. Pietro e Paolo d'Hala M. 45A B2
S. Pietro in Galatina M. 59A H4
S. Pietro Montemuro M. 49A E3
S. Pilt M. 37 G2; R. 28 D3
S. Pol [-de-Leon] (Civitas Ossismorum) D. 22 B/C2, 32 C/D3, 97A A1; M. 37 A2
S. Pölten 46 G3, 96A B1; D. 96B G2, 142 F4; E. 95B G3; M. 29B C2, 50 F3; R. 28 F3
S. Polycarpe M. 35A C3
S. Pons D. 71A E4, 97A C4
S. Pourçain M. 37 E3, 58A D3, 94 C3
S. Privat M. 37 D4
S. Prospero M. 49C D2
S. Prudencio M. 52D D1, 53 C5
S. Pry M. 47A C2
S. Quentin [Seine] M. 37 E2
S. Quentin [Somme] M. 25A C2, 37 E2, 58A D3, 59A E3, 94 C2
S. Quirico d. Rose M. 49A E/F3
S. Quirin M. 48A A3; R. 28 D3
S. Radegund's M. 54 E2
S. Rafael [Argentinien] D. 147A C6
S. Rafael [Bolivien] Mi. 85A C/D4
S. Rafael [USA] Mi. 87A A3
S. Rafael [Venezuela] Mi. 86 C3
S. Rafael de Onoto Mi. 86 B2
S. Raimundo Nonato D. 147A E3
S. Rambert M. 34B C2
S. Rambert-d.-Joux M. 47A D3
S. Rambert-en-Bugey M. 37 F4
S. Ramón AV. 147A B4
S. Révérien M. 47A C3
S. Riquier M. 14C B1, 25A C1, 34A C1, 35A C1, 37 D1, 94 C2
S. Romain M. 47A C3
S. Rosa [Argentinien] D. 147A C6
S. Rosa [Bolivien] Mi. 85A C4
S. Rosa [Honduras] D. 146C D3
S. Rosa [Kolumbien] D. 146C F4, 147A B2, 147C A1
S. Rosa [Mexico] Mi. 84A D6
S. Rosa [Paraguay] Mi. 85B A1
S. Rosa [USA] D. 146A B3
S. Rosa [Venezuela] Mi. 86 B2
S. Rosa [Venezuela] Mi. 86 B2
S. Rosa [Venezuela] Mi. 86 B2
S. Rosa [Venezuela] Mi. 86 B3
S. Rosa [Venezuela] Mi. 86 C2
S. Rosa [Venezuela] Mi. 86 D3
S. Rosalia Mi. 86 B3
S. Ruprecht E. 95A C/D2, 95B E/F5
S. Saëns M. 25A C2, 37 D2
S. Salvador [Bahamas] Mi. 103B C2
S. Salvador [El Salvador] AD. 146C C/D3
S. Salvador [Kolumbien] Mi. 86 B3
S. Salvador [Venezuela] Mi. 86 C3
S. Salvador da Bahia 85 E/F 3/4; AD. 85A F4, 147A F4; Mi. 103D D2
S. Salvatore M. 49A E3
S. Salvatore di Gallipoli M. 45A C1
S. Salvatore di Messina M. 45A B2
S. Salvatore di Placa M. 45A B2
S. Salvator in Val Camonica ↗Capodiponte
S. Samuel M. 54 H5
S. Saturnin-du-Port (Point-Saint-Esprit) M. 47A C4
S. Saulve M. 47A C2
S. Sauveur M. 50 C/D3
S. Savin E. 14A C3
S. Savin-de-Lavedan M. 94 B4
S. Savin-s.-Gartempe M. 94 B3
S. Sebastián D. 141C C/D2
S. Sebastiano M. 52E B/C2
S. Sebastião M. 85A E5
S. Seine M. 14B A2, 37 E3, 48B C2, 94 C3
S. Senoch M. 14A C2
S. Sepolcro M. 49C C1
S. Sepulcro M. 49A F3
S. Serafin Mi. 86 D3
S. Serl's ↗Kinross
S. Sesto M. 35A E2
S. Sever [-Cap] M. 59A D4, 94 B4
S. Sever-de-Rustan M. 94 B4
S. Severina [Lucano] AD. 71A H5, 140A F5; M. 59A H5
S. Severino [Marche] (Septempeda) D. 23 B2, 140A E3; M. 59A G4, 70B E3
S. Severo [Emilia] M. 53 K4
S. Severo [Puglia] D. 140A F4
S. Sigolène M. 37 D5
S. Simon Mi. 85A C4
S. Spirito M. 52E C3
S. Spirito della Valle M. 52E A/B3
S. Spirito d'Ocre M. 52E C1, 53 K/L5
S. Spirito de Semprone M. 52E C2
S. Stefano al Corno M. 53 I4
S. Stefano del Bosco M. 52E D3
S. Stephan M. 34B D2
S. Sulpice M. 51 F3, 53 G4
S. Sylvester M. 37 E3
S. Taipei ↗Taipeh
S. Thaddäus M. 63A B3
S. Thibaud M. 47A C/D2
S. Thibery M. 94 C4
S. Thierry M. 37 E2
S. Thomas D. 113D Q/R4; PN. 146D C1
S. Tomás [Mexico] Mi. 84A E3
S. Tomás [Venezuela] Mi. 86 C2
S. Tomé [Argentinien] D. 147A D5; Mi. 85A D5, 85B A2
S. Tomé [São Tomé] D. 145A C4
S. Tomé [Indische Union] ↗Mylapore
S. Tommaso M. 53 K4
S. Trinitá M. 52E C3
S. Trond ↗S. Truiden
S. Trudpert M. 25A D2, 37 G3
S. Truiden M. 25A D1, 34B D1, 37 E/F1, 58A E2, 67 C2; R. 28 C2
S. Ulrich M. 47A D/E3
S. Urbain M. 48B C2
S. Urban M. 53 H3
S. Ursanne M. 37 G3
S. Ursitz M. 25A D2
S. Valentin 56 B1
S. Valéry M. 25A C1, 35A C1, 37 D1, 94 B2
S. Veit [Bayern] (Neumarkt-St. Veit) M. 67 F/G3
S. Veit [Kärnten] E. 95B F5
S. Venerio M. 49D A2
S. Vicente [Brasilien] M. 85A E5 [146C D3
S. Vicente [El Salvador] D.
S. Vicente [Venezuela] Mi. 86 B2
S. Vicente [Venezuela] Mi. 86 C3
S. Vicente [Venezuela] Mi. 86 D3
S. Victor-s.-Rhins M. 47A C3
S. Vigilius M. 49A E3
S. Vincent [Antillen] D. 113D Q4; Mi. 103B E4
S. Vincent [Frankreich] M. 37 C3
S. Vincenzo M. 35A E3
S. Vincenzo ed Anastasio AN. 140A D4
S. Vinoc M. 59A E2
S. Vito del Pizzo M. 45A B/C1
S. Vito e Salvo M. 52E C2
S. Vittorino ↗Amiternum
S. Viviano M. 49A F3
S. Vulfran M. 47A B/C2
S. Walburg M. 48A A2
S. Wandrille 14A C2; M. 25A C2, 34A C2, 37 C/D2, 94 B2
S. Wolfgang Pe. 18A D2
S. Wulmer M. 47A B2
S. Xavier [Bolivien] Mi. 85A C4
S. Xavier [USA] Mi. 87A D3
S. Xavier del Bac [USA] Mi. 84A C1, 87A B/C3
S. Ypolito M. 49A E/F2
S. Yrieix M. 35A C2, 37 D4
S. Ysabel D. 113D K5
S. Zeno M. 49A D3
Saaba E. 29A B2/3
Saalburg M. 67 F2
Saalfeld M. 48A C2, 82 D3
Saalfelden M. 37 I3
Saar ↗Ždár
Saarburg M. 58A E3
Saarwerden 73A B4, 76 B4, 92 B2
Saaz ↗Žatec
Šabac D. 134A B3
Saba Gura E. 29A C2
Sabana Larga Mi. 86 B3
Säben (Sabiona) D. 23 B2, 46 C5
Sabes M. 59A I3
Sabina 33A C2
Sabiona ↗Säben
Sabrata (Sabrat) D. 7A I5, 24A G3
Sacabus D. 31 G3
Sácamu Mi. 86 A3
Sac and Fox Mi. 87A D3
Saccargia M. 49B A2
Sáchica Mi. 86 A3
Sachsen 65 E/F3, 73A D3, 73A E/F3, 76 D3, 76 E/F3, 92A D/E2, 93 G2; AV. 97C D3, 97D D3
Sackhere D. 135D D3
Säckingen M. 14B B2, 25A D2, 37 G3
Saco E. 88B C2
Sacramenia M. 52 D C2
Sacramento D. 113E A/B2, 146A B3; Mi. 103A C/D3
Sad M. 54 H3/4
Sadad D. 26A B2
Sadak ↗Satala [Armenia]
Saddington 69B C2
Safad ↗Seph
Safet M. 61 E3
Saffuriyeh ↗Diocaesarea [Palaestina II]
Saffuriyeh ↗Sepphoris
Safi Mi. 98A A1
Ság M. 44A B2
Saga M. 89A B3
Sagalassus (Ağlasun) D. 21 A2
Sagan 73A F3, 76 F3
Sagasig D. 130A A/B1
Sagennum ↗Sées
Saginaw D. 146A E/F2
Sagittario M. 52E C/D2
Sagone (Saona) D. 23 A3; M. 59A F4
Sagrado Corazón Mi. 85A D4
Sahagún M. 47B C1
Sahara AV. 106/107A A2
Sahara [Syrien] M. 12A B2
Sahuaripa Mi. 84A D3
Šahy M. 54 H3
Sai D. 29A B3; E. 29A B3
Saia Maior (Hr. ed. Douamis) D. 7A F2, 24A F1
Saida (Sidon) 1 B1, 60A F4; AD. 139F A2; D. 13 F3, 21 C3, 61 E3; E. 2A E/F4, 5A D/E4; M. 61 E3; Pe. 18B B1
Saigo M. 89A B3
Saigon AD. 144A B2
Sail-sous-Couzan M. 47A C3
Saintes (Santones) D. 22 C2, 97A B3; E. 4A C3, 14A B2; M. 58A C3, 59A D3, 78A B2
Saints-en-Puisaye M. 37 E2/3
Saints Island (Lough Derg) M. 19 C4; Pe. 18A B1
Sais D. 6B B1, 10C A2; E. 5A D4
Saittae D. 20 C3
Saix 56D C2
Sakai M. 89A D2
Sakania D. 145A E6
Sakha ↗Xois
Sakinotsu M. 89A A3
Sakkudion M. 39B C3
Sakonnakhon AD. 144A A/B1
Saktsche Gözu (Asicha) M. 12B B/C1
Sala M. 52E B1, 53 K5
Salaa (Salao) E. 90A B3
Sala Consilina in Val di Tamagro ↗Consilinum
Salamanca (Salmantica) D. 22 B3, 60B B1, 71A C4, 141C C3; M. 58A B4, 59A C4, 78A A3; U. 64 B2
— S. Vincenz M. 47B C2
Salmantica ↗Salamanca
Salamas D. 55B E/F2
Salamias (Salamiyé) D. 9B C2, 21 C3
Salamis ↗Constantia [Cyprus]
Salamiyé ↗Salamias
Salamone M. 47C A/B2
Sal'a nad Váhom M. 78A F2
Salapia (Salpi) D. 23 C3
Salapiugin ↗Zalabér
Saldae (Bougie) D. 24A D1
Sale [Australien] D. 106/107C D4, 112A J6, 144B C3
Sale [Italien] M. 47C D2
Salehurst 69B D2
Salem [Deutschland] M. 53 I3, 82 C5, 83 C5
Salem [Indien] D. 143C B1
Salem [USA] E. 88B C2
Salerno (Salernum) 45A B1; AD. 32 G/H4, 71A G/H4, 71B A2, 140A E5, 140B B2; D. 23 B/C3; M. 58A F/G4, 59A G4, 59B, 78A E3, 79 F/G3; Pe. 18A D2; U. 64 D2
Salernum ↗Salerno
Salford D. 141A C3
Salhi 38B A2
Salhiye ↗Dura-Europus
Salim (Um el-Amdan) 1 B2
Salina D. 113E C/D2, 146A D3
Salins M. 58A E3
— S. Michel M. 48B C/D3
— S. Pierre-hors-les-murs M. 48B C/D3
Salisbury [England] 69B C2; D. 71A D2, 111D C3; M. 58A C2, 59A D2
Salisbury (Simbabwe) ↗Harare
Salisbury [USA] E. 88B B2; Mi. 104A D5
Salival M. 54 F3
Salle les d'Aude M. 47A C4
Salles M. 47A C3
Salmaise M. 48B C2
Salmas D. 139E D/E2
Salmastrum M. 63A B3
Salomon-Inseln 127 Q/R5, 144B C2, 150/151A P/Q5; Mi. 98/99D E2
Salon M. 58B B2
Salona [Dalmatia] AD. 8A D2, 23 C2; E. 2A B2, 2B C2, 5A A2
— Basilika E. 17C
— Basilika (am Hafen) E. 17C
— Basilika der 5 Martyrer E. 17C
— Basilika in der Form eines Kreuzes E. 17C
— (Orientalische) Basilika E. 17C
— S. Anastasius E. 17C
— (Städtische) Basilika E. 17C
Salona [Griechenland] ↗Amphissa
Salonne M. 35A D2
Salpi ↗Salapia
Salta AD. 147A C5; D. 113D Q6; M. 85A C5
Saltillo D. 146A D4, 146C B1
Salt Lake City D. 113E B2, 146A C2
Salto D. 147A D6; M. 37 J3
El Salto PN. 146C A2
Saltus Bagatensis (El Aria) D. 24A E1
Saluzzo D. 71A F4, 140A B3; M. 59A F4, 70B B2
El Salvador 122 D4, 128 C/D4, 146C C/D3, 150A C4; Mi. 86 D2
Salvatierra M. 52D C3
Salvenaro M. 49B A/B2
Salvonero M. 49D A2
Salvore M. 70B E2
Salween 106/107B D3
Salzburg AD. 25C F4, 29B A2, 32 G3, 34B E2, 35A E2, 46 E4, 66 G3, 71A G3, 73A E5, 76 E5, 82 E5, 83 E5, 93 G3, 96A B2, 96B E3, 97C D4, 142 E4; M. 50 F3; R. 28 F3; U. 80C C3
— BMV M. 37 I/J3
— Martinskirche E. 14A E2
— Nonnberg M. 67 G4
— S. Peter M. 37 I/J3, 48A C3, 67 G4
Salzedas M. 52D B2
Salzwedel M. 58A F2
Samalut 11A B4; D. 130A A2
Samanar M. 49 A2
Samar 90A C3/4
Samaria 1 A/B2
Samaria ↗Sebaste
Samarinda D. 144A C3, 144B A2
Samarqand AD. 27A C2; D. 63B A/B2
Samarskij Pustynno-Nikolaewskij M. 81 D4
Samatan M. 58A C/D4
Sambalpur D. 143B B2
Sambesi AP. 106/107A C5
Sambia 117 K5/6, 120 G5, 123 K5, 127 K5, 129 K5, 145A E6, 150A I5
Sambor M. 59A I3
Sambucina M. 52E C/D2
Same D. 145A F5; E. 2A C3, 5A B3
Samer [-au-Bois] M. 37 D1, 94 B2
Samland D. 62 B/C3
Samló M. 44A B2
Samnium (Macchia bei Reino) D. 23 B/C3
Samoa-Inseln 117 S5, 120 N5, 127 S5, 144B E2, 150/151A R5; AV. 106/107C G2; Mi. 98/99D G2, 104/105D G2
Samogitien D. 71A I1
Samogyvár M. 44A B2
Samos ↗Samus
Samosata (Samsat) 60A F3; AD. 26A B2; D. 9B C/D2, 21 C2, 55B D2; E. 5A E3
— Großes Kloster M. 38A C2
Samsun ↗Amisus
Samsun Kalesi ↗Priene
Samus (Samos) 66 I5; D. 20 C3, 135D A3
San D. 145A B3
Sana [Peru] M. 85A A/B3
Sana [Yemen] 43 G4, 72 G4
Sanahin D. 55B E1
Sanaksarskij Bogorodickij M. 81 D3
Sanamaparo Mi. 86 C3
Sanamein ↗Aere
Sanaus (Aci Gölü) D. 20 D3, 21 A2; E. 5B A2
Sandbach M. 19 E4
Sandhurst D. 106/107C D4
Sandia Mi. 87B
Sandigliano M. 47C A2
Sandomierz D. 142 I3; M. 78A G1
— S. Maria Magdalena M. 59A I2
Sandoval M. 52D C1
Sandschak Novipazar 96A C2
Sandwich E. 88B C3
Sandwich-In. Mi. 98/99D A/B4
Saneg ↗Usinazza
San el-Hagar ↗Tanis
Sangerhausen M. 70A F2
Sanggau D. 144A B3
Sangihe Mi. 104/105D C1
Sangmélima D. 145A D4, 145B C/D3
Sangüesa M. 58A C4, 59A D4
Sangyong M. 89D C3
Sanisium ↗Senez
Sanok D. 135D B3
Sansepolcro D. 140A D3
Sansibar AV. 106/107A D3; D. 145A F/G5
Santana Mi. 86 D2
Santander D. 141C C2; M. 58A C4, 78A B3
Santarém [Brasilien] (Tapajós) D. 147 D3; Mi. 85A D3
Santarém [Portugal] D. 141C B3; M. 58A B5, 59A C5
Santiago [Bolivien] Mi. 85A D4
Santiago [Chile] AD. 147A B6; D. 85A B/C6, 113D Q6; Mi. 103D B4
Santiago [Mexico] Mi. 84A C/D6
Santiago [Panama] D. 146C E4, 147A A2
Santiago [Paraguay] Mi. 85A D5, 85B A1
Santiago de Compostela [Spanien] AD. 60B A1, 71A C4, 141C B2; M. 58A B4, 59A C4, 78A B4; Pe. 18A B2
Santiago de Cuba AD. 146C F2, 146D A1; Mi. 103B B3
Santiago de las Atalayas [Kolumbien] Mi. 86 A3
Santiago del Estero [Argentinien] D. 147A C5; M. 85A C5
Santiago de los Caballeros [Dominikanische Republik] D. 146D B1
Santiago de María [El Salvador] D. 146C D3
Santiago Papasquiaro [Mexico] Mi. 84A F5
Santísimo Nombre de Jesús ↗Cebu
Santones ↗Saintes
Santorin ↗Thera
Santos D. 147D B2; M. 85A E5; Mi. 103D C3
Sanyüan D. 143A C3
Saona ↗Sagone
Sapë D. 71A H/I4, 141D A3
Saepinum D. 23 B3
Saphylos M. 38A C/D2
Saponera im Valle di Agri ↗Grumentum
Sapporo D. 112A H/I2, 143A G2; Mi. 104/105C G2
Saqadi E. 29A C7
Sarafand ↗Sarephta
Sarai AD. 63A C2; D. 27A A1
Sarajevo AD. 96A C2, 134A B3, 140A G3, 141D A2; AV. 96A C2
Sarande ↗Anchiasmus
Saransk M. 81 E3
Sarare Mi. 86 B2
Saras E. 29A B3
Saratow D. 135D D2
— Saratowskij Spaso-Preobraschenskij M. 81 E/F3
Sarawak 112A G4, 127 O4, 150/151A N4
Sarazenen D. 21 D2
Sarba D. 139F A1
Sardegna ↗Sardinien
Sardes (Sart) AD. 8A E2, 20 C3, 31 D3; D. 6A C2; E. 2A D3, 5A C3
Sardica ↗Sofija
Sardinia ↗Sardinien
Sardinien (Sardinia) 49B A/B2, 49D A/B2, 57A C2, 66 F4, 93 F4/5
Sarepta (Sarafand/Sarphat) 1 B1; D. 21 C3, 61 E3; Pe. 18B B1
Sarh D. 145A D4
Sariñena M. 58A C4
Sariphaea D. 21 B4
Sarlat D. 71A E4, 97A B3; M. 37 D4, 58A D4
Sarnico M. 47C C2
Sarno D. 71A A2, 140B B2
Sárospatak M. 58A H3, 59A I3; U. 80C D3
Sarowskaja Uspenskaja M. 81 D/E3
Sarphat ↗Sarepta
Sarsina (Sassina) D. 23 B2, 140A D3
Sarsura (Hr. el Ksour) D. 24A G2
Sart ↗Sardes
Sarug (Batnae) 38A C2; D. 9B D2, 21 C2, 26A B2
Sarzana D. 32 F/G4; M. 59A G4, 70B D2
Sasabe D. 60B B1
Sasamón D. 60B B1
Sasima (Hasköy) D. 9B C1, 21 B2

Saskatoon D. 113D O2, 138B C1, 146A C/D1
Sassari AD. 71A F4, 140A B5; M. 58A E4, 78A D3, 79 E3
Sasseto M. 70B E3
Sassina ↗ Sarsina
Satafi (Périgotville) D. 7A C2, 24A D1; E. 4A E5
Satala [Armenia] (Sadak) D. 6A E1, 21 D1; E. 5A E2
Satala [Lydia] (Adala) D. 20 C3
Satevo Mi. 84A E/F3/4
Sátiva Mi. 86 A3
Satriano D. 71A H4
Satu Mare (Szatmar) D. 96A C2, 141D B1, 142 K4; M. 58A H3
Saudi-Arabien 112A D3, 145A G2, 150/151A K5
Saujon M. 14A B2, 37 C4
Saulieu, S. Andochius M. 37 E3
Sault S. Marie D. 113D P2; Mi. 87A E2, 103A F2
Saulx M. 37 F3
Saulzet M. 47A C3
Saumur 77A A2; M. 58A C3; U. 80C A3
— S. Florent M. 94 B3
Saundle M. 52A B2
Saurimo D. 145A D/E5
Sauvelade M. 53 D5
Sauveréal M. 53 F5
Sauveterre 56D B1
Sauxillanges M. 47A C3
Savannah D. 102A C3, 113E E/F2, 146A F3
Savannakhet AV. 144A B1
Savanna-la-Mar Mi. 103C B2
Savaria ↗ Szombathely
Savatra (Yalı Bayat) D. 21 B2
Savava Pe. 18A D2
Savigliano M. 59A F4, 70B B2
Savigneux M. 47A C3, 94 C3
Savigny E. 47A C3; M. 53 C/D2
Savoca M. 59A H5
Savona D. 32 F4, 140A B3; M. 51 F4, 59A F4, 70B C2
Savoyen 66 F3, 93 F3/4
Savu Mi. 104/105D C2
Sawley M. 52A C3
Sawtry M. 52A C/D3
Sawwo-Wierskij M. 81 C2
Saybrook E. 88B B3
Sayn 73A B3, 76 B3; M. 54 F2
Sbeitla ↗ Sufetula
Sbiba ↗ Sufes
Sbide (Izvid) D. 21 B2
Scampe (Elbasan) D. 20 A2
Scandolara M. 47C D2
Scanno M. 49B A2
Scarbantia D. 23 C1; E. 4A G3
Scarborough M. 58A C2, 59A D2
Scardona ↗ Skradin
Scarphea D. 20 B3
Scaticook Mi. 87A F2
Scattery Island M. 19 B5
Scepsis (Kurşunlu Tepe) D. 20 C3
Schaaken M. 67 D2, 91 B2
Schaawen M. 67 D2
Schabas esch-Schuhada ↗ Cabasa
Schackaja Uspenskaja Wyschinskaja M. 81 E3
Schadowskaja Kazansko-Bogorodickaja M. 81 E/F3
Schaffhausen 73A C5, 76 C5, 93 F3; M. 48A B3, 58A E3, 67 E4, 82 C5; R. 28 D3
Schäftersheim M. 91 C3
Schäftlarn M. 37 I2/3, 54 G3
Schag 11A C6
Schahhat ↗ Cyrene
Schahrzur D. 26A C/D2
Schaizar D. 26A A/B2
Scham ↗ Damascus
Schamaki M. 63A C2
Schamhaupten M. 50 E3, 68A D3
Schanchiu D. 143A D3
Schänis R. 28 D3
Schapur D. 26A E4, 26B B2
Schaqqa ↗ Maximianopolis [Arabia]
Schärding E. 95B E3
Scharne M. 50 C2
Scharnebeck M. 52B C3
Scharnitz M. 37 I3
Scharten E. 95A D1, 95B E3
Schasbkij Woznesenskij M. 81 C4
Schaumburg 73A C3, 76A C2
Schechschiquanunk Mi. 87A F2
Scheda M. 54 F2
Schedia (Kom el-Gise) D. 10B C2, 10C A1; E. 5A C/D4
Schefferville D. 146A G1
Scheharqart D. 10A B/C2
Scheikh Abada M. 11A B/C5
Scheikh Abreiq ↗ Gabae
Scheikh Bedawi E. 29A B3
Scheikh Farrig E. 29A B3
Scheikh Isa ↗ Zoara
Scheikh Khoros M. 12B B2
Scheikh Rih (Kitta) M. 12B C2
Scheima Amalika E. 29A C2
Scheizar ↗ Larissa [Syria II]
Scheleznoborowskij Predtetschenskij M. 81 E2
Schellal E. 29A C1
Schemaiten 62 C3
Schenkursk, Swjato Troickij M. 81 E2
Scheyern M. 48A C3, 67 F3; R. 28 E3
Schibin-el-Kom D. 130A A1
Schiedam Pe. 18A C1
Schieder 91 B/C2
Schienen M. 34B D2; R. 28 D3
Schievelbein M. 51 H2
Schiffenberg M. 50 D2
Schildesche M. 91 B2
Schinna M. 67 D1
Schinscharah M. 12A B3
Schira M. 38A C1
Schiraz D. 26B B3
Schirowickij Uspenskij M. 81 B3
Schitomir D. 135D B2
Schkölen M. 48A C2
Schladming E. 95A C2, 95B E4
Schlägl M. 52C A3, 53 L2, 54 G3
Schlan ↗ Slaný
Schlehdorf M. 37 H/I3, 50 E3; R. 28 E3
Schlesien 66 H2, 73A F/G3, 73C A/B1, 76 F/G3
Schleswig 76 C1; D. 32 F2, 73A C1, 82 C1; M. 58A E/F2, 59A F2, 70A E1
Schlettstadt ↗ Sélestat
Schliersee M. 37 I3, 50 E3; R. 28 E3
Schlitz 73A C3, 76 C3
Schlochau (Człuchów) 62 A3
Schloß Greifenstein Pe. 18A D2
Schlüchtern M. 35A D2, 48A B2, 91 C3
Schmalkalden 92B D1; M. 91 C3
Schmerlenbach M. 67 E3
Schnals M. 51 G3
Schnan M. 12A B3
Schneidemühl ↗ Piła
Schnodsenbach 91 C3
Schönau [Neckar] M. 53 H2
Schönau [Rhein] M. 48A A2, 67 D2; R 28 D2
Schönberg ↗ Šumperk
Schönbrunn Mi. 87A E2
Schöneck (Skarszewy) 62 B3
Schöningen M. 50 E2
Schönrain M. 48A B2
Schönsee (Kowalewo Pomorskie) 62 B3
Schönthal M. 53 I2
Schopfloch 91 C3
Schottland 66 D1, 77B B1, 93 D1, 111D B/C2
Schrim ↗ Śrem [Polen]
Schroda ↗ Środa
Schuhut ↗ Synnada
Schumacher D. 113D P/O2
Schusch (Susa) D. 10A C2, 26A D3, 140A B2
Schuschter D. 10A C/D3, 26A E3
Schussenried M. 54 F3, 82 C4/5, 83 C4/5
Schutb ↗ Hypselis
Schüttenhofen ↗ Sušice
Schuttern M. 23C C4, 34B D2, 37 G2, 48A A3, 67 D3, 82 A/C4
Schwaben 65 D3
Schwabenheim (Pfaffenschwabenheim) M. 50 D3, 68 D2
Schwäbisch-Gmünd M. 58A E/F3, 59A F/G3, 70A E/F3
Schwäbisch-Hall 56C E/F1, 65 D/E3, 73A C4, 76 C4, 91 C3, 92B C2, 93 F/G3; M. 58 E/F3
Schwaigern E. 14A D2
Schwalenberg 91 C2
Schwanenstadt 56E A1
Schwaningen 91 C3
Schwarzach [Baden] M. 25 C C4, 34B D2, 37 G2, 48A B3, 67 D3
Schwarzach [Franken] M. 48A B2
Schwarzburg 66 G2, 73A D3, 76 D3
Schwarzenburg 73A D4, 76 D4
Schwarzrheindorf M. 48A A2
Schwechat E. 95B H3
Schweden 66 G/H1, 77B C/D1, 93 H1, 112A B1/2, 116/117 I1/2, 120 F/G1/2, 122/123 I/K1, 126/127 I/K1, 128 I1, 135D A1, 141B D/E2/4, 150A H1/2, 151B D1
Schweidnitz ↗ Swidnica
Schweinfurt 53B D1, 73A D4, 76A D4, 91 C3
Schweiz 66 F3, 111A C2, 116 H2, 126 H2, 128 H/I2, 140A A/B2, 142 A/B5, 151B C2
Schwerin 121 C2; AA. 142 D1; D. 71A G2, 73A D2, 76 D2, 82 D2, 83 D/E2, 91 D1; M. 58A F2
Schwetz (Świecie) 62 A/B3
Schwiebus 73A F2
Sciacca M. 78A E4
Sciathus (Skiathos) D. 20 B3
Scicy M. 37 B2
Scituate E. 88B C2
Scodra ↗ Shkodër
Scolacium ↗ Squillace
Scopelus (Skopelos) D. 20 B3, 30A D2
Scopia ↗ Skoplje
Scranton D. 111B E1, 146A F2
Scupi ↗ Skoplje
Scutari ↗ Shkodër
Scyrus (Skyros) D. 20 B3, 30A D3, 61 B2
Scythia 20 C1/2
Scythopolis (Bethsan, Bethschan, Tell el-Husn) 1 B2; AD. 8A F3, 21 C3; D. 6A E3; E. 5A E4
Seattle AD. 146A B2; D. 113E A/B1
Sebaberek (Siverek) 38A C2; D. 26A B2
Seba Biar ↗ Zama Regia
Sebaste [Armenia] (Siwas) 60A F3; AD. 8A F2, 9B C1, 21 C2, 31 F3; D. 6A E2, 55B D2, 61 E2, 63A B3; E. 5A E3; Pe. 18A F3; M. 61 E2, 63A B3
Sebaste [Cilicia I] (Ayaş) D. 21 B2
Sebaste [Palaestina] (Samaria, Sebastiyeh) 1 B2; D. 21 B/C3, 61 E3; E. 2A F4, 5A D/E4; Pe. 18B B2
Sebaste [Phrygia Pacatiana] (Sivaslı) D. 20 D3, 21 A2; E. 5B A1
Sebastiyeh ↗ Sebaste
Sebastopol (Chersonesus/Krim, Sevastopol) 72 F1; AD. 31 E2; D. 63A A2; E. 5A D2; M. 63A A2
Sebastopolis (Sulu Saray) D. 21 C2; E. 5A E3
Sebastya ↗ Sebaste [Palaestina]
es-Sebbeh ↗ Masada
Sebenico ↗ Šibenik
Sebennytus D. 6B B1, 10C B2; E. 5A D4
Şebinkarahisar ↗ Colonia [Armenia I]
As-Sebua E. 29A C2
Seckau D. 46 F/G4, 71A G3, 82 F5, 96B F/G3; M. 50 F3
Sedan U. 80C B3
Sedlec M. 52C B3, 53 L/M2
Sedletz ↗ Sedlec
Sedment 11A B/C3
Sedra ↗ Syedra
Sedunum ↗ Sitten
Seebach M. 67 D3
Seehausen M. 59A G2
Seeland 65 B/C2
Seelau ↗ Želiv
Seeon M. 48A C3
Sées (Sagenum) D. 22 C2, 97A B2, 97B B2, 141A D4, 141C D1; M. 58A D3, 94 B2
Seething 69B D2
Segeberg M. 50 E1, 68A D1
Segedin ↗ Szeged
Segermes (Hr. Harat) D. 7A H2, 24A G1, 24B B2; E. 4B C2
Segestan AD. 26B D2, D. 10A F2
Segewold (Sigulda) 62 D2
Segistero ↗ Sisteron
Segni (Signia) D. 23 B3, 140A E4
Segnitz 91 C3
Segobriga ↗ Segorbe
Segontia ↗ Sigüenza
Segorbe (Segobriga) D. 22 C3, 60B B2, 71A D5, 141C D3
Ségou D. 145A B3
Segovia D. 22 C3, 60B B1, 71A D4, 141C C3; M. 39A D4, 58A C4, 59A D4, 78A B3
— S. Maria los Huertos M. 64 D4
Segringen 91 C3
Segura de la Sierra M. 78A B4
Seica M. 52D B2
Seillon M. 51 E3
Seirkieran M. 19 C4
Seitenstetten 56E B1/2; M. 48A D3, 50 F3, 67 G/H4
Seitsu M. 89A B3
Sekondi D. 112A A4
Selambina E. 4A C5
Selburg 62 D2
Selçuk ↗ Ephesus
Sele D. 10B C2
Selef ↗ Seleucia Ferrea [Pisidia]
Selembria ↗ Selymbria
Selena 63A C3
Sélestat (Schlettstadt) 92B B2; M. 58A E3, 59A F3, 70A E3, 78A D2
Seleucia Ctesiphon AD. 26A C/D3; E. 2A G4, 5A F/G4; P. 10A C2
Seleucia Ferrea [Pisidia] (Selef) D. 21 A2; E. 5B B2
Seleucia [Gaulanitis] (Seluqiyeh) 1 B1/2
Seleucia [Isauria] (Silifke) 39C D3; AD. 8A E2, 9B B/C2, 13 E2, 21 B2; D. 6A D2, 55B C2; E. 5A D3; Pe. 18A F3
Seleucia Pieria [Syria I] (Seluqiyeh) AD. 21 C2, 31 E3; D. 6A E2, 9B C2; E. 5A D/E3
Seleucobelus ↗ Dschisr esch Schugur
Selge (Zerk) AD. 31 E3; D. 21 B2
Seligenstadt M. 34B D1, 48A B2, 67 E2; R. 28 D2
Seligenthal M. 58A E2
Sélignac M. 51 F3
Selincourt M. 54 E3
Selinus (Gazipaşa) D. 21 B2
Selischarow Troickij M. 81 D2
Selischarow-Troickij M. 81 C3
Selles-sur-Chor M. 37 D3
Selmecbánya M. 59A H3
Selsey D. 19 F6, 32 D2; M. 19 F6
Seltz M. 47A E2, 82 B4
Seluqiyeh ↗ Seleucia [Gaulanitis]
Seluqiyeh ↗ Seleucia Pieria
Selymbria (Selembria Silivri) AD. 20 C2, 30A E2, 31 D2, 61 C1
Semarang AD. 144A B4
Sémelay E. 47A C3
Semigorodnaja Uspenskaja-Einsiedelei M. 81 E2
Seminole Mi. 87A D3
Semlin 39C A/B2
Semna E. 29A B3
Semnaea D. 21 B2
Semta (Hr. Zemda) D. 7A G2, 24A F/G1, 24B A2
Semur-en-Auxios M. 14C B2, 50 C3
Sena M. 38B A2
Senae ↗ Siena
Sena Gallica ↗ Senigallia
Sénanque M. 53 G5
Sendai D. 112A I3, 143A G2; Mi. 104/105C G2
Sendal 88B B2
Senegal 112A A4, 116 H4, 145A A3, 150A G4; AP. 106/107A A2/3
Senegambien AV. 106/107A A2
Senez (Sanisium) D. 22 D3, 97A D3/4
Senhor do Bonfim D. 147A E4
Senigallia (Sena Gallica)) 33A C2, 33B C2; D. 23 B2, 140A E3; M. 59A G4, 70B E3
Senj (Senia, Zengg) D. 23 B2, 96A B2; M. 58A G4, 59A H4
Senlis (Silvanectum) D. 22 C/D2, 97A C2; M. 50 B3
Sennecé E. 47A C3
Sennevières M. 14A C2, 37 D3
Sennoch M. 37 C/D3
Senones [Elsaß] M. 25A D2, 34B D2, 37 F/G2, 48B D2; R. 28 C3
Sens (Senones) AD. 8A B1, 22 D2, 32 E3, 34A C2, 71A E3, 97A C2, 97B C2, 141A E4, 141C E1; E. 4A D3; M. 14C B2, 25A C2, 50 B3, 54 E3, 56A D2, 58A D3, 59A E3; R. 28 B3
— S. Colombe M. 37 E2, 94 C2
— S. Pierre [-le-Vif] M. 37 E2, 94 C2
— S. Remigius M. 37 E2
Sentispac M. 84B A2
Séo de Urgei D. 60B C1; M. 59A E4, 78A C3
Seoul AD. 143A E2; AV. 106/107B F2; D. 112A H3; Mi. 104/105C F2
Seph (Safad) 1 B2
Sepphoris (Saffuriyeh) 1 B2
Seprio 57D B2
Septempeda ↗ S. Severino [Marche]
Sept-Fons M. 53 F3
Septfontaines-en Bassigny M. 54 E/F3
Septfontaines-en-Thier M. 54 E/F3
Sept Meules M. 37 D2
Serbien 55A, 96A C2, 111A D/E 2
Şeref-öyük ↗ Comana [Pamphylia]
Seregno 56C E2
Sereth D. 71A I3; M. 58A I3
Serfidže ↗ Servia
Sergentza D. 30A E2
Sergiewa Lawra M. 81 D3
Sergiopolis ↗ Resapha
Sériana ↗ Lamiggiga
Sermada M. 12A B2
Sermim M. 12A B3
Serpuchow, Wysockij M. 81 D3
Serpuchowskij Wladytschij M. 81 D3
Serqueux M. 48B C2
Serrai (Serrhae) AD. 30A D2, 31 C2, 61 B1; D. 20 B2, 134C C1
Serre E. 29A B2
Serres 77A C2
Serrhae ↗ Serrai
Sersena ↗ Cleopatris
Sertei (Kherbet Guidra) D. 7A B2, 24A D1
Servia (Serfidže) D. 30A C2
Sery M. 54 E3
Sesmoan (Sexmoan) E. 90A B3
Sessa (Suessa Aurunca) D. 23 B3, 140A E4; M. 59B, 70B C1, 70B E4
Sesto M. 37 I4
Sestri M. 53 H4
Sestus 39C C2
Setabis ↗ Játiva
Seteia ↗ Sitea
Sete Lagôas D. 147D C1
Sethroites (Tell Belim) D. 8B B1, 10C B2
Sétif ↗ Sitifis
Settimo M. 53 K5
Setúbal D. 141C B3
Seußlitz M. 58A F2
Sevastopol ↗ Sebastopol
Sever M. 52D B2
Sevilla (Hispalis) 43 B2, 72 B2; AD. 8A A2, 22 B4, 60B A/B2, 71 B C5, 141C B/C4; E. 4A B5; M. 51 C5, 56A B4, 58A B5, 78A A4, 79 B4; U. 64 B3
— Porta Coeli M. 59A C5
— S. Paulus M. 59A C5
Sewsk Troickij M. 81 D3
Sexfontaines M. 48B C2
Seyitgazi ↗ Nacolea
Seyne M. 59A F4
Sézanne M. 58A D3
Sezimbra M. 58A B5
Sezze M. 78A E3
Sfax ↗ Taparura
Shagamu D. 112B A2
Shakava M. 58A G/H4
Shanghai D. 143A E3; M. 89D C2; Mi. 104/105C F2
Shangton 69B C2
Shansi 98/99C E2; AV. 89D A/B1, 106/107B E2
Shantow D. 143A D4
Shantung D. 112A G3; AV. 106/107B E/F2; Mi. 98/99C E/F2
Shaowu AP. 143A D3
Shaoyang AP. 143A C/D3
Shap M. 54 D2
Shasi AP. 143A D3
Shawnee [Kansas] Mi. 87A D3
Shawnee [Ohio] Mi. 87A E2
Sheen M. 51 D2
Sheffield D. 111D C3, 141A D3
Shekomeko Mi. 87A F2
Shelton 69B D2
Shensi 27A G2; D. 112A G3; AV. 89D A1/2, 106/107B D/E2; Mi. 98/99C E2
Shenyang AD. 143A E2
Sherborne D. 19 E5/6, 32 D2; M. 19 E5/6
Sherbrooke AD. 146A G2
Shiga M. 89A B3
Shihtsien AP. 143A C3
Shiki M. 89A A/B3
Shikoku 89A C/D3; AP. 106/107B F2; Mi. 98/99C F/G2
Shillong AD. 143A B3, 143B D2
Shimbara M. 89A B3
Shimonoseki M. 89A B2/3
Shinnecock Mi. 87A F2
Shinyanga D. 145C B2
Shipmeadow 69B D2
Shire AV. 106/107A D5
Shiuchow D. 143A D4
Shizuoka M. 89A F2
Shkodër (Scodra, Scutari) 72 E1; AD. 20 A2, 96A C2/3, 141D A2; D. 30A C2, 66 H/I4; M. 58A G/H4, 59A H/I4
Shoa D. 130B B3
Shodoshima M. 89A D2
Shoranur D. 112C B2
Shotesham 69B D2
Shrewsbury D. 141A C3; M. 58A C2, 59A D2
Shrule M. 52A B3
Shuohsien D. 143A D2
Sia Mi. 87B
Siam AV. 106/107B D/E3
Sian AD. 27A G2, 143A C3; M. 89D A2
Siangatan M. 89D B3
Siangtan AP. 143A D3
Siangyang D. 143A D3
Siano M. 70B E3
Siargao 90A D4
Siatista D. 134C B1
Šibenik (Sebenico) D. 71A H4, 96A B2, 134A B3, 140A F3; M. 58A G4, 59A H4
Sibir 27A C/D1, 63B A/B1
Sibiu (Hermannstadt) AD. 134A C2, 135D B2; M. 44A C2, 58A H3
Siblia D. 20 D3, 21 A2; E. 5B A1
Sibolga D. 144A A3
Sibton M. 52A D3
Sibundoy AV. 147A B2
Sicca Veneria (Le Kef) D. 7A F2, 24A F1; E. 4B A2
Sichang D. 143A C3
Sichar (Askar) 1 B2; Pe. 18B B2
Sicilibba (Bordj Alaouine) D. 7A G2, 24A F/G1, 24B A1; E. 4B B/C2
Sickingen 73A B3
Sicuani PN. 147A B/C4
Side (Eski-Antalya) AD. 8A E2, 21 B2, 31 E3; E. 5A D3
Sideia D. 144B C2
Sidelik ↗ Stratonicea [Lydia]
Siderokastron D. 134C C1
Siders M. 78A D2
Sidi Abderrhamane el Garci ↗ Aggersel
Sidi Ahmed bou Farès ↗ Membrone
Sidi Ali Belkacem ↗ Thuburnica
Sidi Ali es Sedfini ↗ Thimida Regia
Sidi Amara ↗ Aggar

Sidi Ben Thiou ↗Vagal
Sidi Brahim ↗Gunugu
Sidi Daoud ↗Missua
Sidi-Ferruch ↗Obori
Sidi Khalifa ↗Turris Rutunda
Sidi Medien ↗Vallis
Sidi Meskine ↗Tunusuda
Sidi Saïd ↗Elephantaria [Africa Proconsularis]
Sidi Tabet ↗Cigisa
Sidi Youssef ↗Naraggara
Sidon ↗Saida
Sidyma (Todurga) D. 20 D3
Siebenbürgen 77B D2, 93 I3, 96A C/D2
Siedlce D. 142 K2
Siegburg M. 48A A2, 48B D1; R. 28 D2
Siegen M. 91 B4
Siena (Senae) 33A B2, 33B B2, 33C B2, 33D B2, 57D C3; AD. 71A G4, 140A D3; D. 23 B2; E. 4A F4, 14A E3; M. 49C E3, 56A F3, 58A F4, 59A G4, 70B D3, 78A E3; U. 64 D2
— S. Eugenio M. 37 I5
— S. Vigilius M. 49A E3
Sienhsien D. 143A D2
Sieradz M. 59A H2
Sierck M. 51 F3
Sierning 56E B1
Sierra Leone 126 G/H4, 128 H4, 145A A4, 150A G4; AV. 106/107A A3
Sifnos ↗Siphnus
Siğacık ↗Teus
Siget E. 95A E2, 95B H4
Signagi D. 135D D3
Signia ↗Segni
Signy M. 53 F2
Sigüenza (Segontia) D. 22 C3, 60B B1, 71A D4, 141C C3; U. 64 B2
Sigulda ↗Segewold
Sigus D. 7A D2, 24A E1
Sikasso D. 145A B3
Sila (Bordj el Ksar) D. 7A D2, 24A E1
Silandus D. 20 C/D3; E. 5A C3
Silang E. 90A B3
Silchar D. 143A B4, 143B D2
Sileby 69B C2
Silifke ↗Seleucia [Isauria]
Silistria ↗Dorostolus
Silivri ↗Selymbria
Sillègue ↗Novar
Silly M. 54 D3
Silmont M. 48B C2
Siloe M. 67 C1
Silvacane M. 53 G5
Silvanectum ↗Senlis
Silva Porto D. 145A D6
Silvan ↗Martyropolis
Silvanes M. 53 E5
Silves D. 60B A2, 71A C5
Simandu AD. 26A A1
Simav ↗Synaus
Simbabwe (Rhodesien) 117 K5/6, 120 G5, 123 K5, 127 K5, 129 K5, 145A E/F6, 150/151A I5/6
Simbirsk (Uljanowsk) M. 81 F3
Simferopol D. 135D C3
Simijaca Mi. 86 A3
Simingi (Smindja) D. 7A H2, 24B B2
Simittu (Chemtou) D. 7A F2, 24A F1
Simla D. 106/107B C2, 143B B1
Simonos Petras 45B A3
Al-Sin D. 26A C2
Sinai AD. 134B D2
Sinamaica Mi. 86 B2
Sinay (Sinait) E. 90A B2
Sincelejo D. 147A B2
Sindelburg 56E B1
Sindelfingen M. 68A D3
Sindelsberg, S. Quirin M. 48A A3
Sinesra E. 29A B2
Sinewodskij Bogorodicky M. 44B B2
Singapore 150/151A N4; AD. 144A A/B3; D. 112A G4; Mi. 104/105D A/B1
Singhofen 91 B3
Singida D. 145C B2
Singidunum (Belegrada, Belgrad) ↗Beograd
Sinilaon E. 90A B3
Sining 27A G2; AP. 143A C2
Sinkiang AP. 143A C/D2
Sinop ↗Sinope
Sinope (Sinop) 39C E2, 60A F2; D. 6A E1, 21 C1; E. 2A E/F2, 5A E2; M. 61 E1, 63A B2; Pe. 18A F2
Sinsheim M. 48A B2
Sinsiang AP. 143A D2/3
Sintang D. 144A B3
Sinyang D. 143A D3
Sion ↗Sitten
Sioux City D. 146A D/E2
Sioux Falls D. 113E D1, 146A D2
Siphnus (Sifnos) D. 20 B3
Siponto AD. 32 H4
Siponto-Manfredonia AD. 71B A1
Sipontum (S. Maria di Siponto) D. 23 C3
Siracusa (Syracusae) 43 D2; AD. 23 B/C4, 30A B3, 31 B3, 140A F6; E. 4A G5; M. 58A G5, 59A H5, 78A F4, 79 G4
Siraf D. 26B B3
Sirdschan D. 26B C3
Sirmione 57D C2
— S. Salvator M. 37 H4
Sirmium (Srem, Sremska) AD. 29B E4; D. 6A A1, 13 D2, 20 A1, 30A C1; E. 5A A1; M. 58A G3/4
Siros (Syra) D. 30A D3, 61 B2, 96A D3, 141D C4
Sis E. 55B D2; P. 61 E2, 130D B3
Sisak ↗Siscia
Siscia (Sisak) D. 23 C2; E. 4A G3
Sisoguichi AV. 146A C4
Sisteron (Segistero) 56C D3, 57A C2; D. 22 D2, 97A D3; M. 59A F4, 78A D3
Sitea (Seteia) D. 30B B1, 61 C2
Sitifis (Sétif) D. 7A C2, 24A D1; E. 4A D/E5
Sitka D. 131A A2; Mi. 103A B2
Sitten (Sedunum, Sion) D. 22 D2, 66 F3, 82 B5, 97A D3, 140A B2, 142 B5; R. 28 D4
Sitter Rum M. 12A B2
Sittich ↗Stična
Sittichenbach M. 53 K1
Sitzenkirch M. 48A A3
Siunik D. 9A C2, 55B F2
Sivaslı ↗Sebaste [Phrygia Pacatiana]
Siverek ↗Sebaberek
Siwantze D. 143A D2
Siwas ↗Sebaste [Armenia I]
Sixt M. 50 C4
Six Towns Mi. 87A D/E3
Es Siyyar M. 12A B2
Sizilien (Sicilia) 43 D2, 66 G5, 72 D2, 140A E6
Sjamskij Bogorodice Roschdestwenskij M. 81 D/E2
Sjandebskaja Uspenskaja M. 81 C/D2
Skalote M. 39C C2
Skänninge M. 59A H1
Skara D. 71A G1; M. 59A G1
Skarholt D. 71A A1
Skarszewy ↗Schöneck
Skellig Michael M. 19 A5; Pe. 18A A1
Skiathos ↗Sciathus
Skopelos ↗Scopelus
Skopinskij Swjato-Duchow M. 81 D/E3
Skopje ↗Skoplje
Skoplje (Scopia, Scupi, Skopje) 39C B2, 55A C2; AD. 20 B2, 96A C2, 134A C3; D. 30A C2, 61 B1, 66 I4
Skopos 39B C2
Skoworodskij-Michajlowskij M. 81 C2
Skradin (Scardona) D. 23 C2; M. 58A G4
Skyros ↗Scyrus
Slaný (Schlan) 69A C1
Sletty D. 19 C5; M. 19 C5
Sligo D. 141A B2; M. 59A C2
Sliven D. 135D B2
Slobotskoj, Krestowozowischenskij M. 81 F2
— Christoroschdestwenskij M. 81 F2
Sluck, Swjato-Troickij M. 81 C3
Sluis 65 B2
Słupsk (Stolp) M. 48A D1, 59A H2
Smarqand 43 I2, 72 I2
Smeeton Westerby 69B C2
Smindja ↗Simingi
Smolensk D. 44B C2, 81 C3, 135D C2; M. 78A H1
— Bogorodickij M. 44B C2
— Krestowozdwischenskij M. 44B C2
— Otrotschij M. 44B C2
— Rispoloschenskij-Awraamiew M. 44B C2
— Swjato-Troickij M. 81 C3
— Woznesenskij M. 81 C3
Smolenskaja Zosimova M. 81 D3
Smyrna ↗Izmir
Snave 69B D2
Snob Touil ↗Gemellas
Snodeland 69B D2
Snohomish Mi. 87A A2
Snyatyn M. 58A I3
Soana ↗Suana
Soba E. 29A C6
Sobrado M. 52D A/B1
Sobral D. 147A E3
Socha Mi. 86 A3
Sochaczew M. 59A I2
Sockburn M. 19 F4
Socorro D. 147C B1; Mi. 87A C3, 87B
Södertälje D. 131C C1
Soffena M. 49C E3
Sofija (Sardica, Stradica, Triaditza) 39C B2, 60A C2, 57A F2, 72 E1; AD. 13 D2, 20 B2; AV. 138A C3; D. 6A B1, 8A D2, 30A D2; E. 5A B2; Mi. 104A C1; P. 134A C3, 135D B2
Söflingen M. 83 C4
Sogamoso M. 85A B2
Sogder 27A C1
Sohag D. 130A A2, 139E B4
Sohar D. 26B D4
Soignies M. 37 E1
Soissons, BMV M. 25A C2, 37 E2
— S. Crépin M. 94 C2
— S. Médard M. 34B C2, 35A C2, 37 E2, 94 C2
Sokodé D. 145B A/B2
Sokoto D. 145A C3, 145B C1
Solano Mi. 86 C4
Solbinskaja M. 81 D2
Soldin ↗Myślibórz
Soledad Mi. 87A A3
Solesmes [Artois] E. 14A C1
Solesmes [Maine] M. 94 B3
Soli (Karabostasi) D. 21 B3
Solia E. 4A C5
Solières M. 50 C2
Solignac M. 14A C2, 25A C2, 37 D4, 94 B3
Solkat D. 63A A/B2; M. 63A A/B2
Solms 65 D2, 73A C3, 76 C3
— Braunfels 92B C1
— Hohensolms 92B C1
— Laubach 92B C1
— Lich 92B C1
— Rödelheim 92B C1
Solnhofen M. 25C D/E4, 33A E2, 37 H/I2
Sololá D. 146C C3
Solothurn 73A B5, 76 B5, 93 F3; D. 140A B1, 142 B4; M. 58A E3
Solottschinskij M. 81 D3
Soloweckij-Preobraschenskij M. 81 D1
Solsona D. 141C D3
Solutré E. 47A C3
Solwezi D. 145A E6
Solwytschegodsk M. 81 E2
Soma ↗Germe
Somalia 112A D4, 145A G4, 150/151A K4
Sombrerete M. 84A G6
Somersham 69B C2
Somma M. 59B [A2
Sommières 77A C3; M. 58B
Soncino M. 47C C/D2, 70B C2
Soneburg 62 C2
Songea D. 145A F5/6
Sonnenburg M. 67 F4
Sonogi M. 89A A3
Sonsón D. 147C A/B1
Soodhow D. 143A D/E3
Sopè D. 96A C2/3
Sophanene D. 21 D2
Sopron (Oedenburg) M. 58A G3
Sora [Italien] 33A C3, 33B C3; D. 23 B3, 140A E4; M. 78A E3
Sora [Paphlagonia] D. 21 B1
Sorde-L'Abbaye (Sordes) M. 35A B3, 94 A/B4
Soresina M. 70B C2
Sorèze 56D C2, 57C B2; M. 37 D5, 94 C4
Sorgor (Sogod) E. 90A C4
Sorgues M. 47A C/D4, 58B A2
Soria M. 58A C4, 78A B3
Soro M. 52B C2
Soro Mi. 86 D2
Sorocaba D. 147D B2
Soroti D. 112C B1, 145A F4, 145C B1
Sorrento (Surrentum) AD. 71A G4, 71B A2, 140A E5, 140B B2; D. 23 B3; M. 70B E/F4
Sorres D. 71A F4
Sorsogon D. 144A D2; E. 90A C3
Sorta Mi. 86 A3
Ton Sosandron M. 39C C3
Soest 73A C3, 76 C3; M. 58A E2, 59A F2; R. 28 D2
Sosthenion M. 39B B/C1
Sotaquirà Mi. 86 A3
Soetendael M. 50 B/C2
Sotos Albos M. 52D C2
Souillac M. 94 B4
Souk el Abiod ↗Pupput
Souk-Ahras ↗Thagaste
Soulseat M. 54 C2
Sour Djouab ↗Rapidum
Soure PN. 147A E3
Sousse ↗Hadrumetum
Southampton [England] M. 58A C2
Southampton [Nordamerika] E. 88B B3
South Bend D. 113E E1
South Carolina D. 101H C3
South Elmham M. 19 G5
South Hill M. 19 D/E5
South Malling M. 19 G6
South Molton M. 19 D/E5
Southold E. 88B B3
Southwark D. 111D C3, 141A D3
Southwell D. 111D C3
South Wynad D. 138D B1
Souvigny M. 47A C3
Sovana-Pitigliano D. 140A D4
Sowjetunion (Rußland, USSR) 93 K/L1/2, 123 K/S1/2, 129 K/S1/2, 130D B/D1, 134 C/D1/2, 135D B/E2 135E A/E1, 138A D1, 141B F/H2/5, 141D B/D1, 142 K/M3, 143A F1/2, 150/151A I/M2, 151B E1
Sozopol ↗Sozopolis
Sozopolis [Haemimontus] (Sozopol) 60A D2; AD. 30A E2, 31 D2; D. 20 C2
Sozopolis [Pisidia] D. 21 A2
Sozusa [Palaestina I] (Arsuf) D. 6A B3, 21 B3
Spalato ↗Split
Spanien 93 C/D4, 112A A2, 116 H/I2, 126 H/I2, 128 H/I2, 141C C/D3, 150A G3, 151B B2
Spanisch Sahara 112A A3, 145A A2, 150A G3
Spanish Town Mi. 103B D2
Sparta (Lacedaemon) D. 20 B3, 30A C3, 61 B2, 134C C3; E. 2A C3, 5A B3
Spaso-Belogorskij M. 81 E3
Spaso-Eleazarow-Welikapustynskij M. 81 B/C2
Spaso-Kamennyj M. 81 D2
Spaso-Preobraschenskij M. 44B C2
Spasskaja Pronskaja M. 81 D/E3
Spasskij M. 44B D2, 81 F3
Spasskij-Berestowskij M. 44C
Spasskij, Miroschskij M. 44B B/C2
Spasskij Zawelitschskij M. 44B B/C2
Spata D. 134C C/D3
Speen 69B C2
Speinshart M. 54 G3
Spelion D. 134C D4
Spello ↗Hispellum
Speyer (Spira) 65 D3, 73A C5, 76 C5, 91 B3, 121 B3; D. 22 E2, 25C C3, 35A D2, 66 F3, 82 C4, 83 C4, 92B C2, 97C B3, 97D B3, 142 C3; E. 14A D2; M. 37 G/H2, 50 D3, 58A E3, 59A F3, 78A D2; R. 28 D3
— S. German 37 G2
— S. Maximin M. 34B D2
Spieskappel 91 C3; M. 50 D2, 54 F2
Spilamberto M. 70B D2
Spineta M. 49C E4
Spira ↗Speyer
Spiš (Szepes, Zips) D. 44A C2, 96A C1; M. 52C C3, 58A H3
Spišska Kapitula D. 142 I3
Spittal E. 95B E5
Split (Spalato) AD. 32 H4, 71A H4, 140A F3; D. 72 D1, 96A B2; M. 58A G4, 59A H4
Spokane D. 113E B1, 146A B2
Spoletium ↗Spoleto
Spoleto (Spoletium) 33A C2, 33B C2, 33C C2, 33D C2; AD. 140A D4; D. 23 B3; E. 4A F4; M. 56A F3, 58A F4, 59A G4
Sponheim 73A B3/4, 76 B3/4, 92B B2; M. 48A A2, 67 D3; R. 28 D3
Springfield [Connecticut] D. 113E F1, 146A G2; E. 88B A/B2
Springfield [Michigan] D. 113E D2, 146A E3
Springiersbach M. 50 C2; R. 28 C2
Sprottau (Szprotawa) 73A F3
Squillace (Scolacium) D. 23 C4, 30A B3, 140A F6; M. 59A H5
Srebrnica M. 58A G/H4
Srem ↗Sirmium
Śrem [Polen] (Schrimm) M. 58A G2
Sremski Karlovci D. 134A B2
Sri Lanka (Taprobane, Ceylon) 27B A2, 89C C5, 123 N4, 127 N4, 129 N4, 130C C3, 138D B/C2, 150/151A L/M4; AV. 106/107B C4
Srinagar Mi. 98/99C C2
Sroda (Schroda) M. 59A H2
Środa Ślaska (Neumarkt) M. 58A G/H2
Stabiae ↗Castellammare
Stade 91 C1; M. 58A E2, 67 E1; R. 28 D1
— S. Georg M. 54 F2
Stadl Paura E. 95B E/F3
Stadtamhof M. 50 E3
Stadtschlaining E. 95A E2, 95B H4
Staffarda M. 53 H4
Staffelsee M. 37 H/I3
Stafford M. 19 E/F5, 58A C2
Stagi (Kalabaka) D. 30A C2
Staines 69B C2
Stainz E. 95B G5; M. 50 F4
Stamford [England] M. 56B B2, 58 C/D2, 59A D/E2
Stamford [USA] D. 138B F/G2; E. 88B A3
Stams M. 53 K3
Stanbridge 69B C2
Standon 69B D2
Stanisławów ↗Ivano-Frankovsk
Stanlaw M. 52A C3
Stanley M. 52A C3, 53 C1
Stanley-Falls AV. 106/107A C3
Stanleyville ↗Kisangani
Stanmer M. 19 F6
Staplehurst 69B D2
Staraja Russa 44B C2
Stara Zagora (Beroea/Thrace) AD. 8A E2, 20 C2, 30A D2, 31 D2, 135D B3; D. 6A C1
Stare Mesto (Altstadt) 29B D1
Starica, Uspenskij M. 81 C/D3
Stari Debelt ↗Debeltum
Starigrad M. 59A H4
Staroladoschskij Ioanno-Predtetschew M. 81 C2
Staroladoschskij Nikolaewskij M. 81 C2
Staroladoschskij Uspenskij M. 81 C2
Starorusskij Spasobreobraschenskij M. 81 C/D2
Starowoznesenskij M. 81 C2
Starý Bohumín ↗Oderberg
Stary Sacz M. 58A H3
Staunton 69B B2
Stauropolis ↗Aphrodisias [Caria]
Stavanger D. 71A F1
Stavelot M. 14A D1, 14C C1, 25A D1, 37 F1
Stavelot-Malmedy M. 67 C2, 82 B3, 83 B3
Staveren M. 67 C1
Stavronikita M. 45B B2
Stavros Koukouzeri M. 45B B3
Stawropol D. 135D D3
Stectorium (Mentes) D. 20 D3, 21 A2; E. 5B B1
Steeple 69B B2
Steiermark 66 G/H3, 73A F5, 76 F5, 93 G/H3
Stein M. 48A B3, 82 C5, 85A G3
Steina M. 67 E2, 91 C2
Steinach E. 95B F4
Steinamanger ↗Szombathely
Steinfeld M. 50 C2, 54 F2
Steinfurt 73A B2, 76 B2
Steingaden M. 54 G3
Steintal 76 B4, 92A B2
Stendal M. 58A F2
Sternberg M. 70A F2
Steterburg M. 91 C2
Stettin ↗Szczecin
Steubenville D. 146A F2
Steventon 69B C2
Steyr 56E B1; M. 59A G3, 70A G3
Stična M. 52C A3
Štip D. 134C C1
Stirling M. 59A C/D1
Stirpeto M. 52E A3
Stobi (Pustogradsko) AD. 20 B2; E. 5A B2
Stockbridge Mi. 87A D/E2
Stockbridge Mi. 87A F2
Stockerau E. 95B H3
Stockton D. 146A B3
Stockum M. 48A A2
Stolberg 73A D3, 76 D3
Stolp ↗Słupsk
Ston D. 32 H4; M. 55A B2, 58A G4
Stoneleigh M. 52A C3
Stoneykirk M. 19 D4
Stoob E. 95A E2, 95B H4
Stötterlingenberg M. 67 E/F2
Strad M. 59A C1
Stradica ↗Sofija
Straelen M. 68A C2
Strahov M. 54 G2
Stralsund M. 58A F2, 59A G2
Strängnäs D. 71A H1
Strasbourg (Straßburg, Stratoburgo) 65 D3, 73A B4, 91 B4; AD. 66 F3; D. 22 D/E2, 23 A1, 25C C4, 34A D2, 34B D2, 35A D2, 56C E1, 82 B4, 83 B4, 97B D2, 97C B4, 141C F1, 142 B4; E. 14A D2; M. 50 D3, 51 F3, 54 F3, 56A E2, 58A E3, 59A F3, 79 E2; U. 80C B3
— S. Stephan M. 37 G2
— S. Thomas M. 37 G2
Strasburg (Brodnica) 62 B3
Straßburg ↗Strasbourg
Strata Florida M. 52A B/C3
Strata Marcella M. 52A B/C3
Stratford [England] M. 19 F5
Stratford [USA] E. 88B A3
Stratford-Langthorne M. 52A D3, 53 D/E1
Strathcashell Point M. 19 D/E3
Stratoburgo ↗Strasbourg
Stratonicea [Caria] (Eskihisar) D. 20 C3
Stratonicea [Lydia] (Sidelik) D. 20 C3
Stratzing 56E C1
Straußberg M. 59A G2
Střibro (Mies) 69A A/B2; M. 58A F3
Strongoli D. 71A H5
Strood 69B D2
Strovilus M. 61 D2
Strumi M. 49C E3
Strummitza (Strumica) D. 30A C/D2
Strzelin (Strehlen) M. 58A G2
Strzelno M. 54 H2
Studenica M. 55A C2
Stuhlweißenburg ↗Székesfehérvár
Stürzelbronn M. 53 H2, 82 B4
Stuttgart 121 C3; D. 131C B/C2; M. 59A F3, 70A E3
Suamca Mi. 84A C2
Suame Mi. 86 A3
Suana (Soana) D. 23 B3
Süanhwa D. 143A D2
Suay E. 90A B/C4
Subasio M. 49A F3
Subaugusta (Centocelle) D. 23 B3
Suben M. 50 F3
Sueben 8A A2
Subiaco AN. 140A E4
Subotica D. 141D A1/2, 142 H5
Suchow [Kansu] 27A F2
Suchow [Shantung] ↗Süchow

Süchow (Suchow) 27A H2; D. 143A D3
Suchumi D. 135D D3
Sucre AD. 147A C4; M. 85A C4
Südafrika ↗ Südafrikanische Republik
Südafrikanische Republik (Südafrika) 112A B/C6, 117 K6, 120 G6, 122/123 I/K6, 126/127 K6, 129 K6, 134B C7, 145A E7/8, 145D A1/2, 150A I6
Sudak D. 63A A/B2; M. 63A A/B2
Südalbanien AA. 141D A/B3
Sudan 112A C4, 117 K4, 130A A/B4, 134B C/D3, 145A E/F3, 150/151A I4
Süd-Burma AV. 106/107B D3
Sudbury M. 59A E2
Süd-China D. 112A G3
Süd-Honan AV. 106/107B E2
Süd-Hunan AV. 106/107B E3
Südjemen (VR) 145A G/H3
Süd-Kaffa AP. 106/107A D3
Süd-Kansu AP. 106/107B E2
Süd-Katanga AP. 106/107A C4
Süd-Kiangsi AV. 106/107B E3
Süd-Mandschurei AV. 106/107B F2
Süd-Nigeria AP. 106/107A B3
Südost-Chili AV. 106/107B E2
Süd-Salomonen AV. 106/107C E2
Süd-Shansi AV. 106/107B E2
Süd-Shantung AV. 106/107B E2
Süd-Shensi AV. 106/107B E2
Süd-Szechwan AV. 106/107B D3
Süd-Tonkin AV. 106/107B E3
Süd-Transvaal AV. 106/107A C5
Süd-Victoria-Njansa AV. 106/107A D4
Südwest-Afrika ↗ Namibia
Südwest-Chili AV. 106/107B E2
Südwest-Hupeh AV. 106/107B E2
Südwest-Mongolei AV. 106/107B D2
Suez D. 130A B2
Sufasar (Amoura, Dollfusville) D. 7B C1, 24A C1
Sufes (Sbiba) D. 7A G3, 24A F2; E. 4A E5
Sufetula (Sbeitla) D. 7A G3, 24A F2; E. 4A E5
Suhut ↗ Synnada
Suihsien AP. 143A D3
Sukarnapura D. 144A E3, 144B B2
Sulaimanija D. 139E E2
Sulat E. 90A C4
Sulby M. 54 D2
Sulci (Isola di S. Antioco) D. 23 A3; E. 4A E5
Sulejow M. 52C C2
Süleymanlı ↗ Blaundus
Süllberg R. 28 D/E1
Suelli D. 71A F5
Sullecthum (Rass Salakta) D. 24A G2
Sulmo ↗ Sulmona
Sulmona (Sulmo) D. 23 B3, 140A E4; M. 59A G4, 70B E/F3
Sultanhisar ↗ Nysa [Asia]
Sultanija AD. 63A C3
Sululos (Bir el Ench) D. 7A G2, 24B A1
Sulu Saray ↗ Sebastopolis
Sulzbach 73A D/E4, 76 D/E4, 92B D/E2
Sulzburg M. 48A A3
Sumatra 112A F/G4/5, 127 N4, 144A A3, 150/151A M/N4/5; AP. 106/107C A1; Mi. 104/105D A1/2
Sumba Mi. 104/105D B/C2
Sumbawanga D. 145A F5
Sumelas M. 39C F2
Sumerkent 27A A1, 63A C2
Sumotu M. 89A B3
Šumperk (Schönberg) M. 59A H2
Sungching M. 89D C2
Sunuba Mi. 86 A3
Sunwui M. 89D B4
Sunyani D. 145B A2
Superior D. 146A E2
Supraslskij Blagoweschtschenskij M. 81 B3
Suq Wadi Barada ↗ Abila [Libanensis]
Sur (Tyrus) 1B1, 60A F4; AD. 8A E/F3, 13 E3, 21 C3, 61 D/E3, 139F A2; D. 6A E3; E. 2A F4, 5A D/E4; M. 61 D/E3; Pe. 18B B1
Sura D. 9B D2, 21 C3
Surabaja D. 144A B/C4; Mi. 98/99D B2, 104/105D B2
Surat Thani D. 144A A2
Surb Sahak ↗ Aschtischat
Surbourg (Surburg) E. 14A D2; M. 34B D2, 37 G2
Surburg ↗ Surbourg
Surdegskij Swjato-Duchow M. 81 B3
Surinam 122 F4, 147A D2, 150A E4
Surrentum ↗ Sorrento
Susa ↗ Schusch
Susdal 44 C/D2; D. 81 D/E 3
— Spaso-Ewfimiew M. 81 D3
— Pokrowskij M. 81 D3
— Rizpoloschenskij M. 81 D/E3
— Wasilewskij M. 81 D/E3
Sušice (Schüttenhofen) 69A B2
Suessa Aurunca ↗ Sessa
Suessiones ↗ Soissons
Susteren M. 25C B2, 37 F1; R. 28 C2
Sutjeska M. 58A G4
Sutri (Sutrium) 33A C2, 33B C2, 33B C2; D. 23 B3
Sutrium ↗ Sutri
Sutton 69B D2
Sutunurca (Aïn el Asker) E. 4B B2
Suva AD. 144B D2; D. 113D K5
Es Suweïda (Dionysias/Arabia) D. 21 C3, 134B D/E1
Suwon D. 143A E2
Süylün ↗ Prymnessus
Suzuta M. 89A B3
Sv. Apostoli M. 55A B/C2
Sv. Bogorodica M. 55A C2
Sv. Djordje M. 55A B/C2
Sv. Marija Polju M. 58A G4
Sv. Nikola M. 55A C2
Sv. Petar i Pavle M. 55A B/C2
Svate-Pole (Heiligenfeld) M. 52C B2
Svendberg M. 58A F1
Svištov ↗ Novae
Swaffam Priory 69B D2
Swaziland 127 K6, 150/151A I6
Sweetheart M. 52A C2
Swerdlowsk D. 135D E/F2
Swidnica (Schweidnitz) 73A G3, 73B A1, 76 G3; M. 59A H2
Swiecie ↗ Schwetz
Swijaschsk M. 81 E/F3
Swijaschskaja Podgorodnaia Makarewskaja M. 81 F3
Swineshead M. 52A C/D3
Swjatoduchowskaja M. 81 E3
Swjatogorckaja Uspenskaja M. 81 D4
Swjatogorskij M. 81 C2
Swjatoezerskij Spasskij Senegskij M. 81 E3
Swjatogorskij Uspenskij M. 81 C3
Swjatogorskij Zimmenskij M. 81 B3
Swjato-Troickaja M. 81 C/D3
Swords M. 19 C/D4
Sybritta D. 20 B4
Sycamazon (Khirbet Suq Mazen) D. 21 B4
Sycaminum (Tell es-Samak) 1 A2
Sydney AD. 106/107C E4, 112A I6, 113D I6, 144B C3; Mi. 104/105D E4
Syedra (Sedra) D. 21 B2; E. 5A D3
Sygriane 39B A3
Sylaeum AD. 31 E3; D. 21 B2
Sylve M. 51 F3
Symbolon M. 39B C3, 39C B3
Synaus (Simav) 39B A3; D. 20 D3
Synnada (Şuhut) AD. 8A E2, 13 E2, 21 A2, 31 D/E3; E. 5B B1
Syra ↗ Siros
Syracusae ↗ Siracusa
Syracuse D. 113E F1, 146A F/G2
Syria 1 C1, 2A F3/4
Syria I 9B C2, 21 C2
Syria II 9B C2, 21 C3
Syrien 112A C3, 117 K/L3, 130D B/C3, 135D C/D4, 139E C2, 145A F1, 150/151A I3
Syrkow Wladimirskij Bogorodickij M. 81 C2
Szatmar ↗ Satu Mare
Szcytno ↗ Ortelsburg
Szczecin (Stettin) D. 142 F1; M. 51 G2, 58A F/G2
Szczyrzycz M. 52C C3
Szechwan AV. 89D A2, 106/107B D/E2; Mi. 98/99C E2/3
Szécseny M. 58A G/H3
Szeged (Segedin) D. 55A B1, 141D A/B1, 142 I5; M. 58A H3, 59A I3
Székesfehérvár (Stuhlweißenburg) D. 96A C2, 140A G1, 141D A1, 142 H4; M. 58A G3, 59A H3
Szemenye M. 58A G3
Szentgotthárd (S. Gotthard) M. 44A B2, 52C B3
Szepes ↗ Spiš
Szeping D. 143A E2
Szombathely (Savaria, Steinamanger) D. 23 C1, 96A B2, 140A F1, 142 G4; E. 4A G3, 29B C2; M. 58A G3
Szöreny ↗ Turnu Severin
Szprotawa ↗ Sprottau
Szukszárd M. 44A B2

T

Taal E. 90A B3
Tabae (Tavas) D. 20 C3
Tabala (Burgaz Kale) D. 20 C3
Tabarka ↗ Thabraca
Tabay Mi. 86 B2
Taben R. 28 C3
Tabennesi M. 11A D6
Tabia (Nefesköy) D. 21 B2; E. 5A D3
Tabor M. 59A G/H3
Tabora AD. 145A F5, 145C B2; Mi. 98A D4
Täbris (Taurisium, Täbriz) D. 26A D1, 63A C3; M. 63A C3
Tacámbaro D. 146C B2; M. 84B C3
Tacape (Gabès) D. 7A H5, 24A G3
Tacata Mi. 86 C2
Tachenhausen M. 68B D3
Tacna D. 147A B4
Tacuarembó D. 147A D6
Tadem ↗ Dadima
Tadinum (Gualdo Tadino) D. 23 B2
Tadmor ↗ Palmyra
Tagbilaren D. 144A C/D2
Taggia M. 59A F4, 70B B3
Taghmon M. 19 C5
Taglibaye D. 26A C2
Tagrit 38A E3; P. 26A C2
Taegu AD. 143A E2
Taguig (Tagig) E. 90A B3, 90B
Tagum D. 144A D2
Tagurin (Tagudin) E. 90A B2
Tahiti 150/151A R5; AV. 106/107C H3
Tahta D. 130A A2
Taichung D. 143A D/E4
Taifa E. 29A C2
Taik D. 9A B2
Taiku AV. 106/107B F2
Tailard 77A C2
Taina D. 23 A3
Tainan D. 143A E4
Taiohae D. 144B F2
Taipeh (S. Taipei) AD. 143A E3; D. 112A H3
Taiwan (Formosa) 112A H3, 117 P3, 123 P3, 127 P3, 129 P3, 143A E4, 150/151A O3; AP. 106/107B F3; Mi. 98/99C F3, 104/105C F3
et-Taiyibeh ↗ Ephraim
Taiyuan 27A H2; AD. 143A D2
Taejeon ↗ Taejon
Tajimaroa M. 84B C3
Taejon (Taejeon) D. 112A H3, 143A E2
Takamatsu 89A C/D2; D. 143A F3
Takata M. 89A B/C3
Takatsuki M. 89A D2
Takht-i-Soleiman ↗ Ganzah
Takoradi D. 145B A2/3
Taksebt ↗ Rusippisir
Takushima M. 89A A3
Talaua Mi. 104/105D C1
Talavera [de la Reina] M. 58A C4, 78A B4
Talca D. 147A B6; M. 85A [B6
Tali D. 143A C3
Talisay E. 90A B/C3
Talkhof 62 D2
Tallaght M. 19 C4
Talley M. 54 D2
Tallinn (Reval) AA. 141B F4; D. 62 D1, 62 D/E1, 71A I/J 1, 135D B2; M. 52A C3, 70A H2; U. 80C D2
Talmis ↗ Kalabscha
Taluyers M. 47A C3
Tamalameque Mi. 86 A2
Tamale AD. 145A B/C4, 145B A2; D. 112A A4
Tamara AV. 147A B2; Mi. 86 A3
Tamarães M. 52D B2
Tamassus (Pera) D. 21 B3
Tamatave D. 145A G/H6; Mi. 104B B2
Tamazula Mi. 84A D5
Tamazulápam M. 84B E4
Tambacounda AP. 145A A3
Tambobong E. 90A B2/3
Tambow D. 135D D2
— Kazanskij M. 81 D/E3
— Woznesenskij M. 81 D/E3
Tambuco E. 90A C4
Tamerza ↗ Ad Turres
Tamezred ↗ Timezegeri Turris
Tamiathis ↗ Damietta
Tamié M. 53 G4
Taming 27A H2; D. 143A D2
Tamit E. 29A B2
Tampico D. 146C B2; M. 84B E1
Tana 27A D4; D. 63A D2; E. 63B B3; M. 63A B2, 89C A2
Tanagra D. 20 B3
Tanaguang (Tanauan) E. 90A B3
Tananarive AD. 145A G/H6; Mi. 104B A/B2
Tanay E. 90A B3
Tancítaro M. 84B B3
Tandag D. 144A D2; E. 90A D4
Tandjungkarang D. 144A A/B4
Tanetze M. 84B E4
Tanga D. 145A F/G5; Mi. 98A D4
Tanganjika AV. 106/107A D4
Tanger 43 B2, 72 B2; AD. 141C C4, 145A B1; Mi. 98A A1
Tangermünde M. 59A G2, 70A F2
Tangut AD. 27A F/G1
Tanis (San el-Hagar) D. 6A D3, 6B B/C1, 8B B2, 10C B2; E. 5A D4
Tanjore D. 143C B1
Tansania 112B B2, 123 K5, 129 K5, 134B D5, 145A F5, 145C B2, 150/151A I5
Tanta D. 130A A1, 134B C/D1/2
Tantoyuca M. 84B D/E2
et-Tantura ↗ Dora
Taonan 27A J1
Taormina (Tauromenium) D. 23 B/C4, 30A B3; E. 4A G5; M. 59A H5
Taos Mi. 87A C3, 87B
Taoura ↗ Thagura
Taourga ↗ Tigisi [Mauretania Caesariensis]
Tapachula D. 146C C3
Tapajós ↗ Santarém [Brasilien]
Tapaquire Mi. 86 C3
Taparura (Sfax) D. 7A H4, 24A G2
Taposiris E. 5A C4
Tarabulus ↗ Tripolis [Phoenice Parhalus]
Tarahumara Mi. 84A E5
Tarantasia ↗ Tarentaise
Taranto (Tarentum) 45A C1, 60A B2; AD. 32 H4, 71A H4; D. 23 C3, 140A G5; M. 58A G4, 59A H4, 78A F3
Tarapur M. 89C A2
Tarascon M. 56A D3, 58B A2, 59A E/F4
Taraess ↗ Tatitti
Tarawa D. 144B D1
Taraz 27A D1, 63B B2
Tarazona D. 22 C3, 60B B1, 71A D4, 141C D3; M. 58A C4, 78A B3
Tarbes D. 97A B4, 97B B4, 141C D2; M. 58A C4
Tarécuato M. 84B B3
Tarent ↗ Taranto
Tarentaise (Tarantasia) AD. 56C D/E2, 71A F3, 97A D3; D. 14B B2, 22 D2
Tarentum ↗ Taranto
Tarf ech Chena ↗ Apisa
Targala ↗ Durakli
Târgu Mures M. 58A H/I3
Tariba Mi. 86 A3
Tarija D. 147A C5; M. 85A C5
Tarkan M. 51 H3
Tarki D. 63A C2; M. 63A C2
Tarlac D. 144A C1
Tarma D. 147A B4
Tarmount ↗ Aras
Tărnovo AD. 135D B3
Tarnów D. 96A C1, 142 I3
Taron D. 9A B2, 55B E2
Tarouca M. 52D B2
Tarquinia (Tarquinii) D. 23 B3, 140A D4
Tarquinii ↗ Tarquinia
Tarracina ↗ Terracina
Tarraco ↗ Tarragona
Tarragona (Tarraco) AD. 8A B2, 13 B2, 22 C3, 56C C4, 60B C1, 71A E4, 141C D/E3; E. 4A D4; M. 56A D3, 58A D4, 59A E4; Pe. 18A C2
Tarrasa ↗ Egara
Tarsus 39C D3, 43 F2, 60A E3, 72 F2; AD. 8A E2, 9B C2, 21 B/C2, 31 E3, 61 D2; D. 6A D2, 26A A2, 55B C/D2; E. 2A E3, 5A D3; M. 61 D2
Tart-l'Abbaye M. 48B C2
Tartaria (Cathay) 63B A/B2
Tartaria Aquilonaris 63A B/C1
Tartaria Orientalis 63A B/C3
Tartas 77A A3
Tartu (Dorpat, Jurew) D. 44B B2, 62 D2, 66 J1, 71A J1; M. 70A H2, 78B B2; U. 80C D2
Tartus ↗ Antaradus
Tarvisium ↗ Treviso
Tasaccura (Denis-du-Sig) D. 24A A2
Taschkent 63B A2; D. 135E A2; P. 27A C/D1
Taşköprü ↗ Pompeiopolis [Paphlagonia]
Tasco Mi. 86 A3
Tatarlı ↗ Metropolis [Pisidia]
Tatilti (Taraess) D. 24A D1
Tatung D. 27A H1/2, 143A D2
Taua (Tawa) D. 8B A2, 10C A2
Taubaté D. 147D B/C2; M. 85A E5
Tauberbischofsheim M. 25C D3, 37 H2
Tauchira (Tokra) D. 10B A1; E. 5A A/B4
Taunggyi D. 143A B4, 144A A1
Taunton [England] 69B B2; M. 19 E6
Taunton [USA] E. 88B B3
Tauranga Mi. 104/105D F4
Tauriana D. 23 C4, 30A B3
Taurisium ↗ Täbris
Tauromenium ↗ Taormina
Taus ↗ Domažlice
Tavas ↗ Tabae
Taverna M. 59A H5
Tavira M. 58A B5
Tawa ↗ Taua
ton Taxiarchon M. 39C B3
Tayavas (Tayabas) E. 90A B3
Taytay E. 90A B3, 90B
Tbilisi (Tiflis) 43 G1, 72 G1; D. 55B E1, 63A B/C2,130D D2; M. 63A B/C2; Mi. 104A D1; P. 135D D3
Tczew (Dirschau) M. 59A H2, 62 B3
Teano (Teanum Sidicinum) 33A D3; D. 23 B3, 140A E4; E. 4A F4
Teanum Sidicinum ↗ Teano
Teate ↗ Chieti
Tébessa ↗ Theveste
Tebourba ↗ Thurburbo Minus
Teboursouk ↗ Thubursicu Bure
Tecali M. 84M E3
Tecamachalco M. 84B E3
Techaluta M. 84B B2
Tecklenburg 73A B2, 76 B2
Tecomaxtlahuaca M. 84B D/E4
Tecoripa Mi. 84A C/D3
Tefé PN. 147A C3
Tega M. 49A E3
Tegea (Paleo Episkopi) D. 20 B3
Tegernsee M. 29B A2, 37 I3, 67 F4; R. 28 E3
Teggiano D. 140A F5
Tegucigalpa AD. 146C D3; D. 113D P4
Teheran AD. 139E F2; D. 130D E3, 139E F2; Mi. 98/99C A2, 104/105C A2
Tehuacán D. 146C B2; M. 84B E3
Tehuantepec D. 146C C3; M. 84B F4
Tehueco Mi. 84A D4
Tejo M. 54 D4
Tekirova ↗ Phaselis
Tekoa (Tequ) 1 B3
Tela de Arsinos D. 26A B1
Tela de Hamdon D. 26A A2
Tela de Mauzelat (Constantina) 38A C2; D. 9B D2, 21 D2, 26A B2
Telanissus ↗ D. Siman
Telawi D. 135D D3
Teleda I ↗ D. Tell Ade
Teleda II ↗ Burdsch es Sab
Telese ↗ Telesia
Telesia (Telese) D. 23 B3
Telgte Pe. 18A C1
Tell Abil ↗ Abila [Palaestina II]
Tell Abu Hureira ↗ Gerar
Tell Ada ↗ D. Tell Ade
Tell Aqibrin M. 12A B2
Tell el-Aschari ↗ Dium [Decapolis]
Tell Bascher D. 26A B2
Tell Basta ↗ Bubastis
Tell Belim ↗ Sethroites
Tell Beschme 38A D2; D. 26A B2
Tell el Caïd ↗ Thagari Maius
Tell Dotha ↗ Dothan
Tell-Duluk ↗ Doliche
Tell Farama ↗ Pelusium
Tell-Hisn ↗ Heliopolis
Tell Hum ↗ Capernaum
Tell el-Husn ↗ Scythopolis
Tellicherry 138D B1
Tell Jezer ↗ Gazara
Tell Kaphera M. 38A C2
Tell Nebi Mind ↗ Laodicea ad Libanum
Tell Muqdam ↗ Leontopolis
Tell er-Rameh ↗ Iulias
Tell er-Rameh ↗ Livias
Tell Riha ↗ Rima
Tell es-Samak ↗ Sycaminum
Tell Sandil M. 12A B2
Tell esch Scheikh Madhkur ↗ Adora
Tell es-Sultan ↗ Iericho
Tell Tennis ↗ Thennesus
Telmessus (Fethiye) D. 20 D3
Telmine ↗ Turris Tamalleni
Telo ↗ Toulon
Telšiai D. 141B F5
Tema D. 130A A2
Tembeola M. 59A B2
Temenothyrae (Uşak) D. 20 C/D3
Temeschburg ↗ Timişoara
Temesvar ↗ Timişoara
Temnus (Gürice) D. 20 C3
Temoichic Mi. 84A E3
Témosachic Mi. 84A E3
Tempagnano M. 37 H4/5
Tempio D. 140A C5
Tempsa D. 23 C3
Temruk 63A B2; M. 63A B2
Temuco D. 147A B6
Ten Mi. 86 A3
Tena AV. 147A B3
Tenango M. 84B D3
Tenda M. 70B B2
Tenderden 69B D2
Tenedus (Bozcaada) D. 8A E2, 20 C3
Tenerife M. 85A B2
Ténès ↗ Cartennas
Tennenbach M. 53 H2
Tennessee D. 101H B/C3
Tenos ↗ Tenus
Tentyra (Denderah) D. 6B C3; 10B C2; E. 5A D5
Tenus (Tenos) D. 20 C3, 61 C2, 96A D3
Teófilo Otoni D. 147A E4
Teotihuacán M. 84B D3
Tepeaca M. 84B E3
Tepealpulco M. 84B D3
Tepeji M. 84B D3
Tepescolula M. 84B E4

Tepetlaoztoc M. 84B D3
Tephuanes Mi. 84A F5
Tepic D. 146C A2
Tepoztlán M. 84B D3
Tequ ↗Tekoa
Tequia Mi. 86 A3
Teramo (Interamnia) D. 23 B3, 140A E4; M. 58A F4, 59A G4
Tépla M. 54 G3
Tercos ↗Derkos
Ter Doest M. 53 F1
Ter Duinen M. 53 E1
Terenuthis (Terrane) D. 10C A2
Teresina AD. 147A E3
Tergeste ↗Trieste
Terib M. 12A B2, 38A B2
Teripiapa Mi. 86 C3
Termessus (Göllük) D. 21 A2; E. 5A C/D3
Termini (Thermae Himereae) D. 23 B4, 30A A3; M. 59A G5
Termoli D. 32 H4, 140A E/F4
Termus ↗Kalabscha
Ternay M. 47A C3
Terni (Interamna Nahars) D. 23 B3, 71A G4, 140A D4; E. 4A F4
Ternitz E. 95B G4
Terracina (Tarracina) 33A C3, 33B C3; D. 23 B3, 140A E4; E. 4A F4; M. 59A G4
Terralba D. 66 F5, 71A F5
Terrane ↗Terenuthis
Terrebza ↗Ubaza
Terryglass M. 19 B4
Teruel D. 141C D3; M. 58A C4
Teschen 73C B2
Tesuque Mi. 87B
Tetbury M. 19 E5
Tete D. 145A F6
Tetelan M. 84B D3
Teurnia (S. Peter im Holz) D. 23 B2; E. 29B B3
Teus (Sığacık) D. 20 C3; E. 5A C3
Teutila M. 84B E4
Texas D. 101H A3
Texcoco D. 146C B2; M. 84B D3
Teziutlán D. 146C B2
Tezontepec M. 84B D3
Tezpur D. 143A B3, 143B D2
Thabbora (Bordj Tambra) D. 7A G2, 24B A2
Thabor M. 68A B1
Thabraca (Tabarka) D. 7A F2, 24A F1; E. 4B A2
Thabudeos (Thouda) D. 7A C4, 24A D2
Thacarata (aïn Touta, Mac-Mahon) D. 7A C3, 24A D/E2
Thacia (Bordj Messaoudi) D. 24B A2
Thagari Mains (Tell el Caïd) D. 7A G2, 24B B2
Thagaste (Souk-Ahras) D. 7A E2, 24A E1; E. 4A E5
Thagura (Taoura) D. 7A E/F2, 24A F1; E. 4A E5
Thaibinh D. 143A C4, 144A B1
Thailand 112A F/G4, 117 N/O4, 123 N/O4, 129 N/O4, 144A A/B1, 150/151A N4
Thala D. 7A F3, 24A F2
Thalgau E. 14A E2
Thalmannsfeld 91 D3
Thamallula (Tocqueville) D. 7A B/C3, 24A D2
Thamascani (Kherbet Zembia) D. 7A B/C2, 24A D1
Thame 69B C2; M. 52A C3
Thamugadi (Timgad) D. 7A D3, 24A E2; E. 4A E5
Thaenae (Hr. Tina) D. 7A H4, 24A G2; E. 4A F6
Thanaramusa (Berrouaghia) D. 24A C1
Thanhoa D. 144A B1
Thann M. 58A E3
Thapsus (Rass Dimas) D. 24A G2
Thasos ↗Thasus
Thasus (Thasos) D. 20 B2
Thatcham 69B C2
Thaumacus D. 30A C2
Thaxted 69B D2
The Arctic D. 113D O1
Thebae [Hellas] (Thebai) AD. 30A D3, 31 C3, 61 B2; D. 20 B3; E. 5A B3; M. 61 B2
Thebae [Thebais] ↗Luxor
Thebai ↗Thebae [Hellas]
Thebais Prima 10B B/C2
Thebais Secunda 10B C3
Theben ↗Luxor
The Dalles D. 113E A/B1
Thelepte (Medinet el Kdima) D. 7A F3, 24A F2; E. 4A E6
Thella (at-Tuliel) 1 A3
Thema Cibyraeotarum 57A H3
Thema Opsicium 57A G/H3
Thema Tracesium 57A G3
Themisonium D. 6A C2, 20 D3; E. 5B A2
Thenailles M. 54 E3
Thening E. 95A D1, 95B E3
Thennesus (Tell Tennis) D. 8A E3, 8B B1, 10B C2
Theodoropolis ↗Euchaita
Theodosiopolis [Asia] (Bergas) D. 20 C3
Theodosiopolis [Osrhoene] ↗Resaina
Theotokos Eleousa M. 39C B2
Theotokos Kosmosoteira M. 39C C2
tes Theotokou tou Stylou M. 39A B1
tou Theou kai Soteros Jesou Christou M. 39B B1
Thera (Santorin) D. 20 C3, 61 C2, 96A D3, 134C D3, 141D C4; E. 5A C3
Theres M. 48A B2, 67 E2
Thermae Basilicae D. 9B C1, 21 C2
Thermae Himereae ↗Termini
Thermopylae (Thermopylai) D. 61 B2
Thermopylai ↗Thermopylae
Thérouanne (Morini) 65 B2; D. 22 D1, 80A A/B3; M. 14A C1, 54 E2
Thespiae D. 20 B3
Thessalia 20 B3
Thessalonice ↗Thessalonike
Thessalonike (Thessalonice) 29B E3, 39C B2, 55B A1, 60A C2, 66 I4; AD. 8A D2, 20 B2, 30A C/D2, 31 C2, 61 B1; AV. 141D B3; D. 134C C1; E. 2A C2, 5A B2; Pe. 18A E2
— Akapniou M. 39C B2
— Blattadon M. 39C B2
— H. Pantanassa M. 39C B2
— H. Theodora M. 39C B2
— Kulkulleoton M. 39C B2
— Latomoú M. 39C B2
Thetford M. 47A B1, 59A E2
Theudalis (Hr. Aouan, Hr. Zarour D. 7A G1, 24A F1
Theulay M. 53 G3
Theveste (Tébessa) D. 7A F3, 24A F2; E. 4A E5
Theys E. 47A D3
Thibar ↗Thibari
Thibari (Thibar) D. 7A F/G2, 24B A1; E. 4B B2
Thibilis (Announa) D. 7A E2, 24A E1
Thibiuca (Hr. Zouitina) D. 7A G2, 24B A1; E. 4B B2
Thierhaupten M. 37 H/I2, 67 F3
Thiers M. 47A C3
Thiès D. 145A A3
Thiges (Hr. Tedjious) D. 7A F4, 24A F2
Thigillava (Djillaoua) D. 7A C2, 24A D1
Thigimma (Hammam Zouakra) D. 7A F/G3, 24A F2
Thimida (Hr. Tindja) D. 24A F1
Thimida Regia (Sidi Ali es Sedfini) D. 24B A/B1; E. 4B C2
Thiniza (Rass el Djebel) D. 24A G1; E. 4B C1
Thiron M. 94 B2
Thisica (Hr. Techga) D. 24A F1, 24B A1
Thivais M. 45B A2
Thmuis (Timay el-Amdid) D. 6A D3, 10C B2; E. 5A D4
Tholey M. 14C C2, 25A D2, 67 D3; R. 28 D3
— S. Mauritius M. 37 G2
Thorn [Niederlande] M. 82 B3, 83 B3
Thorn [Weichsel] ↗Toruń
Thorout M. 37 E1
Thorpe 69B D2
Thouars 77A A2
Thouda ↗Thabudeos
Thozhiyur P. 130C A/B1
Thrace 20 B/C2
Threckingham M. 19 F5
Thron M. 91 B3
Thuburbo Maius (Hr. Kasbat) D. 7A G/H2, 24B A/B2; E. 4B B2
Thuburbo Minus (Tebourba) D. 7A G2, 24B A1
Thuburnica (Sidi Ali Belkacem) D. 7A F2, 24A F1
Thubursicu Bure (Teboursouk) D. 7A G2, 24B A2
Thubursicum Numidarum (Khamissa) D. 7A E2, 24A E1
Thucca E. 4B A3
Thugga (Dougga) D. 7A G2, 24B A2
Thullio (Ksar beni Feredj) D. 24A F1
Thulston 69B C2
Thumpanon D. 130C B2
Thüngen 73A C3, 76 C3
Thunigaba (Hr. el Aabed) D. 7A G2, 24A F1, 24B A1
Thurgau 73A C5, 76 C5
Thurii ↗S. Marco
Thüringen 65 E2
Thurles AD. 141A B3
Thursday Island D. 112A H/I5
Thursley 69B C2
Thyatira (Akhisar) D. 20 C3; E. 2A D3, 5A C3
Thysdrus (El Djem) D. 7A H3, 24A G2; E. 4A F5
Tianguá D. 147A E3
Tibaguan (Tigbauan) E. 90A B4
Tiberias (Tabariyeh) 1 B2; AD. 26A A3; D. 21 C3, 61 E3; Pe. 18B B2
Tiberiopolis (Emet) D. 20 D3; E. 5A C3
Tibet AD. 27A E2; AV. 106/107B D2
Tibeter 27A E/F2
Tibur ↗Tivoli
Tichwin, Wwedenskij M. 81 C/D2
Tichwinskij M. 81 E3
Ticinum ↗Pavia
Tida ↗Phragon
Tiefenstockheim 91 C3
Tiel R. 28 C2
Tienen 65 C2; M. 58A D/E2
Tienshui D. 143A C3
Tientsin D. 143A D2
Tieum D. 21 B1
Tifech ↗Tipasa [Numidia]
Tifernum [Marche] (S. Angelo in Vado) D. 23 B2
Tifernum [Tevere] ↗Città di Castello
Tiflis ↗Tbilisi
Tigava Castra (Wattignies) E. 4A D5
Tigava Municipium (El Kherba) D. 24A B1
Tigisi [Mauretania Caesariensis] (Taourga) D. 7A A/B2, 7B D1, 24A D1
Tigisi [Numidia] (Ain el Bordj) D. 7A D/E2, 24B A1; E. 4A E5
Tiglieto M. 53 H4
Tignica (Aïn Tounga) D. 7A G2, 24B A1
Tigzirt ↗Iomnium
Tihany M. 44A B2
Tihwa AP. 143A A2
Tijuana D. 146A B3
Tiklat ↗Tubusuctu
Tilarán D. 146C D4
Tilbury M. 19 G5
Tilium D. 31 F3
Tilty M. 52A D3
Timahoe M. 19 C5
Timay el-Amdid ↗Thmuis
Timezegeri Turris (Tamezred) D. 7A G/H5, 24A F3
Timgad ↗Thamugadi
Timici (Kalaa) D. 7B A1, 24A B1
Timişoara (Temeschburg/Temesvar) AD. 134A C2; D. 55A C2, 141 D B2, 142 I5
Timnins D. 146A F2
Timoleaghe M. 58A B2
Timor 112A H5, 150/151A O5
Timotos Mi. 86 B2
Timucua Mi. 87A E3
Tinaco Mi. 86 B2
Tinacoa Mi. 86 A2
Tinajas Mi. 86 B2
Tingambato M. 84B B3
Tingchow M. 89D B3
Tinjaca Mi. 86 A3
Tintagel M. 19 D6
Tintern M. 52A C3
Tinternparva M. 52A B3
Tipasa [Mauretania Caesariensis] D. 24A C1
Tipasa [Numidia] (Tifech) D. 24A E1
Tiranë (Tirana) AA. 138A B/C3; AD. 134C A/B1
Tiraspol D. 141D D1
Tiree M. 19 C3
Tiripitio M. 84B C3
Tirol 66 G3, 73A D5, 76 D5, 93 G3
Tironneau M. 53 D2
Tirlemont M. 68A B2
Tiruchirapalli D. 143C B1
Tiruvalla D. 130C B2, 138D B2
Tiruvankulam D. 130C B2
Tisbury M. 19 E5
Titao 27A G2
Titchfield M. 54 D2
Titel M. 44A C2
Titiopolis D. 21 B2
Titograd ↗Dioclea
Tituli (Hr. Mahdjouba) D. 7A F3, 24A F2
Tivoli (Tibur) D. 23 B3, 140A D4; M. 58A F4, 59A G4, 78A E3
Tkhmindi E. 29A C2
Tlajomulco M. 84B B2
Tlalmanalco M. 84B D3
Tlalnepantla D. 146C B2
Tlalyacapan M. 84B D3
Tlapa M. 84B D4
Tlaxcala D. 146C B2; M. 84B D/E3
Tlaxiaco M. 84B E4
Tlemcen ↗Pomaria
Tlinskij-Troickij M. 44B C2, 81 C3
— Uspenski M. 44B C2
Tlos D. 20 D3, 21 A1
Tmorik D. 9A B3
Tmutarakan 44B C3; D. 44B C3
— Bogorodickij M. 44B C3
Tobago 126 F4, 128 F4; Mi. 103B E/F4
Tobasa Mi. 86 A3
Tobna ↗Tubunae
Tocantinópolis D. 147A E3
Tocqueville ↗Thamallula
Todi (Tuder) 33A C2, 33B C2; D. 23 B3, 140A D4; M. 56A F3, 58A F4, 59A G4
— S. Leucio M. 54 G4
Todurga ↗Sidyma
Toggenburg 73A C5, 76 C5
Togo 116 I4, 122 H/I4, 128 I4, 145A C4, 145B B1/2, 150A H4; AP. 106/107A B3
Toiselay M. 14A C2
Tokaoko (Hirosaki) 89B B1
Tokelau-In. Mi. 104/105D G2
To Kheri [Athos] 45B B2
Tokio ↗Tokyo
Tokitsu M. 89A A3
Tokor E. 29A B/C2
Tokra ↗Tauchira
Tokwon AN. 143A E2
Tokyo (Yedo) AD. 143A F/G2; D. 106/107B G2, 112A I3; M. 89A F2; Mi. 104/105C G2
Toledo [Brasilien] D. 147A D5
Toledo [Spanien] (Toletum) 43 B1/2; AD. 13 B2, 22 C3, 60B B2, 71A D5, 141C C3; M. 58A C5, 59A D5, 78A B4; E. 4A C5
— S. Columba M. 54 D5
Toledo [USA] D. 131 A C2, 146A F2
Tolentino (Tolentinum) D. 23 B2; M. 70B E3
Tolentinum ↗Tolentino
Toletum ↗Toledo [Spanien]
Tolmetha ↗Ptolemais [Libya]
Tolosa ↗Toulouse
Tolsburg 62 D1
Tolschewskij Spaso-Preobraschenskij M. 81 D/E3
Tolu M. 85A B2
Toluca D. 146C B2; M. 84B D3
Tomar M. 58A B5
Tombora D. 145A E4
Tomi AD. 20 C1; E. 5A C2
Tommarp M. 54 G1
Tomóchic Mi. 84A E3
Tonalá M. 84B B2
Tonalá M. 84B D/E4
Tonawanda Mi. 87A E/F2
Tonbridge 69B D2
Tondern M. 58A E1
Tondrak 57A K/L3
Tone M. 89A A3
Tonga-Inseln 144B E3, 127 S6, 150/151A Q/R6; Mi. 98/99D G3, 104/105D G3
Tongeren (Aduatuca Tungrorum, Tungri) D. 22 D1, 34A D1; E. 4A E2; M. 68A B2
Tongerloo M. 54 E/F2
Tongland M. 54 D1
Tonkabeur ↗Tuccabor
Tonkin AV. 106/107B E3
Tonnerre 14A C2; M. 48B B/C2, 94 C3
— S. Sylvester M. 37 E3
Tönsberg M. 54 F1
Toowoomba D. 144B C3
Topa Mi. 86 A3
Topeka D. 113E D2
Topia M. 84A E5
Topirus (Toxotai) D. 20 B2
Toplica D. 55A C2
Topusko M. 52C B3
Toqad M. 12A B2
Torbalı ↗Metropolis [Asia]
Torcello D. 32 G3
Tordinci M. 58A G3
Torgau M. 58A F2
Torin Mi. 84A C4
Torino (Augusta Taurinorum) AD. 140A B2; D. 13 C2, 23 A2, 56C E2; PE. 18A C2; M. 49C A1, 58A E4, 59A F3, 70B B2, 78A D2, 79 E2; U. 64 C2
Torit D. 145A F4
Tornac M. 47A C4
Toro [Mexico] Mi. 84A D4
Toro [Spanien] M. 58A B4
Torondoy Mi. 86 B2
Torone D. 20 B3
Toronto AD. 146A F2; D. 111B E1, 113D P/Q2, 131A C/D2, 138B F2
Toropec, Troickij Nebin M. 81 C2
Tororo D. 112C B1, 145C B1
Torre di Anazzo bei Fasano ↗Gnathia
Torreón D. 146A D4, 146C A1
Torres AD. 66 F4
Torri, M. 49 CH E3
Torschok 44B C2
— Borisoglebskij M. 81 C/D2
— Woskesenskij M. 81 C/D3
Tortona (Dertona) D. 23 A2, 66 F4, 140A B3; M. 49C B2, 59A F4, 70B C2
Tortosa (Dertosa) D. 22 C3, 60B C1, 71A E4, 141C D3; M. 58A D4, 59A D/E4
Toruń (Thorn) 62 B3; M. 58A G2, 59A H2, 78A F1
Tory Island M. 19 B3
Toscana 93 G4
Toscanella ↗Tuscana
Tosina M. 49A E3
Toskana ↗Toscana
Totemskij Spaso Sumorin M. 81 E2
Totnes M. 51 D2
Totolapan M. 84B D3
Totzach M. 58A G4
Toul (Tullum) D. 22 D2, 35A D2, 56C D1, 82 A4, 83 A4, 97A D2; M. 14A D2, 14C C2, 50 C3, 58A E3, 59A F3; R. 28 C3
— S. Aper M. 48B C2
— S. Evre M. 37 F2
Toulon (Telo) D. 14B B3, 22 D3, 97A D4, 141C E2; M. 56A E3, 59A F4
Toulouse (Tolosa) 43 C1, 57A B2; AD. 71A E4, 97A B4, 97B B4, 141C D2; D. 22 C3, 56C B/C3, 56D A/B1, 57B A/B2, 57C A1; E. 4A D4; M. 56A C/D3, 58A D4, 59A E4, 78A C3, 79 D3; U. 64 C2
— La Daurade M. 94 B4
— S. Saturnin M. 37 D5
Toumus, S. Valerian M. 37 E/F3
Toungoo D. 112A F/G4, 143A B4, 143B D3, 144A A1
Tournai (Turuacum) 65 B2; D. 22 D1, 66 E2, 80A B3, 80B B3, 141A E3; M. 14A C1, 50 B2, 51 E2, 56A D1, 58A D2, 78A C1; R. 28 B2
Tournon M. 78A C2
Tournus M. 48B C3; R. 28 C4
— S. Valerian M. 37 E/F3
Tours (Turones) 43 B/C1; AD. 8A B1, 22 C2, 32 E3, 34A C2, 71A E3, 97A B2, 97B B2, 141A D4, 141C D1; E. 4A D3; M. 14C B2, 56A D2, 59A E3, 70A B4, 79 D2, 94 B3; Pe. 18A C2
— BMV M. 37 C/D3
— Clarus M. 14A C2
— S. Julian M. 37 C/D3
— S. Martin M. 35A C2, 37 C/D3
— S. Monegundis M. 37 C/D3
— S. Pierre M. 37 C3
— S. Venantius M. 37 C3
Tours-s.-Marne M. 47A C2
Toussaints M. 50 C3
Townsville D. 112A H/I5
Townsville D. 144B C2
Towyn M. 19 D5
Toxotai ↗Topirus
Tozeur ↗Tusuros
Trabzon ↗Trapezus
Trace 57A G2
Trachonitis 1 C2
Tracton M. 52A A/B3
Traianopolis [Phrygia Pacatania] (Gâvur-Ören) D. 20 D3, 21 A2; E. 5B A1
Traianopolis [Rhodope] AD. 8A E2, 20 C2, 30A D2, 31 D2, 61 C1; E. 5A C2
Traiectum ↗Maastricht
Tralee M. 59A B/C2
Tralla D. 20 C/D3
Tralles (Aydın) D. 20 C3; E. 2A D3, 5A C3
Trani (Tranum) AD. 32 H4, 71A H4, 71B B1, 140A F4; D. 23 C3; M. 59A H4
Tranum ↗Trani
Trapani D. 140A D6; M. 58A F5, 59A G5, 78A E4
Trapezopolis (Bolu) D. 20 C3
Trapezunt ↗Trapezus
Trapezus (Trabzon, Trapezunt) 39C E2, 55B D1, 60A F2, 66 L4, 72 F1; AD. 31 F2; D. 21 D1, 61 E1, 63A B2; E. 5A E2; M. 61 E1, 63A B2; Mi. 98A D1, 104A D1
Traun E. 95B F3
Treba D. 23 B3
Trebenna D. 21 A2
Trebesing E. 95A C2, 95B E5
Trebiae (Trevi) D. 23 B3
Trebinje D. 96A B/C2
Trebnitz Pe. 18A D1
Trecalae D. 23 B4
Trecenta M. 49C E2
Tre Fontane M. 52E B2
Tréguier D. 32 D3, 97A A/B1; M. 37 A2
Treguljaew Predtetschenskij M. 81 E3
Trelleborg M. 58A F1
Tremithus D. 21 B3; E. 5A D3
Tremp M. 59A E4
Trenčin M. 58A G3
Trento (Tridentum, Trient) AD. 140A D2, 142 D5; D. 23 B2, 82 D5, 83 D5, 96A A2, 96B A/B4; M. 50 E4, 59A G3
Trenton D. 113E F1/2, 146A G2/3
Le Tréport M. 48B B1, 94 B2
Tresdorf E. 95A C2, 95B E5
Três Lagoas D. 147A D5
Tres Tabernae D. 23 B3; E. 4A F4
Trevi ↗Trebiae
Trevico D. 71B B1
Treviso (Tarvisium) 57D D2; D. 23 B2, 96A B2, 140A D2, 142 E5; M. 59A G3; U. 64 D2
— SS. Pietro, Paolo e Teonisto M. 37 I4
Treysa M. 59A F2, 70A E2
Triaditza ↗Sofija
Tricarico D. 32 H4, 140A F5
Tricastinum (S. Paul-Trois-Châteaux) D. 22 D2
Tricca ↗Trikkala
Trichinaria M. 39B C2
Trichinopoly D. 106/107B C4
Trichur D. 130C B1, 138D B1; Mi. 98/99C C4
Tridentum ↗Trento
Triefenstein M. 50 D3
Trient ↗Trento
Trier (Augusta Treverorum) 73A B3/4, 76 B3/4, 92A B2/3, 93 F2/3; AD. 22 D3, 25C B2, 32 F3, 35A D2, 56C D1, 65 C3, 66 F3, 71A F3, 82 B4, 83 B4, 97C B3; D. 97D B3, 141A F4, 142 B3; E. 4A E3; M. 14A D2, 14B B2, 14C C2, 51 F3, 58A E3, 59A F3, 68B C2, 70A D/E3, 78A D2; Pe. 18A C2; R. 28 C3; U. 64 C2

— BMV M. 37 F2
— Ören M. 37 F2, 25A D2
— S. Eucharius (S. Matthias) M. 37 F/G2
— S. Marien M. 67 C3
— S. Martin M. 67 C3
— S. Matthias M. 67 C3
— S. Maximin M. 35A D2, 37 F/G2, 82 B4, 83 B4
— S. Symphorian M. 37 F/G2
Triest ↗Trieste
Trieste (Triest, Tergeste) D. 23 B2, 96A B2, 140A E2, 142 E5; M. 58A F3
Trifonow-Petschengskij M. 81 C1
Trigolo M. 47C C2
Trigorskij Preobraschenskij M. 81 C3
Trigueros M. 78A A4
Trikkala (Tricca) D. 20 B3, 30A C2, 134C B/C2; E. 5A B3
Trilia M. 39B B3
Trim D. 19 C4; M. 58A B2, 59A C2
Trincomalee D. 143C B2
Trincomalie D. 106/107B C4
Trinidad 116 E/F4, 126 F4, 128 F4, 147A C/D1, 150A E4; D. 113D Q/R4; M. 85A C/D1; Mi. 103B E/F4, 103D B/C1
Trinidad [Bolivien] AV. 147A C4; Mi. 85A C4
Trinidad [Kolumbien] M. 85A B2
Trinidad [Paraguay] Mi. 85B A/B1
Trinidad [Venezuela] Mi. 86 B3
Trinidad [Venezuela] Mi. 86 C2
Trinitá del Legno M. 52E D2
Trino M. 59A F3/4, 70B C2
Tripoli ↗Oea
Tripoli [Phoenicia] (Tripolis) 55B D3, 60A F4, 63A B3; AD. 139F A1; D. 9B C2, 21 C3, 61 E3, 135D C4; E. 2A F4, 5A E4; M. 61 E3
Tripolis [Griechenland] D. 134C C3
Tripolis [Libyen] 43 D2, 72 D2; AP. 106/107A C1; AV. 145A D1; D. 134B B1; M. 98A B1
Tripolis [Lydia] (Yenice) D. 6A C2, 20 C/D3; E. 5B A1
Tripolis [Phoenicia] ↗Tripoli
Tripolitania 7A G/H5
Trisay M. 53 C3
Trisipa (Aïn el Hammam) D. 7A F2, 24A F1
Trisulti M. 51 G4
Trivandrum 27B B2; AD. 138D B2; D. 130C B2, 143C A2
Trivento D. 32 G4, 140A E4
Trivio M. 49A E/F3
Trnava, AD. 141D A1, 142 G4; M. 59A H3, 78A F2; U. 80C C3
Troarn M. 48B A2
Troas D. 6A C2, 20 C3, 61 C2; E. 2A D3
Trocano Mi. 85A D3
Trocnades D. 21 B2
Trofaiach E. 95B F/G4
Trogir D. 32 H4; M. 59A H4
Troia (Aeca) D. 23 C3, 71B B1, 140A F4; M. 70B F4
Troickaja Kriwoezerskaja M. 81 E2
Troickij M. 81 B3
Troickij M. 81 D2
Troickij Alexandro-Swirskij M. 81 C/D2
Troickij Anzerskij-Skit M. 81 D1
Troickij Belopesockij M. 81 D3
Troickij Kaljazin M. 81 D3
Troickij Kozlowskij M. 81 E3
Troickij Ostrowoezerskij M. 81 E3
Troickij Schirowickij Uspenskij M. 81 B3
Troickij-Skanow M. 81 E3
Troickij Stefanow Machrischtschkij M. 81 D3
Troickij Tschuwaschskij M. 81 E/F3
Troickij Zeleneckij M. 81 C2
Troisfontaines M. 53 F2
Trois-Rivières D. 146A G2
Tromsö PN. 141B E2
Tronchiennes R. 28 B2
Trondheim PN. 141B C3
Tropea D. 23 C4, 30A B3, 140A F6; M. 78A F4
Troppau ↗Opava
Trouhaut M. 47A C3
Troyes (Civitas Tricassium) 65 C3; D. 14B A2, 22 D2, 97A C2, 97B C2, 141A E4, 141C E1; E. 4A D3; M. 14B A2, 25A C2, 37 E2, 50 C3, 51 E3, 58A D3, 59A E3, 70A D3
Trsat Pe. 18A D2
Trub M. 48A A/B3
Trubtschewskij Tschelnskij Spasskij M. 81 C/D3
Trujillo [Peru] AD. 147A B3; D. 85A B3
Trujillo [Spanien] M. 59A C5
Trujillo [Venezuela] D. 147A B2; Mi. 86 B2
Truk D. 144B C1
Trulla M. 49B A2
Truento ↗Truentum
Truentum (Truento) D. 23 B3
Truro D. 111D B3; M. 59A C2
Trutnow (Trautenau) 69A D/E1
Truttenhausen M. 50 D3, 68A C3
Trzew ↗Dirschau
Tsalka D. 135D D3
Tschad 112A B/C4, 123 K4, 145A D/E3, 150A H4
Tschaslau ↗Čáslav
Tscheboksary D. 135D D2
— Troickij Tschuwaschskij M. 81 E/F3
Tschechoslowakei (ČSSR) 111A D/E2, 112A B/C2, 117 K2, 120 F/G2, 123 K2, 127 I/K2, 128 I2, 134A A/C2, 138A A/B1/2, 150B D2
Tscheljabinsk
— Boriso-Glebskij M. 44B C2
Tschenstochau ↗Częstochowa
Tscheremeneckij Ioanno-Bogoslowskij M. 81 B/C2
Tschernigow D. 44B C2, 81 C3, 135D C2
— Fleckij Uspenski M. 81 C3
— Troickij-Ilinskij M. 81 C3
Tschernowzy (Černovtsy) D. 134A C/D2, 135D B3; M. 58A I3
Tschigirinskij Troickij M. 81 C4
Tschöran E. 95B F5
Tshumbé D. 145A E5
Tsinan AD. 143A D2
Tsingtao D. 143A E2
Tsining [Innere Mongolei] D. 143A D2
Tsining [Shantung] M. 89D B2
Tsiroanomandidy D. 145A G6
Tsitsihar AP. 143A E1
Tsukumi M. 89A B/C3
Tuam AD. 66 C2, 71A C2, 141A B3
— S. Trinitas 54 C2
Tuamotu-Inseln 144B F2
Tubarão 147A E5
Tubig (Taft) E. 90A C4
Tübingen 65 D3; M. 58A E2, 68B D3, 70A E3; U. 64 C2
Tubuai-Inseln 144B F3
Tubunae (Tobna) D. 7A C3, 24A D2; E. 4A E5
Tubusuctu (Tiklat) D. 7A B/C2, 24A D1
Tubutama Mi. 84A C2
Tucca (Hr. el Abiod) D. 24A E1
Tucca (Merdja) D. 7A D2, 24A E1; E. 4A E5
Tuccabor (Toukabeur) D. 7A G2, 24A F1, 24B A1; E. 4B B2
Tucci (Martos) D. 22 B4; E. 4A C5
Tuchel (Tuchola) 62 A3
Tuchola ↗Tuchel
Tückelhausen M. 51 F3, 54 G3
Tucson D. 146A C3; Mi. 103A D3
Tucumán (Córdoba de Tucumán) AD. 147A C5; D. 85A C5; Mi. 103D B3
Tucupido Mi. 86 C2
Tucupita AV. 147A C2
Tudae ↗Túy
Tüddern M. 48A A2
Tudela de Navara M. 58A C4, 78A B3
Tuder ↗Todi
Tudmur (Tadmor) ↗Palmyra
Tuffé M. 37 C2, 94 B2
Tuguegarao D. 106/107B F3, 144A C1; E. 90A B2
Tula D. 135D C2
— Ioanno-Predtetschew M. 81 D3
— Uspenskij M. 81 D3
Tula D. 146C B2; M. 84B D2
Tulancingo D. 146C B2; M. 84B D2
Tulcán D. 147A B2
Tuléar D. 145A G7; Mi. 98B A2, 104B A2
et-Tuliel ↗Thella
Tulle D. 71A E3, 97A B3, 97B B3, 141C D/E2
Tulln a. d. D. M. 58A G3, 59A H3, 70A G/H3
Tullum ↗Toul
Tulsa D. 146A D3
Tulsk M. 59A C2
Tumaco AV. 147A B2
Tunes ↗Tunis
Tunesien 112A B3, 126/127 I3, 145A C1; AV. 106/107A B1, 150A H3
Tungchow AP. 143A C2/3
Tunghai AP. 143A D/E3
Tungping 27A H2
Tungri ↗Tengeren
Tunhwang M. 27A F1
Tunica Mi. 87A D3
Tunis (Tunes) D. 7A H2, 24B B1; PN. 145A C/D1
Tunja AD. 147A B2, 147C B1; M. 85A B2; Mi. 86 A3
Tunki AP. 143A D3
Tunnsuda (Sidi Meskine) D. 7A F2, 24A F1
Tunstall 69B D2
Tupholme M. 54 D2
Tupigny M. 47A C2
Tupuquen Mi. 86 D3
Tupure Mi. 86 C3/4
Tura D. 143B D2
Tur Abdin 38B A/B1/2; D. 26A B/C2
Turan M. 12A B3
Turbessel 60A F3
Turfan 63B B2; M. 27A E1
Turiaso ↗Tarazona
Turin ↗Torino
Türje M. 44A B2, 54 H3
Turk Mi. 103B C2
Türkei 112A C3, 130D A/C3, 134C E1/2, 135D B/D4, 139E B/D2, 141D C/D3, 150/151A I3
Turkestan AD. 27A C1
Türkisch-Ungarn 93 H/I3
Turleigh 69B B2
Turmanin M. 12A B2, 13B B2
Turmeque Mi. 86 A3
Turnacum ↗Tournai
Turnau ↗Turnow
Turnovo 55A D2; AD. 30A D1, 61 C1; D. 135D B3
Turnow (Turnau) M. 59A G/H2
Turnu Severin (Szöreny) M. 58A H4
Turoč (Turocz) M. 44A B2, 54 H3
Turocz ↗Turoč
Turones ↗Tours
Turow D. 44B B2
— Boriso-Glebskij M. 44B B2
Turpenay M. 94 B3
Turris Libisonis (Porto Torres) D. 23 A3
Turris Rutunda (Sidi Khalifa) D. 7A G2
Turris Tamalleni (Telmine) D. 7A F5, 24A F3
Tursi D. 32 H4, 140A F5
Turuberan D. 9A B2
Tuscana (Toscanella) D. 23 B3
Tuscarora Mi. 87A E/F2
Tussonval M. 25A D2, 37 F3
Tusuros (Tozeur) D. 7A F5, 24A F3
Tut 38A B2
Tutasá Mi. 86 A3
Tutbury 69B C2
Tutero M. 52B C1
Tuti E. 29A C6
Tuticorin D. 143C B2; M. 89C B4
Tutotepec M. 84B D2
Tutuaga Mi. 84A E3
Tuvalu 150/151A Q5
Tuxpan D. 146C B2; M. 84B B3
Tuxtepec D. 146C C3
Tuxtla Gutiérrez D. 146C C3
Tuz Khurmatu ↗Hanigar
Tuzla D. 134A B3
Túy (Tudae) D. 22 B3, 32 C4, 60B A1; M. 59A C4
Tvis M. 52B B2
Twer 44B C2; D. 81 D2
— Christoroschdestwenskij M. 81 D3
— Uspenskij Otrotsch M. 81 D2
Tyana (Kemerhisar) AD. 8A E/F2, 9B C2, 13 E/F2, 21 B2, 31 E3; D. 6A D2; E. 5A D3
Tymandus (Mandos-Kırı) D. 21 A2
Tyndaris (S. Maria di Tindaro) D. 23 B/C4, 30A A3
Týnec (Elbe-Teinitz) M. 58A F/G2/3
Tynemouth M. 19 F3
Tyninghame M. 19 E3
Tyraeum (Durağan) D. 21 B2
Tyrnau ↗Trnava
Tyrus ↗Sur
Tzeyang D. 143A D2
Tzintzuntzán M. 84B C3
Tzurullus D. 30A E2, 61 C1

U

Uaupés PN. 147A C3
Ubaté M. 85A B2
Ubaza (Terrebza) D. 7A E3, 24A E2
Úbeda M. 58A C5, 78A B4
Uberaba AD. 147A E4, 147D B1
Uberlândia D. 147A E4, 147D B1
Überlingen M. 58A E3
Ubon D. 144A B1
Ucareo M. 84B C3
Uccula (Aïn Dourat) D. 7A G2, 24A F1, 24B A1
Ucetia ↗Uzès
Uchi Maius (Hr. Douemis) D. 7A F/G2, 24B A2
Ucres (Bordj Bou Jadi) D. 7A H2, 24A F/G1, 24B A/B1; E. 4B C2
Uedem M. 68A C2
Udaipur D. 143B D2
Udine AD. 96A B2; D. 140A E2, 142 E5; M. 59A G3
Udon Thani D. 144A A1
UdSSR 117 K2, 127 L2
Ufa D. 135D E2
Uganda 112B B1, 129 K4, 145A F4, 145C B1, 150/151A I4
Ugento D. 71A H5, 140A G5
Uglitsch, Alekseewskij M. 81 D2
— Bogojawlenskij M. 81 D2
Uglitschskij Nikolo Ulejminskij M. 81 D2
Uglitschskij Pokrowskij M. 81 D2
Ugrowsk D. 44B B2
— Danilowskij M. 44B B2
Uherský Brod (Ungarisch-Brod) M. 59A H3
Uije D. 145A D5
Uiguren 27A E/F1
Ujung Pandang AD. 144A C4, 144B A2
Ujvár M. 59A I3
Ukek M. 63A C1
Ulan Bator Mi. 143A C1
Ulcinj (Dulcigno) D. 71A H4; M. 58A G4, 59A H4
Ulia E. 4A C5
Uljanowsk D. 135D D2
Uljanowskaja-Einsiedelei M. 81 F2
Ulm 46 A3, 66 F3, 73A C4, 76 C4, 91 C4, 92B C2, 93 F/G3; M. 50 D3, 58A F3, 59A F3, 70A F3; R. 28 D/E3
Ulpiana (Lipaenium, Lipljan) D. 20 B2, 30A C2
Umana ↗Numana
Umbriatico D. 71A H5
Umm el-Amdan ↗Salim
Umm Qeis ↗Gadara
Umtata D. 112A C6, 145A E/F8, 145D A2
Umuahia D. 145B C2
Umuarama D. 147A D5
Umzimkulu D. 145D A/B2
Une Mi. 86 A3
Ungarisch-Brod ↗Uherský Brod
Ungarn 66 H/I3, 77B D2, 96A B/C2, 112A B/C2, 117 K2, 123 K/L2, 127 I/K2, 128 I2, 134A B/C2, 138A B/C2, 140A F/G2, 141D A/B1, 142 G/I4, 151B D2
Unianemba AV. 106A D4
União da Vitoria D. 147A D5
Unicov (Mährisch-Neustadt) M. 58A G3
Unter-Cimbebasien AP. 106A C5
Unterhaus E. 95B E5
Unter-Kongo AP. 106A C4
Unternzenn 91 C3
Unterringingen 91 C4
Unterschützen E. 95B G/H4
Upata Mi. 86 D3
Uppenna (Chigarnia) D. 24A G1
Upper Heyford 69B C2
Uppsala AD. 71A H1; U. 64 D1
Ura ↗Olba
Urach M. 68B D3
Urakami M. 89A A3
Urano M. 49A F2
Urawa D. 143A F2
Urbana Mi. 86 C3
Urbania D. 140A D3
Urbino (Urbinum) 33A C2, 33B C2, 33C C2, 33D C2; AD. 140A D3; D. 23 B2; M. 58A F4, 59A G4, 70B E3
Urbisaglia ↗Urbs Salvia
Urbnisi AD. 135D D3
Urbs Salvia (Urbisaglia) D. 23 B2
Urbs vetus ↗Orvieto
Urci D. 22 C4; E. 4A C5
Urdaneta D. 144A C/D1
Urdax M. 54 D4
Ures Mi. 84A C3
Urfa ↗Edessa
Urfahr E. 95B F3
Urgel (Urgellum) D. 22 C3, 141C D2
Urgellum ↗Urgel
Urim ↗Urima
Urima (Urim) D. 9B C2, 21 C2, 26A B2
Urla ↗Clazomenae
Urlar M. 59A C2
Urmia D. 26A C2; Mi. 104/105C A2
Ursberg M. 50 E3, 54 G3, 82 D4, 83 D4
Urso E. 4A B5
Urspring M. 48A B3
Urtrus D. 31 G3
Uruaçu D. 147A E4
Uruapan M. 84B B/C3
Urubucuara Mi. 85A D3
Uruguaiana D. 147A D5
Uruguay 113D R6, 116/117 F6, 122 F6, 126 F6, 128 F6, 147A D6, 147B B1, 150A E6
Urumtschi 27A E1, 63B B2
Urusi (Hr. Sougga) D. 7A G2, 24A F2
Urville E. 47A C2
USA ↗Vereinigte Staaten von Amerika
Uşak ↗Sebaste [Phrygia, Pacatania]
Uşak ↗Temenothyrae
Uschtschelskij-Iowa M. 81 E1
Usellus D. 32 F5
Usim ↗Letopolis
Usinazza (Saneg) D. 24A C2
Üsküb ↗Prusias
Usme Mi. 86 A3
Usora M. 58A G4
Uspenskaja Schalotschskaja Gurewa M. 81 D2
Uspenskij Aleksandro-Kuschtskij M. 81 D/E2
Uspenskij Awraamiew M. 81 E2
Uspenskij Bogorodickij M. 81 F3
Uspenskij Scheltikow M. 81 D3
Uspenskij Sofijskij M. 81 D3
USSR ↗Sowjetunion
Ústi (Aussig) 69A B/C1
Ust-Medwedickij Preobraschenskij M. 81 E4
Ustschechonskij-Troickij M. 81 D2
Ust-Wym D. 81 F2
Usuki M. 89A B/C3
Usula (Inchilla) D. 7A H4, 24A G2
Uthina (Oudna) D. 7A H2, 24A G1, 24B B1; E. 4B C2
Utica (Utique, Bordj Bou Chateur) D. 7A H1, 24A G1; E. 4B C1
Utique ↗Utica
Uto M. 89A B3
Utrecht AD. 80B C2, 111A C1, 141A E3; D. 25C B2, 32 F2, 35A D1, 65 C2, 66 F2, 80A C2, 82 A2; M. 51 F2, 56A E2, 58A E2, 59A F2, 67 C1, 68A B1, 68B B1, 70A D2; R. 28 C2; U. 80C B2
— S. Paul M. 48A A1
— S. Salvator M. 14A C1, 25C B2, 37 F1
Uttenhofen 91 C3
Uttenweiler M. 70A E/F3
Üveyik Burnu ↗Lysinia
Uvira D. 145A E5, 145C A2
Uxbridge 69B C2
Uyapi Mi. 86 C3
Uzalis (El Alia) D. 7A H1, 24A F1; Pe. 18A D3
Uzappa (Ksour Abd el Melek) D. 24A F2
Uzdrinskaja-Einsiedelei M. 81 E2
Uzès (Ucetia) 14B A3, 77A C2; D. 22 D2, 56C D3, 97A C3; M. 58B A2
Uzès Le Duc ↗Fronta
Užhorod D. 138A C2
Uzitta (Hr. el Makhreba) D. 7A H3, 24A G2

V

Vabre ↗Vabres
Vabres (Vabre) D. 71A E4, 94A C2; M. 35A C3
Vác (Waitzen) D. 44A B/C2, 71A H3, 96A C2, 141D A1, 142 H4
Vacaria D. 147A D5
Vaga (Béja) D. 7A G2, 24A F1, 24B A1; E. 4B B2
Vagal (Sidi Ben Thiou) D. 7B B1, 24A B1
Vaiano M. 49C E3
Vailly M. 59A E3, 70A C3
Vaipikotta M. 89C B4
Vaison (Vasio) D. 22 D2, 97A D3; E. 4A E4
Valarschapat P. 9A B/C2
Val Benoît M. 50 C2
Valbenoîte M. 53 F4
Val Bodon M. 37 F4
Valbonnais E. 47A D4
Valbonne M. 53 E5
Valbonne [Rhône] M. 51 E4
Valbuena M. 52D C2
Valbuena de Logroño M. 59A D4
Valcabrère M. 58A C/D4
Valchrétien M. 54 E3
Valcroissant M. 53 G4
Valdedios M. 52D C1
Valdeiglesias M. 52D C2
Val de Paix M. 51 F3
Val des Ecoliers (Schülerthal) M. 50 C3
Val d'Espérance M. 51 E3
Val de Spoleto D. 57B D2, 57D D3
Val Dieu M. 51 D/E3
Valdieu M. 53 G1
Valdivia D. 147A B6; M. 85A B6
Valença D. 147D C2
Valence (Valentia) D. 13 C1/2, 22 D2, 56C D3, 97A D3, 97B C/D3, 141C E2; E. 4A D4; M. 53 D3, 58A E4, 59A E4; U. 64 C2
Valencia [Spanien] (Valentia) 72 B2; AD. 60B B2, 71A D5, 141C D3; D. 22 C3; M. 56A C4, 58A C5, 59A D5, 68A B4, 79 C4; Pe. 18A B/C3; U. 64 B3
Valencia [Venezuela] AD. 147A C1; Mi. 103B D4
Valencia de S. Juan M. 59A C4
Valenciennes 65 B/C2; E. 14A C1; M. 50 B2, 51 E2/3, 56A D/E1, 58A D2, 59A E2, 70A C/D3, 78A C1
— S. Salvius M. 37 E1
Valensole M. 47A D4
Valentia [Frankreich] ↗Valence
Valentia [Spanien] ↗Valencia
Valenza [del Po] M. 59A F4, 70B C2
Valeria D. 22 C4
Vale Royal M. 52A C3
Valladolid [Mexico] ↗Morelia
Valladolid [Spanien] AD. 141C C3; M. 59A D4, 78A B3; U. 64 B2

Valladolid de Silos M. 58A C4
Vallclara M. 54 E4
Valldemosa M. 51 E5
Valldigna M. 52D D/E2
El Valle Mi. 86 C2
Valle Crucis M. 52A B/C3
Valle de Cristo M. 51 D5
Valle di Pesio M. 51 F4
Valledupar D. 147A B1/2
Vallendar R. 28 D2
Valleyfield D. 146A F/G2
Vallis (Sidi Medien) D. 7A G2, 24A F1, 24B A1
Vallis Cellinensis M. 59A G3
Vallo di Lucania D. 140A F5
Valloires M. 53 E1
Vallombrosa M. 49C E3; Pe. 18A D2
Vallon M. 51 F3
Valmagne M. 53 F5
Valmont M. 94 B2
Valona ↗Aulonea
Valparaiso [Chile] D. 147A B6; M. 85A B6
Valparaiso [Spanien] M. 52D C2
Valprofonde M. 51 E3
Valpuesta D. 60B B1
Valréas M. 58A D/E4, 58B A1
Val-Richer M. 53 D2
Valroy M. 53 F2
Valsainte [Provence] M. 53 G4
Valsainte [Schweiz] M. 51 F3
Valsecret M. 54 E3
Valserena M. 53 I4
Valsery M. 54 E3
Val S. Georges M. 51 E3
Val-S. Lambert M. 53 G1
Val S. Pierre M. 51 E3
Valverde M. 52D C1
Valvisciolo M. 52E C2
Vanand D. 9A B2
Vanari M. 49B A2
Vancouver AD. 146A B2; D. 102B A1, 113D E2; Mi. 103A C2
Vandalen 8A B/C2
Vanimo D. 144A E3, 144B B2
Vannes (Vinetus) D. 22 C2, 97A B1, 97B B1, 141A C4, 141C C1; M. 58A C3
Vanuatu 117 R5, 150/151A Q5
Vappincum ↗Gap
Varanasi D. 143B C2
Varazze M. 59A F4
Vardenik ↗Barzanissa
Varennes M. 53 E3
Varennes-s.-A. M. 37 F3
Varlar M. 54 F2
Varna (Odessus) 39C C2; AD. 20 C2, 31 D2, 135D B3; E. 55B B1
Varnhem M. 52B C2
Vartenik ↗Barzanissa
Vasada (Dereköy) D. 21 B2; E. 5A D3
Vasates ↗Bazas
Vasio ↗Vaison
Vastan (Ostan) D. 26A C1
Västerås D. 71A H1
Vasvár M. 59A H3
Vatari (Fedj es Siouda) D. 7A E2, 24A E2
Vatopedi M. 45B B2
Vaucelles M. 53 F1
Vauclair M. 53 F2
Vauclaire M. 51 E3
Vaucluse M. 47A D3, 51 E/F3
Vaudey M. 52A C/D3
Vaudrey E. 47A D3
Vauluisant M. 53 F2
Vaure 57C A2
Vaux-en-Ornois M. 53 G2
Vaux-la-Douce M. 53 G3
Vaux-s.-Poligny M. 47A D3
Växjö D. 71A G1
Vazaivi (Aïn Zoui) D. 7A E3
Vazari (Hr. Béjar) D. 7A G2, 24A F1, 24B A1
Vedana M. 51 G3
Vegesela [Byzacena] (Hr. Rekba) D. 7A F3, 24A F2
Vegesela [Numidia] (Ksar el Kelb) D. 7A E3, 24A E2
Veglia ↗Krk
Veilsdorf M. 67 E2
Vejle M. 59A F1, 70A E1
Velbužd ↗Pautalia
Veldenz 73A B4, 76 B4, 92B B2
Velehrad AD. 29B C/D1; M. 52C B3
Vélez M. 85A B2
Velia (Castellamare della Bruca) D. 23 C3
Velitrae ↗Velletri
Vella D. 30A C2
Velletri (Velitrae) D. 23 B3, 140A D4; M. 58A F4
Vellore D. 143B B3, 143C B1
Velm E. 14A D1
Venado Tuerto D. 147A C6
Venafro ↗Venafrum
Venafrum (Venafro) D. 23 B3
Venaissin 66 E4
Vence (Vintium) D. 14B B3, 22 D3, 97A D4
Venda M. 78B A2
Vendeuvre-s.-Barse E. 47A C2
Vendôme E. 14A C2; M. 58A C/D3, 94 B3
Venedig ↗Venezia
Venezia (Venedig) 57A D1, 66 G3, 93 F/G3; D. 29B A3; M. 51 G3, 56 F2, 58 F3, 59A G3, 70B E2, 79 F2; P. 71A G3, 96 B2, 140A D2; Pe. 18A D2
Venezuela 86 B/D2, 113D Q4, 116 E4, 122 E4, 128 E4, 146D B/C3, 147A C2, 150A D4
Venice D. 146A F4
Venosa (Venusium) D. 23 C3, 140A F5; M. 59A H4
Ventimiglia (Albintimilium) D. 23 A2, 66 F4, 140A B3; M. 70B B3
Ventspils ↗Windau
Venusium ↗Venosa
Venzolasca M. 58A E/F4
Veracruz D. 146C B/C2
Verapoly D. 106/107B C4
Vercellae ↗Vercelli
Vercelli (Vercellae) AD. 140A B2; D. 23 A2, 66 F3; M. 49C B1, 58A E3, 59A F3, 70B C2, 78A D2; U. 64 C2
Verden D. 14D C2, 32 F2, 34B D1, 35A D1, 66 F2, 73A C2, 76 C2, 82 C2, 83 C2, 91 C2; R. 28 D1
Verdun (Viredunum) D. 14B B2, 22 D2, 34A D2, 66F3, 82 A4, 83 A4, 97A D2, 97B D2, 141A E4, 141C E1; M. 50 C3, 56A E2, 58A D/E3, 59A E/F3, 78A D2; R. 28 C3
— Martinskirche E. 14A D2
— S. Paul M. 54 F3
— S. Vanne M. 48B C2
Verdun-sur-Garonne 77A B3
Vereinigte Arabische Republik (VAR) ↗Ägypten
Vereinigte Staaten von Amerika (USA) 116 C/D2, 119 A/B3, 122 C/D2, 128 B/C2, 131A B/C3, 138B B/F3, 146A A/H2/3, 150A B/C3
Vereja ↗Beroea [Macedonia]
Verfeil 57C A1
Vergara M. 78A B3
Vergaville M. 67 C3; R. 28 C3
Vergaville M. 67 F4
Vergy M. 47A D3, 48B C2
Vermand M. 54 E3
Vermezeele (Voormezeele) M. 50 B2
Vermont D. 101H D2
Verneuil M. 58A D3
Vernon M. 58A D3
Veroli D. 140A E4
Verona 56C F2, 57A C/D1, 57D C2; D. 23 B2, 96A A2, 140A C/D2; E. 4A F3, 14A E2; M. 49C D1, 58A F3, 59A G3, 70B D2, 78A E2; U. 64 C/D2
— BMV M. 35A E2
— S. Maria in Organo M. 37 I4
Verrona (Hr. el Hatba) D. 7A F3
Versailles D. 97B B/C2, 141A E4
Vertemate M. 47C B2
Vertou M. 37 B3, 94 A3
Vertus M. 50 B3
Veruela M. 52D D2
Verulae D. 23 B3
Verulamium E. 4A C2
Verziano M. 47C D2
Verzy M. 14A C2, 37 E2
— S. Basle M. 94 C2
Vescera (Biskra) D. 7A C4, 24A D2
Vescovio bei Torri ↗Forum Novum
Vesontio ↗Besançon
Vesoul M. 78A D2
Veßra M. 54 G2
Veszprém (Ortaha) D. 44A B2, 71A H3, 96A B/C2, 140A G1, 141D A1, 142 G4; E. 29B D2
Vettona (Bettona) D. 23 B3
Veurne M. 50 B2
— S. Niklaas 54 E2
Vézelay M. 47A C3, 48B B2, 58A D3; Pe. 18A C2
Vezirköprü ↗Andrapa
Viadana M. 70B D2
Viana D. 147A E3
Viana do Castelo D. 141C B3
Vibo (Vibona) D. 23 C4, 30A B3
Vibona ↗Vibo
Viborg D. 71A F1; M. 58A E1, 59A F1
Vicam Mi. 84A C4
Vicenza (Vicetia) D. 23 B2, 57B D1, 57D C2, 96A A2, 140A D2, 142 D5; M. 59A G3, 70B D2, 78A E2; U. 64 D2
— S. Felice M. 37 I4
Vicetia ↗Vicenza
Vich (Vicus Ausonensis) D. 22 C/D3, 60B C1, 141C E3; M. 58A D4
Vico Equense D. 71B A2
Vicogne M. 54 E2
Vicohabentia (Voghenza) D. 23 B2
Vic-s.-Cère M. 47A C4
Victoria [Gozo] D. 140A E7
Victoria [USA] D. 146A B2; Mi. 103A C2
Victoria in Texas [USA] 146A D4
Victoria-Palmerston D. 106/107C C3
Vicus Augusti D. 24A G2
Vicus Ausonensis ↗Vich
Vicus Iulii D. 22 C3
Vidardo E. 47C C2
Vidin (Bononia, Budine) 30A C1, D. 66 I4, 134A C3; E. 5A B2
Viedma D. 147A C7
Vielmur 57C B1
Vienna ↗Vienne
Vienne (Vienna) AD. 8A C1, 22 D2, 32 E3, 56C D2, 71A E3, 97A C3; E. 2B B2, 4A E3; M. 14C B2, 58A D/E3, 59A E3, 78A C2, 94 B3; R. 28 C4
— S. André-le-Bas M. 37 E/F4
— S. André-le-Haut M. 37 E/F4
— S. Marcel M. 37 E/F4
— S. Pierre M. 37 E/F4
Vientiane AV. 144A A1
Vierzehnheiligen Pe. 18A D1
Vierzon M. 94 C3
Vieste D. 71A H4, 71B B1
Vietnam 143A E2, 144A B1/2, 150/151A N4
Vieuville M. 53 C2
Vieux, S. Amarand M. 37 D4/5
Viga M. 85A E3
Vigaa (Bigaa) E. 90A B3
Vigan (Nueva Segovia) AD. 144A C1; D. 106/107B F3
Vigeois M. 37 D4
Vigevano D. 140A B2; M. 59A F3, 70B C2
Viggiu, S. Elia E. 47C B/C2
Vignory M. 48B C2
Vigo D. 141C B2
Vigolzone M. 70B C2
Vijayavada D. 143B C3
Viktring M. 52C A3, 53 L3
Vila Franca de Xira D. 111A B2
Vila Real D. 141C B3
Vila Viçosa M. 78A A4
Vilich M. 48A A2
Viljandi ↗Fellin
Vilkaviškis D. 141B F5, 142 K1
Villa Alta M. 84B E/F4
Villach E. 95B E5; M. 58A F3
Villada M. 59A C/D4
Villafranca [del Bierzo] M. 47B B1, 58A B4, 78A A3
Villafranca del Panades M. 58A D4
Villagarcia M. 78A A3
Villahermosa D. 146C C2
Villalón M. 59A C4
Villa Magna (Hr. Mettich) D. 7A G2, 24B A1
Villa María D. 147A C6
Villamayor de Treviño M. 54 D4
Villamediana M. 54 D4
Villanueva de Oscos M. 52D B/C1
Villanuova (Brixina) M. 47C D2
Villapando M. 58A B4
Villapedro M. 54 D4
Villar, S. Constanzo ↗Cannetum
Villarejo de Fuentes M. 78A B4
Villarrica [Chile] AV. 147A B6; M. 85A B6
Villarrica [Paraguay] D. 147A D5
Villars-les-Moines (Münchenwiler) M. 47A D3
Villavicencio D. 147A B2, 147C B2
Villefranche [-de-Conflent] M. 56A D3, 58 D4
Villefranche [-de Rouergue] M. 51 E4, 58A D4
Villefranche [-sur-Saône] E. 47A C3; M. 58A D/E3
Villeloin M. 94 B3
Villelongue M. 53 E5
Villemagne M. 94 C4
Villemur 57C A1
Villeneuve [-lès-Avignon] M. 51 E4, 94 C/D4
Villeneuve [Bourbonnais] E. 47A C3
Villeneuve-la-Comptal 57C A/B2
Villeneuve [Poitou] M. 53 C3
Villers M. 53 F1
Villers-Betnach M. 53 G2
Villingen M. 58A E3
Villoria de Orbigo M. 54 C4
Vilnius (Wilna, Wilno) AD. 141B F5, 142 L1; D. 71A I2, 135D B2; M. 59A K2, 78B B3; U. 80C D2
— Swjato-Duchow M. 81 B3
— Swjato-Troickij M. 81 B3
Vimieiro M. 47B B2
Viminacium (Kostolac) D. 20 B1
Vina (Hr. Mden) D. 7A H2, 24A G1
Vincennes D. 102A B3
Vindonissa ↗Windisch
Vinetus ↗Vannes
Vinh D. 144A B1
Vinhlong D. 144A B2
Vinkovce ↗Cibalae
Vinnenberg M. 67 D1
Vinnica M. 78A H2
Vintium ↗Vence
Vintul-de-Jos M. 59A I3
Virac D. 144A D2
Viranşehir ↗Constantina [Osrhoene]
Viranşehir ↗Hadrianopolis [Honorias]
Viranşehir ↗Pompeiopolis [Cilicial]
Viredunum ↗Verdun
Virgin Mi. 103B E3
Virginia 88A A/B3; D. 101H C3
Virnsberg 82 D4, 83 D4
Virovitica M. 58A G3, 59A H3
Visakhapatnam D. 143B C3
Visbek M. 25D B2, 91 B2
Visby M. 59A H1
Visentium (Bisenzo) D. 23 B3
Viseu (Viseum) D. 22 B3, 60B A1, 71A C4, 141C B3
Visigneul M. 50 B3
Visoko M. 58A G4
Viterbo 33A B/C2, 33B B/C2, 33C B/C2, 33D B/C2, 57D D3; D. 23 B3, 140A D4; M. 56A F3, 58A F4, 59A G4, 70B E3; Pe. 18A D2
Vitez ↗Bistua
Vitória [Brasilien] AD. 147A E/F5, 147D C2; M. 85A E4
Vitoria [Spanien] D. 141C C2; M. 58A C4, 59A D4
Vitré M. 94 A2
Vitskøl M. 52B B/C2
Vittorio Veneto D. 140A D2, 142 E5
Vivarium ↗Viviers
Vivero M. 58A B4, 59A C4
Viviers [Rhône] (Vivarium) D. 22 D2, 97A C3, 97B C3, 141C E2; M. 14A E3
Viviers [Tarn] 56D B/C2
Vivo M. 49A E4
Vize ↗Bizye
Vizille M. 47A D3
Vladivostok ↗Wladiwostok
Vlierbeek M. 67 B2
Vlorë ↗Aulon
Vöcklabruck E. 95B E3
Vodena (Voden) D. 30A C2
Vogelsang M. 51 F2
Voghenza ↗Vicohabentia
Voghera M. 59A F4, 70B C2
Voitsberg E. 95B F/G4
Volaterrae ↗Volterra
Volkenrode M. 53 I1
Völkermarkt E. 95B F5
Volkerode R. 28 D/E2
Volkhardinghausen M. 68A C/D2, 91 B/C2
Vollenhove M. 68B B1
Volsinii (Bolsena) D. 23 B3; E. 4A F4
Volterra (Volaterrae) D. 23 A2, 140A C3
Volturnum (Castel Volturno) D. 23 B3
Volvic M. 37 D/E4
Voormezeele ↗Vermezeele
Vorau M. 50 F3
Vordingborg M. 59A G1
Vore M. 67 F1
Vornbach M. 48A C3, 67 G3
Vorpommern 93 G2
Vosnon M. 48B B2
Voswerd M. 67 C1
Vratsa D. 134A C3
Vranje D. 134A C3
Vrbas M. 58A H3
Vreden M. 25D A2; R. 28 C/D2
Vredendaal M. 68A B1
Vršac D. 55A C2, 134A C2
Vysoke Mýto (Hohenmaut) 69A E2; M. 58A G3
Vyššj Brod (Hohenfurth) M. 44A A/B2, 52C A3, 53 L2
Vyzovice M. 52C B3

W

Wa D. 145A B3, 145B A1
Waadt 73A B5, 76 B5
Wabag D. 144B B/C2
Wachock M. 52C C2
Wadgassen M. 54 F3
Wadi Musa ↗Petra
Wad Medani E. 29A C6
Wagenhausen M. 48A B3
Wagga-Wagga D. 144B C3
Wahat ed-Dakhle ↗Oasis Magna
Waiern E. 95B F5
Waitzen ↗Vác
Wakamatsu 89A F1, 89B B3
Wakayama 89A D2
Wakefield D. 111D C3
Walaamskij Spaso-Preobraschenskij M. 81 C2
Walachei 96A C/D2
Walbeck M. 68B D1, 91 D2
Wald E. 95A D2, 95B F4
Waldeck 73A C3, 76 C3
Waldeck-Rousseau ↗Columnata
Walden 69B D2
Walderbach M. 50 E3, 53 K2
Waldhausen M. 50 F3
Waldheim M. 70A F2
Waldkirch E. 14A D2
Waldmannshofen 91 C3
Waldsassen M. 53 K2, 82 E4
Waldsee M. 50 D3
Wales 66 D2, 111D B/C3
Walford 69B B2
Walkenried M. 53 I1, 82 D3, 91 C2
Walldürn Pe. 18A C2
Wallern E. 95A C1, 95B E3
Wallers M. 37 E1
Wallersee M. 37 J3
Wallingford 69B C2
Wallis 93 F3
Wallis-Insel 144B D2
Walmer D. 112A C6
Walsdorf M. 67 D2, 91 B3
Walsingham Pe. 18A B/C1
Waltham Abbey 69B D2
Walton 69B C2
Walujskij Uspenskij M. 81 D3
Walxheim 91 C4
Walvis Bay Mi. 104A B5
Wamba D. 145A E4, 145C A1
Wangaratta D. 112A I6
Wanhsien D. 143A E6
Wankie D. 145A E6
Wantage 69B C2
Wanze M. 50 C2
Warangal D. 143B B3
Warburg M. 59A F2
Wardon M. 52A C/D3
Ware 69B D2
Wareham M. 19 E6
Warka M. 59A I2
Warmbad Mi. 98A C5, 104A C5
Warneton M. 50 B2
Warri D. 145B C2
Warschau ↗Warszawa
Warszawa (Warschau) AD. 134A C1, 135D B2, 142 I2; D. 111A D/E1; M. 78A G1, 79 H1
Wartanis ↗Barzanissa
Wartenberg 73C A1
Wartha Pe. 18A D1
Warwick M. 59A D2
Warzareschtkij Dimitriewskij M. 81 C4
Wascheozerskij M. 81 D/E2
Wasco Mi. 87A A2
Washington AD. 146A F3; D. 113E E/F2
al-Wasit ↗Kaschkar
Waterford D. 71A C2, 141A B3; M. 58A B2, 59A C2
Watertown E. 88B B2
Watschig E. 95A C2
Watten M. 50 B2
Wattignies ↗Tigava Castra
Watton M. 19 F4
Wau D. 145A E4
Waulsort R. 28 C2
Waverley M. 52A C/D3, 53 D1
Wayland E. 88B B2
Wea Mi. 87A D3
Wearmouth M. 19 F4
Wechquetank Mi. 87A F2
Wechselburg M. 50 E/F2
Weende M. 91 C2
Weerselo M. 48A A1
Weetebula AP. 144A C4, 144B A2
Wehden M. 91 C2
Weida M. 58A F2
Weidelbach 91 C3
Weihaiwei AP. 143A E2
Weihenstephan M. 37 I2, 48A C3, 67 F3
Weil der Stadt 65 D3; M. 70A E3
Weiler M. 91 C4
Weingarten M. 48A B3, 82 C5, 83 C5; Pe. 18A C2; R. 28 D3
Weißbriach E. 95A C2, 95B E5
Weißenau M. 54 F3, 82 C/D5, 83 C/D5
Weißenburg [Bayern] 73A D4, 76 D4, 91 C/D3/4, 92B D2
Weißenburg [Elsaß] ↗Wissembourg
Weißenburg [Rumänien] ↗Alba Iulia
Weissenfels 65 E2; M. 58A F2
Weissenohe M. 67 F3
Weissensee 65 E2
Weißenstein [Estland] (Paide) 62 D2
Weißenstein [bei Kassel] M. 50 D2, 91 C2
Weißkirchen 56E B1
Weistrach 56E B2
Weitnau M. 48A B3
Weiz E. 95B G4
Welbeck M. 54 D2
Welikije Luki
— Troice Sergiew M. 81 C3
— Woznesenskij M. 81 C3
Welikij-Ustjug, Ioanno-Predtetschew M. 81 E/F2
Wellington AD. 144B D4; D. 106/107C F4, 113D K/L7
Wells [England] 69B B2; D. 32 D2, 111D C3; M. 19 E5
Wells [USA] E. 88B C2
Wels 56E A1; E. 95A C1; M. 58A F3
Welschmichel M. 50 E4
Weltenburg M. 14A E2, 25A E2, 37 I2, 48A C3, 50 E3, 67 F3
Wenchow 27A I3; D. 143A E3
Wenden [Lettland] (Cēsa) 62 D2
Wenden [Niedersachsen] M. 91 C2
Wendling M. 54 E2
Wendover 69B C2
Wengen 91 D3/4
Wenkheim M. 37 H2
Wennigsen M. 91 C2
Weppersdorf E. 95B H4
Werbe K. 67 E2
Werbilowskij Pokrowskij M. 81 B/C3
Werden E. 35A D2, 67 D2; M. 25D B2, 82 B3, 83 B3
Werdenfels 83 D5
Werder M. 91 C2
Werkolskij-Artemiew M. 81 E2
Werlau 91 B3
Werschweiler M. 53 H2

Wertheim 73A C4, 76 C4, 91 C3, 92B C2
Wesel 73A B3, 76 B3; M. 51 F2, 59A F2, 68B C2
Wesenberg (Rakvere) 62 D1
Wessobrunn M. 37 I3, 48A C3, 67 F4
Westbury 69B B2 [E/F2
West-Chekiang AV. 106/107B
West-Cochinchina AV. 106/107B E4
West Dereham M. 54 E2
Westfalen 65 D2
West Hendred 69B C2
West-Honan AP. 106/107B E2
Westindische Inseln 150A D/E4 [C6
West-Kapland AV. 106/107A
Westliche Sahara 150A G3
West Malling 69B D2
Westminster AD. 141A D3
West-Nigeria AP. 106/107A B3 [E/F3/4
West-Ozeanien AV. 106/107C
West-Szechwan D. 112A F/G3
West-Tonkin AV. 106/107B D/E3
West-Uele AP. 106/107A C3
West Wittering M. 19 F6
West Wycombe 69B C2
Wethersfield E. 88B A/B3
Wettenhausen M. 50 E3, 83 D4
Wettingen M. 53 H3
Wetzlar 91 B3, 92A C2; M. 58A E2
Wewak D. 144B C2 [58A B2
Wexford D. 141A B3; M.
Weyanoke E. 88A A/B3
Weyarn M. 50 E3
Weymouth E. 88B B2/3
Whalley M. 52A C3
Whaplode 69B D1 [F3
Wheeling D. 102A C2, 146A
Whitby M. 19 F4
Whitehorse D. 113D N1
White Lackington 69B B3
Whithorn ↗Withorn
Whitland M. 52A B3
Wiblingen M. 48A B3, 67 E3
Wichita D. 146A D3
Wicklow M. 58A B2
Widersdorf M. 48A A3
Widschan ↗Bizana
Wied 73A B3, 76 B3
Wiedweg E. 95B E5
Wiehbrechtshausen M. 91 C2
Wien 29B C2, 72 C1; AD. 96A B1, 96B H2, 142 G4; D. 46 H3, 71A H3, 111A D2, 131C C2; E. 95A E1, 95B H3; M. 58A G3, 59A H3, 70A G/H3, 78A F2, 79 G2; Mi. 138A B2; U. 64 D2
— Schottenkloster M. 67 H3
Wiener Neustadt D. 46 H4, 71A H3, 96B H3; E. 95B G/H4; Mi. 58A G3, 59A H3, 70A G/H4
Wienhausen 91 C2
Wiesbaden M. 68B C2
Wiesenfeld M. 91 B2/3
Wiesensteig M. 34B D2
Wieseth 91 C3
Wietersheim M. 91 B2
Wietmarschen M. 48A A1, 67 C1
Wiggington 69B C2
Wigton M. 59A D1
Wildeshausen R. 28 D2
Wilgartswiesen 91 B3
Wilhering M. 52C A3, 53 L2
Willamette Mi. 87A A2
Willanzheim E. 14A E2
Willcannia D. 106/107C D4
Willebadessen M. 67 E2 [C1
Willemstad D. 146D B2, 147A
Willesborough 69B D2
Willian 69B C2 [88A B2
Wilmington D. 146A F/G3; E.
Wilna ↗Vilnius
Wilno ↗Vilnius
Wilne 69B C2
Wilsford 69B C2
Wilsnack Pe. 18A D1
Wilten M. 54 G3
Wilton M. 19 E/F5, 59A D2
Wimborne Minster M. 19 E/F6
Wimmelburg M. 67 F2
Wimmertingen M. 50 C2
Wimpfen 73A C5, 76 C5, 92B C2; M. 59A F/G3, 70A E3
Winchcombe M. 19 F5
Winchelsea M. 58A D2, 59A E2
Winchester 69B C2; D. 19 F5, 32 D2, 111D C3; M. 19 F5, 58A C2, 59A D2
Windau (Ventspils) 62 C2
Windberg M. 54 G3; R. 28 E3
Windesheim M. 68A C1
Windhausen M. 34B E1
Windhoek AV. 145A D7; D. 112A B6; Mi. 98A C5, 104A C5
Windisch (Vindonissa) D. 22 E2, 23 A1; M. 14A D2
Windrush 69B C2
Windsheim 73A D5, 76 D5, 91 C3, 92B C2; E. 14A E2
Windsor [England] 69B C2
Windsor [USA] E. 88B A/B3
Windward-In. 126 F4
Winklarn 56E C1
Winnebago Mi. 87A D2
Winnellie D. 112A H5
Winnipeg AD. 131A C2, 138B D2, 146A D1; D. 113D P2
Winniza D. 135D B/C3
Winnoksbergen ↗Bergues S. Vinoc
Winona D. 146A E2
Winsum M. 59A F2
Winter Park D. 113E E/F3
Wisconsin D. 101H B2
Wislikofen M. 48A A/B3
Wismar 73A D2; M. 58A F2, 59A G2, 70A F2
Wisowitz ↗Vyzavice
Wissembourg (Weißenburg) 73A B4, 76 B4, 91 B3, 92B B2; M. 25A D2, 25C C3, 34B D2, 37 G2, 58A E3, 59A F3, 67 D3; R. 28 D3 [A1
Witbank D. 145A E/F7, 145D
Witebsk 44B B/C2
Witebskij Markow Swjato-Troickij M. 81 C3
Witham M. 51 D2
Withington M. 19 F5
Withorn (Candida Casa) D. 19 D/E4, 71A D2; M. 19 D/E4; Pe. 18A B1
Witney 69B C2
Witów M. 54 I2 [F/G2
Wittenberg M. 58A F2, 70A
Wittenburg M. 68A D1, 91 C2
Wittersham 69B D2
Wittewierum M. 54 F2
Wittgenstein 73A C3, 76 C3
Wjasma, Predtetschew M. 81 D3 [81 E3
Wjasskaja Wladimirskaja M.
Wjazniki Blagoweschtschenskij M. 81 E3
Wladimir [Kljasma] D. 44B C/D2, 81 D3
— Frauenkloster M. 44B D2
— Georgiewskij M. 44B D2
— Knjaginin Uspenskij M. 81 D3
— Roschdestwenskij M. 44B D2, 81 D3
— Roschdestwo-Bogorodickij M. 44B D2
— Uspenski M. 44B D2
— Woznesenskij M. 44B D2
Wladimir [Wolynskij] D. 44B B2, 135D D2
— Swjatogorskij M. 44B B2
Wladimir Wolynskij 44B B2
Wladimirskaja M. 81 E3
Wladiwostok (Vladivostok) D. 143A F2
Włocławek (Leslau) D. 71A H2; M. 58A G/H2
Włodzimierz M. 59A I2
Woburn [England] M. 52A C/D3
Woburn [USA] E. 88B B2
Wodzislaw M. 58A G2 [G3
Wohlau 73A G3, 73B A1, 76
Woking M. 19 F5
Wolf M. 68B C2
Wolfenbüttel 121 C2
Wolfsbach 56E B1 [58A G3
Wolfsberg E. 95B F5; M.
Wollongong D. 144B C3
Wolmirstedt M. 91 D2
Wologda 44B D2; D. 81 D/E2, 135D D2
— Gorne-Uspenskij M. 81 D/E2 [D/E2
— Swjato Duchow M. 81
Wologodskij-Spaso-Priluckij Dimitriew M. 81 D2
Wöltingerode M. 91 C2
Wongrowitz M. 52C B2
Wonju D. 143A E2
Woodburn M. 54 C2
Woodchurch 69B D2
Woodhay 69B C2
Woodstock 69B C2
Woolaston 69B B2
Worcester 69B B2; D. 19 E/F5, 32 D2, 111D C3; M. 19 E/F5, 56A C1, 56B B2, 58A C2, 59A D2
Wördern-Tulln E. 95B G/H3
Wormatia ↗Worms
Wormhoudt M. 14A C1, 37 D1
Worms (Wormatia) 73A C5, 76 C5, 92B C2; D. 22 E2, 25C C3, 35A D2, 82 B/C4, 83 B/C4, 97C B3; M. 56A E2, 58A E3, 59A F3, 70A E3
— Kirschgarten M. 68A C2
Woronesch D. 81 D3, 135D C2
— Alekseewskij Akatow M. 81 D/E3
— Pokrowskij M. 81 D3
Woronina-Uspenskaja M. 81 D2
Woskresenskij, Nowyj Ierusalim M. 81 D3
Woskresenskij-Tscherepoweckij M. 81 D2 [81 D3
Woznesenskij Dawidowa M.
Woznesenskij Syzranskij M. 81 F3
Wrexham D. 141A C3
Wrigley Mi. 103A C1
Wrocław (Breslau) 65 G2, 73A G3, 73B A1, 76 G3; AA. 142 G2; AD. 142 G2; D. 32 H2, 97C D/E3, 97D D/E3, 111A D1, 134A B1; M. 50 G2, 58A G2, 59A H2, 79 G1; U. 80C C2
— S. Vinzenz M. 54 H2
Wronki M. 59A H2
Wuchang D. 143A D3; M. 89D B2
Wuchow D. 143A D4
Wuhu D. 143A D3
Wülfinghausen M. 91 C2
Wülzburg M. 82 D4, 83 D4
Wunstorf M. 91 C2
Württemberg 73A C4, 76 C4, 92B C2, 93 F3
Würzburg 65 D/E3; D. 25C D3, 32 G3, 34A D/E2, 35A D2, 46 A2, 66 F/G2, 73A C/D3/4, 76 C/D3/4, 82 C/D4, 83 C/D4, 92A C/D2/3, 93 F/G2/3, 97C C3, 97D C3, 142 C3; M. 25C D3, 37 H2, 48A B2, 51 F3, 58A E/F3, 78A D2, 59A G3; U. 64 C/D2, 80C B/C3
— S. Afra M. 67 E3
— S. Burchard M. 48A B2
— S. Jakob M. 67 E3
— S. Stephan M. 67 E3
— S. Ulrich M. 67 E3
Wwedenskaja Ostrowskaja M. 81 D3
Wwedenskij M. 81 E2
Wwedenskij Ostrowskij M. 81 C/D2 [D3
Wyandot [Kansas] Mi. 87A
Wyandot [Ohio] Mi. 87A E2
Wycombe 69B C2
Wyksinskaja-Nikolaewskaja M. 81 D2
Wymondham 69B D2
Wyschgorod 44B B/C2
Wysokogorskaja Uspensko-Nikolaewskaja Tschurkinskaja M. 81 F4 [E2
Wysokowskij Uspenskij M. 81

X

Xai-Xai D. 145A F7
Xanten 65 C2; M. 78A D1
Xanthe D. 30A D2, 61 B/C1, 134C D1, 135D B3
Xanthia ↗Xanthe
Xanthus (Kınık) D. 20 D3
Xenophontos M. 45B A2
Xeropotamon M. 45B A2
Xilitla M. 84B D2
Xochimilco M. 84B D3
Xois (Sakha) D. 10C A1
Xuanloc D. 144A B2

Y

Yabe M. 89A B3
Yabrud ↗Iabruda
Yagoua D. 145A D3
Yaguaraparo Mi. 86 D2
Yakima D. 146A B2; Mi. 87A A/B2
Yalı Bayat ↗Savatra
Yalvac ↗Antiochia [Pisidia]
Yamaguchi M. 89A B2
Yambio D. 112A C4
Yameos Mi. 85A B3
Yanagawa M. 89A B3
Yangchow M. 27A I2, 63B D2, 89D C2
Yangku D. 143A D2
Yanhuitlán M. 84B E4
Yankton Mi. 103A E3
Yaoundé AD. 145A D4, 145B D3; D. 134B B4; Mi. 98A B3
Yapeyú Mi. 85A D5, 85B A2
Yaran-tepe ↗Attalea [Lydia]
Yardley Hastings 69B C2
Yaritagua Mi. 86 B2
Yarm M. 59A D2
Yarmouth [England] M. 58A D2, 59A E2
Yarmouth [Kanada] D. 146A G/H2
Yatsushiro M. 89A B3
Yatta ↗Jutta
Yautepec M. 84B D3
Yauyos PN. 147A B4
Yavita Mi. 86 C4
Yazoo Mi. 87A D3
Ybbs 56D G1, 56E C1
Ydruntum ↗Otranto
Yebna ↗Iamnia
Yecapixtla M. 84B D3
Yecora Mi. 84A D3
Yedo ↗Tokyo
Yemen ↗Jemen
Yenice ↗Tripolis [Lydia]
Yeni Schehir (Imma) M. 12A B2, 12B B2
Yenping M. 89D B3
Yentai D. 143A E2
Yenan D. 143A C2
Yenki D. 143A E2
Yezd Mi. 104/105C A2
Yihsien AP. 143A D2
Yinchwan D. 143A C2
Yingkow D. 143A E2
Yligan (Iligan) E. 90A C5
Ylo Ylo (Jloilo) E. 90A B4
Ylog (Ilog) E. 90A B4
Yndan (Indan) E. 90A B/C3
Yokohama D. 112A J3, 143A F2
Yokoseura M. 89A A3
Yola D. 145A D4, 145B D2
Yonacatepec M. 84B C/D3
Yonezawa 89B B3
York (Eburacum) AD. 32 D2, 71A D2, 111D C3; D. 19 F4; E. 4A C2; M. 19 F4, 56B B2, 58A C2, 59A D2
Yorktown E. 88A B3
Yörme ↗Germia
Youghal M. 58A B2, 59A C2
Youngstown D. 146A F2
Yoyang AP. 143 A D3
Ypres (Ieper) 65 B2; D. 80B B3; M. 50 B2, 58A D2, 59A E2
Yriga (Iriga) E. 90A C3
Ysiu (Isio) E. 90A B4
Ystadt M. 58A F1
Yüanling D. 143A C/D3
Yucatan ↗Mérida [Mexico]
Yukankaraman ↗Eudocias [Pamphylia]
Yükiang D. 143A D3
Yuma Mi. 87A B3
Yungnien D. 143A D2
Yunkwei D. 112A F/G3
Yunnan 27A G3
Yunnan AV. 106/107B D3
Yunuslar ↗Pappa
Yurimaguas AV. 147A B3; Mi. 85A B3
Yuriria M. 84B C2
Yütze D. 143A D2

Z

Zabdicene ↗B. Zabdai
Zabe D. 10A C2/3
Zabern 65 D3
Zabi (Bechilga) D. 7A B3, 24A D2
Zabkowice Śląskje (Frankenstein) M. 59A H2
Zabrdovice M. 54 H3
Zacapa D. 146C D3
Zacapú M. 84B C3
Zacatecas D. 146C A2; M. 84B B1
Zacoalco M. 84B B2
Zacualpan M. 84B D3
Zacynthus ↗Zakynthos
Zadar (Iader) AD. 71A G/H4, 96A B2, 140A F3; D. 23 C2; M. 58A G4, 59A G/H4 [C/D2
Zadne-Nikiforowskaja M. 81
Zadonsk, Bogorodickij M. 81 D3
Zafra M. 59A C5
Zagaeckij swjatogo Ioanna-Milostiwago M. 81 B/C3
Zagań (Sagan) M. 58A G2
Zaghouan ↗Ziqua
Zagora ↗Zaratoria
Zagorowskij Roschdestwo-Bogoroditschnyj M. 81 B3
Zagreb (Agram) AD. 96A B2, 134A B2, 140A F2, 142 F5; D. 71A H3, 111A D2; M. 52C B3, 58A G3, 59A H3, 78A F2
Zagylis (Zawiyet asch-Schammas) D. 10B B2
Zahleh AD. 139F A/B2; D. 135D C4, 139F A/B2
Zaire (Kongo) 112A B4/5, 117 K4/5, 120 G5, 122/123 K4/5, 127 K4, 129 K4, 134B B/C5, 145A E5, 150A H/I5
Zaitun ↗Chuanchow
Zaječar D. 134A C3
Zakhu D. 139E D2
Zakynthos (Zacynthus, Zante) D. 30A C3, 61 B2, 96A C3, 134C B3; M. 61 B2
Zalabér ↗Zalavár
Zalavár (Zalabér, Moosburg) E. 29B D3; M. 29B D3, 37 I2, 44A B2; R. 28 E3
Zalichus D. 21 C1
Zallbommel-Pieterswiel M. 68A B2
Zama Regia (Seba Biar) D. 7A G2, 24A F1; E. 4B B2
Zamboanga AD. 144A C2, 144B A1; D. 106/107B F4; E. 90A B5
Zamora [Ecuador] AV. 147A B3
Zamora [Mexico] D. 146C A/B2
Zamora [Spanien] D. 60B B1, 71A C4, 141C C3; M. 59A C4
Zamość U. 80C D2
Zanfour ↗Assuras
Zante ↗Zakynthos
Zanzibar ↗Sansibar
Zaonikiewa Wladimirskaja Bogorodickaja M. 81 D2
Zapara (Capari) D. 20 B2
El Zape Mi. 84A F5
Zapotitlán M. 84B B3
Zapotitlán M. 84B E3
Zapotlán M. 84B B2
Zaragoza (Caesar Augusta) AD. 60B B1, 71A D4, 141C D3; D. 13 B2, 22 C3; M. 56A C3, 58A C4, 59A D4, 78A B3, 79 C3; Pe. 18A B2; U. 64 B2 [D2
Zarai (Zraia) D. 7A C3, 24A
Zarang D. 26B D2
Zaratoria (Zagora) D. 61 B2
Zarchavan D. 9A C2
Zarevand D. 55B E/F2
Zarinaca D. 31 G3
Zary (Sorau) M. 58A F/G2
Žatec (Saaz) 69A B1; M. 58A F2
Zattara (Kef Benzioune) D. 7A E2, 24A E1
Zawichost M. 58A H2
Zawiyet asch-Schammas ↗Zagylis
Zaydun ↗Rew-Ardaschiw
Zbraslav (Königsaal) M. 52C A2, 53 L1
Žďár (Saar) M. 52C B3
Zehntgerichtsbund 93 F/G3
Zeitz D. 32 G2; M. 50 E2, 58A F2
Zela (Zile) D. 6A E1, 13 F2, 21 C1; E. 5A E2
Železnodorožnyi (Gerdauen) M. 59A I2
Želiv (Seelau) M. 44A B2, 54 H3
Zell [Mosel] M. 50 D2 [I3
Zell a. S. E. 95B D4; M. 37
Zella M. 52C A2, 53 L1
Zelle M. 50 E2, 67 E2
Zempoala M. 84B D3
Zemun M. 58A G/H4
Zengg ↗Senj
Zenonopolis [Isauria] (Iznabul) D. 21 B2
Zentralafrika AV. 106/107A B/D2
Zentralafrikanische Republik 112A B/C4, 122/123 I/K4, 128 H/I5, 145A D/E4, 150A H/I4
Zentral-Ozeanien AV. 106/107C F/G3
Zephyrium (Mersine) D. 21 B2
Zerbst M. 58A F2
Zerin ↗Jesreel
Zerk ↗Selge
Zeta D. 55A B2
Zetunium ↗Lamia
Zeugma (Balkiz) D. 6A E2, 8A F2, 21 C2, 26A B2; E. 5A E3; M. 12B C1
Zeven M. 67 D/E1
Zevenborren M. 68A B2
Ziama ↗Choba
ez-Zib ↗Ecdippa
Žiča M. 55A C2
Žiče M. 51 H3
Zich M. 54 I3
Ziebice (Münsterberg) 73A G3, 73C A1, 76 G3; M. 58A F/G2
Zielona Góra ↗Grünberg [Schlesien]
Zierikzee M. 51 E2, 58A D2, 59A E2
Ziguinchor D. 145A A3
Zile ↗Zela
Zimara E. 5A E3
Zinapécuaro M. 84B C3
Zinna M. 52B C3, 52C A2
Zipaquirá D. 147C B1; M. 85A B2
Zips ↗Spiš
Ziqua (Zaghouan) D. 7A H2, 24B B2; E. 4B C2
Zirc M. 44A B2, 52C B3
Zirosto M. 84B B3
Zitácuaro M. 84B C3
Zittau M. 58A F2
Zlan E. 95A C2, 95B E5
Zlatá Koruna (Goldenkrun) M. 52C A3, 53 L2
Žlutice 69A B1
Żmigród M. 59A I3
Znaim ↗Znojmo
Znameno-Filippowskij M. 81 E2
Żnin M. 59A H2
Znojmo (Znaim) M. 59A H3
Zoara (Scheikh Isa) D. 21 C4
Zobor M. 29B D2, 44A B2
Zocco M. 70B D2
Zofingen M. 59A F3
Zographon M. 30A D2, 45B A2
Zoldera ↗Lystra
Zolotnikowskaja Uspenskaja, M. 81 D3
Zomba D. 112A C5, 145A F6
Zonnebeke M. 50 B2
Zorava (Ezraa) D. 21 C3
Zorita 'de los Canes' M. 52D D2
Zorzela D. 21 A/B2
Zoutleeuw M. 50 C2
Zovk D. 55B D2
Zraia ↗Zarai
Zsámbék M. 44A B2, 54 H3
Zscheiplitz M. 67 F2
Zsido M. 54 I3
Zubatra D. 26A B1
Zucchabar (Miliana) D. 7B C1, 24A C1
Zuglio bei Tolmezzo ↗Carnicum
Zülpich M. 48A A2
Zuñi Mi. 87A C3, 87B
Zuq el Kebin M. 12A B2
Zuquenin M. 38A D2
Zürich 73A C5, 76 C5, 93 F3; D. 131C B2; M. 35A D2, 58A E3, 59A F3, 68A C3; U. 80C B3
— S. Felix u. Regula M. 34B D2
Zürichberg M. 50 D3
Zurndorf E. 95A E2, 95B H4
Zurzach M. 34B D2, Pe. 18A C2
Zutphen Mi. 59A F2, 70A D2
Zwenigorodskij Sawwino-Storoschewskij M. 81 C/D3
Zwernberg 91 C3
Zwettl M. 52C B3, 53 M2, 65 F3
Zwickau M. 48A C2, 58A F2
Zwiefalten M. 48A B3, 82 C4, 83 C4; R. 28 D3
Zwierzyniec M. 54 I2/3
Zwolle M. 59A F2, 68B C1, 70A D2
Zyfflich M. 54 F2
Zygris (Marsa Bomba) D. 10B B2
Zypern (Cyprus) 2A E3, 13 E3, 43 F2, 55B C2/3, 60A E3/4, 72 F2, 130D A3, 139E B2, 150/151A I3